개념과 정리가 한번에 끝나는 기본서

개념풀

생활과 윤리

쉽게 풀어 이해가 잘되는

개념책

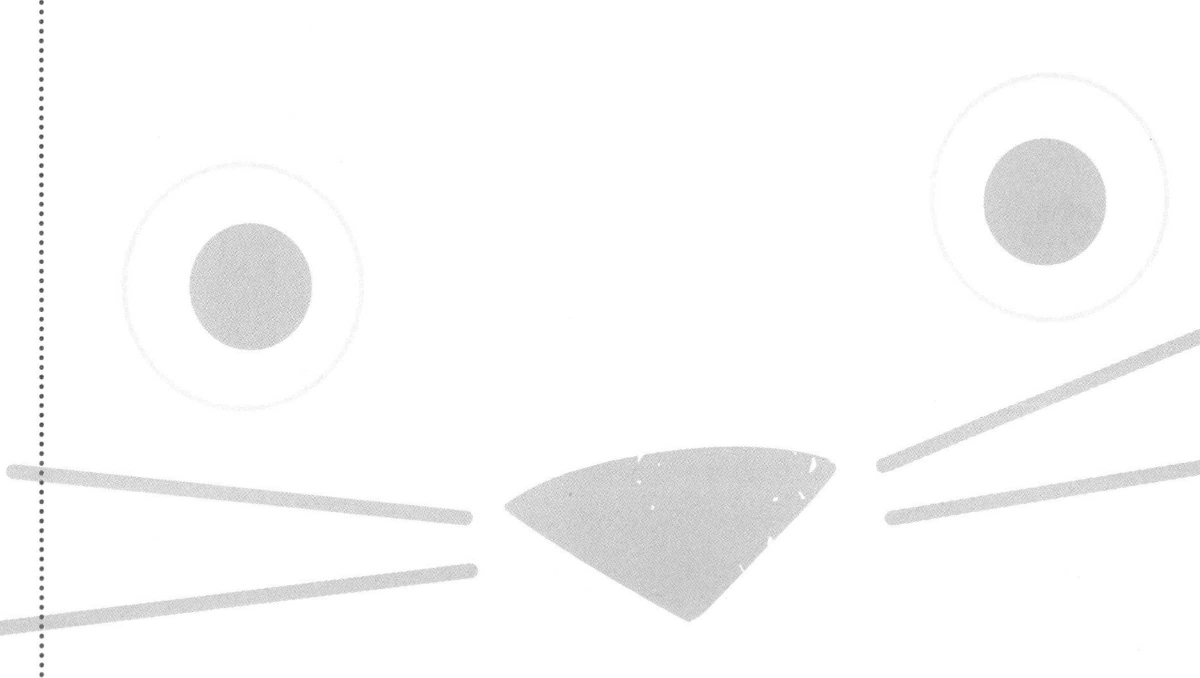

자율학습에 용이한 개념풀 생활과 윤리

교재 구성과 학습 시스템

교재 구성

개념과 정리를 한번에!

학습 시스템

개념을 익힌다.

생활과 윤리에 나오는 모든 개념을 친절하고 상세한 내용 정리로 술술 익힌다.

준비물 개념책

읽으면, 나도 모르게 개념이 쏙쏙 들어온다~옹!

개념을 적용한다.

단계별 문제 풀이로 학습한 개념을 적용하고 실력을 다진다.

준비물 개념책, 정답과 해설

개념을 적용해서 문제를 풀면 만점도 맞을 수 있다~옹!

개념을 완성한다.

정리 노트에 학습한 개념을 자기만의 스타일로 정리하여 개념을 완성한다.

준비물 개념책, 정리노트

내 입맛대로 노트를 정리하면, 개념 공부는 끝이다~옹!

개념책+정리노트 제대로 활용하기

개념 학습과 정리가 한번에 끝나는 기본서
개념풀
생활과 윤리

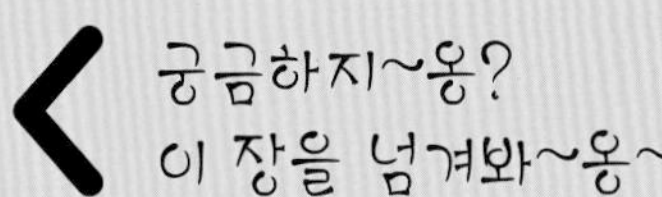
궁금하지~옹?
이 장을 넘겨봐~옹~

개념을 학습하고 노트에 스스로 정리하는 사과탐 기억 학습법 구현!!

교재 구성

- 개념을 쉽게 풀어 이해가 잘되는 **개념책**
- 학습한 개념을 정리해 보는 개념책 맞춤 **정리노트**

사과탐 기억 학습법이란?

핵심 단어-주제어 기억법과 PQ4R **학습법**을 적용하여 사과탐 공부를 효과적으로 할 수 있도록 구성된 개념풀만의 학습법입니다.

개념책을 보며 나만의 스타일로
노트 정리~

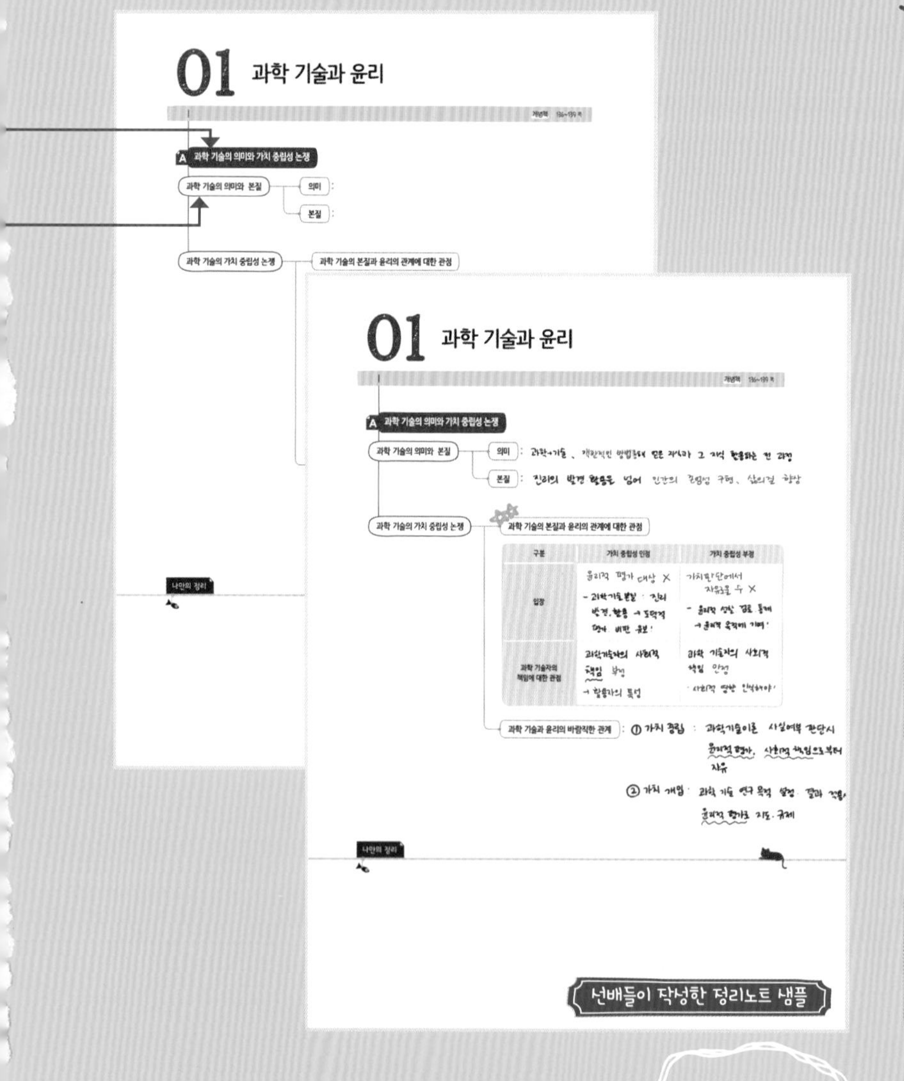

정리가 막막하다면?

선배들이 작성한
정리노트를 참고해 봐~

선배들의 노트 바로 가기

선배들의 정리노트 활용법 동영상

군더더기 없이 핵심만 정리한 선배의 노트

자신만의 팁을 많이 제시한 선배의 노트

정리노트를 다시 쓰고 싶다면?

빈 노트 바로 가기

개념책을 보지 않고
노트 정리에
도전해 볼까?

개념 학습과 정리가 한번에 끝나는 기본서 개념풀

개념 학습과 정리가 한번에 끝나는 개념풀이면, 생활과 윤리의 모든 개념은 완벽하게 끝!!!

쉽게 풀어 이해가 빠른 개념책으로 개념 학습~

개념풀 TIP

개념책을 공부할 때,
'핵심 질문으로 흐름잡기'로
휘리릭 점검하면
학습 속도가 빨라져.

01 과학 기술과 윤리

핵심 질문으로 흐름잡기

- A 과학 기술의 가치 중립성이란?
- B 과학 기술의 성과와 윤리적 문제는?
- C 과학 기술의 사회적 책임과 요나스의 책임 윤리는?

A 과학 기술의 의미와 가치 중립성 논쟁

| 시·험·단·서 | 과학 기술의 가치 중립성에 대한 상반된 입장을 비교하는 문제가 출제돼.

1. 과학 기술의 의미와 본질

(1) **과학 기술의 의미**: 과학과 기술을 합친 말로, 관찰, 실험, 조사 등의 객관적인 방법으로 얻어 낸 지식과 그 지식을 활용하는 전 과정

(과학과 기술이 삶에 미치는 영향이 점차 확대되면서 과학과 기술을 합쳐서 부르게 되었어.)

과학	기술
자연 현상을 관찰하고 이해하여 일반적인 진리나 법칙으로 체계화하는 학문	과학적 원리를 활용하여 인간이나 사회에 가치 있는 재화나 서비스를 생산하게 하는 지식

(2) **과학 기술의 본질**: 진리의 발견 및 활용과 이를 넘어 인간의 존엄성 구현과 삶의 질 향상이라는 윤리적 목적과 연결됨❶

2. 과학 기술의 가치 중립성❷ 논쟁

(1) **과학 기술의 본질과 윤리와의 관계에 대한 관점** 자료 1 자료 2

관점	과학 기술의 가치 중립성 인정	과학 기술의 가치 중립성 부정
입장	· 과학 기술에는 주관적 가치가 개입될 수 없음 → 과학 기술은 윤리적 평가 대상이 아님 · 과학 기술의 본질은 진리의 발견과 활용임 · 과학 기술에 대한 도덕적 평가와 비판을 유보해야 함	· 과학 기술도 가치 판단에서 자유로울 수 없음 · 연구 목적을 설정하거나 연구 결과를 현실에 적용할 때 윤리적 성찰이 필요함 · 과학 기술도 윤리적 검토나 통제를 통해 윤리적 목적에 기여해야 함
과학 기술자의 책임에 대한 관점	· 과학 기술자의 사회적 책임 부정 · 과학 기술자의 연구가 부정적 결과를 낳았다 하더라도 그 결과에 대한 책임은 활용자에게 있음	· 과학 기술자의 사회적 책임 인정 · 과학 기술자는 자신의 연구 결과가 미칠 사회적 영향을 인식하여 연구와 그 활용에 관해 사회적 책임을 다해야 함

(과학 기술이 인간과 자연에 미치는 영향력이 높아지고 있기 때문에 윤리적 관점에서 그 발전 방향을 숙고해야 한다고 보았어.)

(2) **과학 기술과 윤리의 바람직한 관계**

① 과학 기술 이론의 사실 여부를 판단할 때는 윤리적 평가나 사회적 책임으로부터 자유로워야 함

② 과학 기술의 연구 목적을 설정하고 연구 결과를 현실에 적용할 때는 윤리적 평가로 지도되고 규제되어야 함

❶ **과학 기술의 본질과 윤리의 관계**
아무리 획기적인 과학 기술이라도 인간이 존엄성과 삶의 질을 향상하는 데 도움이 되지 않는다면, 그 과학 기술의 연구나 활용은 중단되어야 한다.

❷ **가치 중립성**
가치 중립성은 어떤 특정한 가치관이나 태도에 치우치지 않는 것을 뜻한다. 과학 기술의 가치 중립성을 인정하는 입장에서는 과학 기술 그 자체는 선도 악도 아니므로 윤리가 개입해서는 안 된다고 본다.

B 과학 기술의 성과와 윤리적 문제

| 시·험·단·서 | 과학 기술 낙관주의와 과학 기술 비관주의의 특징을 묻는 문제가 출제돼.

1. 과학 기술의 성과

(1) **물질적 풍요**: 식량 생산량 증대, 재화의 대량 생산, 자동화의 진전으로 물질적 풍요와 편리한 삶을 누리게 됨

(2) **건강 증진과 생명 연장**: 생명 과학과 의료 기술의 발달로 질병을 극복하여 건강을 증진하고, 인간의 수명이 연장됨

(3) **시공간의 제약 극복**: 교통과 정보·통신 기술의 발달로 정보의 자유로운 교환·수집·전달이 가능해짐

(4) **대중문화의 발달**: 텔레비전, 인터넷 등 다양한 매체의 등장으로 대중문화가 발달함

136

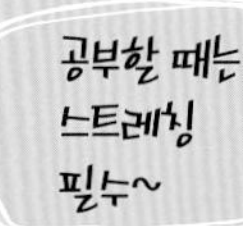

생활과 윤리를 집필하신 선생님

박세호 신목고등학교 교사
박지운 전 당곡고등학교 교사
이준형 의정부광동고등학교 교사
이희성 하남고등학교 교사
한혜정 김포제일고등학교 교사

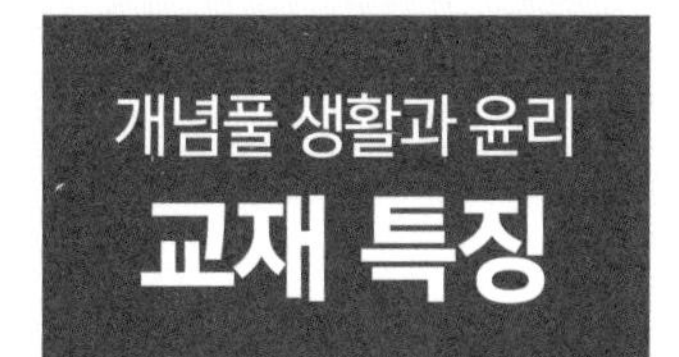

쉽게 풀어 이해가 잘 되는 **개념책**

이해하기 쉬운 개념 학습

▪ 술술 읽히는 개념과 자료 정리

5종 교과서를 철저하게 비교·분석하여 이해하기 쉽게 풀어 정리했습니다.

❶ **핵심 질문으로 흐름잡기** 중요 개념과 흐름을 핵심 질문으로 한눈에 파악

❷ **시험에 잘 나오는 자료** 시험 단골 자료와 꼭 알아야 하는 한줄 분석

❸ **내용 이해를 돕는 팁** 내용 이해에 도움이 되는 Q&A와 용어 정리

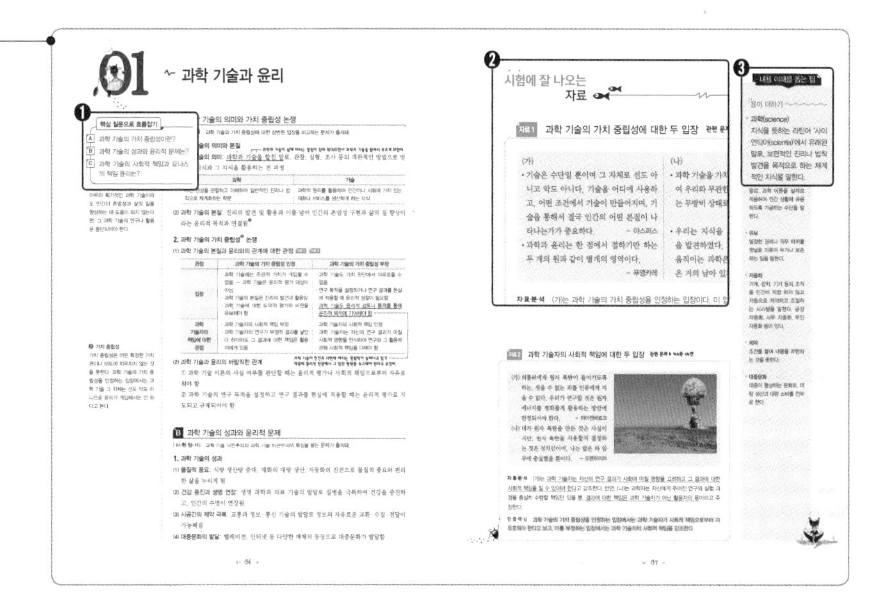

01 과학 기술과 윤리
핵심 질문으로 흐름잡기
A 과학 기술의 가치 중립성이란?
B 과학 기술의 성과와 윤리적 문제는?
C 과학 기술의 사회적 책임과 요나스의 책임 윤리는?
기술의 의미와 가치 중립성 논쟁
(2) 과학 기술의 본질: 진리의 발견 및 활용과 이를 넘어 인간의 존엄성 구현과 삶의 질 향상이라는 윤리적 목적과 연결됨
2. 과학 기술의 가치 중립성 논쟁
(1) 과학 기술의 본질과 윤리와의 관계에 대한 관점
관점 | 과학 기술의 가치 중립성 인정 | 과학 기술의 가치 중립성 부정
입장
과학 기술자의 책임에 대한 관점
(2) 과학 기술과 윤리의 바람직한 관계
① 과학 기술 이론의 사실 여부를 판단할 때는 윤리적 평가나 사회적 책임으로부터 자유로워야 함
② 과학 기술의 연구 목적을 설정하고 연구 결과를 현실에 적용할 때는 윤리적 평가로 지도되고 규제되어야 함
B 과학 기술의 성과와 윤리적 문제
1. 과학 기술의 성과
(1) 물질적 풍요: 식량 생산량 증대, 재화의 대량 생산, 자동화의 진전으로 물질적 풍요와 편리한 삶을 누리게 됨
(2) 건강 증진과 생명 연장: 생명 과학과 의료 기술의 발달로 질병을 극복하여 건강을 증진하고, 인간의 수명이 연장됨
(3) 시공간의 제약 극복: 교통과 정보·통신 기술의 발달로 정보의 자유로운 교환·수집·전달이 가능해짐
(4) 대중문화의 발달: 텔레비전, 인터넷 등 다양한 매체의 등장으로 대중문화가 발달함
시험에 잘 나오는 자료
자료 1 과학 기술의 가치 중립성에 대한 두 입장
(가)
• 기술은 수단일 뿐이며 그 자체로 선도 아니고 악도 아니다. 기술을 어디에 사용하고, 어떤 조건에서 기술이 만들어지며, 기술을 통해서 결국 인간의 어떤 본질이 나타나는가가 중요하다. - 야스퍼스
• 과학과 윤리는 한 점에서 접하기만 하는 두 개의 원과 같이 별개의 영역이다. - 푸앵카레
(나)
자료분석 (가)는 과학 기술의 가치 중립성을 인정하는 입장이다.
자료 2 과학 기술자의 사회적 책임에 대한 두 입장
내용 이해를 돕는 팁
용어 더하기
과학(science)
지식을 뜻하는 라틴어 '사이언티아(scientia)'에서 유래된 말로, 보편적인 진리나 법칙 발견을 목적으로 하는 체계적인 지식을 말한다.
136
137

▪ 자료로 핵심/쟁점을 짚어주는 개념 POOL

내신과 수능에 자주 나오는 주제의 핵심 내용이나 쟁점을 완벽하게 이해할 수 있도록 체계적으로 정리했습니다.

❶ **핵심/쟁점 짚어보기** 꼭 알아야 하는 개념을 먼저 파악

❷ **핵심/쟁점 찾아보기** 빈출 자료를 통해 핵심과 쟁점 분석

❸ **이것만은 꼭!** 간단한 확인 문제로 개념을 완벽하게 이해

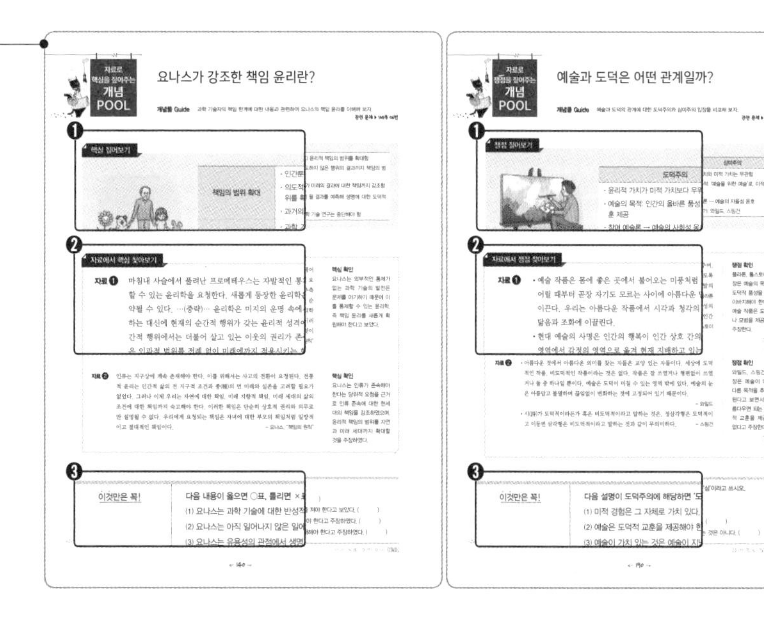

쉽게 풀어 이해가 잘 되는 **개념책**

다양한 유형의 단계별 문제

콕콕! 개념 확인하기

A 도덕적 탐구의 방법

01 빈칸에 알맞은 말을 쓰시오.

02 알맞은 설명에 ○표를 하시오.

(1) 도덕적 탐구의 종류 중 탐구 대상의 '옳고 그름' 또는 '좋고 나쁨'에 대해 알아보는 탐구는 (사실 탐구 , 가치 탐구)이다.

03 도덕적 탐구 과정과 그 방법을 바르게 연결하시오.

(1) 윤리적 쟁점 확인 • • ㉠ 윤리 문제가 발생하게 된 원인 확인
(2) 자료 수집 및 분석 • • ㉡ 충분한 자료 수집과 분석
(3) 입장 채택 및 정당화 근거 제시 • • ㉢ 토론의 과정을 거침
(4) 최선의 대안 도출 • • ㉣ 배우고 변화된 점에 대한 검토
(5) 반성적 성찰 및 입장 정리 • • ㉤ 자신의 입장을 채택하거나 대안을 설정함

B 윤리적 성찰과 실천

04 빈칸에 알맞은 말을 쓰시오.

탄탄! 내신 다지기

A 현대인의 삶과 다양한 윤리적 쟁점

01 다음 설명에 해당하는 윤리학의 분야를 바르게 연결한 것은?

	(가)	(나)
①	실천 윤리학	기술 윤리학
②	실천 윤리학	메타 윤리학
③	이론 윤리학	실천 윤리학
④	이론 윤리학	기술 윤리학
⑤	메타 윤리학	기술 윤리학

02 ㉠에 대한 옳은 설명을 <보기>에서 고른 것은?

03 ㉠에 대한 설명으로 가장 적절한 것은?

04 빈칸에 들어갈 말에 대한 설명으로 가장 적절한 것은?

B 실천 윤리학의 등장 배경과 특징

05 밑줄 친 '윤리학'의 성격으로 옳지 않은 것은?

06 (가)의 문제 상황을 (나)의 ㉠의 관점에서 해결하기 위한 방안으로 가장 적절한 것은?

07 ㉠에 대한 설명으로 가장 적절한 것은?

서술형 문제

08 다음 글을 읽고 물음에 답하시오.

도전! 실력 올리기

01 다음 제도에 대한 적절한 비판을 <보기>에서 고른 것은?

02 다음을 주장한 사상가의 관점에만 모두 'V'를 표시한 학생은?

03 그림은 서술형 평가 문제와 학생 답안이다. 학생 답안의 ㉠~㉤ 중 옳지 않은 것은?

04 갑, 을의 입장으로 옳지 않은 것은?

▪콕콕! 개념 확인하기

앞에서 정리한 주요 개념을 다시 확인할 수 있습니다.

▪탄탄! 내신 다지기

학교 시험 난이도로 구성된 다양한 유형의 문제로 내신에 대비할 수 있고, 출제율이 높아지고 있는 서술형 문제를 연습할 수 있습니다.

▪도전! 실력 올리기

고난도 문제와 수능 기출·수능 유형 문제로 내신 만점뿐 아니라 수능에도 대비할 수 있습니다.

실전에 대비하는 대단원 학습

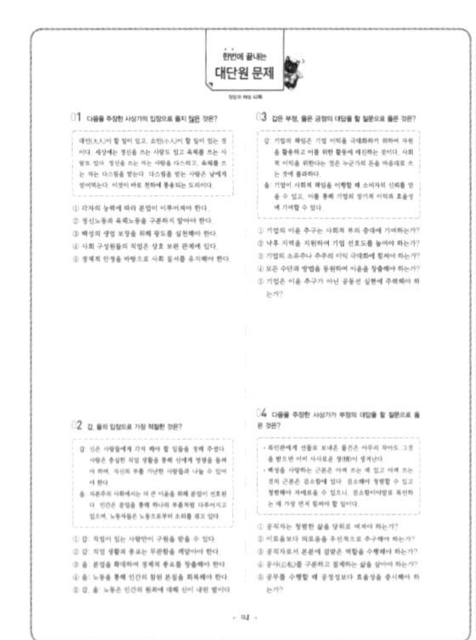

▪한눈에 보는 대단원 정리

주요 내용을 중단원별로 정리하여 핵심 내용을 한눈에 파악할 수 있습니다.

▪한번에 끝내는 대단원 문제

대단원을 아우르는 문제로 중간·기말 고사에 대비할 수 있으며, 출제율이 높아지고 있는 서답형 문제를 연습할 수 있습니다.

학습한 개념을 직접 써 보는 나만의 정리노트

정리노트만 있으면
시험 준비 끝!
내가 설명해 줄게.

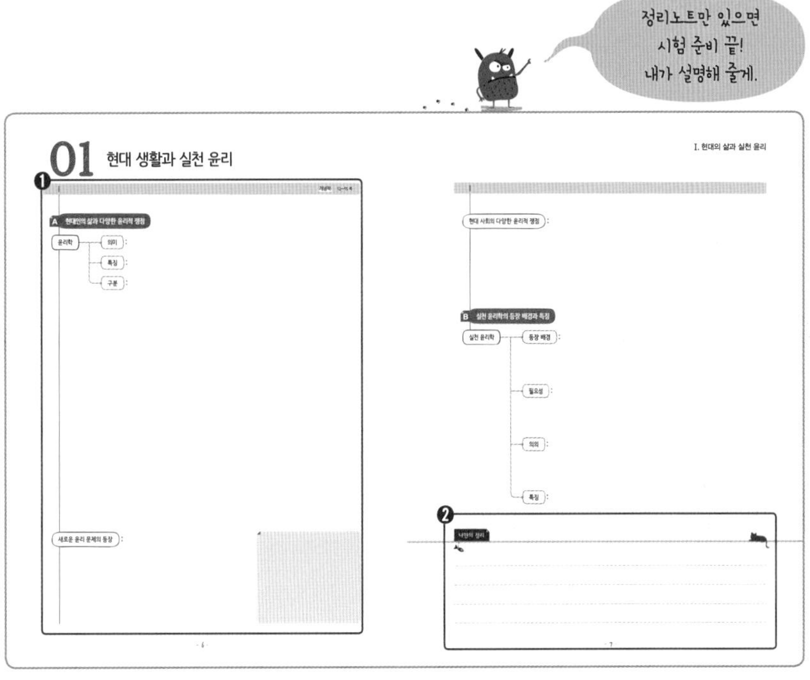

❶ 중단원 내용 구조가 한눈에 보이도록 구성하여 개념책과 교과서를 보면서 빈 공간에 나만의 노트 정리를 할 수 있습니다.

❷ 잘 이해가 안되는 내용이나 더 공부할 내용을 적으면서 자율적으로 학습 계획을 세울 수 있습니다.

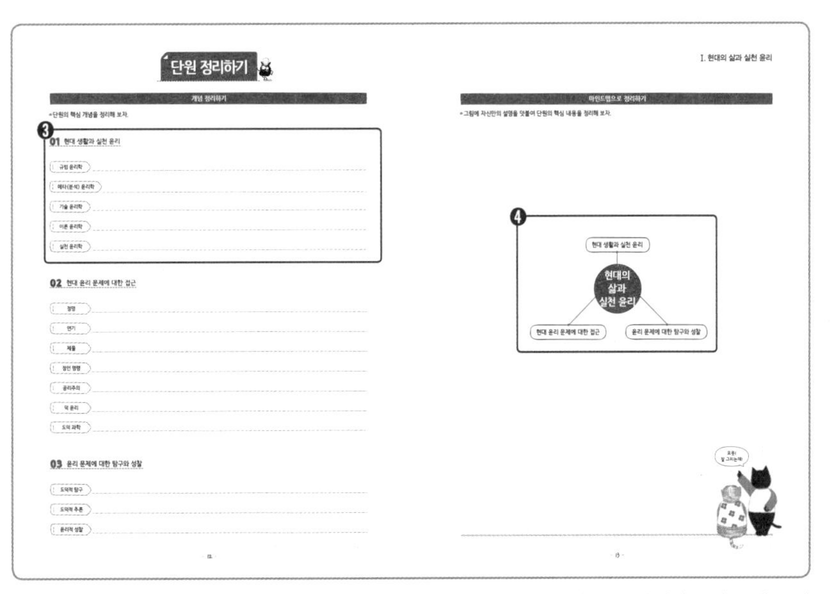

❸ 대단원에서 꼭 알아둬야 할 개념이나 용어를 정리하여 들고 다니며 틈나는 대로 익힐 수 있습니다.

❹ 마인드맵을 그려 보면서 대단원의 전체적인 내용과 흐름을 제대로 알고 있는지 확인해 볼 수 있습니다.

선배들의 정리노트
다운로드 바로 가기

차례

Ⅳ 과학과 윤리

Ⅴ 문화와 윤리

Ⅵ 평화와 공존의 윤리

개념풀과 우리 학교

교과서 비교

대단원	중단원	소단원	개념풀	지학사	금성	미래엔	비상교육	천재교과서
Ⅰ 현대의 삶과 실천 윤리	01 현대 생활과 실천 윤리	A. 현대인의 삶과 다양한 윤리적 쟁점	12	12-15	11-13	12-14	10-15	12-15
		B. 실천 윤리학의 등장 배경과 특징	14	16-19	14-17	15-18	16-17	16-19
	02 현대 윤리 문제에 대한 접근	A. 동양 윤리의 접근	22	22-26	21-24	20-23	20-24	22-26
		B. 서양 윤리의 접근	24	27-31	25-27	24-29	25-30	27-32
	03 윤리 문제에 대한 탐구와 성찰	A. 도덕적 탐구의 방법	32	34-36	31-34	32-35	32-35	34-37
		B. 윤리적 성찰과 실천	32	37-39	35-37	36-38	36-39	38-42
Ⅱ 생명과 윤리	01 삶과 죽음의 윤리	A. 출생의 의미와 윤리적 쟁점	46	46-48	43-46	46	46	46-50
		B. 죽음에 대한 동서양 사상	48	49-50	47-48	47	47-48	51-52
		C. 죽음과 관련된 윤리적 쟁점	50	51-53	49-51	48-52	49-53	53-56
	02 생명 윤리	A. 생명 복제와 유전자 치료	60	56-59	55-58	56-60	56-59	58-62
		B. 동물 실험과 동물 권리의 문제	62	60-63	59-63	61-64	60-65	63-68
	03 사랑과 성 윤리	A. 사랑과 성의 관계	70	66-69	67-70	66-70	67-70	70-73
		B. 결혼과 가족의 윤리	72	70-73	71-73	71-74	71-74	74-78
Ⅲ 사회와 윤리	01 직업과 청렴의 윤리	A. 직업 생활과 행복한 삶	88	80-83	79-83	80-81	80-81	82-87
		B. 직업 윤리와 청렴	90	84-87	84-87	82-86	82-87	88-92
	02 사회 정의와 윤리	A. 사회 윤리와 사회 정의	102	90-91	91-92	90	91-94	94-95
		B. 분배적 정의의 윤리적 쟁점	104	92-94	93-97	91-94	95-97	96-99
		C. 교정적 정의의 윤리적 쟁점	106	95-97	98-101	95-98	98-101	100-104
	03 국가와 시민의 윤리	A. 국가의 권위와 시민에 대한 의무	116	100-103	105-107	100-102	103-106	106-109
		B. 민주 시민의 참여와 시민 불복종	118	104-107	108-111	103-108	107-112	110-114

우리 학교 교과서가
개념풀의 어느 단원에
해당하는지 확인하세요!

대단원	중단원	소단원	개념풀	지학사	금성	미래엔	비상교육	천재교과서
Ⅳ 과학과 윤리	01 과학 기술과 윤리	A. 과학 기술의 의미와 가치 중립성 논쟁	136	114-116	117-119	114-117	118-122	118-119
		B. 과학 기술의 성과와 윤리적 문제	136	117-119	120-121	118-119	123-124	120-121
		C. 과학 기술의 사회적 책임과 책임 윤리	138	120-121	122-123	120-122	125-126	122-126
	02 정보 사회와 윤리	A. 정보 기술의 발달과 정보 윤리	146	124-127	127-129	124-127	128-132	128-131
		B. 정보 사회에서의 매체 윤리	148	128-131	130-133	128-132	133-136	132-136
	03 인간과 자연의 관계	A. 자연을 바라보는 서양의 관점	156	136-137	137-139	134-135	138-141	138-142
		B. 자연을 바라보는 동양의 관점	160	137-138	140	136-138	142-143	143
	04 환경 문제에 대한 윤리적 쟁점	A. 기후 정의 문제와 미래 세대에 대한 책임 문제	170	139	141-142	139-140	144-145	144-145
		B. 생태 지속 가능성 문제	170	140-141	143-145	141-144	146-148	146-148
Ⅴ 문화와 윤리	01 예술과 대중문화 윤리	A. 예술과 윤리의 관계	186	148-151	151-152	150-151	154-155	152-154
		B. 예술의 상업화 문제	186	152	153-154	152-154	156-157	155-156
		C. 대중문화의 윤리적 문제	188	153-155	155-157	155-158	158-161	157-162
	02 의식주 윤리와 윤리적 소비	A. 의식주와 관련된 윤리적 문제	196	158-162	161-164	160-163	163-166	164-167
		B. 윤리적 소비문화	198	163-165	165-167	164-168	167-171	168-172
	03 다문화 사회의 윤리	A. 문화 다양성과 존중	206	168-172	171-175	170-174	173-175	174-177
		B. 종교의 공존과 관용	208	173-175	176-179	175-178	176-179	178-182
Ⅵ 평화와 공존의 윤리	01 갈등 해결과 소통의 윤리	A. 사회 갈등과 사회 통합	224	182-185	185-188	184-188	186-190	186-189
		B. 소통과 담론의 윤리	226	186-189	189-191	189-192	191-194	190-194
	02 민족 통합의 윤리	A. 통일 문제를 둘러싼 다양한 쟁점	234	192-195	195-198	194-196	197-201	196-199
		B. 통일이 지향해야 할 가치	236	196-199	199-201	197-202	202-206	200-204
	03 지구촌 평화의 윤리	A. 국제 분쟁의 해결과 평화	244	202-205	205-207	204-207	208-211	206-209
		B. 국제 사회에 대한 책임과 기여	246	206-209	208-211	208-212	212-216	210-214

I

현대의 삶과 실천 윤리

배울 내용 한눈에 보기

01 현대 생활과 실천 윤리

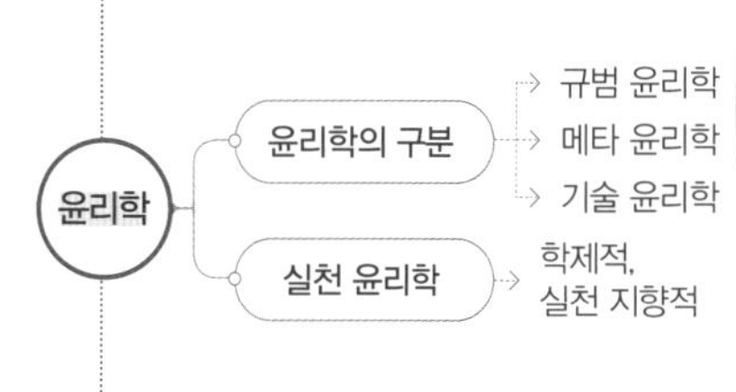

윤리학은 규범 윤리학, 메타 윤리학, 기술 윤리학으로 구분할 수 있어. 특히 현대 사회의 변화에 따라 등장한 실천 윤리학은 학제적 성격, 실천 지향적 성격을 지녀.

02 현대 윤리 문제에 대한 접근

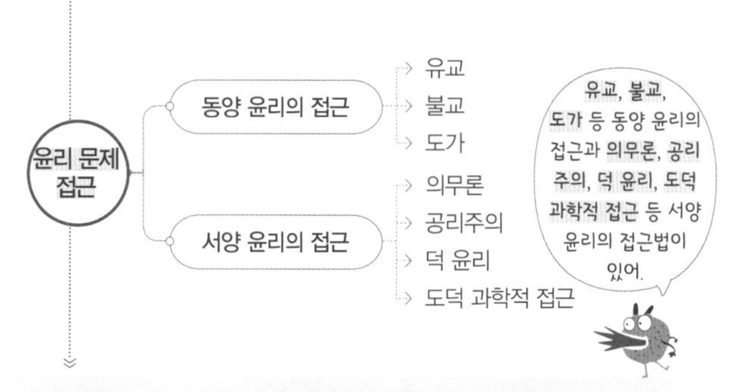

03 윤리 문제에 대한 탐구와 성찰

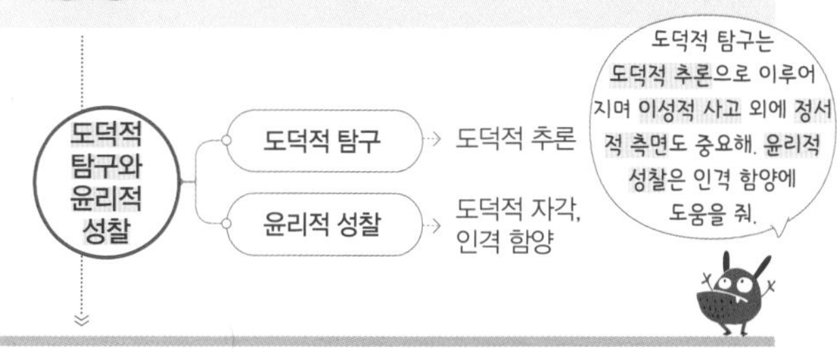

01 현대 생활과 실천 윤리

핵심 질문으로 흐름잡기

A 현대 사회에 새롭게 등장한 윤리적 쟁점은?

B 실천 윤리학의 등장 배경과 특징은?

A 현대인의 삶과 다양한 윤리적 쟁점

| 시·험·단·서 | 여러 윤리학의 특징을 비교하는 문제와 새로운 윤리 문제의 특징을 묻는 문제가 출제돼.

1. 윤리와 윤리학

(1) 윤리❶: 인간이 지켜야 할 이치나 도리, 당위의 형식으로 제시되는 규범과 가치

(2) 윤리학: 인간의 행위에 관한 여러 가지 문제와 규범을 연구하는 학문

(3) 윤리학의 특징

① 도덕적 행위를 실천하게 하고 가치 있는 삶의 방향을 안내함 (우리가 어떤 문제에 직면했을 때 그것을 도덕적으로 탐구하여 올바른 실천을 하도록 안내하고 '좋은 삶'을 살도록 해 줘.)

② 당위나 의무를 탐구하고 도덕적 행위를 정당화하는 규범적 근거를 제시함

2. 윤리학의 구분❷

(1) 규범 윤리학

① **의미**: 인간이 어떻게 행동해야 하는가에 대한 보편 원리 탐구를 주된 목표로 하는 윤리학

② **특징**: 올바른 삶의 방향을 제시하고 윤리 문제의 해결과 도덕적 실천을 지향함

③ **분류**

이론 윤리학	• 도덕적 행위를 정당화하는 규범적 근거를 제시하는 것에 중점을 둠 • 도덕 판단의 기준을 명확히 하여 윤리 이론을 정립함 예 의무론*, 공리주의*, 덕 윤리* 등
실천 윤리학	• 현대인의 삶의 영역에서 제기되는 다양한 윤리 문제를 해결하는 방안을 모색하고자 함 → 실천 지향적 성격을 가짐 (실천 지향적 성격 때문에 '문제 중심 윤리학', '응용 윤리학'이라고도 해.) • 현실의 도덕적 문제 상황에서 이론 윤리를 적용하여 사람의 행위, 법, 제도 등에 대한 윤리적 판단을 내림❸ 예 생명 윤리, 정보 윤리, 환경 윤리, 문화 윤리 등

(2) 메타 윤리학 (분석 윤리학이라고도 해.)

① **의미**: 도덕적 언어의 의미 분석과 도덕적 추론의 정당성을 검증하기 위한 논리 분석을 주된 목표로 하는 윤리학

② **특징**: 규범 윤리적 물음에 앞서 윤리학의 학문적 성립 가능성에 먼저 관심을 가짐

(3) 기술 윤리학

① **의미**: 도덕적 풍습, 관습에 대한 묘사나 객관적 기술(記述)을 주된 목표로 하는 윤리학

② **특징**: 도덕 현상과 문제를 명확하게 기술하고, 기술된 현상들 간의 인과 관계를 설명하는 데 관심을 둠

3. 새로운 윤리 문제의 등장과 특징

(1) 새로운 윤리 문제의 등장: 현대 과학 기술의 급속한 발전과 사회·문화적 변화로 과거에는 없었던 새로운 윤리 문제에 직면함 자료 1 (예를 들어 정보 기술의 발달로 정보에 대한 접근성이 높아지면서 사생활 침해나 저작권 침해와 같은 문제가 발생하고 있어.)

(2) 새로운 윤리 문제의 특징

① 광범위한 파급 효과를 가짐 예 환경 문제는 전 지구적으로, 미래 세대에게까지 영향을 미침

② 새롭게 발생하는 문제들에 대한 책임 소재를 가리기 어려움 예 환경 오염의 주된 원인이 개인이나 기업에 있는지 판단하기 힘들며 책임을 묻기 어려움

③ 전통적인 윤리 규범만으로는 해결하기 어려운 문제들이 있음 예 로봇의 설계와 사용 과정에서 제기되는 문제들을 해결하기 위해서는 새로운 윤리가 필요함 자료 2

---

❶ 윤리의 어원적 의미

동양에서의 윤리는 무리 혹은 질서를 뜻하는 윤(倫)과 이치나 도리를 의미하는 리(理)가 합쳐져 만들어진 말이다. 서양에서의 윤리(ethics)는 그리스어 에토스(ethos)에서 유래한 말로, 개인의 습관이나 성품, 기질 또는 사회의 관습, 풍습 등을 의미한다.

❷ 윤리학의 구분

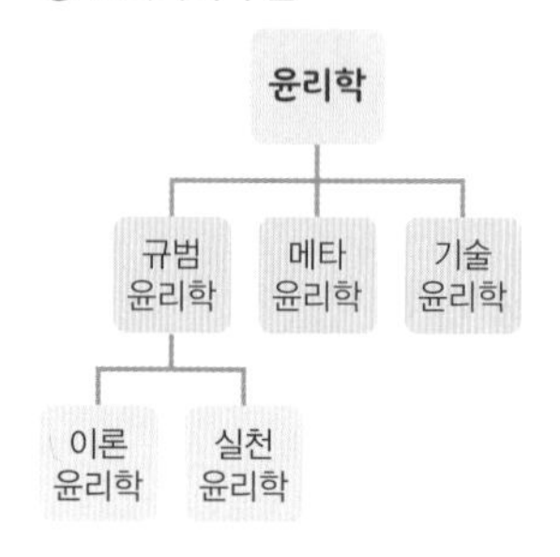

❸ 이론 윤리학과 실천 윤리학의 관계

윤리 문제에 적용할 도덕 원칙은 이론 윤리학이 제공하지만, 구체적인 문제 해결책은 실천 윤리학이 제시하므로 두 윤리학은 상호 의존적인 관계라고 할 수 있다. 또한, 실천 윤리학을 통해 어떠한 이론 윤리학이 문제 해결에 적합한지도 검증할 수 있다.

시험에 잘 나오는 자료

자료 1 현대 사회에 새롭게 등장한 윤리 문제의 특징

관련 문제 ▶ 21쪽 07번

최근 운전자가 조작하지 않아도 스스로 주변을 탐색하고 판단하여 주행하는 자율 주행 자동차가 개발되고 있다. 이와 관련하여 과거에는 없었던 새로운 윤리 문제가 등장하고 있다.

우선, 자율 주행 자동차는 돌발 상황에 대응하여 가장 바람직한 선택을 하도록 설계할 필요가 있다. 옆의 그림과 같은 상황에 처했을 때 어떤 선택을 하는 것이 가장 바람직할까? 어떤 선택을 해도 딜레마에 처하게 될 것이다.

다음으로, 운전자가 조작하지 않은 자율 주행 자동차가 사고를 낸 경우 그 책임을 자동차 소유자가 져야 하는가, 아니면 자동차 회사가 져야 하는가?

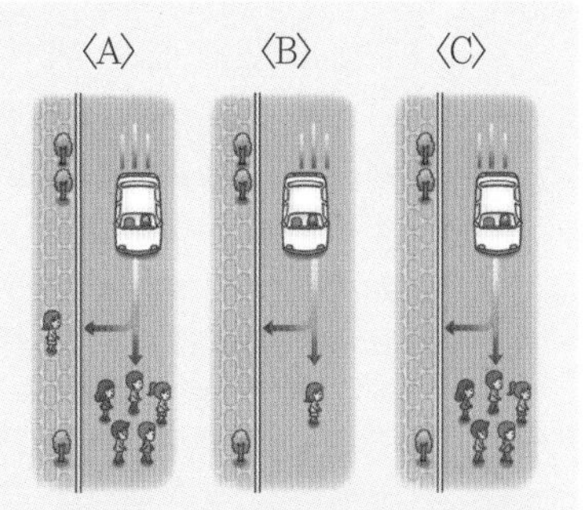

▲ A, B, C는 각각 다음과 같은 선택 상황이다.
A: 도로에 있는 여러 명을 희생할 것인가, 인도에 있는 무고한 한 명의 행인을 희생할 것인가?
B: 도로에 있는 한 명을 희생할 것인가, 자동차의 탑승자를 희생할 것인가?
C: 도로에 있는 여러 명을 희생할 것인가, 자동차의 탑승자를 희생할 것인가?

자·료·분·석 자율 주행 자동차의 주행 원칙을 정할 때 단순히 도덕 원리를 적용하는 것만으로는 실질적인 딜레마*를 해결하기 어렵다. 예를 들어, '사람의 생명은 소중하다.'와 같은 도덕 규범으로 여러 명을 희생할지, 한 명을 희생할지를 정할 수는 없기 때문이다. 또한, 자율 주행 자동차의 사고는 그 기준을 어디에 두느냐에 따라 책임이 달라지므로 특정 인물에게 책임을 묻기 어렵다. 이러한 문제들은 과거에는 다루어지지 않은 새로운 윤리 문제이다.

한·줄·핵·심 현대 사회에서 새롭게 등장한 윤리 문제는 전통 윤리 규범으로 해결하기 어렵다는 것과 책임 소재를 가리기 어렵다는 특징이 있다.

자료 2 과학 기술 발달에 따른 새로운 윤리의 필요성

관련 문제 ▶ 18쪽 02번

- 인공 지능은 인간이 미처 보지 못하는 부분을 볼 수 있다. 우리는 인공 지능을 활용하여 인류가 당면한 질병, 환경, 에너지 문제 등을 전체적으로 조망하여 문제의 핵심과 명확한 해결책을 제시한다. 인공 지능은 아직 초기 단계 수준이지만 향후 다양한 분야에 적용할 수 있다. – ○○ 신문, 2016. 3. 18.
- M사는 인공 지능 대화 로봇 테이(Tay)를 선보였다. 테이는 온라인에서 실제 사람과 대화하면서 스스로 학습할 수 있도록 설계되었다. 하지만, 테이는 욕설, 인종 차별적 발언들을 학습하였고, 이로 인해 부적절한 말을 하게 되어 16시간 만에 운영을 중단할 수밖에 없었다. – ○○ 신문, 2016. 3. 26.

자·료·분·석 현대 과학 기술의 발달은 인공 지능의 발달로 대표될 수 있다. 이러한 인공 지능의 발달은 인류가 직면한 사회 문제들을 해결해 줄 가능성을 가지고 있지만, 위 자료에서 볼 수 있듯이 부작용이 심각하며 그 영향력도 매우 크다. 따라서 과학 기술의 발달에 따른 새로운 윤리가 요청되고 있다.

한·줄·핵·심 과학 기술의 발달로 인해 발생할 수 있는 윤리 문제나 부작용 등을 해결하기 위해 새로운 윤리가 필요하다.

내용 이해를 돕는 팁

궁금해요

Q. 규범 윤리학과 메타 윤리학은 어떻게 다른가요?
A. 두 윤리학의 주요 물음을 예로 들어볼께.

규범 윤리학
• 인간은 어떻게 살아야 하는가? • 올바른 삶이란 무엇인가?
메타 윤리학
• '옳음', '그름'의 의미는 무엇인가? • 도덕 판단을 어떻게 논리적으로 정당화할 수 있는가?

용어 더하기

* **의무론**
행위에 대한 도덕 판단은 의무와 원칙에 따라 이루어져야 한다고 보는 견해이다.

* **공리주의**
행위의 결과가 가져다주는 쾌락이나 행복을 행위의 도덕 판단 기준으로 보는 견해이다.

* **덕 윤리**
행위자에 초점을 두어 도덕적 행동이 행위자의 덕에 따라 정해진다고 보는 견해이다.

* **딜레마(dilemma)**
선택해야 할 길은 두 가지 중에서 하나로 정해져 있는데, 그 어느 쪽을 선택해도 바람직하지 못한 결과가 나오게 되는 곤란한 상황을 말한다.

4. 현대 사회의 다양한 윤리적 쟁점

이 외에도 가정 윤리, 동물 윤리, 다문화 윤리 등 다양한 영역이 있어.

영역	윤리적 쟁점
생명 윤리	• 삶과 죽음에 관한 쟁점 예 인공 임신 중절을 허용해야 하는가?, 안락사를 허용해야 하는가? • 생명 과학에 관한 쟁점 예 생명 윤리와 생명 과학은 양립할 수 있는가? 생명 복제, 유전자 치료 등과 같이 인간 생명에 인위적으로 개입하는 것은 정당한가? • 사랑과 성에 관한 쟁점 예 사랑과 성의 관계를 어떻게 바라보아야 하는가?
사회 윤리	• 직업 생활에 관한 쟁점 예 직업의 본질적 가치는 무엇인가?, 기업은 사회적 책임을 져야 하는가? • 사회 정의에 관한 쟁점 예 공정한 분배의 기준은 무엇인가?, 사형 제도를 허용해야 하는가? • 국가와 시민에 관한 쟁점 예 국가와 시민의 바람직한 관계는 무엇인가?, 시민 불복종은 정당한가?
과학 윤리	• 과학 기술에 관한 쟁점 예 과학 기술을 가치 중립적으로 파악해야 하는가?, 과학 기술자의 책임 범위는 어디까지인가? • 정보와 매체에 관한 쟁점 예 정보 사회에서 표현의 자유는 어디까지인가?, 정보는 창작자 개인의 소유물인가, 모든 사람의 공유물인가? • 환경에 관한 쟁점 예 인간과 자연의 관계를 어떻게 보아야 하는가?, 개발과 환경 보전 중 어떤 것을 선택해야 하는가?
문화 윤리	• 예술과 윤리에 관한 쟁점 예 예술과 윤리의 관계를 어떻게 보아야 하는가? • 의식주와 소비에 관한 쟁점 예 의식주와 윤리는 어떤 연관성이 있는가? • 문화와 종교에 관한 쟁점 예 문화의 다양성 존중과 보편 윤리는 양립할 수 있는가?, 종교와 윤리의 관계를 어떻게 보아야 하는가?
평화 윤리	• 갈등 해결에 관한 쟁점 예 다양한 사회 갈등을 어떻게 해결해야 하는가? • 통일에 관한 쟁점 예 남북통일을 해야 하는 이유는 무엇인가? • 국제 평화에 관한 쟁점 예 약소국에 대한 원조를 해야 하는가?

B 실천 윤리학의 등장 배경과 특징

| 시·험·단·서 | 실천 윤리학의 등장 배경과 특징을 묻는 문제가 출제돼.

1. 실천 윤리학의 등장 배경과 필요성[4]

(1) 실천 윤리학의 등장 배경

① 과학 기술의 발달로 윤리적 쟁점과 윤리적 공백[5]이 발생함 자료 3

② 사회·문화적 변화로 이전에는 존재하지 않던 윤리적 문제가 발생함

③ 추상적이고 보편적인 이론 윤리학만으로는 새로운 윤리 문제에 대한 구체적인 지침을 제공하지 못함

(2) 실천 윤리학의 필요성 자료 4

① 도덕 원리와 도덕 규칙 외에 문제 상황과 관련된 사실적 지식을 필요로 함

② 이론적 토대보다 문제 해결에 직접적이고 일차적인 관심을 두는 윤리학이 필요하게 됨

③ 다양한 분야에서 발생하는 구체적 윤리 문제에 대해 각각의 적절한 윤리 이론 적용이 필요하게 됨

2. 실천 윤리학의 의의와 특징

(1) 실천 윤리학의 의의: 현대 사회에서는 모든 생활 영역에서 윤리 문제가 발생하므로 실천 윤리학을 통해 윤리적 문제를 비판적으로 분석하고 해결할 수 있음

싱어는 실천 윤리학을 새로운 윤리학이라기보다 '윤리학의 부활'이라고 하였어.

(2) 실천 윤리학의 특징

① 현대 사회의 변화로 다양한 영역에서 제기되는 문제를 다룸

② 이론 윤리학에서 도출한 도덕 원리를 삶의 구체적인 문제를 해결하는 데 적용함

③ 새로운 윤리 문제를 해결하기 위해 의학, 법학 등 다양한 학문 영역과 협력을 강조하는 학제적 성격[6]을 지님

학제적: 서로 다른 여러 학문 분야가 복합적으로 관계된 것을 말해.

❹ 실천 윤리학의 등장 배경과 필요성

등장 배경	• 과학 기술의 발달 • 사회·문화적 변화 • 사회의 다원화
필요성	• 새로운 윤리 문제의 해결 • 새로운 가치관과 도덕 원칙의 필요성 요청

❺ 윤리적 공백

과학 기술의 발전 속도와 과학 기술의 영향에 대한 이성의 도덕적 숙고가 충분히 반영되지 못해 생기는 간격을 말한다.

❻ 실천 윤리학의 학제적 성격

실천 윤리는 다양한 인접 학문과 상호 협력을 필요로 한다. 예를 들어, 환경 윤리 영역과 관련하여 지구 온난화 문제를 윤리적 관점에서 평가하기 위해서는 지구 온난화의 의미와 원인 등에 관한 과학적 지식이 필요하다.

시험에 잘 나오는 자료

자료 3 윤리적 공백과 실천 윤리학의 등장 관련 문제 ▶ 19쪽 07번, 21쪽 08번

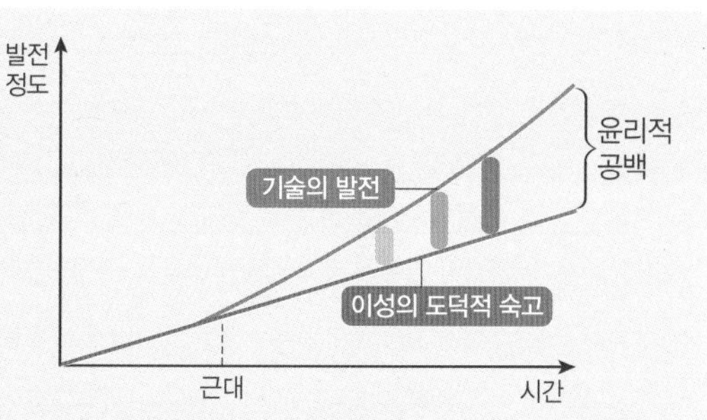

기술의 발전 속도와 복잡성으로 기술이 가져올 부작용이나 장기 효과에 대한 인간의 지식이 부족해지고 있다. 이러한 급격한 과학 기술의 변화 속에서 기존의 이론 윤리학은 올바른 행동에 대한 구체적 지침을 제공하기 어렵다. 요나스는 기술의 발전과 이성의 도덕적 숙고 간의 차이를 '윤리적 공백'이라고 부르며 새로운 윤리학의 필요성을 역설하였다.

자·료·분·석 윤리적 공백을 극복하기 위해서는 그 간격을 채울 수 있는 새로운 윤리학이 필요하다. 이때 필요한 것이 실천 윤리학이다. 실천 윤리학은 빠르게 발전하는 사회에 대응하여 윤리 이론을 사회에 적용하는 것뿐만 아니라 구체적인 실천 방안까지 제공하여 실질적으로 문제를 해결하는 데 주안점을 둔다.

한·줄·핵·심 과학 기술의 발전으로 인한 윤리적 공백을 극복하기 위해 실천 윤리학이 등장하였다.

자료 4 실천 윤리학의 필요성 관련 문제 ▶ 20쪽 03번

- 우리는 이론적인 도덕적 신념으로는 해결할 수 없는 여러 가지 도덕적 문제들에 봉착하고 있다. 이러한 문제들은 옳고 그름 간에 아무런 차이도 없다거나, 무엇이 옳고 그른지 알 수 없음을 의미하지는 않는다. 다만 우리가 현재 당면한 많은 실제적 문제들에 윤리적 지식을 적용하기가 어렵다는 점이다. – 바루흐브로디, "응용 윤리학"
- 기술화와 자동화의 흐름 속에서 새로운 갈등이 발생하였고, 이로 인해 다양한 분야에서 윤리학이 요청되었다. 더욱이 종교들이 제공하는 규범이 더는 새로운 문제에 대한 해결책을 제시해 주지 못하게 되자 의학자, 자연 과학자, 공학자 등과 윤리학자의 대화가 이루어졌다. – 피퍼, "근대 윤리학사"
- 실천(응용) 윤리학이란 삶의 실천적 영역에서 제기되는 도덕 문제를 이해하고 해결하고자 하는 모든 체계적인 탐구를 포괄하는 학문 분야를 말한다. 근본적인 윤리 이론이나 도덕 원리를 추구하는 이론 윤리학과 달리 실천 윤리학에서는 구체적인 윤리 문제가 일차적 물음이고 윤리 이론이나 도덕 원리는 이차적 의미를 지닌다. – 김상득, "서양 철학의 눈으로 본 응용 윤리학"

자·료·분·석 기존의 이론 윤리학은 근본적인 윤리 이론이나 도덕 원리를 추구하는 학문이다. 이러한 이론 윤리학으로는 현대 사회에서 발생하는 윤리 문제들을 해결하기 어려운 경우가 많다. 이에 따라 삶의 실천적 영역에서 제기되는 윤리 문제에 실질적인 해결책을 마련해 줄 수 있는 실천 윤리학이 요청되었다.

한·줄·핵·심 이론 윤리학으로 해결하기 어려운 문제에 구체적 지침을 마련하고자 문제 해결에 일차적 관심을 두는 실천 윤리학의 필요성이 제기되었다.

내용 이해를 돕는 팁

궁금해요

Q. 현대 사회의 윤리적 쟁점과 그에 따른 여러 입장을 공부하는 이유는 무엇인가요?

A. 우리 사회의 문제를 해결하기 위해서는 윤리적 관점을 확립하고 이를 적용할 수 있어야 하기 때문이야. 예를 들어 자전거나 대중교통을 이용할 수 있는데도 지구 온난화를 초래하는 자가용을 사용해도 좋을지에 대한 윤리적 관점을 확립하면 환경 문제를 해결하는 데 시사점을 얻을 수 있지.

용어 더하기

* **토대**
어떤 사물이나 사업의 밑바탕이 되는 기초와 밑천을 이르는 말이다.

윤리학의 탐구 과제는 무엇인가?

개념풀 Guide 규범 윤리학, 메타 윤리학, 기술 윤리학의 특징을 비교해 보자.

관련 문제 ▶ 18쪽 01, 04번

핵심 짚어보기

규범 윤리학	인간이 어떻게 도덕적으로 행위를 해야 하는지에 대한 보편적 원리를 탐구함
메타 윤리학	도덕 언어의 의미를 분석하고 도덕적 추론의 타당성을 입증하기 위한 논리 분석에 집중함
기술 윤리학	도덕적 풍습과 관습을 객관적으로 기술하고 현상 간 관계를 설명하는 것에 관심을 가짐

자료에서 핵심 찾아보기

자료 ❶ 규범 윤리학은 사실이 아니라 당위에 관한 것이다. 규범 윤리학의 과제는 실제로 어떻게 행위 하고 있는가가 아니라 어떻게 행위 해야 하고, 또 하지 말아야 하는가를 말해 주는 것이다. …(중략)… 대부분의 사람들이 어떤 것을 한다고 해서 그것이 옳은 것은 아니다. 달리 말하면 사실로서의 도덕을 말할 뿐, 당위로서의 도덕을 말하지는 않는다. 따라서 사실과 가치 사이의 차이는 규범 윤리학의 모든 영역에서 근본을 이룬다.

– 폴 테일러, "윤리학의 기본 원리"

핵심 확인
규범 윤리학은 윤리 문제에 대해 객관적 정의나 결과보다는 '~해야 한다'와 같은 당위에 집중한다.

자료 ❷ 메타 윤리학은 윤리학의 개념들에 관해서 철학적으로 연구하고, 하나의 탐구 대상으로서 윤리학의 구조에 대해서 고찰한다. 전통적인 철학자들이 주로 올바른 도덕 이론을 체계적으로 기술하려고 한 데 비해서, 많은 현대 철학자들은 윤리적 판단과 윤리와 무관한 사실 판단의 관계에 관심을 기울이고 있다. 여기서 제기되는 주요한 물음은 '좋음과 옳음이라는 용어가 의미가 있다면 그것의 의미는 무엇인가'이다.

– 루이스 포이만, "윤리학, 옳고 그름의 발견"

핵심 확인
메타 윤리학은 언어의 정확한 의미, 논리, 정당성 등에 집중한다.

자료 ❸ 기술적 도덕은 사람들과 문화의 실제 신념, 관습, 원리, 관행을 가리킨다. 사회학자들은 특히 전 세계의 사회 집단들의 구체적인 도덕적 관행에 특별한 주의를 기울인다. 그리고 그들은 도덕적 관행들을 그 나라 사람들이 무엇을 먹고 어떻게 옷을 입는지에 관한 사실들과 같은 문화적 '사실'로 본다.

– 루이스 포이만, "윤리학, 옳고 그름의 발견"

핵심 확인
기술 윤리학은 도덕적 풍습이나 관습에 대한 묘사나 객관적 기술에 집중한다.

이것만은 꼭!

다음 내용이 옳으면 ○표, 틀리면 ×표를 하시오.

(1) 규범 윤리학은 도덕 판단의 준거와 정당성 확보를 강조한다. ( )
(2) 기술 윤리학은 도덕 현상에 대한 경험 과학적인 접근을 강조한다. ( )
(3) 기술 윤리학은 도덕 판단의 기준을 명확히 하며 윤리 이론을 정립하고자 한다. ( )
(4) 메타 윤리학은 도덕 이론의 적용보다 도덕 언어의 분석을 중요하게 생각한다. ( )
(5) 메타 윤리학은 다양한 문화권을 탐방하여 각국의 실천적 관습을 조사해야 한다고 본다. ( )

[정답] (1) ○ (2) ○ (3) × (4) ○ (5) ×

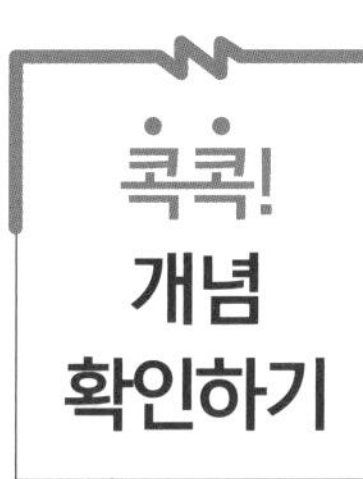

정답과 해설 2쪽

A 현대인의 삶과 다양한 윤리적 쟁점

01 윤리학의 구분에 따른 탐구 과제를 바르게 연결하시오.

(1) 이론 윤리학 • • ㉠ 보편적 도덕 법칙에 관한 이론 정립을 추구함

(2) 분석 윤리학 • • ㉡ 구체적인 삶의 도덕 문제에 대한 해결 방안을 모색함

(3) 실천 윤리학 • • ㉢ 특정 사회의 관습의 객관적 기술을 목표로 함

(4) 기술 윤리학 • • ㉣ 도덕적 추론의 형식적 타당성 검토에 주력함

02 현대 사회의 새로운 윤리 문제의 특징으로 맞으면 ○표, 틀리면 ×표를 하시오.

(1) 광범위한 파급 효과를 지닌다. (   )

(2) 문제의 원인과 책임 소재가 명확하다. (   )

(3) 전통적인 윤리 규범만으로는 해결하기 어렵다. (   )

03 빈칸에 알맞은 말을 쓰시오.

(1) □□ 윤리는 삶과 죽음에 관한 쟁점, 생명 과학에 관한 쟁점 등을 다룬다.

(2) □□ 윤리는 직업 생활에 관한 쟁점, 사회 정의에 관한 쟁점, 국가와 시민에 관한 쟁점 등을 다룬다.

(3) □□ 윤리는 예술과 윤리에 관한 쟁점, 의식주와 소비에 관한 쟁점, 종교에 관한 쟁점 등을 포괄적으로 다룬다.

(4) □□ 윤리는 갈등 해결에 관한 쟁점, 통일에 관한 쟁점, 국제 평화에 관한 쟁점 등을 다룬다.

B 실천 윤리학의 등장 배경과 특징

04 실천 윤리학의 등장 배경을 〈보기〉에서 골라 쓰시오.

보기
ㄱ. 메타 윤리학과 기술 윤리학 간의 충돌
ㄴ. 추상적이고 보편적인 이론 윤리학의 한계
ㄷ. 과학 기술의 발달로 인한 윤리적 공백의 발생

(   )

05 빈칸에 알맞은 말을 쓰시오.

(1) 실천 윤리학은 □□ 윤리학에서 도출한 도덕 원리를 현대 사회의 다양한 윤리 문제를 해결하는 데 적용한다.

(2) 실천 윤리학은 새로운 윤리 문제를 해결하기 위해 의학이나 법학 등 다양한 학문과 협력하는 □□□ 성격을 지닌다.

탄탄! 내신 다지기

A 현대인의 삶과 다양한 윤리적 쟁점

01 다음 설명에 해당하는 윤리학의 분야를 바르게 연결한 것은?

> (가) 삶의 실천적 영역에서 제기되는 도덕 문제를 이해하고 해결하고자 하는 모든 체계적인 탐구를 포괄하는 학문이다.
> (나) 도덕적 풍습이나 관습에 관해 묘사하거나 기술(記述)하면서 도덕의 사실적 의미를 탐구한다.

	(가)	(나)
①	실천 윤리학	기술 윤리학
②	실천 윤리학	메타 윤리학
③	이론 윤리학	실천 윤리학
④	이론 윤리학	기술 윤리학
⑤	메타 윤리학	기술 윤리학

02 ㉠에 대한 옳은 설명을 <보기>에서 고른 것은?

> M사는 인공 지능 대화 로봇 테이(Tay)를 선보였다. 그러나 테이가 온라인에서 막말과 욕설, 인종 차별적 발언을 하자 16시간 만에 운영을 중단하였다. 이처럼 과학 기술이 발달하면서 과거에는 등장하지 않았던 ㉠새로운 윤리 문제들이 생겨나고 있다.

<보기>
ㄱ. 광범위한 파급 효과를 가진다.
ㄴ. 책임 소재를 명확하게 가릴 수 있다.
ㄷ. 전통적인 윤리 규범으로 해결하기 어렵다.
ㄹ. 사회 관습을 조사하여 객관적으로 기술하는 윤리학만으로도 해결할 수 있다.

① ㄱ, ㄴ ② ㄱ, ㄷ ③ ㄴ, ㄷ
④ ㄴ, ㄹ ⑤ ㄷ, ㄹ

03 ㉠에 대한 설명으로 가장 적절한 것은?

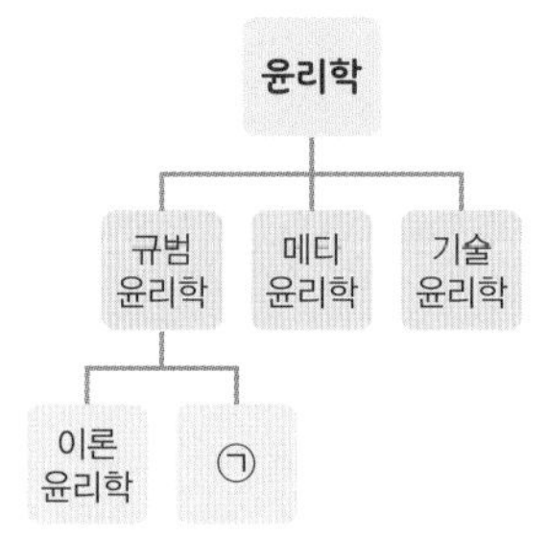

① 도덕적 풍습에 대한 객관적 기술을 목표로 한다.
② 주로 도덕적 언어의 논리적 타당성과 그 의미를 분석한다.
③ 삶에서 발생하는 다양한 문제에 윤리적 원리를 적용한다.
④ '옳음'과 '좋음'과 같은 용어의 의미를 명확히 하고자 한다.
⑤ 도덕적 행위를 정당화하는 규범적 근거를 제시하는 것에 중점을 둔다.

04 빈칸에 들어갈 말에 대한 설명으로 가장 적절한 것은?

> [   ]은/는 "'옳다'와 '그르다'의 표현의 의미와 용법은 무엇인가?" 등과 같이 도덕적 언어의 의미를 주로 분석하는 학문이다.

① 규범 윤리학의 일종이다.
② 도덕적 지식의 성립 가능성을 탐구한다.
③ 도덕 현상을 기술하고 설명하는 데 그 목적이 있다.
④ 이론을 활용하여 현실의 도덕 문제를 해결하고자 한다.
⑤ 보편적인 도덕규범을 찾는 것을 윤리학의 목표로 삼는다.

B 실천 윤리학의 등장 배경과 특징

05 밑줄 친 '윤리학'의 성격으로 옳지 않은 것은?

> 윤리학은 로봇과 관련된 공학적 지식은 물론 심리학이나 법학 같은 다양한 학문적 업적들을 수용해야 한다. 왜냐하면 로봇이 사회 전반에 미치는 영향을 평가하고 로봇 공학에 대한 윤리 원칙을 마련하기 위해서는 다양한 분야의 학문이 요청되기 때문이다.

① 다양하고 전문화된 사회에는 불필요하다.
② 다양한 학문과 연계된 학제적 연구가 필요하다.
③ 윤리적 쟁점을 파악하고 최선의 해결책을 찾고자 한다.
④ 과거에는 없었던 새로운 윤리 문제의 등장과 관련이 깊다.
⑤ 과학과 산업의 발달로 인한 새로운 윤리 문제의 등장과 관련이 깊다.

06 (가)의 문제 상황을 (나)의 ㉠의 관점에서 해결하기 위한 방안으로 가장 적절한 것은?

(가)	임신 24주의 20대 인도 여성은 태아가 무뇌증이라는 사실을 알고 병원에 인공 임신 중절 수술을 요청했지만 거절당했다. 인도의 의료법은 임신 20주가 지나면 인공 임신 중절을 금지한다.
(나)	㉠윤리학은 실제 우리 삶에서 발생하는 다양한 문제에 윤리적 원리를 적용하여 인간의 삶에 구체적이고 실천적인 지침을 제공해 주고자 한다.

① 문제 상황을 사실대로 기술하여 문제를 해결할 수 있다.
② 생명 존중에 대한 도덕 원리를 통해 문제를 해결할 수 있다.
③ 인공 임신 중절에 관한 법률을 통해 문제를 해결할 수 있다.
④ 도덕적 언어의 논리적 타당성 분석을 통해 문제를 해결할 수 있다.
⑤ 윤리학과 법률, 의학 등 관련 분야의 지식을 통해 문제를 해결할 수 있다.

07 ㉠에 대한 설명으로 가장 적절한 것은?

> 급격한 과학 기술의 발전과 사회 변화에 대응하여 이론 윤리만으로는 올바른 행동에 대한 구체적 지침을 얻을 수 없다는 문제의식이 제기되었다. 요나스는 이러한 상황을 '윤리적 공백'이라고 부르며 ㉠새로운 윤리학의 필요성을 역설하였다.

① 규범 윤리학의 이론들을 부정한다.
② 사회 현상보다는 자연 현상에 주목한다.
③ 도덕적 관습에 대한 서술이 주된 목적이다.
④ 실천을 위한 이론 탐구가 아니라 언어 분석에 초점을 두고 있다.
⑤ 현실의 도덕 문제 상황에 대해 적절한 윤리적 해결책을 찾고자 한다.

서술형 문제

08 다음 글을 읽고 물음에 답하시오.

> (가) '사람이 어떻게 살아야 하는가'에 관한 보편적인 원리를 연구해야 한다. 도덕성에 대한 이론적 분석과 정당화를 다룬다. 의무론적 윤리와 목적론적 윤리 등이 그 예이다.
> (나) 우리 생활 속에서 논쟁이 되는 여러 가지 도덕적 문제를 해결할 필요가 있다. 생명 윤리, 과학 기술 윤리처럼 구체적인 도덕적 문제에 도덕 원리를 적용하여 해결책을 모색해야 한다.

(1) (가), (나)에서 설명하는 윤리학을 각각 쓰시오.

(가) (   ), (나) (   )

(2) (가)와 (나)의 공통점을 두 가지 서술하시오.

도전! 실력 올리기

수능 기출

01 ㉠에 들어갈 진술로 가장 적절한 것은?

> 나는 윤리학의 근본 과제가 현실에서 적용 가능한 도덕적 규범이나 원칙을 탐구하여 이를 구체적인 삶의 문제에 적용하는 것이라고 본다. 그런데 어떤 사람들은 현실적 도덕이 삶에 대한 경험의 일부이기 때문에 경험적으로 연구될 수 있다는 관점에서 윤리학의 근본 과제가 어떤 문화나 사회의 도덕적 현상을 가치 판단 없이 객관적으로 기술하는 것이라고 본다. 나는 이러한 입장이 [㉠] 고 생각한다.

① 도덕 추론에 대한 논리적 구조 분석의 필요성을 주장한다
② 도덕 현상의 인과 관계에 대한 탐구의 가능성을 부정한다
③ 실천적 규범을 통한 도덕 문제 해결의 중요성을 경시한다
④ 현실적 도덕에 대한 가치 중립적 설명의 필요성을 무시한다
⑤ 보편적 도덕규범의 이론적 체계 구성의 중요성을 강조한다

02 갑, 을, 병의 입장에 대한 옳은 설명을 〈보기〉에서 고른 것은?

> 갑: 윤리학은 도덕적 언어의 의미 분석과 도덕적 추론의 타당성 입증을 본질로 삼아야 한다.
> 을: 윤리학은 성품이나 행위 또는 제도 등에 관한 윤리적 판단의 이론적 근거를 제공해야 한다.
> 병: 윤리학은 도덕 이론을 현실에 적용하여 실생활의 다양한 윤리적 문제들을 해결하는 데 힘써야 한다.

〈보기〉
ㄱ. 갑은 행위의 기준이 되는 규범 제시를 중시한다.
ㄴ. 을은 도덕 법칙의 정당화와 이론적 분석을 중시한다.
ㄷ. 병은 윤리학과 인접 학문의 학제적 연계를 중시한다.
ㄹ. 갑, 을은 다양한 도덕적 관습의 객관적 기술을 중시한다.

① ㄱ, ㄴ ② ㄱ, ㄷ ③ ㄴ, ㄷ
④ ㄴ, ㄹ ⑤ ㄷ, ㄹ

수능 유형

03 ㉠에 들어갈 진술로 가장 적절한 것은?

> 윤리학의 근본 과제는 도덕적으로 올바른 행위를 판단하기 위한 기본 원리와 토대를 제공하고 일반화하는 데 있다. 그런데 오늘날 과학 기술의 급격한 발달은 기존의 이론 중심 윤리학만으로는 해결하기 어려운 도덕적 문제 상황들을 초래하였고, 그 결과 실제 생활과 관련하여 논쟁이 되는 윤리적 과제들이 대두되었다. 이에 따라 이러한 윤리적 과제들을 해결하기 위해 이 윤리학이 등장하게 되었다. 이 윤리학은 [㉠]

① 윤리학의 학문적 성립 가능성을 부정한다.
② 다양한 도덕적 관습의 객관적 기술을 중시한다.
③ 도덕 문제의 해결보다는 도덕 언어의 분석을 강조한다.
④ 도덕 판단의 근거가 되는 규범 체계의 필요성을 부정한다.
⑤ 도덕규범의 현실적인 적용과 구체적인 대안의 실천을 강조한다.

수능 유형

04 다음 글을 통해 도출할 수 있는 옳은 내용만을 〈보기〉에서 있는 대로 고른 것은?

> (가) 윤리학은 새롭게 등장하는 환경 문제, 생명 윤리 문제 등에 대한 해결책을 찾아야 한다. 따라서 실천적이어야만 윤리학이라고 할 수 있다.
> (나) 윤리학은 '좋은 삶이란 무엇인가?'라는 질문을 하기 전에 '좋음'이라는 말의 의미를 과학적 명제처럼 분명하게 파악해야 한다.

〈보기〉
ㄱ. (가)는 특정 시대의 관습에 대해 철저히 조사하고 객관적으로 기술한다.
ㄴ. (나)는 도덕적 언어의 의미와 논리적 타당성을 철저하게 분석한다.
ㄷ. (가)는 (나)와 달리 실천적 영역의 도덕 문제 해결을 중시한다.
ㄹ. (가), (나)는 모두 도덕 판단이 감정 표현이므로 무의미하다고 주장한다.

① ㄱ, ㄴ ② ㄴ, ㄷ ③ ㄷ, ㄹ
④ ㄱ, ㄴ, ㄹ ⑤ ㄴ, ㄷ, ㄹ

수능 기출

05 갑, 을의 입장에 대한 옳은 설명을 〈보기〉에서 고른 것은?

갑: 최근 안락사에 대한 사회적 관심이 급증하고 있습니다. 윤리학과 안락사와 관련된 사실들을 명확히 기술하고, 그 사실들 간의 인과 관계를 객관적으로 설명하는 것에 주안점을 두어야 합니다.
을: 아닙니다. 윤리학은 도덕 원리와 새로운 의학 정보를 고려하여 안락사의 허용 여부와 같은 구체적인 윤리 문제를 해결하는 데 주안점을 두어야 합니다.

〈보기〉
ㄱ. 갑은 도덕 현상에 대한 경험 과학적인 접근을 강조한다.
ㄴ. 을은 도덕 문제를 해결하기 위해 인접 학문과의 연계를 중시한다.
ㄷ. 갑은 을과 달리 객관적인 도덕 원리의 확립을 중시한다.
ㄹ. 을은 갑과 달리 도덕 언어의 분석을 윤리학적 탐구의 본질로 간주한다.

① ㄱ, ㄴ ② ㄱ, ㄷ ③ ㄴ, ㄷ
④ ㄴ, ㄹ ⑤ ㄷ, ㄹ

06 ㉠에 들어갈 진술로 가장 적절한 것은?

이론 윤리학의 주요 이론인 의무론과 공리주의는 윤리학의 영역에서 핵심적 지위를 차지해 왔다. 그러나 이들 이론은 메타 윤리학으로부터 비판을 받았다. 왜냐하면 메타 윤리학의 입장에서 볼 때 기존 윤리학은 도덕적 언어의 의미를 명확하게 설명하지 못하기 때문이다. 하지만 메타 윤리학 역시 삶에서 일어나는 윤리적 문제의 실천적 해결에는 별다른 기여를 하지 못하고 있다. 이에 따라 새로운 윤리학이 등장하였다. 이 윤리학은 (㉠)

① 윤리학과 인접 학문의 학제적 연구를 부정한다.
② 도덕적 탐구가 학문적으로 성립 가능함을 부정한다.
③ 도덕적 관행을 객관적 사실로 보아야 한다고 강조한다.
④ 도덕적 추론에 사용되는 개념의 정확한 사용을 강조한다.
⑤ 도덕 언어의 분석보다 윤리 문제의 해결이 중요함을 강조한다.

07 다음의 문제 상황을 해결하기 위해 필요한 윤리학에 대한 설명으로 가장 적절한 것은?

자율 주행 자동차는 돌발 상황에 대응하여 가장 바람직한 선택을 하도록 설계할 필요가 있다. 옆의 그림과 같은 상황에 처하게 되었을 때 어떤 선택을 하는 것이 가장 바람직할까? 도로에 있는 여러 명을 희생할 것인가, 인도에 있는 무고한 한 명의 행인을 희생할 것인가?

① 특정 사회의 관습에 대해 조사하고 기술한다.
② 주어진 세계와 그 현상을 설명하는 데 중점을 둔다.
③ 도덕적 추론의 형식적 타당성을 검토하는 데 주력한다.
④ 다양한 학문 간의 학제적 연구를 통해 문제를 해결한다.
⑤ 도덕적 언어의 의미와 논리적 타당성을 엄밀히 분석한다.

08 그림의 ㉠을 해결하기 위한 방안으로 가장 적절한 것은?

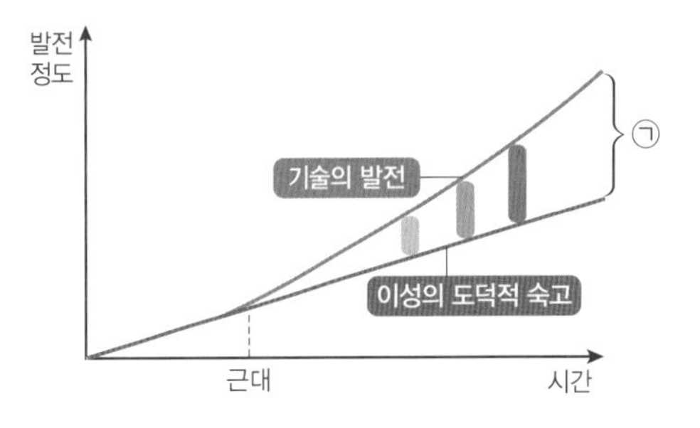

① 도덕적 숙고와는 별개로 과학 기술은 발전해야 한다.
② 삶을 성찰할 시간을 줄여 과학 기술의 발전을 도모해야 한다.
③ 현대 사회에 나타난 윤리 문제이므로 기존의 윤리로 해결해야 한다.
④ 과학 기술의 발달로 새롭게 등장한 문제를 다루는 새로운 윤리가 필요하다.
⑤ 과학 기술의 발전 속도가 느려서 생긴 현상이므로 과학 기술의 발전에 더욱 주력해야 한다.

02 현대 윤리 문제에 대한 접근

핵심 질문으로 흐름잡기
- A 동양 윤리의 접근의 특징은?
- B 서양 윤리의 접근의 특징은?

A 동양 윤리의 접근

| 시·험·단·서 | 유교, 불교, 도가 윤리의 특징과 현대 사회에 주는 시사점을 묻는 문제가 출제돼.

1. 유교 윤리 자료 1

(1) 유교 윤리의 특징

① 사후 세계나 초월적 존재보다 인간의 현실에서 나타나는 삶의 문제를 중시함

② 가족 윤리와 함께 공동체의 질서를 강조하며, 인간의 주체적인 도덕 실천을 중시함

(2) 유교 윤리와 현대 사회에 주는 시사점

유교 윤리	현대 사회에 주는 시사점
성실과 배려를 도덕적 삶의 실천에서 중요한 가치로 여김 → 충(忠)과 서(恕)를 통해 인(仁)❶을 실천함	인간 소외와 구성원 간 갈등 문제를 해결하는 실천 덕목과 원리가 될 수 있음
구성원 간의 관계에 따른 역할과 책임을 강조함 → 공자의 정명 사상❷, 맹자의 오륜(五倫)*	지나친 개인주의와 반인륜 범죄, 무책임한 태도로 인한 문제의 원인 진단과 해결에 도움을 줌
개인의 이익보다 사회 전체의 정의를 중요하게 여김	이기주의와 부정부패를 극복하는 데 도움을 줌

공자는 의로움을 추구하는 군자와 이익을 보면 의를 먼저 생각해야 한다는 견리사의(見利思義)를 강조했어.

2. 불교 윤리 자료 2

(1) 불교 윤리의 특징: 생로병사의 끊임없는 삶의 고통에서 벗어나 열반*의 상태에 도달하기 위한 깨달음을 강조함

(2) 불교 윤리와 현대 사회에 주는 시사점

모든 것은 하나로 연결되어 있다는 불교의 세계관은 환경 윤리에서 윤리적 고려 대상을 넓힐 수 있게 해 줘.

불교 윤리	현대 사회에 주는 시사점
모든 존재가 인연으로 연결되어 있다는 연기❸의 깨달음을 강조함	생명 윤리와 환경 문제의 해결에 도움을 줌
자기가 소중하듯 남도 소중하다는 자비의 정신을 강조함	이기주의 극복, 따뜻한 공동체 형성에 도움을 줌
지혜롭고 도덕적인 삶을 살기 위한 실천 방법으로 계율을 강조함	불교에서 강조하는 살생을 하지 않는 계율은 생명의 소중함을 인식하게 함
집착과 번뇌*에서 벗어나 불성을 깨닫는 수행 방법을 제시함❹	불교의 수행 과정을 통해 자신의 참된 모습을 발견하고 마음의 평화를 얻을 수 있음

괴로움에서 벗어나기 위한 방법으로 내면의 성찰을 강조했어.

3. 도가 윤리 자료 3

(1) 도가 윤리의 특징: 억지로 하지 않고 자연스러운 도(道)의 흐름에 맡기는 무위자연(無爲自然)의 삶을 추구함

(2) 도가 윤리와 현대 사회에 주는 시사점

도가 윤리	현대 사회에 주는 시사점
제물론: 도의 관점에서 만물을 평등하게 바라볼 것을 강조함 → 사회 혼란은 인위적 판단과 구별에서 비롯됨	편협한 자기중심적 사고와 편견 등을 극복하는 데 도움을 줌
자연스럽고 소박한 삶을 강조함	인간성 상실, 인간 소외 문제 해결에 도움을 줌
인간을 자연의 일부로 보고 다른 존재와 구별하지 않음 → 좌망(坐忘)*과 심재(心齋)*를 통해 실천함	도교의 생태적 자연관은 환경 윤리와 생명 윤리에 많은 영향을 끼침

❶ **인(仁)의 실천 방안**
- 효제(孝悌): 부모에게 효도하고 형제자매 간에 우애 있게 지내는 것으로, 인의 근본임
- 충서(忠恕): 속임이나 꾸밈없이 온 정성을 다하고 다른 사람의 마음을 헤아려 자기가 하고 싶지 않은 일을 남에게 시키지 않는 것으로, 인의 구체적인 실천 방법임

❷ **정명(正名) 사상**
공자의 '정명'은 일반적으로 군(君)·신(臣)·부(夫)·자(子) 등 신분 질서를 지칭하는 이름에 한정하여, 그 이름에 걸맞은 각 주체의 역할과 행위가 실현되어야 함을 강조하는 것이다.

❸ **연기(緣起)**
모든 존재와 현상은 여러 원인과 조건의 결합으로 생겨난다는 뜻으로, 만물이 상호 의존의 관계를 이루고 있음을 나타낸다.

❹ **불교의 수행 방법-팔정도**
석가모니가 강조한 여덟 가지 수행 방법으로, 바른 견해[正見], 바른 생각[正思惟], 바른 말[正語], 바른 행동[正業], 바른 생활[正命], 바른 노력[正精進], 바른 인식[正念], 바른 정신[正定]을 말한다.

시험에 잘 나오는 자료

자료 1 유교의 대동 사회(大同社會) 관련 문제 ▶ 28쪽 02번

사람들은 어진 이와 능한 이를 선출하여 관직을 맡게 하고 서로 간의 신뢰와 친목을 두텁게 한다. 그러므로 사람들은 각자의 부모만을 부모로 섬기지 않으며, 각자 자기 자식만을 자식으로 여기지 않아서, 노인에게는 그 생애를 편안하게 마치게 하고, 장정에게는 충분한 일자리를 제공하며, 어린아이에게는 마음껏 성장할 수 있게 하고, 과부와 고아, 장애인 등에게는 고생 없는 생활을 할 수 있게 한다. 재화는 반드시 자기만 사사로이 독점하지 않는다. 모두가 이러한 마음가짐이기 때문에 절도나 폭력이 없으며, 문을 잠그는 이가 아무도 없다. 이러한 세계를 대동(大同)이라 한다. - "예기"

자·료·분·석 공자는 대동 사회를 이상 사회로 제시하였다. 대동 사회는 재화를 공정하게 분배하고, 모든 사람이 서로를 자기 가족처럼 사랑하고 위하며, 어려운 처지에 놓인 약자를 보호하며 조화롭게 사는 사회이다. 또한 도덕과 예를 통해 모든 사람이 더불어 잘 사는 사회이다.

한·줄·핵·심 모든 사람이 더불어 잘 사는 대동 사회의 모습은 현대 사회가 나아가야 할 방향을 제시해 준다.

자료 2 불교의 연기설 관련 문제 ▶ 30쪽 02번

이것이 있으므로 저것이 있고 이것이 생기므로 저것이 생긴다. 이것이 없으므로 저것이 없고 이것이 멸하므로 저것이 멸한다. - "잡아함경"

자·료·분·석 불교의 연기설에 따르면 모든 것은 독립적으로 존재할 수 없으며, 서로 연결되어 상호 의존하고 있다. 이러한 연기설은 '나' 역시 다른 존재와 분리된 것이 아니므로 자신에 얽매이지 말고 모든 생명을 차별 없이 사랑해야 한다는 자비의 실천으로 이어진다.

한·줄·핵·심 불교의 연기설은 자비의 마음으로 이어져 우리 사회의 이기주의 극복에 도움을 준다.

자료 3 도가의 평등적 세계관 관련 문제 ▶ 28쪽 04번

물오리는 비록 다리가 짧지만 그것을 길게 이어 주면 괴로워하고, 학의 다리는 길지만 그것을 짧게 잘라 주면 슬퍼한다. 이러한 까닭으로 본래부터 긴 것을 잘라서는 안 되며, 본래부터 짧은 것을 이어 주어서도 안 된다. …(중략)… 가장 올바른 길을 가는 사람은 태어난 그대로의 자연스러운 모습을 잃지 않는다. - "장자"

자·료·분·석 도가는 인간이 자신의 관점에서 사물을 바라볼 때 편견이 생길 수 있다고 보았다. 그래서 세상 만물을 차별하지 않고 평등한 관점에서 바라보아야 한다고 가르친다.

한·줄·핵·심 도의 관점에서 만물을 차별 없이 바라볼 것을 강조하는 도가의 평등적 세계관은 현대의 편견과 자기 중심적 사고를 극복하는 데 도움을 준다.

내용 이해를 돕는 팁

궁금해요

Q. 동양 윤리에서는 하늘을 어떻게 이해했나요?

A. 유교 윤리는 하늘을 자연적인 하늘뿐만 아니라 도덕적 원리도 포함하는 존재로 보며, 하늘이 인간에게 도덕적 본성을 부여한다고 여겨. 반면, 도가 윤리는 하늘을 인간과 직접 관련이 없는 자연이라고 여기지.

용어 더하기

* **오륜(五倫)** 맹자가 강조한 가장 기본이 되는 다섯 가지 기본 관계를 말한다. 그 다섯 가지는 부자유친(父子有親), 군신유의(君臣有義), 부부유별(夫婦有別), 장유유서(長幼有序), 붕우유신(朋友有信)이다.
* **열반(涅槃)** 영원한 진리를 깨달아 모든 번뇌의 속박과 고통에서 벗어난 평온한 상태를 뜻한다.
* **번뇌(煩惱)** 근본적으로 자신에 대한 집착으로 일어나는 마음의 갈등을 뜻한다.
* **좌망(坐忘)** 조용히 앉아서 자신을 구속하는 일체의 것을 잊어버리는 것을 뜻한다.
* **심재(心齋)** 마음을 비워서 깨끗이 하는 것을 뜻한다.

❺ 자연법 윤리
아퀴나스는 자연법이 인간에게 본성으로 주어졌으며 '선을 추구하고 악을 피하라.'와 같은 자연법의 기본 원리를 발견해 실천하는 것을 의무로 보았다.

❻ 정언 명령과 도덕 법칙
칸트에 따르면 도덕 법칙은 "만약 ~하려면 ~하라."는 가언 명령(假言命令)이 아니라 무조건적으로 따라야 하는 정언 명령(定言命令)으로 "~하라."의 형식이어야 한다.

❼ 유용성의 원리 적용에 따른 공리주의의 구분

행위 공리주의	• 유용성의 원리를 '개별적 행위'에 적용 • 개별적 행위가 가져오는 쾌락이나 행복에 따라 행위의 옳고 그름 결정
규칙 공리주의	• 유용성의 원리를 행위의 '규칙'에 적용 • 규칙이 최대의 유용성을 산출하는지 판단하고, 규칙에 부합하는 행위를 옳은 행위로 결정

❽ 덕 윤리의 기원
덕 윤리는 아리스토텔레스의 덕 윤리에 기원을 두고 있다. 아리스토텔레스는 덕을 갖추기 위해 꾸준한 실천으로 올바른 습관을 형성해야 한다고 주장하였다.

❾ 도덕 과학적 접근의 구분
• 신경 윤리학: 도덕적 판단 과정에서 이성과 정서의 역할, 인간의 자유 의지나 공감 능력의 유무 등을 과학적으로 측정함
• 진화 윤리학: 진화의 측면에서 도덕성을 설명한다. 즉, 인간의 이타적 행동과 성품을 자연 선택을 통해 진화한 결과물로 파악함

B 서양 윤리의 접근

| 시·험·단·서 | 의무론, 공리주의, 덕 윤리, 도덕 과학적 접근의 특징과 현대 사회에 주는 시사점을 묻는 문제가 출제돼.

1. 의무론 윤리

(1) 의무론적 접근: 행위가 의무에 부합*하는가의 여부에 따라 옳고 그름을 판단함
— 행위의 결과보다 행위 자체의 도덕성에 주목하면서 도덕적 의무를 강조해.

(2) 대표 윤리 사상

자연법 윤리❺	보편타당한 법칙인 자연법이 존재하고 인간은 누구나 이성을 통해 이를 파악할 수 있다고 봄
칸트 윤리 자료 4	• 도덕 법칙을 무조건 따라야 하는 정언 명령❻의 형태로 제시함 • 도덕 법칙에 따르는 의무 의식과 선의지에 근거한 행위만이 도덕적 가치를 지닌다고 봄

— 선의지: 인간이 이성에 의해 정언 명령을 파악하고 이를 순수하게 따르려는 의지를 말해.

(3) 현대 사회에 주는 시사점

① 인간의 존엄성 등 보편적으로 지향해야 할 가치를 추구해 사회적 약자에 대한 차별 문제 등 현대 사회의 윤리 문제를 해결하는 데 도움을 줌

② 보편타당한 도덕 법칙을 제시하여 가치 혼란 상황에서 도덕적 삶을 안정적으로 지속하는데 도움을 줌

2. 공리주의 윤리 자료 5

(1) 공리주의적 접근: 쾌락이나 행복을 증진하는 유용성❼에 따라 행위의 옳고 그름을 판단함

(2) 대표 사상가

벤담	• 최대 다수의 최대 행복을 추구함 • 쾌락의 양을 계산할 수 있으며 이를 통해 유용성을 측정할 수 있음
밀	• 쾌락의 양뿐만 아니라 질적인 차이도 중요함 • 감각적 쾌락보다 정신적 쾌락을 중시함

(3) 현대 사회에 주는 시사점

① 행위의 동기*보다 이익과 행복이라는 결과를 강조하여 윤리적 판단에 구체적 지침을 줌

② 개인의 행복과 사회 전체의 행복의 조화를 추구하여 이기주의로 발생하는 윤리 문제 해결에 도움을 줌

3. 덕 윤리 자료 6

(1) 덕 윤리적❽ 접근

① 인간의 품성을 닦아 덕성을 함양하는 것을 강조함
— 덕 윤리는 선한 행위를 실천하기 위해서는 행위보다는 행위자의 도덕성에 초점을 맞추어야 한다고 봐.

② 의무와 원리에 따른 행위 중심의 윤리를 비판하고, 행위자 중심의 윤리에 초점을 맞춤

③ 덕성 함양이 역사와 전통이라는 구체적 맥락을 지닌 공동체 안에서 가능하다고 봄
— 현대의 대표적인 덕 윤리 사상가인 매킨타이어는 개인의 자유보다 공동체와 그 공동체의 전통과 역사를 중시해.

(2) 현대 사회에 주는 시사점

① 도덕 지식을 행동으로 옮기는 도덕 실천력을 높일 수 있음

② 의무론이나 공리주의처럼 규칙이나 원리를 기계적으로 적용하지 않음

4. 도덕 과학적 접근❾

(1) 도덕 과학적 접근의 특징

① 인간의 도덕성과 윤리적 문제를 과학에 근거하여 탐구하는 방식

② 관찰이나 실험에 의한 경험적인 방법이나 추론을 중시함

③ 인간의 도덕성과 도덕적 행동을 새롭게 해석하여 이해의 폭을 넓혀 줌
— 이기적 혹은 이타적 행동을 유전자의 측면에서 해석하는 것을 예로 들 수 있어.

(2) 현대 사회에 주는 시사점: 다양한 윤리 문제를 해결하는 데 이성뿐만 아니라 정서와 신체적인 부분까지 통합하여 고려함

시험에 잘 나오는 자료

자료 4 칸트의 도덕 법칙이 주는 의의 관련 문제 ▸ 29쪽 05번

- **보편 법칙의 정식:** 네 의지의 준칙이 항상 동시에 보편적 법칙 수립의 원리로서 타당할 수 있도록, 그렇게 행위 하라.
- **목적의 정식:** 자기 인격이든 타인의 인격이든 모든 경우에 인간을 결코 단순한 수단으로 취급하지 말고, 동시에 언제나 목적으로 대우하도록 행위 하라.

자·료·분·석 칸트는 도덕 법칙을 인간이라면 누구나 예외 없이 따라야 하는 무조건적이고 절대적인 정언 명령의 형태로 제시한다. 그는 인간이 선의지를 가지고 있으므로 정언 명령에 따를 수 있으며 이에 따를 때 인간은 도덕적 인간이 될 수 있다고 보았다.

한·줄·핵·심 칸트의 윤리는 보편타당한 도덕 법칙을 제시하여 윤리 상대주의*와 다원화로 인한 가치 혼란 극복에 도움을 준다.

자료 5 벤담의 쾌락 계산법 관련 문제 ▸ 31쪽 05번

쾌락과 고통만을 평가함에 있어 고려해야 할 것은 강력성, 지속성, 확실성, 원근성이다. 그러나 쾌락과 고통의 가치가 그것을 낳는 행위의 영향을 평가한다는 목적을 위하여 고찰되는 경우에는, 다산성과 순수성을 계산에 넣어야 한다. 그리고 범위, 즉 쾌락과 고통의 영향을 받는 사람의 수도 고려해야 한다. – 벤담, "도덕 및 입법의 원리 서설"

자·료·분·석 벤담은 모든 쾌락은 질적으로 같고 양적으로만 다르기 때문에 쾌락의 양을 측정할 수 있다고 보고, 강력성, 지속성, 확실성 등을 고통과 쾌락을 계산하는 기준으로 제시하였다.

한·줄·핵·심 벤담은 쾌락을 계산할 수 있으며 이를 통해 유용성을 측정할 수 있다고 보았다.

자료 6 아리스토텔레스의 품성적 덕 관련 문제 ▸ 29쪽 07번

덕에는 두 종류가 있다. 하나는 지성적 덕이며, 다른 하나는 품성적 덕이다. …(중략)… 품성적 덕은 습관의 결과로 생겨난다. 품성적 덕을 획득하게 되는 것은 실천함으로써 이루어진다. 우리는 정의로운 일을 행함으로써 정의로운 사람이 되고, 절제 있는 일을 행함으로써 절제 있는 사람이 되며, 용감한 일을 행함으로써 용감한 사람이 되는 것이다.
– 아리스토텔레스, "니코마코스 윤리학"

자·료·분·석 현대의 덕 윤리는 아리스토텔레스의 사상에 기원을 둔다. 그에 따르면, 지성적 덕은 주로 교육에 근거하므로 그것을 함양하는 데 경험과 시간을 필요로 한다. 그리고 품성적 덕은 습관의 결과로 생겨나므로 유덕한 품성을 갖춘 사람이 되려면 옳은 행동을 반복적으로 실천하여 내면화해야 한다. 한 번의 옳은 행동이 그 사람을 도덕적으로 만들어 주는 것은 아니기 때문이다.

한·줄·핵·심 아리스토텔레스는 유덕한 품성은 꾸준한 실천을 통해 갖출 수 있다고 보았다.

내용 이해를 돕는 팁

궁금해요

Q. 의무론, 공리주의, 덕 윤리 외에 또 다른 윤리적 접근에는 어떤 것이 있나요?

A. 책임 윤리, 계약론적 접근, 배려 윤리가 있어.

책임 윤리
하지 않은 행위와 해야 할 행위에 대한 책임도 강조하며 대상에 미래 세대도 포함된다는 특징을 지님
계약론적 접근
도덕적 행위의 근거를 사회 계약에서 찾는 관점으로, 상호성에 근거한 계약 당사자 간의 이성적 합의의 산물인 사회 계약으로부터 도덕적 의무가 나온다고 주장
배려 윤리
타인을 보살피고 배려하는 공동체적 관계에 주목하면서 수용성, 관계성에 근거한 사랑과 배려를 강조함

용어 더하기

* **부합**
사물이나 현상이 꼭 들어맞는 것을 말한다.

* **동기**
어떤 일이나 행동을 일으키는 계기를 말한다.

* **윤리 상대주의**
보편적으로 타당한 도덕 원리가 없으며 선과 악, 옳고 그름에 대한 기준이 개별적으로 존재한다는 관점을 말한다.

의무론과 공리주의, 어떤 점이 다를까?

개념풀 Guide 의무론과 공리주의의 특징을 비교해 보자.

관련 문제 ▶ 31쪽 07번

핵심 짚어보기

의무론	• 행위의 결과가 아니라 동기가 중요함 • 칸트: 모든 인간에게는 자연적으로 주어진 보편타당한 법칙이 있고 이것을 따를 의무가 있음
공리주의	• 행위의 도덕성은 동기가 아니라 결과로 결정함 • 벤담: 모든 쾌락은 질적으로 동일하며 단지 양에서 차이가 남 • 밀: 쾌락의 양뿐만 아니라 질적인 차이도 고려해야 함

자료에서 핵심 찾아보기

자료 ❶ 비록 운이 따라 주지 않거나 어쩔 수 없는 자연적 조건으로 인해 선의지가 자기의 의도를 성취할 수 없다 하더라도 선의지는 그 자체만으로 자신 안에 온전한 가치를 지닌 것으로서 보석과 같이 빛날 것이다. 무엇에 유익하다거나 무익하다는 평가는 선의지가 지닌 가치에 아무런 영향도 미칠 수 없다.

– 칸트, "도덕 형이상학 정초"

핵심 확인
칸트에 따르면 행위의 도덕성은 결과가 아니라 '선의지를 따랐느냐 안 따랐느냐' 하는 동기에 달려 있다.

자료 ❷ 자연은 인류를 고통과 쾌락이라는 두 주권자의 지배하에 두었다. 오직 고통과 쾌락만이 우리가 무엇을 할 것인가 뿐만 아니라 무엇을 해야 할 것인가를 지적해 준다. 한편으로는 인과의 사슬이 그것들의 옥좌에 걸려 있다. 그것들은 우리의 모든 생각을 지배한다. 우리가 그 지배를 뿌리치기 위해서 행하는 모든 노력은 단지 우리가 지배받고 있다는 사실을 증명하거나 확증하는 데 기여할 뿐이다.

– 벤담, "도덕과 입법의 원리 서설"

핵심 확인
벤담에 따르면 선함과 악함은 행위의 결과에 의해, 즉 어떤 행위가 가져오는 쾌락에 의해 결정된다.

자료 ❸ 만족해하는 돼지보다 불만족스러워하는 인간이 되는 것이 더 낫다. 만족해하는 바보보다 불만을 느끼는 소크라테스가 더 낫다. …(중략)… 쾌락의 강도는 차치하더라도 더 높은 능력에서 비롯되는 쾌락이, 고상한 것과는 거리가 먼 동물적 쾌락에 비해 질적으로 더 선호된다면, 웬만한 고통을 감수하더라도 그런 쾌락을 추구해야 하지 않을까?

– 밀, "공리주의"

핵심 확인
밀에 따르면 쾌락에는 양적 차이뿐만 아니라 질적 차이도 존재한다. 정상적인 인간이라면 누구나 고상한 쾌락을 추구하고자 한다.

이것만은 꼭!

다음 내용이 옳으면 ○표, 틀리면 ×표를 하시오.

(1) 의무론에 따르면, 행위의 옳고 그름은 행위의 동기가 아니라 결과에 달려 있다. ( )

(2) 칸트에 따르면, 인간은 따라야만 하는 도덕 법칙을 인식할 수 있다. ( )

(3) 벤담에 따르면, 행위의 선악은 행위가 가져오는 쾌락에 의해 결정된다. ( )

(4) 밀에 따르면, 인간은 질이 낮은 쾌락보다 질이 높은 쾌락을 추구한다. ( )

[정답] (1) × (2) ○ (3) ○ (4) ○

콕콕! 개념 확인하기

정답과 해설 5쪽

A 동양 윤리의 접근

01 빈칸에 알맞은 말을 쓰시오.

(1) 유교 윤리에서는 도덕적 공동체인 □□ □□을/를 이상 사회로 제시하였다.

(2) 불교 윤리는 자기가 소중하면 남도 소중하므로 모든 생명을 차별 없이 사랑해야 한다는 □□의 정신을 강조하는데, 이는 현대 사회에서 이기주의를 극복하는 데 도움을 준다.

(3) 도가 윤리에서는 자연을 본받는 도는 인위적인 것을 멀리하고 강제하지 않고 자연스러움을 따르는 □□□□의 삶을 추구한다.

02 유교, 불교, 도가 윤리에서 강조하는 올바른 삶의 태도를 〈보기〉에서 골라 쓰시오.

보기
ㄱ. 생로병사의 삶의 고통에서 벗어나 열반의 깨달음을 얻어야 한다.
ㄴ. 인위적 가치 판단에서 벗어나 자기 모습대로 살아가는 삶을 추구한다.
ㄷ. 이기적 욕심을 가질 수 있으므로 효제(孝悌)나 충서(忠恕)를 실천해야 한다.

(1) 유교 윤리 (　　) (2) 불교 윤리 (　　) (3) 도가 윤리 (　　)

03 알맞은 설명에 ○표를 하시오.

(1) 공자는 개인의 이익보다 사회 전체의 이익을 중요하게 여기고, 이익을 보면 (도 , 의)를 먼저 생각해야 한다고 강조하였다.

(2) 불교 윤리에서 제시하는 (심재 , 연기)는 모든 존재와 현상에는 여러 원인과 조건이 있으므로 만물은 독립적으로 존재할 수 없음을 뜻한다.

(3) 도가 윤리에서 세상 만물을 차별하지 않고 한결 같이 보는 상태를 (제물 , 열반)이라고 말한다.

B 서양 윤리의 접근

04 서양 윤리의 대표적인 이론과 주요 내용을 바르게 연결하시오.

(1) 의무론적 윤리 • • ㉠ 동기나 과정보다 결과를 중시한다.
(2) 공리주의 윤리 • • ㉡ 행위가 의무에 부합하는지를 살핀다.
(3) 덕 윤리 • • ㉢ 행위보다는 행위자에 초점을 맞춘다.
(4) 도덕 과학적 접근 • • ㉣ 객관적이고 과학적인 자료를 제공한다.

05 빈칸에 알맞은 말을 쓰시오.

(1) 칸트의 도덕 법칙은 인간이라면 누구나 예외 없이 따라야 하는 무조건적이고 절대적인 □□ □□이다.

(2) 공리주의는 많은 사람이 행복을 누리는 '□□ □□의 □□ □□'(이)라는 도덕 원리를 주장하였다.

(3) 덕 윤리에 따르면, 유덕한 품성을 기르려면 옳고 선한 행위를 □□□하여 자신의 행위로 내면화하는 것이 중요하다.

탄탄! 내신 다지기

A 동양 윤리의 접근

01 다음 사상의 입장으로 옳지 않은 것은?

> 부모를 섬기되 부드럽게 간(諫)해야 하니, 부모의 뜻이 내 말을 따르지 않음을 보고서도 더욱 공경하여 부모의 뜻을 어기지 않으며, 힘들더라도 원망하지 않아야 한다.

① 자기 수양을 바탕으로 덕을 함양해야 한다고 본다.
② 하늘을 인간에게 도덕적 본성을 부여하는 존재로 본다.
③ 충서(忠恕)의 덕목을 통해 타인에 대한 존중과 배려를 강조한다.
④ 좌망(坐忘)과 심재(心齋)를 통해 진정한 자유의 경지에 이를 수 있음을 강조한다.
⑤ 인간은 사단(四端)을 부여받았지만 이기적인 욕구로 인하여 도덕적으로 타락할 수 있다고 본다.

02 다음을 주장한 사상가가 제시할 옳은 견해를 〈보기〉에서 고른 것은?

> 큰 도가 행해진 세상에서는 천하가 모든 사람의 것이다. 사람들은 어진 이와 능한 이를 선출하여 관직을 맡게 하고 서로 간의 신뢰와 친목을 두텁게 한다. 그러므로 사람들은 각자의 부모만을 부모로 섬기지 않으며, 각자 자기 자식만을 자식으로 여기지 않는다.

〈보기〉
ㄱ. 도덕적 공동체의 실현보다 경제 성장을 우선시해야 한다.
ㄴ. 수신과 수양을 바탕으로 다른 사람을 편안하게 해야 한다.
ㄷ. 선악에 관한 분별적 지혜를 기르고 자신의 욕망을 다스려야 한다.
ㄹ. 겸허와 부쟁의 덕을 실천하여 자연 그대로의 순진한 모습대로 살아야 한다.

① ㄱ, ㄴ ② ㄱ, ㄷ ③ ㄴ, ㄷ
④ ㄴ, ㄹ ⑤ ㄷ, ㄹ

03 밑줄 친 '이 사상'에 대한 설명으로 옳지 않은 것은?

> 이 사상은 모든 존재가 인연으로 연결되어 있다는 연기의 깨달음을 강조한다. 상호 의존의 관계에 근거한 이 사상은 현대에 와서 생명 윤리와 환경 윤리 영역에 많은 시사점을 줄 수 있다.

① 팔정도와 같은 수행법을 제시한다.
② 살아 있는 모든 존재는 불성을 지닌다고 본다.
③ 자비를 실천하여 대중을 구제해야 한다고 본다.
④ 연기의 법칙을 깨달으면 자비의 마음이 저절로 생긴다고 본다.
⑤ 충서의 방법으로 타인에 대한 사랑인 인을 실천해야 한다고 본다.

04 다음 내용을 통해 유추할 수 있는 내용으로 가장 적절한 것은?

> • 물오리는 비록 다리가 짧지만 그것을 길게 이어 주면 괴로워하고, 학의 다리는 길지만 그것을 짧게 잘라 주면 슬퍼한다. 이러한 까닭으로 본래부터 긴 것을 잘라서는 안 되며, 본래부터 짧은 것을 이어 주어서도 안 된다.
> • 옛날에 바닷새가 노나라 교외로 날아와 앉자, 노나라 임금은 그 새를 맞아 잔치를 열어 아름다운 음악을 연주하고 성대한 음식으로 대접하였다. 그러나 새는 고기 한 점 먹지 못한 채 사흘 만에 죽었다.

① 인간은 자연보다 우월한 존재이다.
② 이상적 인간인 보살이 되기 위해 노력해야 한다.
③ 인과 예를 통해 도덕적 공동체를 실현해야 한다.
④ 자기중심적 사고에서 벗어나 도의 관점에서 만물을 바라보아야 한다.
⑤ 생로병사의 끊임없는 삶의 고통에서 벗어나 열반에 도달해야 한다.

B 서양 윤리의 접근

05 다음을 주장한 사상가의 입장으로 가장 적절한 것은?

> • 네 의지의 준칙이 언제나 동시에 도덕의 보편 입법 원리로서 항상 타당성을 지닐 수 있는 준칙에 따라 행위하라.
> • 자기 인격이든 타인의 인격이든 모든 경우에 인간을 결코 단순한 수단으로 취급하지 말고, 동시에 언제나 목적으로 대우하도록 행위 하라.

① 행위의 동기보다 결과를 중시한다.
② 도덕 실천에서 주체적인 자율성을 강조한다.
③ 도덕 법칙을 가언 명령의 형식으로 제시한다.
④ '최대 다수의 최대 행복'을 도덕 판단의 기준으로 삼는다.
⑤ 언제 어디서나 따라야 할 보편타당한 법칙의 존재를 부정한다.

06 갑, 을 사상가들에 대한 설명으로 가장 적절한 것은?

> 갑: 행위의 옳고 그름을 평가하는 유일한 기준은 행위에 의해 생겨나는 쾌락과 고통의 양이다.
> 을: 쾌락이 양적 차이만을 갖는 것은 아니다. 우리는 쾌락을 평가할 때 질적 차이를 반드시 고려해야 한다.

① 갑은 쾌락 간에 질적인 차이가 있다고 주장한다.
② 갑은 도덕적 판단이 쾌락과 무관하다고 주장한다.
③ 을은 행위보다 행위자의 도덕성을 중시한다.
④ 을은 갑과 달리 쾌락을 양적 차이에만 근거하여 평가한다.
⑤ 갑, 을은 모두 행위의 동기보다 결과를 중시한다.

07 (가)의 관점에서 〈문제 상황〉의 A에게 해 줄 수 있는 조언으로 가장 적절한 것은?

> (가) 우리는 정의로운 일을 행함으로써 정의로운 사람이 되고 용감한 일을 행함으로써 용감한 사람이 되는 것이다.
>
> 〈문제 상황〉
>
> A는 친구를 만나러 가는 길에 바닥에 떨어진 지갑을 발견하였다. 지갑에는 큰돈이 들어 있었는데 신분증은 없었다. A는 경찰서에 신고하는 것이 옳다고 생각하였지만 지갑에 든 돈의 유혹에 끌려 어떻게 해야 할지 망설이고 있다.

① 쾌락 계산법을 정밀하게 적용한다.
② 옳고 선한 행위를 습관화해야 한다.
③ 쾌락의 질적 차이를 고려해야 한다.
④ 정언 명령 형식의 도덕 법칙을 따라야 한다.
⑤ 인간에게 자연적으로 주어진 보편적 법을 따라야 한다.

서술형 문제

08 다음을 읽고 물음에 답하시오.

> 지수는 놀이터에서 놀던 아이가 넘어져서 울고 있는 것을 발견하였다. 그래서 아이를 일으켜 달래준 후 주변에 있는 아이의 부모님에게 데려다주었다. 이 모습을 본 민희는 지수가 위험에 처한 타인을 도와야 한다는 도덕 법칙에 따라 행동한 것이라고 평가하였다.

(1) 민희가 지수의 행동을 평가할 때 사용한 윤리 사상을 쓰시오.

( )

(2) 지수의 행동을 의무론적 관점에서 평가하시오.

도전! 실력 올리기

수능 유형

01 (가)를 주장한 사상가가 (나) 질문에 대해 제시할 답변으로 가장 적절한 것은?

(가)	사욕을 이기고 예로 돌아가는 것이 곧 인이다. 하루만이라도 사욕을 이기고 예로 돌아가면 천하가 모두 인으로 귀결될 것이다. 예가 아니면 보지도 듣지도 말하지도 말아야 한다.
(나)	백성을 바르게 하려면 통치자가 어떻게 해야 합니까?

① 엄격한 형벌로써 백성을 바로잡아야 한다.
② 무위(無爲)의 다스림으로 백성을 통치해야 한다.
③ 옳고 그름을 분별하지 말고 모든 백성을 사랑해야 한다.
④ 사욕을 충족할 수 있게 재화를 충분히 공급해야 한다.
⑤ 덕(德)으로 인도하고 예(禮)로써 가지런하게 해야 한다.

수능 유형

02 다음 내용에서 유추할 수 있는 입장만을 〈보기〉에서 있는 대로 고른 것은?

> 이것이 있기 때문에 저것이 있고, 이것이 생기기 때문에 저것이 생긴다. 이것이 없기 때문에 저것이 없고, 이것이 사라지기 때문에 저것이 사라진다.

〈보기〉
ㄱ. 팔정도와 삼학을 수행하여 열반에 이를 수 있다.
ㄴ. 모두가 더불어 잘 사는 대동 사회를 이루어야 한다.
ㄷ. '나'라는 불변하는 실체를 중심으로 세계를 이해해야 한다.
ㄹ. 연기에 대한 자각은 자신뿐만 아니라 남도 소중하다는 자비의 마음으로 이어진다.

① ㄱ, ㄷ ② ㄱ, ㄹ ③ ㄴ, ㄹ
④ ㄱ, ㄴ, ㄷ ⑤ ㄴ, ㄷ, ㄹ

03 다음 입장을 지지하는 사람이 주장할 진술에만 'V'를 표시한 학생은?

> 천지 만물의 근원인 도(道)의 특성은 인위적으로 강제하지 않고 자연스러움을 따르는 무위자연(無爲自然)이다.

번호	내용 \ 학생	갑	을	병	정	무
(1)	효제충신을 통해 인을 실천해야 한다.	V	V		V	
(2)	최고의 선은 다투지 않고 낮은 곳에 머무는 물과 같다.	V		V	V	V
(3)	연기의 법칙을 깨달아 '나'라는 집착을 끊어내야 한다.		V			V
(4)	만물과 나 사이의 구별이 없는 제물의 경지에 오르려고 노력해야 한다.			V	V	V

① 갑 ② 을 ③ 병 ④ 정 ⑤ 무

04 다음을 주장한 사상가가 긍정의 대답을 할 질문을 〈보기〉에서 고른 것은?

> 최고의 선은 물과 같다. 물은 만물을 이롭게 하면서도 다투지 않고, 뭇 사람들이 싫어하는 곳에 머문다. 그러므로 도에 가깝다.

〈보기〉
ㄱ. 하늘은 인간과 관련 없는 자연법칙인가?
ㄴ. 연기의 가르침을 깨달아 해탈에 이르러야 하는가?
ㄷ. 제도와 문명 등의 인위적 가치는 지양해야 하는가?
ㄹ. 인(仁)을 통해 도덕성을 회복하고 안정된 사회를 실현해야 하는가?

① ㄱ, ㄴ ② ㄱ, ㄷ ③ ㄴ, ㄷ
④ ㄴ, ㄹ ⑤ ㄷ, ㄹ

수능 기출

05 (가) 사상의 입장에서 (나) 상황 속 A에게 제시할 조언으로 가장 적절한 것은?

(가)	강하다, 길다, 확실하다, 빠르다, 효과적이다, 순수하다- 쾌락과 고통 속에서 이런 특징들을 지속시켜라. 만약 사적인 쾌락이 너의 목적이라면, 그런 쾌락을 추구하라. 만약 공적인 쾌락이 너의 목적이라면, 그런 쾌락을 확대하라.
(나)	고등학생인 A는 같은 반의 B와 말다툼을 했다. 집에 돌아와서도 화가 가라앉지 않은 A는 친구들에게 연락하여 학급 채팅방에서 B를 상대로 *사이버 불링을 같이 하자고 부탁해야 할지 망설이고 있다. *사이버 불링: 정보 통신 기술을 통해 의도적이고 지속적인 괴롭힘을 가하는 것

① 사이버 불링이 공리를 극대화하는 것인지 고려하세요.
② 사이버 불링이 자연법에 부합하는 것인지 고려하세요.
③ 사이버 불링이 덕성 함양에 기여하는 것인지 고려하세요.
④ 사이버 불링이 모성적 배려를 실천하는 것인지 고려하세요.
⑤ 사이버 불링이 인간을 목적으로 대우하는 것인지 고려하세요.

06 갑, 을의 입장에 대한 설명으로 가장 적절한 것은?

유용성의 원리를 개별적인 행위에 적용하여 행위의 옳고 그름을 판단해야 해.
갑

나는 그렇게 생각하지 않아. 유용성의 원리를 행위 규칙에 적용한 후 행위의 옳고 그름을 판단해야 해.
을

① 갑은 의무 의식에 따른 행위가 도덕적 가치를 지닌다고 본다.
② 갑은 모든 인간에게 자연적으로 주어진 보편의 법칙이 있다고 본다.
③ 을은 더 큰 유용성을 산출하는 규칙에 따라 행위해야 한다고 본다.
④ 을은 갑과 달리 쾌락을 산출하고 고통을 피하는 결과를 낳는 행위를 선한 행위로 본다.
⑤ 갑, 을은 개인의 자유와 선택보다 공동체와 그 전통을 중시한다.

07 서양 사상가 갑, 을의 입장에 대한 옳은 설명만을 〈보기〉에서 있는 대로 고른 것은?

> 갑: 비록 운이 따라 주지 않거나 어쩔 수 없는 자연적 조건으로 인해 선의지가 자기의 의도를 성취할 수 없다 해도 선의지는 그 자체만으로 자신 안에 온전한 가치를 지닌 것으로서 보석과 같이 빛날 것입니다.
> 을: 자연은 인류를 고통과 쾌락이라는 두 주인에게서 지배받게 하였습니다. 유용성의 원리는 이런 복종 관계를 인식시켜 주고 이성과 법률의 손길로 행복의 틀을 짜는 목적을 지닌 체계의 기초로서 이런 복종 관계를 가정하고 있습니다.

보기
ㄱ. 갑은 쾌락의 추구와 고통의 회피를 행위의 동기로 삼는다.
ㄴ. 을은 유용성의 증대를 도덕 판단을 위한 일반 원리로 삼는다.
ㄷ. 갑은 을과 달리 행위의 동기를 결과보다 주목한다.
ㄹ. 을은 갑과 달리 도덕 판단에서 행복 추구의 경향성을 중시한다.

① ㄱ, ㄴ ② ㄱ, ㄹ ③ ㄴ, ㄷ
④ ㄱ, ㄷ, ㄹ ⑤ ㄴ, ㄷ, ㄹ

수능 유형

08 ㉠, ㉡에 대한 옳은 설명을 〈보기〉에서 고른 것은?

> (㉠)은/는 아리스토텔레스의 사상을 계승하였다. 아리스토텔레스는 덕을 두 종류로 제시하였는데, 하나는 지성적 덕이고, 또 다른 하나는 (㉡)(이)다. 지성적 덕은 그 기원과 성장을 주로 교육에 두고 있는 반면, (㉡)은/는 어떠한 것도 본성적으로 우리에게 생기는 것이 아니라고 본다.

보기
ㄱ. ㉠은 행위자 내면의 도덕성과 인성을 중시한다.
ㄴ. ㉠은 공동체 구성원의 삶보다 개인의 자유를 중시한다.
ㄷ. ㉡은 습관의 결과로 나타난다.
ㄹ. ㉡은 유덕한 행위를 지속하지 않아도 저절로 생겨난다.

① ㄱ, ㄴ ② ㄱ, ㄷ ③ ㄴ, ㄷ
④ ㄴ, ㄹ ⑤ ㄷ, ㄹ

윤리 문제에 대한 탐구와 성찰

핵심 질문으로 흐름잡기

A 도덕적 탐구의 방법은?
B 윤리적 성찰과 실천의 중요성은?

A 도덕적 탐구의 방법

|시·험·단·서| 도덕적 탐구의 특징과 과정을 묻는 문제가 출제돼.

1. 도덕적 탐구의 의미와 특징

(1) 도덕적 탐구[1]의 의미: 도덕 문제의 해결 방안을 찾기 위해 도덕 원리와 사실 판단을 조사, 분석, 비교, 평가하여 타당한 결론을 내리는 것

(2) 도덕적 탐구의 특징

① 당위적 차원에 주목함 — 도덕적 가치와 규범을 토대로 시비선악을 밝혀 도덕 판단이나 행위의 정당화에 초점을 두기 때문이야.

② 대체로 윤리적 딜레마를 활용한 도덕적 추론*으로 이루어짐 자료 1

③ 이성적 사고의 과정 외에 공감, 배려 등 정서적 측면도 중시함

* 이유나 근거를 제시하면서 도덕 판단을 끌어내는 과정이야.

2. 도덕적 탐구의 과정

단계	내용
윤리적 쟁점 확인	도덕적 탐구 주제나 문제의 쟁점 또는 딜레마 확인
자료 수집 및 분석	도덕적 문제 해결에 필요한 자료 수집 및 분석
입장 채택 및 정당화 근거 제시	• 정당화 근거의 타당성 검토: 보편화 가능성 검사법[2], 역할 교환 검사법 등 • 도덕적 쟁점에 대한 자신의 입장을 채택하거나 대안을 설정
최선의 대안 도출	타인의 의견을 구하거나 토론의 과정[3]을 거침
반성적 성찰 및 입장 정리	탐구에 대한 자신의 태도, 탐구 활동을 통해 배우고 변화된 점 등 정리

❶ 도덕적 탐구의 종류

구분	내용
가치 탐구	• 탐구의 대상이 옳은지 그른지 또는 좋은지 나쁜지를 구분함 • 예 대학 입시 전형에서 농어촌 특별 전형을 시행하는 것이 옳은가에 대한 가치 판단
사실 탐구	• 관찰, 조사, 연구 등의 방법으로 탐구의 대상에 대한 참과 거짓을 규명함 • 예 대학 입시 전형에서 농어촌 특별 전형이 법정 모집 비율에 미달되는지에 대한 조사

❷ 보편화 가능성 검사법과 역할 교환 검사법

- 보편화 가능성 검사법: 자신이 채택한 입장을 유사한 상황에 있는 모든 행위자에게 보편적으로 적용할 수 있는지 검토함
- 역할 교환 검사법: 딜레마 속의 타인의 입장을 취해 봄

❸ 토론의 과정

'주장하기 → 반론하기 → 재반론하기 → 검토와 정리'의 순서로 이루어진다.

B 윤리적 성찰과 실천

|시·험·단·서| 윤리적 성찰의 방법과 관련한 동서양 사상을 묻는 문제가 출제돼.

1. 윤리적 성찰의 의미와 중요성

도덕적 탐구가 사회의 여러 문제에 대한 이해와 분석에 초점을 두는 반면, 윤리적 성찰은 도덕적 주체의 도덕성에 초점을 둬.

(1) 윤리적 성찰의 의미: 자신이 가진 인간관, 가치관, 세계관 등을 윤리적 관점에서 전체적으로 검토하고 반성하는 과정

(2) 윤리적 성찰의 중요성: 도덕적 자각의 계기를 마련하고, 인격 함양에 도움을 줌

2. 윤리적 성찰의 방법

(1) 동양의 방법

① 유교의 신독*

② 불교의 성찰 수행 방법인 참선 — 무엇이 인간의 참된 삶인지를 깨닫고, 자신의 맑은 본성을 찾아 바르게 살아가기 위해 앉아서 하는 수행법이야.

③ 윤리적 성찰을 위한 수양 방법을 제시한 이황의 경[4]

④ 삶의 성찰을 위한 증자의 일일삼성(一日三省) 자료 2

(2) 서양의 방법

① 소크라테스는 성찰의 중요성 강조 자료 3 — 소크라테스는 "반성하지 않는 삶은 살 가치가 없다."라고 주장했어.

② 아리스토텔레스의 행위와 태도를 성찰하는 방법으로서의 중용 — 도덕적 행동의 반복된 실천을 통해 중용에 이를 수 있어. 중용은 행위와 태도를 성찰하는 방법으로 '마땅한 때에, 마땅한 일에 대해, 마땅한 사람에게, 마땅한 동기로' 느끼거나 행하는 것을 말해.

❹ 경(敬)의 방법

마음을 한군데에 집중하여 잡념이 들지 않게 하고, 몸가짐을 단정히 하고 엄숙한 태도를 유지하고, 항상 깨어 있어서 또렷한 정신 상태를 유지해야 한다.

시험에 잘 나오는 자료

자료 1 도덕적 추론의 과정 관련 문제 ▶ 36쪽 08번

도덕 원리 (원리 근거)	A는 B이고
사실 판단 (사실 근거)	C가 A이면
도덕 판단 (결론)	C는 B이다

▲ 삼단 논법에 따른 도덕 추론 과정

뇌사를 죽음으로 인정해야 하는가에 대한 찬성 결론을 도출하는 도덕적 추론 과정은 다음과 같다. '사람들에게 이익을 가져다주는 것은 옳다(도덕 원리).' → '뇌사를 죽음으로 인정하면 더 많은 사람에게 장기 이식 수술을 할 수 있다(사실 근거).' → '뇌사를 죽음으로 인정하는 것은 옳다(도덕 판단).'

자·료·분·석 도덕적 추론은 옳고 그름을 판단하는 '도덕 원리'와 참과 거짓을 구분하는 '사실 판단'을 근거로 하여 논리적으로 도덕 판단을 내리는 사고 과정이다. 위의 자료에서는 유용성을 강조하는 공리주의 입장에서 도덕 판단을 내렸다. 이처럼 어떤 도덕 원리나 사실 판단에 근거하였는가에 따라 도덕 판단이 달라진다.

한·줄·핵·심 도덕적 추론의 과정은 도덕 판단을 검토해 도덕의 정당성을 확보하기 위해 필요하다.

자료 2 증자의 일일삼성(一日三省) 관련 문제 ▶ 36쪽 07번

증자가 말하였다. "나는 매일 자신에 대하여 세 가지를 반성하는데, 남을 위해 일을 함에 있어 충실하지 않았는가? 친구들과 사귐에 있어 신의를 잃은 일은 없는가? 스승에게서 배운 것을 익히지 않은 것은 없는가?이다."

– "논어"

자·료·분·석 인간은 만들어 가는 존재이므로 탐구하고 실천하는 과정에서 잘못된 점을 살피고 같은 잘못을 되풀이하지 않도록 성찰해야 한다. 이러한 자아 성찰의 대표적인 예가 증자의 세 가지 질문이다.

한·줄·핵·심 증자는 윤리적 성찰의 방법으로 매일 자신에 대해 세 가지를 반성한다는 일일삼성을 제시하였다.

자료 3 소크라테스의 윤리적 성찰

누군가 이렇게 말할지도 모르겠네요. "소크라테스, 당신이 침묵을 지키고 조용히 지낸다면 우리한테서 쫓겨나 밖으로 나가더라도 얼마든지 살아갈 수 있지 않을까요?" 하지만 이건 신에게 불복하는 일입니다. 날마다 덕에 관해서 그리고 다른 것들에 관해서 이야기를 만들어 가는 것, 이것이야말로 인간이 누릴 수 있는 최상의 좋음이고 검토 없이 사는 삶은 인간에게 살 가치가 없습니다.

– 플라톤, "소크라테스의 변론"

자·료·분·석 윤리적 성찰은 개인적으로도 이룰 수 있지만, 다른 사람과 대화를 통해 이루어질 수도 있다. 소크라테스는 타인의 이야기를 들으며 윤리적 성찰을 하는 것이 인간이 누릴 수 있는 최고의 기쁨이라고 하였다.

한·줄·핵·심 소크라테스는 열린 마음을 가진 사람과 매일 덕에 관해 토론하면서 윤리적 성찰을 하여 살아가는 것이 최상의 기쁨이라고 강조하였다.

내용 이해를 돕는 팁

궁금해요

Q. 윤리 문제에 관한 토론은 왜 필요한가요?.

A. 인간은 불완전한 존재이기 때문에 오류를 저지를 가능성이 있지. 또한 사람들은 다양한 가치관을 가지고 살아가기 때문에 동일한 문제에 대해 각기 다른 판단을 내리기도 하는데, 이것이 갈등 상황을 불러일으키기도 해. 토론은 이러한 오류 가능성을 최소화하고, 다양성으로 인한 갈등을 해결하여 최선의 결과를 도출해 내는 과정이지.

용어 더하기

* **윤리적 딜레마** 윤리적 문제 상황에서 두 가지 이상의 도덕적 의무와 도덕 원칙 사이에 갈등과 충돌이 전개되는 상황을 뜻한다.

* **신독(愼獨)** 홀로 있을 때에도 도리에 어그러짐이 없도록 몸가짐을 바로 하고 언행을 삼가는 것을 말한다.

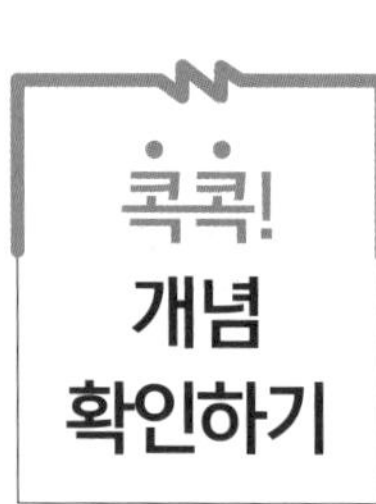

정답과 해설 9쪽

A 도덕적 탐구의 방법

01 빈칸에 알맞은 말을 쓰시오.

(1) 도덕적 탐구에서는 논리적·합리적 사고의 과정뿐만 아니라 □□□ 측면도 중요하다.

(2) 도덕적 탐구는 도덕 가치와 규범을 토대로 행위의 도덕적 정당성에 초점을 두는 □□□ 차원에 주목한다.

(3) □□□ □□은/는 무엇이 옳은 선택인지에 관해 도덕 원리와 사실 판단을 근거로 도덕 판단을 내리는 과정이다.

(4) 토론은 '주장하기 → □□하기 → 재반론하기 → □□와 정리'의 순서로 이루어진다.

02 알맞은 설명에 ○표를 하시오.

(1) 도덕적 탐구의 종류 중 탐구 대상의 '옳고 그름' 또는 '좋고 나쁨'에 대해 알아보는 탐구는 (사실 탐구 , 가치 탐구)이다.

(2) 상대방의 도덕 원리에 반대되는 사례를 제시함으로써 도덕 판단의 근거로 제시된 원리를 반박하는 방법을 (반증 사례 검사 , 역할 교환 검사)라고 한다.

03 도덕적 탐구 과정과 그 방법을 바르게 연결하시오.

(1) 윤리적 쟁점 확인 •	• ㉠ 윤리 문제가 발생하게 된 원인 확인
(2) 자료 수집 및 분석 •	• ㉡ 풍부한 자료 수집과 분석
(3) 입장 채택 및 정당화 근거 제시 •	• ㉢ 토론의 과정을 거침
(4) 최선의 대안 도출 •	• ㉣ 배우고 변화된 점에 대한 검토
(5) 반성적 성찰 및 입장 정리 •	• ㉤ 자신의 입장을 채택하거나 대안을 설정함

B 윤리적 성찰과 실천

04 빈칸에 알맞은 말을 쓰시오.

(1) 윤리적 □□은/는 자신이 가진 인간관, 가치관 등을 윤리적 관점에서 검토하고 반성하는 과정이다.

(2) 이황은 윤리적 성찰을 위한 수양 방법으로 □을/를 주장하였다.

(3) 아리스토텔레스는 행위와 태도를 성찰하는 방법으로 □□을/를 강조하였다.

05 알맞은 설명에 ○표를 하시오.

(1) 증자는 윤리적 성찰의 방법으로 매일 자신에 대해 세 가지를 반성한다는 (일일삼성 , 참선)을 제시하였다.

(2) 도덕적 탐구가 (사회 , 개인)의 각종 윤리 문제에 대한 이해에 중점을 둔다면, 윤리적 성찰은 도덕적 (주체 , 대상)의 도덕성에 중점을 둔다.

탄탄! 내신 다지기

A 도덕적 탐구의 방법

01 빈칸에 들어갈 말에 대한 설명으로 가장 적절한 것은?

> [ ]은/는 도덕적 사고를 통해 도덕적 의미를 새롭게 구성하는 지적 활동을 의미하며, [ ] 과정에서는 도덕 현상을 이해하고 윤리 문제를 해결하기 위해 탐구의 방법을 중시한다.

① 가치 탐구가 아닌 사실 탐구만 실시한다.
② 도덕적 감수성과 공감 능력과는 무관하다.
③ 이성적 사고보다 정서적 측면에 대한 고려가 더 필요하다.
④ 도덕적 문제 상황을 합리적으로 해결하는 데 도움을 준다.
⑤ 도덕 원리는 모든 사람이 인정하는 것이므로 검토하지 않아도 된다.

02 (가), (나)에 적용된 도덕 원리의 타당성 검토 방법으로 가장 적절한 것은?

> (가) 환자가 병으로 겪는 고통을 줄이기 위해 의사에게 치사량의 수면제를 요청하였을 때, 의사는 자기 가족의 경우에는 어떻게 할 것인지를 고려한다.
> (나) 범죄자인 친구가 자신의 친구인 판사에게 자신의 형량을 줄여달라고 애원할 때, 판사는 모든 사람이 이 부탁을 들어줄 경우 사법 체계가 무너질 것을 고려한다.

	(가)	(나)
①	역할 교환 검사법	보편화 가능성 검사법
②	역할 교환 검사법	반증 사례 검사법
③	반증 사례 검사법	역할 교환 검사법
④	반증 사례 검사법	포섭 검사법
⑤	포섭 검사법	보편화 가능성 검사법

03 다음 글을 통해 유추할 수 있는 내용만을 <보기>에서 있는 대로 고른 것은?

> 도덕적 탐구는 정서적 측면을 고려해야 한다. 도덕적 탐구는 논리적 사고와 합리적 사고 그리고 비판적 사고와 같은 이성적 사고의 과정을 중시하지만 이와 동시에 공감과 배려 등 정서적 측면도 중시해야 한다.

<보기>
ㄱ. 설득력 있는 해결 방안을 찾는 데 이성적 사고만으로도 충분하다.
ㄴ. 도덕적 탐구의 과정에서 감정을 표출해야 오류의 가능성을 줄일 수 있다.
ㄷ. 당면한 윤리적 문제를 바라보는 관점이 사람마다 다르므로 배려적 사고를 해야 한다.
ㄹ. 도덕적 상상력을 통해 당면한 문제가 윤리 문제임을 인식하고 향후 전개 방안을 고려해야 한다.

① ㄱ, ㄴ ② ㄴ, ㄷ ③ ㄷ, ㄹ
④ ㄱ, ㄴ, ㄹ ⑤ ㄱ, ㄷ, ㄹ

04 그림은 어느 학생의 노트 필기 내용이다. ㉠~㉤ 중 옳지 않은 것은?

> 〈도덕적 탐구의 방법〉
>
> 1. 도덕적 탐구의 특징
> • 다양한 윤리 문제를 해결하기 위해 도덕적 가치와 규범에 주목함 ··· ㉠
> • 윤리적 딜레마를 활용한 도덕적 추론으로 이루어짐 ··· ㉡
>
> 2. 도덕적 탐구의 순서
> • 윤리적 쟁점 확인 → 자료 수집 및 분석 → 입장 채택 및 정당화 근거 제시 → 최선의 대안 도출 → 반성적 성찰 및 입장 정리 ··· ㉢
> • 가치 탐구이므로 풍부한 자료 수집과 분석은 필요하지 않음 ··· ㉣
> • 타인의 의견을 구하거나 토론의 과정을 거침 ··· ㉤

① ㉠ ② ㉡ ③ ㉢ ④ ㉣ ⑤ ㉤

정답과 해설 9쪽

05 (가)의 갑, 을의 입장을 (나) 그림으로 표현할 때, A~C에 들어갈 진술만을 〈보기〉에서 있는 대로 고른 것은?

(가)	갑: 도덕적 사고를 통해 도덕적 의미를 새롭게 구성하는 지적 활동을 말한다. 을: 자신이 가진 인간관, 가치관, 세계관 등을 전체적으로 검토하고 반성하는 과정을 말한다.
(나)	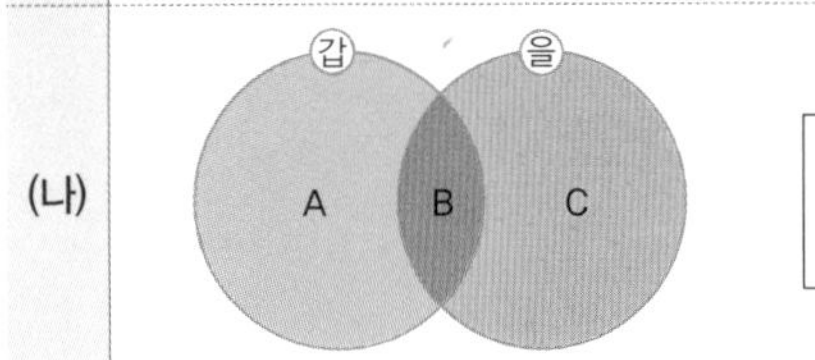 〈범례〉 A: 갑만의 입장 B: 갑, 을의 공통 입장 C: 을만의 입장

〈보기〉
ㄱ. A: 사회의 윤리 문제들에 대한 이해와 분석에 중점을 둔다.
ㄴ. B: 도덕적 행위의 실천을 추구한다.
ㄷ. B: 자신의 도덕적 경험과 무관하게 반성적 사고를 한다.
ㄹ. C: 도덕적 주체의 도덕성에 중점을 둔다.

① ㄱ, ㄴ ② ㄴ, ㄷ ③ ㄷ, ㄹ
④ ㄱ, ㄴ, ㄹ ⑤ ㄱ, ㄷ, ㄹ

B 윤리적 성찰과 실천

06 다음 글에서 유추할 수 있는 삶의 자세로 가장 적절한 것은?

> 내가 돌아다니면서 하는 일은 다름이 아니라 바로 여러분 가운데 젊은이에게나 나이 든 이에게나 영혼을 돌보는 것보다 우선해서 육체나 돈을 돌보지 말라고 설득하는 일입니다. 돈으로부터 덕이 생기는 것이 아니라 덕으로부터 돈과 인간들에게 좋은 다른 모든 것들이 생깁니다.

① 돈을 얻기 위해서 덕을 가져야 한다.
② 대화보다는 독서로 덕을 쌓아야 한다.
③ 자신의 삶을 검토하면서 살아야 한다.
④ 세상과 떨어져 은둔자적 삶을 살아야 한다.
⑤ 타인에 대한 설득을 포기하고 자신의 내면으로 돌아가야 한다.

07 동양 사상가 갑, 을 입장의 공통점으로 옳지 않은 것은?

> 갑: 나는 매일 자신에 대하여 세 가지를 반성하는데, 남을 위해 일을 함에 있어 충실하지 않았는가? 친구들과 사귐에 있어 신의를 잃은 일은 없는가? 스승에게서 배운 것을 익히지 않은 것은 없는가?이다.
> 을: 마음을 한군데에 집중하여 잡념이 들지 않게 해야 하고 몸가짐을 단정히 하고 엄숙한 태도를 유지해야 하며 항상 또렷한 정신 상태를 유지해야 한다.

① 인간은 자신의 내면과 외면을 모두 바라보아야 한다.
② 윤리적 성찰은 인격을 함양하는 데 도움을 주지 못한다.
③ 인간은 자기중심적인 삶의 한계를 극복하고자 노력해야 한다.
④ 인간은 지속적인 성찰로 올바른 자아 정체성을 형성할 수 있다.
⑤ 인간은 윤리적 관점에서 끊임없이 자신에게 물음을 던져야 한다.

서술형 문제

08 다음 글을 읽고 물음에 답하시오.

> 다음은 '뇌사를 죽음으로 인정해야 하는가?'에 대한 반대의 결론을 도출하는 ㉠도덕적 추론의 과정이다.
> (1) 누군가의 생명을 해치는 것은 옳지 않다.
> (2) [㉡]
> (3) 따라서 뇌사를 죽음으로 인정하는 것은 옳지 않다.

(1) ㉠의 의미를 서술하시오.

(2) ㉡에 들어갈 문장을 서술하시오.

도전! 실력 올리기

정답과 해설 10쪽

수능 유형

01 (가)를 주장한 사상가의 관점에서 볼 때, 퍼즐 (나)의 세로 낱말 (A)에 대한 설명으로 가장 적절한 것은?

(가)	의견 발표를 억압하는 것은 그 의견을 지지하거나 반대하는 사람 모두에게 손해를 끼친다. 한 사람 이외의 모든 인류가 동일한 의견이고 한 사람만 반대 의견을 갖는다 해도, 인류에게는 그 한 사람에게 침묵을 강요할 권리가 없다.
(나)	[가로 열쇠] (A): 어떤 문제에 대하여 함께 검토하고 협의함. 경제 위기 극복 방안에 대한 ○○ (B): 일반 대중이 공통으로 제시하는 의견. ○○조사 [세로 열쇠] (A): …… 개념

① 기존의 진리에 복종할 필요성을 확인하는 과정이다.
② 다수의 의견이 오류가 없음을 입증하는 숙고의 과정이다.
③ 인간의 무오류성을 전제로 정확한 판단을 내리는 과정이다.
④ 오류를 최대한으로 줄이고 진리를 찾기 위한 논의의 과정이다.
⑤ 자신의 주장만을 관철함으로써 상대방과 논쟁을 벌이는 과정이다.

02 다음은 도덕적 탐구 과정이다. 이에 대한 설명으로 옳지 않은 것은?

> ㉠윤리적 쟁점 확인 → ㉡자료 수집 및 분석 → ㉢입장 채택 및 정당화 근거 제시 → ㉣최선의 대안 도출 → ㉤반성적 성찰 및 입장 정리

① ㉠: 도덕적 탐구 주제나 문제의 쟁점을 확인한다.
② ㉡: 문제 해결에 필요한 자료를 수집하고 분석한다.
③ ㉢: 쟁점에 대한 입장을 선택하거나 대안을 설정한다.
④ ㉣: 토론의 과정을 거쳐 최선의 대안을 찾는다.
⑤ ㉤: 역할 교환 검사법을 통해 정당화 근거의 타당성을 검토한다.

수능 유형

03 다음과 같은 견해를 가진 사람이 지지할 주장만을 〈보기〉에서 있는 대로 고른 것은?

> 참가한 사람들이 토론이 끝나고 헤어질 때 토론 전보다 더 현명해지고 도덕적으로도 성숙해진다면 그 토론은 가치 있는 토론이다. 그러기 위해서는 상대방이 말하고자 하는 내용을 정확히 이해하려고 노력해야 하며, 무엇인가를 기꺼이 배우려고 해야 한다.

〈보기〉

ㄱ. 옳은 의견은 토론을 통해 검증받을 필요가 없다.
ㄴ. 인간이 완전한 존재라는 가정하에서 토론은 이루어진다.
ㄷ. 토론 과정에서 타인의 주장과 근거를 경청하는 것이 중요하다.
ㄹ. 승자와 패자를 구분하기보다는 양쪽 주장과 논거를 충분히 살펴보아야 한다.

① ㄱ, ㄴ ② ㄱ, ㄹ ③ ㄷ, ㄹ
④ ㄱ, ㄴ, ㄷ ⑤ ㄴ, ㄷ, ㄹ

04 그림은 수행 평가 문제와 학생 답안이다. 학생 답안의 ㉠~㉤ 중 옳지 않은 것은?

> **수행 평가**
>
> ◎ **문제:** 동서양 사상가들의 윤리적 성찰의 방법에 대해서 서술하시오.
>
> ◎ **학생 답안**
>
> 유교에서는 ㉠홀로 있을 때에도 도리에 어긋나지 않도록 하는 신독(愼獨)을 주장하였다. ㉡증자는 일일삼성(一日三省)의 수양 방법을 제시하였고, ㉢이황은 몸가짐을 단정히 하고 엄숙한 태도를 유지하며 항상 또렷한 정신 상태를 유지해야 한다고 주장하였다. 서양에서는 ㉣소크라테스가 대화 없이 혼자서 자신의 삶을 검토해야 한다고 주장하였고, ㉤아리스토텔레스는 도덕적 행동의 반복적 실천을 강조하였다.

① ㉠ ② ㉡ ③ ㉢ ④ ㉣ ⑤ ㉤

한눈에 보는
대단원 정리

01 현대 생활과 실천 윤리

A 현대인의 삶과 다양한 윤리적 쟁점

(1) 윤리와 윤리학

윤리	인간이 지켜야 할 이치나 도리
윤리학	인간 행위에 관한 여러 가지 문제와 규범을 연구하는 학문

(2) 윤리학의 구분

규범 윤리학	의미	인간이 어떻게 행위를 해야 하는가에 대한 보편적 원리의 탐구를 주된 목표로 하는 윤리학
	종류	• 이론 윤리학: 어떤 도덕 원리가 윤리적 행위를 위한 근본 원리로 성립할 수 있는지를 연구함 • 실천 윤리학: 이론 윤리학에서 제공하는 도덕 원리를 토대로 현실의 구체적인 윤리 문제의 바람직한 해결 방안을 모색하고 제시함
메타 윤리학		• 윤리학의 학문적 성립 가능성 모색 • 도덕적 언어의 의미 분석, 도덕적 추론의 정당성을 검증하기 위한 논리 분석에 주목
기술 윤리학		도덕적 풍습이나 관습에 관해 묘사하거나 기술(記述)하면서 도덕의 사실적 의미를 탐구하는 데 주목

(3) 새로운 윤리 문제의 등장

등장 배경	현대 과학 기술의 급속한 발전과 사회·문화적 변화로 과거에는 나타나지 않았던 새로운 윤리 문제에 직면하게 됨
특징	광범위한 파급 효과, 책임 소재를 가리기 어려움, 전통적 윤리 규범으로 해결하기 어려움

B 실천 윤리학의 등장 배경과 특징

등장 배경	• 과학 기술의 발달로 윤리적 공백 발생 • 사회·문화적 변화로 새로운 윤리 문제 발생 • 이론 윤리학은 추상적·보편적이어서 구체적 행위에 대한 지침을 주지 못함
필요성	• 문제 상황과 관련된 사실적 지식이 필요함 • 문제 해결에 직접적인 관심을 두는 윤리학이 필요함
특징	• 다양한 학문 영역과 협력을 강조하는 학제적 성격 • 이론 윤리학의 도덕 원리를 실제 삶의 문제에 적용 • 실제 삶의 윤리 문제의 해결책을 찾고자 함

02 현대 윤리 문제에 대한 접근

A 동양 윤리의 접근

(1) 유교 윤리적 접근

유교 윤리	현대 사회에 주는 시사점
성실과 배려를 도덕적 삶의 실천에서 중요한 가치로 여김	인간 소외와 구성원 간 갈등 문제를 해결하는 실천 덕목과 원리가 될 수 있음
구성원 간의 관계에 따른 역할과 책임을 강조함	지나친 개인주의와 반인륜 범죄, 무책임한 태도로 인한 문제 해결에 도움
개인의 이익보다 사회 전체의 정의를 중요하게 여김	이기주의와 부정부패를 극복하는 데 도움을 줌

(2) 불교 윤리적 접근

불교 윤리	현대 사회에 주는 시사점
모든 존재가 인연으로 연결되어 있다는 연기(緣起)의 깨달음 강조	상호 의존 관계를 강조하는 불교 윤리는 생명 윤리와 환경 윤리 문제에 시사점을 줌
자기가 소중하듯 남도 소중하다는 자비의 정신	이기주의 태도 극복, 따뜻한 공동체 형성에 도움
지혜롭고 도덕적인 삶을 살기 위한 실천 방법으로 계율 강조	불교에서 강조하는 살생을 하지 않는 계율은 생명의 소중함을 인식하게 함
괴로움에서 벗어나기 위한 방법으로 내면의 성찰을 강조	불교의 수행 과정을 통해 자신의 참된 모습을 발견하고 마음의 평화를 얻을 수 있음

(3) 도가 윤리적 접근

도가 윤리	현대 사회에 주는 시사점
제물론: 도의 관점에서 만물을 평등하게 바라볼 것을 강조 → 사회 혼란은 인위적 판단과 구별에서 비롯됨	편협한 자기중심적 사고와 편견 극복에 도움을 줌
자연스럽고 소박한 삶 강조	인간성 상실, 인간 소외 등 해결
인간을 자연의 일부로 보고 다른 존재와 구별하지 않음	도교의 생태적 자연관은 환경 윤리와 생명 윤리의 해결에 도움

B 서양 윤리의 접근

(1) 의무론적 접근

특징	• 행위가 의무에 부합하는가의 여부에 따라 옳고 그름을 판단해야 함 • 자연법 윤리: 인간은 누구나 이성을 통해 보편타당한 법칙인 자연법을 파악할 수 있음 • 칸트 윤리: 어떤 상황에서도 무조건 따라야 하는 도덕 법칙에 부합하는 행위만이 정당하며, 도덕 법칙에 따르는 선의지에 근거한 행위만이 도덕적임
시사점	인간이 보편적으로 지향해야 할 가치를 추구해 현대 사회의 윤리 문제 해결에 도움을 줌

(2) 공리주의적 접근

특징	• 쾌락이나 행복을 증진하는 유용성에 따라 옳고 그름을 판단해야 함 • 벤담: 최대 다수의 최대 행복 추구 • 밀: 쾌락은 양적인 차이뿐만 아니라 질적인 차이도 존재하며, 질이 높은 쾌락을 추구해야 함
시사점	• 행위의 이익이라는 결과를 강조하여 윤리적 판단의 구체적 지침을 제공함 • 개인과 사회 전체의 행복을 추구해 현대 사회의 이기주의 극복에 시사점을 줌

(3) 덕 윤리적 접근

특징	• 품성을 닦아 덕성을 함양하는 것을 강조함 • 품성과 덕성을 중시하는 행위자 중심의 윤리에 초점을 맞춤
시사점	• 도덕 지식을 행동으로 옮기는 도덕 실천력 고양에 도움이 됨 • 특수한 상황에 어떤 행동이 적절한지 판단 근거 마련

(4) 도덕 과학적 접근

특징	• 인간의 도덕성과 윤리적 문제를 과학에 근거하여 탐구함 • 관찰이나 실험에 의한 경험적 방법, 추론을 중시함
시사점	윤리 문제를 이성뿐만 아니라 정서와 신체적 부분까지 통합하여 고려함

03 윤리 문제에 대한 탐구와 성찰

A 도덕적 탐구의 방법

(1) 도덕적 탐구의 의미와 특징

의미	도덕적 사고를 통해 도덕적 의미를 새롭게 구성하는 지적 활동
특징	• 당위적 차원에 주목 • 정서적 측면에 대한 고려 • 윤리적 딜레마를 활용한 도덕적 추론으로 이루어짐

(2) 도덕적 탐구의 과정과 방법

단계	방법
윤리적 쟁점 확인	도덕적 탐구 주제, 쟁점 확인
자료 수집 및 분석	문제 해결에 필요한 자료 수집 및 분석
입장 채택 및 정당화 근거 제시	도덕적 쟁점에 대한 입장 채택 및 대안 설정
최선의 대안 도출	타인의 의견을 구하거나 토론의 과정을 거침
반성적 성찰 및 입장 정리	탐구에 대한 자신의 태도, 탐구 활동을 통해 배우고 변화된 점 정리

B 윤리적 성찰과 실천

(1) 윤리적 성찰의 의미와 중요성

의미	자신이 가진 가치관, 세계관 등을 윤리적 관점에서 검토하고 반성하는 과정
중요성	• 도덕적 자각의 계기 • 인격 함양에 도움을 줌

(2) 윤리적 성찰에 대한 동서양의 주장

동양	• 유교의 신독 • 불교의 참선 • 이황의 경 사상 • 증자의 일일삼성
서양	• 소크라테스의 성찰 강조 • 아리스토텔레스의 중용

한번에 끝내는 대단원 문제

정답과 해설 11쪽

01 (가)~(다)의 입장에 대한 옳은 설명만을 〈보기〉에서 있는 대로 고른 것은?

(가) 윤리학은 도덕적 언어의 논리적 타당성과 그 의미를 분석해야 한다.
(나) 윤리학은 도덕적 행위를 정당화하는 규범적 근거를 제시하는 것에 중점을 두어야 한다.
(다) 윤리학은 우리 삶에서 발생하는 다양한 문제에 윤리적 원리를 적용하여 삶에 실천적 지침을 제공해 주어야 한다.

〈보기〉
ㄱ. (가)는 도덕적 언어의 의미가 불명확하여 의견 충돌이 일어난다고 본다.
ㄴ. (나)는 도덕적 풍습이나 관습을 단순히 묘사하거나 기술한다.
ㄷ. (다)는 어떤 도덕 원리가 윤리적 행위를 위한 근본 원리로 성립할 수 있는지 연구한다.
ㄹ. (나), (다)는 '사람은 어떻게 행동해야 하는가?'에 관한 원리를 탐구하는 규범 윤리학에 속한다.

① ㄱ, ㄴ ② ㄱ, ㄹ ③ ㄴ, ㄷ
④ ㄱ, ㄷ, ㄹ ⑤ ㄴ, ㄷ, ㄹ

02 다음의 연구 주제들이 속한 실천 윤리학의 영역으로 옳은 것은?

• 통일은 왜 해야 하는가?
• 바람직한 남북통일 방법은 무엇인가?
• 약소국에 대한 원조는 의무인가, 자선인가?

① 평화 윤리 ② 과학 윤리
③ 사회 윤리 ④ 문화 윤리
⑤ 생명 윤리

03 ㉠에 대한 설명으로 가장 적절한 것은?

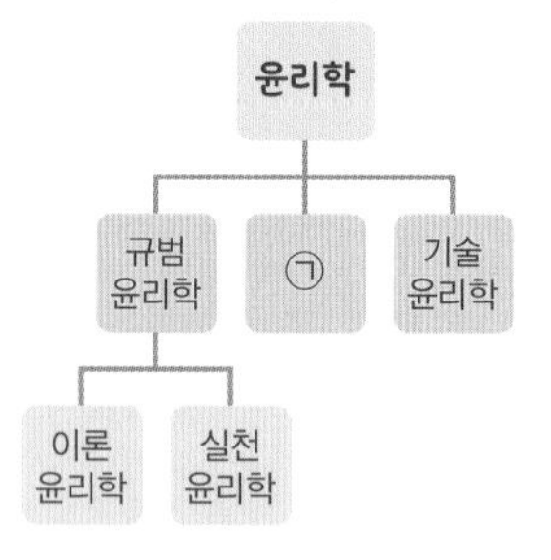

① 도덕적 언어의 의미를 주로 분석한다.
② 도덕적 의무에 관한 이론적 정당화를 하고자 한다.
③ 현실적인 도덕 문제들의 해결 방안을 주로 탐구한다.
④ 특정 시대나 사회의 도덕적 풍습을 객관적으로 기술한다.
⑤ 모든 행위자에게 타당한 도덕 규범의 일관된 체계를 구성하고자 한다.

04 ㉠의 특성으로 가장 적절한 것은?

이 ㉠윤리학은 삶의 실천적 영역에서 제기되는 도덕 문제를 이해하고 해결하고자 하는 모든 체계적인 탐구를 포괄하는 학문 분야를 말한다. 근본적인 윤리 이론이나 도덕 원리를 추구하는 이론 윤리학과 달리 이 ㉠윤리학에서는 구체적인 윤리 문제가 일차적 물음이고 윤리 이론이나 도덕 원리는 이차적 의미를 지닌다.

① 사회의 도덕적 관행을 주로 탐구한다.
② 윤리학의 학문적 성립 가능성을 주로 탐구한다.
③ '옳음', '좋음'과 같은 가치 언어를 주로 탐구한다.
④ 도덕 규칙의 적용보다 객관적인 도덕 원리의 정립을 중시한다.
⑤ 도덕 원리를 토대로 구체적인 윤리 문제의 바람직한 해결 방안을 모색한다.

05 ㉠에 들어갈 말에 대한 설명으로 옳은 것은?

> 급격한 과학 기술의 발전과 사회 변화에 대응하여 이론 윤리만으로는 올바른 행동에 대한 구체적 지침을 얻을 수 없다는 문제의식이 제기되었다. 요나스는 이러한 상황을 [㉠](이)라고 부르며 새로운 윤리학의 필요성을 역설하였다.

① 이론 윤리학과 기술의 발전 사이에는 간극이 없다.
② 이성의 도덕적 숙고는 과학 기술의 발전 속도를 압도한다.
③ 인류가 지금까지 경험하지 못한 윤리 문제는 향후 발생하지 않는다.
④ 과학 기술이 발달해도 도덕적 삶에 새로운 변화를 가져오지는 못한다.
⑤ 과학 기술의 발달 속도를 도덕적 숙고가 따라가지 못하면서 간격이 발생한다.

06 (가)를 주장한 사상가의 입장에서 (나)의 물음에 대해 제시할 답변으로 가장 적절한 것은?

(가)	옛날의 진인(眞人)들은 출생도 기뻐하지 않았고, 죽음도 싫어하지 않았다. 자기 생명의 시작을 잊지도 않거니와 제 명대로 죽는 것도 억지로 추구하지 않았다. 인위로써 자연을 돕지 않는다는 것이다.
(나)	현대 사회의 환경 문제에 대한 바람직한 대안은 무엇인가?

① 효율성을 기준으로 환경 문제에 대처해야 한다.
② 계산 가능한 것들을 비교해서 최선의 대안을 마련해야 한다.
③ 개인의 자유와 권리를 보장하는 방식의 대안을 마련해야 한다.
④ 인간 역시 자연의 일부임을 깨닫고 자연의 질서에 순응해야 한다.
⑤ 다양한 집단의 이해관계를 충분히 반영하여 대책을 마련해야 한다.

07 갑의 관점에서 〈문제 상황〉 속의 A에게 제시할 조언으로 가장 적절한 것은?

> 갑: 도덕 법칙은 어떤 상황에서도 무조건 따라야 하는 정언 명령이다. 인간은 이성에 의해 정언 명령을 파악하고 선의지를 통해 이를 따를 수 있다.
>
> 〈문제 상황〉
>
> 유기농 농산물을 판매하는 A는 이윤이 줄어들자 농약을 사용한 농산물에 유기농 표시를 해서 판매하라는 유혹을 받고 있다.

① 주위 사람들의 평판을 고려해야 합니다.
② 행위의 동기보다 이익을 먼저 고려해야 합니다.
③ 개인의 행복과 사회 전체 행복의 조화를 생각해야 합니다.
④ 지금 당장의 이익보다 미래의 이익까지 고려해서 결정해야 합니다.
⑤ 이윤보다 인간이 따라야 하는 보편타당한 도덕 법칙을 고려해야 합니다.

08 그림의 강연자가 긍정의 대답을 할 질문을 〈보기〉에서 고른 것은?

> 의무론과 공리주의는 행위자 내면의 도덕성과 인성을 간과하였으며 개인의 자유와 권리를 지나치게 강조하여 공동체가 중시하는 용기나 진실성 등의 덕목을 무시합니다. 우리가 윤리적으로 옳은 결정을 하고 실천을 하려면 유덕한 품성을 먼저 길러야 합니다.

〈보기〉
ㄱ. 최대의 유용성을 낳는 행위가 옳은 행위인가?
ㄴ. 보편적·추상적 사고보다 구체적·맥락적 사고가 중요한가?
ㄷ. 공동체의 역사와 전통보다 개인의 자유와 선택을 중시하는가?
ㄹ. 유덕한 품성을 갖추려면 옳고 선한 행위를 습관화해야 하는가?

① ㄱ, ㄴ ② ㄱ, ㄷ ③ ㄴ, ㄷ ④ ㄴ, ㄹ ⑤ ㄷ, ㄹ

09 갑, 을 사상가들의 입장에서 볼 때, 질문에 모두 바르게 대답한 것은?

갑: 도덕 법칙에 따라야 한다는 의무 의식과 선의지에 근거하여 행위 할 때에만 그 행위는 도덕적 가치를 지닌다.
을: 행위의 결과가 모든 사람의 쾌락이나 행복을 증가 또는 감소시키는 정도에 따라 어떤 행위를 승인하거나 부인해야 한다.

	질문	대답	
		갑	을
①	도덕적 행위는 쾌락이나 행복과 무관한가?	예	아니요
②	행위의 도덕성은 유용성의 산출과 관련있는가?	예	예
③	신경 세포의 활동으로 도덕성을 해명할 수 있는가?	예	아니요
④	행위 자체가 아니라 행위자의 성품을 평가해야 하는가?	아니요	예
⑤	행위 그 자체보다 행위가 가져올 결과를 도덕 판단의 기준으로 삼는가?	예	아니요

10 다음 글의 입장에 대한 설명으로 가장 적절한 것은?

도덕성은 진화의 측면에서 설명해야 한다. 이타적 행동 및 성품과 관련된 도덕성은 과거 수백만 년 동안 자연 선택을 통해 진화한 결과일 뿐이다.

① 도덕적 삶의 방향이나 목적 설정을 연구한다.
② 이타적 행위는 추상적 도덕 원리의 산물이라고 본다.
③ 이타적 행위는 생물학적 부적응의 산물이라고 본다.
④ 도덕 과학적 접근 방식으로 윤리 문제를 검토하면 안 된다고 본다.
⑤ 생존과 번식에 도움을 주므로 인간이 이타적 행위를 한다고 본다.

11 다음 사상가의 입장에 대한 설명으로 옳지 않은 것은?

일체의 토론을 차단하는 것은 인간의 절대 무오류성을 가정하는 것이다. 하지만 인간은 끊임없이 잘못 판단하고 잘못 행동하면서 살아간다. 우리 인류는 스스로의 과오로부터 벗어나지 못한다는 사실을 이론적으로 항상 명심하고 있다. 하지만 불행하게도 실제로 자신이 판단을 내릴 때에는 이를 거의 문제 삼지 않는다.

① 토론은 최선의 해결책을 모색하기 위한 과정이다.
② 토론 과정에서는 자유로운 의견 교환이 중요하다.
③ 토론을 통해 의견을 검증받을 기회를 얻을 수 있다.
④ 좋은 근거가 나타나도 자기의 의견을 바꿀 필요는 없다.
⑤ 한 사람의 지혜보다 공동체가 함께하는 토론이 더 나을 수 있다.

12 다음 글의 입장에서 지지할 옳은 내용을 〈보기〉에서 고른 것은?

'이대로 살아도 괜찮은가?', '바르게 산다는 것은 무엇인가?', '왜 이기적으로 살면 안 되는가?', '왜 옳다고 믿는 바대로 살아가지 못하는가?'와 같은 물음을 스스로에게 던지면서 살아가야 한다.

〈보기〉
ㄱ. 자신의 내면보다는 외면을 응시해야 한다.
ㄴ. 비판적으로 자신의 삶을 검토할 필요가 있다.
ㄷ. 윤리적 성찰은 도덕적 인간이 되기 위해 꼭 필요하다.
ㄹ. 인간은 되어 가는 존재가 아니라 이미 만들어진 존재이다.

① ㄱ, ㄴ ② ㄱ, ㄷ ③ ㄴ, ㄷ
④ ㄴ, ㄹ ⑤ ㄷ, ㄹ

13 다음 글을 읽고 물음에 답하시오.

현대 사회에서는 과거에는 없었던 새로운 윤리 문제들이 등장하고 있다. 예를 들어 생명 윤리 영역에서는 인공 임신 중절, 자살, 안락사, 뇌사, 생명 복제, 동물 실험 등에 대해서 다루고 사회 윤리 영역에서는 직업 윤리 문제, 공정한 분배 및 처벌과 관련된 문제, 시민 참여와 시민 불복종 등에 대해서 다룬다.

(1) 위와 같은 윤리 문제를 다루는 윤리학의 영역을 쓰시오.

( )

(2) (1)에서 답한 윤리학의 특징을 두 가지 이상 쓰시오.

14 다음 글을 읽고 물음에 답하시오.

갑: 이성적이고 자율적인 인간은 보편적인 도덕 법칙을 의식할 수 있다. 도덕 법칙은 다음과 같은 정언 명령의 형식으로 제시된다. “너 자신이나 다른 사람의 인격을 단지 수단으로 대우하지 말고 언제나 동시에 목적으로 대우하라.”

〈문제 상황〉

A 씨는 가족의 빚을 갚기 위해 고심한 끝에 생명이 위독한 환자에게 자신의 장기를 팔기로 결심하였다.

(1) 갑 사상가를 쓰시오.

( )

(2) 갑 사상가의 관점에서 〈문제 상황〉의 A 씨에게 제시할 조언을 서술하시오.

15 다음 글을 읽고 물음에 답하시오.

공리주의는 유용성의 원리를 개별적인 행위에 적용하는지 아니면 행위 규칙에 적용하는지에 따라 행위 공리주의와 [㉠](으)로 나뉜다. 행위 공리주의는 “어떤 행위가 최대의 유용성을 가져오는가?”를 중시한다. 하지만 행위 공리주의의 문제점이 나타나면서 [㉠]이/가 등장하였다.

(1) ㉠에 들어갈 말을 쓰시오.

( )

(2) 밑줄 친 ‘행위 공리주의의 문제점’을 두 가지 이상 쓰시오.

16 다음은 도덕적 탐구 방법의 과정이다. 이를 읽고 물음에 답하시오.

윤리적 쟁점 또는 딜레마 확인 → 자료 수집 및 분석 → [ ] → 최선의 대안 도출 → 반성적 성찰 및 입장 정리

(1) 빈칸에 해당하는 단계를 쓰시오.

( )

(2) (1)에서 답한 단계에서 해야 할 일을 쓰시오.

Ⅱ 생명과 윤리

배울 내용 한눈에 보기

01 삶과 죽음의 윤리

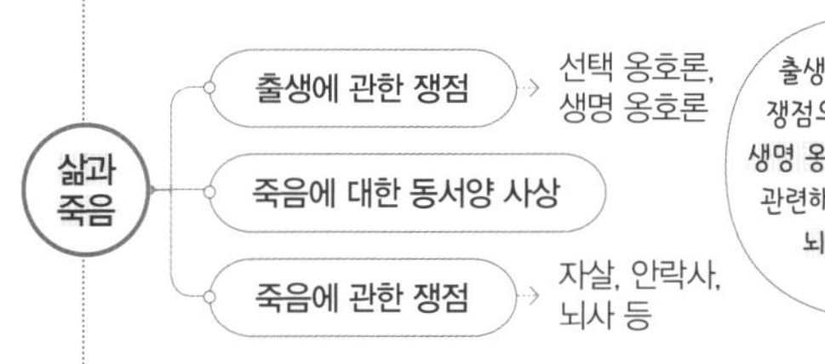

출생과 관련된 윤리적 쟁점으로 선택 옹호론과 생명 옹호론이 있어. 죽음과 관련해서는 자살, 안락사, 뇌사 등의 쟁점이 있어.

02 생명 윤리

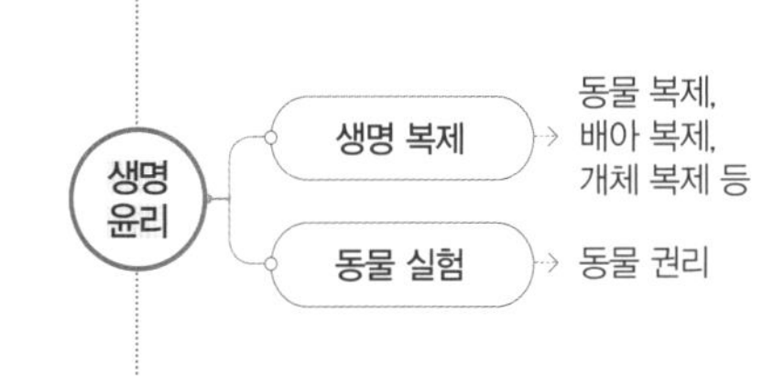

생명 복제는 동물 복제와 인간 복제로 나뉘며 인간 복제는 다시 배아 복제, 개체 복제로 구분돼. 동물 실험에 대해 찬반 논쟁과 동물 권리에 대한 다양한 견해가 있어.

03 사랑과 성 윤리

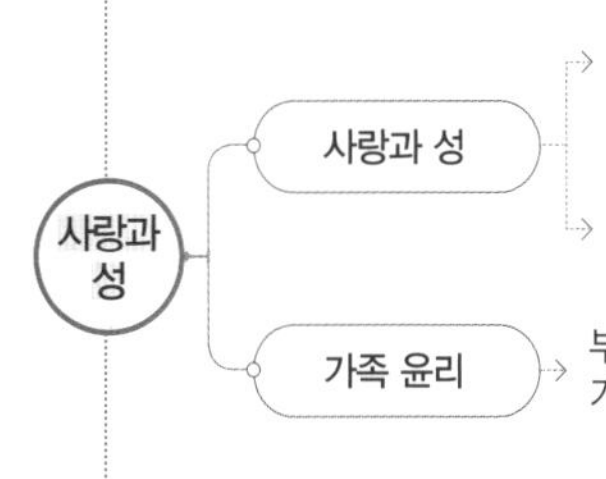

사랑과 성의 관계에 대해 여러 관점이 있고, 관련 쟁점으로 성차별, 성적 자기 결정권, 성 상품화 문제 등이 있어. 가족 윤리로는 부부 윤리, 가족 해체 현상 극복을 위한 가족 윤리 등이 있어.

01 삶과 죽음의 윤리

핵심 질문으로 흐름잡기

- A 출생과 관련된 윤리적 쟁점은?
- B 죽음의 의미에 대한 동서양 사상가의 관점은?
- C 죽음과 관련된 윤리적 쟁점은?

A 출생의 의미와 윤리적 쟁점

| 시·험·단·서 | 인공 임신 중절에 대한 찬반 근거를 구분하고 상대 입장을 반박하는 문제가 출제돼.

1. 출생의 의미

(1) **사전적 의미**: 수정된 생식 세포가 배아, 태아의 성장 과정을 거쳐 모체*에서 완전히 독립하는 것

(2) **윤리적 의미** (출생은 단순히 '태어난다'는 것을 넘어서 다양한 의미를 지녀.)

① 생명❶을 유지하고 종족을 보존하려는 인간의 자연적 성향을 실현함 (자연법 윤리의 관점이기도 해.)

② 출생으로 모체에서 분리된 태아는 개별적·독립적 개체가 됨

③ 개인이 스스로 책임을 지는 도덕적 주체로 사는 삶의 출발점임

④ 출생과 동시에 사회적 지위를 획득하고 다양한 인간관계를 형성함

⑤ 가정, 지역 사회, 국가 등 다양한 공동체에 속하게 되는 첫 출발점임

⑥ 새로운 세대를 구성하고 이전 세대의 문화적 소산*을 계승·발전시키는 계기가 됨

2. 출생과 관련된 윤리적 쟁점

(1) **등장 배경**: 생명 의료 기술의 발달로 출생 과정에 의료 기술 개입 → 인공 임신 중절(원치 않는 임신을 했을 때 배 속의 태아를 없애는 것으로, '낙태'라고도 해.), 생명 복제, 생식 보조술❷ 등과 관련된 윤리적 쟁점 등장

(2) **인공 임신 중절❸의 윤리적 쟁점** 자료 1 자료 2

① **인공 임신 중절의 의미**: 태아가 모체 밖에서는 생명을 유지할 수 없는 시기에 태아를 인공적으로 모체에서 분리하여 임신을 종결하는 행위

② **관련 쟁점**: 태아를 어느 시점부터 인간으로 볼 것인가❹의 문제는 인공 임신 중절의 허용 문제와 관련됨

③ **인공 임신 중절에 대한 찬반 논쟁**

- 인공 임신 중절에 대한 찬성 입장(선택 옹호론)의 근거 (인공 임신 중절에 찬성하는 입장으로, 여성의 권리(선택권)를 중시하여 임신의 지속 여부를 여성이 결정해야 한다고 봐.)

근거	내용
생산 근거	여성이 태아를 생산하므로 태아에 대한 권리는 여성이 지님
소유권 근거	태아는 여성 몸의 일부이므로 임신한 여성은 태아에 대한 권리를 지님
자율 근거	인간은 자신의 신체와 삶에 대하여 자율적으로 선택하고 결정할 권리가 있음
평등권 근거	여성이 인공 임신 중절에 대하여 자유롭게 선택할 수 있을 때 남성과 동등한 권리를 지님
정당방위 근거	모든 개인은 자기 방어와 정당방위*의 권리를 지니므로 일정한 조건을 충족하면 인공 임신 중절을 할 권리를 가짐
사생활 근거	개인은 사생활을 침해당하지 않을 권리를 가지며 인공 임신 중절은 임신부의 사생활에 해당함

- 인공 임신 중절에 대한 반대 입장(생명 옹호론)의 근거 (인공 임신 중절에 반대하는 입장으로, 태아의 생명권을 중시해.)

근거	내용
존엄성 근거	태아를 비롯한 모든 인간의 생명은 존엄하므로 인간의 생명을 침해해서는 안 됨
생명권 우선 근거	생명의 권리는 여타의 권리보다 항상 우선하므로 태아의 생명권이 여성의 선택권보다 우선함
잠재성 근거	태아는 임신 순간부터 인간으로 성장할 수 있는 잠재성을 지닌 존재이므로 생명의 권리를 가짐
무고한 인간의 신성불가침* 근거	잘못이 없는 인간을 해쳐서는 안 되는데, 태아는 잘못이 없는 인간이므로 해쳐서는 안 됨

❶ **생명의 특징**
- 일회성
- 고유성
- 유한성
- 대체 불가능

❷ **생식 보조술**

구분	내용
의미	불임 부부가 임신할 수 있도록 돕는 의료 시술 예 인공 수정, 시험관 아기 시술
장점	· 출산율 향상 · 불임 부부의 고통을 덜어줌
윤리적 문제점	· 비배우자 인공 수정, 대리모 출산 문제 발생 → 아기의 친권 문제 발생 · 대리 임신을 위한 금전적 거래, 정자와 난자 판매 허용 문제

❸ **인공 임신 중절 관련 법률**
우리나라 「형법」에서는 인공 임신 중절을 불법 행위로 간주하여 금지하지만, 「모자 보건법」에서 제한적인 경우에 한해 허용하고 있다.

❹ **태아의 인간으로서의 지위에 대한 입장**
- 수정과 동시에 인정해야 함
- 착상이 완료된 시기부터 인정해야 함
- 배아기부터 인정해야 함
- 태아기부터 인정해야 함
- 출생 이후부터 인정해야 함

시험에 잘 나오는 자료

자료 1 태아를 인간으로 인정하는 시점

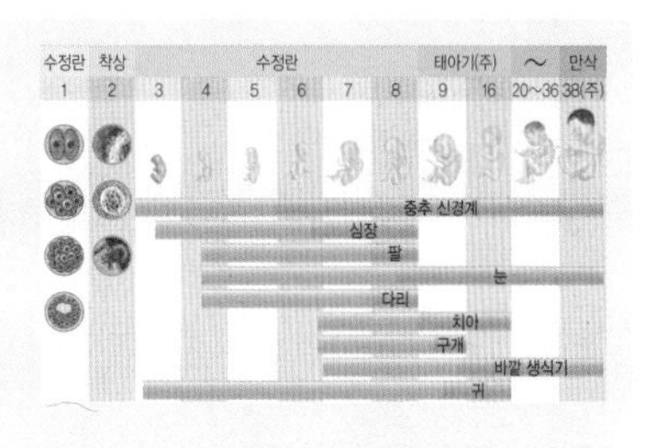

수정란은 수정 후 세포 분열을 시작하여 14일 무렵에 자궁에 착상된다. 수정 2주부터 8주까지의 개체를 '배아'라고 한다. 수정 8주 이후가 되면 인간의 모습이 뚜렷해지며, 이때부터 출생 때까지를 '태아'라고 한다. 임신 28주부터는 다른 문제없이 출생하여도 태아의 90%가 생존할 수 있다. 그렇다면, 언제부터 태아에게 인간의 지위를 부여해야 하는가? 이에 대해 수정된 순간부터인가, 신체 기관이 형성된 순간부터인가, 출생 이후인가 등 다양한 관점이 있다.

자·료·분·석 태아를 언제부터 인간으로 인정하느냐는 인공 임신 중절의 도덕적 허용 여부에 관한 논쟁과 깊이 관련된다. 태아에게 인간의 지위를 부여하면 인공 임신 중절은 살인과 마찬가지의 행위가 되므로 허용할 수 없다. 또한 어느 시점부터 태아에게 인간의 지위를 부여해야 하는지 결정하기 어렵다. 이로 인해 태아를 언제부터 인간으로 인정할 수 있느냐에 관한 논쟁은 계속되고 있다.

한·줄·핵·심 태아의 지위에 따라 인공 임신 중절의 도덕적 허용 여부가 달라진다.

자료 2 인공 임신 중절에 관한 예외적인 허용 규정 관련 문제 ▸ 58쪽 02번

「형법」 제269조 부녀가 약물 기타 방법으로 낙태한 때에는 1년 이하의 징역 또는 200만 원 이하의 벌금에 처한다.

「모자 보건법」 제14조 ① 의사는 다음 호의 어느 하나에 해당하는 경우에만 본인과 배우자의 동의를 받아 인공 임신 중절 수술을 할 수 있다.

- 본인이나 배우자가 대통령령으로 정하는 우생학적 또는 유전학적 정신 장애나 신체 질환, 전염성 질환이 있는 경우
- 강간 또는 준강간에 의한 임신
- 법률상 혼인할 수 없는 혈족 또는 인척 간에 임신한 경우
- 임신의 지속이 보건 의학적 이유로 모체의 건강을 심각하게 해치거나 해칠 우려가 있는 경우

자·료·분·석 우리나라는 「형법」에서 인공 임신 중절에 대한 처벌을 규정하지만 「모자 보건법」을 통해 인공 임신 중절에 대한 예외적인 허용 규정을 마련하고 있다. 하지만 시행령을 통해 '예외적으로 허용하더라도 임신 24주 이내에만 인공 임신 중절을 할 수 있다.'라고 제한을 두고 있다. 이러한 「모자 보건법」의 규정에 대한 비판 의견도 있다. 이에 인공 임신 중절에 찬성하는 선택 옹호론에서는 "「모자 보건법」은 우생학적 사유에 의한 인공 임신 중절의 허용만을 규정할 뿐 빈곤이나 혼전 임신 등 사회적·경제적 이유로 인한 인공 임신 중절은 배제하고 있다.'라고 비판한다. 한편 인공 임신 중절에 반대하는 생명 옹호론에서는 '시행령에서 인공 임신 중절을 24주 이내에만 허용한다고 규정하지만, 임신 22주에 태어난 아기도 의료 보조 기구의 도움을 받으면 살 수 있다.'라며 비판한다.

한·줄·핵·심 우리나라에서는 「모자 보건법」에 규정된 경우를 제외하고 행해지는 인공 임신 중절에 대해서는 원칙적으로 처벌한다.

내용 이해를 돕는 팁

궁금해요

Q. 동양에서는 태아가 어떤 지위를 가진다고 여겼나요?

A. 아직 태어나지 않은 상태의 태아에게 상속권을 인정하는 제도, 태어난 아기의 나이를 1살로 인정해 주는 전통 등으로 볼 때 태아에게 잠재적인 인간의 지위를 부여했음을 알 수 있어.

용어 더하기

* **모체(母體)** 태아를 임신한 어머니의 몸을 뜻한다.
* **소산** 어떤 사건이나 물질적·정신적 활동의 결과로 생겨나는 것이다.
* **정당방위** 자기 또는 남에게 가해지는 급박하고 부당한 침해를 막기 위해 침해자에게 어쩔 수 없이 취하는 가해 행위를 뜻한다.
* **신성불가침** 함부로 가까이 할 수 없을 만큼 고결하고 거룩하여 침범할 수 없음을 말한다.

B 죽음에 대한 동서양 사상

| 시·험·단·서 | 죽음에 대한 동서양 사상가들의 견해를 묻는 문제가 출제돼.

1. 죽음의 의미와 특징

(1) 죽음의 의미

사전적 의미	한 생명체가 모든 기능이 완전히 정지되어 원형대로 회복될 수 없는 상태
윤리적 의미	• 삶의 소중함을 깨닫는 계기가 됨 • 인간관계의 소중함을 깨닫는 계기가 됨

죽음을 자각함으로써 삶의 의미와 가치를 성찰하여 더 의미있는 삶을 살 수 있어.

(2) 죽음의 특징⑤: 출생으로 시작한 인간의 삶은 죽음으로 마무리됨

2. 죽음에 대한 동양 사상

(1) 공자

① 죽음에 집착하기보다 현실의 삶 속에서 도덕적 실천을 하려고 노력해야 한다고 강조함

② "사람을 섬길 줄도 모르면서 어떻게 귀신을 섬길 수 있으며, 삶도 아직 모르면서 어떻게 죽음을 알겠는가?"

(2) 장자 자료 3

장자는 삶과 죽음은 자연스러운 순환 과정이자 인간이 개입할 수 없는 필연적인 과정임을 강조해.

① 삶과 죽음은 서로 연결된 과정이므로 죽음에 대해 슬퍼할 필요가 없음을 강조함

② "본래 아무것도 없었는데 순식간에 변화하여 기(氣)가 생기고, 기가 변화하여 형체가 생기고, 형체가 변화하여 생명이 생기고, 생명이 변화하여 죽음이 된다."

(3) 불교⑥

① 죽음은 인간의 대표적인 고통 중 하나이며, 끝이 아니라 현실에서 벗어나 또 다른 세계로 윤회*하는 것을 의미한다고 강조함

석가모니는 '삶과 죽음이 하나'라고 말했어.

② 인간의 선행과 악행은 죽음 이후의 삶을 결정하므로 현재 행동을 바르게 해야 한다고 강조함

③ "전생에 뿌려진 씨앗은 이번 생에 받는 것이고, 다음 생에 거둘 열매는 이번 생에 행하는 바로 그것이다."

3. 죽음에 대한 서양 사상

(1) 플라톤 자료 4

① 죽음은 영혼과 육체가 분리되는 것으로, 죽음을 통해 영혼이 육체로부터 자유롭게 된다고 봄 → 자유로워진 영혼은 이데아*의 세계로 되돌아감

② "우리가 무엇인가를 순수하게 인식하려면 육체에서 벗어나야 하며 오직 영혼만을 사용하여 사물 그 자체를 보아야 한다. 죽었을 때라야 우리는 간절히 바라는 지혜를 얻을 수 있다."

(2) 에피쿠로스* 자료 5

① 죽음은 인간을 이루고 있던 원자가 흩어지는 것이라고 봄

② 인간은 죽음을 감각할 수 없으므로 두려워할 필요가 없다고 봄

③ "죽음은 우리에게 아무것도 아니다. 왜냐하면 우리가 존재하는 한 죽음은 우리와 함께 있지 않으며, 죽음이 오면 우리는 이미 존재하지 않기 때문이다."

(3) 하이데거⑦

하이데거는 죽음을 직시할 수 있어야만 진정한 삶을 살아갈 수 있다고 말했어.

① 현존재*인 인간만이 다가올 죽음을 염려할 수 있음

② 죽음 앞으로 미리 달려가 봄으로써 삶을 더 가치 있게 살 수 있음

③ "인간은 언제나 죽음과 함께하고 있다. 죽음을 외면하지 말고 항상 죽음이 자신의 것이라는 사실을 인지하면서 살아야 한다."

---

⑤ 죽음의 특징

- 불가피성: 어떠한 노력을 해도 죽음을 피할 수 없음
- 평등성: 모든 사람은 죽음
- 일회성: 한 번 죽으면 다시 살아날 수 없음
- 수동성: 죽음은 원치 않아도 찾아옴
- 불확실성: 죽음이 언제 닥칠지 모름

⑥ 죽음에 관한 불교의 또 다른 가르침

"일체 중생은 아무리 애를 써도 모두 죽음으로 돌아가오. 그러니 몸에 집착하지도, 근심하지도 마시오. 늙음은 청춘을 부수어 아름다움을 없애고 병은 건강을 부수고, 죽음은 목숨을 부수고, 항상(恒常)하다고 믿는 모든 것은 덧없음으로 돌아가는 것이오."

⑦ 죽음에 대한 하이데거의 또 다른 말

"자신이 죽는다는 사실을 자각하는 것은 단순한 삶의 종말이 아니라 삶이 시작되는 사건이다."

시험에 잘 나오는 자료

자료 3 장자의 죽음관 관련 문제 ▶ 55쪽 06번

장자의 아내가 죽자 혜자가 문상*을 갔다. 그때 장자는 그릇을 두들기며 노래를 부르고 있었다. 혜자가 말했다. "평생 그대와 함께 늙어온 아내가 죽었는데 …(중략)… 그릇을 두드리며 노래까지 부르는 건 너무 심하지 않은가?" 이에 장자가 말했다. "처음 아내가 죽었을 때 나도 슬펐네. 그러나 그 시초를 살펴보니 원래 생(生)이란 게 없었네. …(중략)… 아내는 지금 천지(天地)라는 거대한 방에 편안히 누워 있다네. 그런데도 내가 큰 소리로 운다면, 내 스스로 자연의 운명을 모르는 것이라 생각되어 울음을 그쳤네." – "장자"

자·료·분·석 장자는 태어남은 기(氣)가 모이는 것이고 죽음은 기가 흩어지는 것으로 보고, 삶과 죽음을 서로 단절된 것이 아니라 기가 모이고 흩어지는 자연스러운 변화의 과정으로 이해하였다. 그래서 아내의 죽음에도 너무 슬퍼할 필요가 없다고 말하였다.

한·줄·핵·심 장자는 죽음을 자연스러운 것으로 여겨 슬퍼할 필요가 없다고 보았다.

자료 4 플라톤의 죽음관 관련 문제 ▶ 55쪽 08번

- 삶은 육체 안에 갇힌 영혼의 감금 생활이요, 죽음은 육체로부터 영혼의 해방이자 분리이다.
- 죽었을 때 비로소 우리는 간절히 바라는 지혜를 얻을 수 있다. 그런데 그것은 우리가 살아 있는 동안에는 불가능한 일이다. – 플라톤, "파이돈"

자·료·분·석 플라톤은 죽음을 통해 영혼이 육체라는 감옥에서 벗어날 수 있다고 생각하였다. 육체 속에 갇혀 있을 때 영혼은 진리를 제대로 인식할 수 없지만, 죽음 이후에는 육체에서 벗어나 더 이상 욕망에 끌리지 않고 순수하게 진리를 관찰할 수 있다. 따라서 플라톤은 진리를 사랑하는 사람은 죽음을 두려워할 것이 아니라 오히려 반겨야 한다고 말하였다.

한·줄·핵·심 플라톤은 죽은 이후에야 영혼이 육체의 감옥을 벗어나 비로소 진리를 얻을 수 있다고 보았다.

자료 5 에피쿠로스의 죽음관 관련 문제 ▶ 55쪽 07번

죽음이 우리에게 아무것도 아니라는 믿음에 익숙해져라. 왜냐하면 모든 좋고 나쁨은 감각에 달려 있는데, 죽으면 감각을 잃기 때문이다. 따라서 이러한 사실을 제대로 알면 가사성(可死性)도 즐겁게 된다. 이는 그러한 앎이 우리에게 무한한 시간의 삶을 보태어 주기 때문이 아니라, 불멸에 대한 갈망을 제거해 주기 때문이다.

– 에피쿠로스, '메노이케우스에게 보내는 편지'

자·료·분·석 경험주의*자인 에피쿠로스는 우리가 살아 있을 때는 죽음을 경험할 수 없고, 죽은 후에는 감각이 소멸하여 죽음을 경험할 수 없다고 보았다. 이처럼 인간은 죽음을 경험할 수 없기 때문에 죽음이 좋은지 나쁜지 판단할 수 없고, 따라서 죽음을 두려워할 필요가 없다고 보았다.

한·줄·핵·심 에피쿠로스는 죽음을 경험할 수 없기 때문에 죽음을 두려워할 필요가 없다고 주장하였다.

내용 이해를 돕는 팁

용어 더하기

- **윤회(輪廻)** 중생이 죽은 뒤 그 업(業)에 따라 또 다른 세계에 태어난다는 불교의 가르침이다.
- **이데아(Idea)** 플라톤 철학의 중심 개념으로, 모든 존재와 인식의 근거가 되는 항구적이며 초월적인 실재를 뜻하는 말이다.
- **에피쿠로스(Epicouros)** 서양 고대의 철학자로, 금욕적 생활 속에서 정신적 쾌락을 추구하였다.
- **현존재(Dasein)** 하이데거는 현존재인 인간은 동물과 달리 죽음을 주체적으로 받아들일 수 있다고 보았다.
- **문상(問喪)** 남의 죽음에 대해서 슬퍼하는 뜻을 드러내어 상주를 위문함을 뜻한다.
- **경험주의** 모든 지식의 기원을 경험에 두고 경험적 인식을 절대시하는 이론이다.

C 죽음과 관련된 윤리적 쟁점

| 시·험·단·서 | 자살을 금지하는 입장에 대한 문제와 안락사와 뇌사에 대한 찬반 근거를 묻는 문제가 출제돼.

1. 자살의 윤리적 쟁점

자살: 죽으려는 의도를 가지고 자신의 목숨을 스스로 끊는 행위를 말해.

(1) 자살의 윤리적 문제

① 자신의 소중한 생명을 훼손하는 일로, 삶의 일회성을 인식하지 못하고 인격을 훼손하고 자아실현의 가능성을 원천적으로 없애는 결과를 초래함

② 주변 사람에게 깊은 슬픔과 고통을 주며, 사회 공동체의 결속을 약화시키는 등 사회에 부정적 영향을 끼침

③ 유명인의 자살이 모방 자살로 이어지기도 함

(2) 자살을 금지하는 입장[8]

① **유교:** 부모에게서 물려받은 신체를 훼손하지 않는 것[不敢毁傷]이 효의 시작 → 신체를 훼손하는 자살은 불효임

② **불교:** 불살생(不殺生)의 계율에 따라 모든 생명을 소중히 여기고 존중해야 함

불살생(不殺生): 생명을 해쳐서는 안된다는 뜻이야.

③ **자연법 윤리:** 자살은 인간의 자연적 성향인 자기 보존의 의무를 다하지 않은 것임

④ **칸트:** 자살은 고통에서 벗어나기 위해 자기 인격을 수단으로 이용한 것에 불과함 자료 6

⑤ **쇼펜하우어:** 자살은 문제를 해결하는 것이 아니라 회피하는 것에 불과함

2. 안락사의 윤리적 쟁점[9] 자료 7

안락사: 불치병으로 죽음이 임박한 환자가 겪는 고통을 제거하려고 인위적·의도적으로 죽음에 이르게 하는 행위를 말해.

(1) 안락사의 유형

구분	유형	내용
시행 방법에 따른 구분	적극적 안락사	약물 주입과 같은 구체적 행위로 죽음에 이르게 함
	소극적 안락사	연명 치료*를 중단하여 자연스럽게 죽음에 이르게 함
환자의 동의 여부에 따른 구분	자발적 안락사	환자가 동의 능력이 있어 안락사에 동의함
	비자발적 안락사	환자가 동의 능력이 없어 의사 표현이 불가능함

소극적 안락사: 인간으로서 최소한의 품위를 유지하면서 죽을 수 있게 한다는 점에서 존엄사와 연결된다고 볼 수 있어.

(2) 안락사에 대한 찬반 입장

찬성	반대
• 불치병으로 고통받고 있는 환자의 자율성과 삶의 질을 우선해야 함 • 불치병 환자에 대한 연명 치료는 본인과 가족에게 심리적·경제적 부담을 가중시키고, 제한된 의료 자원을 효율적으로 사용하지 못함	• 인간은 자신의 죽음을 인위적으로 선택할 권리가 없음 • 인간의 죽음을 인위적으로 앞당기는 것은 생명 존엄성을 훼손하고 자연의 질서에 반하는 행위임 • 고통 완화를 위해 생명을 버리는 것은 생명을 수단시하는 행위임

환자의 자율성: 불치병을 앓고 있는 환자도 자율적 주체로서 자신이 죽을 방법을 선택할 수 있고 인간답게 죽을 권리를 가진다고 봐.

3. 뇌사의 윤리적 쟁점[10] 자료 8

(1) 죽음을 판정하는 기준

① **심폐사:** 심장 박동과 호흡이 완전히 정지해야 사망한 것으로 판정

심폐사: 전통적으로는 심폐사를 죽음의 기준으로 여겼어.

② **뇌사:** 뇌의 모든 기능이 회복할 수 없는 상태로 완전히 정지된 상태를 사망한 것으로 판정

(2) 뇌사를 죽음으로 인정하는 것에 대한 찬반 입장

찬성	반대
• 뇌사자가 존엄하게 죽을 수 있는 권리를 존중해야 함 • 인간의 인격을 결정하는 것은 심장과 폐가 아니라 뇌임 • 뇌사자의 장기로 다른 환자의 생명을 구하거나 질병을 치료할 수 있음 • 실용주의* 관점에서 보면 뇌사 상태에서 생명 연장 행위는 무의미함	• 뇌사 인정은 인간의 생명을 수단으로 여기는 것임 • 뇌사를 인정하면, 사망 시점을 명시할 수 없는 등 여러 법적 문제가 생김 • 오진·오판의 가능성이 있음 • 실용주의 관점은 인간의 가치를 위협할 수 있으며, 사회적으로 악용될 가능성도 있음

---

8 자살 금지에 대한 또 다른 견해
• 아리스토텔레스: 자살은 올바른 이치에 어긋나는 행위이며, 공동체에 대한 부정의한 행위임
• 그리스도교: 인간은 신의 피조물로서 신으로부터 받은 생명을 스스로 끊어서는 안 됨

9 안락사 허용의 조건
• 의사가 안락사를 시행해야 함
• 충분한 의료 정보를 토대로 자율적 판단에 따라 환자가 동의해야 함
• 안락사의 시행 동기는 경제적 비용 등이 아닌 환자의 고통 감소이어야 함

10 뇌사와 식물인간의 구분
뇌사는 일반적으로 뇌의 모든 기능이 정지된 상태이다. 반면, 식물인간은 뇌간이 살아 있어서 기계의 도움이 없어도 호흡과 심장 운동 등을 할 수 있는 상태이다.

구분	뇌사	식물인간
손상 부위	뇌의 모든 부분	대뇌 혹은 대뇌 일부
호흡	자발적 호흡 불가	자발적 호흡 가능
기능	심장 외 몸의 모든 기능 정지	대뇌 기능만 정지
회복 가능성	수일 내 심정지로 사망	회복 가능성 있음
장기 기증 여부	기증	기증 대상자 아님

시험에 잘 나오는 자료

내용 이해를 돕는 팁

자료 6 자살에 대한 칸트의 입장 관련 문제 ▶ 56쪽 11번

인간의 최우선적 의무는 자연 그대로의 자신을 보존하고 자신의 자연적 능력을 개발하고 증진하는 것이다. 자기 자신을 죽이는 일은 이러한 의무에 전적으로 반대되므로 그 까닭이 무엇이든 옳지 않은 행위이다. 현재의 괴로운 상태에서 벗어나고자 자살한다면, 인간을 목적으로 대우해야 한다는 도덕 법칙에 어긋난다. – 칸트, "윤리 형이상학 정초"

자·료·분·석 칸트에 따르면 우리는 인간을 수단이 아닌 목적으로 대우해야 한다. 그런데 자살은 고통에서 벗어나려고 인간의 생명과 인격을 수단으로 대우하는 부도덕한 행위이다.

한·줄·핵·심 칸트는 자살은 자신을 수단으로 대우하는 행위이므로 부도덕하다고 보았다.

자료 7 안락사와 「연명 의료 결정법」 관련 문제 ▶ 56쪽 12번

제3조(기본 원칙) ① 호스피스*와 연명 의료 및 연명 의료 중단 등 결정에 관한 모든 행위는 환자의 인간으로서의 존엄과 가치를 침해하여서는 아니 된다.
② 모든 환자는 최선의 치료를 받으며, 자신이 앓고 있는 상병(傷病)의 상태와 예후 및 향후 본인에게 시행될 의료 행위에 대하여 분명히 알고 스스로 결정할 권리가 있다.

자·료·분·석 「연명 의료 결정법」에 따르면, 회생 가능성이 없고 사망이 임박한 임종 과정에 있는 환자에게 제공되는 의료 행위를 환자의 의사에 따라 중단할 수 있다. 하지만, 연명 의료가 중단되어도 통증 완화를 위한 의료 행위, 영양분이나 산소 등의 단순 공급을 중단해서는 안 된다.

한·줄·핵·심 연명 의료 결정법은 환자의 자율성, 생명의 가치, 그리고 의료인의 책무를 함께 고려하여 신중하게 접근해야 한다.

우리나라는 심폐사만을 법적인 사망으로 인정해. 하지만 본인이나 가족들이 장기 기증에 동의하면 뇌사자를 사망한 것으로 간주하여 장기 기증을 허용해.

자료 8 뇌사와 관련된 「장기 등 이식에 관한 법률」 관련 문제 ▶ 57쪽 14번

제22조 ① 살아 있는 사람의 장기 등은 본인이 동의한 경우에만 적출할 수 있다.
③ 뇌사자와 사망한 자의 장기 등은 다음에 해당하는 경우에만 적출할 수 있다.
1. 본인이 뇌사 또는 사망하기 전에 장기 등의 적출에 동의한 경우. 다만, 그 가족 또는 유족이 장기 등의 적출을 명시적으로 거부하는 경우는 제외한다.
2. 본인이 뇌사 또는 사망하기 전에 장기 등의 적출에 동의하거나 반대한 사실이 확인되지 아니한 경우로서 그 가족 또는 유족이 장기 등의 적출에 동의한 경우.

자·료·분·석 뇌사를 죽음을 판정하는 기준으로 인정하는 문제는 장기 기증 문제와도 관련이 있다. 뇌사를 죽음으로 인정하지 않을 경우 뇌사자의 장기를 이식하는 것은 불가능하기 때문이다. 따라서 뇌사를 죽음으로 볼 것이냐의 문제는 의료적·윤리적 측면에서 중요한 의미를 갖는다.

한·줄·핵·심 뇌사자의 장기 이식 문제는 생명을 다루기 때문에 신중한 판단이 요청된다.

궁금해요

Q. 자살이 사회에 끼치는 부정적인 영향의 사례에는 무엇이 있나요?

A. 사회적으로 존경을 많이 받거나 인기를 끈 사람의 자살 이후 그를 따라 자살을 시도하는 사람이 늘어나기도 해. 이러한 사회적 현상을 '모방 자살'이라고 해. 또 '베르테르 효과'라고도 하는데, 이는 괴테의 소설 "젊은 베르테르의 슬픔"을 읽은 젊은이들이 소설의 주인공인 베르테르의 죽음을 모방해 자살을 했던 사실에서 유래했어.

용어 더하기

* **연명 치료**
말기 암 환자나 뇌사자의 경우처럼 정상적인 신체 회복이 어려워 단지 생명을 연장하기 위해 인공 의료 장치에 의존하는 치료를 뜻한다.

* **실용주의**
실제 결과가 진리를 판단하는 기준이라고 주장하는 철학 사상이다. 실용주의는 행동을 중시하며, 사고나 관념의 진리성은 실험적인 검증을 통하여 객관적으로 타당한 것이어야 한다고 주장한다.

* **호스피스(hospice)**
임종이 임박한 환자들이 편안하고도 인간답게 죽음을 맞을 수 있도록 위안과 안락을 베푸는 봉사 활동 또는 그런 일을 하는 사람을 뜻한다.

인공 임신 중절, 허용해야 하는가?

개념풀 Guide 인공 임신 중절의 허용 여부에 대한 선택 옹호론과 생명 옹호론의 입장을 비교해 보자.

관련 문제 ▶ 54쪽 01번, 57쪽 16번

쟁점 짚어보기

선택 옹호론	생명 옹호론
• 태아는 여성 몸의 일부이므로 임신한 여성은 태아에 대한 권리를 가짐	• 태아는 임신 순간부터 인간으로 성장할 잠재성을 지닌 존재이므로 생명의 권리를 지님
• 인간은 자기 신체와 삶에 대해 자율적으로 선택하고 결정할 권리가 있음	• 태아를 비롯한 모든 인간의 생명은 존엄하므로 인간 생명을 침해해서는 안 됨
• 개인은 사생활을 침해받지 않을 권리를 가지며 인공 임신 중절은 임신부의 사생활에 해당함	• 잘못이 없는 인간을 해쳐서는 안 되는데, 태아는 잘못이 없는 인간이므로 해쳐서는 안 됨

자료에서 쟁점 찾아보기

자료 ❶ 생명권은 비록 헌법에 명문의 규정이 없다 하더라도 자연법적인 권리로서 기본권 중의 기본권이다. 모든 인간은 헌법상 생명권의 주체가 되고, 태아에게도 생명에 대한 권리가 인정되어야 한다. 태아가 비록 그 생명의 유지를 위하여 모(母)에게 의존해야 하지만, 그 자체로 모와 별개의 생명체이고 특별한 사정이 없는 한 인간으로 성장할 가능성이 크기 때문이다. …(중략)… 인간이면 누구나 신체적 조건이나 발달 상태 등과 관계없이 동등하게 생명 보호의 주체가 되는 것과 마찬가지로, 태아도 성장 상태와 관계없이 생명권의 주체로서 마땅히 보호를 받아야 한다.

– 「형법」 제270조 제1항 위헌 소원 중 일부

쟁점 확인
태아는 생명권을 인정받아야 하며, 성장 상태와 관계없이 생명권의 주체로서 보호받아야 한다.
⋯▸ □□ 옹호론

[정답] 생명

자료 ❷ 낙태죄 조항은 인간으로 성장할 가능성이 있는 생명체인 태아만을 보호하고 있을 뿐, 이미 완전한 인격체로서 스스로의 삶을 영위하고 있는 임부의 자기 결정권은 전혀 고려하고 있지 않다. 한편, 낙태를 하는 임부는 대부분 출산과 낙태 사이에서 심각한 갈등을 겪지만, 낙태를 하지 않으면 태아와 임부 모두 더 불행해질 것이 예견되기 때문에 낙태를 감행한다고 한다. 그럼에도 원하지 않은 임신과 출산을 강요하는 것은 임부와 태아 더 나아가 우리 사회 전체에 여러 가지 부작용을 미칠 수 있다. 그러므로 조화로운 범위 내에서 임부의 자기 결정권을 존중할 수 있도록 임신 초기의 낙태는 허용해 줄 필요가 있는 것이다.

– 「형법」 제270조 제1항 위헌 소원 중 일부

쟁점 확인
이미 완전한 인격체로서 스스로의 삶을 영위하고 있는 임신부의 자기 결정권을 고려해야 한다.
⋯▸ □□ 옹호론

[정답] 선택

이것만은 꼭!

다음 설명이 생명 옹호론에 해당하면 '생', 선택 옹호론에 해당하면 '선'이라고 쓰시오.

(1) 태아에게도 생명에 대한 권리가 인정되어야 한다. (　　　)

(2) 여성은 자기 몸에 대한 소유권을 지니며 태아는 여성 몸의 일부이다. (　　　)

(3) 태아는 모체와 별개의 생명체이고 한 인간으로 성장할 가능성이 크다. (　　　)

(4) 완전한 인격체로서 스스로의 삶을 영위하는 임신부의 자기 결정권을 존중해야 한다. (　　　)

[정답] (1) 생 (2) 선 (3) 생 (4) 선

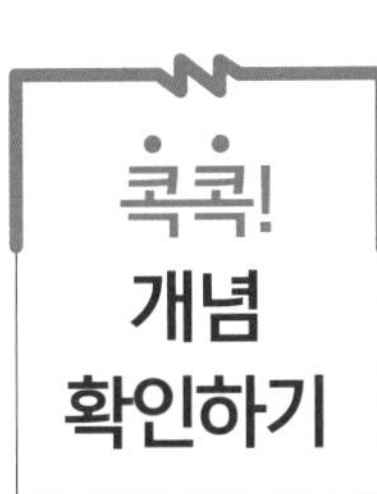

정답과 해설 15쪽

A 출생의 의미와 윤리적 쟁점

01 빈칸에 알맞은 말을 쓰시오.

> (　　　　　　)(이)란 수정된 생식 세포가 배아, 태아의 성장 과정을 거쳐 모체에서 완전히 독립하는 것으로, 단순히 '태어난다'는 것을 넘어서는 다양한 의미를 지닌다.

02 알맞은 말에 ○표를 하시오.

(1) 인공 임신 중절의 허용 여부는 태아를 '어느 시점부터 (배아 , 인간)(이)라고 볼 수 있는가?'의 문제와 관련된다.

(2) 여성의 선택권을 중시하는 입장에서는 인공 임신 중절을 (찬성 , 반대)하지만, 태아의 생명권을 중시하는 입장에서는 (찬성 , 반대)한다.

B 죽음에 대한 동서양 사상

03 죽음에 관한 각 사상가의 입장을 바르게 연결하시오.

(1) 플라톤 •　　　　• ㉠ 죽음을 통해 영혼은 순수하게 앎에 접근할 수 있음

(2) 장자 •　　　　• ㉡ 경험할 수 없는 죽음을 두려워할 필요는 없음

(3) 에피쿠로스 •　　　　• ㉢ 삶과 죽음은 계절의 변화처럼 자연스럽게 연결되어 있음

C 죽음과 관련된 윤리적 쟁점

04 죽음과 관련된 설명으로 옳으면 ○표, 틀리면 ×표를 하시오.

(1) 쇼펜하우어는 자살은 문제를 회피하는 것으로 보았다. (　　　)

(2) 뇌사란 심장 박동과 호흡이 완전히 정지된 상태를 말한다. (　　　)

(3) 불교에서는 자살은 신체를 훼손하는 행위로 보아 불효로 간주하였다. (　　　)

(4) 칸트는 자살이 인간의 인격을 한낱 수단으로 이용하는 것이라고 비판하였다. (　　　)

05 다음은 안락사 유형에 따른 구분이다. ㉠, ㉡에 들어갈 알맞은 말을 쓰시오.

구분	유형	설명
시행 방법에 따른 구분	적극적 안락사	약물 주입과 같은 구체적 행위로 죽음에 이르게 함
	(　㉠　) 안락사	연명 치료를 중단하여 자연스럽게 죽음에 이르게 함
환자의 동의 여부에 따른 구분	(　㉡　) 안락사	환자가 동의 능력이 있으며 안락사에 동의함
	비자발적 안락사	환자가 동의 능력이 없어 의사 표현이 불가능함

㉠ (　　　　　), ㉡ (　　　　　)

탄탄! 내신 다지기

A 출생의 의미와 윤리적 쟁점

01 그림은 인터넷 게시판 화면이다. 밑줄 친 '나'의 입장을 지지하는 내용의 댓글을 〈보기〉에서 고른 것은?

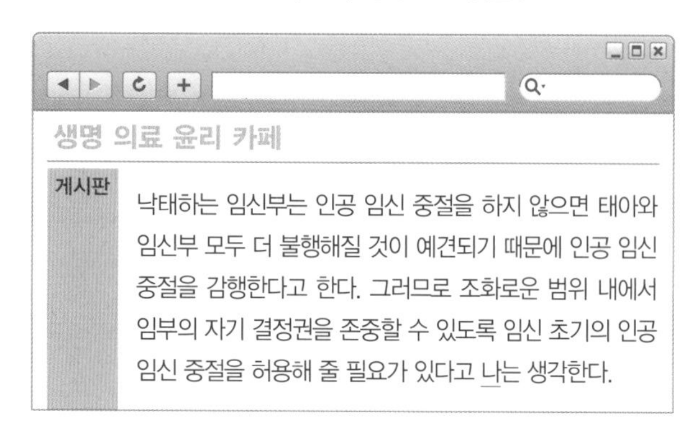

생명 의료 윤리 카페
게시판
낙태하는 임신부는 인공 임신 중절을 하지 않으면 태아와 임신부 모두 더 불행해질 것이 예견되기 때문에 인공 임신 중절을 감행한다고 한다. 그러므로 조화로운 범위 내에서 임부의 자기 결정권을 존중할 수 있도록 임신 초기의 인공 임신 중절을 허용해 줄 필요가 있다고 나는 생각한다.

〈보기〉
ㄱ. 태아는 아직 인간이 아니다.
ㄴ. 태아는 임신부와 별개의 생명체이다.
ㄷ. 여성은 자기 방어와 정당방위의 권리가 있다.
ㄹ. 태아는 성장 상태와 상관없이 생명의 주체이다.

① ㄱ, ㄴ ② ㄱ, ㄷ ③ ㄴ, ㄷ
④ ㄴ, ㄹ ⑤ ㄷ, ㄹ

02 다음 주장을 반박할 적절한 내용만을 〈보기〉에서 있는 대로 고른 것은?

> 태아를 완전한 인간으로 볼 수 없기 때문에 인공 임신 중절은 엄밀히 말해 살인이 아니다. 또한 우생학적 또는 유전학적 신체 질환이 있는 경우 법적으로 인공 임신 중절을 허용하고 있다.

〈보기〉
ㄱ. 태아는 인간이 될 잠재성을 지닌 존재이다.
ㄴ. 여성은 자신의 삶을 자율적으로 선택할 수 있다.
ㄷ. 여성은 신체의 일부인 태아에 대해 권리를 가진다.
ㄹ. 무고한 생명체인 태아를 해치는 것은 옳지 않다.

① ㄱ, ㄴ ② ㄱ, ㄹ ③ ㄴ, ㄷ
④ ㄱ, ㄷ, ㄹ ⑤ ㄴ, ㄷ, ㄹ

03 ㉠에 들어갈 내용으로 가장 적절한 것은?

> 갑: 인공 임신 중절의 허용 여부에 대한 당신의 생각은 어떻습니까?
> 을: 저는 허용해야 한다고 생각합니다. 왜냐하면 태아는 여성 몸의 일부로 여성의 소유입니다. 그리고 여성은 자신의 삶을 자율적으로 결정할 권리를 갖기 때문입니다.
> 갑: 그렇다면 당신은 [㉠](이)라고 보는군요.

① 태아가 성인과 동일한 지위를 갖는다
② 태아를 비롯한 모든 생명은 존엄하다
③ 잘못이 없는 태아를 해쳐서는 안 된다
④ 인공 임신 중절에 대한 여성의 선택권을 존중해야 한다
⑤ 태아는 인간으로 성장할 수 있는 잠재성을 가진 존재이다

04 (가)의 입장을 (나) 그림으로 나타내고자 할 때, A, B에 들어갈 질문을 〈보기〉에서 고른 것은?

(가) 태아는 일정한 발생 과정을 거쳐 성숙한 인간으로 발달할 잠재성을 가지고 있다.

(나)
(가)의 입장을 탐구한다.
A
아니요
B
예
(가)의 입장

〈범례〉
□ : 출발 조건
◇ : 판단 내용
⇢ : 판단 방향
▭ : 판단 결과

〈보기〉
ㄱ. A: 무고한 태아를 죽이는 것은 옳지 않은 행위인가?
ㄴ. A: 여성은 자기 몸의 일부인 태아에 대해 소유권을 갖는가?
ㄷ. B: 태아를 생명이 있는 인간으로 보아야 하는가?
ㄹ. B: 임신한 여성의 결정권이 태아의 생명권보다 우선해야 하는가?

① ㄱ, ㄴ ② ㄱ, ㄷ ③ ㄴ, ㄷ
④ ㄴ, ㄹ ⑤ ㄷ, ㄹ

B 죽음에 대한 동서양 사상

05 갑, 을에 대한 옳은 설명을 〈보기〉에서 고른 것은?

> 갑: 사람을 섬길 줄도 모르면서 어떻게 귀신을 섬길 수 있으며, 삶도 아직 모르면서 어떻게 죽음을 알겠는가?
> 을: 전생에 뿌려진 씨앗은 이번 생에 받는 것이고, 다음 생에 거둘 열매는 이번 생에 행하는 바로 그것이다.

〈보기〉
ㄱ. 갑은 죽음에 집착하기보다 현실에서 도덕적 실천을 강조한다.
ㄴ. 갑은 죽음을 통해 지혜의 활동을 방해하는 육체에서 영혼이 벗어난다고 본다.
ㄷ. 을은 다음 생을 위해 도덕적 실천을 해야 한다고 본다.
ㄹ. 갑과 을은 죽음을 태어남, 늙음, 병듦과 더불어 인간이 겪어야 하는 필연적 고통이라고 본다.

① ㄱ, ㄴ ② ㄱ, ㄷ ③ ㄴ, ㄷ
④ ㄴ, ㄹ ⑤ ㄷ, ㄹ

06 다음 글에 나타난 죽음에 대한 견해로 가장 적절한 것은?

> 처음 아내가 죽었을 때 나라고 어찌 슬프지 않았겠는가? 그러나 그 시초를 살펴보니 원래 생(生)이란 게 없었네. …(중략)… 아내는 지금 천지라는 거대한 방에 편안히 누워 있다네. 그런데도 내가 큰 소리로 운다면, 내 스스로 자연의 운명을 모르는 것이라 생각되기 때문에 울기를 그친 것일세.

① 죽음은 인간의 대표적인 고통 중 하나이다.
② 삶과 죽음은 기의 흐름으로 연결되어 있다.
③ 경험할 수 없는 죽음은 인간에게 아무것도 아니다.
④ 죽음은 영혼이 육체라는 감옥에서 벗어나는 것이다.
⑤ 죽음보다 현실에서 도덕적 삶을 사는 것에 관심을 가져야 한다.

07 갑, 을의 입장에 대한 옳은 설명만을 〈보기〉에서 있는 대로 고른 것은?

> 갑: 망막하고 혼돈한 대도(大道) 속에 섞여 있던 것이 변해서 기(氣)가 되고, 기가 변해서 형체가 되고, 형체가 변해서 생명이 되었다. 그리고 그것이 변해서 죽음이 된 것이다.
> 을: 죽음이 우리에게 아무것도 아니라는 믿음에 익숙해져라. 왜냐하면 모든 좋고 나쁨은 감각에 달려 있는데, 죽으면 감각을 잃기 때문이다. 이를 제대로 알면 불멸에 대한 갈망을 제거해 준다.

〈보기〉
ㄱ. 갑은 삶과 죽음을 서로 연결된 순환 과정으로 본다.
ㄴ. 을은 죽음을 원자가 분리되어 개별 원자로 돌아가는 것으로 본다.
ㄷ. 갑, 을은 죽음을 애도하는 형식을 중요시한다.
ㄹ. 갑, 을은 죽음을 두려움의 대상으로 여기지 않는다.

① ㄱ, ㄴ ② ㄱ, ㄷ ③ ㄴ, ㄹ
④ ㄱ, ㄴ, ㄹ ⑤ ㄴ, ㄷ, ㄹ

08 다음 사상가가 긍정의 대답을 할 질문으로 옳은 것은?

> 우리가 무엇인가를 순수하게 인식하려면 육체에서 벗어나야 하며 오로지 영혼만을 사용하여 사물 그 자체를 보아야 한다. 죽었을 때 비로소 우리는 간절히 바라는 지혜를 얻을 수 있다.

① 육체가 불멸하는 삶이 가장 축복받은 삶인가?
② 쾌락을 추구할 수 없는 죽음을 두려워해야 하는가?
③ 삶과 죽음의 끊임없는 윤회로부터 벗어나야 하는가?
④ 인간은 영혼과 육체의 결합을 통해 진리를 인식할 수 있는가?
⑤ 죽음은 육체에서 해방된 영혼이 이데아의 세계로 돌아가는 것인가?

09 다음 사상가의 입장으로 가장 적절한 것은?

> • 인간은 언제나 죽음과 함께하고 있다. 죽음을 외면하지 말고 항상 죽음이 자신의 것이라는 사실을 인지하면서 살아야 한다.
> • 자신이 죽는다는 사실을 자각하는 것은 단순히 삶의 종말이 아니라 삶이 시작되는 사건이다.

① 감각할 수 없는 죽음을 두려워할 필요가 없다.
② 죽음을 직시할 때에만 진정한 삶을 살 수 있다.
③ 인간이 존재하는 한 죽음은 인간과 함께 있지 않다.
④ 죽음을 통해 인간의 영혼은 참된 진리를 발견할 수 있다.
⑤ 한 생명이 죽으면 그 영혼은 다음 세상에서 다시 태어난다.

C 죽음과 관련된 윤리적 쟁점

10 그림은 학생의 노트 필기 내용이다. ㉠~㉤ 중 옳지 않은 것은?

> 〈동서양 사상의 자살에 대한 입장〉
> 1. 동양 사상의 입장
> • 유교: 부모로부터 물려받은 육체를 함부로 훼손하지 않는 것이 효의 시작임 ········ ㉠
> • 불교: 불살생의 계율에 따라 모든 생명을 소중히 여기고 존중해야 함 ········ ㉡
> 2. 서양 사상의 입장
> • 자연법사상: 자살은 인간의 자연적 성향인 자기 보존의 의무를 다하지 않은 것임 ········ ㉢
> • 칸트: 자살은 고통에서 벗어나기 위해 자기 인격을 수단으로 대우한 것임 ········ ㉣
> • 아퀴나스: 자살은 문제의 해결이 아니라 회피하는 것임 ········ ㉤

① ㉠ ② ㉡ ③ ㉢ ④ ㉣ ⑤ ㉤

11 다음 사상가의 입장으로 가장 적절한 것은?

> 해악이 잇달아 절망에까지 이르러 생에 염증을 느낀 어떤 사람은 자살하는 것이 자기 자신에 대한 의무에 어긋나는 일은 아닌지 스스로 물을 수 있다. 생명이 연장되는 기간에 쾌적함보다는 오히려 해악을 경험할 위험이 있다면, 자기 사랑에서 차라리 생을 단축하는 것을 나의 원리로 삼는다. 하지만 이 자기 사랑의 원리가 보편적 자연법칙이 될 수 있을까? 생명을 촉진하는 것이 자연인데 생명을 파괴하는 것이 자연법칙이라면 자연은 자기 자신과 모순을 일으킨다.

① 자살을 해도 자아실현의 가능성은 남는다.
② 개인의 자살은 사회에 영향을 미치지 않는다.
③ 자살은 스스로 모순되므로 보편 법칙이 될 수 없다.
④ 고통 회피를 위해서 자기 인격을 수단으로 사용할 수 있다.
⑤ 자살은 해결할 수 없는 문제를 회피하는 수단이 될 수 있다.

12 다음 법안을 통해 유추할 수 있는 사실만을 〈보기〉에서 있는 대로 고른 것은?

> 「연명 의료 결정법」
> 제3조(기본 원칙) ① 호스피스와 연명 의료 및 연명 의료 중단 등 결정에 관한 모든 행위는 환자의 인간으로서의 존엄과 가치를 침해하여서는 아니 된다.
> ② 모든 환자는 최선의 치료를 받으며, 자신이 앓고 있는 상병(傷病)의 상태와 예후 및 향후 본인에게 시행될 의료 행위에 대하여 분명히 알고 스스로 결정할 권리가 있다.

〈보기〉
ㄱ. 환자는 자신에 대한 진료 정보를 알아야 한다.
ㄴ. 연명 의료 중단을 결정해도 산소, 물 등을 공급해야 한다.
ㄷ. 연명 의료에 대한 환자의 자기 결정을 존중하여 인간의 존엄을 보호해야 한다.
ㄹ. 제한된 의료 자원을 효율적으로 사용하기 위해 연명 의료는 중단되어야 한다.

① ㄱ, ㄷ ② ㄴ, ㄹ ③ ㄷ, ㄹ
④ ㄱ, ㄴ, ㄷ ⑤ ㄱ, ㄴ, ㄹ

13 그림은 서술형 평가 문제와 학생 답안이다. 학생 답안의 ㉠~㉤ 중 옳지 않은 것은?

서술형 평가

◎ **문제:** 안락사에 대한 찬성과 반대 입장을 나누고, 그 근거를 비교하여 서술하시오.

◎ **학생 답안**

안락사에 대해 찬성하는 입장에서는 ㉠연명 치료가 환자 본인과 그 가족에게 경제적인 부담을 준다고 주장한다. 또한 ㉡연명 치료가 제한된 의료 자원을 효율적으로 사용하는 것을 가로막는다는 근거를 제시한다. 반면, 안락사에 대해 반대하는 입장에서는 ㉢모든 인간의 생명은 존엄하다고 강조한다. 또한 ㉣환자의 자율성을 존중해야 한다고 본다. 나아가 ㉤의료인의 기본 임무는 생명을 살리는 것임을 강조한다.

① ㉠ ② ㉡ ③ ㉢ ④ ㉣ ⑤ ㉤

14 다음 법안을 통해 유추할 수 있는 사실로 가장 적절한 것은?

「장기 등 이식에 관한 법률」

제22조 ① 살아 있는 사람의 장기 등은 본인이 동의한 경우에만 적출할 수 있다.

③ 뇌사자와 사망한 자의 장기 등은 다음에 해당하는 경우에만 적출할 수 있다.

1. 본인이 뇌사 또는 사망하기 전에 장기 등의 적출에 동의한 경우. 다만, 그 가족 또는 유족이 장기 등의 적출을 명시적으로 거부하는 경우는 제외한다.
2. 본인이 뇌사 또는 사망하기 전에 장기 등의 적출에 동의하거나 반대한 사실이 확인되지 아니한 경우로서 그 가족 또는 유족이 장기 등의 적출에 동의한 경우.

④ 동의한 사람은 장기 등을 적출하기 위한 수술이 시작되기 전까지는 언제든지 장기 등의 적출에 관한 동의의 의사 표시를 철회할 수 있다.

① 죽음의 판정 기준은 뇌사가 아니라 심폐사이어야 한다.
② 뇌사자의 장기를 적출하여 다른 환자에게 이식해서는 안 된다.
③ 의사가 동의하면 뇌사자의 장기를 다른 환자에게 이식할 수 있다.
④ 장기 이식에 동의한 사람은 이후에 동의 의사를 철회할 수 없다.
⑤ 환자 본인이나 그 가족이 장기 기증을 거부하면 장기를 적출할 수 없다.

15 다음 입장을 반대하는 논거를 〈보기〉에서 고른 것은?

뇌의 죽음은 이성적으로 판단하는 인간 고유의 기능을 수행할 수 없음을 의미한다. 따라서 뇌사를 죽음으로 인정해야 한다.

〈보기〉

ㄱ. 생명은 실용성으로 따질 수 있는 것이 아니다.
ㄴ. 호흡과 심장 박동이 이루어지고 있으면 죽은 것이 아니다.
ㄷ. 무의미한 치료는 환자 본인과 가족들에게 고통만을 남긴다.
ㄹ. 뇌사를 인정하면 장기 이식을 통해 더 많은 생명을 살릴 수 있다.

① ㄱ, ㄴ ② ㄱ, ㄷ ③ ㄴ, ㄷ
④ ㄴ, ㄹ ⑤ ㄷ, ㄹ

서술형 문제

16 다음은 인공 임신 중절에 대한 주장이다. 이 글의 관점을 세 가지 근거를 들어 반박하시오.

생명권은 비록 헌법에 명문의 규정이 없지만 자연법적인 권리로서 기본권 중의 기본권이다. 모든 인간은 헌법상 생명권의 주체가 되고, 태아에게도 생명에 대한 권리가 인정되어야 한다. 태아가 비록 그 생명의 유지를 위하여 모(母)에게 의존해야 하지만, 그 자체로 모와 별개의 생명체이고 특별한 사정이 없는 한 인간으로 성장할 가능성이 크기 때문이다.

도전! 실력 올리기

수능 유형

01 갑, 을의 입장에서 볼 때, 질문에 모두 바르게 대답한 것은?

> 갑: 태아는 임신부의 신체 중 일부이므로 인공 임신 중절의 허용 여부는 임신부의 자유로운 결정에 맡겨야 한다.
> 을: 태아는 수정과 동시에 생명을 지닌 인간으로 여겨야 한다.

	질문	대답	
		갑	을
①	태아는 완전한 인격체로서의 지위를 갖는가?	예	예
②	태아는 성인으로 발달할 잠재성을 갖고 있는가?	아니요	아니요
③	태아를 존엄성을 가진 인간으로 대우해야 하는가?	아니요	예
④	어떠한 경우에도 태아의 생명은 보호되어야 하는가?	예	아니요
⑤	태아의 생명권보다 여성의 선택권을 우선시해야 하는가?	아니요	예

02 다음 법령을 통해 유추할 수 있는 사실로 가장 적절한 것은?

> 「모자 보건법」
> 제14조 제1항 의사는 다음 어느 하나에 해당하는 경우만 본인과 배우자의 동의를 받아 인공 임신 중절 수술을 할 수 있다.
> • 본인이나 배우자가 유전학적 정신 장애나 신체 질환, 전염성 질환이 있는 경우
> • 강간 또는 준강간에 의한 임신
> • 임신의 지속이 보건 의학적 이유로 모체의 건강을 심각하게 해치거나 해칠 우려가 있는 경우

① 모든 경우의 인공 임신 중절을 금지한다.
② 본인의 동의만으로 인공 임신 중절을 할 수 있다.
③ 일부 경우에 한해서만 인공 임신 중절을 허용한다.
④ 원하지 않은 임신에 한해 인공 임신 중절을 할 수 있다.
⑤ 여성은 스스로의 선택에 따라 인공 임신 중절을 할 수 있다.

03 (가), (나) 사상의 입장에 대한 설명으로 가장 적절한 것은?

(가)	기가 변해서 형체가 생기며, 형체가 변해서 생명을 갖추게 된다. 이제 다시 생명이 죽음으로 변한 것뿐이다. 마치 사계절이 서로 되풀이하여 운행하는 것과 같다.
(나)	전생에 뿌려진 씨앗은 이번 생에 받은 것이고, 다음 생에 거둘 열매는 이번 생에서 행하는 바로 그것이다.

① (가)는 윤회설의 입장에서 삶과 죽음이 하나라고 본다.
② (나)는 사후 세계에 대한 탐구보다 현실에서의 도덕적 실천을 강조한다.
③ (가)는 (나)와 달리 인간을 이루던 원자가 흩어지는 것을 죽음으로 본다.
④ (나)는 (가)와 달리 인간은 죽음을 감각할 수 없기 때문에 두려워할 필요가 없다고 본다.
⑤ (가), (나)는 삶과 죽음을 차별하지 않고 서로 연결된 것으로 본다.

수능 기출

04 갑, 을의 사상적 입장에 대한 옳은 설명을 〈보기〉에서 고른 것은?

> 갑: 지인(至人)은 무위(無爲)하다. 도(道)에는 시작도 끝도 없지만 만물에는 죽음도 있고 삶도 있다. 근본에서 보자면 삶이란 기(氣)가 모인 것이다.
> 을: 이것이 있기 때문에 저것이 있다. 이를 일컬어 인연법(因緣法)이라고 한다. 삶이 있으므로 늙음과 죽음이 있고, 삶을 떠나서는 늙음과 죽음도 없다.

〈보기〉
ㄱ. 갑: 죽음은 기가 모이고 흩어지는 과정의 일부임을 강조한다.
ㄴ. 갑: 죽음에 대한 성찰과 애도(哀悼)의 의무를 강조한다.
ㄷ. 을: 연기(緣起)에 대한 깨달음을 추구하는 삶을 강조한다.
ㄹ. 갑, 을: 삶과 죽음을 분별하여 고통에서 벗어날 것을 강조한다.

① ㄱ, ㄴ ② ㄱ, ㄷ ③ ㄴ, ㄷ
④ ㄴ, ㄹ ⑤ ㄷ, ㄹ

수능 유형

05 동양 사상가 갑, 을의 입장으로 옳지 않은 것은?

> 갑: 삶을 모르는데 어찌 죽음을 알겠는가? 새가 죽을 때는 울음소리가 애처롭고, 사람이 죽을 때는 하는 말이 착한 법이네. 지사(志士)는 삶을 영위하되 인(仁)을 해침이 없고, 자신을 희생하여 인을 이루네.
> 을: 삶과 죽음은 인간의 운명[命]이니, 진인(眞人)은 삶을 기뻐하지도 죽음을 미워하지도 않네. 본래 생명도 형체도 기(氣)도 없었고, 혼돈 속에서 기가 생겨 그것이 변하여 형체가 되고 생명이 되고 죽음이 된 것이라네.

① 갑: 사람이 죽음에 임해서는 삶을 성찰하게 된다.
② 갑: 자신의 인격적 수양과 도덕적 삶에 최선을 다해야 한다.
③ 을: 삶은 기가 모인 것, 죽음은 기가 흩어진 것이다.
④ 을: 삶과 죽음은 자연적이고 필연적인 것이므로 슬퍼할 이유가 없다.
⑤ 갑, 을: 깨달음을 통해 삶과 죽음이 연속되는 윤회를 벗어나야 한다.

06 서양 사상가 갑의 관점에서 〈문제 상황〉 속의 A에게 해 줄 수 있는 조언으로 가장 적절한 것은?

> 갑: 인간은 물건이 아니므로 한낱 수단으로 사용될 수 있는 것이 아니며, 오히려 그의 모든 행위에서 항상 목적 그 자체로 보아야 한다.
>
> 〈문제 상황〉
> 불치병으로 오랜 기간 투병 중인 환자가 자신이 겪는 참을 수 없는 고통과 가족의 경제적 부담으로 이제 그만 생을 마감하고자 자신의 생각을 의사 A 씨에게 전달하였다.

① 사회 전체의 이익을 고려해야 한다.
② 환자의 자율적 결정을 존중해야 한다.
③ 의사의 견해에 따라 판단해야 한다.
④ 생명 그 자체의 존엄성을 존중해야 한다.
⑤ 환자의 고통과 가족의 경제적 부담을 고려해야 한다.

07 갑, 을의 입장에 대한 옳은 설명만을 〈보기〉에서 있는 대로 고른 것은?

> 갑: 몇 해 전 우리나라 법원은 환자가 원한다면 자기 생명을 종식시킬 수 있다는 걸 최초로 인정한 판결을 내렸어. 이것은 환자와 가족의 고통을 덜어 주고, 생명에 대한 자기 결정권을 공식적으로 허용한 올바른 판결로 봐야 해.
> 을: 인간의 생명을 인간 스스로 결정할 수 있다는 판결은 잘못된 결정이야. 아무리 환자 본인의 요청이 있었다고 해도, 생명은 하늘이 부여한 것이므로 자기 생명은 자신도 함부로 할 수 없는 존엄한 것이야.

〈보기〉
ㄱ. 갑은 개인은 자기 생명에 대해 배타적 권리가 있음을 주장한다.
ㄴ. 갑은 안락사 허용은 결과적 이익을 고려한 결정임을 주장한다.
ㄷ. 을은 생명의 종식 여부는 자율적 선택의 문제가 아님을 주장한다.
ㄹ. 을은 안락사는 인간의 존엄성을 보호하는 도덕적 행위임을 주장한다.

① ㄱ, ㄷ　② ㄱ, ㄹ　③ ㄴ, ㄹ
④ ㄱ, ㄴ, ㄷ　⑤ ㄴ, ㄷ, ㄹ

수능 유형

08 갑은 긍정, 을은 부정의 대답을 할 질문으로 옳은 것은?

> 갑: 뇌의 명령 없이도 유지될 수 있는 사람의 생명 그 자체가 존엄한 것입니다.
> 을: 그렇게 생각할 수도 있지만, 오늘날 장기 이식 기술이 발달하면서 뇌사를 죽음의 기준으로 인정한다면 장기 이식을 통해 많은 생명을 살릴 수 있습니다.

① 뇌사를 죽음의 기준으로 보아야 하는가?
② 인간의 생명 그 자체가 목적이 될 수 있는가?
③ 사람의 인격은 심장이 아니라 뇌에서 비롯되는가?
④ 뇌사 상태에서 생명을 연장하는 행위는 무의미한가?
⑤ 의료 자원의 효율적 이용이라는 관점에서 인간의 생명을 바라보아야 하는가?

02 생명 윤리

핵심 질문으로 흐름잡기

A 생명 복제와 유전자 치료에 대한 찬반 근거는?

B 동물 권리에 대한 사상가들의 주장은?

A 생명 복제와 유전자 치료

| 시·험·단·서 | 생명 복제와 관련된 다양한 윤리적 논쟁의 찬반 입장을 묻는 문제가 출제돼.

1. 생명 윤리의 의미와 필요성 자료 1

생명 과학: 생명 현상의 본질과 그 특성을 연구하는 학문이야.

(1) 생명 윤리의 의미: 의료나 생명 과학에 관한 윤리적·사회적·철학적·법적 문제와 그에 관련된 문제를 연구하는 학문 → 생명을 책임 있게 다루기 위한 윤리학적 고려

(2) 생명 윤리의 필요성: 인간 존엄성을 제고하고 삶의 질을 향상시키며 생명 과학의 윤리적 정당성과 한계를 다루고 생명 과학의 연구 방향을 제시함❶

2. 생명 복제❷와 관련된 윤리적 논쟁

복제: 크게 동물 복제와 인간 복제로 구분할 수 있어.

(1) 동물 복제에 관한 논쟁

찬성	반대
· 치료용 생체 물질 생산이 가능함 · 우수한 품종의 개발과 유지가 가능함 · 희귀 동물 보존, 멸종 동물 복원이 가능함	· 자연의 질서를 위배하는 행위임 · 종(種)의 다양성을 해치는 행위임 · 생명을 수단으로 여기는 분위기가 팽배할 수 있음

(2) 인간 복제❸에 관한 논쟁

① **배아* 복제에 관한 논쟁** 자료 2

반대: 배아를 잠재적으로 인간이 될 가능성을 지닌 존재로 여기는 입장에서는 배아 복제를 인간을 수단으로 여긴다고 보아 반대해.

찬성	반대
· 수정 후 14일 이내의 배아를 인간으로 보기 어려움 · 배아로부터 추출한 줄기세포*가 난치병 치료에 도움을 줄 수 있음	· 배아를 파괴하는 것은 살인임 · 실험과 연구에 많은 난자를 이용하는 것은 여성의 건강권과 인권을 훼손함

② **개체 복제에 관한 논쟁❹**

대부분 나라에서 금지함: 국제 연합(UN)의 「인간 복제 금지 선언문」, 우리나라의 「생명 윤리 및 안전에 관한 법률」에서도 개체 복제를 금지하고 있어.

- 개체 복제는 인간 복제라고 하여 대부분 나라에서 금지함
- 개체 복제를 금지하는 근거: 인간 존엄성과 고유성 훼손, 복제된 인간의 지위 논란, 전통적 가족 관계 등 인간관계 혼란 초래, 장기 획득을 위한 복제의 경우 인간 생명의 도구화 우려 등

3. 유전자 치료와 관련된 윤리적 논쟁 자료 3

(1) 유전자 치료의 의미와 구분

① **유전자 치료의 의미:** 질병을 치료하기 위해 체세포 또는 생식 세포 안에 정상 유전자를 넣어 유전자의 기능을 바로잡거나 이상 유전자 자체를 바꾸는 치료법

② **유전자 치료의 구분**

- 체세포 유전자 치료*, 생식 세포 유전자 치료*로 구분함
- 일반적으로 체세포 유전자 치료는 제한적으로 허용되는 반면, 생식 세포 유전자 치료는 논란의 여지가 있음

(2) 생식 세포 유전자 치료에 대한 논쟁

찬성	반대
· 선천성 유전 질환의 치료와 예방이 가능함 · 병의 유전을 막아 후세대의 병을 예방할 수 있음 · 유전적 결함이 있는 배아를 바로잡아 출생 가능성 향상 → 부모의 생식에 대한 권리와 자율성을 보장함	· 의학적으로 불확실하고 임상적으로 위험함 · 문제 발생 시 후세대에게 계속적인 고통을 줄 수 있음 · 인간 유전자를 조작하려는 우생학*을 부추길 우려가 있음

❶ **생명 과학의 한계와 생명 윤리의 필요성**
생명 과학의 발전은 인간의 수명과 건강에 도움이 되는 장기 이식, 인간 복제, 유전자 조작 등을 가능하게 하였다. 하지만 무분별하게 사용할 경우 생명 존엄성을 위협하는 문제를 낳기도 한다. 이에 생명 윤리의 필요성이 부각되었다.

❷ **생명 복제**
동일한 유전 형질을 가진 생명체를 만들어 내는 기술을 말한다.

❸ **인간 복제의 종류**
- 배아 복제: 질병 치료를 목적으로 배아 줄기세포를 얻기 위해 복제 과정을 거친 세포를 배아 단계까지만 성장시키는 것이다.
- 개체 복제: 복제한 배아를 착상시켜 완전한 인간 개체를 태어나게 하는 것이다.

❹ **개체 복제에 찬성하는 입장의 주장**
- 불임 부부가 유전적 연관이 있는 자녀를 가질 수 있음
- 복제 기술이 안정화되어 부작용이 거의 없어질 것임

시험에 잘 나오는 자료

자료 1 생명 의료 윤리의 원칙

- **자율성 존중의 원칙:** 의사는 자의적인 판단으로 환자를 일방적으로 치료하는 것이 아니라 환자 개인의 자율적 의사를 최대한 존중하면서 치료해야 한다.
- **악행 금지의 원칙:** 의사는 환자에게 해악을 입히거나 상태를 악화시키지 말아야 한다.
- **선행의 원칙:** 의사는 환자의 병을 치료하고 건강을 증진시키도록 노력해야 한다.
- **정의의 원칙:** 한정된 의료 자원을 어떻게 분배할 것이며, 어떤 환자를 우선적으로 치료할 것인가와 관련된다. 이 문제를 해결하는 데 정의가 요구된다.

자·료·분·석 위 자료는 미국의 생명 의료 윤리학자인 비첨과 칠드레스가 제시한 원칙이다. 이외에도 다양한 생명 의료 윤리 원칙은 모두 궁극적으로 생명의 존엄성을 지키고자 한다.

한·줄·핵·심 생명 의료 윤리 원칙은 궁극적으로 생명의 존엄성을 지키기 위한 것이다.

자료 2 배아의 도덕적 지위를 주장하는 논거

- **종(種)의 구성원 논거:** 배아는 이미 인간 종에 속하므로 도덕적 지위를 가진다.
- **동일성 논거:** 배아가 성장해서 존재할 생명체와 배아는 동일하므로 도덕적 지위를 가진다.
- **잠재성 논거:** 배아는 인간으로 성장할 잠재성을 지니고 있으므로 도덕적 지위를 가진다.
- **연속성 논거:** 인간의 발달 과정은 연속적이므로 배아는 도덕적 지위를 가진다.

자·료·분·석 배아 복제를 통한 연구를 하려면 먼저 배아의 도덕적 지위를 고려해야 한다. 배아를 '인간의 지위를 가진 존재'로 본다면 연구 과정에서 배아를 파괴하는 행위는 살인과 같기 때문이다.

한·줄·핵·심 배아가 인간과 동일한 도덕적 지위를 가진다고 보는 입장은 배아 복제를 반대한다.

자료 3 유전자 치료 연구의 허용 조건

관련 문제 ▶ 68쪽 03번

「생명 윤리 및 안전에 관한 법률」

제47조 ① 인체 내에서 유전적 변이를 일으키는 일련의 행위에 해당하는 유전자 치료에 관한 연구는 다음 각 호의 모두에 해당하는 경우에만 할 수 있다.

1. 유전 질환, 암, 후천성 면역 결핍증, 그 밖에 생명을 위협하거나 심각한 장애를 불러일으키는 질병의 치료를 위한 연구
2. 현재 이용 가능한 치료법이 없거나 유전자 치료의 효과가 다른 치료법과 비교하여 현저히 우수할 것으로 예측되는 치료를 위한 연구

자·료·분·석 「생명 윤리 및 안전에 관한 법률」에 따라 유전자 치료는 인간의 존엄과 가치를 침해하지 않는 범위 내에서 의학적 안전성, 유용성, 생명 의료 윤리 원칙 등을 고려하여 시행되어야 한다.

한·줄·핵·심 유전자 치료는 인간의 존엄과 가치를 침해하지 않는 범위에서 제한적으로 이루어져야 한다.

내용 이해를 돕는 팁

궁금해요

Q. 배아 복제를 반대하는 또 다른 입장에는 어떤 것이 있나요?

A. 배아 복제를 반대하는 입장에서는 사소한 것을 허용하면 그것이 확대되어 큰 문제로 이어질 수 있다는 '미끄러운 언덕길 논증'을 근거로 제시해. 즉, 배아 복제를 허용하면 개체 복제로 확대될 가능성이 있으므로 배아 복제를 금지해야 한다고 주장해.

용어 더하기

* **배아**
난할(卵割)이 시작한 이후의 개체로, 수정된 후 8주 이내의 세포를 지칭하며, 각종 신체 기관으로 분화하기 전의 세포이다.

* **줄기세포**
여러 종류의 신체 조직으로 분화할 수 있는 능력을 가진 세포이다.

* **체세포 유전자 치료**
유전자 운반체로 바이러스를 이용하여 유전 물질을 환자의 체세포에 삽입하여 질병을 치료하는 방법이다.

* **생식 세포 유전자 치료**
수정란이나 발생 초기의 배아에 유전 물질을 삽입하여 질병을 치료하는 방법이다.

* **우생학**
인류를 유전학적으로 개량하기 위해 여러 가지 조건과 인자 등을 연구하는 학문이다.

❺ 동물의 지위에 대한 관점
- 인간 중심주의 관점: 동물은 도덕적 지위를 갖지 않으며 인간의 목적 달성을 위한 수단으로 봄
- 동물 중심주의 관점: 동물도 도덕적 지위를 갖는 생명체이므로 존중해야 하며, 동물이 인간의 목적을 위해 희생되어서는 안 된다고 봄

❻ 동물 보호법
동물에 대한 학대 행위 방지 등 동물을 적정하게 보호 · 관리하기 위하여 필요한 사항을 규정한 법이다. 이 법은 동물의 생명 보호, 안전 보장과 복지 증진을 꾀하고, 동물의 생명 존중 등 국민의 정서를 함양하는 데에 이바지함을 목적으로 한다.

❼ 탈리도마이드 부작용 사례
탈리도마이드는 임신부가 겪는 메스꺼움을 치료하기 위해 개발된 약이다. 당시 동물 실험을 거쳐 시판되었지만 이 약을 복용한 산모들로부터 1만 명 이상의 아기가 장애를 갖고 태어나 문제가 되었다.

❽ 동물 권리에 대한 코헨의 견해
"어떤 존재가 권리를 소유하려면 윤리 규범의 고안 능력이나 자율성을 지녀야 하는데 동물은 그러한 능력이 없으므로 권리 또한 없다."

B 동물 실험과 동물 권리의 문제

| 시·험·단·서 | 동물 실험에 대한 찬반 근거를 구분하고 상대 입장을 반박하는 문제, 동물 권리에 대한 다양한 학자의 견해를 구분하고 상대 입장을 반박하는 문제가 출제돼.

1. 동물 실험 문제 자료 4

(1) 동물 실험의 의미: 의료, 교육, 실험, 연구 및 생물학적 약품의 생산 등을 위하여 살아 있는 동물을 대상으로 시행하는 실험

(2) 동물 실험에 대한 찬반 논쟁

① 동물 실험을 옹호하는 입장
- 인간과 동물의 도덕적 지위❺가 다름
- 동물 실험만큼 확실하고 믿을 만한 대안이 없음
- 실험으로 쓰이는 동물은 인간과 생물학적으로 유사하므로 동물 실험의 결과를 인간에게 안전하게 적용할 수 있음
- 동물 실험으로 의학이 발전하고 신약이나 치료 기술이 개발되어 인간의 생명과 건강을 보호할 이익을 얻을 수 있음

② 동물 실험을 반대하는 입장
- 인간과 동물은 지위에 별 차이가 없고 동물도 법으로 보호❻ 받아야 함
- 세포 조직 실험, 컴퓨터 시뮬레이션을 통한 연구 등으로 대체가 가능함
- 동물 실험으로 다른 가능한 연구 기회를 막아 의학의 발전이 늦어진 사례가 있음
- 동물의 이익을 고려할 경우 인간과 동물의 쾌락과 고통을 정확하게 계산하기 어려움
- 인간과 동물은 생리적 차이가 있으므로 동물 실험과 인간을 대상으로 한 임상 실험 결과는 별개임 예 탈리도마이드 부작용 사례❼

(페니실린의 경우 동물 실험에서 쥐에게는 기형아 출산, 고양이에게는 사망을 불러왔지만 인간에게는 아무런 부작용을 일으키지 않았어.)

2. 동물 권리 논쟁❽

(1) 동물의 도덕적 권리를 부정하는 입장

아리스토텔레스	• 동물의 권리를 인간보다 낮게 평가하는 인식이 지배적임 • "동물은 인간을 위해서 존재한다. 인간이 동물을 사용하는 것은 문제가 되지 않는다."
데카르트	• 일반적으로 동물을 함부로 다루거나 죽이는 일은 부당한 일이 아니라고 여김 • "동물은 움직이는 기계에 불과하다. 동물에게는 영혼이 없어서 쾌락이나 고통을 느낄 수 없기 때문이다."
아퀴나스	• 동물은 도덕적으로 고려받을 권리를 갖지 않는다고 보지만, 동물을 함부로 다루면 인간 품성에 부정적 영향을 미치므로 동물을 함부로 다루는 것을 반대함 • "사물의 질서는 불완전한 것이 완전한 것을 위해 존재하는 방식으로 이루어져 있다. 식물은 모두 동물을 위해, 동물은 모두 인간을 위해 존재한다."
칸트 자료 5	• 인간은 동물에 대한 직접적 의무는 없으나 간접적 의무를 지닌다고 봄 • "동물을 잔혹하게 대우하는 것을 반대하는 이유는 동물 자체를 위해서가 아니라 그것이 인간의 품위를 손상하는 행위이기 때문이다."

(2) 동물의 도덕적 권리를 인정하는 입장

(싱어는 '최대 다수의 최대 행복'을 추구하는 공리주의를 기초로 삼으므로 동물 실험에서 생기는 이익이 아주 크고 의미 있다면 동물 실험을 허용할 여지를 열어 두고 있어.)

싱어 자료 6	• 고통을 피하고 생존할 수 있도록 기본적 욕구를 충족할 권리를 보장해 주어야 함 • 인간과 동물은 감정을 지닌 존재(쾌락과 고통을 느낄 수 있는 존재)이므로 인간과 동물의 이익을 동등하게 고려해야 함 → "인종 차별이나 성차별이 옳지 않은 것과 마찬가지로 인간과 동물을 차별하는 종 차별주의도 옳지 않다."
레건	• 동물은 생명권 외에 학대받지 않을 권리를 지니며 동물에 고통을 주는 것은 권리를 존중하지 않는 것이므로 비윤리적인 행위임 • 내재적 가치를 지닌 동물을 고통스럽게 하는 것은 인간을 위한 수단으로 이용하는 것이므로 부당함 → "한 살 정도의 포유류는 지각, 기억, 감정 등을 가진 삶의 주체가 될 수 있으므로 인간처럼 내재적 가치를 지닌다."

(쾌고 감수 능력이라고 해.)

(인간과 마찬가지로 동물도 자신의 욕구와 목표를 위해 행동할 수 있다는 뜻이야.)

시험에 잘 나오는 자료

자료 4 동물 실험의 3R 원칙 관련 문제 ▶ 67쪽 05번

- **감소(Reduction):** 유용한 목적에 활용하고, 통계적으로 믿을 만한 자료를 산출하는 데 동물을 최소한의 수만큼 사용해야 한다.
- **개선(Refinement):** 동물이 받는 고통이나 스트레스 등을 최소화하기 위해 실험 절차를 개선해야 한다.
- **대체(Replacement):** 동물 실험을 세포 또는 조직 배양, 수학적 모형으로 대체할 수 있다면 대체해야 한다.

자·료·분·석 동물 실험이 의학 발전, 독성 물질의 안전성 진단 등을 위해 불가피하다고 여겼던 인식에 대한 비판의 목소리가 커지고 있으며, 기본적으로 지켜야 할 윤리 원칙이 제시되고 있다.

한·줄·핵·심 동물의 피해를 최소화하기 위해 실험에 사용되는 동물의 수를 최소화하고 고통을 완화하기 위해 환경을 개선하고 궁극적으로 동물 실험은 다른 실험으로 대체해야 한다.

자료 5 동물 권리에 대한 칸트의 견해 관련 문제 ▶ 69쪽 06번

인간은 동물과 관련해서 직접적 의무를 지지 않는다. 동물은 자의식적이지 못하므로 어떤 목적을 위한 수단일 뿐이다. 그 목적이란 인간이다. 동물에 대한 우리의 의무는 인간에 대한 간접적 의무에 불과하다. 우리가 동물에 대해 의무를 갖는 이유는 그렇게 함으로써 사람에 대한 의무를 계발할 수 있기 때문이다. – 칸트, "윤리학 강의록"

자·료·분·석 칸트에 따르면 인간은 인간에게만 직접적 의무를 가지며, 동물과 관련해서는 간접적 의무만 가진다. 하지만 동물을 잔혹하게 대하는 것은 인간의 품위를 손상시키므로 동물을 함부로 대하면 안 된다고 강조하였다.

한·줄·핵·심 칸트에 따르면 인간이 동물을 잔혹하게 대하면 안 되는 이유는 인간의 품위를 손상시키지 않기 위해서이다.

자료 6 싱어의 동물 해방론 관련 문제 ▶ 69쪽 07번

고통과 괴로움은 그 자체로 나쁘며 따라서 고통받는 존재의 인종이나 성 또는 종과 무관하게 고통은 억제되거나 최소화되어야 한다. 고통이 얼마나 나쁜가는 그것이 얼마나 강렬하며, 얼마나 지속되는가에 따라 결정된다. 하지만 동일한 강도와 지속성을 갖는 고통은 동일하게 나쁘며 그것을 인간이 느끼는지 또는 동물이 느끼는지는 고통에 대한 평가와는 아무런 상관이 없다. – 싱어, "동물 해방"

자·료·분·석 싱어는 고통과 괴로움은 그 자체로 나쁘기 때문에 인간이 느끼든 동물이 느끼든 무관하게 고통과 괴로움을 줄여야 한다고 본다. 그래서 동물들이 느끼는 고통이 크다면 동물 실험은 중단되어야 한다고 주장하였다.

한·줄·핵·심 싱어는 동물도 사람처럼 고통을 느끼므로 고통을 주는 동물 실험을 반대한다.

내용 이해를 돕는 팁

궁금해요

Q. 동물 실험을 반대하는 입장에서 제시하는 대체 방법에는 무엇이 있나요?

A. 대표적으로 크루얼티 프리(cruelty free)가 있어. 이 방법은 검증된 원료를 이용하거나 동물 실험을 대체하는 실험법을 사용해 개발 과정에서 동물 실험을 거치지 않게 해.

용어 더하기

* **시뮬레이션**
복잡한 문제나 사회 현상을 해석하고 해결하기 위하여 실제와 비슷한 모형을 만들어 모의적으로 실험하여 그 특성을 파악하는 일을 말한다.

* **임상 실험**
환자에게 실제로 약을 먹이거나 시술을 하여 그 효과를 알아보는 실험을 말한다.

인간 배아 복제, 허용해야 하는가?

개념풀 Guide 인간 배아 복제의 허용 여부를 둘러싼 찬성 입장과 반대 입장을 비교해 보자.

관련 문제 ▶ 66쪽 03번

쟁점 짚어보기

찬성	반대
• 복제된 배아로부터 추출한 줄기세포를 이용하여 난치병을 치료할 수 있음 • 생명 과학 기술 기반 확립과 관련 분야의 산업을 발전시킬 수 있음 • 배아 복제에 이용하는 배아는 수정 후 14일 이내의 것인데, 이를 인간으로 보기는 어려움	• 배아 복제는 생명을 수단화하는 것임 • 배아 복제는 생명의 존엄성을 훼손함 • 복제 배아를 생성하기 위해 수많은 난자를 사용하는데 그 채취 과정에서 여성의 건강권과 인권을 침해함

자료에서 쟁점 찾아보기

자료 ❶ 인간 배아 복제를 허용했을 때 우려되는 문제는, 태아 복제나 개체 복제로 나아갈 가능성이다. 배아 복제, 태아 복제, 인간 개체 복제는 하나의 연속성을 그리고 있다. 비록 현 단계에서는 도덕적 문제가 전혀 없어 보이는 특정한 방법이나 연구도 일단 허용하면 거기서 그칠 수 없다. 일단 허용하면 결국 허용 범위를 제한할 수 없게 될 것이다. 또 부정적인 결과를 현재 우리는 예측하기 힘들다.

쟁점 확인
인간 배아 복제를 허용했을 때 태아 복제나 개체 복제로 나아갈 가능성이 높다.
⋯▸ 인간 배아 복제 □□

[정답] 반대

자료 ❷ 배아는 어린이나 어른과 마찬가지로 인간이며 그들과 똑같이 존엄하다. 배아 복제 연구로 불치병 혹은 난치병 환자의 생명을 구할 수 있다고 하더라도 환자의 생명을 구하기 위해서 그와 동등한 다른 존재의 생명을 희생시킬 수는 없다.

쟁점 확인
배아도 인간이며 존엄하다.
⋯▸ 인간 배아 복제 □□

[정답] 반대

자료 ❸ 배아는 잠재적 인간 존재로서 특수한 지위를 가진다. 이 견해에 따르면, 인간 배아는 성장하면서 점차 도덕적 지위를 얻으므로 초기 단계의 배아는 그것에 대한 연구로부터 얻는 잠재적 이익을 배아에 대한 존중과 비교하여 평가할 수 있다. 배아 줄기세포를 체외에서 배양하면 세포가 분화하는 과정, 예를 들면 혈액을 형성하는 세포, 신경을 형성하는 세포, 연골을 형성하는 세포 등을 관찰할 수 있다. 이런 세포 분화 과정에 관한 신비를 풀 수 있다면 현대의 난치병 대부분을 치료할 수 있다.

쟁점 확인
배아로부터 추출한 줄기세포를 이용해 인간의 난치병을 치료할 수 있다.
⋯▸ 인간 배아 복제 □□

[정답] 찬성

이것만은 꼭!

다음 설명이 인간 배아 복제에 찬성하는 입장이면 '찬', 반대하는 입장이면 '반'이라고 쓰시오.

(1) 수정 후 14일 미만의 배아를 인간으로 보기는 어렵다. (　　　)

(2) 배아 복제를 허용하면 인간 개체 복제로 이어질 가능성이 높다. (　　　)

(3) 배아로부터 획득한 줄기세포를 활용해 인체 조직이나 장기를 복구할 수 있다. (　　　)

(4) 배아를 생성하기 위한 난자 채취는 여성의 몸을 수단화하는 비윤리적 행위이다. (　　　)

[정답] (1) 찬 (2) 반 (3) 찬 (4) 반

콕콕! 개념 확인하기

정답과 해설 20쪽

A 생명 복제와 유전자 치료

01 생명 복제에 대한 설명으로 옳으면 ○표, 틀리면 ×표를 하시오.

(1) 동물 복제를 통해 우수한 품종 개발, 희귀 동물 보존 등이 가능하다. (   )

(2) 배아 복제를 반대하는 입장은 배아를 파괴하는 것은 살인이라고 본다. (   )

(3) 인간 개체 복제를 찬성하는 입장은 개체 복제가 불임 부부의 자녀 출산에 도움을 줄 것이라고 본다. (   )

02 빈칸에 알맞은 말을 쓰시오.

(1) 생명 의료 원칙 중에서 의사가 환자의 병을 치료하고 건강을 증진시키도록 노력해야 하는 것은 □□의 원칙이다.

(2) 배아의 도덕적 지위에 관한 □□□ 논거를 따르면, 배아가 성장해서 존재할 생명체와 배아는 동일하므로 도덕적 지위를 가진다.

(3) □□□ 치료는 질병을 치료하기 위해 체세포 또는 생식 세포 안에 정상 유전자를 넣어 유전자의 기능을 바로잡거나 이상 유전자 자체를 바꾸는 치료법이다.

(4) □□ □□ 유전자 치료는 인간 유전자를 조작하려는 우생학을 부추길 우려가 있다는 비판을 받는다.

B 동물 실험과 동물 권리의 문제

03 빈칸에 알맞은 말을 쓰시오.

> 동물 실험의 '3아르(R)' 원칙은 실험 동물 수의 (   ), 실험 동물의 고통을 완화하기 위한 환경의 (   ), 궁극적으로 동물 실험을 다른 실험으로 (   )해야 한다는 원칙이다.

04 동물 권리에 대한 사상가와 그들의 주장을 바르게 연결하시오.

(1) 데카르트 •   • ㉠ 동물은 움직이는 기계에 불과함

(2) 싱어 •   • ㉡ 삶의 주체로서 동물은 내재적 가치를 지님

(3) 레건 •   • ㉢ 동물도 인간과 같이 즐거움과 고통을 느끼기 때문에 도덕적 지위를 가짐

05 다음 설명이 동물 실험에 대한 찬성 입장이면 '찬', 반대 입장이면 '반'이라고 쓰시오.

(1) 인간과 동물 간에는 생물학적 유사성이 많다. (   )

(2) 신약이나 치료 기술의 개발을 위해서는 동물 실험이 필요하다. (   )

(3) 조직 배양이나 컴퓨터 모의 실험 등으로 동물 실험을 대체할 수 있다. (   )

탄탄! 내신 다지기

A 생명 복제와 유전자 치료

01 빈칸에 들어갈 단어에 대한 설명만을 〈보기〉에서 있는 대로 고른 것은?

> 생명 과학을 잘못 이용할 경우, 피해가 매우 크며 그 결과는 돌이킬 수 없기 때문에 신중하게 접근해야 한다. 이와 관련하여 최근 제시된 [　　　] 은/는 '생명을 책임 있게 다루는 것과 관련된 모든 경우에 대한 윤리적인 고려'로 정의할 수 있다.

〈보기〉
ㄱ. 생명 과학의 연구 방향을 제시해 준다.
ㄴ. 생명 과학의 윤리적 정당성과 한계를 다룬다.
ㄷ. 인간의 존엄성을 제고하고 삶의 질을 향상시키고자 한다.
ㄹ. 과학적인 접근을 통해 생명의 존엄성을 실현하고자 한다.

① ㄱ, ㄴ　② ㄱ, ㄹ　③ ㄴ, ㄹ
④ ㄱ, ㄴ, ㄷ　⑤ ㄴ, ㄷ, ㄹ

02 A, B에 대한 적절한 설명만을 〈보기〉에서 있는 대로 고른 것은?

> 인간 복제는 A와 B로 나뉜다. A는 배아 줄기세포를 얻기 위해 복제 후 배아 단계까지만 발생을 진행시키는 것이다. B는 복제를 통해 새로운 인간 개체를 탄생시키는 것이다.

〈보기〉
ㄱ. A를 찬성하는 사람들은 배아가 아직 완전한 인간이 아니라고 주장한다.
ㄴ. A를 반대하는 사람들은 배아로부터 획득한 줄기세포를 활용할 수 있다고 주장한다.
ㄷ. B를 찬성하는 사람들은 불임 부부의 고통을 해소해 줄 수 있다고 주장한다.
ㄹ. B를 반대하는 사람들은 복제된 인간은 자신의 고유성을 갖기 어렵다고 주장한다.

① ㄱ, ㄴ　② ㄱ, ㄷ　③ ㄴ, ㄹ
④ ㄱ, ㄷ, ㄹ　⑤ ㄴ, ㄷ, ㄹ

03 갑, 을의 입장에 대한 설명으로 옳지 않은 것은?

> 갑: 배아 줄기세포를 이용하여 난치병 및 불치병을 치료할 수 있다. 또한 이식용 장기를 대량 생산하여 현재 이식용 장기 수급의 극심한 불균형을 완화하는 데 도움을 줄 수 있다.
> 을: 치료용 배아 복제를 허용하면 인간 개체 복제의 가능성이 높아질 수 있다. 그리고 배아는 연구나 실험의 이용 대상이 아니라 인간의 지위를 가지고 있는 생명이다.

① 갑은 배아에게 인간의 지위를 부여하지 않는다.
② 을은 배아 복제를 중대한 불법 행위로 본다.
③ 갑은 배아 복제의 유용성을, 을은 배아 복제의 위험성을 강조한다.
④ 갑, 을은 배아 복제가 인간의 존엄성을 해치지 않는다고 본다.
⑤ 갑, 을은 배아의 인간으로서의 지위에 대해 서로 다르게 판단한다.

04 다음 그림에서 갑이 을에게 제기할 반론으로 가장 적절한 것은?

유전자 치료가 일반화될 경우 후세대를 유전적으로 개량하려는 욕망과 결합하여 새로운 우생학이 등장할지도 몰라.
갑

하지만 생식 세포의 치료를 통해 후세대가 가지게 될 유전적 질병으로 인한 고통을 없앨 수 있어.
을

① 유전학적 개량이 가져올 위험성을 간과하고 있다.
② 선천성 유전 질환을 치료하고 예방할 수 있음을 간과하고 있다.
③ 병의 유전을 막아 후세대의 병을 예방할 수 있음을 간과하고 있다.
④ 새로운 치료법 개발을 통해 경제적 가치를 높일 수 있음을 간과하고 있다.
⑤ 유전적 결함이 있는 배아를 바로잡아 출생의 가능성을 높일 수 있음을 간과하고 있다.

정답과 해설 20쪽

B 동물 실험과 동물 권리의 문제

05 다음 내용을 통해 유추할 수 있는 것만을 〈보기〉에서 있는 대로 고른 것은?

- 감소(Reduction): 유용한 목적에 활용하고, 통계적으로 믿을 만한 자료를 산출하는 데 동물을 최소한의 수만큼 사용해야 한다.
- 개선(Refinement): 동물이 받는 고통이나 스트레스 등을 최소화하기 위해 실험 절차를 개선해야 한다.
- 대체(Replacement): 동물 실험을 세포 또는 조직 배양, 수학적 모형으로 대체할 수 있다면 대체해야 한다.

〈보기〉
ㄱ. 모든 경우의 동물 실험을 금지해야 한다.
ㄴ. 동물 실험을 하더라도 동물의 복지에 관심을 가져야 한다.
ㄷ. 동물 실험을 대체할 방법이 있어도 동물 실험을 실시해야 한다.
ㄹ. 동물 실험의 환경을 개선하고 사용되는 동물의 수를 줄여야 한다.

① ㄱ, ㄴ ② ㄱ, ㄹ ③ ㄴ, ㄹ
④ ㄱ, ㄴ, ㄷ ⑤ ㄴ, ㄷ, ㄹ

06 다음을 주장한 사상가가 긍정의 대답을 할 질문으로 가장 적절한 것은?

동물은 인간을 위해서 존재한다. 인간이 동물을 사용하는 것은 문제가 되지 않는다.

① 동물은 인간을 위한 수단이므로 권리를 갖지 않는가?
② 동물에게 고통을 주는 동물 실험을 금지해야 하는가?
③ 동물을 잔혹하게 대하면 인간의 품위를 손상시키는가?
④ 인간과 종이 다르다는 이유로 동물을 차별 대우해도 되는가?
⑤ 동물은 지각, 기억, 감정 등을 가진 삶의 주체가 될 수 있는가?

07 서양 사상가 갑, 을의 입장에 대한 설명으로 가장 적절한 것은?

갑: 인간과 동물은 모두 감정을 지닌 존재이므로 이들의 이익을 동등하게 고려해야 한다. 투표권과 같은 인간의 권리를 동물에게 부여할 수는 없지만 적어도 고통을 피하고 생존할 수 있도록 해주어야 한다.
을: 동물은 인간과 마찬가지로 지각과 감정을 지닌 존재이고, 자신의 욕구와 목표를 위해 행동할 수 있는 삶의 주체이다. 삶의 주체로서 동물은 그 자체로 존중받을 내재적 가치를 지닌다.

① 갑은 이성이 없는 동물은 어떠한 권리도 없다고 주장한다.
② 갑은 동물이 쾌고 감수 능력을 가지므로 도덕적으로 고려되어야 한다고 주장한다.
③ 을은 동물에게는 삶의 주체로서 갖는 가치가 없다고 주장한다.
④ 갑, 을은 의무론의 관점에서 동물이 권리를 갖는다고 주장한다.
⑤ 갑, 을은 인간에게 동물을 도덕적으로 배려하고 존중해야 할 의무가 없다고 주장한다.

서술형 문제

08 다음 상황에서 자신이 밑줄 친 '나'라면 어떤 판단을 내릴지 생명 의료 윤리 원칙에 근거하여 서술하시오.

교통사고로 부상을 입은 환자가 병원 응급실에 실려 왔다. 환자는 혈압이 떨어지고 있었고 대량 수혈이 필요한 상황이어서 응급 수술에 들어가야 했다. 이에 외과 의사인 나는 긴급히 수술을 준비하고 있는데 환자의 보호자가 "수술은 하되 수혈은 절대 하면 안 된다."고 요청하였다.

도전! 실력 올리기

수능 유형

01 (가)의 주장을 (나)의 삼단 논법으로 나타낼 때, ㉠에 대한 반론의 근거로 가장 적절한 것은?

(가)	인위적으로 동일한 유전 형질을 가진 동물을 만들어 내는 동물 복제는 종의 다양성을 훼손한다. 따라서 동물 복제는 허용되어서는 안 된다.
(나)	대전제: 종의 다양성을 훼손하는 행위는 허용되어서는 안 된다. 소전제: ㉠ 결 론: 동물 복제는 허용되어서는 안 된다.

① 동물 복제는 생명 경시 풍조를 조장할 수 있다.
② 동물 복제는 특정 종만으로 생태계를 재편한다.
③ 동물 복제는 자연의 질서를 위배하는 행위이다.
④ 동물 복제는 인간 복제를 위한 첫걸음이 될 수 있다.
⑤ 동물 복제는 우수한 품종을 개발할 방법을 제공한다.

02 다음을 주장한 사람이 지지할 내용을 〈보기〉에서 고른 것은?

복제 인간이 자기 자신에 대해서 너무 많이 알고 타인들 역시 그에 대해서 너무 많은 것을 안다는 사실은 의심의 여지가 없다. 복제 인간과 그의 환경 모두에게 인생이라는 연극 상연을 위한 대사가 이미 주어짐으로써 양자의 상호 작용은 시작하기도 전에 변질된다. 결국 모험으로 가득 찬 인생은 그 개방성을 잃어버리게 된다.

〈보기〉
ㄱ. 복제된 인간은 정체성의 혼란을 겪는다.
ㄴ. 복제된 인간은 자율적으로 삶을 살아가기 어렵다.
ㄷ. 인간 개체 복제는 난임 부부의 고통을 덜어줄 수 있다.
ㄹ. 인간 개체 복제를 통해 고유성을 가진 인간을 만들 수 있다.

① ㄱ, ㄴ ② ㄱ, ㄷ ③ ㄴ, ㄷ
④ ㄴ, ㄹ ⑤ ㄷ, ㄹ

03 다음 법률로 유추할 수 있는 내용만을 〈보기〉에서 있는 대로 고른 것은?

「생명 윤리 및 안전에 관한 법률」
제47조 ① 인체 내에서 유전적 변이를 일으키는 일련의 행위에 해당하는 유전자 치료에 관한 연구는 다음 각 호의 모두에 해당하는 경우에만 할 수 있다.
1. 유전 질환, 암, 후천성 면역 결핍증, 그 밖에 생명을 위협하거나 심각한 장애를 불러일으키는 질병의 치료를 위한 연구
2. 현재 이용 가능한 치료법이 없거나 유전자 치료의 효과가 다른 치료법과 비교하여 현저히 우수할 것으로 예측되는 치료를 위한 연구
③ 유전자 치료는 배아, 난자, 정자 및 태아에 대하여 시행하여서는 아니 된다.

〈보기〉
ㄱ. 모든 유형의 유전자 치료를 금지해야 한다.
ㄴ. 암 환자는 유전자 치료보다 항암 치료를 우선해야 한다.
ㄷ. 불임 부부를 위해 정자에 대한 유전자 치료를 시행해야 한다.
ㄹ. 유전자 치료는 인간의 존엄과 가치를 침해하지 않는 범위 내에서 가능하다.

① ㄱ, ㄴ ② ㄱ, ㄹ ③ ㄴ, ㄹ
④ ㄱ, ㄴ, ㄷ ⑤ ㄴ, ㄷ, ㄹ

수능 유형

04 그림의 강연자가 지지할 주장으로 옳지 않은 것은?

기계를 마음대로 조작하듯이 인간의 유전자를 조작하게 되면, 그렇게 통제되어 태어날 인격체는 다른 자율적 인격체와 달리 원초적으로 동등하지 못한 채로 공론장에 참여할 수밖에 없습니다.

① 의도적인 유전자 개입은 인간을 도구화시킨다.
② 적극적 유전자 조작은 인간관계를 왜곡시킨다.
③ 유전자 개입은 자율적 삶의 가능성을 제약한다.
④ 유전자 조작을 통해 훌륭한 인류를 만들어야 한다.
⑤ 우생학을 위한 연구는 인간의 존엄과 자유를 침해한다.

수능 기출

05 갑, 을의 입장을 〈보기〉에서 고른 것은?

갑: 자기 유전 정보를 '아는 것이 병'입니다. 자신의 유전 정보에 대한 앎은 미래의 유전 질환에 대한 불안, 공포 등의 해악만 야기할 뿐입니다. 따라서 해악 금지의 원칙에 따라 자기 유전 정보를 '모를 권리'가 보장되어야 합니다.
을: 자기 유전 정보를 '아는 것이 힘'입니다. 자신의 유전 정보에 대한 앎은 미래의 유전 질환을 감안하여 스스로 삶의 계획을 세울 수 있게 해 줍니다. 따라서 자율성 존중의 원칙에 따라 자기 유전 정보를 '알 권리'가 보장되어야 합니다.

〈보기〉
ㄱ. 갑: 자기 유전 정보를 알아야 불필요한 해악을 막을 수 있다.
ㄴ. 갑: 자기 유전 정보에 대한 무지를 개인의 권리로 인정해야 한다.
ㄷ. 을: 자기 유전 정보를 알아야 자율적 삶을 누리는 데 도움이 된다.
ㄹ. 갑, 을: 미래의 불가피한 유전 질환에 대해 고려할 필요는 없다.

① ㄱ, ㄴ ② ㄱ, ㄷ ③ ㄴ, ㄷ
④ ㄴ, ㄹ ⑤ ㄷ, ㄹ

06 (가) 사상가의 관점에서 (나)의 주장에 대해 내릴 판단으로 가장 적절한 것은?

(가)	인간은 동물과 관련해서 직접적 의무를 지지 않는다. 동물은 자의식적이지 못하므로 어떤 목적을 위한 수단일 뿐이다. 그 목적이란 인간이다. 동물에 대한 우리의 의무는 인간에 대한 간접적 의무에 불과하다.
(나)	동물 실험을 통해 얻은 결과를 인간에게 그대로 적용시킬 수 없다. 그러므로 인간의 편리를 위해 고통을 느끼는 생명체를 희생시켜서는 안 된다.

① 동물 실험을 인체 실험으로 대체해야 한다.
② 동물과 인간의 이익을 동등하게 고려해야 한다.
③ 고통을 느끼는 동물에 대한 실험을 금지해야 한다.
④ 인류의 복지를 위해 모든 종류의 동물 실험을 허용해야 한다.
⑤ 인간의 품위를 손상시키는 잔혹한 동물 실험을 금지해야 한다.

07 (가) 사상가의 관점에서 (나)의 주장에 대해 내릴 판단으로 가장 적절한 것은?

(가)	• 고통과 괴로움은 그 자체로 나쁘며 고통받는 존재의 인종이나 성, 종과 무관하게 고통은 최소화되어야 한다. • 인종 차별이나 성차별이 옳지 않은 것과 마찬가지로 인간과 동물을 차별하는 종 차별주의도 옳지 않다.
(나)	양육의 불편함과 의료비의 부담 등을 이유로 반려동물을 학대하거나 유기하는 경우가 많다.

① 반려동물을 생명체로 여기면 안 된다.
② 인간과 반려동물의 이익을 동등하게 고려해야 한다.
③ 반려동물은 삶의 주체가 될 수 있으므로 학대하면 안 된다.
④ 반려동물은 자동 기계이므로 학대당하지 않을 권리를 갖지 않는다.
⑤ 내재적 가치를 지닌 반려동물을 고통스럽게 하는 것은 부당한 행위가 아니다.

수능 기출

08 다음 토론의 핵심 쟁점으로 가장 적절한 것은?

갑: 인간의 생명과 건강을 위해 동물 실험은 꼭 필요합니다. 인간과 동물은 생물학적으로 유사하며, 동물 실험의 확실한 대안은 없습니다. 따라서 동물 실험은 정당합니다.
을: 저는 당신이 제시한 논증의 모든 전제에 대해 찬성하지만 결론에는 반대합니다. 논증에 등장하는 '동물'을 모두 '인간'으로 바꿔 보세요. 당신이 제시한 논증을 이용하면 인간 실험마저 정당화할 수 있습니다.
갑: 인간 실험은 부당합니다. 하지만 인간과 달리 동물은 기본적 권리를 갖지 않습니다. 당신의 비판은 동물도 기본적 권리를 갖는다는 선결 문제를 해결해야 합니다.
을: 인간은 물론 동물도 삶의 주체이므로 기본적 권리를 갖습니다. 인간 실험과 마찬가지로 동물 실험도 부당합니다. 당신이야말로 동물의 기본적 권리를 단적으로 부정하고 있습니다.

① 동물 실험은 인간의 생명과 건강을 위해 필요한가?
② 동물 실험의 대안 중 확실한 것이 존재하는가?
③ 인간과 달리 동물은 기본적 권리를 갖는가?
④ 인간 실험과 달리 동물 실험은 정당한가?
⑤ 인간과 동물은 생물학적으로 유사한가?

03 사랑과 성 윤리

핵심 질문으로 흐름잡기

A 사랑과 성의 관계는?

B 과거와 오늘날 부부의 의미는?

A 사랑과 성의 관계

| 시·험·단·서 | 사랑과 성의 관계에 대한 다양한 관점의 특징을 파악하는 문제가 출제돼.

1. 사랑의 의미와 성의 가치

(1) 사랑의 의미: 인간의 기본적이고 근원적인 정서이자 감정, 서로를 존중하며 배려하도록 이끄는 인간의 특질, 인간 사이의 인격적 교감이 이루어지게 하는 매개체 자료 1

(인격적 교감: 인간관계의 형성과 사회적 존재로서 인간의 본성을 실현하는 바탕이 돼.)

(2) 성❶의 가치

① **생식적 가치:** 출산으로 가족을 형성하고 양육을 책임짐 → 책임 있는 행동이 요구됨

② **쾌락적 가치:** 감각적 쾌락❷을 제공함 → 쾌락의 적절한 향유와 절제 있는 행동이 요구됨

③ **인격적 가치:** 평등한 인격체로서 교류하고 상호 존중하게 함 → 사랑하는 사람에 대한 인격 존중이 요구됨

(인격적 가치: 사랑이 지니는 인격적 가치가 성을 통해 실현된다고 볼 수 있어.)

2. 사랑과 성의 관계에 대한 다양한 관점

관점	내용
보수주의 관점	• 결혼과 출산 중심의 성 윤리를 강조함 • 성은 부부간의 신뢰와 사랑을 전제로 할 때만 도덕적임 • 혼전 또는 혼외 성관계는 부도덕하다고 봄
중도주의 관점	• 사랑 중심의 성 윤리를 강조함 • 사랑이 인간의 성에 고유한 가치를 부여한다는 입장으로 사랑을 동반한 성적 자유를 인정함 → '사랑이 있는 성은 옳다.' • 사랑을 통해 성적 자유와 성에 대한 책임을 절충함
자유주의 관점	• 개인의 자발적 동의 중심의 성 윤리를 강조함 • 사랑과 성을 결부하여 성적 자유를 제한하는 것은 옳지 않음 • 인격적인 교감 없이도 성적 호감과 관심만으로 충분함 • 타인에게 해악을 주지 않는 범위에서 성인들의 자발적 동의에 따른 성적 자유를 허용함

(중도주의 관점: 보수주의와 자유주의의 관점을 절충한다는 점에서 의의를 가져.)

3. 성과 관련된 윤리적 문제

(1) 성차별 자료 2

(성차별: 성차별은 성 역할에 대한 잘못된 인식에서 시작돼.)

① **의미:** 남성 혹은 여성이라는 이유로 사회적·문화적·경제적으로 부당한 대우를 하는 것

② **윤리적 문제**

• 인간으로서 누려야 할 자유와 평등 그리고 인간의 존엄성을 훼손함

• 여성과 남성이라는 이유로 개인의 능력을 제한당할 수 있어 개인의 자아실현을 방해함

③ **성차별을 극복하려는 윤리적 시도**

• 여성주의 윤리❸: 여성에 대한 성차별 비판, 양성평등에 대한 관심을 촉구함

(여성에 대한 성차별 비판: 보부아르는 "여성은 태어나는 것이 아니라 여성으로 만들어진다."라고 말하며 성차별을 지적했어.)

• 배려 윤리❹: 공감과 동정심, 관계성의 가치를 새롭게 조명함 자료 3

(2) 성적 자기 결정권 문제

① **성적 자기 결정권의 의미:** 성적인 문제를 외부의 부당한 압력이나 강요 없이 스스로 결정할 수 있는 권리

(성적 자기 결정권의 의미: 성적 자기 결정권은 타인이 가진 성적 자기 결정권을 침해하지 않는 범위로 제한되어야 하고, 행위에 대한 책임이 뒤따른다는 점을 알아야 해.)

② **성적 자기 결정권 남용에 따른 윤리적 문제**

• 타인의 성적 자기 결정권을 침해하는 행위가 발생할 수 있음

• 성적 자기 결정권을 무책임하게 행사할 경우 생명을 해치는 행위로 이어질 수 있음

(3) 성 상품화❺: 성 자체를 상품처럼 사고팔거나, 다른 상품을 팔기 위한 수단으로 성을 이용하는 행위

---

❶ 성의 의미
• 남녀의 생물학적 차이에 따라 성별을 구별하는 의미의 생물학적 성(sex)
• 사회·문화적으로 구분되는 남성다움과 여성다움을 말하는 사회·문화적 성(gender)
• 인간의 성적 욕망에 관한 심리나 행위를 포괄적으로 의미하는 욕망으로서의 성(sexuality)

❷ 감각적 쾌락과 쾌락의 역설
감각적 쾌락에 집착하여 그것만을 추구하다 보면 쾌락보다는 오히려 권태와 고통을 얻게 되는 '쾌락의 역설'이 발생할 수 있다.

❸ 여성주의 윤리
여성이 남성과 동등한 지위와 권리를 갖고 직업과 생활 양식을 스스로 결정할 수 있는 양성평등을 지향하는 윤리이다.

❹ 배려 윤리
보편성, 합리성에 치중한 남성 중심의 정의 윤리를 보완하기 위해 돌봄, 공감, 관계성 등 여성 중심의 덕목을 중시하는 윤리이다.

❺ 성 상품화에 대한 찬반 입장
• 찬성: 성에 대한 자기 결정권과 표현의 자유에 해당함, 성적 매력에 호소하는 것은 자본주의 논리에 부합함
• 반대: 성의 본래적 가치와 의미가 변질됨, 외모 지상주의를 조장함

시험에 잘 나오는 자료

자료 1 프롬이 제시한 사랑의 요소 관련 문제 ▶ 76쪽 01번

- **책임:** 사랑은 상대의 요구에 책임 있게 반응하는 것
- **이해:** 사랑은 상대의 독특한 개성을 아는 능력이며, 그를 깊이 이해하는 것
- **존경:** 사랑은 지배하고 소유하는 것이 아니라 상대방을 있는 그대로 보는 것
- **보호(관심):** 사랑은 사랑하는 사람의 생명과 성장에 적극적인 관심을 갖고 보호하는 것

– 프롬*, "사랑의 기술"

자·료·분·석 프롬에 따르면, 상대방과 인격적 교감이 없는 사랑은 진정한 사랑이라고 할 수 없다. 이때 인격적 교감은 책임, 이해, 존경, 보호(관심)를 뜻한다.

한·줄·핵·심 프롬은 사랑에 책임, 이해, 존경, 보호(관심) 등 인격적 가치가 내포되어 있다고 주장하였다.

자료 2 여성의 사회 진출과 유리천장 지수 관련 문제 ▶ 78쪽 04번

오른쪽 그림은 국가별 유리천장 지수를 나타내고 있다. 유리천장 지수는 임금 격차, 고등 교육 참여율, 여성 국회의원 비율, 기업의 여성 임원 비율 등을 종합하여 만든 것이다. 유리천장 지수는 한 나라의 양성평등 정도를 가늠할 수 있는 지표인데, 지수가 낮을수록 성차별이 심하다는 것을 알 수 있다.

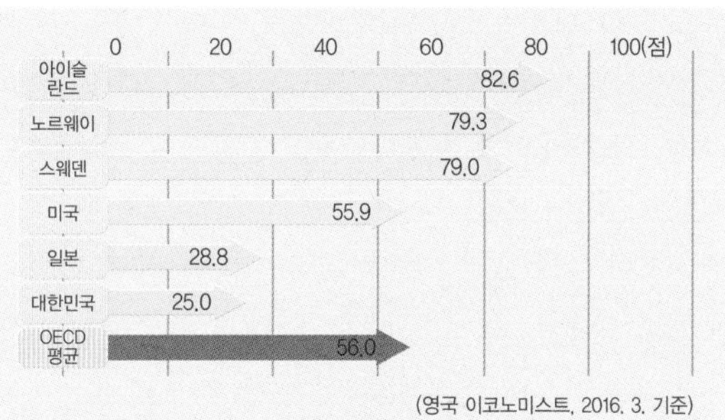

▲ 국가별 유리천장 지수

자·료·분·석 위의 자료를 통해 우리나라의 유리천장 지수가 경제 협력 개발 기구(OECD) 평균에 미치지 못한다는 점을 알 수 있다. 따라서 성차별을 줄이고 양성평등을 실현하기 위해 노력해야 한다.

한·줄·핵·심 유리천장 지수가 낮은 우리나라는 양성평등을 실현하기 위해 노력해야 한다.

자료 3 길리건의 배려 윤리 관련 문제 ▶ 78쪽 02번

여성은 다른 사람들의 요구에 깊은 관심을 가지며 배려의 의무를 기꺼이 짊어지려는 특성이 있다. 그렇기 때문에 여성은 자신과 견해를 달리하는 사람의 견해에 귀를 기울이고 자신의 관점뿐만 아니라 다른 사람들의 관점까지 고려하여 판단한다.

– 길리건*, "또 다른 목소리로"

자·료·분·석 길리건에 따르면 여성의 도덕성은 남성의 도덕성과 다르므로 남성의 기준으로 여성의 도덕성을 측정하는 것은 적절하지 않다. 또한 여성은 남성과 다른 도덕성 발달의 과정을 거치는데, 그 핵심이 배려이다. 그래서 여성은 보편성과 정의보다 관계와 친밀함 속에서 도덕적 판단을 한다.

한·줄·핵·심 길리건은 배려의 윤리로서 여성 중심적 윤리관을 강조하였다.

내용 이해를 돕는 팁

궁금해요

Q. 사랑에 대한 또 다른 정의에는 어떤 것이 있나요?

A. 프랑스의 철학자 마르셀은 사랑을 '창조적 성실'로 정의했어. 그는 모든 관계가 친밀한 유대와 참여를 기반으로 한 사랑의 관점에서 맺어질 때 상대방에 대한 헌신과 신뢰가 발휘된다고 주장했어.

용어 더하기

* **양성평등**
성별에 따른 차별, 편견, 비하 없이 남녀 모두 모든 영역에 동등하게 참여하는 것을 뜻한다.

* **프롬(Fromm, E.)**
미국의 사회 심리학자로, 정신 분석학의 입장에서 사랑의 본질을 분석한 "사랑의 기술"을 저술하였다.

* **길리건(Gilligan, C.)**
미국의 심리학자이자 여성주의 학자이다. 이상적인 인간은 배려할 줄 아는 인간이라고 보고, 배려 윤리를 주장하였다.

❻ 음양론(陰陽論)
우주나 인간 사회의 모든 현상을 음양의 변화로 설명하는 이론이다. 음과 양은 서로 다르지만, 단독으로 존재할 수 없으므로 조화를 이루어야 한다고 본다.

❼ 전통적인 효의 실천
- 불감훼상(不敢毁傷): 효의 시작으로, 부모로부터 물려받은 몸을 깨끗하고 온전하게 하는 것
- 봉양(奉養): 부모를 실질적으로 잘 모시는 것
- 양지(養志): 부모의 뜻을 헤아려 실천함으로써 부모를 기쁘게 해 드리는 것
- 공대(恭待): 표정을 항상 부드럽게 하여 부모가 편안한 마음을 지닐 수 있도록 해 드리는 것
- 혼정신성(昏定晨省): 아침저녁으로 부모에게 문안을 드리는 것
- 입신양명(立身揚名): 효의 마침으로, 후세에 이름을 떨쳐 부모를 영광되게 해 드리는 것

❽ 형제자매 간의 윤리
형제자매는 부모의 기운을 동일하게 받고 태어났다는 의미로 동기간(同氣間)이라고도 한다. 형제자매가 우애 있게 지내는 방법으로 형우제공(兄友弟恭)을 들 수 있는데, 이는 형은 동생을 사랑하고, 동생은 형을 공경한다는 뜻이다.

B 결혼과 가족의 윤리

| 시·험·단·서 | 음양론에 따른 부부 윤리를 이해하는 문제, 가족 해체 현상의 극복 방안을 찾는 문제가 출제돼.

1. 결혼과 부부 윤리

(1) 결혼의 의미

결혼을 통해 맺어진 부부 관계는 다양한 인간관계로 확장돼. 그래서 결혼을 인류 존속의 첫걸음이라고 해. 이와 관련해서 고전 중 "예기"에는 '천지가 화합하지 않으면 만물이 나오지 않는다. 혼인은 만세의 이어짐이다.'라고 쓰고 있어.

① 사랑의 결실이며 모든 인간관계의 출발점인 가정을 구성하는 의식임

② 서로의 차이를 존중하고 사랑을 지키겠다는 약속이자 의지의 표현임

③ 사랑을 바탕으로 삶 전체를 공동으로 영위하겠다는 약속임 → 백년가약*

(2) 부부 윤리

① **전통 사회의 부부 윤리**
- 남녀 간의 역할을 구분하면서도 서로 존중할 것을 강조함
- 음양론❻에 근거한 부부 윤리: 자연의 음(陰)과 양(陽)의 관계처럼 부부는 상호 보완적임
- 부부유별(夫婦有別), 부부상경(夫婦相敬), 정조*의 윤리를 강조함

부부가 서로 공경해야 한다는 뜻이야.

부부유별의 별(別)은 우열을 전제로 한 남녀 간의 '차별'이 아닌 역할의 '구별'을 뜻해.

② **오늘날의 부부 윤리**
- 각자의 주체성과 자유를 존중함
- 가정에서 부부의 역할을 고정적으로 구별하는 것은 지양함 → 양성평등을 강조함

③ **인간관계의 확장**: 부부 관계를 넘어서 배우자의 부모, 형제자매, 친척 등 친족 관계와 기타 인간관계를 화목하게 이끌어야 함

2. 가족의 가치와 가족 윤리

(1) 가족의 의미와 역할

① **가족의 의미**: 혼인, 혈연, 입양 등으로 이루어지는 공동체 자료 4

② **가족의 역할**
- 건강한 사회의 토대가 됨
- 가족을 통해 최초의 관계를 맺고 사회를 배움
- 구성원 간의 사랑과 존중을 바탕으로 정서적 안정을 느끼게 해 줌
- 사회생활에 필요한 규칙과 예절을 가르쳐 줌 → 바람직한 인격 형성을 도움

(2) 가족 해체 현상 자료 5 자료 6

가족 간 대화 단절, 가정 내 아동 학대, 이혼 등이 가족 해체 현상의 모습이야.

① **가족 해체의 의미**: 가족 구성원 각자의 역할이나 가족 전체의 기능이 제대로 수행되지 못하는 상태

② **가족 해체의 발생 원인**
- 직업 생활과 자녀 교육 등으로 가족이 서로 떨어져 지냄
- 같은 공간에서 생활하더라도 서로 접촉할 수 있는 시간이 많지 않음
- 가족 공동체 안에서 정서적 상호 작용이나 가정의 사회화 기능이 제대로 이루어지지 못함

③ **가족 해체의 결과**
- 가족 해체 현상이 심화되면 가족 공동체가 무너짐 → 사회 전체에 부정적 영향을 미침
- 부모의 이혼율 증가, 청소년의 심리적 상실감과 정서적 결핍 발생, 경제적 불안정과 사회적 소외감을 겪는 노인 증가 등

(3) 가족 윤리

부모와 자녀 사이에는 친애가 있어야 한다는 뜻이야.

부모는 자녀를 사랑하고 자녀는 부모에게 효도해야 한다는 뜻이야.

① **전통 사회의 가족 윤리**: 부자유친(父子有親), 부자자효(父慈子孝)의 윤리를 강조함

② 부모는 자녀를 독립된 인격체로 존중하고 건강하게 성장하도록 양육하고 자녀는 부모의 은혜에 감사하고 이를 적절한 형식으로 표현❼해야 함

효도는 물질적인 보답만을 뜻하지 않아. 진심에서 우러나 정성을 다해 모시는 것이 진정한 효라고 할 수 있어.

③ 형제자매❽는 서로 우애 있게 지내야 함

시험에 잘 나오는 자료

자료 4 가족에 대한 헤겔의 관점 관련 문제 ▶ 77쪽 06번

가족은 공동체 윤리에 따른 사랑의 결합으로 맺어진 부부와 그들의 미혼 자녀로 구성된다. 이는 남녀의 사랑에 기반하므로 남녀의 상하 차이는 없다. 자녀는 부모의 윤리적 사랑의 결실이자 대상이요, 목표이다. 이렇게 자신과 상대가 분리되지 않은 가족 공동체의 윤리는 자신과 상대를 구분하고 이해타산을 중시하는 시민 사회의 공동체 윤리로 이행하고 더 나아가 국가 공동체 윤리로 나아간다. – 배장섭, "헤겔의 가족 철학"

자·료·분·석 헤겔에 따르면, 시민적 가족은 근대적인 시민의 평등한 사랑, 즉 부부간의 평등한 사랑에 기반한다. 부모는 자녀를 사랑으로 훈육하고 그들이 자유 의사에 따라 새로운 삶을 살아가도록 배려해야 한다.

한·줄·핵·심 개인은 가족을 통해 윤리적 삶으로 들어가며 가족 안에서 공동체의 구성원임을 알게 된다.

자료 5 가족 구조의 변화 관련 문제 ▶ 79쪽 07번

'엄마, 아빠, 형제자매' 형태의 4인 가구나 부부 중심의 2인 가구보다 혼자 사는 집이 많아지고 있다. 통계청의 조사에 따르면 지난해 기준 1인 가구는 520만 가구로 전체 인구의 27%를 차지했다. 1990년대만 해도 9%에 불과했던 1인 가구가 빠르게 증가했으며, 그 다음은 2인 가구로 26%였다. 가구의 절반 이상이 혼자 혹은 둘이 사는 형태이다.
– 국민일보, 2016. 9. 8.

자·료·분·석 가족을 혼인, 출산, 입양 등으로 이루어진 공동체로 여기다보니 부부와 그 자녀로 구성된다고 생각하기 쉽다. 하지만 최근 전통적인 가족의 모습이 해체되고 새로운 가족의 모습이 나타나고 있다. 따라서 변화하는 가족의 모습과 그에 따른 사회의 변화를 고민해 볼 필요가 있다.

한·줄·핵·심 전통적인 가족의 모습이 해체되고 1인 가구의 비율이 증가하고 있다.

자료 6 가족 간 대화 단절 관련 문제 ▶ 77쪽 07번

통계청이 발표한 '2016년 청소년 통계'에 따르면 아버지와 대화를 나누는 시간이 주중 1시간도 채 되지 않는 청소년이 56.5%에 달했다. 한국교육개발원이 조사한 '학부모 자녀 교육 및 학교 참여 실태 조사 연구' 결과에서도 우리나라 자녀와 부모의 하루 대화 시간은 25분 이하가 26.5%, 26~50분 이하가 42.7% 등으로 집계됐다. – 헤럴드경제, 2016. 6. 1.

학부모와 자녀의 하루 대화 시간

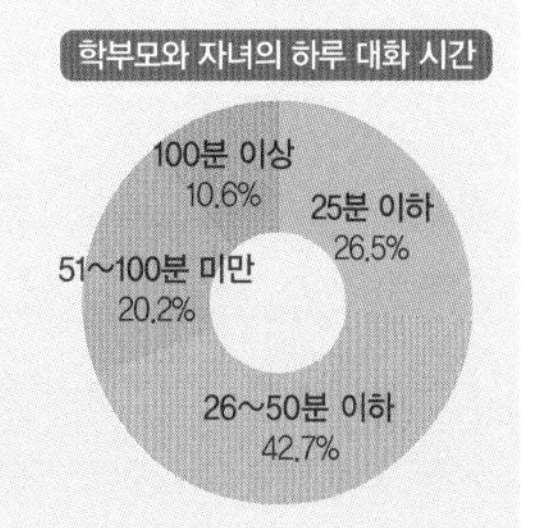

자·료·분·석 위 자료는 가족 간 대화 단절의 정도가 심각함을 드러내고 있다. 가족 간 대화 단절은 곧 가족 간 유대감 약화를 유발하는데, 이것이 원인이 되어 가족 해체 현상이 발생하기도 한다.

한·줄·핵·심 가족 윤리에 변화가 생기면서 가족 간 대화 단절 등 가족 해체 현상이 심화하고 있다.

내용 이해를 돕는 팁

궁금해요

Q. '캥거루족'이란 무엇인가요?

A. '캥거루족'이란 학교를 졸업하고 직장을 다니면서도 여전히 부모에게 경제적으로 의지하는 사람들을 말해. 캥거루족의 일부 사람들은 현실의 어려움을 회피하고자 무의식적으로 어른이 되는 것을 거부하기도 하지. 이것은 어릴 때부터 부모에 의해 계획적으로 성장한 아이들이 어른이 되어서도 자율성과 주체성을 가지지 못하기 때문에 나타나는 현상이야.

용어 더하기

* **백년가약(百年佳約)** 남녀가 부부가 되어 평생을 같이 지낼 것을 다짐하는 아름다운 언약을 뜻한다.
* **정조(貞操)** 이성 관계에서 순결을 지니는 것을 뜻한다.

사랑과 성의 관계, 어떻게 바라볼 것인가?

개념풀 Guide 사랑과 성의 관계에 대한 다양한 관점을 비교해 보자.

관련 문제 ▶ 76쪽 02번, 77쪽 08번

핵심 짚어보기

관점	내용
보수주의 관점	부부간의 사랑과 신뢰를 전제로 함 → 결혼과 출산 중심의 성 윤리 강조
중도주의 관점	사랑이 있는 성적 자유 인정, 사랑을 통해 성적 자유와 성에 대한 책임 절충 → 사랑 중심의 성 윤리 제시
자유주의 관점	타인에게 해를 끼치지 않는 범위에서 성숙한 성인들 간의 자발적 동의에 따른 성적 자유 허용 → 성에 관한 개인의 자유로운 선택을 중시

자료에서 핵심 찾아보기

자료 ❶ 보수주의 관점은 도덕적 성의 기준으로 '결혼과 출산'을 제시하여 성의 자연적 목적을 출산으로 보고, 출산에 기여하는 것만이 성의 진정한 가치라고 본다. 성은 고유한 가치가 아니라 출산 또는 생식을 위한 도구적 가치만을 가진다. 또 성행위의 가능한 결과 가운데 가장 중요한 것은 출산이므로 성행위의 결과에 대해 안정적으로 책임질 수 있는 최선의 방법은 성을 혼인의 틀 내로 제한하는 것이다.

핵심 확인
보수주의 관점은 도덕적 성의 기준으로 '결혼과 출산'을 제시한다.

자료 ❷ 중도주의 관점은 '사랑'을 도덕적 성의 기준으로 제시하여 '사랑 있는 성'은 도덕적으로 옳고, '사랑 없는 성'은 비도덕적이라고 본다. 사랑 없는 성은 인간을 짐승 또는 그 이하의 존재로 전락시키고, 인격의 파편화를 초래한다고 주장한다. 사랑 중심의 성 윤리는 성적 자유를 긍정하면서도, 그것이 '사랑 있는 성적 자유'일 경우에만 허용될 수 있다고 제한함으로써 성적 자유에 대해 사랑의 책임을 요구한다.

핵심 확인
중도주의 관점은 인간의 성이 사랑을 통해 동물적 차원을 벗어나 인격적 차원으로 고양된다고 본다.

자료 ❸ 성은 무엇보다도 그 자체가 쾌락을 산출하는 즐거운 경험이다. 쾌락 중심의 성 윤리는 성적 쾌락의 추구가 그 자체로 좋은 것이고, '정당한 이유' 없이 자유로운 성적 쾌락의 추구를 방해하는 것은 옳지 않다고 본다. 한편, 성적 쾌락의 추구에도 일정한 도덕적 제약이 따른다. 자유주의 성 윤리는 '타인에게 해를 주지 말라'는 해악 금지의 원리와 '타인의 자유를 존중하라'는 자율성 존중의 원리가 결합된 것이다.

핵심 확인
자유주의 관점은 성적 쾌락의 추구가 그 자체로 좋은 것으로 본다.

이것만은 꼭!

다음 내용이 옳으면 ○표, 틀리면 ×표를 하시오.

(1) 보수주의 관점에 따르면 성적 쾌락의 추구는 그 자체로 좋은 것이다. ( )

(2) 보수주의 관점에 따르면 성은 결혼 및 출산과 관련을 가질 경우에만 허용될 수 있다. ( )

(3) 중도주의 관점에 따르면 인간의 성은 사랑을 통해 인격적 차원으로 고양된다. ( )

(4) 중도주의 관점에 따르면 '사랑 있는 성'은 도덕적으로 옳고, '사랑 없는 성'은 비도덕적이다. ( )

(5) 자유주의 관점에 따르면 성적 쾌락의 추구에는 어떠한 도덕적 제약도 없다. ( )

[정답] (1) × (2) ○ (3) ○ (4) ○ (5) ×

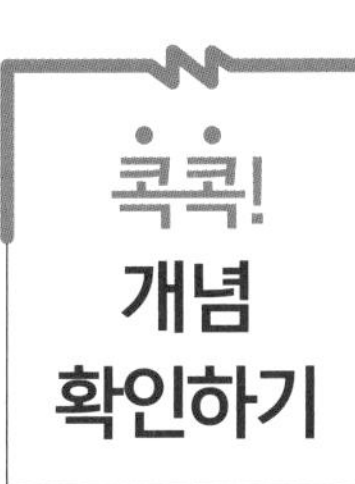

정답과 해설 23쪽

A 사랑과 성의 관계

01 빈칸에 알맞은 말을 쓰시오.

(1) □□은/는 인간 사이의 인격적 교감이 이루어지게 하는 매개체이며, 서로를 존중하며 배려하도록 이끄는 인간의 특질이다.

(2) 성은 감각적 쾌락을 제공한다는 □□□ 가치를 지니고 있기 때문에 절제 있는 행동이 요구된다.

(3) □□ □□은/는 보편성, 합리성에 치중한 남성 중심의 정의 윤리를 보완하기 위해 돌봄, 공감, 관계성 등 여성 중심의 덕목을 중시하는 윤리이다.

02 성과 사랑의 관계에 대한 입장과 그 특징을 바르게 연결하시오.

(1) 보수주의 •	• ㉠ 결혼과 출산 중심의 성 윤리
	• ㉡ 사랑 중심의 성윤리
(2) 중도주의 •	• ㉢ 동의 중심의 성 윤리
	• ㉣ 혼전 또는 혼외 성관계는 부도덕함
	• ㉤ 인격적 교감 없이 성관계가 가능함
(3) 자유주의 •	• ㉥ 사랑이 있는 성적 자유를 인정함

B 결혼과 가족의 윤리

03 빈칸에 알맞은 말을 쓰시오.

(1) □□은/는 부부가 될 남녀가 서로를 영원히 지키며 사랑하겠다는 약속을 의미한다.

(2) □□은/는 혼인, 혈연, 입양 등으로 이루어지는 공동체이다.

(3) 형제자매는 부모의 기운을 동일하게 받고 태어났다는 의미로 □□□(이)라고도 한다.

04 알맞은 설명에 ○표를 하시오.

(1) 전통적인 효의 실천 방법 중에서 (불감훼상 , 봉양)은 효의 시작이고, (입신양명 , 혼정신성)은 효의 마침이다.

(2) 오늘날 가정에서는 부부의 역할을 (남성 중심 , 양성평등)의 관점에서 바라보아야 한다.

05 다음 내용이 옳으면 ○표, 틀리면 ×표를 하시오.

(1) 전통 사회에서는 부부를 자연의 음(陰)과 양(陽)의 관계처럼 상호 보완적인 관계로 보았다. (   )

(2) 가족 해체 현상이 심화되면 가족 공동체가 와해되고, 이는 결과적으로 사회 전체에 부정적인 영향을 끼치게 된다. (   )

탄탄! 내신 다지기

A 사랑과 성의 관계

01 빈칸에 공통으로 들어갈 단어에 대한 옳은 설명을 〈보기〉에서 고른 것은?

> ______은/는 상대의 요구에 책임 있게 반응하는 것으로 상대의 독특한 개성을 아는 능력이며, 그를 깊이 이해하는 것이다. ______은/는 지배하고 소유하는 것이 아니라 상대방을 있는 그대로 보는 것이고, 사랑하는 사람의 생명과 성장에 적극적인 관심을 갖고 보호하는 것이다.

〈보기〉
ㄱ. 성(性)과는 전혀 관계가 없다.
ㄴ. 온전한 인격적 관계 속에서 성립할 수 있다.
ㄷ. 상대방의 욕구와 성향을 고려할 필요는 없다.
ㄹ. 책임, 존경, 이해 등과 같은 가치를 내포한다.

① ㄱ, ㄴ ② ㄱ, ㄷ ③ ㄴ, ㄷ
④ ㄴ, ㄹ ⑤ ㄷ, ㄹ

02 다음 입장에 대한 설명만을 〈보기〉에서 있는 대로 고른 것은?

> '사랑 있는 성'은 도덕적으로 옳고, '사랑 없는 성'은 비도덕적이다. 인간의 성은 사랑을 통해 동물적 차원을 벗어나서 인격적 차원으로 고양된다는 것이다. 사랑 없는 성은 인간을 짐승 또는 그 이하의 존재로 전락시키고, 인격의 파편화를 초래하여 인격의 통합성을 파괴한다.

〈보기〉
ㄱ. 사랑과 성은 인간의 인격과 관련된다.
ㄴ. 성은 부부간의 신뢰와 사랑을 전제로 할 때만 도덕적이다.
ㄷ. 성인의 자발적 동의에 따라 이루어지는 모든 성적 관계는 도덕적이다.
ㄹ. 결혼하지 않았더라도 사랑하는 사이라면 성적 관계는 허용될 수 있다.

① ㄱ, ㄴ ② ㄱ, ㄹ ③ ㄴ, ㄹ
④ ㄱ, ㄴ, ㄷ ⑤ ㄴ, ㄷ, ㄹ

03 다음 사상가의 관점에서 긍정의 대답을 할 질문으로 가장 적절한 것은?

> 성은 적절한 자손의 번식과 자손의 양육을 위한 것이다. 따라서, 생식이 이루어질 수 없는 방식으로 성적 결합이 이루어지는 것은 인간의 선과 명백히 반대되며, 분명히 죄가 된다. …(중략)… 다른 여성을 찾아 부인과 자녀의 곁을 떠나는 것은 인간 본성에 부합하는 일이 아니다.

① 성은 사회의 안정이나 질서 유지와 무관한가?
② 혼전이나 혼외 성적 관계는 도덕적으로 정당한가?
③ 결혼과 성을 결부하는 것은 성적 자유를 제한하는 것인가?
④ 사랑 없이 자발적 동의만으로 이루어진 성적 관계는 정당한가?
⑤ 출산과 양육에 대한 책임을 질 수 있는 성만이 도덕적으로 정당한가?

04 다음 주장에 대해 제시할 반론으로 가장 적절한 것은?

> 누구나 자신의 성적 매력을 표현할 권리를 갖는다. 그리고 자신의 성적 매력을 표현하여 상품화하는 것은 성적 자기 결정권에 해당한다. 그리고 자본주의 사회에서 상품에 성적 이미지를 부여하여 판매 이윤을 극대화하는 것을 금지할 까닭은 없다.

① 상품 판매에 성적 매력을 이용하는 것은 좋은 전략이다.
② 인간의 성을 상품화하는 것은 인간을 수단화하는 것이다.
③ 성적 매력을 표현하는 것은 성적 자기 결정권에 해당한다.
④ 성을 상품화하더라도 인간의 인격적 가치를 떨어뜨리지 않는다.
⑤ 경제적 이익을 얻고 물건을 파는 것처럼 성 자체도 상품화할 수 있다.

B 결혼과 가족의 윤리

05 빈칸에 공통으로 들어갈 단어에 대한 설명만을 〈보기〉에서 있는 대로 고른 것은?

> 전통 사회에서는 음양론에 근거하여 [ ]은/는 서로의 다름을 있는 그대로 인정하고, 부족한 점을 보완하여 화합해야 한다고 보았다. 오늘날에는 가정에서 [ ]의 역할을 고정적으로 구별하는 것은 무의미하므로 양성평등의 관점에서 바라볼 필요가 있다.

〈보기〉
ㄱ. 서로 간에 신의를 지켜야 한다.
ㄴ. 서로의 다름을 있는 그대로 인정해야 한다.
ㄷ. 남성과 여성을 서로 동등하게 대우해야 한다.
ㄹ. 고정된 성 역할에 따라 가사 분담을 해야 한다.

① ㄱ, ㄴ ② ㄱ, ㄹ ③ ㄴ, ㄹ
④ ㄱ, ㄴ, ㄷ ⑤ ㄴ, ㄷ, ㄹ

06 다음 글의 입장에 대한 설명으로 옳지 않은 것은?

> 가족은 남녀의 사랑을 기반으로 하므로 남녀의 상하 차이는 존재하지 않는다. 가족은 공동의 재산을 취득하고 형성한다. 자녀는 부모의 윤리적 사랑의 결실이자 대상이요, 목표이다. 이렇게 자신과 상대가 분리되지 않은 가족 공동체의 윤리는 자신과 상대를 구분하고 이해타산을 중시하는 시민 사회의 공동체 윤리로 이행한다. 이후 가족 공동체 윤리와 시민 공동체 윤리를 함께 가지는 국가 공동체 윤리로 나아간다.

① 부부간의 사랑은 자녀를 통해 결실을 맺는다.
② 가족은 부부간의 평등한 사랑을 기반으로 한다.
③ 가족은 자신과 상대방이 분리되지 않은 공동체이다.
④ 시민 사회와 다르게 가족 간에는 이해타산을 중시한다.
⑤ 가족 공동체의 윤리는 시민 사회와 국가 공동체의 윤리로 점차 확대된다.

07 다음 현상에 대한 설명으로 옳지 않은 것은?

> 한국교육개발원이 조사한 바에 따르면 우리나라 자녀와 부모의 하루 대화 시간은 25분 이하가 26.5%, 26~50분 이하가 42.7% 등으로 집계됐다. 특히 고등학생의 2명 중 1명은 하루 평균 가족과의 대화 시간이 30분도 안 된다.

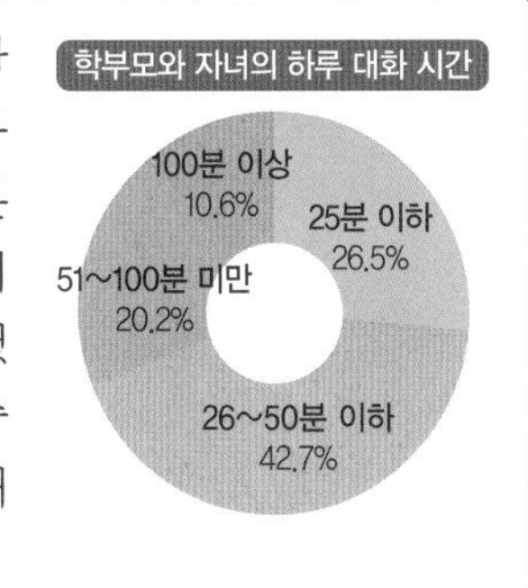

① 가족 간 대화 단절과 가족 해체 현상은 관련이 없다.
② 가족 간 정서적 단절로 인한 갈등이 심화될 것으로 보인다.
③ 부모와 자녀 사이에 친밀함을 유지할 계기가 사라지고 있다.
④ 가족 간 대화 단절로 인해 가족의 가치가 실현되지 못하고 있다.
⑤ 가족 간 대화 단절은 청소년의 심리적 상실감, 노인 소외 현상 등으로 이어질 수 있다.

서술형 문제

08 다음 글이 사랑과 성의 관계에 대해 어떤 관점인지 파악하고, 이를 보수주의 관점에서 비판하시오.

> 성은 무엇보다도 그 자체가 쾌락을 산출하는 즐거운 경험이다. 성적 쾌락의 추구는 그 자체로 좋은 것이고, 자발적 동의만 있으면 '정당한 이유' 없이 자유로운 성적 쾌락 추구를 방해하는 것은 옳지 않다고 본다. 성적 쾌락의 추구에도 일정한 도덕적 제약이 따른다. '타인에게 해악을 주지 않는 한계 내에서의 최대한의 성적 자유'를 도덕적 성의 기준으로 내세운다.

도전! 실력 올리기

수능 기출

01 갑, 을의 입장에 대한 설명으로 가장 적절한 것은?

> 갑: '결혼 없는 성'은 비도덕적이다. 부부만이 성적 관계에서 서로의 인격을 존중해야 할 의무를 다할 수 있으며, 출산을 통한 사회 안정과 책임 있는 성 문화 유지에 기여할 수 있다. 부부 사이의 성적 관계만이 도덕적으로 정당하다.
> 을: '사랑 없는 성'은 비도덕적이다. 결혼이 아니라 사랑이 도덕적 성의 조건이며, 사랑하는 사람들만이 성적 관계에서 서로의 인격을 존중해야 할 의무를 다할 수 있다. 사랑하는 사람들 사이의 성적 관계만이 도덕적으로 정당하다.

① 갑은 부부만이 정당한 성적 관계의 주체는 아니라고 본다.
② 갑은 성적 관계의 정당성이 사회 존속과는 무관하다고 본다.
③ 을은 자발적인 동의에 근거한 성적 관계는 항상 정당하다고 본다.
④ 을은 성적 관계가 부부 사이에서만 정당화될 수 있다고 본다.
⑤ 갑, 을은 성적 관계에서 서로의 인격적 가치를 존중해야 한다고 본다.

02 다음 사상의 관점에서 긍정의 대답을 할 질문으로 옳은 것은?

> 여성은 다른 사람들의 요구에 깊은 관심을 가지며 배려의 의무를 기꺼이 짊어지려는 특성이 있다. 그렇기 때문에 여성은 자신과 견해를 달리하는 사람의 견해에 귀를 기울이고 자신의 관점뿐만 아니라 다른 사람들의 관점까지 고려하여 판단한다. 여성들은 인간관계 속에서 자신을 규정지을 뿐만 아니라 배려의 능력을 기준으로 자신을 평가한다.

① 남성의 도덕성과 여성의 도덕성은 동일한가?
② 여성의 도덕성은 정의의 관점에서 잘 드러나는가?
③ 배려의 도덕성은 남성에게서 전혀 나타나지 않는가?
④ 보편성과 합리성 중심의 도덕성을 발전시켜야 하는가?
⑤ 여성의 도덕성의 특징은 돌봄, 공감, 관계성에서 찾을 수 있는가?

수능 유형

03 그림의 강연자가 지지할 입장으로 옳지 않은 것은?

> 누구도 남녀의 본성을 알 수는 없습니다. 남성과 여성 간 지성의 차이는 사회 환경 요인에 의해 설명될 수 있습니다. 여성으로 태어난 것이 사회적 지위를 결정하고 다양한 직업으로의 진출을 방해하는 이유가 되어서는 안 됩니다. 재능 활용 기회를 가로막는 것은 개인적으로는 불공평하고 사회적으로는 손실이기 때문입니다. 다른 사람의 권리를 침해하지 않는 한, 개인의 선택은 전적으로 그 자신에게 맡겨야 합니다.

① 여성이라는 이유로 사회 진출을 막아서는 안 된다.
② 여성을 예속시키는 수단으로 교육을 이용해서는 안 된다.
③ 사회적 역할은 남녀의 본성에 따라 적합하게 부여되어야 한다.
④ 양성평등은 사회 전체적으로 유용하므로 완전하게 보장해야 한다.
⑤ 자신의 재능을 어떻게 사용할지는 전적으로 개인의 선택에 맡겨야 한다.

04 다음 글의 문제점을 해결하기 위한 방안으로 옳지 않은 것은?

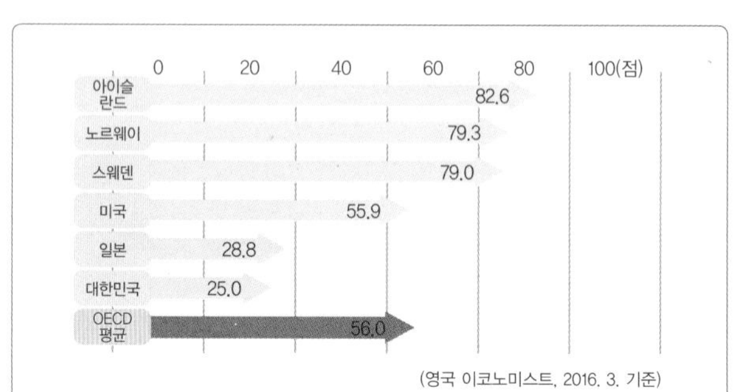

(영국 이코노미스트, 2016. 3. 기준)

▲ 유리천장 지수

유리천장 지수는 임금 격차, 고등 교육 참여율, 여성 국회의원 비율, 기업의 여성 임원 비율 등을 종합하여 만든 것으로 한 나라의 남녀 성 평등 정도를 가늠할 수 있는 지표이다. 지수가 낮을수록 성차별이 심하다는 것을 보여 준다.

① 여성과 남성의 신체적 차이를 무시해야 한다.
② 여자라는 이유로 능력을 무시해서는 안 된다.
③ 남녀 간의 다름을 우열로 파악해서는 안 된다.
④ 남성다움이나 여성다움을 사회·문화적으로 고정하면 안 된다.
⑤ 성차별은 개인과 사회의 발전을 가로막는다는 사실을 인지해야 한다.

수능 기출

05 다음 가상 편지의 ㉠에 대한 옳은 설명을 〈보기〉에서 고른 것은?

> ○○에게
> 얼마 전 자네가 가정을 이루었다는 말을 듣고 몹시 기뻤다네. 공자는 "경(敬)으로써 자신을 수양하고, 자신을 수양하여 다른 사람을 편안하게 해 주어라."라고 말했다네. 이러한 가르침은 ㉠ 간의 도리에 대해서도 마찬가지라고 생각하네. ㉠ 은/는 서로 다른 환경에서 오랫동안 성장하여 만난 두 사람이지만, 자네가 상대를 아끼는 마음으로 손님을 대하듯 존중한다면 어찌 백년해로(百年偕老)할 수 없겠는가? …(후략)…

〈보기〉
ㄱ. 혼인(婚姻)을 통해 맺어진 가족 관계이다.
ㄴ. 상경여빈(相敬如賓)을 실천해야 하는 관계이다.
ㄷ. 항렬(行列)에 따라 서로 역할을 분담하는 관계이다.
ㄹ. 동기간(同氣間)으로서 배려해야 하는 가족 관계이다.

① ㄱ, ㄴ ② ㄱ, ㄷ ③ ㄴ, ㄷ
④ ㄴ, ㄹ ⑤ ㄷ, ㄹ

06 (가)의 관점에서 (나)의 주장에 대해 제기할 수 있는 비판을 〈보기〉에서 고른 것은?

(가) 음은 '그늘', 양은 '햇볕'을 뜻하였으나 점점 발달되어 우주의 두 원리로 간주되었다. 음과 양은 서로 다르지만, 단독으로 존재할 수 없으므로 보완하여 조화를 이루어야 한다.
(나) 여자는 세 가지 도리를 따라야 한다. 어려서는 아버지를 따르고, 시집을 가면 남편을 따르며, 남편이 죽으면 자식을 따라야 한다.

〈보기〉
ㄱ. 가정에서 부부의 역할을 고정시켜야 한다.
ㄴ. 아내와 남편을 서로 차별하여 대우해야 한다.
ㄷ. 부부는 서로 동등한 존재임을 인식해야 한다.
ㄹ. 부부간에 서로 존중하고 협력하여 조화를 이루어야 한다.

① ㄱ, ㄴ ② ㄱ, ㄹ ③ ㄴ, ㄷ
④ ㄴ, ㄹ ⑤ ㄷ, ㄹ

07 다음 현상에 대한 설명으로 가장 적절한 것은?

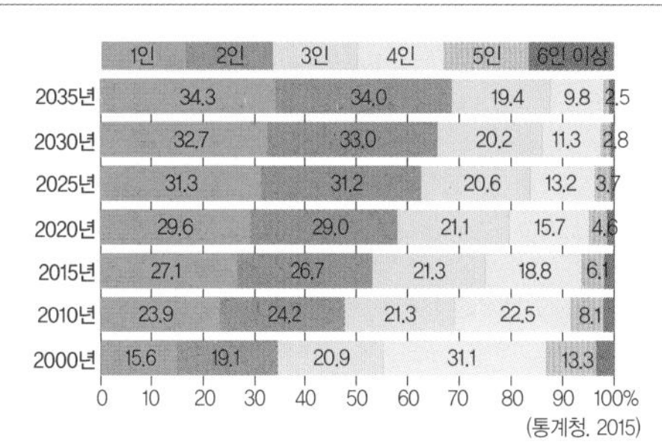

▲ 우리나라 가구원 수의 변동

혼자 사는 가정, 1인 가구가 한국에서 가장 흔한 가구 유형이 되었다. '엄마, 아빠, 형제자매' 형태의 4인 가구나 부부 중심의 2인 가구보다 혼자 사는 집이 많아진 것이다. 통계청의 조사에 따르면 지난해 기준 1인 가구는 520만 가구로 전체 인구의 27%를 차지했다.

① 기존 4인 가족 가구의 구성은 크게 변함이 없다.
② 아직 전통적 가족 구조가 무너졌다고 보기 힘들다.
③ 홀로 사는 노인층과 젊은 층의 가구 증가는 찾아볼 수 없다.
④ 1인 가구는 아직 전체 가구에서 차지하는 비율이 미미하다.
⑤ 변하고 있는 가족의 모습과 사회의 변화에 대해 고민해야 한다.

수능 유형

08 (가), (나)가 공통으로 강조하는 덕목에 대한 설명으로 가장 적절한 것은?

(가) 나이 칠십에 아이처럼 장난하며 색동옷을 입고, 물을 떠 당(堂)에 오르다가 일부러 넘어져 아이 울음소리를 내었으며, 부모 곁에서 새끼 새랑 놀며 기쁘게 해 드리고자 하였다.
(나) 과실(過失)이 있으시면 기(氣)를 내리고 낯빛을 온화하게 하고 음성을 가다듬어 간(諫)한다. 그래도 들어주지 않으시면 공경심을 일으키고, 기뻐하시면 다시 간한다.

① 친구 간에 지켜야 하는 신의에 대한 것이다.
② 형제자매 간에 지켜야 할 규범에 대한 것이다.
③ 진심에서 나오는 마음으로 부모님을 모시는 것이다.
④ 가족 이외의 관계에서 지켜야 될 규범에 대한 것이다.
⑤ 음양(陰陽)의 관계처럼 부부간의 윤리에 대한 것이다.

01 삶과 죽음의 윤리

A 출생의 의미와 윤리적 쟁점

(1) 출생의 윤리적 의미

- 생명 유지, 종족 보존 성향의 실현, 개별적·독립적 개체가 됨
- 다양한 공동체에 속하는 출발점

(2) 인공 임신 중절에 관한 찬반 입장

찬성	• 소유권 논거: 태아는 여성 몸의 일부이므로 임신한 여성은 태아에 대한 권리를 지님 • 자율 근거: 인간은 자신의 신체와 삶에 대하여 자율적으로 선택하고 결정할 권리가 있음 • 정당방위 근거: 모든 개인은 자기 방어와 정당방위의 권리를 지니므로 일정한 조건을 충족하면 인공 임신 중절을 할 권리를 가짐
반대	• 존엄성 근거: 태아를 비롯한 모든 인간의 생명은 존엄하므로 인간의 생명을 침해해서는 안 됨 • 잠재성 근거: 태아는 임신 순간부터 인간으로 성장할 수 있는 잠재성을 지닌 존재이므로 생명의 권리를 가짐 • 무고한 인간의 신성불가침 근거: 잘못이 없는 인간을 해쳐서는 안 되는데, 태아는 잘못이 없는 인간이므로 해쳐서는 안 됨

B 죽음에 대한 동서양 사상

(1) 죽음의 윤리적 의미와 특징

구분	내용
윤리적 의미	• 삶의 소중함을 깨닫는 계기 • 인간관계의 소중함을 깨닫는 계기
특징	출생으로 시작한 인간의 삶은 죽음으로 마무리함

(2) 죽음에 대한 동양 사상의 견해

공자	죽음에 집착하기보다 현실의 삶 속에서 도덕적 실천을 하려고 노력해야 함
장자	삶과 죽음은 서로 연결된 과정이므로 죽음에 대해 슬퍼할 필요가 없음
불교	• 죽음은 인간의 대표적인 고통 중 하나 • 끝이 아니라 현실에서 벗어나 또 다른 세계로 윤회하는 것

(3) 죽음에 대한 서양 사상의 견해

플라톤	죽음을 통해 영혼은 육체로부터 자유롭게 됨 → 자유로워진 영혼은 이데아의 세계로 되돌아감
에피쿠로스	• 죽음은 인간을 이루는 원자가 흩어지는 것 • 인간은 죽음을 감각할 수 없으므로 두려워할 필요가 없음
하이데거	• 인간만이 다가올 죽음을 염려할 수 있음 • 죽음 앞으로 미리 달려가 봄으로써 삶을 더 가치 있게 살 수 있음

C 죽음과 관련된 윤리적 쟁점

(1) 자살을 금지하는 입장

유교	신체를 훼손하는 자살은 불효임
불교	불살생(不殺生)의 계율에 따라 모든 생명을 소중히 여기고 존중해야 함
자연법 윤리	자살은 인간의 자기 보존의 의무를 다하지 않은 것임
칸트	자살은 자기 인격을 수단으로 대우한 것임
쇼펜하우어	자살은 문제를 해결하는 것이 아니라 회피하는 것에 불과함

(2) 안락사에 대한 찬반 입장

찬성	• 불치병으로 고통받는 환자의 자율성과 삶의 질이 우선임 • 불치병 환자에 대한 연명 치료는 본인과 가족에게 심리적·경제적 부담을 가중시킴
반대	• 인간은 죽음을 선택할 권리가 없음 • 죽음을 인위적으로 앞당기는 것은 자연의 질서에 반대됨

(3) 뇌사를 죽음으로 인정하는 것에 대한 찬반 입장

찬성	• 뇌사자가 존엄하게 죽을 수 있는 권리를 존중해야 함 • 인간의 인격을 결정하는 것은 심장과 폐가 아니라 뇌임 • 실용주의 관점에서 보면 뇌사자의 장기로 다른 환자의 생명을 구하거나 질병을 치료할 수 있음
반대	• 뇌사 인정은 인간 생명을 수단으로 여기는 것임 • 오진·오판의 가능성이 있음 • 실용주의 관점은 인간의 가치를 위협할 수 있으며, 사회적으로 악용 가능성도 있음

02 생명 윤리

A 생명 복제와 유전자 치료

(1) 동물 복제에 대한 찬반 논쟁

찬성	우수한 품종의 개발과 유지, 희귀 동물 보존, 멸종 동물 복원
반대	자연의 질서를 위배함, 종(種)의 다양성을 해침

(2) 인간 복제에 대한 찬반 논쟁

배아 복제	찬성	• 수정 후 14일 이내의 배아를 인간으로 보기 힘듦 • 배아로부터 추출한 줄기세포가 난치병 치료에 도움을 줄 수 있음
	반대	• 배아를 파괴하는 것은 살인임 • 많은 난자의 사용은 여성의 건강권과 인권을 훼손함
개체 복제	찬성	불임 부부의 고통을 덜어줄 수 있음
	반대	• 인간 존엄성과 고유성 훼손 우려 • 장기 획득을 위한 복제 → 인간 생명의 도구화

(3) 생식 세포 유전자 치료에 대한 찬반 논쟁

찬성	• 병의 유전을 막아 후세대의 병을 예방함 • 유전적 결함 있는 배아를 바로잡아 출생 가능성을 향상함
반대	• 문제 발생시 후세대에 계속 고통을 줄 수 있음 • 인간 유전자를 조작하려는 우생학을 부추김

B 동물 실험과 동물 권리의 문제

(1) 동물 실험에 대한 찬반 논쟁

찬성	• 인간과 동물은 생물학적으로 유사함 • 의학이 발전하고 신약이나 치료 기술이 개발됨
반대	• 인간과 동물은 생물학적으로 유사하지 않음 • 컴퓨터 시뮬레이션을 통한 연구 등으로 대체 가능함

(2) 동물 권리에 대한 다양한 관점

인간 중심	• 동물은 인간의 목적 달성을 위한 수단임 • 대표 사상가: 아퀴나스, 데카르트, 칸트
동물 중심	• 동물도 도덕적 지위를 갖는 생명체로서 존중해야 함 • 대표 사상가: 싱어, 레건

03 사랑과 성 윤리

A 사랑과 성의 관계

(1) 사랑의 의미와 성의 가치

사랑의 의미	인간의 기본적이고 근원적인 정서이자 감정
성의 가치	• 생물학적 관점(sex): 출산으로 가족을 형성하고 양육을 책임짐 → 생식적 가치 • 욕망의 관점(sexuality): 감각적 쾌락 제공, 절제 있는 행동 요구 → 쾌락적 가치 • 사회·문화적 관점(gender): 평등한 인격체로서 교류하고 상호 존중하게 함 → 인격적 가치

(2) 사랑과 성의 관계에 대한 관점

보수주의 관점	부부간의 사랑과 신뢰를 전제로, 결혼과 출산 중심의 성 윤리 강조
중도주의 관점	• 사랑 중심의 성 윤리 강조 • 사랑이 있는 성적 자유 인정
자유주의 관점	타인에게 해악을 주지 않는 범위에서 자발적 동의에 따른 성적 자유 허용 → 성에 관한 개인의 자유로운 선택 중시

(3) 성과 관련된 윤리적 문제

성차별	자아실현을 방해하고 개인의 잠재력을 발휘할 수 없게 함 → 양성평등 실현 필요
성적 자기 결정권	• 성적인 문제를 스스로 결정할 수 있는 권리 • 타인의 성적 자기 결정권을 침해하지 않는 범위에서 행사해야 함
성 상품화	• 찬성: 성에 대한 자기 결정권과 표현의 자유에 해당함 • 반대: 성의 본래적 가치와 의미 변질

B 결혼과 가족의 윤리

부부 윤리	• 전통 사회의 부부 윤리: 음양론에 근거, 부부상경, 부부유별 등 • 오늘날의 부부 윤리: 양성평등의 관점을 강조함
가족 해체 현상	가족 구성원 각자의 역할이나 가족 전체의 기능이 제대로 수행되지 못하는 상태
가족 윤리	가족 역할을 회복할 윤리 필요 예 부자유친, 부자자효 등

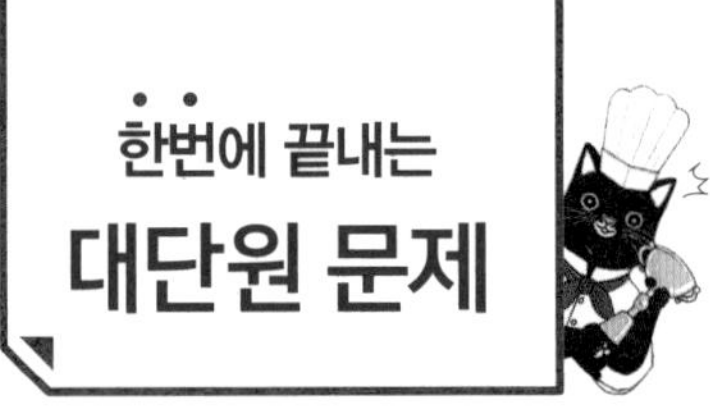

정답과 해설 26쪽

01 다음 내용을 직접적으로 반박할 수 있는 주장으로 가장 적절한 것은?

> 누군가 자신의 신체에 위해를 가할 때 우리는 자신을 방어할 정당한 권리를 가진다. 따라서 여성은 자신의 몸에 대해 정당방위를 할 권리를 가진다. 인공 임신 중절은 자신의 몸에 가해진 위해에 대한 정당방위의 행사이다.

① 인공 임신 중절의 대상인 태아를 인간으로 볼 수 없다.
② 인공 임신 중절은 무고한 인간인 태아를 죽이는 행위이다.
③ 인공 임신 중절을 통해 여성은 남성과 동등한 권리를 지닐 수 있다.
④ 인공 임신 중절은 여성이 자기 신체에 대해 자율권을 행사하는 행위이다.
⑤ 인공 임신 중절은 정상적인 성인과 동등한 지위를 가지는 태아를 죽이는 행위이다.

02 갑, 을 사상가의 입장으로 옳지 않은 것은?

> 갑: 우리가 무엇인가를 순수하게 인식하려면, 육체에서 벗어나야 하며 오로지 영혼만을 사용하여 사물 그 자체를 보아야 한다.
> 을: 인간은 언제나 죽음과 함께 있다. 죽음을 외면하지 말고 항상 죽음이 자신의 것이라는 사실을 인지하면서 살아야 한다.

① 갑: 죽음은 영혼이 육체로부터 해방되는 것이다.
② 갑: 인간은 죽음을 통해 참된 지혜에 다가갈 수 있다.
③ 을: 죽음은 피할 수 있다면 피하는 것이 좋다.
④ 을: 죽음에 대한 자각을 통해 삶을 의미 있게 살아갈 수 있다.
⑤ 갑, 을: 죽음에 대한 자각은 현재의 삶을 반성하게 한다.

03 갑, 을 사상가의 입장으로 옳지 않은 것은?

> 갑: 본래 아무것도 없는데 순식간에 변화하여 기(氣)가 생기고, 기가 변화하여 형체가 생기고, 형체가 변화하여 생명이 생기고, 생명이 변화하여 죽음이 된다.
> 을: 사람을 섬길 줄도 모르면서 어떻게 귀신을 섬길 수 있으며, 삶도 아직 모르면서 어떻게 죽음을 알겠는가?

① 갑: 삶과 죽음은 서로 연결된 과정이다.
② 갑: 죽음 앞에서 너무 슬퍼할 필요가 없다.
③ 을: 현실의 삶 속에서 도덕적 실천을 하기 위해 노력해야 한다.
④ 을: 죽음은 자연의 과정으로 받아들이고 마땅히 애도해야 한다.
⑤ 갑, 을: 죽음은 또 다른 세계로 윤회하는 것이다.

04 (가) 사상의 관점에서 (나)의 ㉠에 대해 제시할 입장으로 가장 적절한 것은?

(가)	자기 인격이든 타인의 인격이든 모든 경우에 인간을 결코 단순한 수단으로 취급하지 말고, 동시에 언제나 목적으로 대우하도록 행위 하라.
(나)	㉠ 은/는 불치병으로 죽음이 임박한 환자가 겪는 고통을 제거하려고 인위적·의도적으로 죽음에 이르게 하는 행위이다.

① 인간의 존엄성을 지켜주는 행위이다.
② 경제적 부담을 줄여주는 이로운 행위이다.
③ 인간의 인격을 수단으로 취급하는 행위이다.
④ 최대 다수의 최대 행복을 위한 불가피한 행위이다.
⑤ 죽음에 관한 개인의 권리를 인정한 바람직한 행위이다.

05 그림은 노트 필기 내용이다. ㉠~㉤ 중 옳지 않은 것은?

〈안락사의 유형과 논쟁〉

1. 안락사의 유형
(1) 시행 방법에 따른 구분
• 적극적 안락사: 약물 주입 등과 같은 행위로 죽음에 이르게 함 ······ ㉠
• 소극적 안락사: 연명 치료를 중단함 ······ ㉡
(2) 환자의 동의 여부에 따른 구분
• 자발적 안락사: 환자의 보호자가 동의함 ······ ㉢
• 비자발적 안락사: 환자의 동의 능력이 없음 ······ ㉣
2. 안락사에 대한 찬반 논쟁
(1) 찬성 근거: 환자의 자율성 중시, 심리적·경제적 부담 경감 ······ ㉤
(2) 반대 근거: 생명의 존엄성 훼손

① ㉠ ② ㉡ ③ ㉢ ④ ㉣ ⑤ ㉤

06 다음 글의 입장을 반대하는 주장만을 〈보기〉에서 있는 대로 고른 것은?

> 뇌는 인간의 생명 활동을 관장하는 핵심 기관이다. 이러한 뇌의 기능이 정지하면 가까운 시기에 심장과 폐의 기능도 정지하기 때문에 이미 죽음의 단계에 들어선 것이다.

보기
ㄱ. 뇌사 판정 시 오류 가능성이 존재한다.
ㄴ. 한정된 의료 자원을 효율적으로 활용해야 한다.
ㄷ. 실용적 가치로 뇌사 문제에 접근해서는 안 된다.
ㄹ. 뇌사자의 장기를 장기 이식에 활용할 수 있어야 한다.

① ㄱ, ㄷ ② ㄴ, ㄹ ③ ㄷ, ㄹ
④ ㄱ, ㄴ, ㄷ ⑤ ㄱ, ㄴ, ㄹ

07 갑, 을이 지지할 내용을 〈보기〉에서 골라 바르게 묶은 것은?

> 갑: 수정 후 14일 이내의 배아는 인간으로 보기 어렵다. 그래서 배아 복제에 대한 연구는 허용되어야 한다.
> 을: 배아 복제를 허용하게 되면 점점 인간 복제의 가능성이 높아지기 때문에 배아 복제 연구를 허용해서는 안 된다.

보기
ㄱ. 배아는 단순한 세포 덩어리에 불과하다.
ㄴ. 배아로부터 획득한 줄기세포를 활용할 수 있다.
ㄷ. 배아는 수정된 순간부터 출생으로 이어지는 연속적인 과정 중에 있다.
ㄹ. 배아는 인간이 될 잠재적 가능성을 갖고 있으므로 도덕적 지위를 가진다.

	갑	을		갑	을
①	ㄱ, ㄴ	ㄷ, ㄹ	②	ㄱ, ㄷ	ㄴ, ㄹ
③	ㄴ, ㄷ	ㄱ, ㄹ	④	ㄴ, ㄹ	ㄱ, ㄷ
⑤	ㄷ, ㄹ	ㄱ, ㄴ			

08 그림의 강연자가 지지할 입장으로 가장 적절한 것은?

현재 신약 개발을 위한 연구나 화장품 안전성 검사 등에서 동물 실험이 이루어지고 있습니다. 하지만 우리는 99%의 유사성보다 1%의 차이점에 주목해야 합니다. 인간의 유전자가 하나만 잘못되어도 기형이 발생하듯이 인간과 동물 간의 유전자 차이는 생명체의 체계에 큰 차이를 일으킵니다.

① 생명과 건강을 보호하기 위해 동물 실험을 해야 한다.
② 인간과 가장 유사한 영장류 위주로 동물 실험을 해야 한다.
③ 현재 동물 실험의 대안이 없으므로 동물 실험을 해야 한다.
④ 인간과 동물은 유사하지 않으므로 동물 실험은 중단해야 한다.
⑤ 인간과 마찬가지로 동물도 고통을 느끼므로 동물 실험은 중단해야 한다.

09 다음 사상가가 지지할 주장으로 가장 적절한 것은?

> 동물은 생명의 권리와 함께 학대받지 않을 권리도 지닌다. 그래서 인간이 많은 이익을 얻을 수 있더라도 동물에게 고통을 주는 것은 동물의 도덕적 권리를 존중하지 않고 수단으로 이용하는 것이므로 비윤리적이다.

① 동물은 도덕적 권리를 갖지 않는다.
② 동물도 인간처럼 내재적 가치를 지닌다.
③ 모든 동물은 인간을 위한 수단으로 이용될 수 있다.
④ 동물은 쾌고 감수 능력을 지니므로 도덕적 고려의 대상이다.
⑤ 과학의 발전을 위해서라면 동물의 가치를 존중하지 않아도 된다.

10 갑, 을의 입장에 대한 옳은 설명을 〈보기〉에서 고른 것은?

> 갑: 성은 적절한 자손의 번식과 자손의 양육을 위한 것이다. 따라서 생식이 이루어질 수 없는 방식으로 성적 결합이 이루어지는 것은 분명히 죄가 된다.
> 을: 성숙한 성인이 자발적으로 합의하였고 타인에게 피해를 주지 않는 범위에서 이루어지는 성적 관계는 허용되어야 한다.

〈보기〉
ㄱ. 갑은 결혼 안에서 이루어진 성적 관계만이 도덕적이라고 본다.
ㄴ. 을은 사랑을 동반한 성적 관계를 도덕적이라고 본다.
ㄷ. 갑은 을과 달리 부부간의 신뢰와 사랑을 성의 근거로 제시한다.
ㄹ. 을은 갑과 달리 사랑이 없는 성적 관계를 인간의 존엄성을 무너뜨리는 행위로 간주한다.

① ㄱ, ㄴ ② ㄱ, ㄷ ③ ㄴ, ㄷ
④ ㄴ, ㄹ ⑤ ㄷ, ㄹ

11 그림은 수업 장면이다. 소전제 ㉠에 대한 반론의 근거로 가장 적절한 것은?

① 성 상품화는 외모 지상주의를 조장한다.
② 성 상품화는 자본주의 논리에 부합한다.
③ 성 상품화는 인간을 도구화하는 것이다.
④ 성 상품화는 성의 가치와 의미를 훼손한다.
⑤ 성 상품화는 인격적 가치를 지니는 성을 대상화하는 것이다.

12 다음 사상의 입장으로 가장 적절한 것은?

> 음은 '그늘', 양은 '햇볕'을 뜻하였으나 후에 점점 발전되어 음양은 우주의 두 원리 또는 원동력으로 간주되었다. 음과 양은 서로 다르지만 단독으로 존재할 수 없으므로 보완하여 조화를 이루어야 한다. 남녀의 결합을 통해 자녀를 얻게 되는 것처럼 음양의 상호 보완을 통해 만물이 생성되는 것이다.

① 남녀의 차이를 바탕으로 남녀의 위계질서를 강조한다.
② 음양의 원리를 근거로 부부를 상호 보완적 관계로 인식한다.
③ 음양은 고정적 관계이므로 고정된 부부의 역할을 강조한다.
④ 음양의 원리는 남녀를 서로 분별할 수 없는 통일체로 인식한다.
⑤ 음양의 관계처럼 남녀를 상대방 없이도 완전한 존재로 간주한다.

13 다음 글의 주장에 대해 두 가지 이상의 근거를 토대로 반박의 글을 서술하시오.

> 낙태죄 조항은 인간으로 성장할 가능성이 있는 생명체인 태아만을 보호하고 있을 뿐, 이미 완전한 인격체로서 스스로의 삶을 영위하고 있는 임신부의 자기 결정권은 전혀 고려하고 있지 않다. 그리고 낙태를 하지 않으면 태아와 임부 모두 더 불행해질 것이 예견되기 때문에 낙태를 감행한다.

14 다음 글을 읽고 물음에 답하시오.

> • [㉠]이/가 우리에게 아무것도 아니라는 믿음에 익숙해져라. 왜냐하면 모든 좋고 나쁨은 감각에 달려 있는데, [㉠]이/가 오면 감각을 잃기 때문이다. 따라서 이러한 사실을 제대로 알면 가사성(可死性)도 즐겁게 된다. 이는 그러한 앎이 불멸에 대한 갈망을 제거해 주기 때문이다.
> • 우리가 존재하는 한 [㉠]은/는 우리와 함께 있지 않으며, [㉠]이/가 오면 우리는 이미 존재하지 않는다.

(1) ㉠에 들어갈 말을 쓰시오.

( )

(2) 다음 주장을 윗글의 관점에서 비판하여 서술하시오.

> 전생에 뿌려진 씨앗은 이번 생에 받는 것이고, 다음 생에 거둘 열매는 이번 생에 행하는 바로 그것이다. 죽음은 또 다른 세계로 윤회하는 것이다.

15 다음 글을 읽고 물음에 답하시오.

> 인간 복제는 [㉠]와/과 [㉡](으)로 구분할 수 있다. [㉠]은/는 복제 과정을 거친 세포를 배아 단계까지만 성장시키는 것이다. [㉡]은/는 복제한 배아를 자궁에 착상시켜 완전한 인간 개체를 태어나게 하는 것이다.

(1) ㉠, ㉡에 들어갈 말을 쓰시오.

㉠ ( ), ㉡ ( )

(2) 대부분의 나라에서 ㉡을 금지하는 이유를 두 가지 이상 서술하시오.

16 다음 글을 읽고 물음에 답하시오.

> 갑: 동물은 '자동인형' 또는 '움직이는 [㉠]'에 불과하다. 주인의 허락 없이 주인의 소유물을 훼손하는 것은 그의 재산권을 침해하는 것처럼, 타인의 동물을 학대하는 것은 그 동물을 소유한 주인의 권리를 침해하는 것이다.
> 을: 고통이 얼마나 나쁜가는 그것이 얼마나 강렬하며, 얼마나 지속되는가에 따라 결정된다. 동일한 강도와 지속성을 갖는 고통은 동일하게 나쁘며 그것을 인간이 느끼는지 또는 동물이 느끼는지는 고통에 대한 평가와는 아무런 상관이 없다.

(1) ㉠에 들어갈 말을 쓰시오.

( )

(2) 을의 입장에서 동물의 권리에 대한 갑의 입장을 비판하시오.

III

사회와 윤리

배울 내용 한눈에 보기

01 직업과 청렴의 윤리

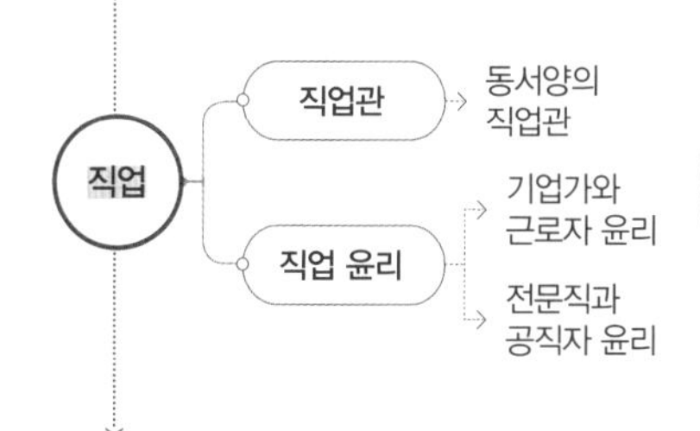

동서양의 다양한 사상가가 직업관에 대해 주장했어. 직업 윤리에는 기업가, 근로자, 전문직, 공직자 등의 직업 윤리가 대표적이야.

02 사회 정의와 윤리

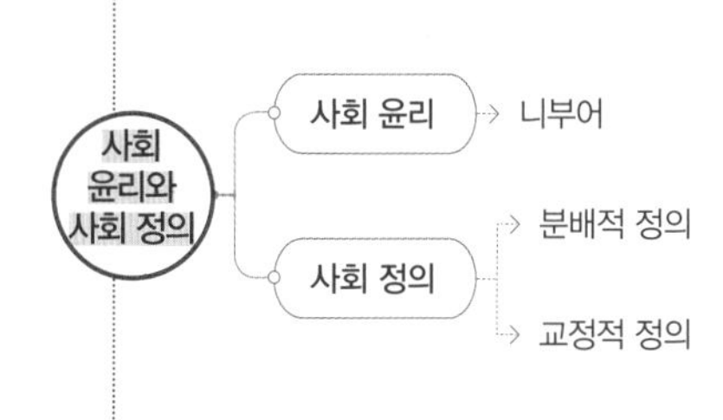

니부어는 개인 윤리와 사회 윤리를 구분했어. 사회 정의는 분배적 정의와 교정적 정의가 실현될 때 이루어질 수 있어.

03 국가와 시민의 윤리

- 국가 권위의 정당화 근거 → 동의론, 혜택론, 사회 계약론 등
- 시민 불복종의 정당화 조건 → 공공성, 공개성, 비폭력성, 최후의 수단

국가 권위는 다양한 근거에 의해 정당화되며 시민은 이러한 국가에 대해 의무를 가져. 한편, 시민 불복종은 공공성, 공개성, 비폭력성 등의 정당화 조건을 가져.

01 직업과 청렴의 윤리

핵심 질문으로 흐름잡기
A 직업 생활과 행복한 삶의 관련성은?
B 전문직 윤리와 공직자 윤리의 특징은?

A 직업 생활과 행복한 삶

| 시·험·단·서 | 동서양 사상가들의 직업에 대한 관점을 비교하는 문제가 출제돼.

1. 직업의 의미와 기능

(1) 직업의 의미[1]: 인간이 사회 구성원으로 살아가면서 자신의 능력이나 재능에 따라 일정 기간 일에 종사하며 경제적 재화를 받는 지속적인 활동
— 직업 활동을 통한 경제적 보상, 자발성, 지속성을 기준으로 직업과 직업이 아닌 것을 구분할 수 있어.

(2) 직업의 기능

개인적 측면	• 생계유지: 기본적인 생계유지에 필요한 경제적 소득을 안정적으로 확보할 수 있음 • 사회적 역할 분담: 사회생활에 참여하여 사회 구성원으로서의 역할을 수행하고 사회 발전에 기여함 → 정체성, 소속감, 자존감 등 사회적 욕구를 충족하고 타인에게 인정받음 • 자아실현: 잠재적인 소질과 능력을 발견하고 발휘하면서 삶의 보람과 성취감을 획득함 → 삶의 의미를 찾고 행복을 느끼는 삶을 살 수 있음
사회적 측면	• 사회 구성원을 유기적으로 통합해 줌 • 다양한 사회 제도가 적절히 작동하도록 필요한 인력을 확보함

— 직업은 한 사람의 정체성, 자존감, 인격을 형성하는 수단이자, 사회와의 연결 고리로서 작용해.

2. 동서양의 직업관

(1) 동양의 직업관 자료 1

① 공자: 자기 직분에 충실해야 한다는 정명 사상[2] 주장

② 맹자: 일반 백성은 일정한 생업[恒産]이 없으면 도덕적 마음[恒心]을 지키기 어려움
— 기본적인 생계를 유지할 수 있어야 일상생활에서 도덕적 마음을 유지할 수 있음을 뜻해.

③ 순자: 각자의 적성과 능력에 따라 사회적 역할을 분담하는 예(禮)를 중시함

④ 우리나라의 장인 정신: 자기 일에 긍지를 가지고 전념하거나 한 가지 기술에 정통하려고 노력하는 정신 → 자기 직업에 자부심을 갖고 사회적 책임을 다하려고 노력함

(2) 서양의 직업관 자료 2

① 플라톤: 각 계층에 속한 사람들이 고유한 덕을 발휘하여 사회적 직분에 충실하면 정의로운 사회가 됨

② 칼뱅
- 직업을 신의 거룩한 부름(신의 소명*)으로 이해함
- 직업적 성공으로 부를 축적하는 것은 신의 축복의 징표로 봄
— 칼뱅의 직업관은 이익 추구의 경제 활동을 정당화했어. 베버는 칼뱅의 이러한 주장이 자본주의 발달의 정신적 밑바탕이 되었다고 주장했어.

③ 마르크스
- 유물론[3]적 관점에서 노동의 본질은 물리적 가치를 창출하는 일이라고 주장함
- 자본주의 경제 체제에서 이루어지는 직업 활동에서 노동자가 생산물로부터 소외*되는 현상이 나타났다고 지적함

3. 직업을 통한 행복한 삶

(1) 직업과 행복한 삶의 관계: 직업을 통해 올바른 자아 정체성, 자아 존중감, 인격을 형성하여 행복한 삶을 살 수 있음

(2) 직업이 행복한 삶으로 이어지게 하는 방법

① 직업을 외재적 가치(명예, 부 등)만의 획득이나 과시의 수단으로 여기지 않고 직업 자체를 목적으로 여겨야 함

② 직업의 의미를 바르게 이해하고, 물질적 풍요와 자아실현을 균형 있게 실현하려는 바람직한 직업관을 가져야 함

---

❶ 직업에 대한 동서양의 의미

동양	• 직(職): 사회적 지위와 역할 • 업(業): 생계유지를 위한 일
서양	• job, occupation: 보수와 금전을 획득하는 경제력의 근원으로, 생계유지를 위해 일을 함 • business: 돈을 벌기 위한 사업 행위 • profession: 일이 지니는 사회적 지위나 위상 • vocation, calling: 사명감, 신의 부름을 받아 행하는 일로, 도덕적·종교적 의미를 포함함

❷ 공자의 정명 사상
"논어"의 "임금은 임금다워야 하고, 신하는 신하다워야 하며, 부모는 부모다워야 하고, 자식은 자식다워야 한다[君君臣臣父父子子]."라는 글귀는 자기의 맡은 바 직분에 충실해야 함을 나타낸다.

❸ 유물론
만물의 근원을 물질로 보고 모든 정신 현상도 물질의 작용이나 그 산물이라고 주장하는 이론이다. 마르크스는 유물론에 근거하여 물질적 가치를 생산하는 노동이 가치 있는 일이라는 노동 가치설을 주장하였다.

시험에 잘 나오는 자료

자료 1 맹자와 순자의 직업관

관련 문제 ▶ 96쪽 02번, 100쪽 01번

- 대인*이 할 일이 있고, 소인*이 할 일이 있는 것이다. 세상에는 정신을 쓰는 사람도 있고 육체를 쓰는 사람도 있다. 정신을 쓰는 자는 사람을 다스리고, 육체를 쓰는 자는 다스림을 받는다. 다스림을 받는 사람은 남에게 얻어먹는다. - "맹자"
- 농군은 밭일에 정통하지만 농사일을 지도하는 관리가 될 수 없고, 상인은 장사하는 일에 정통하지만 장사하는 일을 지도하는 관리가 될 수 없으며, 공인은 그릇을 만드는 일에 정통하지만 그릇을 만드는 일을 지도하는 관리가 될 수 없다. 여기 한 사람이 있어 이상 세 가지 일 중 어느 하나도 하지 못하지만, 이들 세 가지 일을 다스릴 수 있는 것은 그가 도에 정통했기 때문이며, 사물에 정통했기 때문이다. 사물에 정통한 사람은 사물을 사물대로 잘 처리하고, 도에 정통한 사람은 사물을 사물대로 잘 아울러 이해한다. - "순자"

자·료·분·석 맹자는 선비와 일반 백성이 하는 일을 정신노동과 육체노동으로 구분하고 사회적 분업과 직업 간 상호 보완적 기능을 강조하였다. 그에 비해 순자는 인간이 본래 이기적이며 욕망의 존재이므로 예(禮)를 통해 적절하게 절제할 필요가 있다고 보았다. 그래서 예와 관련된 제도에 따른 직분을 중시하고, 사람들이 자기 직분을 예에 따라 올바르게 수행하면 천하가 태평해진다고 주장하였다.

한·줄·핵·심 맹자는 사회적 분업과 직업 간 상호 보완을 강조하였으며, 순자는 예에 따른 사회적 직분 수행을 강조하였다.

자료 2 플라톤과 칼뱅의 직업관

관련 문제 ▶ 100쪽 02번

- 농부가 한 사람, 집 짓는 사람이 또 한 사람, 또 다른 한 사람으로 직물을 짜는 사람이 있어야 하네. 혹시 우리는 여기에다 제화공*이나 아니면 신체와 관련되는 것들을 보살피는 또 다른 사람을 보태야 하지 않겠나. 그렇다면 '최소한도의 나라'는 다섯 사람으로 이루어지겠네. 우리 각자는 서로가 그다지 닮지를 않았고, 각기 다른 성향을 갖고 태어나서 저마다 다른 일에 매달리게 될 것이네. - 플라톤, "국가"
- 우리는 신이 우리 모두에게 우리의 삶의 모든 행위를 할 때 그의 부르심에 주목할 것을 명령하고 계시한다는 점을 기억해야 한다. …(중략)… 신은 그 같은 삶의 양식들을 소명이라 명하였다. 그러므로 각 사람은 자기 자신의 위치를 신께서 정해 주신 초소라고 생각해야 한다. - 칼뱅, "기독교 강요"

자·료·분·석 플라톤은 사회 구성원들을 능력과 덕성에 따라 세 계층으로 구분하고 각 계층에 해당하는 덕을 발휘하여 직분에 충실할 때 정의로운 사회가 실현된다고 보았다. 칼뱅은 직업을 신의 소명으로 보았으며 직업에는 귀천이 없다고 말하였다. 그리고 직업 생활에 충실히 임하면서 근검, 절약하는 것은 신의 소명에 따르는 것이라고 주장하였다.

한·줄·핵·심 플라톤은 자신이 속한 계층에 부여된 사회적 역할을 충실히 이행할 것을, 칼뱅은 직업 소명설을 통해 근검, 절약 등의 직업 윤리를 강조하였다.

내용 이해를 돕는 팁

궁금해요

Q. 자아실현 욕구와 직업은 어떤 관계가 있나요?

A. 욕구 5단계설을 주장한 매슬로에 따르면, 자아실현 욕구는 자기 능력과 잠재력이 발휘될 때 성취되는 인간의 중요한 욕구야. 직업은 우리가 재능과 잠재력을 발휘할 수 있는 중요한 방안이므로 자아실현과 직업이 밀접한 관계가 있다고 볼 수 있어.

용어 더하기

- **소명(召命)** 사람이 하느님의 일을 하도록 하느님의 부르심을 받는 일을 뜻한다.
- **소외** 어떤 무리에서 꺼리며 따돌리거나 멀리함을 뜻한다.
- **대인(大人)** 말과 행실이 바르고 점잖으며 덕이 높은 사람으로, 맹자가 주장한 이상적 인간상이다.
- **소인(小人)** 도량이 좁고 간사한 사람으로, 유교 사상에서는 의로움보다 이로움을 추구하는 사람을 칭한다.
- **제화공(製靴工)** 가죽으로 된 구두를 제작하는 사람으로, 플라톤의 글에서는 사회적 역할과 기능을 지닌 사람을 의미한다.

❹ 직업 윤리의 구분
- 일반 직업 윤리: 모든 직업에서 공통으로 지켜야 하는 행동 규범 예 책임 의식, 성실함, 정직, 배려, 연대 의식 등
- 특수 직업 윤리: 특정 직업에서 지켜야 하는 특수한 행동 규범 예 환자의 비밀을 누설해서는 안 된다는 의사 윤리, 기본적 인권의 옹호를 사명으로 하는 변호사 윤리 등

❺ 기업과 기업가의 이윤 추구
자본주의 사회에서 기업과 기업가의 이윤 추구는 자연스러운 것이며 사회 발전에 기여한다. 그러나 지나치게 이익을 추구할 경우 탈세, 뇌물, 횡령 등의 문제가 나타날 수 있으며 이는 사회와 국가의 발전을 저해한다.

❻ 윤리 경영
회사 경영과 기업 활동에서 기업 윤리를 중요하게 생각하고, 투명하고 공정하며 합리적인 업무 수행을 추구하는 경영을 뜻한다.

❼ 기업가의 사회적 책임
- 법적 책임: 법을 지키면서 기업을 경영해야 함
- 경제적 책임: 제품 생산, 적절한 가격에 판매해야 함
- 자선적 책임: 기부, 봉사, 문화 활동 등을 이행해야 함
- 윤리적 책임: 사회가 요구하는 윤리를 준수해야 함

B 직업 윤리와 청렴

| 시·험·단·서 | 기업가의 사회적 책임 이행에 대한 다양한 주장을 묻는 문제가 출제돼.

1. 직업 윤리의 의미와 필요성

(1) 직업 윤리❹의 의미: 직업 생활을 하는 사람들이 따라야 하는 가치와 행동 규범

(2) 직업 윤리의 필요성

① 개인의 자아실현과 공동체 발전에 기여함

② 사회의 도덕성 향상에 기여하여 각종 부정부패와 비리 예방이 가능함

③ 직업인으로서 가져야 할 소명 의식, 사회적 책임, 인간애와 연대 의식 등이 있어야 함

2. 기업가와 근로자의 윤리

(1) 기업가 윤리

① 기업가가 지켜야 할 윤리

- 합법적인 범위 내에서 건전하게 이윤을 추구해야 함❺ → 이윤 추구를 위해 근로자의 권리를 침해하거나 편법*이나 탈세* 등을 하면 안 됨
- 소비자에게 질 좋은 제품을 판매하고 근로자의 권리를 존중해야 함
- 기업 윤리를 지키면서 투명하고 공정한 윤리 경영❻에 힘써야 함
- 공익적 가치를 실현할 수 있도록 사회적 책임을 이행해야 함 자료 3

② 기업가의 사회적 책임❼에 관한 다양한 관점

드러커	• 기업의 책임을 소극적 책임과 적극적 책임으로 구분함 • 소극적 책임: 이윤 창출, 법 규범 준수 • 적극적 책임: 법적 차원을 넘어서 사회 지원과 인류애를 구현할 윤리적·자선적 책임 실천
프리드먼 자료 4	• 기업에 합법적 이윤 추구를 넘어서는 사회적 책임을 강요해서는 안 됨 • 사회에 해를 끼치지 않으면서 사회 전체의 부를 극대화하는 것이 기업의 유일한 책임임
애로	• 기업은 법을 지키는 차원을 넘어 사회·문화·경제·환경 등 다양한 영역에서 사회적 책임을 자발적으로 이행해야 함 (└ 장애인 고용, 소외 지역 내 공장 설립, 예술과 교육 사업 지원 등을 말해.) • 기업이 사회적 책임을 적극적으로 이행하면 소비자의 신뢰를 얻어 장기적으로 기업의 이윤 추구와 효율성 향상에 이바지할 수 있음

(2) 근로자 윤리

① 기업가의 약속이나 신뢰를 저버리는 행동은 하지 말아야 함

② 노동 생산성을 높이기 위해 자기 분야에서 전문가가 되려고 노력해야 함

③ 동료 근로자와 연대 의식을 형성하며, 기업의 발전을 위해 기업가와 협력을 추구해야 함

④ 기업가와 맺은 근로 계약에 따라 자신의 업무를 성실히 수행하고 자신의 책임과 역할을 다해야 함

(3) 기업가와 근로자의 관계

① **상생과 협력의 관계:** 기업가는 이윤 추구를 위해 근로자와 고용 계약을 맺고, 근로자는 생계유지 등을 위해 기업을 필요로 함 → 개인과 사회의 발전을 위해 서로 노력함

② **대립의 관계:** 고용 문제, 임금과 노동 시간 등 근로 조건에 대한 쟁점에서 서로 충돌해 노사 갈등*이 발생하기도 함

③ 기업가와 근로자의 올바른 관계

개인적 차원	• 서로에게 주어진 권리를 존중하며 각자 맡은 책임을 다해야 함 • 원만한 노사 관계를 유지하기 위해 서로 신뢰하고 협조하며 공동의 이익을 추구해야 함
사회적 차원	• 양측의 이해관계를 공정하게 조정할 수 있는 제도를 마련해야 함 예 경제 사회 발전 노사정 위원회*, 중소기업 노사 협의회* 등 • 정부가 노사 간 대립의 공정한 조정자 역할을 해야 함

시험에 잘 나오는 자료

자료 3 기업의 이윤 추구와 사회적 책임 관련 문제 ▸ 98쪽 10번

- 경제적 이익을 추구하는 기업의 경제 활동은 가장 중요한 목적이며, 동시에 사회적 책임의 일환이다. 왜냐하면, 기업의 경제 활동으로 생산되는 이익이 사회를 순환하면서 사회 전체의 이익을 증진할 수 있기 때문이다. 하지만 기업의 사회적 책임이 경제적 이익의 극대화에만 머무른다면 다양한 사회 문제를 초래할 수 있다. 기업은 공동체의 중요한 행위 주체로서 경제적 책임을 바탕으로 더 높은 수준의 사회적 책임을 수용하여 우리 사회를 발전시키는 데 이바지해야 한다.
- 기업들은 앞으로 더 책임 있게 행동할 것이다. 경영자들의 공공 의식이 높아서라기보다 훌륭한 시민이 되는 것이 경쟁 우위를 점하는 데 하나의 자원이 된다고 믿는 경영자들이 많아지기 때문이다. 책임 있게 경영하는 기업은 그렇지 못한 경쟁자들에 비해 사업상의 위험에 덜 노출될 것이다. 그런 기업들은 헌신적인 직원과 충성스러운 소비자들의 지지를 얻는 데 더 유리하기 때문이다. – 보겔, "기업은 왜 사회적 책임에 주목하는가"

자·료·분·석 기업은 상품을 판매하고 이윤을 획득하는데, 이 이윤이 사회를 순환하면서 사회적 이익을 증진시킨다. 하지만 기업이 이윤 추구에만 매진할 경우 사회 문제가 발생할 수 있으므로 기업은 이윤 추구 외에 수준 높은 사회적 책임을 이행해야 한다. 이와 관련하여 보겔은 기업의 사회적 책임 수행이 기업의 신뢰도와 이미지 향상에 기여하고 이것이 장기적으로 기업의 이윤 증진에 도움이 될 수 있다고 주장하였다.

한·줄·핵·심 사회에 대한 기업의 영향력이 커지면서 기업은 이윤 추구 외에도 사회적 책임 이행을 요구받는다.

자료 4 프리드먼이 바라본 기업의 목적 관련 문제 ▸ 97쪽 08번

- 기업에 유일하게 한 가지 사회적 책임이 있는데, 그것은 속임수나 부정행위 없이 누구에게나 개방된 자유 경쟁이라는 규칙 한도 내에서 자신의 자원을 이용하여 자신의 이익을 늘리기 위해 마련된 행동을 하는 것이다.
- 자유 경쟁 체제하에서 정해진 규칙을 지키면서 기업 활동을 하는 한 기업이 사회에 대해 책임져야 할 유일한 것은 기업 자원을 이용해 수익을 올리는 것이다. – 프리드먼

자·료·분·석 신자유주의*자인 프리드먼은 기업에 이윤 극대화 외의 사회적 책임을 강조하는 것은 기업가로 하여금 그에게 자본을 맡긴 기업의 소유주나 주주의 권익을 보호하는 책임을 이행하지 못하게 막는 것이라고 보았다. 그는 고용 차별, 불합리한 해고, 환경 오염 등 법을 위반하지 않는 범위에서 사회 전체의 부를 극대화하는 것이 기업의 책임이라고 주장하였다.

한·줄·핵·심 프리드먼은 기업의 목적을 이윤의 극대화로 보기 때문에 사회적 책임을 기업에 강요해서는 안 된다고 보았다.

내용 이해를 돕는 팁

용어 더하기

* **편법**
정상적인 절차를 따르지 않은 간편하고 손쉬운 방법을 말한다.

* **탈세**
납세자가 납세액의 전부 또는 일부를 내지 않는 것을 말한다.

* **노사 갈등**
노동자와 기업가 간의 의견 차이로 발생하는 갈등을 뜻한다.

* **경제 사회 발전 노사정 위원회**
근로자, 기업가, 정부 간의 합의를 위한 대통령 자문 기관으로 노사정 삼자와 전문가 등이 참여하여 노동 정책과 산업·경제·사회 정책 등을 협의하는 사회적 대화 기구이다.

* **중소기업 노사 협의회**
「근로자 참여 및 협력 증진에 관한 법률」에 따라 중소 규모의 사업장에서 노사 간에 상생 관계를 구축하려고 운영하는 기구이다.

* **신자유주의**
국가 권력의 시장 개입을 비판하고 시장의 기능과 민간의 자유로운 활동을 중시하는 이론이다.

3. 전문직 윤리와 공직자 윤리

— 전문직과 공직자는 사회에 미치는 영향이 크기 때문에 더 높은 수준의 직업 윤리가 필요해.

(1) 전문직의 특징과 전문직 윤리

① **전문직의 의미와 특징**

- 의미: 고도의 전문적 교육과 훈련을 거쳐 일정한 자격을 취득함으로써 전문 지식과 기술을 독점으로 사용하는 직업 예 의사, 변호사
- 특징

전문성	고도의 전문적인 훈련을 통해 전문 지식을 획득해야 함
독점성	일정한 자격을 갖춘 사람만이 직업을 수행할 수 있음
자율성	전문성에 기초하여 제3자의 개입 없이 독자적이고 자율적으로 업무를 수행함

② **전문직에게 높은 도덕성이 요구되는 이유**

- 정보의 비대칭성[8]으로 인해 전문직에 종사하는 사람은 일반인보다 사회적·경제적으로 우월한 위치에 있는 경우가 많음 → 일반인이 접근하기 어려운 정보를 이용하여 부당한 이익을 취할 수 있음
- 사회적 지위와 자율성을 남용할 경우 비윤리적이고 반사회적인 행위에 따른 폐해가 클 수 있음

③ **전문직 윤리의 지향점** 자료 5

— 의사나 변호사 등 전문직 종사자는 각각의 직능 단체를 만들고 자율적으로 윤리 헌장을 제정하고 준수해.

- 전문 지식과 기술을 공동의 행복을 추구하는 데 활용할 수 있어야 함
- 자신의 직업에 필요한 전문 지식과 기술을 축적해야 할 뿐만 아니라 사회에 대한 책임감을 지녀야 함

(2) 공직자의 특징과 공직자 윤리 자료 6

① **공직자의 의미와 특징**

- 의미: 국가 기관이나 공공 단체의 일을 보는 직책이나 직무를 맡은 사람
- 특징: 국민 삶의 질 향상, 국가 유지 및 발전에 중요한 역할을 함

② **공직자에게 높은 도덕성이 요구되는 이유**

- 법에 규정된 권위나 공권력을 지니므로 국민에게 명령을 강제할 수 있음
- 국민보다 우월한 지위에서 권한을 행사므로 공직자의 의사 결정은 사회적 영향력이 큼

③ **공직자 윤리의 지향점**

— 공직자의 개인 윤리와 함께 공직 사회의 조직 문화도 필요해. 연고주의나 불합리한 제도를 개선하고 내부 고발자를 보호하는 등의 제도를 확립해야 해.

- 국민의 이익을 위해 이바지하고 봉사하는 자세를 가져야 함
- 업무를 수행할 때는 엄격하고 공평해야 하며, 민주성과 효율성의 균형을 유지해야 함
- 멸사봉공*의 자세로 직무와 관련해서는 공적인 일을 사적인 일보다 우선시해야 함

4. 부패 방지와 청렴

(1) 부패[9]의 문제점

— 부패는 대외적으로 국가 신인도의 하락으로 이어져 국외 자본의 유치와 해외 진출을 어렵게 하여 국가의 발전을 방해해.

① **개인적 측면**: 시민 의식 발달 저해, 개인 권리의 부당한 침해 발생 등

② **사회적 측면**: 사회적 비용의 낭비, 사회 발전 저해, 비효율적 업무 처리, 공정한 경쟁 위협, 국민 간 위화감 조성, 사회 통합 저해 등

(2) 부패 방지를 위한 청렴 의식 자료 7

① **청렴의 의미**: 성품과 품행이 맑고 깨끗하며 탐욕을 부리지 않는 것 → 청백리 정신[10]

② **청렴의 필요성**: 올바른 인격의 형성으로 자아실현에 도움을 줌, 공동체의 발전 도모 등

③ **청렴 문화 정착을 위한 노력**

- 견리사의*의 자세, 올바른 이익을 중시하는 태도, 사익보다 공익을 중시하는 태도 실천
- 투명성이 담보되는 절차 마련과 이행 예 청렴도 측정 제도*, 청렴 계약제*, 부정 청탁 및 금품 수수의 금지에 관한 법률[11] 제정, 내부 공익 신고 제도 운용, 시민 단체의 감시 활동 강화 등

---

⑧ 정보의 비대칭성
업무를 수행하는 각 행위의 주체가 보유한 정보의 차이로 인한 불균등한 정보 구조의 특징을 말한다.

⑨ 부패
불법적이거나 부당한 방법으로 제물, 사회적 지위, 기회 등과 같은 금전적·사회적 이득을 얻거나 타인이 그것을 얻도록 돕는 일탈 행위를 뜻한다.

⑩ 청백리 정신
청빈한 생활 태도를 유지하면서 국가의 일에 충심을 다하려는 정신을 뜻한다.

⑪ 부정 청탁 및 금품 수수의 금지에 관한 법률(청탁 금지법)
2015년 제정된 법으로, 공직자에 대한 부정 청탁과 공직자 금품 등의 수수를 금지하여 공정한 직무 수행을 보장하고 공공 기관에 대한 국민의 신뢰를 확보하는 것이 목적인 법률이다. 법안 발의자의 이름을 따서 일명 '김영란법'이라고도 한다.

시험에 잘 나오는 자료

자료 5 전문직의 윤리 강령

• 나는 양심과 품위를 가지고 의술을 베풀겠노라.
• 나는 환자의 건강과 생명을 첫째로 생각하겠노라.
• 나는 환자가 알려 준 모든 것에 관하여 비밀을 지키겠노라.
• 나는 인간의 생명을 수태된 때로부터 더없이 존중하겠노라.
…(후략)…

– 히포크라테스 선서

자·료·분·석 위 자료는 의료직 종사자의 윤리 강령이다. 전문직 종사자는 자신의 직업적 지식이나 기술이 사회에 많은 영향력을 미치는 만큼 수준 높은 도덕성과 직업 윤리를 요구받는다. 이에 의사를 비롯한 다양한 전문직 종사자들은 직능 단체를 결성하고 윤리 헌장을 만들어 지키기 위해 노력한다.

한·줄·핵·심 전문직은 사회에 미치는 영향력이 크므로 높은 수준의 도덕성이 요구된다.

자료 6 플라톤이 제시한 공직자의 덕목

수호자* 동지들이라고 불리는 지배자들은 집, 토지, 기타 재산을 갖지 않기로 되어 있다. 그들의 급여는 그들의 식량이 되고, 그들은 이것을 다른 국민에게서 받는다. 이리하여 사적 비용이 필요 없다. 내 것과 네 것을 가리지 않으므로 국가를 분열시키지 않는다.

– 플라톤, "국가"

자·료·분·석 플라톤은 통치자 계층이 사유 재산을 가져서는 안 된다고 주장하였다. 이러한 주장을 한 이유는 통치자는 강력한 권력을 행사할 수 있기 때문에 사유 재산을 축적할 수 있게 할 경우 나쁜 정치를 할 우려가 있다고 보았기 때문이다.

한·줄·핵·심 플라톤은 통치자 계층은 더 높은 수준의 도덕성이 요구된다고 보았다.

자료 7 청렴의 중요성을 주장한 정약용 관련 문제 ▶ 101쪽 08번

수령의 벼슬은 비록 덕망이 있더라도 위엄이 없으면 해낼 수 없고, 비록 뜻이 있으나 현명하지 못하면 해낼 수 없다. …(중략)… 백성을 사랑하는 근본은 아껴 쓰는 데 있고 아껴 쓰는 것의 근본은 검소함이다. 검소해야 청렴할 수 있고 청렴해야 자애로울 수 있으니, 검소함이야말로 목민하는 데 가장 먼저 힘써야 할 일이다. …(중략)… 아전을 단속하는 근본은 수령 자신의 몸을 규율하는 데 달렸다. 자기 몸이 바르면 명령하지 않아도 시행되지만 자기의 몸이 바르지 못하면 비록 명령하여도 시행되지 않을 것이다.

– 정약용, "목민심서"

자·료·분·석 정약용은 목민관*이 자신의 사회적 지위와 역할을 바르게 이행하지 않고 사리사욕을 추구하는 잘못된 행위를 바로잡고 백성을 위한 정치를 베풀기 위한 목민관의 덕목으로 청렴을 강조하였다.

한·줄·핵·심 정약용은 공직 윤리로서 청렴을 강조하였다.

내용 이해를 돕는 팁

용어 더하기

* **멸사봉공(滅私奉公)**
개인의 욕심을 채우려는 마음을 버리고 나라와 공익을 위해 힘쓰려는 마음을 말한다.

* **견리사의(見利思義)**
눈앞의 이익을 보면 의리를 먼저 생각해야 한다는 뜻이다.

* **청렴도 측정 제도**
매년 민원인 등을 대상으로 공공 기관의 부패 관련 설문 조사를 하여 기관의 청렴 수준을 객관적으로 진단하는 제도이다.

* **청렴 계약제**
행정 기관의 입찰, 계약 등의 과정에서 업체와 공무원 양 당사자가 뇌물을 주고받지 않고, 이를 위반할 때에는 제재를 받겠다고 서로 약속하는 제도이다.

* **수호자**
플라톤이 주장한 나라를 지키는 계층을 말한다. 수호자 계층 중 지혜의 덕을 갖춘 자는 통치자로서 사회적 역할을 수행한다.

* **목민관**
백성을 다스리는 벼슬아치라는 뜻으로 고을 수령 등의 문관을 통틀어 이르는 말이다.

마르크스가 본 자본주의 사회에서의 노동의 특징은 무엇일까?

개념풀 Guide 자본주의 사회의 노동에 대한 마르크스의 주장을 파악해 보자.

관련 문제 ▶ 97쪽 05번

핵심 짚어보기

노동의 의미	유물론적 관점에서 노동의 본질은 물리적 가치를 창출하는 것이라고 주장함
자본주의 사회의 노동	• 자본의 지배와 분업에 따라 노동자가 기계의 부속품으로 여겨짐 → 노동력 착취 발생, 비인간화 문제 발생 • 노동의 소외 문제 발생: 노동자가 생산물로부터 소외되는 현상 • 자기 잠재력을 계발하고 진정한 자아실현을 이루는 노동을 할 수 없음

자료에서 핵심 찾아보기

자료 ❶ 생산상의 정신적 능력이 한 방면에서는 확대되면서 다른 여러 방면에서는 완전히 소멸된다. 부분 노동자들이 잃어버리는 것은 그들과 대립하고 있는 자본에 집적된다. 부분 노동자들이 물질적 생산 과정에서 정신적 능력을 타인의 소유물로 또 자기를 지배하는 힘으로 상대하게 되는 것은 매뉴팩처*적 분업의 결과이다. 이 분리 과정은 개개의 노동자에 대해 자본가가 집단적 노동 유기체의 통일성과 의지를 대표하게 되는 단순 협업에서 시작된다. 그리고 이 분리 과정은 노동자를 부분 노동자로 전락시켜 불구자로 만드는 매뉴팩처에서 더욱 발전한다. – 마르크스, "자본론"

* 매뉴팩처(manufacture): 산업 자본가가 임금 노동자를 고용해 도구, 작업장, 원재료 따위의 생산 수단을 제공하고 그들의 수공 기술을 이용하여 생산을 하는 방식

핵심 확인
매뉴팩처적 분업은 공산품을 만들기 위해 노동자가 각자 부분적인 역할만을 담당하게 한다. 그래서 노동자는 작업 과정 중 일부 기능만 담당하는 '부분' 노동자로 전락한다.

자료 ❷ 자본가는 인격화된 자본으로서 자본의 운동을 대변한다. 그래서 자본가는 노동자가 자신의 일을 규칙적으로, 또한 매우 높은 강도로 수행하도록 감시한다. 자본가는 노동자에게 자기 노동력의 가치보다 더 많은 노동을 하도록 요구한다. 자본주의 생산 양식에서는 생산 수단에 포함된 죽은 노동이 노동자의 살아 있는 노동을 지배하는 전도 또는 왜곡이 발생한다. – 마르크스, "자본론"

핵심 확인
자본주의 사회에서 노동자의 노동은 자본가를 위해 더 많은 가치를 창출하는 노동이다.

자료 ❸ 자본주의 체제에서의 노동은 상품의 생산과 이를 통하여 노동자를 하나의 상품으로 생산한다. 노동자의 노동은 자발적인 것이 아니라 강제된 것이다. 즉, 노동자가 자신이 아닌 타자에 속한다. 나아가 소외된 노동은 인간의 삶을 생활 수단으로만 간주하여 인간의 고유한 자유로운 의식적 활동으로부터 인간을 소외시킨다. 소외된 노동은 결국 인간에 의한 인간의 소외를 일으킨다. – 마르크스, "경제학·철학 수고"

핵심 확인
자본주의 체제하에서 분업에 의한 노동은 노동자를 노동으로부터 소외시킨다.

이것만은 꼭!

다음 내용이 마르크스의 주장으로 옳으면 ○표, 틀리면 ×표를 하시오.

(1) 매뉴팩처적 분업의 발전은 노동자의 창조적인 능력이나 소질을 발휘하게 한다. (   )

(2) 소외된 노동은 인간의 고유한 자유로운 의식적 활동으로부터 인간을 소외시킨다. (   )

(3) 자본주의 사회에서 노동자의 노동은 자아실현을 이루기 위한 노동이라고 볼 수 없다. (   )

[정답] (1) × (2) ○ (3) ○

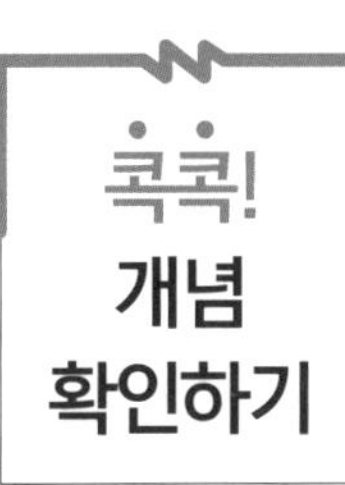

정답과 해설 30쪽

A 직업 생활과 행복한 삶

01 직업의 기능과 그에 대한 내용을 바르게 연결하시오.

(1) 생계 수단 •   • ㉠ 사회적 역할의 수행

(2) 사회 발전 •   • ㉡ 경제적으로 안정된 삶 유지

(3) 자아실현 •   • ㉢ 개인의 잠재력과 재능 발휘

02 알맞은 말에 ○표를 하시오.

(1) (맹자 , 순자)는 백성들에게 일정한 생업이 없으면 올바른 마음을 지키기 어렵다고 보아, 통치자는 백성의 경제적 안정에 힘써야 한다고 주장하였다.

(2) (마르크스 , 칼뱅)은/는 직업을 신의 소명으로 보아, 직업적 성공으로 부를 축적하는 것은 신의 축복을 증명하는 징표로 볼 수 있다고 주장하였다.

03 다음 내용이 옳으면 ○표, 틀리면 ×표를 하시오.

(1) 직업이 행복한 삶으로 이어지려면 직업 자체를 수단이 아니라 목적으로 여기는 자세가 필요하다. (　　　)

(2) 직업 생활을 통해 진정한 행복을 느끼려면 직업의 경제적 보상이나 사회적 지위와 같은 외재적 가치를 중시해야 한다. (　　　)

B 직업 윤리와 청렴

04 다음에 들어갈 내용을 〈보기〉에서 골라 쓰시오.

> 보기
>
> 갈등, 공직, 협력, 대칭성, 비대칭성, 일반직, 전문직

(1) 기업가와 근로자는 생산성과 효율성의 향상을 위해 (　　　　) 관계에 있지만, 분배와 관련해서는 대체로 (　　　　) 관계에 있다.

(2) (　　　　) 종사자는 일반인에 비해 수많은 정보와 지식을 다루는 정보의 (　　　　)을 고려할 때, 높은 수준의 윤리 의식이 필요하다.

05 다음 내용이 옳으면 ○표, 틀리면 ×표를 하시오.

(1) 드러커는 기업이 사회적 책임을 적극적으로 이행하면 소비자의 신뢰를 얻어 장기적으로 기업에 이득을 가져온다고 보았다. (　　　)

(2) 프리드먼에 따르면, 기업의 목적은 이윤의 극대화이며 기업은 합법적인 이윤 추구를 넘어서 사회적 책임도 부담해야 한다. (　　　)

(3) 전문직은 공익을 기준으로 정책을 결정하고 집행한다는 점에서 공공성을 지닌다. (　　　)

(4) 청렴 의식은 멸사봉공을 실천하는 공직자뿐만 아니라 모든 직업 생활에서 나타날 수 있는 부패를 방지하기 위해 필요한 정신이다. (　　　)

탄탄! 내신 다지기

A 직업 생활과 행복한 삶

01 ㉠, ㉡, ㉢에 들어갈 말을 바르게 짝지은 것은?

> 직업의 의미는 경제적 보수를 얻기 위한 (㉠)의 의미, 신으로부터 부여받았다고 여겨지는 (㉡)의 의미, 특정 직업을 수행하기 위해 요구되는 지식과 기술을 강조하는 (㉢)의 의미로 구분할 수 있다.

	㉠	㉡	㉢
①	전문직	생계직	소명직
②	전문직	소명직	생계직
③	생계직	전문직	소명직
④	생계직	소명직	전문직
⑤	소명직	생계직	전문직

02 갑, 을의 공통적 입장으로 가장 적절한 것은?

> 갑: 사람은 남에게 차마 하지 못하는 마음[不忍人之心]이 있다. 그러한 선한 마음은 직업 활동을 통해 확충될 수 있다. 그러므로 직업을 선택할 때에는 신중하지 아니 할 수 없다.
>
> 을: 농부는 밭일에, 상인은 장사에, 목수는 그릇 만드는 일에 정통하지만 통치자는 될 수 없다. 오직 예(禮)에 정통한 사람만이 통치자가 될 수 있다.

① 정신노동보다 육체노동을 중시하는 태도가 필요하다.
② 백성의 생업 보장보다는 도덕적 규제에 힘써야 한다.
③ 직업과 사회적 역할에 대한 적절한 분담이 필요하다.
④ 만민 평등의 관점에서 직업을 차별하지 말아야 한다.
⑤ 직업 종사자는 누구나 선천적인 마음을 지킬 수 없다.

03 다음 서양 사상가의 관점으로 가장 적절한 것은?

> 성화(聖化)는 삶의 현장, 직업의 현장에서 빛과 소금의 역할을 다하는 것이다. 하느님 사랑과 이웃 사랑을 실현하기 위해 생애를 불태울 수 있는 것은 자기 자신이 하느님의 것이라고 보는 확신 때문이다. 따라서 그리스도인의 삶은 이성과 의지를 전적으로 하느님의 성령에 순종하는 것이요, 불신자의 삶은 인간 의지의 원리에 순응할 뿐이다.

① 직업적 성공은 신의 축복을 표시하는 징표이다.
② 부를 축적하는 것은 구원을 거부하는 것과 같다.
③ 경제 발전을 위해 소비 생활을 활성화해야 한다.
④ 직업 생활보다 신앙생활에 충실하게 임해야 한다.
⑤ 직업을 통해 소유욕과 명예욕을 충족시켜야 한다.

04 다음 고대 서양 사상가의 직업관으로 가장 적절한 것은?

> 한 나라가 올바른 나라인 것으로 생각되는 것은 이 나라 안에 있는 성향이 다른 세 부류 사람들이 저마다 제 일을 담당하기 때문이다. 그런가 하면 자신 안에 있는 영혼의 세 부분이 각각 제 일을 하게 되면, 올바른 사람이 될 수 있다.

① 모든 직업인을 평등한 시민으로 대우해야 한다.
② 공적인 직무보다 개인적인 업무의 수행을 중시해야 한다.
③ 주기적으로 사회적 역할과 직분을 교환하여 담당해야 한다.
④ 사회 전체 구성원들의 자유로운 직업 선택을 허용해야 한다.
⑤ 각 계층에 속한 사람들이 고유한 덕을 발휘하여 자기 직분에 충실해야 한다.

05 다음을 주장한 사상가의 입장으로 가장 적절한 것은?

> 자본주의 사회에서는 노동자가 생산한 상품이 노동자에게 귀속되지 않기 때문에, 상품을 많이 만들면 만들수록 노동자는 더 값싼 상품으로 전락한다. 또한 노동이 다른 사람의 의지에 따라 강제됨으로써 노동자는 노동 과정에서 주체가 될 수 없다. 결국 노동을 통해 스스로를 실현할 수 없기 때문에 노동자는 자기 자신으로부터 소외되며, 노동을 통해 상호 의존적 관계를 형성할 수 없기 때문에 다른 사람들로부터도 소외된다는 것이다.

① 노동 경감을 위해 분업 체제를 완성해야 한다.
② 효율적인 노동으로 생산성을 향상시켜야 한다.
③ 자발적 노동을 통해 자아실현을 이루어야 한다.
④ 생산의 기계화로 노동으로부터 해방되어야 한다.
⑤ 정신노동이 육체노동보다 중요함을 알아야 한다.

06 다음 입장에서 제시할 수 있는 직업 선택의 기준으로 가장 적절한 것은?

> 직업을 선택할 때 외재적 가치만을 중시하면 자기 자신을 외재적 가치를 획득하기 위한 수단으로 여기기 쉽다. 그리고 다른 사람이 제시하는 기준에만 의존하여 직업을 선택하게 되어 직업 생활에서 성취감이나 진정한 행복을 누릴 수 없게 된다.

① 가문의 명예를 드높일 수 있는가?
② 자신이 지닌 적성과 능력에 맞는가?
③ 높은 사회적 지위를 얻을 수 있는가?
④ 타인으로부터 존경을 받을 수 있는가?
⑤ 기대 이상의 경제적 보상을 제공하는가?

07 ㉠에 들어갈 말로 옳지 않은 것은?

> 인간은 누구나 다른 사람들에게 자신의 가치를 인정받고 싶어하는 욕구를 갖고 있다. 일하는 과정에서 얻는 보람과 성취감은 끊임없이 자신의 자아를 계발하는 원동력이 되며, 직업과 일 그 자체는 행복한 삶의 바탕이 된다. 따라서 직업 생활이 행복해지기 위해서는 바람직한 직업관을 가져야 한다. 직업 생활에 보편적으로 필요한 바람직한 태도로는 (㉠) 등을 들 수 있다.

① 근면하고 성실한 자세
② 공평무사한 업무 처리
③ 타자를 배제한 리더십 발휘
④ 전문성을 갖추기 위한 노력
⑤ 일에 대한 보람과 성취 중시

B 직업 윤리와 청렴

08 다음 사상가가 강조하는 내용을 <보기>에서 고른 것은?

> 기업의 책임은 일반적으로 게임의 규칙을 준수하는 한에서 기업 이익을 극대화하기 위하여 자원을 활용하고 이를 위한 활동에 매진하는 것, 즉 속임수나 기만행위 없이 공개적이고 자유로운 경쟁에 전념하는 것이다. 사회적 이익을 위한다는 것은 누군가의 돈을 마음대로 쓰는 것이며, 정부의 일에 주제넘게 나서는 것이다.

보기
ㄱ. 기업은 모든 법적 책임으로부터 자유로워야 한다.
ㄴ. 기업에 게임의 규칙을 강요하는 것은 부당하다.
ㄷ. 기업에 사회적 봉사를 요구하는 것은 잘못이다.
ㄹ. 기업의 책임은 기업의 이윤을 극대화하는 것이다.

① ㄱ, ㄴ ② ㄱ, ㄷ ③ ㄴ, ㄷ
④ ㄴ, ㄹ ⑤ ㄷ, ㄹ

09 다음 사상가가 지지할 견해로 가장 적절한 것은?

> 기업가는 사회의 일원으로서 사회 구성원들 없이는 이윤을 창출할 수 없다. 따라서 기업은 지역 복지 사업, 사회적 약자에 대한 경제적 지원 등과 같은 사회적 책임을 이행해야 한다.

① 기업의 유일한 책임은 이윤을 극대화하는 것이다.
② 기업의 이익 창출에 대한 책임은 경영자에게 있다.
③ 기업이 사회적 약자를 돕는 것은 바람직하지 않다.
④ 기업이 사회의 공익 증대에 관심을 가져서는 안 된다.
⑤ 기업의 사회적 책임 이행은 장기적 이익 창출에 기여한다.

10 갑, 을이 모두 긍정의 대답을 할 질문만을 〈보기〉에서 있는 대로 고른 것은?

> 갑: 자유 경쟁 체제에서 정해진 규칙을 지키면서 기업 활동을 한 기업이 사회에 대해 책임져야 할 유일한 것은 기업의 자원을 이용해 수익을 올리는 것입니다.
> 을: 책임 있게 경영하는 기업은 그렇지 못한 경쟁자들에 비해 비즈니스 위험에 덜 노출될 것입니다. 그런 기업들은 헌신적인 직원과 충성스러운 소비자들의 지지를 얻을 수 있기 때문입니다.

〈보기〉
ㄱ. 기업이 추구하는 목적은 이윤의 극대화인가?
ㄴ. 기업들 간의 자유 경쟁 체제를 이루어야 하는가?
ㄷ. 기업은 낙후 지역의 지원 활동에 참여해야 하는가?
ㄹ. 기업은 소비자의 신뢰를 쌓기 위해 힘써야 하는가?

① ㄱ, ㄴ ② ㄱ, ㄷ ③ ㄷ, ㄹ
④ ㄱ, ㄴ, ㄹ ⑤ ㄴ, ㄷ, ㄹ

11 다음에서 강조하는 근로자 윤리로 가장 적절한 것은?

> 기업가와 근로자의 갈등은 기업의 생존 및 근로자의 행복과 직결된 문제이므로 기업가와 근로자는 신뢰와 협력의 노사 관계를 형성해 나가야 한다. 기업가는 투명하게 기업을 운영하고, 인간애를 바탕으로 근로자의 복지와 근무 환경의 개선을 위해 노력해야 한다. 또한 근로자는 기업의 생산성과 효율성을 높이기 위해 바람직한 자세로 직무에 임해야 한다.

① 돈, 명예, 권력 등의 외재적 가치를 추구한다.
② 기업가와 경쟁의식을 가지고 직무를 수행한다.
③ 기업의 이윤보다는 근로자의 권리를 중시한다.
④ 직업에 대한 책임 의식을 가지고 직무에 임한다.
⑤ 기업의 이익을 위해 직무 관련 비밀을 공개한다.

12 다음에서 강조하는 공직자 윤리로 옳지 않은 것은?

> 작은 이익에 현혹되어 자신의 참된 욕구가 좌절되는 불행을 겪어서는 안 된다. 청렴으로 인(仁)의 도(道)를 이루려는 큰 욕심을 지녀야 한다. 올바른 자세를 지닌 목민관이라면 부임지를 떠날 때 백성이 슬퍼하며 다시 그를 보내달라고 왕에게 요청할 것이다.

① 매사에 투철한 사명감과 책임감을 지닌다.
② 최소의 비용으로 최대의 이익을 창출한다.
③ 백성의 이익을 위해 멸사봉공을 실천한다.
④ 봉사와 헌신의 자세로 공적 업무에 임한다.
⑤ 업무 수행 시 공공의 안녕과 복리를 추구한다.

정답과 해설 30쪽

13 ㉠에 해당하는 직업 윤리를 〈보기〉에서 고른 것은?

> (㉠)은/는 고도의 전문적인 교육과 훈련을 거쳐 일정한 자격 또는 면허를 취득해야만 종사할 수 있다. 이러한 고도의 전문적 지식이나 기술을 가지고 직업에 종사하는 사람은 사회적 승인을 거친 사람이므로 독점적이고 자율적으로 업무를 수행할 수 있다.

〈보기〉
ㄱ. 전문 지식과 정보를 사용하여 최대한 이익을 추구해야 한다.
ㄴ. 부패 방지를 위해 청백리 정신을 지니고 직무를 수행해야 한다.
ㄷ. 공인된 자격증이나 면허를 가진 사람만이 직무를 수행해야 한다.
ㄹ. 보편 윤리뿐만 아니라 해당 직종에 요구되는 특수 윤리가 필요하다.

① ㄱ, ㄴ ② ㄱ, ㄷ ③ ㄴ, ㄷ
④ ㄴ, ㄹ ⑤ ㄷ, ㄹ

14 ㉠에 들어갈 말로 가장 적절한 것은?

> 우리 사회는 부패를 멀리하고 맡은 바 직무를 성실하게 처리하는 공직자의 자세가 필요하다. (㉠)은/는 뜻과 행동이 맑고 염치를 알아 탐욕을 부리지 않는 상태로서 청백리 정신이라 할 수 있다. 공직자의 청백리 정신은 오늘날 일반 기업의 임직원에게도 필요한 덕목이다.

① 관용 ② 청렴 ③ 자율
④ 권면 ⑤ 신독

15 다음을 주장한 사상가가 부정의 대답을 할 질문으로 옳은 것은?

> • 새 수령을 맞이하는 데 필요한 말의 사용료를 이미 공적으로 받았음에도 불구하고 또 백성에게 거두는 것은 왕의 은혜를 감추고 백성의 재물을 노략질하는 것이다.
> • 맑은 선비가 돌아갈 때의 행장은 모든 것을 벗어던진 듯 조촐하여 낡은 수레와 야윈 말인데도 그 산뜻한 바람이 사람들에게 스며든다.

① 공직자로서 청렴한 삶을 당위로 여겨야 하는가?
② 이로움보다 의로움을 우선적으로 추구해야 하는가?
③ 공직자로서 본분에 걸맞은 역할을 수행해야 하는가?
④ 공직에 대한 책임감을 가지고 공무를 수행해야 하는가?
⑤ 공무를 수행할 때 공정성보다 효율성을 중시해야 하는가?

서술형 문제

16 행복한 삶을 위해 직업이 필요한 이유를 개인적 측면과 사회적 측면에서 서술하시오.

도전! 실력 올리기

01 갑, 을 사상가의 직업관에 대한 설명으로 옳은 것은?

> 갑: 대인(大人)이 할 일이 있고, 소인(小人)이 할 일이 있다. 세상에는 정신을 쓰는 사람도 있고 육체를 쓰는 사람도 있다. 정신을 쓰는 자는 사람을 다스리고, 육체를 쓰는 자는 다스림을 받는다. 다스림을 받는 사람은 남에게 얻어먹는다. 이것이 바로 천하에 통용되는 도리이다.
> 을: 농군은 밭일에 정통하지만 농업을 지도할 수 없고, 상인은 장사하는 일에 정통하지만 상업을 지도할 수 없으며, 공인은 그릇을 만드는 일에 정통하지만 공업을 지도할 수 없다. 도에 정통한 관리만이 세 가지 일 중 어느 하나도 하지 못하지만, 이들 세 가지 일을 다스릴 수 있다.

① 갑은 분업이 사회적 갈등을 증대시킨다고 본다.
② 을은 신분에 따른 직업 구분이 불합리하다고 본다.
③ 갑은 을과 달리 예법에 따른 분업이 필요하다고 본다.
④ 을은 갑과 달리 자유롭게 직업을 선택해야 한다고 본다.
⑤ 갑, 을은 사회적 역할 분담이 이루어져야 한다고 본다.

02 서양 사상가 갑, 을의 입장에 대한 설명으로 옳은 것은?

> 갑: 신에게 영광을 돌리는 생활은 이 세상 안에서의 일반적·세속적 생활 속에서 수행된다. 이 세상에서 얼마나 하느님께 영광을 돌리는 생활을 하느냐 하는 것은 구원을 확신하게 하는 간접적 요인이다.
> 을: 농부가 한 사람, 그리고 집 짓는 사람이 또 한 사람 … (중략)… '최소한도의 나라'는 다섯 사람으로 이루어지겠네. 우리 각자는 서로가 그다지 닮지를 않았고, 각기 다른 성향을 갖고 태어나서 저마다 다른 일에 매달리게 될 것이네.

① 갑은 분업이 노동의 소외를 가져온다고 본다.
② 갑은 직업이 있는 사람만이 구원을 받는다고 본다.
③ 을은 직업 생활에서 자신의 덕을 발휘해야 한다고 본다.
④ 을은 갑과 달리 직업의 자유로운 교환을 인정해야 한다고 본다.
⑤ 갑, 을은 직업을 통해 부를 축적해서는 안 된다고 본다.

03 동양 사상가 갑, 을의 공통적 입장으로 가장 적절한 것은?

> 갑: 사람의 타고난 본성은 같아서 성인도 악인도 될 수 있으며, 공인이나 농부, 상인이 될 수도 있다. 이처럼 달라지는 것은 처신하는 방법이 다르기 때문이다.
> 을: 오직 선비만이 일정한 생업이 없어도 항상 일정한 마음을 가질 수 있다. 일반 백성의 경우 일정한 생업이 없으면 이로 인해 항상 일정한 마음을 가질 수 없다.

① 직업은 신이 인간에게 부여한 신성한 소명이다.
② 예법에서 벗어나 직업 선택의 자유를 인정해야 한다.
③ 생업이 있더라도 백성은 비도덕적 행위를 할 수 있다.
④ 각자의 능력에 따라 직업을 분담하는 것이 바람직하다.
⑤ 직업 생활에서 사람마다 타고난 본성을 발휘해야 한다.

수능 기출

04 그림은 서술형 평가 문제와 학생 답안이다. 학생 답안의 ㉠~㉤ 중 옳지 않은 것은?

서술형 평가

◎ **문제:** 사상가 갑, 을의 직업 노동에 대한 입장을 비교하여 서술하시오.

> 갑: 모든 것을 손수 만들어 사용해야 한다면, 그것은 천하의 사람들을 바쁘게 만드는 것이다. 어떤 사람은 마음을 수고롭게 하고[勞心], 어떤 사람은 몸을 수고롭게 한다[努力]. 백성은 항산(恒産)이 없다면 항심(恒心)도 없게 된다.
> 을: 노동이 분업에 의한 방식으로 바뀌면서 고용주는 자본가가 되어 지휘와 감독 기능을 담당한다. 분업은 특수한 기능에 적합한 부분 노동자를 양산하며, 노동자는 작업장의 부속물로서 자본의 소유물이 된다.

◎ **학생 답안**

사상가 갑, 을의 직업 노동에 대한 입장을 비교해 보면, 갑은 ㉠직업에는 대인과 소인의 역할 분담이 있으므로 각자의 역할에 충실해야 하며, ㉡직업을 통해 백성의 생활 기반이 마련되어야 한다고 주장한다. 이에 비해 을은 ㉢노동자는 생산 수단이 없으므로 생계를 위해 자본가에 예속된다고 보며, ㉣노동자는 노동을 통해 자아를 실현하고 행복을 누릴 수 있어야 한다고 주장한다. 한편 갑, 을은 모두 ㉤인간은 분업에 참여함으로써 인간다움을 실현해야 한다고 주장한다.

① ㉠ ② ㉡ ③ ㉢ ④ ㉣ ⑤ ㉤

정답과 해설 33쪽

05 갑, 을의 입장에 대한 옳은 설명만을 〈보기〉에서 있는 대로 고른 것은?

갑: 기업의 목적이란 이윤 추구이지 사회봉사가 아닙니다. 이윤의 극대화만이 기업의 책임이며, 기업에 그 이외의 책임을 요구해서는 안 됩니다.
을: 오늘날 기업의 목적은 이윤 추구와 함께 사회적 책임을 다하는 것입니다. 기업이 얻은 이익의 일부를 소비자에게 돌려준다는 생각이 필요합니다.

〈보기〉
ㄱ. 갑은 기업의 지역 사회에 대한 투자가 필요하다고 본다.
ㄴ. 을은 기업의 자선 활동을 기업에 주어진 사회적 책임이라고 본다.
ㄷ. 갑은 을보다 기업의 책임을 이윤 창출의 극대화라고 본다.
ㄹ. 을은 갑과 달리 기업의 합법적 경영보다 생산성 증대가 중요하다고 본다.

① ㄱ, ㄷ ② ㄱ, ㄹ ③ ㄴ, ㄷ
④ ㄱ, ㄴ, ㄹ ⑤ ㄴ, ㄷ, ㄹ

수능 유형

06 갑은 긍정, 을은 부정의 대답을 할 질문으로 가장 적절한 것은?

갑: 기업은 법의 테두리 안에서 경영을 통한 재무적 성과에 대한 책임만이 아니라 인권, 환경 등의 개선에 대해서도 사회적 책임을 다해야 한다. 이것은 공익 증진을 위한 것뿐 아니라 기업이 더욱 유리한 경쟁력을 갖게 할 수 있기 때문이다.
을: 경영자들은 오직 기업의 소유주들에 대해서만 직접적 책임이 있다. 그 책임은 게임의 규칙을 준수하는 한에서 기업 이익을 극대화하기 위해 자원을 활용하는 활동에 매진하는 것뿐이다.

① 이윤을 창출하는 것이 기업 경영의 목표인가?
② 기업의 유일한 책임은 기업의 이익 증대인가?
③ 기업에 책임을 부과하는 것은 비현실적인가?
④ 기업의 생산성과 효율성을 증대시켜야 하는가?
⑤ 기업의 사회적 봉사는 기업 이익에 기여하는가?

수능 기출

07 그림의 강연자가 지지할 주장만을 〈보기〉에서 있는 대로 고른 것은?

기업의 주된 목적이 이윤 추구라는 점은 변함없는 사실입니다. 그렇지만 기업은 전체 사회의 일원으로서 사회 구성원들 없이는 이윤을 창출할 수 없다는 사실에 주목해야 합니다. 기업은 지역 복지 사업, 사회적 약자에 대한 경제적 지원 등과 같은 사회적 책임을 이행해야 합니다. 이를 통해 기업은 사회로부터 많은 신뢰를 얻음으로써 기업의 주된 목적을 효과적으로 달성할 수 있을 것입니다.

〈보기〉
ㄱ. 기업은 취약 계층의 삶의 수준 향상에 관심을 가져야 한다.
ㄴ. 기업은 사회로부터 얻은 이윤의 환원 방안을 모색해야 한다.
ㄷ. 기업은 사회에 의존하지 않는 자기 완결적 조직이어야 한다.
ㄹ. 기업은 이윤 증대를 위해서라도 공익 활동을 수행해야 한다.

① ㄱ, ㄴ ② ㄱ, ㄷ ③ ㄷ, ㄹ
④ ㄱ, ㄴ, ㄹ ⑤ ㄴ, ㄷ, ㄹ

수능 유형

08 다음 입장에서 부정의 대답을 할 질문으로 가장 적절한 것은?

• 장래의 환란을 미리 생각하여 사전에 예방하는 것은 재난이 일어난 뒤에 은전(恩典)을 베푸는 것보다 낫다.
• 훌륭한 목민관은 자애롭다. 자애롭고자 하는 자는 반드시 청렴해야 하고, 청렴하고자 하는 자는 반드시 절약해야 한다. 절용(節用)이라는 것은 목민관으로서 수행해야 할 급선무이다.

① 의로움과 이로움을 같은 것으로 보아야 하는가?
② 사적인 일보다 공적인 일을 우선시해야 하는가?
③ 공적 업무 처리에서 공정성을 중시해야 하는가?
④ 민주성과 효율성 사이의 균형을 잡아야 하는가?
⑤ 피치자들의 의사를 적극적으로 수렴해야 하는가?

02 사회 정의와 윤리

핵심 질문으로 흐름잡기

A 사회 윤리와 사회 정의의 의미는?
B 분배 정의와 관련된 다양한 입장의 특징은?
C 교정적 정의와 관련하여 처벌을 정당화할 수 있는 근거는?

A 사회 윤리와 사회 정의

|시·험·단·서| 사회 윤리가 필요한 이유와 사회 정의의 의미와 기준을 묻는 문제가 출제돼.

1. 개인 윤리❶와 사회 윤리❷

(1) 개인 윤리

① **사회 문제의 원인:** 개인의 양심과 도덕성의 결핍이 주요 원인임

② **해결 방안:** 개인의 양심과 도덕성을 함양해야 함

(2) 사회 윤리

① **등장 배경:** 개인 윤리만으로 해결하기 어려운 문제가 등장함 (계층 간 갈등, 빈부 격차, 인종 차별, 부패와 같은 문제들은 개인의 도덕성을 강조하는 것만으로는 해결하기 어렵기 때문이야.)

② **사회 문제의 원인:** 부도덕하고 불공정한 사회 구조*나 사회 제도* 때문에 발생함

③ **해결 방안:** 개인의 도덕성 함양과 더불어 사회 구조와 제도의 개선이 필요함

④ **니부어의 사회 윤리** 자료 1

- 개인적으로는 양심적이고 도덕적일지라도 개인이 모인 사회는 이기적이며 비도덕적일 수 있다고 강조함
- 집단이 개인에 비해 이기심을 억제할 힘이 현저히 떨어짐
- 집단 간의 문제는 윤리적이라기보다는 정치적이므로 쉽게 해결되지 않음
- 사회의 도덕성을 유지하려면 정치적인 강제력에 의한 방법도 병행해야 함

❶ **개인 윤리**
개인적인 삶의 영역과 관련된 윤리로 정직, 성실, 절제 등의 도덕적 가치를 실현하기 위해 여러 가지 규범을 개인에게 준수할 것을 요구한다.

❷ **사회 윤리**
도덕적 사회가 도덕적 인간을 만들 수 있다는 문제의식에서 출발하여 공동체의 구성과 사회 정책의 결정에 있어서 좋거나 옳음, 당위 등의 문제를 다룬다.

2. 정의와 사회 정의

(1) 정의

① **정의의 의미:** 개인 간의 올바른 도리 또는 사회를 구성하고 유지하는 공정한 도리

② **정의를 바라보는 동서양의 관점**

- 공자: 눈앞의 이익을 보거든 의리를 먼저 생각하라는 견리사의(見利思義)를 강조함
- 맹자: 옳고 그름을 분별하는 판단 기준으로 의로움[義]을 제시함
- 소크라테스: 정의를 질서가 잘 잡힌 영혼이 추구하는 본성으로 봄
- 플라톤❸: 정의는 지혜, 용기, 절제가 완전한 조화를 이룰 때 나타나는 최고의 덕목임
- 아리스토텔레스: 공익 실현을 위해 일반적 정의와 특수적 정의가 필요함 자료 2

일반적 정의	• 법을 준수함으로써 정치 공동체의 행복을 창출하고 지키는 것 • 이웃과의 관계 속에서 완전한 미덕 또는 탁월성을 구현하는 것
특수적 정의	• 각자에게 몫이 공정하게 주어지는 것으로, 이를 다시 분배적 정의와 교정적 정의로 나눔 • 분배적 정의: 권력, 지위, 명예, 재화 등을 각자의 가치에 비례하여 분배받는 것 • 교정적 정의: 타인에게 해를 끼치면 그만큼 보상하며 이익을 주었으면 그만큼 되돌려 받는 것 (시정적 정의라고도 해.)

(2) 사회 정의

① **사회 정의의 필요성:** 정의롭지 못한 사회 구조와 제도는 구성원의 기본권을 침해하고 개인 간, 집단 간의 갈등을 일으킴

② **사회 정의의 실현:** 분배적 정의와 교정적 정의가 실현될 때 정의로운 사회가 될 수 있음

- 분배적 정의: 사회적 이익과 부담을 공정하게 분배하는 것 → 사회 구성원이 각자의 몫을 정당하게 누릴 수 있게 공정한 기준을 적용함으로써 실현할 수 있음
- 교정적 정의: 잘못에 대한 처벌이나 배상 등을 공정하게 하는 것 → 국가의 법 집행으로 불법 행위나 부정의를 바로잡음으로써 실현할 수 있음

❸ **플라톤이 본 정의로운 국가**
플라톤은 이성, 기개, 욕망으로 이루어진 인간 영혼의 세 부분이 각각 본분을 다할 때 이상적인 인간이 되듯이 국가도 통치자, 방위자, 생산자가 자기 본분을 다할 때 정의로운 국가가 된다고 보았다.

시험에 잘 나오는 자료

자료 1 니부어의 사회 윤리

관련 문제 ▶ 110쪽 02번

사회를 중심에 놓고 보면 최고의 도덕적 이상은 정의이고, 개인을 중심에 놓고 보면 최고의 도덕적 이상은 이타성*이다. 사회는 여러 면에서 어쩔 수 없이 이기심, 반항, 강제력, 원한과 같이 도덕성이 높은 사람들로부터 전혀 도덕적 승인을 얻어 낼 수 없는 방법을 사용하게 될지라도 궁극적으로 정의를 추구해야 한다. 모든 사회 집단은 집단을 형성하는 개인이 그들의 개인적인 관계에서 나타내는 것에 비하여 충동*을 견제하고 극복할 만한 힘이 적다. 개인의 이기적 충동은 개별적으로 나타날 때보다 하나의 공통된 충동으로 결합되어 나타날 때 더욱 생생하게 누적되어 표출된다. …(중략)… 정의를 달성하기 위한 비합리적인 수단은 도덕적 선의지*의 통제를 받지 않는 한, 사회에 엄청난 위험을 가할 수 있다.

– 니부어, "도덕적 인간과 비도덕적 사회"

자·료·분·석 니부어는 개인의 도덕성과 개인이 모인 집단의 도덕성을 구분하였다. 그에 따르면 집단은 개인에 비해 충동을 올바르게 인도하고 억제할 수 있는 이성과 자기 극복의 능력 그리고 타인의 욕구를 수용하는 능력이 훨씬 결여되어 있다. 개인이 보여 주는 것에 비해 훨씬 심한 이기주의가 모든 집단에서 나타나고, 이러한 집단의 이기심은 피할 수 없다는 것이다. 따라서 사회의 갈등은 도덕적 권고만으로 해결하는 데 한계가 있으며, 이는 사회 구조와 제도의 차원에서 사회 정의의 실현을 통해 극복할 수 있다고 주장하였다.

한·줄·핵·심 니부어는 개인의 도덕성 함양과 더불어 사회 구조와 제도가 정의로울 때 도덕적인 사회로 나아갈 수 있다고 보았다.

자료 2 아리스토텔레스의 정의

정의란 사람들이 옳은 일을 하도록 하고, 옳게 행동하게 하며, 옳은 것을 원하게 하는 성품이다. 정의롭지 못한 여러 가지 모습을 살펴보면 정의의 의미를 쉽게 알 수 있다. 법을 지키지 않거나, 욕심이 많고, 불공정한 사람은 모두 정의롭지 못하다. 공동체를 행복하게 만드는 조건들이 많아지게 하는 행위는 정의롭다. 정의는 우리 이웃과의 관계에서 완전한 덕이며, 모든 덕 가운데 가장 크다. 정의의 영역에는 모든 덕이 다 들어 있다. 정의의 덕이 완전한 까닭은 그 덕을 가진 사람이 자신뿐만 아니라 자기의 이웃을 위해서도 그것을 쓸 수 있기 때문이다.

– 아리스토텔레스, "니코마코스 윤리학"

자·료·분·석 아리스토텔레스는 국가 공동체에 대한 개인의 공적에 따라 명예나 돈, 혹은 공직 등을 분배해야 하며, 이때 '같은 것은 같게, 다른 것은 다르게' 분배하는 것이 정의로운 것이라고 보았다. 즉, 동등한 구성원이라면 동등한 몫을, 동등하지 않은 구성원이라면 동등하지 않은 몫을 분배해야 한다는 것이다. 아리스토텔레스는 각자에게 주어야 할 그의 몫이 그가 받아야 할 몫에 비하여 과도하게 지나치거나 부족하지 않은 중용(中庸)의 상태를 분배적 정의라고 보았다. 또한 개인들의 상호 교환에 있어서 잘못된 것을 바로잡는 것을 교정적 정의라고 보았다.

한·줄·핵·심 아리스토텔레스는 같은 것은 같게, 다른 것은 다르게 분배하는 것을 정의라고 하였다.

내용 이해를 돕는 팁

궁금해요

Q. 니부어는 왜 집단의 도덕성이 개인의 도덕성보다 낮다고 했을까요?

A. 개인적으로 행동할 때에는 다른 사람의 시선을 의식하거나 모든 책임을 자신이 져야 한다는 부담감 때문에 주저하거나 조심하게 되지. 하지만 집단의 구성원으로 행동할 때에는 다른 사람의 시선으로부터 상대적으로 자유롭고 책임 소재도 분산이 되기 때문에 집단에서는 이기적이고 비도덕적인 행동들이 나타나기 쉽기 때문이야.

용어 더하기

* **사회 구조** 개인의 행동 양식을 정해 주는 사회적 틀을 말한다.
* **사회 제도** 사회 내에서 일어나는 여러 가지 행동 유형을 일정한 방향으로 이끌어 주는 조직화된 관행과 절차를 말한다.
* **이타성** 타인을 이롭게 하는 속성 및 성품을 말한다.
* **충동** 뚜렷한 목적이나 의사가 없는 본능적이고 반사적인 마음의 작용이다.
* **선의지** 착한 일을 이루려는 마음으로, 칸트는 무조건적으로 선한 것은 선의지뿐이라고 하였다.

B 분배적 정의의 윤리적 쟁점

| 시·험·단·서 | 분배적 정의에 대한 다양한 입장과 소수자 우대 정책에 관한 찬반 입장을 묻는 문제가 출제돼.

1. 공정한 분배에 대한 다양한 입장 자료 3

(1) 롤스의 분배적 정의 자료 4

롤스는 합의 과정의 투명성과 공정성을 중시했어.

① **기본 입장:** 분배의 절차가 공정하면 그 결과도 공정함 → '공정으로서의 정의'

② 개인의 노력과 무관한 우연적 요소로 나타나는 사회 불평등을 조정하고자 함 → 원초적 입장❹으로부터 도출된 정의의 원칙을 따라야 함

③ **정의의 원칙**

제1원칙	모든 사람은 동등한 기본적 자유❺를 최대한 누려야 함(평등한 자유의 원칙)
제2원칙	사회적·경제적 불평등은 모든 사람에게 이익이 되고, 특히 최소 수혜자에게 최대 이익을 보장하도록 조정되어야 하며(차등의 원칙), 그 불평등의 계기가 되는 직위나 직책은 모든 사람에게 개방되어야 함(기회균등의 원칙)

(2) 노직의 분배적 정의

① **기본 입장:** 재화의 취득, 양도, 이전 절차가 정당하면 그로부터 얻은 소유물에 관해서는 개인이 절대적 소유 권리를 가짐 → '소유 권리로서의 정의'

② 국가를 포함한 어느 누구도 개인의 소유권을 침해할 수 없음 → 타인의 침해로부터 개인을 보호하기 위한 역할만을 수행하는 최소 국가만이 정당함

③ **정의의 원칙**

최초 취득의 원칙	최초로 어떤 것을 취득할 때 타인에게 부정이나 불법을 저지르지 않는 한 그 소유물에 대한 합법적 권한을 가짐
양도 또는 이전의 원칙	자신의 노동에 의한 결과를 포함하여 타인에 의해 정의롭게 이전된 것에 대해서도 정당한 소유권을 가짐
교정의 원칙	소유권의 취득과 양도에 있어서 과오가 있거나 절차가 잘못되었을 경우 부정의를 바로잡기 위한 교정이 요구됨

(3) 왈처의 분배적 정의 — 복합 평등의 다원적 정의라고 해.

① 사회의 다양한 영역에서 각기 다른 기준에 따라 사회적 가치가 분배될 때 사회 정의가 실현됨 → '복합 평등❻으로서의 정의'

② 정의의 기준은 공동체마다 다를 수 있으므로 영역에 따라 다른 정의의 기준을 적용해야 함 → '다원적 정의'

2. 소수자 우대 정책❼

성적 소수자, 경제적 취약 계층, 아동, 노인, 이주민, 장애인 등 사회적 약자를 우대하는 정책을 말해.

(1) 소수자 우대 정책의 필요성

① 사회적 약자를 배려하는 것은 분배적 정의에 어긋나지 않음

② 사회적 갈등을 예방하기 위해 소수자 우대 정책이 필요함 → 불공정한 분배로 인한 갈등은 사회 발전을 저해함

(2) 소수자 우대 정책에 관한 찬반 논쟁

찬성	반대
• 부당한 차별로 인해 사회적 약자가 입은 고통을 보상해야 함 • 사회적 약자는 부나 지위 획득에 불리하기 때문에 그들에게 유리한 기회를 제공해야 함 • 사회 갈등을 줄이고 사회 전체의 행복을 증진할 수 있음	• 과거의 차별에 잘못이 없는 현세대에게 보상 책임을 묻는 것은 부당함 • 소수자 우대 정책은 역차별❽과 부정의를 초래할 수 있음 • 노력에 따라 정당한 대가를 받아야 한다는 업적주의에 어긋남

❹ 롤스의 원초적 입장으로부터 정의의 원칙을 도출하는 과정

모든 인간은 타인에 대해 무관심하고 이기적이지만 합리적임
⬇
원초적 입장에서 자신의 능력과 사회적 지위에 대해 모름(무지의 베일)
⬇
자기가 최소 수혜자가 될 가능성을 염려하여 최악의 상황을 고려함
⬇
최소 수혜자를 배려하기 위한 원칙에 합의함

❺ 기본적 자유

정치적 자유, 언론과 집회의 자유, 양심과 사상의 자유, 사유 재산을 가질 수 있는 자유, 신체적 자유 등을 말한다.

❻ 복합 평등

특정 영역의 사회적 가치가 지배적 역할을 하여 다른 영역의 가치를 쉽게 얻는 것을 금지하는 것을 말한다. 왈처는 하나의 가치를 가지면 다른 가치도 쉽게 가질 수 있는 사회는 정의롭지 않다고 보았다.

❼ 우대 정책

차별받아 온 사람들에게 고용이나 교육 등 다양한 측면에서 혜택을 제공함으로써 사회적 이익의 공정한 분배를 실현하려는 정책이다.

❽ 역차별

부당한 차별을 시정하기 위해 도입된 우대 정책이 또 다른 특정 개인이나 집단에 대한 부당한 차별로 작용하는 경우 이를 역차별이라고 한다.

시험에 잘 나오는 자료

자료 3 분배적 정의의 기준이 지닌 장점과 문제점

기준	장점	문제점
절대적 평등	기회와 혜택이 균등하게 보장됨	생산 의욕과 효율성*, 자유와 책임 의식이 저하됨
능력	능력이 뛰어난 사람에게 적절한 보상을 할 수 있음	능력에 선천적 요소가 개입되며, 능력 평가 기준이 모호함
업적	객관적 평가가 쉬우며, 동기 부여와 생산성이 높아짐	서로 다른 업적에 대한 평가와 사회적 약자에 대한 배려가 어려움
필요	사회적 약자를 보호할 수 있음	모든 사람의 필요*를 충족할 수 없으며, 효율성이 저하됨

자·료·분·석 절대적 평등을 기준으로 하는 분배는 재화를 모든 구성원에게 동등하게 분배한다. 능력을 기준으로 하는 분배는 개인의 노력에 비례하여 분배할 몫을 결정한다. 즉, 능력이 뛰어난 사람이 더 많은 몫을 분배받는다. 업적을 기준으로 하는 분배는 기여한 정도에 따라 분배하며, 필요를 기준으로 하는 분배는 인간의 기본적 욕구와 필요에 따라 분배한다. 이러한 각각의 분배 기준은 위의 표처럼 장점과 한계를 동시에 지닌다.

한·줄·핵·심 각각의 분배 기준은 하나의 분배 기준이 사회 전체에 적용되기 힘들다는 한계를 지닌다.

자료 4 롤스의 공정으로서의 정의 관련 문제 ▶ 113쪽 16번

롤스는 자신의 노력과 상관없는 행운 혹은 불운에 의해 좌우되지 않는 공정한 절차를 보장하려고 무지의 베일을 쓴 원초적 입장을 가정하였다. 무지의 베일을 쓰면 자신의 사회적 지위나 계층, 천부적 자산과 능력, 심리의 특징, 자신이 속한 사회의 특수한 사정 등을 모른다. 이러한 원초적 입장에 놓이면 누구라도 자신이 가장 불리한 상황에 놓일 것을 예상하므로 사람들은 최소 수혜자에게 혜택을 주는 절차를 공정하다고 여길 것이다.

자·료·분·석 롤스에 따르면 공정한 분배를 위해서는 사회, 경제적 활동을 규제하는 헌법이나 법률이 공정해야 하고, 그러한 법은 공정한 조건에서 합의된 정의의 원칙에 의해 규제되어야 한다. 이러한 정의의 원칙을 도출하는 출발점에서 합의 당사자들이 자신의 능력과 사회적 지위를 모른다면 자신이 불리한 상황에 놓일 가능성을 염두에 둘 수밖에 없기 때문에 모든 사람이 공정한 정의의 원칙에 합의할 수 있다고 보았다. 즉, 롤스는 '무지의 베일'을 쓴 가상적 상황을 설정함으로써 절차의 공정성을 확보하려고 하였고, 이러한 상황에서 합의한 정의의 원칙은 공정하다고 보았다.

한·줄·핵·심 롤스는 절차가 공정하다면 결과도 공정한 것으로 보며, 사회적·경제적 불평등을 최소화하려는 평등주의적 자유주의의 입장을 취한다.

내용 이해를 돕는 팁

궁금해요

Q. 노직이 롤스를 비판했다고 하는데, 그 이유가 무엇인가요?

A. 인간의 가장 기본적인 권리로서 자유를 강조한 노직은 특히 재산권의 자유를 가장 근본적인 인간의 권리로 상정했어. 이러한 이유로 그는 국가에 의한 부의 재분배를 거부했고, 복지 국가의 이론적 토대를 제공한 롤스의 정의론을 비판했던 거야.

용어 더하기

* **최소 수혜자** 가장 적은 혜택을 받는 사람으로 예를 들면, 장애인, 노인 등 사회적 약자 등을 말한다.
* **노직(Nozick, R.)** 미국의 학자로, 자유 지상주의 입장에서 개인의 권리를 보호하고 존중하는 것을 정의라고 보았다.
* **왈처(Walzer, M.)** 미국의 정치 철학자로, 사회의 다원성에 주목하여 '복합 평등으로서의 정의'를 주장하였다.
* **효율성** 투입한 노력에 비해 산출된 효과의 정도를 말한다.
* **필요** 꼭 소용이 있는 것, 재화가 부족하여 채워져야 할 부분이다.

❾ 칸트의 형벌에 관한 주장
칸트는 시민 사회가 모든 구성원의 동의로 해체될 때조차도 감옥에 있는 마지막 살인자는 처형되어야 한다는 강경한 입장을 나타냈다. 형벌은 오직 범죄자가 범죄를 저질렀다는 사실만으로 그에게 가해져야 할 뿐, 범죄 예방이나 교화를 위한 수단이 될 수 없다고 보았다.

C 교정적 정의의 윤리적 쟁점

| 시·험·단·서 | 교정적 정의에 관한 관점 중에서 응보주의와 공리주의의 차이점을 묻는 문제가 출제돼.

1. 교정적 정의

(1) 교정적 정의의 구분

① **배상적 정의:** 손해나 손실을 똑같은 가치로 회복해 주는 것

② **형벌적 정의:** 범죄자의 행위를 공정하게 처벌하는 것

(2) 교정적 정의에 관한 관점

응보주의 관점	• 처벌의 본질: '눈에는 눈, 이에는 이'처럼 범죄 행위에 상응하는 보복을 가하는 것 • 공동체의 정당한 응보로 정의를 실현함 • 칸트❾: 모든 인간은 이성적·자율적 존재로서 자신의 행위에 대해 책임을 져야 하므로, 범죄에 상응하는 처벌을 받아야 함 • 범죄 예방과 범죄자의 교화에 무관심하다는 비판을 받음
공리주의 관점	• 처벌의 본질: 범죄 예방과 사회적 이익, 즉 공익 증진을 위한 수단 • 사회 전체 이익을 고려하여 범죄가 재발하지 않는 결과를 산출하도록 처벌의 경중을 결정해야 함 • 벤담: 처벌로 얻는 선한 결과(범죄 예방, 범죄율 감소, 범죄자의 교화 등)가 처벌로 인해 발생하는 악(처벌로 인한 고통)보다 더 클 때에만 처벌이 정당화됨 • 인간을 사회 안정을 위한 수단으로 여겨 인간의 존엄성 및 가치를 훼손할 수 있고, 처벌의 예방적 효과를 증명하기 어렵다는 비판을 받음

2. 교정적 정의 실현을 위한 공정한 처벌

❿ 죄형 법정주의
죄형 법정주의는 어떤 행위가 범죄가 되고 그 범죄에 대하여 어떤 종류와 범위의 형벌을 집행할 것인가 하는 것은 행위 이전에 미리 법률로 규정되어야 한다는 원칙이다.

(1) 공정한 처벌의 조건

① **유죄 조건:** 유죄 조건에 부합하는지 따져 보고 죄가 있다는 것이 확실한 경우에만 처벌해야 함 → 죄형 법정주의❿에 의해서만 처벌

② **비례 조건:** 처벌은 범죄의 심각성, 기간, 범위 등에 비례해서 정해져야 함

(2) 공정한 처벌을 위한 노력

① **제도적 개선:** 공평한 법 집행이 이루어질 수 있는 제도적 조건을 마련해야 함

② **국민의 관심과 참여:** 입법부에 대한 감시, 입법 청원 등
└ 정의롭고 올바른 법이 제정될 필요가 있기 때문이지.

3. 사형 제도의 윤리적 쟁점

근대에 이르러 인간의 존엄성과 기본권이 강화되면서 사형 제도가 윤리적으로 적당한가에 관한 논의가 이루어지고 있어.

(1) **사형의 의미:** 국가가 범죄자의 생명을 인위적으로 박탈하는 형벌

(2) 사형 제도에 관한 주장

① **칸트:** 사형은 범죄자의 고통받는 인격을 해방하여 인간의 존엄성을 실현하는 것임 자료 5

② **루소:** 살인자가 된다는 것은 자신도 죽임을 당해도 좋다는 것에 이미 동의한 것임 자료 6

③ **베카리아:** 사형보다 종신 노역형이 지속적이고 효용성이 있는 형벌로서 사회 방위에 기여할 수 있음 자료 7

(3) 사형 제도에 관한 찬반 논쟁⓫

⓫ 사형 제도의 적합성 논쟁
사형 제도는 오랜 역사 동안 다양한 방식으로 유지되어 왔지만, 오늘날 처벌로서 적합한지에 대해 윤리적 쟁점이 되고 있다. 우리나라는 사형 제도를 인정하지만, 1997년 이후 한 건의 사형 집행도 이루어지지 않아 사실상 사형 폐지 국가라고 할 수 있다.

찬성	반대
• 동등성의 원리에 입각하여, 어떤 사람이 타인의 생명을 해쳤다면 그의 생명을 박탈하는 것이 정당함 • 살인자에게 사형 이외의 형벌을 가하는 것은 정의에 부합하지 않음 • 사형은 생명을 박탈하는 극형이므로 범죄 억제의 효과가 큼 • 사회 방위를 위해서는 살인자를 사회로부터 완전히 격리해야 함	• 생명권을 근본적으로 부정하는 형벌이므로 인도적 이유에서 존치해서는 안 됨 • 교화를 근본적으로 포기하는 행위로 형벌의 목적에 맞지 않음 ┌ 반대자를 제거하는 수단으로 악용될 수 있기 때문이야. • 정치적으로 악용될 수 있음 • 오심으로 사형이 집행되면 원상 회복할 수 없음 • 사형은 범죄 예방과 억제 효과가 없음

시험에 잘 나오는 자료

자료 5 사형 제도에 관한 칸트의 견해 관련 문제 ▶ 115쪽 06번

형벌은 결코 범죄자 자신이나 시민 사회를 위해서 어떤 다른 선을 촉진하기 위한 한낱 수단으로써 가해질 수 없다. 오직 그가 범죄를 저질렀기 때문에 그에게 가해져야만 하는 것이다. 왜냐하면 인간은 결코 타인의 의도를 위한 수단으로 취급될 수 없기 때문이다. 그 자신이나 동료 시민들을 위한 몇몇 이익을 끌어내는 것을 생각하기 이전에도 먼저 그가 형벌을 받아야 할 상태에 있지 않으면 안 된다.

– 칸트, "윤리 형이상학"

자·료·분·석 칸트는 처벌의 본질은 범죄 행위에 상응하는 형벌을 국가가 대신해서 부과하는 것이라고 보고, 단지 범죄를 의욕하고 저질렀다는 그 행위 때문에 응분의 처벌을 가해야 한다고 보았다.

한·줄·핵·심 칸트는 무고한 사람을 살인한 범죄자의 자율적 인격 존중의 차원에서 그에 합당한 사형을 부과하는 것이 응보적 정의를 실현하는 것이라고 주장하였다.

자료 6 사형 제도에 관한 루소의 견해 관련 문제 ▶ 113쪽 13번

사람은 누구나 고유한 생명을 보존하기 위해 자신의 생명을 걸고 위험을 무릅쓸 권리를 가진다. 사회 계약*은 계약자의 생명 보존을 목적으로 한다. 목적을 달성하려고 하는 사람은 수단을 요구한다. 그런데 이 수단은 위험과 희생을 수반한다. 타인의 희생으로 자신의 생명을 보존하려고 하는 사람은 타인을 위해 필요하다면 마땅히 생명을 희생해야 한다. 범죄인에게 가해지는 사형도 이와 유사하다.

– 루소, "사회 계약론"

자·료·분·석 루소는 사회 계약에 바탕을 둔 사회 방위론의 입장에서 사형 제도를 찬성하였다. 그는 우리가 살인으로부터 보호받기 위해 살인자를 사형에 처하는 것에 동의했으며, 살인자가 된다는 것은 자신도 죽임을 당해도 좋다는 것에 이미 동의한 것이라고 보았다.

한·줄·핵·심 루소는 사람을 살해한 자는 정당한 사회 구성원이 아니므로 그 생명권을 박탈하더라도 이것이 동의에 의한 사회 계약에 위반되는 것은 아니라고 주장하였다.

자료 7 사형 제도에 관한 베카리아의 견해 관련 문제 ▶ 113쪽 14번

사형 제도는 어떠한 권리에도 근거할 수 없으며, 또한 여기서 제시하였듯이 그러한 국가의 권리는 존재할 수도 없는 것이다. …(중략)… 사형이 처해지는 순간의 시간은 오히려 범죄자가 사형 전까지 주어진 두려움의 시간을 마음대로 향유해 버릴 수 있다. …(중략)… 사형은 한순간에 강렬한 인상만을 줄 뿐이다. 반면에 종신 노역형은 더 큰 공포를 안겨 준다.

– 베카리아, "범죄와 형벌"

자·료·분·석 베카리아는 가혹한 형벌이 정당화되는 경우는 그것이 공공의 이익에 기여할 때 뿐이며, 사형은 공익에 이바지하는 바가 적고 비효율적이며, 종신 노역형이 더 효과적이라고 주장하였다.

한·줄·핵·심 베카리아는 종신 노역형이 피해자의 생명을 앗아간 범죄자에게 더 큰 공포를 안겨 주므로 사형보다 훨씬 효과적인 보복 행위이며 예방 효과도 더 낫다고 주장하였다.

내용 이해를 돕는 팁

용어 더하기

* **형벌**
범죄에 대한 법률상의 효과로서 국가가 범죄자에게 제재를 가하는 것을 말한다.

* **보복**
남에게 받은 해를 그만큼 되돌려 주는 일을 말한다.

* **베카리아(Beccaria, C.)**
이탈리아의 계몽 사상가로서 근대 형법학의 선구자로 불린다. 그는 사회 계약설을 토대로 "자신의 생명을 빼앗을 권능을 타인에게 기꺼이 양도할 자가 세상에 있겠는가?"라고 하며, 사형을 국민에 대한 국가의 전쟁이자 법을 빙자한 살인으로 규정지었다.

* **종신 노역형**
일생을 다할 때까지 괴롭고 힘들게 일을 시키는 형벌이다.

* **존치**
제도나 설비를 없애지 않고 그대로 두는 것을 말한다.

* **사회 계약**
사회 구성원들 사이에 맺어진 약속으로, 루소는 사회 계약에 의해 일반 의지가 생겨나고 이로부터 국가가 권위를 가진다고 본다.

롤스, 노직, 왈처가 말하는 정의는 무엇일까?

개념풀 Guide 분배의 정의에 관한 롤스, 노직, 왈처의 주장을 비교해 보자.

관련 문제 ▶ 111쪽 07번, 112쪽 09번

핵심 짚어보기

롤스	노직	왈처
• 공정으로서의 정의 • 분배의 절차가 공정하면 그 결과도 공정함	• 소유 권리로서의 정의 • 개인의 소유권을 존중하는 것을 정의로 봄	• 복합 평등으로서의 정의 • 사회의 다양한 영역에서 다원성을 반영하는 다양한 분배 기준이 필요함

자료에서 핵심 찾아보기

자료 ❶ 모든 사람에게 경기에 참가할 기회를 주는 것은 좋은 일이다. 하지만 처음부터 출발선이 다르다면 그 경기는 공정하다고 보기 힘들다. 기회균등이 보장되는 자유 시장에서 소득과 부가 공정하게 분배된다고 생각할 수 없는 이유가 바로 거기에 있다. 이 불공정을 수정하는 방법 중 하나는 사회적·경제적 불평등을 바로잡는 일이다. 공정한 능력 위주의 사회라면 단지 형식적인 기회균등에만 기대지 않고 다른 조치들을 취하려는 노력을 해야 한다.
– 롤스, "정의론"

핵심 확인
롤스는 공정한 절차를 거쳐 합의된 평등한 자유의 원칙과 기회균등의 원칙, 차등의 원칙에 따를 때 정의가 실현될 수 있다고 보았다.

자료 ❷ 한 사람이 어떤 소유물을 취득하고 양도 또는 이전의 과정이 정당했다면 그가 그 소유물에 대한 소유 권리를 갖는 것은 정당하다. 이러한 소유 권리론의 관점에서 볼 때, 국가에 의한 모든 형태의 재분배는 실제 개인들의 권리를 침해하는 심각한 문제를 일으킬 수 있다. 내가 주장하는 최소 국가는 우리를 불가침의 개인들, 즉 우리를 존엄성을 가진 개인적 권리들의 소유자로 인격을 취급하는 국가이다.
– 노직, "아나키에서 유토피아로"

핵심 확인
노직은 생명권, 자유권, 재산권 등 개인의 권리를 절대적인 것으로 보고 개인의 소유 권리를 보호하는 최소 국가가 정당하다고 주장하였다.

자료 ❸ 정의의 원칙들은 그 자체가 복합적이다. 상이한 사회적 가치들은 상이한 근거들에 따라 상이한 절차에 맞게 상이한 주체에 의해 분배되어야 한다. 이러한 모든 차이는 사회적 가치들에 대해 서로 다른 주체들이 서로 다른 방식으로 이해하기 때문이다. 이러한 상이한 이해들은 역사적·문화적 특수성의 필연적 산물이다.
– 왈처, "정의와 다원적 평등"

핵심 확인
왈처는 다양한 영역을 형성하는 사회적 가치들이 각각 적합한 정의 원칙에 따라 분배되는 과정을 복합 평등으로서의 정의라고 주장하였다.

이것만은 꼭!

다음 주장이 롤스에 해당되면 '롤', 노직에 해당되면 '노', 왈처에 해당되면 '왈'이라고 쓰시오.

(1) 최소 국가 안에서만 소유 권리로서의 정의를 실현할 수 있다. (　　　)

(2) 공정한 분배를 위해서는 사회적·경제적 불평등을 조정해야 한다. (　　　)

(3) 원초적 입장이라는 공정한 절차를 통해 합의된 정의의 원칙을 도출해야 한다. (　　　)

(4) 다양한 영역의 가치가 다양한 기준에 의해 분배되어야 복합 평등으로서의 정의 실현이 가능하다. (　　　)

[정답] (1) 노 (2) 롤 (3) 롤 (4) 왈

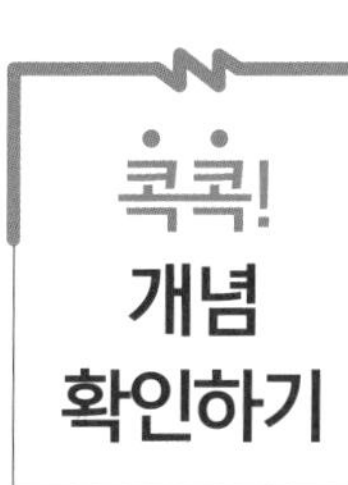

정답과 해설 34쪽

A 사회 윤리와 사회 정의

01 알맞은 말에 ○표를 하시오.

(1) (개인 윤리 , 사회 윤리)는 정의로운 사회 건설, 정책과 제도에 대한 개선에 관심을 갖는다.

(2) 니부어는 개인은 양심적이고 도덕적일지라도 집단은 (이기적 , 이타적)일 수 있다고 보았다.

(3) 니부어는 사회의 도덕성을 유지하려면 (정치적 강제력 , 도덕성 함양)을 병행해야 한다고 보았다.

B 분배적 정의의 윤리적 쟁점

02 분배적 정의에 관한 학자와 주장을 바르게 연결하시오.

(1) 롤스 • • ㉠ 원초적 입장에서 정의의 원칙 도출

(2) 노직 • • ㉡ 복합 평등으로서의 정의 실현 강조

(3) 왈처 • • ㉢ 소유 권리로서의 정의의 원칙 제시

03 다음 내용이 옳으면 ○표, 틀리면 ×표를 하시오.

(1) 롤스는 공정한 절차를 통해 합의된 것이라면 정의롭다고 보는 '공정으로서의 정의'를 주장하였다. (   )

(2) 노직은 개인의 권리를 보호하고 존중하는 것을 정의라고 보았으며, 국가에 의한 재분배는 자유 지상주의를 보완하는 것이라고 주장하였다. (   )

(3) 업적에 따른 분배는 과열 경쟁으로 인한 사회적 갈등을 일으키고, 사회적 약자에 대한 고려가 부족하다는 한계를 지닌다. (   )

C 교정적 정의의 윤리적 쟁점

04 알맞은 말에 ○표를 하시오.

(1) (응보주의 , 공리주의)의 입장에 의하면, 모든 인간은 이성적·자율적 존재이므로 자신의 행위에 대해 상응하는 처벌을 부과하는 것이 정의롭다.

(2) (응보주의 , 공리주의)의 입장에 의하면, 사회 전체의 이익을 고려하여 범죄가 재발하지 않는 결과를 산출하도록 처벌의 경중을 결정해야 한다.

05 사형에 관한 학자와 주장을 바르게 연결하시오.

(1) 루소 • • ㉠ 타인의 생명을 해친 자는 사형이 정당함

(2) 칸트 • • ㉡ 살인자가 된다는 것은 사형에 동의한 것임

(3) 베카리아 • • ㉢ 종신 노역형이 사형보다 효과가 높은 형벌임

탄탄! 내신 다지기

A 사회 윤리와 사회 정의

01 ㉠, ㉡에 대한 설명으로 옳은 것은?

> 현대 사회에 들어와 우리는 복잡한 사회 문제에 직면하게 되었다. 이러한 문제의 해결책과 관련하여 [㉠]의 관점에서는 개인의 도덕성을 강조하는 데 비해, [㉡]의 관점에서는 사회 구조나 제도의 개선을 강조한다.

① ㉠은 개인의 양심보다 집단에 의한 의사 결정을 중시한다.
② ㉠은 사회 구조의 개선 없이는 정의로운 사회를 이룰 수 없다고 본다.
③ ㉡은 사회적 도덕 문제를 해결한다는 것은 불가능한 일이라고 본다.
④ ㉡은 개인의 양심 발휘와 사회 구조의 개선을 병행해야 한다고 본다.
⑤ ㉠, ㉡은 외부의 강제력에 의한 갈등의 조정이 필요하다고 강조한다.

02 다음 사상가의 입장을 〈보기〉에서 고른 것은?

> 모든 인간 집단은 개인과 비교할 때 충동을 억제할 수 있는 이성과 자기 극복의 능력, 그리고 다른 사람들의 욕구를 수용할 수 있는 능력이 훨씬 결여되어 있다. 집단을 구성하는 개인들은 개인적 관계에서 보여 주는 것보다 훨씬 심한 이기주의를 집단에서 표출한다.

보기
ㄱ. 집단의 도덕성은 개인의 도덕성보다 현저히 떨어진다.
ㄴ. 이타심을 발휘해야 사회의 도덕 문제를 해결하기 쉽다.
ㄷ. 개인의 도덕성과 집단의 도덕성은 구분되어야 한다.
ㄹ. 개인의 도덕적 성찰만으로도 사회 정의를 실현할 수 있다.

① ㄱ, ㄴ　② ㄱ, ㄷ　③ ㄴ, ㄷ
④ ㄴ, ㄹ　⑤ ㄷ, ㄹ

03 ㉠에 들어갈 내용으로 적절하지 않은 것은?

> 니부어는 집단이 개인에 비해 이기심을 조절하고 억제하는 힘이 현저히 떨어진다는 점을 지적하였다. 그는 현대 사회의 구조와 제도에 내재된 부조리에 관심을 가지고 개인의 도덕성 함양과 더불어 사회 구조와 제도를 바로잡는 노력이 필요하다고 강조한다. 이러한 그의 주장에 의하면, [㉠]

① 개인 윤리와 사회 윤리를 구별할 필요가 있다.
② 집단 간 갈등 해결을 위해 강제력이 필요하다.
③ 집단 이기주의 문제는 대화로써 해결해야 한다.
④ 개인과 사회 집단의 도덕성이 회복되어야 한다.
⑤ 사회 집단의 최고 이상은 정의를 실현하는 것이다.

04 ㉠에 들어갈 말로 가장 적절한 것은?

> 인간은 본성상 정치적 동물이므로 혼자서는 살아갈 수 없고 공동체 안에서만 탁월성을 실현하며 살아갈 수 있다. 따라서 국가 공동체에 대한 개인의 공적에 따라 돈, 명예, 공직 등을 분배해야 한다. 즉, [㉠] 분배하는 것이 정의로운 것이다.

① 같은 것은 같게, 다른 것은 다르게
② 같은 것은 다르게, 다른 것은 같게
③ 사회적 약자에게 최대의 이익이 되게
④ 어느 누구에게나 절대적으로 평등하게
⑤ 부족한 것은 과하게, 과한 것은 부족하게

B 분배적 정의의 윤리적 쟁점

05 갑에 비해 을이 제시할 논거로 가장 적절한 것은?

현대 사회에서 업적이나 실적이 큰 사람에게 더 많은 보상을 주는 것은 정의로운 것이지. 예를 들어 영업 실적이 좋은 사원에게 더 많은 보수를 지급하는 것은 당연해.

현대 사회에는 재능과 능력이 다양한 사람들이 모여 살고 있어. 단지 업적이나 실적을 분배의 기준으로 삼는다면, 모든 사회 구성원이 행복한 삶을 살아갈 수 없어.

① 능력에 비례한 분배가 정의롭기 때문이다.
② 업적이나 실적이 객관적 기준이기 때문이다.
③ 시장의 자유 경쟁 질서를 침해하기 때문이다.
④ 항상 균등한 기회를 제공할 수 없기 때문이다.
⑤ 사회적 약자의 처지를 고려해야 하기 때문이다.

06 다음은 어느 사상가가 주장한 정의의 원칙이다. 각 원칙을 바르게 짝지은 것은?

> ㉠사회적·경제적 불평등은 모든 사람에게 이익이 되고, 특히 최소 수혜자에게 최대 이익을 보장하도록 조정되어야 하며, ㉡그 불평등의 계기가 되는 직위나 직책은 모든 사람에게 개방되어야 한다.

	㉠	㉡
①	차등의 원칙	기회균등의 원칙
②	차등의 원칙	양도 및 이전의 원칙
③	양도 및 이전의 원칙	차등의 원칙
④	평등한 자유의 원칙	차등의 원칙
⑤	평등한 자유의 원칙	기회균등의 원칙

07 갑, 을이 긍정의 대답을 할 질문으로 가장 적절한 것은?

> 갑: 기본적 가치를 분배하는 절차가 공정하다면 그러한 절차를 준수하여 이루어진 결과도 공정한 것으로 받아들여야 합니다.
> 을: 재화의 최초 취득, 그것의 양도 혹은 이전, 교정(矯正)의 과정이 정당하다면, 현재의 소유권이 정당하다고 인정해야 합니다.

① 모든 가치를 사회적 가치로 간주해야 하는가?
② 분배 정의의 원칙은 사회마다 다를 수 있는가?
③ 원초적 입장에서 정의 원칙에 합의해야 하는가?
④ 결과의 평등이 분배 정의 실현의 전제 조건인가?
⑤ 공정한 절차를 마련하여 정의를 실현해야 하는가?

08 다음을 주장한 사상가가 지지할 견해를 〈보기〉에서 고른 것은?

> • 최초로 어떤 것을 취득할 때 타인에게 부정이나 불법을 저지르지 않는 한 그 소유물에 대한 합법적 권한을 가진다.
> • 자신의 노동에 의한 결과를 포함하여 타인에 의해 정의롭게 이전된 것에 대해서도 정당한 소유권을 가진다.
> • 소유권의 취득과 양도 시 과오가 있거나 절차가 잘못되었을 경우 부정의에 대한 교정이 요구된다.

〈보기〉
ㄱ. 국가를 포함한 어느 누구도 개인의 소유권을 침해할 수 없다.
ㄴ. 개인을 보호하는 역할을 수행하는 최소 국가만이 정당하다.
ㄷ. 실질적 평등을 실현할 수 있는 정의의 원칙을 수립해야 한다.
ㄹ. 부자에게 더 많은 세금을 거두는 누진세 제도를 수용해야 한다.

① ㄱ, ㄴ ② ㄱ, ㄷ ③ ㄴ, ㄷ
④ ㄴ, ㄹ ⑤ ㄷ, ㄹ

09 다음을 주장한 사상가가 긍정의 대답을 할 질문으로 가장 적절한 것은?

> • 어떠한 사회적 가치 X도 X의 의미와는 상관없이 단지 누군가가 다른 가치 Y를 가지고 있다는 이유만으로 Y를 소유한 사람에게 분배되어서는 안 된다.
> • 상이한 사회적 가치들은 상이한 근거들에 따라 상이한 절차에 맞게 상이한 주체에 의해 분배되어야 한다.

① 지혜로운 자가 모든 가치를 독점해야 하는가?
② 모든 사람의 절대적 평등을 실현해야 하는가?
③ 분배 정의의 기준은 사회마다 다를 수 있는가?
④ 하나의 가치가 다른 가치들을 지배해야 하는가?
⑤ 다양한 가치 영역들 간의 경계를 무시해야 하는가?

10 갑과 달리 을이 제시할 수 있는 정당화 근거를 〈보기〉에서 고른 것은?

공정한 기회균등의 차원에서 사회적 소수자들에게 일정한 몫을 우선 보장하는 정책을 마련해야 합니다.
갑

그러한 정책은 책임의 소재를 불분명하게 만들 뿐이며, 또 다른 역차별과 부정의를 초래할 수 있습니다.
을

〈보기〉
ㄱ. 소수자를 차별할 경우 사회 갈등이 증폭될 수 있다.
ㄴ. 잘못이 없는 현세대에게 책임을 묻는 것은 부당하다.
ㄷ. 과거의 불평등과 차별을 교정하려는 노력은 정당하다.
ㄹ. 소수자를 우대하는 것은 개인의 노력을 무시할 수 있다.

① ㄱ, ㄴ　② ㄱ, ㄷ　③ ㄴ, ㄷ
④ ㄴ, ㄹ　⑤ ㄷ, ㄹ

11 갑, 을 사상가에 대한 설명으로 가장 적절한 것은?

> 갑: 사회의 이익을 위해 개인에게 희생을 강요하는 것은 정의롭지 못하다. 개인의 소유 권리를 최우선적으로 보장하는 것이 사회 정의이다.
> 을: 다양한 가치 영역에서 고유한 사회적 가치들은 각 영역에 적합한 기준에 따라 분배되어야 한다. 이것이 바로 복합 평등으로서의 정의이다.

① 갑은 재분배란 강제 노동과 다를 바 없다고 본다.
② 을은 돈이 모든 가치 영역을 지배해야 한다고 본다.
③ 갑은 을과 달리 모든 경제적 재화의 공유를 중시한다.
④ 을은 갑과 달리 가상 상황에서의 정의 원칙을 강조한다.
⑤ 갑, 을은 개인의 천부적 재능을 사회적 자산으로 본다.

C 교정적 정의의 윤리적 쟁점

12 다음 사상가의 입장으로 가장 적절한 것은?

> 모든 법률의 일반적 목적은 사회 전체의 행복을 증대시키는 동시에 해악을 제거하는 데 있다. 그리고 모든 형벌 그 자체는 해악이지만, 공리성의 원리에 따르면 더욱 큰 해악을 제거하는 한에 있어서는 그것도 용납될 수 있다.

① 형벌의 목적은 응분의 보복이 아니라 범죄의 예방에 있다.
② 형벌은 형평성의 원리에 따라 공적 정의를 실현하기 위한 것이다.
③ 형벌은 범죄를 저지른 행위 그 자체에 대한 보복이어야 한다.
④ 범죄자는 응분의 형벌을 의욕했기 때문에 처벌받아야 한다.
⑤ 범죄자의 행위 결과보다는 행위 동기에 따라 형벌을 정해야 한다.

정답과 해설 34쪽

13 다음 사상가의 입장에서 긍정의 대답을 할 질문만을 〈보기〉에서 있는 대로 고른 것은?

> 타인의 희생으로 자신의 생명을 보존하려고 하는 사람은 타인을 위해 필요하다면 마땅히 생명을 희생해야 한다. 범죄인에게 가해지는 사형도 이와 유사하다. 살인자가 사형을 받는 것에 동의하는 것은 자신이 살인자의 희생물이 되는 것을 피하기 위해서이다.

보기
ㄱ. 살인범의 인격 존중 차원에서 사형을 집행해야 하는가?
ㄴ. 사형은 살인범을 교화하는 데 실효성이 있는 형벌인가?
ㄷ. 사회 방위론의 관점에서 사형 제도를 시행해야 하는가?
ㄹ. 사형의 정당성은 구성원들의 동의에서 찾을 수 있는가?

① ㄱ, ㄷ ② ㄴ, ㄹ ③ ㄷ, ㄹ
④ ㄱ, ㄴ, ㄷ ⑤ ㄱ, ㄴ, ㄹ

14 다음 사상가의 입장으로 가장 적절한 것은?

> 사회 조직은 구성원 모두의 총의(總意)로 움직인다. 그러나 사회를 조직하는 사람들이 생명을 탈취할 권능까지 부여받은 것은 아니다. 사형은 하나의 권리가 아니고 또 권리일 수도 없다. 사형은 한 국민에 대하여 국가가 이 국민의 생명을 파멸시키는 선전포고이다.

① 형벌의 목적을 범죄 예방과 교화에 두어야 한다.
② 살인범에게는 생명을 박탈하는 형벌이 적절하다.
③ 종신형은 사형에 비해 지속성이 부족한 형벌이다.
④ 동등성의 원리에 입각하여 형벌을 부과해야 한다.
⑤ 사형은 살인범의 인격을 목적으로 대우하는 것이다.

15 갑, 을 사상가의 입장으로 가장 적절한 것은?

> 갑: 필요 이상의 잔혹한 형벌은 사회 계약의 본질과 상반된다. 자신의 노동으로 그가 사회에 끼친 손해를 속죄하는 모습을 오래 보게 하는 것이 사형보다 더 효과적인 억제책이다.
> 을: 살인범에게 법적으로 집행되는 사형 외에는 범죄와 보복의 동등성이란 없다. 시민 사회가 모든 구성원들의 동의로 해체될 때에도 감옥에 있는 마지막 살인자는 처형되어야 한다.

① 갑: 타인을 살해하는 것은 자신을 살해하는 것과 다름없다.
② 갑: 공적 정의의 실현을 위해 보편적 준칙을 채택해야 한다.
③ 을: 공공복리를 명분으로 잔혹한 형벌을 부과해서는 안 된다.
④ 을: 인격 존중의 원리에 따라 응분의 처벌이 이루어져야 한다.
⑤ 갑, 을: 인간 본성을 사회 전체에 이익이 되도록 활용해야 한다.

서술형 문제

16 다음과 같은 원초적 입장을 설정한 이유를 서술하시오.

> 원초적 입장에서 무지의 베일을 쓴 사람들은 개인의 자유를 평등하게 보장하고, 사회적 약자를 배려하는 정의의 두 원칙에 합의하게 될 것이다.

도전! 실력 올리기

01 다음 사상가의 관점에 해당하는 것에만 모두 'V'를 표시한 학생은?

> 이기적 충동심은 개별적으로 나타날 때보다 집단적으로 결합되어 나타날 때 더욱 생생하게, 그리고 더욱 누적되어 표출된다. 개인이 아무리 도덕적으로 살려고 해도 그가 살고 있는 사회의 도덕성이 바르지 않다면, 개인의 도덕적 삶을 위한 노력에는 한계가 있다. 사회의 전체 구조가 잘못되어 있는데 개인에게만 올바르게 살라고 요구할 수 있는가?

번호	관점 \ 학생	갑	을	병	정	무
(1)	사회 집단의 도덕성은 개인의 도덕성보다 현저히 떨어진다.	V	V		V	
(2)	사회 집단의 이기주의는 개인의 선한 의지로 해결할 수 있다.	V		V		V
(3)	사회 정의 실현을 위해 정치적·강제적 수단이 필요하다.		V		V	V
(4)	개인의 도덕성이 수반되지 않아도 사회 정의를 이룰 수 있다.			V	V	V

① 갑 ② 을 ③ 병 ④ 정 ⑤ 무

수능 유형

02 갑, 을, 병 사상가들의 옳은 입장만을 <보기>에서 있는 대로 고른 것은?

> 갑: 사회적 재화의 분배는 기하학적 비례에, 시민들 상호 간의 분쟁은 산술적 비례에 따라 이루어져야 한다.
> 을: 정의의 원칙은 합리적 당사자들이 원초적 입장에서 무지의 베일을 쓰고 공정한 기본 조건을 규정한 것이다.
> 병: 재화의 취득, 양도 또는 이전, 교정의 원리에 따라 취득한 소유물에 대한 권리가 보장되는 분배는 정의로운 것이다.

보기
ㄱ. 갑: 교정적 정의는 산술적 비례를 따라야 한다.
ㄴ. 을: 사회적·경제적 재화들을 차등 분배해야 한다.
ㄷ. 병: 재화 이전은 개인의 자유 선택에 의해서만 가능하다.
ㄹ. 을, 병: 유용성보다 기회균등의 원리를 중시해야 한다.

① ㄱ, ㄴ ② ㄱ, ㄷ ③ ㄷ, ㄹ ④ ㄱ, ㄴ, ㄹ ⑤ ㄴ, ㄷ, ㄹ

수능 기출

03 (가)의 사상가 갑, 을, 병의 입장을 (나) 그림으로 탐구할 때, A~D에 해당하는 적절한 질문만을 <보기>에서 있는 대로 고른 것은?

(가)
> 갑: 분배적 정의는 가령 사람 a와 b가 각각 물건 c와 d를 얻기 전과 후의 비율이 동등할 때 성립한다는 점에서 기하학적 비례를 추구하는 것이다.
> 을: 분배적 정의의 핵심 과제는 사회 체제의 선택이다. 사회 체제는 특수한 상황의 우연성을 처리하기 위해 순수 절차적 정의의 관념에 따라 기획되어야 한다.
> 병: 분배적 정의는 중립적인 개념이 아니다. 중립적인 개념은 '개인의 소유물'이다. 모든 개인이 자신의 소유물에 대해 소유 권리를 갖는 것이 정의이다.

(나)

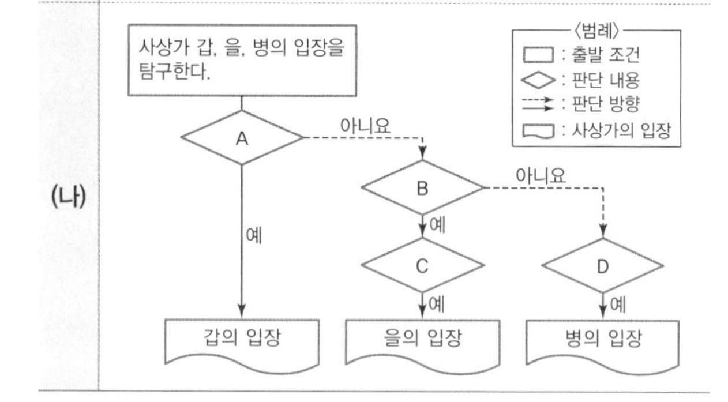

보기
ㄱ. A: 분배적 정의만이 비례를 추구하는 특수적 정의인가?
ㄴ. B: 경제적 불평등은 모두에게 이익이 되어야 정당한가?
ㄷ. C: 원초적 입장에서 개인은 모두의 이익에 관심을 갖는가?
ㄹ. D: 개인의 자연적 재능을 공동의 소유물로 여기는 것은 부당한가?

① ㄱ, ㄷ ② ㄴ, ㄹ ③ ㄷ, ㄹ ④ ㄱ, ㄴ, ㄷ ⑤ ㄱ, ㄴ, ㄹ

정답과 해설 37쪽

수능 유형

04 갑, 을 사상가 모두 긍정의 대답을 할 질문으로 가장 적절한 것은?

> 갑: 재능 분배와 사회 환경의 우연성이 부당하다는 이유로 제도를 강제하는 것은 문제가 있다. 자연의 분배 방식은 공정하지도, 불공정하지도 않다. 인간이 태어나면서 특정한 사회적 위치에 놓이는 것 역시 부당하지 않다. 공정성은 제도가 그러한 요소들을 다루는 방식에 달려 있다.
> 을: 우리의 정당한 소유 권리들을 존중하는 최소 국가는, 개인적으로 우리의 삶을 선택하고 우리의 목표와 스스로가 바라는 이상적 인간상을 실현할 수 있게 해 준다. 우리는 소유 권리를 실현하는 과정에서 우리와 동일한 존엄성을 지닌 다른 개인들의 자발적인 협동의 도움을 받는다.

① 근로 소득에 대한 과세는 강제 노동과 같은 것인가?
② 공정한 절차에 따른 행위의 결과는 정의로운 것인가?
③ 최소 수혜자에게 더 많은 기본권을 보장해야 하는가?
④ 자유를 배제한 가운데 정의 원칙을 도출해야 하는가?
⑤ 최대 다수의 최대 행복을 기준으로 분배해야 하는가?

05 갑, 을이 제시할 논거로 옳지 않은 것은?

> 갑: 과거의 차별에 대한 보상이 주어지지 않는다면 사회 정의를 실현할 수 없습니다. 동등한 기회를 보장하기 위해서는 소수자를 우대해야 합니다.
> 을: 과거의 차별에 대해 잘못이 없는 현세대에게 부담을 지게 하는 것은 부당합니다. 이것은 아무 잘못이 없는 사람에게 벌을 주는 것과 같습니다.

① 갑: 소수자 집단에게 더욱 유리한 조건을 제공해야 한다.
② 갑: 부당하게 대우받아 온 약자의 고통을 보상해야 한다.
③ 을: 스스로의 노력에 따라 정당하게 대우하는 것이 옳다.
④ 을: 과거 잘못에 대해 현세대에 책임을 물어서는 안 된다.
⑤ 갑, 을: 같은 것은 다르게, 다른 것은 같게 대우해야 한다.

06 갑은 부정, 을은 긍정의 대답을 할 질문만을 〈보기〉에서 있는 대로 고른 것은?

> 갑: 자기 인생을 노예 생활이나 비참함 속에서 보내야만 하는 형벌은 효과 있는 보복이 될 수 있지만, 사형이 처해지는 순간의 시간은 오히려 범죄자가 사형 전까지 주어진 두려움의 시간을 마음대로 향유해 버릴 수 있다.
> 을: 내가 누군가를 살해하게 될 때 처벌받겠다고 말하는 것은 나는 나 자신을 포함하여 다른 모든 사람과 함께 국민들 사이에서 누군가가 범죄를 저지르면 형벌을 받게 되는 법에 따르겠다는 것 이상을 말하고 있는 것이 아니다.

〈보기〉
ㄱ. 범죄를 예방할 수 있는 적절한 처벌이 내려져야 하는가?
ㄴ. 범죄를 저지른 사람은 그와 동등한 처벌을 받아야 하는가?
ㄷ. 사회 전체의 이익에 부합하는 행위인지를 고려해야 하는가?
ㄹ. 범죄 행위에 상응하는 보복을 정당한 것으로 여겨야 하는가?

① ㄱ, ㄷ ② ㄱ, ㄹ ③ ㄴ, ㄹ
④ ㄱ, ㄴ, ㄷ ⑤ ㄴ, ㄷ, ㄹ

수능 유형

07 갑, 을 모두 부정의 대답을 할 질문으로 가장 적절한 것은?

> 갑: 범죄자에 대한 처벌에서 중요한 것은 범죄자에게 고통만 주지 않고 다른 선한 목적에 도움이 되는지의 여부이다. 따라서 처벌은 범죄를 예방하는 효과가 있어야 정당화될 수 있다.
> 을: 처벌은 단지 범죄를 저질렀기 때문에 내리는 것이지 그 어떤 다른 이유, 범죄 예방이나 교화 때문에 내려서는 안 된다. 다른 사람에게 해를 끼친 사람은 그 역시 해를 받아야 마땅하다.

① 범죄자의 사악한 행위를 되갚는 처벌은 공정한가?
② 처벌은 범죄의 심각성에 비례하여 내려져야 하는가?
③ 처벌 체계는 범죄자의 사회 복귀에 기여해야 하는가?
④ 처벌로 인해 발생하는 악(惡)이 선(善)보다 커야 하는가?
⑤ 처벌은 공정한 사회 질서를 유지하기 위한 필요악인가?

03 국가와 시민의 윤리

핵심 질문으로 흐름잡기

A 국가의 정당한 권위와 시민에 대한 의무의 관계는?

B 시민 참여의 필요성과 시민 불복종의 정당화 조건은?

A 국가의 권위와 시민에 대한 의무

| 시·험·단·서 | 국가의 권위를 정당화하는 근거를 묻는 문제가 출제돼.

1. 국가와 시민

(1) 국가: 납세와 국방 등 시민의 의무를 기반으로 국가가 운영됨

(2) 시민: 국가로부터 생명과 재산을 보장받고 물질적 · 비물질적 혜택을 받음

(3) 국가와 시민의 관계: '시민 없는 국가'나 '국가 없는 시민'은 떠올릴 수 없음 (국가와 시민은 상호 의존적 관계야.)

2. 동서양에 나타난 국가의 역할

(1) 동양(국가를 하나의 거대한 가족으로 봐.) 사상에 나타난 국가의 역할

① **공자:** 군주가 덕을 쌓은 후 국가를 통치해야 함 자료 1

② **맹자:** 민본을 바탕으로 한 왕도 정치를 주장함

(2) 서양 사상에 나타난 국가의 역할❶

① **아리스토텔레스:** 좋은 인간의 삶은 국가 공동체의 밖에서는 이루어질 수 없다고 주장함

② **루소:** 국가는 자유 없이 유지될 수 없고, 자유는 덕 없이 유지될 수 없으며, 덕은 시민 없이 유지될 수 없다고 주장함

3. 국가 권위(시민들이 국가의 뜻에 따르게 하는 힘을 의미해.)의 정당성과 의무

(1) 국가 권위의 정당화 근거

① **동의론:** 시민이 국가에 복종하기로 동의했기에 국가에 마땅히 복종해야 함 → 국가에 복종해야 할 의무 성립

② **혜택론:** 국가가 제공하는 여러 가지 혜택 때문에 국가에 복종해야 함 자료 2

③ **사회 계약론:** 동의와 혜택의 관점 모두 포함 → 자연 상태에서 제대로 보장받지 못하는 생명과 자유, 재산을 보장받기 위해 계약을 통해 국가 수립을 합의함 자료 3

(2) 국가의 의무❷

① **소극적 의무:** 국가는 시민의 생명, 재산, 인권을 보호해야 함 → 소극적 국가

② **적극적 의무:** 국가는 국민의 인간다운 삶의 영위를 위해 사회 복지를 증진해야 함 → 적극적 국가

4. 시민의 권리와 의무

(1) 시민의 권리: 자유권, 평등권, 행복 추구권, 생존권(최소한의 인간다운 삶을 요구할 수 있는 권리야.) 등

(2) 시민의 의무: 국방, 납세, 교육, 근로의 의무, 국가의 뜻에 따르고 법을 준수할 의무 등

(3) 인권의 변화

1세대 인권	• 근대 시민 혁명 이후 등장, 자유권적 기본권 • 신체의 자유, 사상, 양심, 종교, 언론 · 집회 · 결사의 자유 등을 포함
2세대 인권	• 산업 혁명 이후 등장, 사회권적 기본권 • 사회 보장에 대한 권리, 일할 수 있는 권리(근로권) 등을 포함
3세대 인권	• 연대와 단결의 권리 • 20세기에 새롭게 제기된 사회적 소수자의 권리와 평화의 권리, 연대에 대한 권리 등을 포함
4세대 인권	• 정보 시대에 제기된 인권 개념 • 정보 접근권을 중심으로 한 소통의 자유와 관련된 권리 등이 논의됨

❶ **국가에 복종해야 하는 이유에 대한 학자들의 주장**
- 아리스토텔레스: 국가는 가장 높은 단계의 선을 추구하는 최상의 공동체로, 인간은 본질적으로 국가라는 정치 공동체 속에서 행복을 실현할 수 있음
- 로크: 시민이 국가의 구성원이 되겠다는 명시적 동의를 하지 않았을지라도 국가의 구성원으로서 영토를 소유하고 혜택을 향유하고 있다면 묵시적 동의가 이루어진 것으로 국가에 복종해야 할 의무가 발생함
- 흄: 국가로부터 얻는 이익과 혜택이 사라진다면 정치적 의무를 다할 필요가 없음

❷ **헌법에 규정된 국가의 의무**
- 제10조 국가는 개인이 가지는 불가침의 기본적 인권을 확인하고 이를 보장할 의무를 진다. (인권 보장)
- 제34조 제2항 국가는 사회 보장과 사회 복지의 증진에 노력할 의무를 진다. (사회 보장과 사회 복지 증진)
- 제34조 제6항 국가는 재해를 예방하고 그 위험으로부터 국민을 보호하기 위해 노력해야 한다. (생명과 재산 보호)

시험에 잘 나오는 자료

자료 1 공자의 대동 사회

큰 도(道)*가 행해지면 천하가 모두의 것이다. 현명하고 유능한 사람을 뽑아 나라를 다스리게 하며, 사람들은 자기 부모만 부모로 여기지 않으며, 자기 자식만 자식으로 여기지 않는다. 노인은 여생을 잘 마칠 수 있고, 장년에게는 일자리가 있으며, 어린아이는 잘 양육되고, 외롭고 홀로된 자나 병든 자는 모두 보살핌을 받는다. …(중략)… 이를 일러 대동(大同)이라 한다.

– "예기" –

자·료·분·석 제시문은 유교 사상의 이상 사회인 대동 사회에 관한 내용이다. 큰 도가 행해지면 전체 사회가 공정해져서 현명한 사람과 능력 있는 사람이 지도자로 뽑히게 되고, 자연스럽게 국가 권위의 정당성을 가진다고 본 것이다.

한·줄·핵·심 도덕과 지혜를 갖춘 통치자가 백성들의 도덕과 복지를 지향할 때 백성들의 지지를 얻을 수 있음을 보여 주고 있다.

자료 2 소크라테스의 국가론

내가 여기서 도망치려 한다면 사람들은 나라의 법률과 나라 전체를 파괴하려는 것이라고 말하겠지. 한번 내려진 판결을 따르지 않는다면 나라의 질서는 유지될 수 없을 것이라고 말이야. 또한 평생 동안 각종 혜택을 받으며 이 나라에서 살았던 것은 나라의 법 아래에서 살기로 약속했기 때문인데, 자신이 불리하다는 이유로 그 약속을 어기는 것은 옳지 않다고 사람들이 말하지 않겠는가?

– 플라톤, "크리톤"

자·료·분·석 소크라테스는 국가의 뜻에 따라야 하는 두 가지 근거를 제시하였는데, 하나는 법과 약속했기 때문이며, 다른 하나는 국가로부터 혜택을 받았기 때문이라고 주장하였다.

한·줄·핵·심 소크라테스는 국가가 시민들에게 혜택을 주고, 시민들이 평안한 삶을 살게 되면 국가의 정당성은 자연스럽게 발생한다고 보았다.

자료 3 홉스의 사회 계약론 관련 문제 ▶ 125쪽 05번

공통의 권력은 외적의 침입과 상호 간의 권리 침해를 방지하고, 또한 스스로 노동과 대지의 열매로 일용할 양식을 마련하여 쾌적한 생활을 보낼 수 있도록 하기 위해서이다. 이 권력을 확립하는 유일한 길은 모든 사람의 의지를 다수결로 하나의 의지로 결집하는 것, 즉 그들이 지닌 모든 권력과 힘을 '한 사람' 또는 '하나의 합의체'에 양도하는 것이다. 이것은 동의 또는 화합 이상의 것이며, 만인이 만인과 상호 신의(信義) 계약*을 체결함으로써 모든 인간이 단 하나의 동일 인격으로 결합되는 것이다.

– 홉스, "리바이어던"

자·료·분·석 홉스는 이기적 본성을 지닌 인간이 만인의 만인에 대한 전쟁 상태에서 벗어나 누구나 자연권을 보장받을 수 있는 평화 유지를 위해 국가와 시민들이 계약을 맺었다고 보았다.

한·줄·핵·심 홉스는 외적 침입과 상호 간 권리 침해 방지, 시민들의 생명권 보장 등 국가가 시민에게 져야 하는 의무가 있음을 강조하였다.

내용 이해를 돕는 팁

궁금해요

Q. 국가의 권위와 권력의 차이점은 무엇인가요?

A. 국가의 권위는 시민들이 자발적으로 정당성을 인정할 때 힘을 갖는다는 점에서 권력과는 다르다고 할 수 있지. 이에 비해 권력은 국가가 국민에 대해 가지고 있는 강제력을 말하지.

용어 더하기

* **큰 도(道)**
공자가 말하는 큰 도란 어진 사랑인 인(仁)의 도덕을 말한다. 공자는 인을 갖춘 사람이 곧 도덕적인 사람이며, 인이 행해지는 사회가 곧 도덕적인 사회라고 보았다.

* **상호 신의(信義) 계약(사회 계약)**
개인들 간의 계약으로 사회 계약론에서는 국가 성립과 국가 권위의 근거로 본다. 사회 계약론에 따르면 각 개인은 생명, 자유 및 재산에 관한 자연적 권리를 가지며, 이 권리를 확실히 보장받기 위해 사회 구성원들이 합의한 계약에 따라 국가가 성립된다.

B 민주 시민의 참여와 시민 불복종

| 시·험·단·서 | 시민 불복종에 대한 여러 사상가의 주장과 시민 불복종을 정당화할 수 있는 근거를 묻는 문제가 출제돼.

1. 민주 시민과 참여의 필요성

(1) 시민 참여

① 시민에 의한 정치를 추구하는 민주주의 사회에서는 시민의 정치 참여가 필수적인 요소임[3]

② 시민은 정치 참여를 통해 정책의 결정이나 집행 과정에 영향력을 행사할 수 있음

③ 국가의 권력 남용*을 견제하고, 공동체의 문제를 협력적으로 해결함으로써 민주주의의 실현에 기여함

④ 시민 참여의 범위는 합법적 행위뿐만 아니라 부정의한 법과 정책에 대한 저항까지 포함함

(2) 시민 참여의 필요성 자료 4

① 시민의 정체성과 공동체 의식을 함양하여 개인의 자아실현에 기여함

② 공적 담론의 장에 적극 참여하여 공정한 사회 제도를 수립할 수 있음

③ 시민의 정책 제안과 비판을 통해 정부의 좋은 정치를 기대할 수 있음

(3) 시민 참여의 방법: 투표, 주민 소환제*, 주민 발의제*, 주민 참여 예산제, 국민 참여 재판, 행정 소송 청구 등

— 주민이 직접 조례를 청구하는 주민 발의제는 지방 자치의 핵심인 주민 참여를 보장한다는 점에서 주민 소환제와 더불어 풀뿌리 민주주의를 대표한다고 할 수 있어.

(4) 바람직한 정치 참여 자세: 설득과 합의, 타인의 의견 경청, 열린 자세, 법과 절차의 존중 등

③ 민주주의에서 시민 참여의 의미
- 본래적 가치 실현: 참여를 통해 소외로부터 벗어나 사회적 정체성을 느낌
- 교육적 가치 실현: 참여 과정에서 새로운 가치 체계, 신념 등을 획득하여 성숙해지는 계기가 됨
- 도구적 가치 실현: 사회 구성원 스스로 이익을 보호하고 국민에 의한 민주주의를 심화하는 수단으로 기능함

2. 시민 불복종

(1) 시민 불복종의 의미: 부정의한 법이나 정책을 변화시키려고 의도적으로 법을 어기는 행위

→ 시민 불복종은 공정하지 못한 법이나 정책의 개선을 촉구하여 정의를 실현시킬 수 있음

(2) 대표 사상가[4]

— 미국 정부가 흑인 노예 제도를 허용한 것과 영토 확장을 목적으로 멕시코 전쟁을 일으킨 것에 대한 시민 불복종을 전개했어.

사상가	주장
소로*	• 개인의 양심을 시민 불복종의 정당성을 판단하는 근거로 삼음 • 법에 대한 존경심보다 정의에 대한 존경심이 중요하다고 봄 • 정부가 양심에 어긋나는 정책을 취하는 경우 현명한 소수자는 이에 불복종할 권리와 의무를 지닌다고 봄
롤스	• 사회적 다수의 정의관을 바탕으로 평등한 자유의 원칙이나 공정한 기회균등의 원칙에 어긋나는 법이나 정책에 저항할 수 있음 • 법에 대한 충실성의 한계 내에서 마지막 수단이 되어야 하고, 공개적이어야 하며, 성공에 대한 합당한 전망이 있어야 한다고 봄

④ 시민 불복종에 대한 또 다른 관점
- 드워킨: 헌법 정신에 비추어 의심스러운 법률이라면 저항할 권리를 지닌다고 봄
- 싱어: 시민 불복종으로 얻을 이익과 손해, 불복종 행위의 성공 가능성 등 여러 가지 측면을 공리주의적 계산을 고려하여 그 행위를 정당화함

(3) 시민 불복종의 정당화 조건 자료 5

① **행위 목적의 정당성(공익성):** 개인에게 불리한 법률이나 정책이 아니라 사회 구성원 전체의 공익과 관련하여 사회 정의를 훼손한 법이나 정책에 항의하는 것이어야 함

② **공개성:** 시민 불복종의 정당성을 알리기 위해 공개적으로 이루어져야 함

③ **비폭력적 방법:** 폭력적인 행동을 선동하는 행위는 정당화될 수 없으며, 비폭력적이고 평화적인 방법으로 수행되어야 함

④ **최후의 수단:** 다른 합법적인 수단을 시도한 후 효과가 없을 때 마지막 수단으로 사용해야 함

⑤ **처벌의 감수:** 법을 존중하고 정당한 법체계를 세우기 위해 위법 행위에 대한 처벌을 받아들여야 함

(4) 시민 불복종의 한계

① 시민 불복종이 지나치면 국가나 사회의 존재를 위협할 수 있음

② 시민 불복종은 실정법의 권위 약화, 집단 이기주의 등을 초래할 수 있음

시험에 잘 나오는 자료

자료 4 정치 참여의 중요성

처음에 그들은 유대인을 잡아갔습니다.
그러나 나는 침묵하였습니다.
나는 유대인이 아니었기 때문입니다.

그 다음에 그들은 공산주의자들을 잡아갔습니다.
그러나 나는 침묵하였습니다.
나는 공산주의자가 아니였기 때문입니다.

…(중략)…

그러던 어느 날 내 친구들이 잡혀갔습니다.
그러나 그때도 나는 침묵했습니다.
나는 내 가족들이 더 소중했기 때문입니다.

그러던 어느 날 그들은 나를 잡으러 왔습니다.
하지만 내 주위에는 아무도 남아 있지 않았습니다.

자·료·분·석 위의 시는 나치가 특정 집단을 차례로 없앨 때 저항하지 않고 침묵한 독일인들에 대해 이야기하고 있다. 자신의 이익과 직접적인 관계가 없는 것에서 시작된 무관심이 점점 커져 모든 사람의 무관심이 사회에 만연하게 되고, 나치라는 독재 정권이 자신들의 마음대로 권력을 휘둘러도 저항하지 않게 된 것이다. 시민들이 정치 참여를 통해 정부의 결정을 감시한다면 이러한 정부의 자의적인 정책 결정과 집행을 막을 수 있다.

한·줄·핵·심 시민의 참여는 민주주의의 필수 요소이며, 참여를 통해 국가 권력 남용을 견제하고 공동체의 문제를 협력적으로 해결함으로써 민주주의 실현에 기여할 수 있다.

자료 5 시민 불복종의 사례

- 1930년대 영국 정부는, 인도는 소금을 반드시 영국으로부터 수입해야 하고 소금에 50%의 높은 세금을 부과한다는 내용을 담은 소금법을 시행하였다. 그 결과 인도의 가난한 농민은 소금을 사 먹지 못하는 상황이 벌어졌다. 간디는 영국 정부에 소금법을 폐지하라고 요구하였다. 이 요구가 받아들여지지 않자 간디는 소금법에 대한 항의의 표시로 그의 제자 및 지지자와 함께 직접 소금을 만들기 위한 행진을 하였다. 3주에 걸친 행진 끝에 동쪽 해안에 도착한 간디와 그 일행은 바닷물로 소금을 만들기 시작했다. 이에 경찰은 곤봉을 휘두르며 소금법을 어긴 이들을 진압했으나 그들은 소금 만드는 것을 멈추지 않았고 결국 체포되어 투옥되었다. – 박현주, "행동하는 양심"
- 표면상으로는 정당하지만 실제 적용에서는 부당한 법도 있습니다. 저는 허가받지 않은 시위 행진에 참석한 혐의로 체포된 적도 있습니다. 시위 행진을 허가 사항으로 규정한 법 자체는 부당하지 않습니다. 하지만 만일 이 법이 흑백 차별을 유지하고 미국 연방 헌법 수정 조항 제1조의 평화적인 집회와 항의할 권리를 제한하기 위하여 이용된다면 그것은 부당한 것입니다. …(중략)… 부당한 법을 위반한 사람은 솔직하고 겸허한 태도를 가져야 하며 어떤 벌도 달갑게 받아들여야 합니다. – 마틴 루서 킹, "왜 우리는 기다릴 수 없는가"

자·료·분·석 간디는 영국의 부당한 법률을 거부하고 인도 국민의 공익을 증진할 목적으로, 마틴 루서 킹은 부당한 흑백 차별에 저항하기 위한 목적으로 시민 불복종을 한 것이다. 이처럼 시민 불복종은 행위의 목적이 정당해야 한다.

한·줄·핵·심 시민 불복종은 공익을 목적으로 하는 양심적 행동이어야 하고, 비폭력적이고 평화적인 방법으로 수행해야 한다.

내용 이해를 돕는 팁

궁금해요

Q. 중우 정치란 무엇인가요?
A. 어리석은 대중들의 정치라는 뜻으로, 다수결의 원리가 다수의 의사에 기반한 결정이기 때문에 선동가와 군중 심리에 의해 다수가 현명하지 못한 판단을 내리는 경우, 중우 정치가 될 수 있지. 그렇기 때문에 이를 방지하기 위한 방법으로 충분한 토론과 상호 설득의 과정을 거친 다수결과 소수 의견의 존중, 표현의 자유 등을 통해 대중의 합리적이지 못한 결정을 견제할 필요가 있어.

용어 더하기

* **남용** 권리나 권한 등을 본래의 목적이나 범위를 벗어나 함부로 행사하는 것을 말한다.
* **주민 소환제** 지방 자치 단체장, 지방 의원 등 선거직 공무원에게 문제가 있을 때 임기 중 주민 투표를 통해서 해직시킬 수 있는 제도이다.
* **주민 발의제** 지역 주민의 생활에 가장 밀접한 관련이 있는 법률인 조례 제정을 주민이 직접 추진하는 제도이다.
* **소로(Thoreau, H.)** 미국의 사상가, 수필가. 순수한 자연생활을 예찬하였으며, 시민의 자유를 열렬히 옹호하였다. 시민 불복종이라는 용어는 소로의 논문에서 도입되었다.

시민 불복종을 정당화할 수 있는 근거는 무엇인가?

개념풀 Guide 소로와 롤스의 시민 불복종에 대한 입장을 비교해 보자.

관련 문제 ▶ 125쪽 07번

핵심 짚어보기

대표 사상가	소로	롤스
주장	• 개인의 양심에 근거한 시민 불복종 정당화 • 법에 대한 존경심보다 정의에 대한 존경심이 중요함	• 사회적 다수의 정의관에 근거한 시민 불복종 정당화 • 평등한 자유의 원칙이나 공정한 기회균등의 원칙에 어긋나는 법이나 정책에 저항할 수 있음
공통점	불의한 법과 제도에 대한 시민 불복종을 정당화	

자료에서 핵심 찾아보기

자료 ❶ 우리는 먼저 인간이어야 하고, 그 다음에 국민이어야 한다. 법에 대한 존경심보다는 먼저 정의에 대한 존경심을 기르는 것이 바람직하다. 내가 떠맡을 권리가 있는 나의 유일한 책무는 어떤 때이고 간에 내가 옳다고 생각하는 일을 행하는 것이다. 집단에는 양심이 없다는 말이 있는데 그것은 참으로 옳은 말이다. 그러나 양심적인 사람들이 모인 집단은 양심적인 집단이다. 법이 사람들을 조금이라도 더 정의로운 인간으로 만든 적은 없다. 오히려 법에 대한 존경심 때문에 선량한 사람들조차도 매일매일 불의의 하수인이 되고 있다.

– 소로, "시민 불복종"

핵심 확인
소로는 '국가가 불의한 일을 시민에게 강요해서는 안 되며, 시민은 그러한 국가의 강요를 거부할 수 있는 권리를 가진다.'라는 시민 불복종 사상을 펼쳤다.

자료 ❷ 현존 체제를 받아들여야 할 우리의 의무와 책무를 때로는 어길 수 있다는 것이 분명하다. 그러한 요구 사항들은 정당성의 원칙에 따르는데, 이 원칙에 따르면 모든 것을 고려해서 어떤 상황에서는 불복종도 정당화될 수 있다는 것이다. 불복종의 정당화 여부는 법과 제도가 부정의한 정도에 달려 있다. …(중략)… 시민 불복종의 근거가 오직 개인이나 집단의 이익에만 기초할 수 없다는 것은 말할 필요도 없다. 그 대신 우리는 정치적인 질서의 바탕에 깔린, 공유하고 있는 정의관에 따르게 된다. …(중략)… 이러한 정의관의 기본 원칙을 오래도록 끈질기고 의도적으로 위반하는 것, 특히 기본적인 평등한 자유의 침해는 굴종이 아니면 반항을 일으키게 된다.

– 롤스, "정의론"

핵심 확인
롤스는 시민 불복종을 정의에 관한 중대하고 명백한 침해에 국한되어 인정해야 한다고 하였다. 즉 롤스는 정의의 제1의 원칙인 '평등한 자유의 원칙'을 침해할 때 시민 불복종이 일어날 수 있다고 보았다.

이것만은 꼭!

다음 설명이 소로의 주장에 해당되면 '소', 롤스의 주장에 해당되면 '롤'이라고 쓰시오.

(1) 개인의 양심을 시민 불복종의 정당성을 판단하는 근거로 삼아야 한다. (　　　)
(2) 시민 불복종의 근거가 오직 개인이나 집단의 이익에만 기초할 수 없다. (　　　)
(3) 법에 대한 존경심보다는 정의에 대한 존경심을 기르는 것이 바람직하다. (　　　)
(4) 다수 시민들이 공유하는 정의관에 따라 시민 불복종을 정당화할 수 있다. (　　　)
(5) 평등한 자유의 원칙이 침해될 경우 시민 불복종이라는 반항이 일어날 수 있다. (　　　)

[정답] (1) 소 (2) 롤 (3) 소 (4) 롤 (5) 롤

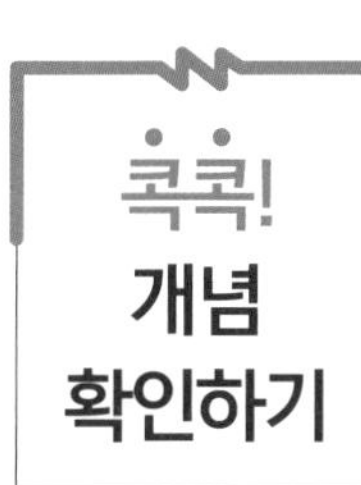

정답과 해설 38쪽

A 국가의 권위와 시민에 대한 의무

01 동서양 사상가의 국가에 대한 관점을 바르게 연결하시오.

(1) 맹자 •　　　　　• ㉠ 국가는 자유 없이 유지될 수 없음

(2) 루소 •　　　　　• ㉡ 좋은 삶은 국가 공동체에서 이루어짐

(3) 아리스토텔레스 •　　　　　• ㉢ 민본을 바탕으로 한 왕도 정치를 주장함

02 알맞은 설명에 ○표를 하시오.

(1) 국가의 (권력 , 권위)은/는 시민들이 자발적으로 국가의 뜻에 따르게 하는 힘을 의미한다.

(2) 소크라테스는 시민이 국가의 뜻에 따라야 하는 두 가지 근거로 '법과의 약속'과 '국가로부터의 (감시 , 혜택)'을 주장하였다.

(3) (동의론 , 혜택론)에 의하면 국가로부터 얻는 이익과 혜택이 사라진다면 정치적 의무를 다할 필요가 없다.

03 인권의 발달 과정과 그 내용을 바르게 연결하시오.

(1) 1세대 인권 •　　　　　• ㉠ 정보 접근권과 관련된 권리

(2) 2세대 인권 •　　　　　• ㉡ 자유권적 기본권

(3) 3세대 인권 •　　　　　• ㉢ 연대와 단결의 권리

(4) 4세대 인권 •　　　　　• ㉣ 사회 보장에 대한 권리

B 민주 시민의 참여와 시민 불복종

04 다음 내용이 옳으면 ○표, 틀리면 ×표를 하시오.

(1) 시민의 정치 참여는 국가의 권력 남용을 견제하고 공동체의 문제를 협력적으로 해결함으로써 민주주의 실현에 기여한다. (　　　)

(2) 합법적인 행위에 의한 시민의 참여는 인정되지만, 법과 정책에 대한 저항은 시민의 참여 범위에 포함되지 않는다. (　　　)

(3) 시민이 참여하는 공적 담론의 장을 확대할 경우 사회 혼란이 초래되어 공정하고 정의로운 사회를 기대하기 어렵다. (　　　)

05 시민 불복종의 정당화 조건을 〈보기〉에서 골라 쓰시오.

보기
ㄱ. 공개성　　ㄴ. 공공성　　ㄷ. 최후의 수단　　ㄹ. 비폭력적 방법

(1) 공익을 목적으로 하는 양심적인 행동이어야 한다. (　　　)

(2) 합법적 방법이 효과가 없을 때 마지막 수단으로 사용해야 한다. (　　　)

(3) 불복종의 정당성을 알리기 위해 널리 알려져야 한다. (　　　)

탄탄! 내신 다지기

A 국가의 권위와 시민에 대한 의무

01 다음 입장에서 추론할 수 있는 국가와 시민의 관계로 가장 적절한 것은?

시민은 국가로부터 생명과 재산을 보장받고 다양한 물질적·비물질적 혜택을 받으며 살아갑니다. 동시에 국가는 납세나 국방 등 시민의 의무를 기반으로 운영됩니다. '시민 없는 국가'나 '국가 없는 시민'을 떠올린다는 것은 불가능합니다.

① 국가의 존재는 시민의 희생을 전제로 한다.
② 국가와 시민은 상호 의존적인 관계에 있다.
③ 국가에 대한 의무는 시민의 권리를 침해한다.
④ 시민은 국가의 지배로부터 자유로운 존재이다.
⑤ 국가는 시민에 대해 주권을 행사하는 주체이다.

02 다음 글의 글쓴이가 지지할 견해로 가장 적절한 것은?

> 인간은 국가라는 공동체 속에서 살아가고자 하는 정치적 본성을 갖고 있습니다. 따라서 그 공동체 속에서 타인들과 어우러질 때 행복해지려는 인간의 본성이 실현될 수 있습니다. 공동체의 최소 단위인 가정이 확대되면서 마을과 국가와 같이 더 큰 규모의 공동체가 구성되며, 공동체의 구성원들은 정의라는 질서의 원리하에서 서로 관계를 맺으며 살게 됩니다.

① 개인은 국가 안에서만 행복을 누릴 수 있다.
② 국가는 개인들로 구성된 집합체에 불과하다.
③ 개인과 국가는 상호 갈등 관계를 맺고 있다.
④ 인간이 형성하는 최고의 공동체는 가정이다.
⑤ 개인이 없이는 가정, 국가가 존재할 수 없다.

03 밑줄 친 ㉠, ㉡의 입장으로 가장 적절한 것은?

> 산업 혁명 이후 국가의 역할을 국방과 외교, 치안과 질서 유지에 국한시키고, 국가의 간섭이나 개입을 최소화해야 한다는 ㉠소극적 국가관이 나타났다. 한편 20세기 이후 서구에서는 국가의 능동적인 역할을 강조하는 ㉡적극적 국가관이 등장하여 소극적 국가가 가진 한계를 극복하고자 하였다.

① ㉠: 국가는 의료 복지 서비스를 제공해야 한다.
② ㉠: 국가는 개인의 자유를 최대한 보장해야 한다.
③ ㉡: 국가는 시장에 대한 개입을 최소화해야 한다.
④ ㉡: 국가는 치안 유지와 같은 기본적 역할만 해야 한다.
⑤ ㉠, ㉡: 국가는 시민의 인간다운 삶을 보장하기 위한 복지를 강화해야 한다.

04 밑줄 친 ㉠, ㉡, ㉢의 예를 바르게 짝지은 것은?

> 인권 사상은 역사적 발전 과정을 거쳐 왔다. ㉠제1세대 인권은 국가의 부당한 간섭과 침해로부터 자유로운 독립적 개인을 강조하였고, ㉡제2세대 인권은 사회적·경제적 불평등 문제 해결을 위해 인권에 대한 국가의 관여를 요구하였으며, ㉢제3세대 인권은 연대와 단결의 권리로 20세기에 들어와 새롭게 제기된 지구촌 문제 해결에 관심을 갖는다.

	㉠	㉡	㉢
①	자유권	복지권	연대권
②	자유권	평화권	복지권
③	복지권	연대권	자유권
④	복지권	자유권	평화권
⑤	연대권	자유권	복지권

B 민주 시민의 참여와 시민 불복종

05 다음과 같은 시민의 활동이 지니는 의의를 〈보기〉에서 고른 것은?

> • 공청회나 정책 토론회 등과 같은 공적 담론의 장에 적극적으로 참여하여 공동체의 문제를 함께 해결한다.
> • 시민 단체나 민원 도우미 활동에 참여하여 국민 감시 활동, 행정 소송 청구 등을 통하여 적극적으로 정부의 정책을 제안하고 비판한다.

〈보기〉
ㄱ. 개인이 추구하는 이익을 공공 정책에 반영할 수 있다.
ㄴ. 정책의 심의, 결정, 집행 과정에 영향력을 행사할 수 있다.
ㄷ. 자신과 같은 의견을 가진 사람끼리 연대 의식을 강화할 수 있다.
ㄹ. 한 사회의 구성원으로서 공정한 사회 제도 수립에 기여할 수 있다.

① ㄱ, ㄴ ② ㄱ, ㄷ ③ ㄴ, ㄷ
④ ㄴ, ㄹ ⑤ ㄷ, ㄹ

06 다음 사상가의 입장에서 긍정의 대답을 할 질문만을 〈보기〉에서 있는 대로 고른 것은?

> 우리는 먼저 인간이어야 하고, 그 다음에 국민이어야 한다. 법에 대한 존경심보다는 먼저 정의에 대한 존경심을 기르는 것이 바람직하다. 내가 떠맡을 권리가 있는 나의 유일한 책무는 어떤 때이고 간에 내가 옳다고 생각하는 일을 행하는 것이다. 법에 대한 존경심 때문에 선량한 사람들조차도 매일매일 불의의 하수인이 되고 있다.

〈보기〉
ㄱ. 다수결의 원칙에 따라 시민 불복종을 전개해야 하는가?
ㄴ. 양심을 바탕으로 부정의한 법과 제도를 어겨야 하는가?
ㄷ. 법에 대한 존경심보다 정의에 대한 존경심을 중시해야 하는가?
ㄹ. 합법적 청원이 무시될 때 최종적으로 불복종을 전개해야 하는가?

① ㄱ, ㄴ ② ㄱ, ㄹ ③ ㄴ, ㄷ
④ ㄱ, ㄷ, ㄹ ⑤ ㄴ, ㄷ, ㄹ

07 다음 사상가의 관점에 해당하는 것에만 모두 'V'를 표시한 학생은?

> 우리는 시민 불복종 행위를 통해서 공동 사회의 다수자가 갖는 정의감을 나타내게 된다. 또한 우리는 이러한 행위를 통해 자유롭고 평등한 사람들 사이에서 사회 협동체 원칙이 존중되지 않고 있음을 선언하게 된다. 이와 같은 시민 불복종은 헌법과 사회 제도 일반을 규제하는 정의의 원칙에 지도되고 정당화되는 정치적 행위이다.

번호	관점 \ 학생	갑	을	병	정	무
(1)	시민 불복종에서 폭력은 최후의 수단으로 사용될 수 있다.	V	V		V	
(2)	시민 불복종은 다수의 정의관을 바탕으로 한 위법 행위이다.	V		V		V
(3)	시민 불복종은 정의로운 사회를 실현하기 위한 시민운동이다.		V		V	V
(4)	시민 불복종은 법에 대한 충실성을 지켜야 정당화될 수 있다.			V	V	V

① 갑 ② 을 ③ 병 ④ 정 ⑤ 무

서술형 문제

08 ㉠에 들어갈 내용을 두 가지 이상 서술하시오.

> 시민 불복종은 정의롭지 못하거나 정부 정책을 변혁하려는 목적으로 행해진다. 이를 통해 국가 구성원은 자신의 양심에 따라 더 정의롭다고 생각되는 방향으로 국가의 변화를 요구할 수 있다. 시민 불복종이 정당화되기 위해서는 [㉠]라는 조건이 필요하다.

도전! 실력 올리기

01 갑, 을 사상가의 입장에 대한 설명으로 옳은 것은?

> 갑: 국가는 다수의 다양한 사람들로 구성되며 인간은 본성적으로 정치적·사회적 존재이다. 개인의 최고의 삶은 국가 안에서 가능하다.
> 을: 훌륭한 임금은 백성의 생업을 정함에 있어 반드시 위로는 부모를 섬길 수 있게 하고, 아래로는 처자식을 부양할 수 있게 해야 한다. 그러한 뒤 백성을 인도하여 선(善)에 이르도록 한다면 백성은 이를 따를 것이다.

① 갑은 시민의 동의에 의해 국가가 권위를 갖는다고 본다.
② 갑은 국가에 대한 공동체 의식보다 시민의 자유 의지를 중시한다.
③ 을은 백성을 근본으로 하는 왕도 정치가 바람직하다고 본다.
④ 을은 구성원을 지배하는 통치자의 권력에 절대성을 부여한다.
⑤ 갑, 을은 국가 구성원들의 지지 없이도 국가가 존재할 수 있다고 본다.

02 다음 사상가의 입장만을 〈보기〉에서 있는 대로 고른 것은?

> 정의를 실행하기 위해 형성되는 정부는 하나의 관례에 준해서 성립된다. 그러한 관례는 어떠한 약속 또는 합의의 성격을 띠는 것이 아니라, 사회 구성원들에 의해 상호 인지된 도덕 감정이다. 이것은 어떤 행위 규칙으로 각각의 행위를 규제하는 속성을 지니는 한편, 사회 구성원 사이에서 일반적으로 느끼는 공동 이익의 관습적 산물이다.

〈보기〉
ㄱ. 국가 권위에 복종해야 하는 근거는 국가가 제공하는 혜택에 있다.
ㄴ. 시민의 동의의 결과인 법에 따라 국가의 권위를 정당화할 수 있다.
ㄷ. 국민은 국가로부터 외적 침입 방지, 생명과 안전 보호 등의 이익을 얻을 수 있다.
ㄹ. 최대 다수의 최대 행복을 실현하기 위해 국가의 권위로부터 자유로워야 한다.

① ㄱ, ㄴ ② ㄱ, ㄷ ③ ㄴ, ㄹ
④ ㄱ, ㄷ, ㄹ ⑤ ㄴ, ㄷ, ㄹ

수능 유형

03 갑, 을, 병 사상가의 입장으로 옳지 않은 것은?

> 갑: 국가는 자연의 산물이며, 인간은 본성적으로 최고 단계의 공동체인 국가 공동체를 구성하는 동물이다.
> 을: 국가는 공동체 구성원들의 동의에 의해 구성되며, 동의에 참여한 시민들에게는 정치적 의무가 발생한다.
> 병: 국가는 국민에게 편리와 혜택을 제공하며, 국민은 국가 권위를 인정하고 정치적 의무를 수행해야 한다.

① 갑은 인간은 국가 내에서 비로소 최선의 삶을 살아갈 수 있다고 본다.
② 을은 자유로운 개인은 국가에 대한 의무를 자발적으로 선택한다고 본다.
③ 병은 국민에게 혜택을 주지 못하는 정부는 존속이 불가능하다고 주장한다.
④ 갑과 달리 을, 병은 정치적 의무를 이행해야 하는 근거를 사회적 계약이라고 주장한다.
⑤ 갑, 을, 병은 공동체의 존속을 위해 정치적 의무의 이행이 필요하다고 주장한다.

04 다음 사상가가 지지할 견해만을 〈보기〉에서 있는 대로 고른 것은?

> 사람들은 사회에 들어갈 때 그들이 자연 상태에서 가졌던 평등, 자유 및 집행권을 사회가 요구하는 바에 따라 입법부가 처리할 수 있도록 사회의 수중에 양도한다. 그러나 그것은 오직 모든 사람이 그 자신, 그의 자유 및 재산을 더욱 잘 보존하려는 의도에서 행하는 것이다.

〈보기〉
ㄱ. 시민은 계약에 따라 자연권의 일부를 국가에 양도한다.
ㄴ. 시민은 국가 권위의 절대성을 인정해야 할 의무를 지닌다.
ㄷ. 국가는 자발적인 계약과 동의로써 만들어진 인위적 산물이다.
ㄹ. 국가의 권위에 복종해야 하는 것은 시민의 자연적 의무에 해당한다.

① ㄱ, ㄴ ② ㄱ, ㄷ ③ ㄴ, ㄹ
④ ㄱ, ㄷ, ㄹ ⑤ ㄴ, ㄷ, ㄹ

수능 유형

05 다음 사상가가 긍정의 대답을 할 질문만을 〈보기〉에서 있는 대로 고른 것은?

> 공통의 권력은 외적의 침입과 상호 간의 권리 침해를 방지하고, …(중략)… 이 권력을 확립하는 유일한 길은 모든 사람의 의지를 다수결로 하나의 의지로 결집하는 것, 즉 그들이 지닌 모든 권력과 힘을 '한 사람' 또는 '하나의 합의체'에 양도하는 것이다. 이것은 동의 또는 화합 이상의 것이며, 만인이 만인과 상호 신의(信義) 계약을 체결함으로써 모든 인간이 단 하나의 동일 인격으로 결합되는 것이다.

〈보기〉
ㄱ. 국가의 중요한 의무는 생명권을 보장하는 것인가?
ㄴ. 자연권 보장을 위해 자연 상태를 유지해야 하는가?
ㄷ. 구성원들의 합의에 의해 군주정을 실시해야 하는가?
ㄹ. 국가에서는 만인의 투쟁 상태에서 벗어날 수 있는가?

① ㄱ, ㄴ ② ㄱ, ㄹ ③ ㄴ, ㄷ
④ ㄱ, ㄷ, ㄹ ⑤ ㄴ, ㄷ, ㄹ

수능 기출

06 갑, 을 중 적어도 한 사람이 부정의 대답을 할 질문만을 〈보기〉에서 있는 대로 고른 것은?

> 갑: 인권은 개인이 국가나 타인으로부터 간섭이나 침해를 받지 않을 권리와 정치에 참여할 평등한 기회를 가질 권리로 국한되어야 한다. 국가가 사회적·경제적 평등을 실현하기 위해 개인의 자유와 권리를 침해하는 것은 부당하다.
> 을: 인권은 인간이 최소한의 인간다운 삶을 누리며 살 권리이다. 인권을 소극적 권리로 한정해서는 사회적 약자들의 인간다운 삶을 보장할 수 없다. 국가는 구성원 모두의 인권 보장을 위해 사회적·경제적 평등을 실현해야 한다.

〈보기〉
ㄱ. 인권은 자유권과 참정권으로 국한되어야 하는가?
ㄴ. 인권은 인간으로서 마땅히 누려야 할 권리인가?
ㄷ. 인권은 자유권과 함께 복지권을 포함하는 권리인가?
ㄹ. 인권은 사회적·경제적 평등의 실현을 통해 보장되어야 하는가?

① ㄱ, ㄴ ② ㄱ, ㄹ ③ ㄴ, ㄷ
④ ㄱ, ㄷ, ㄹ ⑤ ㄴ, ㄷ, ㄹ

07 갑, 을의 입장으로 가장 적절한 것은?

> 갑: 법에 대한 존경심보다 먼저 정의에 대한 존경심을 기르는 것이 바람직하다. 내가 떠맡을 권리가 있는 유일한 책무는 내가 옳다고 생각하는 일을 행하는 것이다.
> 을: 정의로운 정부의 합법성을 인정하는 시민들에게서만 시민 불복종은 생겨난다. 시민 불복종의 근거는 개인이나 집단의 이익이 아닌 다수가 공유하는 정의관에 근거해야 한다.

① 갑: 시민 불복종의 근거는 개인의 양심에서 찾을 수 있다.
② 갑: 시민 불복종은 평등을 실현하기 위한 위법 행위이다.
③ 을: 시민 불복종 과정에서 최종적으로 폭력을 사용할 수 있다.
④ 을: 시민 불복종의 근거는 개인의 정치적·종교적 신념에서 찾을 수 있다.
⑤ 갑, 을: 시민 불복종은 비공개적으로 의사를 표현해야 정당화될 수 있다.

수능 유형

08 다음 서양 사상가가 부정의 대답을 할 질문으로 가장 적절한 것은?

> 거의 정의롭지만 정의에 대한 심각한 위반이 발생하기도 하는 사회에서 시민 불복종이 성립한다. 시민 불복종은 신중하고 양심적인 정치적 신념의 표현인 청원의 한 형태이므로 공개 석상에서 이루어지며, 어떤 개인적 도덕 원칙이나 종교적 교설이 아닌 공유된 정의관에 의거해야 한다.

① 시민 불복종의 주체는 체제의 합법성을 인정하는 시민인가?
② 시민 불복종의 의도는 동료 시민들에게 공표되어야 하는가?
③ 시민 불복종은 공동체의 정의감에 호소하는 정치 행위인가?
④ 시민 불복종의 목적에서 정부 정책의 개혁은 제외되어야 하는가?
⑤ 시민 불복종은 어떠한 합법적 방법도 효과가 없을 때 행해져야 하는가?

한눈에 보는
대단원 정리

01 직업과 청렴의 윤리

A 직업 생활과 행복한 삶

(1) 직업의 의미와 기능

의미	경제적 보상을 받으면서 행하는 자발적이고 지속적인 일
기능	• 개인적 측면: 생계유지, 자아실현, 사회적 역할 분담 • 사회적 측면: 사회적 통합, 사회 발전을 위한 인력 확보

(2) 직업에 관한 다양한 관점

동양의 직업관	정명(공자), 항산(맹자), 예에 따른 역할 분담(순자)
서양의 직업관	계층에 따른 직분(플라톤), 소명(칼뱅)

(3) 직업의 선택과 행복한 삶

직업 선택의 기준	적성, 능력 등
직업을 통한 행복한 삶 추구	일 자체를 목적으로 여겨야 함

B 직업 윤리와 청렴

(1) 직업 윤리의 의미와 필요성

의미	직업인이 지켜야 할 윤리 규범
필요성	• 개인의 자아실현과 공동체의 발전에 기여할 수 있음 • 사회의 각종 부정부패와 비리를 예방할 수 있음

(2) 기업가와 근로자의 윤리

기업가 윤리	• 합법적 범위에서 기업 이윤 극대화 중시(프리드먼) • 기업의 이윤 극대화와 사회적 책임 중시(애로, 보겔)
근로자 윤리	성실, 책임, 노동 생산성 향상

(3) 전문직 윤리와 공직자 윤리

전문직 윤리	도덕성, 전문성, 독점성, 자율성 추구
공직자 윤리	공공성, 전문성, 봉사 정신

(4) 부패의 문제점과 청렴

부패의 문제점	• 개인적 측면: 개인 권리의 부당한 침해 • 사회적 측면: 사회적 비용 낭비, 사회 통합 저해
청렴	성품과 행실이 맑고 염치를 알아 탐욕을 부리지 않는 상태

02 사회 정의와 윤리

A 사회 윤리와 사회 정의

(1) 개인 윤리와 사회 윤리

개인 윤리	개인의 양심과 도덕성 함양 강조
사회 윤리	사회 구조와 제도의 개선 강조

(2) 니부어의 사회 윤리

니부어의 주장	• 도덕적 개인이 모인 사회가 비도덕적일 수 있음 • 사회의 도덕성 실현을 위해 정치적 강제력이 필요함

B 분배적 정의의 윤리적 쟁점

(1) 분배적 정의에 관한 학자들의 주장

롤스의 공정으로서의 정의	• 원초적 입장: 무지의 베일, 무관심적 합리성 • 정의의 원칙: 평등한 자유의 원칙, 차등의 원칙, 기회균등의 원칙
노직의 소유 권리로서의 정의	• 자유 지상주의적 관점에서 최소 국가 추구 • 정의의 원칙: 최초 취득의 원칙, 양도 또는 이전의 원칙, 교정의 원칙
왈처의 복합 평등으로서의 정의	모든 가치는 사회적 가치이며, 가치 영역에 따라 서로 다른 분배의 기준을 적용해야 함

(2) 소수자 우대 정책에 관한 찬반 논쟁

찬성	반대
사회적 약자에게 유리한 기회 제공, 사회 전체의 행복 증진	역차별과 부정의 발생 가능성

C 교정적 정의의 윤리적 쟁점

(1) 교정적 정의에 관한 관점

응보주의	범죄에 상응하는 처벌을 받아야 함(칸트)
공리주의	사회 전체 이익을 고려하여 처벌해야 함(벤담)

(2) 사형 제도에 관한 찬반 논쟁

찬성	반대
사형은 동등성의 원리에 입각함, 범죄 억제 효과가 큼	사형은 생명권을 부정함, 사형이 집행되면 원상 회복이 안 됨

03
국가와 시민의 윤리

A 국가의 권위와 시민에 대한 의무

(1) 국가와 시민의 관계

시민	국가로부터 생명과 재산을 보장받고 혜택을 받음
국가	납세와 국방 등 시민의 의무를 기반으로 운영됨
시민과 국가	'시민 없는 국가'나 '국가 없는 시민'은 떠올릴 수 없으며, 상호 의존적 관계임

(2) 동서양의 국가에 대한 이해

동양의 국가 윤리	• 공자: 덕치 강조 • 맹자: 왕도 정치 주장
서양의 국가 윤리	• 아리스토텔레스: 좋은 인간의 삶은 국가 공동체의 밖에서는 이루어질 수 없음 • 루소: 국가는 자유 없이 유지될 수 없고, 자유는 덕 없이 유지될 수 없으며, 덕은 시민 없이 유지될 수 없음

(3) 국가의 권위에 대한 정당화 근거

동의론	시민이 국가에 복종하기로 동의
혜택론	국가가 제공하는 혜택과 이익
사회 계약론	시민의 동의, 계약

(4) 국가의 의무

소극적 의무	시민의 생명, 재산, 인권 보호
적극적 의무	인간다운 삶을 위한 복지 제공

(5) 시민의 권리와 의무

시민의 권리	자유권, 평등권, 생존권, 행복 추구권 등
시민의 의무	국방, 납세, 교육, 근로의 의무 등

(6) 인권의 변화

인권의 발전	• 1세대 인권: 자유권(사상의 자유, 신체의 자유 등) ↓ • 2세대 인권: 사회권(사회 보장권, 노동권 등) ↓ • 3세대 인권: 연대와 단결의 권리(평화권, 연대권 등) ↓ • 4세대 인권: 정보 접근권

B 민주 시민의 참여와 시민 불복종

(1) 시민 참여의 의의와 필요성

의의	민주주의의 실현
필요성	정체성 및 공동체 의식, 공정한 사회 제도 수립
방법	투표, 주민 소환제, 주민 발의제 등
참여 자세	설득과 합의 중시, 타인의 의견 경청, 열린 자세, 법과 절차의 존중 등

(2) 시민 불복종의 관점

소로	정의에 대한 존경심, 양심에 따른 불복종
롤스	법에 대한 충실성의 한계 내에서 마지막 수단, 사회적 다수의 정의관에 따른 불복종

(3) 시민 불복종의 정당화와 한계

정당화 조건	• 공공성: 공익을 목적으로 한 양심적 행동 • 공개성: 정당성을 알리기 위해 공개적으로 전개 • 비폭력적 방법: 비폭력적이고 평화적인 방법으로 수행 • 최후의 수단: 합법적 방법이 효과가 없을 때 마지막으로 사용 • 처벌 감수: 법체계 존중 차원에서 위법에 대한 처벌 감수
한계	실정법의 권위 약화, 집단 이기주의 등이 나타날 수 있음

한번에 끝내는
대단원 문제

정답과 해설 42쪽

01 다음을 주장한 사상가의 입장으로 옳지 않은 것은?

> 대인(大人)이 할 일이 있고, 소인(小人)이 할 일이 있는 것이다. 세상에는 정신을 쓰는 사람도 있고 육체를 쓰는 사람도 있다. 정신을 쓰는 자는 사람을 다스리고, 육체를 쓰는 자는 다스림을 받는다. 다스림을 받는 사람은 남에게 얻어먹는다. 이것이 바로 천하에 통용되는 도리이다.

① 각자의 능력에 따라 분업이 이루어져야 한다.
② 정신노동과 육체노동을 구분하지 말아야 한다.
③ 백성의 생업 보장을 위해 왕도를 실천해야 한다.
④ 사회 구성원들의 직업은 상호 보완 관계에 있다.
⑤ 경제적 안정을 바탕으로 사회 질서를 유지해야 한다.

02 갑, 을의 입장으로 가장 적절한 것은?

> 갑: 신은 사람들에게 각자 해야 할 일들을 정해 주셨다. 사람은 충실한 직업 생활을 통해 신에게 영광을 돌려야 하며, 자신의 부를 가난한 사람들과 나눌 수 있어야 한다.
> 을: 자본주의 사회에서는 더 큰 이윤을 위해 분업이 선호된다. 인간은 분업을 통해 하나의 부품처럼 다루어지고 있으며, 노동자들은 노동으로부터 소외를 겪고 있다.

① 갑: 직업이 있는 사람만이 구원을 받을 수 있다.
② 갑: 직업 생활과 종교는 무관함을 깨달아야 한다.
③ 을: 분업을 확대하여 경제적 풍요를 창출해야 한다.
④ 을: 노동을 통해 인간의 참된 본질을 회복해야 한다.
⑤ 갑, 을: 노동은 인간의 원죄에 대해 신이 내린 벌이다.

03 갑은 부정, 을은 긍정의 대답을 할 질문으로 옳은 것은?

> 갑: 기업의 책임은 기업 이익을 극대화하기 위하여 자원을 활용하고 이를 위한 활동에 매진하는 것이다. 사회적 이익을 위한다는 것은 누군가의 돈을 마음대로 쓰는 것에 불과하다.
> 을: 기업이 사회적 책임을 이행할 때 소비자의 신뢰를 얻을 수 있고, 이를 통해 기업의 장기적 이익과 효율성에 기여할 수 있다.

① 기업의 이윤 추구는 사회적 부의 증대에 기여하는가?
② 낙후 지역을 지원하여 기업 선호도를 높여야 하는가?
③ 기업의 소유주나 주주의 이익 극대화에 힘써야 하는가?
④ 모든 수단과 방법을 동원하여 이윤을 창출해야 하는가?
⑤ 기업은 이윤 추구가 아닌 공동선 실현에 주력해야 하는가?

04 다음을 주장한 사상가가 부정의 대답을 할 질문으로 옳은 것은?

> • 목민관에게 선물로 보내온 물건은 아무리 작아도 그것을 받으면 이미 사사로운 정(情)이 생겨난다.
> • 백성을 사랑하는 근본은 아껴 쓰는 데 있고 아껴 쓰는 것의 근본은 검소함에 있다. 검소해야 청렴할 수 있고 청렴해야 자애로울 수 있으니, 검소함이야말로 목민하는 데 가장 먼저 힘써야 할 일이다.

① 공직자는 청렴한 삶을 당위로 여겨야 하는가?
② 이로움보다 의로움을 우선적으로 추구해야 하는가?
③ 공직자로서 본분에 걸맞은 역할을 수행해야 하는가?
④ 공사(公私)를 구분하고 절제하는 삶을 살아야 하는가?
⑤ 공무를 수행할 때 공정성보다 효율성을 중시해야 하는가?

05 다음 글의 ㉠에 대한 설명으로 가장 적절한 것은?

> 크게 장사를 하려는 자는 반드시 [㉠]을/를 실천해야 한다. 장사하는 사람들이 [㉠]을/를 구비하지 못한 것은 그 지혜가 짧기 때문이다. 내가 생각하기에 지혜로운 자는 [㉠]을/를 이롭게 여긴다. 무엇 때문인가? 재물이란 우리 사람들이 크게 욕심내는 바이다. 그러나 재물보다 더 크게 이루고자 하는 것이 있으므로 재물을 버리거나 취하지 않기도 한다.

① 나와 서로 다른 견해를 너그럽게 받아들이는 태도이다.
② 개인의 이익을 위해 사회적 지위를 이용하는 태도이다.
③ 심성이 맑고 염치를 알아 탐욕을 부리지 않는 태도이다.
④ 사회적 지위에 맞는 역할을 충실하게 수행하는 태도이다.
⑤ 통치자로서 백성들에게 점잖고 엄숙하게 대하는 태도이다.

06 다음을 주장한 사상가의 관점에 해당하는 것에만 모두 'V'를 표시한 학생은?

> • 옳음이란 준법적인 것과 공정한 것을 포함하며, 부정이란 무법적인 것과 불공정한 것을 포함한다.
> • 국가 공동체에 대한 개인의 공적에 따라 명예나 돈, 혹은 공직 등을 분배해야 한다. 즉, '같은 것은 같게, 다른 것은 다르게' 분배해야 한다.

번호	관점 \ 학생	갑	을	병	정	무
(1)	공동체 구성원 모두에게 똑같이 재화를 분배해야 한다.	V	V		V	
(2)	시민들 간의 분쟁은 산술적 비례에 따라 시정되어야 한다.	V		V		V
(3)	돈, 명예, 재화의 분배는 기하학적 비례에 합치해야 한다.		V		V	V
(4)	분배 정의는 일반적 정의가 아닌 특수적 정의로 보아야 한다.			V	V	V

① 갑　② 을　③ 병　④ 정　⑤ 무

07 다음 사상가의 입장으로 가장 적절한 것은?

> 사회 집단이 개인보다 비도덕적인 이유 중 하나는 자연적 충동을 억제할 만큼 강력한 합리적 사회 세력을 만드는 것이 어렵기 때문이다. 개인적 이기심은 개별적으로 점잖게 나타나지만 집단적 이기심으로 나타날 때는 더욱 이기적인 모습으로 나타난다.

① 개인의 선의지가 사회 집단의 도덕성 정도를 결정한다.
② 정의 실현을 위해 집단 간 힘의 차이를 극복해야 한다.
③ 개인의 도덕성은 개인이 속한 집단의 크기에 비례한다.
④ 정의 실현 과정에서 개인의 도덕성 발휘는 불필요하다.
⑤ 외적 강제력을 배제해야만 사회 정의를 실현할 수 있다.

08 다음 사상가가 강조하는 내용을 〈보기〉에서 고른 것은?

> 정치권력이란 한 계급이 다른 계급을 억압하려고 사용하는 조직된 폭력이다. 만일 프롤레타리아가 부르주아에 대항하는 투쟁에서 반드시 계급으로 한데 뭉쳐 혁명을 통해 스스로 지배 계급이 되고 또 지배 계급으로서 낡은 생산관계를 폭력적으로 폐지하게 된다면, 그들은 이 생산 관계와 아울러 계급적 대립의 존재 조건과 계급 일반 또한 폐지하게 될 것이며, 따라서 자기 자신의 계급적 지배까지도 폐지하게 될 것이다.

〈보기〉
ㄱ. 더 많이 노력한 사람에게 더 많은 몫을 배정해야 한다.
ㄴ. 모든 재화를 사회 구성원들에게 평등하게 분배해야 한다.
ㄷ. 사회적 약자에게 최대 이익이 되는 분배 원칙에 합의해야 한다.
ㄹ. 능력에 따라 일하고 필요에 따라 분배받는 사회를 이룩해야 한다.

① ㄱ, ㄴ　② ㄱ, ㄷ　③ ㄴ, ㄷ
④ ㄴ, ㄹ　⑤ ㄷ, ㄹ

09 ㉠에 들어갈 진술 내용으로 가장 적절한 것은?

보편적으로 적용할 수 있는 정의의 원칙을 주장한 어느 사상가에 의하면, 원초적 입장에서 합리적 당사자들은 각자 자신의 이익을 최대화하는 것에만 관심을 가진다. 이때 이들이 정의로운 원칙에 합의하기 위해서는 이들이 무지의 베일을 써야 한다는 조건이 필요하다. 이 사상가가 이러한 전제 조건을 내세운 것은 '[㉠]' 라고 생각했기 때문이다.

① 사회적·경제적 불평등을 인정하면 안 된다.
② 표현의 자유를 동등하게 보장해서는 안 된다.
③ 사회적 약자가 될 가능성을 고려하면 안 된다.
④ 자연적 우연성을 토대로 결정을 내리면 안 된다.
⑤ 개인이 합리적 행위를 한다고 단정해서는 안 된다.

10 다음 사상가가 긍정의 대답을 할 질문만을 〈보기〉에서 있는 대로 고른 것은?

오직 계약을 집행하고 사람들을 무력과 절도와 사기에서 보호하는 기능을 수행하는 최소 국가만이 정당화될 수 있다. 거기서 더 나아가면, 어떤 일도 강요받지 말아야 하는 개인의 권리를 침해하게 되고, 그런 국가는 정당화될 수 없다.

〈보기〉
ㄱ. 능력에 따라 일하고 필요에 따라 분배받아야 하는가?
ㄴ. 개인은 정당한 소유물에 대해 완전한 소유권을 지니는가?
ㄷ. 재화의 분배를 전적으로 개인의 자유에 위임해야 하는가?
ㄹ. 복지 증대를 위해 국가에 의한 소득 재분배 정책이 필요한가?

① ㄱ, ㄴ ② ㄱ, ㄹ ③ ㄴ, ㄷ
④ ㄱ, ㄷ, ㄹ ⑤ ㄴ, ㄷ ㄹ

11 다음 사상가의 입장으로 가장 적절한 것은?

분배의 기준과 방식은 가치 그 자체가 아니라 사회적 가치에 내재해 있다. 따라서 모든 가치는 사회적 가치로서 공동체의 문화적·역사적 맥락 차원에서 의미가 부여된다. 분배의 정의는 가치의 사회적 의미에 상응하여 결정된다. 다양한 영역을 지배하는 서로 다른 사회적 가치들은 서로 다른 분배 기준과 절차, 그리고 다른 주체에 의해 분배되어야 한다.

① 천부적 재능을 사회적으로 분포된 자산으로 간주해야 한다.
② 하나의 사회적 가치가 모든 영역에 영향력을 발휘해야 한다.
③ 자발적 노동에 의해 획득된 재화의 소유권을 존중해야 한다.
④ 사회적 약자에게 최대 이익이 되는 재분배를 실시해야 한다.
⑤ 다양한 영역에서 사회적 가치들이 복합 평등을 이루어야 한다.

12 다음 토론의 핵심 쟁점으로 가장 적절한 것은?

갑: 우리 사회의 통합을 위해서는 사회적 차별로 인해 고통받는 사람들을 우대해야 합니다.
을: 사회적 차별은 사라져야 하지만, 모든 사람들의 기본적 자유와 권리는 평등하게 보장하는 것이 바람직합니다.
갑: 과거의 차별에 대한 보상이 주어지지 않는다면 사회 정의를 실현할 수 없기 때문에 소수자를 우대해야 합니다.
을: 과거의 차별에 대해 잘못이 없는 현세대에게 부담을 지게 하는 것은 부당합니다. 이것은 아무 잘못이 없는 사람에게 벌을 주는 것과 같습니다.

① 사회적 약자를 차별하는 것은 부당한가?
② 업적을 기준으로 재화를 분배해야 하는가?
③ 공공 이익보다 개인 이익을 중시해야 하는가?
④ 기회균등의 원칙은 사회적 차별의 원인인가?
⑤ 특정 집단을 우대해야 정의를 실현할 수 있는가?

13 다음 사상가의 입장에서 지지할 견해로 볼 수 없는 것은?

> 형벌은 결코 범죄자 자신이나 시민 사회의 이익을 위해서 가해질 수 없다. 오직 그가 범죄를 저질렀기 때문에 그에게 가해져야만 하는 것이다. 왜냐하면 인간은 결코 타인의 의도를 위한 수단으로 취급될 수 없기 때문이다. 그 자신이나 동료 시민들을 위한 몇몇 이익을 끌어내는 것을 생각하기 이전에도 먼저 그가 형벌을 받아야 할 상태에 있지 않으면 안 된다.

① 형벌은 범죄를 억제하는 기능을 통해 정당화될 수 있다.
② 형벌은 범죄자의 자율적 행위에 대한 책임을 묻는 것이다.
③ 형벌은 다른 선을 촉진하기 위한 수단이 되어서는 안 된다.
④ 등가성의 원리에 따라 형벌의 수준과 정도가 정해져야 한다.
⑤ 범죄자가 형벌을 저질렀다는 이유로만 형벌이 가해져야 한다.

14 다음 사상가의 입장으로 가장 적절한 것은?

> 사회적 권리를 침해하는 악인은 모두 그 범죄 때문에 조국의 반역자, 배신자가 되는 것이다. 그는 법을 침해함으로써 조국의 일원이기를 그만두고, 또 조국에 대해 전쟁을 일으키게 되는 것이다. 그러므로 국가의 보존과 그 자신의 보존은 양립할 수 없는 것이 된다.

① 사형은 잔혹한 형벌로 인간의 존엄성을 침해한다.
② 오판의 가능성이 있는 한 사형은 정의에 반대된다.
③ 사회 방위를 위해 유해한 범죄인을 격리해야 한다.
④ 사회 계약의 취지에 따라 사형 제도를 폐지해야 한다.
⑤ 사형은 정치 세력에 의해 탄압 도구로 악용될 수 있다.

15 다음 사상가의 입장으로 옳지 않은 것은?

> 사형은 원초적인 시민 계약에 포함될 수 없다. 만약 시민 계약에 포함된다면, 누군가가 국민 중 다른 누군가를 살해했을 경우 자신의 생명을 잃는 것에 대해 동의를 해야만 할 것이다. 그러나 이것은 불가능하다. 왜냐하면 어느 누구도 자신의 생명을 내놓는 것을 전제로 계약을 맺지는 않을 것이기 때문이다.

① 유용성의 원리에 입각하여 살인범을 처벌해야 한다.
② 시민은 누구나 자신의 죽음을 스스로 선택하지는 않는다.
③ 사형은 살인범에게 동해 보복의 원리를 적용한 형벌이다.
④ 필요 이상의 잔혹한 형벌은 사회 계약의 본질과 상반된다.
⑤ 사형은 종신 노역형에 비해 사회적 효용이 낮은 형벌이다.

16 갑, 을 사상가 모두 긍정의 대답을 할 질문을 〈보기〉에서 고른 것은?

모든 법률의 일반적 목적은 사회 전체의 행복을 증대시키는 동시에 해악을 제거하는 데 있다. 그리고 모든 형벌 그 자체는 해악이지만 보다 더 큰 해악을 제거하는 한에서는 그것도 용납될 수 있다.

종신 노역형은 더 큰 공포를 안겨 준다. 구경꾼은 수형자가 당하는 고통의 합산을 고려하므로 사형에 비해 인간 정신에 미치는 효과가 크다. 처벌이 지속적 효과를 가질 때 범죄를 더 잘 예방할 수 있다.

〈보기〉
ㄱ. 사회 전체 이익을 고려하여 처벌해야 하는가?
ㄴ. 형벌은 유용성 원리에 따라 정해져야 하는가?
ㄷ. 범죄와 형벌은 응보의 원리에 따라야 하는가?
ㄹ. 범죄와 등가성이 있는 보복이 처벌의 본질인가?

① ㄱ, ㄴ　② ㄱ, ㄷ　③ ㄴ, ㄷ　④ ㄴ, ㄹ　⑤ ㄷ, ㄹ

17 갑, 을의 입장에 대한 옳은 설명만을 〈보기〉에서 있는 대로 고른 것은?

> 갑: 공통의 권력을 확립하는 유일한 길은 모든 사람의 의지를 다수결로 하나의 의지로 결집하는 것, 즉 그들이 지닌 모든 권력과 힘을 '한 사람' 또는 '하나의 합의체'에 양도하는 것이다.
>
> 을: 국가 권위에 대한 정치적 복종의 근본적 동기는 사회 구성원들이 통치 정부라는 기구를 통해 인간들 사이에서 평화와 질서를 가져올 수 있다고 느끼는 이익 관념에 기초하고 있다.

〈보기〉
ㄱ. 갑은 시민의 동의에 의해 국가가 권위를 가지게 된다고 본다.
ㄴ. 을은 인간의 정치적 본성에 의해 국가의 권위가 생겨난다고 본다.
ㄷ. 을은 갑과 달리 국가의 권위가 정부가 제공하는 혜택에서 비롯된다고 본다.
ㄹ. 갑, 을은 국가가 시민의 생명과 안전을 보장할 의무를 지닌다고 본다.

① ㄱ, ㄴ ② ㄱ, ㄷ ③ ㄴ, ㄹ
④ ㄱ, ㄷ, ㄹ ⑤ ㄴ, ㄷ, ㄹ

18 다음 사상가가 강조한 국가 권위의 근거로 가장 적절한 것은?

> 일정한 수의 사람들이 하나의 공동체나 정부를 구성하기로 동의할 때 그들은 즉시 하나의 단체로 결합되어 하나의 정치체를 결성하게 된다. 그 결과 공동체는 일체로서 행동할 수 있는 권력을 가지게 되며, 그 권력은 오직 다수의 의지와 결정에 따르게 된다. 다수가 나머지를 구속할 수 없는 곳에서는 사회가 해체되고 말 것이다.

① 시민은 본성적으로 사회적 존재이기 때문이다.
② 시민은 정부에 대한 자연적 의무가 있기 때문이다.
③ 시민이 기본권의 일부를 국가에 위임했기 때문이다.
④ 정부가 시민들에게 각종 혜택을 제공했기 때문이다.
⑤ 생명권 보장을 위해 절대 권력이 필요하기 때문이다.

19 다음 사상가가 〈문제 상황〉의 A에게 조언할 내용으로 가장 적절한 것은?

> 정의로운 사회는 자유롭고 평등한 사람들 사이에서 사회 협동체의 원칙이 존중되는 사회이다. 시민 불복종은 이러한 원칙을 심각하게 위반한 법이나 정책을 변화시킬 목적으로 행해지는 것이다. 이는 법에 대한 충실성의 한계 내에서 이루어지는 공공적이고 양심적이기는 하지만 법에 반하는 정치적 행위이다.
>
> 〈문제 상황〉
>
> 고등학생인 A는 기회균등의 원칙에 어긋나는 법을 위반할 것인지에 대해 고민하고 있다.

① 다수의 정의관을 근거로 시민 불복종을 전개해야 한다.
② 최대 다수의 최대 행복을 불복종의 기준으로 삼아야 한다.
③ 공공장소에서 법을 공개적으로 위반하는 행위를 삼가야 한다.
④ 개인의 정치적 신념을 바탕으로 시민 불복종을 정당화해야 한다.
⑤ 부정의한 체제 변혁을 위해 폭력을 최종 수단으로 사용해야 한다.

20 ㉠에 대한 설명으로 옳지 <u>않은</u> 것은?

> [㉠]은/는 법에 대한 충실성의 한계 내에서 부정의에 항거함으로써 정의로부터 이탈을 방지하고 그런 일이 일어났을 때는 그것을 교정하는 데 도움을 준다. 정당한 [㉠]에 참여하고자 하는 일반적인 성향은 질서 정연한 사회 혹은 거의 정의로운 사회에 안정을 가져다 준다.

① 차등의 원칙을 회복하고자 할 때 정당화된다.
② 위법 행위이지만 헌법 체계의 안정을 중시한다.
③ 법 위반에 대한 책임으로 처벌 감수를 포함한다.
④ 공공적이고 비폭력적인 저항의 방식을 강조한다.
⑤ 부정의한 법이나 정책의 개선과 변화를 추구한다.

21 다음 글을 읽고 직업과 행복한 삶의 관계를 서술하시오.

> 직업은 '사회적 지위와 역할'을 나타내는 직(職)과 '생계유지를 위한 일'을 뜻하는 업(業)이 합쳐진 말로, 생계를 유지하기 위하여 자신의 적성과 능력에 따라 일정한 기간 계속하여 종사하는 일을 말한다.

22 다음 갑, 을이 자신의 입장을 정당화하기 위해 제시할 수 있는 논거를 각각 한 문장으로 서술하시오.

> 선생님: 사회의 실질적 정의를 실현하기 위해 어떤 분배 기준을 적용해야 할까요?
> 갑: 절대적 평등의 원리에 입각하여 이익과 부담을 똑같이 분배해야 한다고 생각합니다.
> 을: 평등한 분배는 개인의 책임 의식을 약화시킬 수 있습니다. 저는 개인이 성취한 업적에 따라 분배하는 것이 옳다고 생각합니다.

23 다음은 어느 서양 사상가가 주장한 정의의 원칙이다. ㉠, ㉡, ㉢에 해당하는 정의의 원칙은 무엇인지 각각 쓰시오.

> ㉠각 개인은 평등한 기본적 자유의 가장 광범위한 체계에 대하여 평등한 권리를 가져야 한다. ㉡사회적·경제적 불평등은 사회 전체의 이익, 특히 최소 수혜자에게 최대 이익이 합당하게 기대되고, ㉢모든 사람들에게 개방된 직위와 직책이 결부되게 편성되어야 한다.

㉠ ( ), ㉡ ( ), ㉢ ( )

24 다음 글을 읽고 물음에 답하시오.

> 교정적 정의에 대한 관점은 다음과 같이 크게 두 가지로 나누어 볼 수 있다. 먼저 [㉠] 관점에서는 '눈에는 눈, 이에는 이'처럼 범죄 행위에 상응하는 보복을 가하는 것을 처벌의 본질로 본다. 따라서 범죄를 저질렀을 때 마땅히 그와 동등한 처벌을 받아야 한다고 주장한다. 한편 [㉡] 관점에서는 범죄의 예방과 사회적 이익의 증가를 처벌의 본질로 본다. 따라서 '__________ ㉢ __________'라고 주장한다.

(1) ㉠, ㉡에 들어갈 알맞은 말을 쓰시오.

㉠ ( ), ㉡ ( )

(2) 빈칸 ㉢에 들어갈 알맞은 내용을 서술하시오.

25 다음과 같이 주장한 사상가의 입장을 '인간 존엄성'이라는 개념을 포함하여 한 문장으로 서술하시오.

> 어떤 사람이 타인의 생명을 해쳤다면 그의 생명을 박탈하는 것이 정당하다. 살인자에게 사형 이외의 형벌을 가하는 것은 정의에 부합하지 않으며, 그에게 사형을 부과하는 것이 고통받는 인격을 해방시키는 것이다.

26 다음 내용을 바탕으로 시민 불복종의 의의에 대해 서술하시오.

> 민주 사회의 자유롭고 평등한 시민은 정치 참여를 통해 정의로운 법과 정책을 만들고, 이를 준수하면서 정의의 가치를 실현하여 인간답게 살아간다. 그런데 민주적인 사회의 법이라고 하더라도 모두 정의로운 것은 아니다. 법을 해석하고 적용하는 주체는 인간이므로 언제나 완벽한 판단을 한다고 보장할 수 없다.

Ⅳ 과학과 윤리

배울 내용 한눈에 보기

01 과학 기술과 윤리

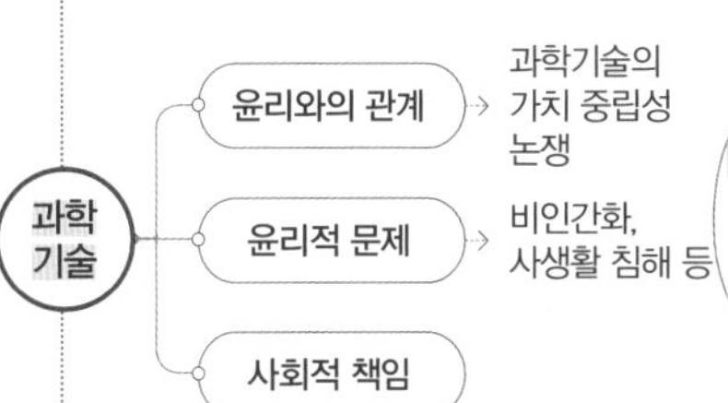

과학 기술에 윤리적 가치가 개입되어야 하는지에 대한 논쟁이 있어. 또, 과학 기술의 윤리적 문제를 해결하려면 사회적 책임이 필요해.

02 정보 사회와 윤리

- 윤리적 문제 → 지적 재산권 침해, 사생활 침해, 사이버 폭력
- 정보 윤리와 매체 윤리

정보 사회의 윤리적 문제를 해결하기 위해서는 올바른 정보 윤리와 매체 윤리가 필요해.

03 인간과 자연의 관계

- 서양의 관점 → 인간 중심주의, 동물 중심주의, 생명 중심주의, 생태 중심주의
- 동양의 관점 → 자연과의 공존과 화합 모색

인간과 자연의 관계를 보는 서양의 관점으로는 인간·동물·생명·생태 중심주의가 있어. 그리고 동양은 인간과 자연과의 공존과 화합을 모색하는 관점을 지녀.

04 환경 문제에 대한 윤리적 쟁점

- 기후 변화와 기후 정의 문제
- 미래 세대에 대한 책임 문제
- 생태 지속 가능성 문제 → 환경적으로 건전하고 지속 가능한 발전

환경 문제에 대한 윤리적 쟁점으로는 기후 변화에 따른 문제, 미래 세대에 대한 책임 문제, 생태 지속 가능성 문제가 있어.

01 과학 기술과 윤리

핵심 질문으로 흐름잡기

- A 과학 기술의 가치 중립성이란?
- B 과학 기술의 성과와 윤리적 문제는?
- C 과학 기술의 사회적 책임과 요나스의 책임 윤리는?

A 과학 기술의 의미와 가치 중립성 논쟁

| 시·험·단·서 | 과학 기술의 가치 중립성에 대한 상반된 입장을 비교하는 문제가 출제돼.

1. 과학 기술의 의미와 본질

(과학과 기술이 삶에 미치는 영향이 점차 확대되면서 과학과 기술을 합쳐서 부르게 되었어.)

(1) 과학 기술의 의미: 과학과 기술을 합친 말로, 관찰, 실험, 조사 등의 객관적인 방법으로 얻어 낸 지식과 그 지식을 활용하는 전 과정

과학	기술
자연 현상을 관찰하고 이해하여 일반적인 진리나 법칙으로 체계화하는 학문	과학적 원리를 활용하여 인간이나 사회에 가치 있는 재화나 서비스를 생산하게 하는 지식

(2) 과학 기술의 본질: 진리의 발견 및 활용과 이를 넘어 인간의 존엄성 구현과 삶의 질 향상이라는 윤리적 목적과 연결됨❶

❶ **과학 기술의 본질과 윤리의 관계**
아무리 획기적인 과학 기술이라도 인간이 존엄성과 삶의 질을 향상하는 데 도움이 되지 않는다면, 그 과학 기술의 연구나 활용은 중단되어야 한다.

2. 과학 기술의 가치 중립성❷ 논쟁

(1) 과학 기술의 본질과 윤리와의 관계에 대한 관점 자료 1 자료 2

관점	과학 기술의 가치 중립성 인정	과학 기술의 가치 중립성 부정
입장	• 과학 기술에는 주관적 가치가 개입될 수 없음 → 과학 기술은 윤리적 평가 대상이 아님 • 과학 기술의 본질은 진리의 발견과 활용임 • 과학 기술에 대한 도덕적 평가와 비판을 유보해야 함	• 과학 기술도 가치 판단에서 자유로울 수 없음 • 연구 목적을 설정하거나 연구 결과를 현실에 적용할 때 윤리적 성찰이 필요함 • 과학 기술도 윤리적 검토나 통제를 통해 윤리적 목적에 기여해야 함
과학 기술자의 책임에 대한 관점	• 과학 기술자의 사회적 책임 부정 • 과학 기술자의 연구가 부정적 결과를 낳았다 하더라도 그 결과에 대한 책임은 활용자에게 있음	• 과학 기술자의 사회적 책임 인정 • 과학 기술자는 자신의 연구 결과가 미칠 사회적 영향을 인식하여 연구와 그 활용에 관해 사회적 책임을 다해야 함

(과학 기술이 인간과 자연에 미치는 영향력이 늘어나고 있기 때문에 윤리적 관점에서 그 발전 방향을 숙고해야 한다고 보았어.)

(2) 과학 기술과 윤리의 바람직한 관계

① 과학 기술 이론의 사실 여부를 판단할 때는 윤리적 평가나 사회적 책임으로부터 자유로워야 함

② 과학 기술의 연구 목적을 설정하고 연구 결과를 현실에 적용할 때는 윤리적 평가로 지도되고 규제되어야 함

❷ **가치 중립성**
가치 중립성은 어떤 특정한 가치관이나 태도에 치우치지 않는 것을 뜻한다. 과학 기술의 가치 중립성을 인정하는 입장에서는 과학 기술 그 자체는 선도 악도 아니므로 윤리가 개입해서는 안 된다고 본다.

B 과학 기술의 성과와 윤리적 문제

| 시·험·단·서 | 과학 기술 낙관주의와 과학 기술 비관주의의 특징을 묻는 문제가 출제돼.

1. 과학 기술의 성과

(1) 물질적 풍요: 식량 생산량 증대, 재화의 대량 생산, 자동화의 진전으로 물질적 풍요와 편리한 삶을 누리게 됨

(2) 건강 증진과 생명 연장: 생명 과학과 의료 기술의 발달로 질병을 극복하여 건강을 증진하고, 인간의 수명이 연장됨

(3) 시공간의 제약 극복: 교통과 정보·통신 기술의 발달로 정보의 자유로운 교환·수집·전달이 가능해짐

(4) 대중문화의 발달: 텔레비전, 인터넷 등 다양한 매체의 등장으로 대중문화가 발달함

시험에 잘 나오는 자료

자료 1 과학 기술의 가치 중립성에 대한 두 입장 관련 문제 ▶ 142쪽 02번

(가)
- 기술은 수단일 뿐이며 그 자체로 선도 아니고 악도 아니다. 기술을 어디에 사용하고, 어떤 조건에서 기술이 만들어지며, 기술을 통해서 결국 인간의 어떤 본질이 나타나는가가 중요하다. – 야스퍼스
- 과학과 윤리는 한 점에서 접하기만 하는 두 개의 원과 같이 별개의 영역이다. – 푸앵카레

(나)
- 과학 기술을 가치 중립적인 것으로 고찰하여 우리와 무관한 것으로 보게 될 때, 우리는 무방비 상태로 기술에 내맡겨진다. – 하이데거
- 우리는 지식을 사상에서 분리하는 방법을 발견하였다. 그 결과 실제로 제멋대로 움직이는 과학은 있지만, 반성하는 과학은 거의 남아 있지 않다. – 슈바이처

자·료·분·석 (가)는 과학 기술의 가치 중립성을 인정하는 입장이다. 이 입장에 따르면 과학 기술은 좋은 것도 나쁜 것도 아닌 가치 중립적인 것이며 가치와 무관한 영역이다. 따라서 과학 기술은 윤리적 관점에서 평가되어서는 안 된다고 본다. 반면 (나)는 과학 기술도 가치 판단에서 자유로울 수 없다고 보는 입장이다. 따라서 과학 기술이 인간과 자연에 미치는 영향이 크므로 과학 기술에 대한 윤리적 검토와 통제가 필요하다고 본다.

한·줄·핵·심 과학 기술의 가치 중립성을 인정하는 입장에서는 과학 기술에 주관적 가치가 개입될 수 없다고 보지만, 이를 부정하는 입장에서는 과학 기술도 가치 판단에서 자유로울 수 없다고 본다.

자료 2 과학 기술자의 사회적 책임에 대한 두 입장 관련 문제 ▶ 144쪽 04번

(가) 히틀러에게 원자 폭탄이 들어가도록 하는, 씻을 수 없는 죄를 인류에게 지을 수 없다. 우리가 연구할 것은 원자 에너지를 평화롭게 활용하는 방안에 한정되어야 한다. – 하이젠베르크

(나) 내가 원자 폭탄을 만든 것은 사실이지만, 원자 폭탄을 사용할지 결정하는 것은 정치인이며, 나는 맡은 바 임무에 충실했을 뿐이다. – 오펜하이머

자·료·분·석 (가)는 과학 기술자는 자신의 연구 결과가 사회에 미칠 영향을 고려하고 그 결과에 대한 사회적 책임을 질 수 있어야 한다고 강조한다. 반면, (나)는 과학자는 자신에게 주어진 연구와 실험 과정을 충실히 수행할 책임만 있을 뿐, 결과에 대한 책임은 과학 기술자가 아닌 활용자의 몫이라고 주장한다.

한·줄·핵·심 과학 기술의 가치 중립성을 인정하는 입장에서는 과학 기술자가 사회적 책임으로부터 자유로워야 한다고 보고, 이를 부정하는 입장에서는 과학 기술자의 사회적 책임을 강조한다.

내용 이해를 돕는 팁

용어 더하기

* **과학(science)**
지식을 뜻하는 라틴어 '사이언티아(scientia)'에서 유래된 말로, 보편적인 진리나 법칙 발견을 목적으로 하는 체계적인 지식을 말한다.

* **기술(technology)**
고대 그리스에서 사용된 '테크네(techne)'에서 유래된 말로, 과학 이론을 실제로 적용하여 인간 생활에 유용하도록 가공하는 수단을 말한다.

* **유보**
일정한 권리나 의무 따위를 뒷날로 미루어 두거나 보존하는 일을 말한다.

* **자동화**
기계, 장치, 기기 등의 조작을 인간이 직접 하지 않고 자동으로 제어하고 조절하는 시스템을 말한다. 공장 자동화, 사무 자동화, 무인 자동화 등이 있다.

* **제약**
조건을 붙여 내용을 제한하는 것을 뜻한다.

* **대중문화**
대중이 형성하는 문화로, 대량 생산과 대량 소비를 전제로 한다.

❸ 인간 소외 현상
과학 기술의 급속한 발달과 산업화로 인간이 인격체로 대우받지 못하고, 인간이 본질적으로 갖고 있는 인간성을 상실하여 비인간적 상태에 놓이는 것을 뜻한다.

❹ 기술 지배 현상(technocracy)
과학 기술이 인간의 선한 목적을 위해 통제되지 못하고 오히려 기계가 인간을 지배하는 상황이 발생하는 현상이다.

❺ 과학 기술 낙관주의와 베이컨
베이컨이 주장한 "아는 것이 힘이다."라는 명제에서 '아는 것'은 과학을, '힘'은 기술을 가리킨다고 볼 수 있다. 그는 개개의 사례를 비교·관찰할 수 있다고 보았으며, 이와 같은 인식은 자연에 대한 인간의 태도를 변화시키는 중요한 단서가 되었다.

❻ 기술 영향 평가 제도
과학 기술이 경제·사회·문화·윤리·환경 등 사회 전반에 미치는 영향을 사전에 평가하여 과학 기술의 바람직한 발전 방향을 모색하고 부정적 영향을 최소화하려는 제도로, 전문가 중심의 평가와 일반 대중의 토론을 바탕으로 한 참여적 평가 등이 있다. 우리나라는 2003년부터 정부 주도로 기술 영향 평가를 추진하고 있다.

2. 과학 기술의 발전에 따른 윤리적 문제

(1) 인간의 주체성* 약화와 비인간화: 과학 기술에 종속되어 인간의 주체성을 약화시키고 인간 소외 현상,❸ 기술 지배 현상❹ 등을 초래할 수 있음

(2) 인권과 사생활 침해: 정보 기술의 발달로 개인 정보 유출, 악성 댓글과 사이버 폭력, 전자 감시 사회가 도래할 수 있음 자료 3

(3) 생명의 존엄성 훼손: 생명 공학 기술의 발달로 새로운 생명 윤리 문제가 발생할 수 있음 (안락사, 생명 복제, 인공 임신 중절 문제 등이 있어.)

(4) 환경 문제 심화: 무분별한 자연환경 개발로 생태계 파괴, 지구 온난화 등이 발생할 수 있음

3. 과학 기술의 발달에 따른 상반된 시각

(1) 과학 기술 낙관주의와 과학 기술 비관주의

구분	과학 기술 낙관주의(지상주의)❺	과학 기술 비관주의(혐오주의)
입장	• 과학 기술의 유용성을 강조하면서 과학 기술을 적극적으로 긍정함 • 과학 기술로 인류가 당면한 모든 문제를 해결할 수 있다고 봄	• 과학 기술의 부작용만을 지나치게 염려하면서 모든 종류의 과학 기술을 거부함 • 궁극적으로 과학 기술이 인간을 지배하는 인간 소외 사회가 될 것으로 전망함
문제점	과학 기술의 발전에 따른 부작용을 간과함	과학 기술의 혜택과 성과를 부정함

(2) 과학 기술에 대한 바람직한 견해: 과학 기술의 성과나 문제점 중 하나만을 강조하면 바람직하지 않은 관점을 지니게 됨 → 과학 기술의 성과나 문제점을 객관적으로 살펴야 함 (과학 기술의 긍정적 측면과 부정적 측면을 균형 있게 분석하고 이해해야 해.)

C 과학 기술의 사회적 책임과 책임 윤리

| 시·험·단·서 | 과학 기술자의 윤리적 책임과 요나스의 책임 윤리의 특징을 묻는 문제가 출제돼.

1. 과학 기술의 사회적 책임

(1) 과학 기술에 사회적 책임이 요구되는 까닭: 과학 기술의 혜택을 받는 동시에 과학 기술로 인한 문제로 위협을 받으므로 과학 기술 개발 초기부터 사회적 영향력을 함께 생각해야 함

(2) 과학 기술의 바람직한 활용을 위한 노력

① 과학 기술자의 윤리적 책임 자료 4 (과학 기술자는 전문 직업인으로서 사회에 큰 영향을 미치므로 강한 사회적 책임 의식을 지녀야 해.)

구분	내용
내적 책임	• 연구 과정에서 조작, 변조,* 표절* 등 비윤리적 행위를 해서는 안 됨 → 연구 윤리의 준수 • 과학적 지식의 추구는 윤리적·학문적 방법에 따라 이루어져야 함
외적 책임 (사회적 책임)	• 자신의 연구가 사회에 미칠 영향력을 인식하고 연구 결과에 대한 사회적 책임을 다해야 함 • 사회적으로 해로운 결과가 예상되는 연구는 위험성을 알리고 연구를 중단해야 함

② **개인적 차원:** 연구 개발에 관련된 사회적 토론과 합의 과정에 적극적으로 참여해야 함

③ **사회·제도적 차원:** 기술 영향 평가 제도,❻ 국가 단위의 각종 윤리 위원회 활동 등과 같은 제도적 장치 마련

2. 요나스의 책임 윤리

(요나스는 의도한 행위의 결과뿐만 아니라 의도하지 않은 행위의 결과까지 책임의 범위를 확장할 것을 요구했어.)

(1) 책임의 범위 확대

① 책임의 범위를 현세대로 한정하는 기존의 전통적 윤리관은 과학 기술 시대에 발생하는 문제를 해결하는 데 한계가 있음

② 인간뿐만 아니라 자연, 미래 세대까지 윤리적 책임의 범위를 확대해야 함

(2) 예견적 책임 강조

① 과학 기술의 발전이 먼 미래에 끼치게 될 결과를 예측하여 생명에 대한 도덕적 책임을 져야 함

② 미래 세대와 자연에 해악을 끼치는 과학 기술 연구는 중단해야 함

시험에 잘 나오는 자료

자료 3 판옵티콘을 통해 알아보는 '전자 감시 사회의 도래'

판옵티콘은 '모두를 본다'라는 뜻으로, 영국의 철학자 벤담이 죄수를 감시할 목적으로 1791년 처음으로 설계한 원형 감옥이다. 이 감옥은 중앙의 원형 공간에 높은 감시탑을 세우고, 감시탑 바깥의 원의 둘레를 따라 죄수의 방을 만들도록 설계되었다. 그래서 감시탑에 있는 간수는 모든 죄수들을 볼 수 있으나 죄수들은 간수를 볼 수 없다. 이로 인해 죄수들은 스스로 감시받고 있다는 느낌을 받고, 결국 그들은 규율과 감시를 내면화함으로써 지속적인 자기 감시 효과가 발생한다.

자·료·분·석 판옵티콘(panopticon)은 '모두'를 뜻하는 'pan'과 '본다'를 뜻하는 'opticon'을 합친 말로, '모두를 본다'라는 의미이다. 프랑스의 철학자 푸코는 "감시와 처벌"이라는 저서에서 개인의 일거수일투족을 감시하고 통제하는 컴퓨터 통신망과 데이터베이스를 판옵티콘에 비유하였다. 정보 기술의 발달로 개인들의 사생활과 인권 침해가 새로운 문제로 대두되고 있으며, 정보를 독점하고 이데올로기*를 시민들에게 주입하는 전자 감시 사회로까지 진입할 수 있다는 우려의 목소리도 나오고 있다.

한·줄·핵·심 현대 사회에서는 정보 기술의 발달로 개인의 신체에 대한 감시와 통제를 넘어서 네트워크 상의 정보에 대한 감시까지 가능해졌다.

자료 4 과학 기술자의 윤리적 책임 관련 문제 ▶ 143쪽 06번

과학에 관하여
① 과학 연구의 건전성 유지, 과학적 지식의 억압과 왜곡에 대한 저항, ② 과학적 성과의 완전한 공표, ③ 인종적·민족적 장벽을 넘어 다른 과학자와 협력할 것, ④ 기초 과학과 응용 과학의 균형을 올바르게 고려하여 과학의 발달을 확실하게 할 것

사회에 관하여
① 과학, 특히 자기 자신의 분야가 당면한 경제적·사회적 문제에 관하여 지니는 의미를 연구할 것, 그리고 이런 지식이 광범위하게 이해되고 실행으로 옮겨질 수 있도록 노력할 것, ② 기아 및 질병과 싸우고, 모든 나라의 생활과 노동 조건을 평등하게 개선하기 위해 과학을 사용할 새로운 방법을 탐구할 것, 이 경우 궁극적으로 같은 목적을 지닌 모든 조직 및 개인과 협력할 것, ③ 공공 행정의 모든 측면을 연구하고, 과학적 방법이 충분히 사용될 수 있도록 노력하며, 또 이 분야에서 과학의 진보가 갖는 의의를 국민과 정부가 항상 알 수 있도록 할 것

– 세계 과학자 연맹, "과학자 헌장"

자·료·분·석 위의 글은 과학 기술자가 지녀야 할 윤리적 책임에 대해 서술하고 있다. 현대 사회에서 과학 기술이 우리의 삶에 미치는 파급 효과가 점점 커지고 있으며, 어떤 영향을 미칠지 예측하기 어렵기 때문에 과학 기술의 발전에서 과학 기술자의 윤리적 책임이 더욱 강조되고 있다.

한·줄·핵·심 과학 기술은 사회에 미치는 영향력이 막대하므로 과학 기술자의 윤리적 책임이 요구된다.

내용 이해를 돕는 팁

궁금해요

Q. 과학 기술 비관주의의 대표적인 사례가 '러다이트 운동'이라는데, 러다이트 운동은 무엇인가요?

A. 러다이트(Luddite) 운동은 18~19세기에 걸쳐 영국의 공장 지대에서 노동자들이 일으킨 기계 파괴 운동이야. 당시 노동자들은 산업 혁명의 결과 발명된 새로운 기계의 보급을 실업의 원인으로 파악하고 기계를 파괴했어. 과학 기술에 대한 근거 없는 두려움을 보여 준 과학 기술 비관주의의 대표적인 사례라고 할 수 있지.

용어 더하기

* **주체성**
인간이 어떤 일을 실천할 때 나타내는 자유롭고 자주적인 성질이다.

* **변조**
이미 이루어진 물체 등을 다른 모양이나 물건으로 바꿔 만드는 것이다.

* **표절**
다른 사람이 창작한 저작물의 일부 혹은 전부를 도용하여 자신의 창작물인 것처럼 발표하는 것이다.

* **이데올로기**
사회 집단에 있어서 사상, 행동, 생활 방법을 근본적으로 제약하고 있는 관념이나 신조의 체계를 뜻한다.

요나스가 강조한 책임 윤리란?

개념풀 Guide 과학 기술자의 책임 한계에 대한 내용과 관련하여 요나스의 책임 윤리를 이해해 보자.

관련 문제 ▶ 145쪽 06번

핵심 짚어보기

책임의 범위 확대	• 인간뿐만 아니라 자연과 미래 세대까지 윤리적 책임의 범위를 확대함 • 의도적인 행위의 결과뿐만 아니라 의도하지 않은 행위의 결과까지 책임의 범위를 확대함 • 과거의 행위에 대한 책임에서 더 나아가 미래의 결과에 대한 책임까지 강조함
예견적 책임 강조	• 과학 기술의 발전이 먼 미래에 끼치게 될 결과를 예측해 생명에 대한 도덕적 책임을 져야 함 • 미래 세대와 자연에 해악을 끼치는 과학 기술 연구는 중단해야 함

자료에서 핵심 찾아보기

자료 ❶ 마침내 사슬에서 풀려난 프로메테우스는 자발적인 통제를 통해 자신의 권력을 제어할 수 있는 윤리학을 요청한다. 새롭게 등장한 윤리학은 '책임'이라는 개념을 통해 요약될 수 있다. …(중략)… 윤리학은 미지의 운명 속에서 추후 결과를 한가롭게 추측하는 대신에 현재의 순간적 행위가 갖는 윤리적 성격에만 집중하였다. 그런데 이 순간적 행위에서는 더불어 살고 있는 이웃의 권리가 존중되어야 한다. 그리고 윤리학은 인과적 범위를 전례 없이 미래에까지 적용시키는 행위와 관계가 있다. 또한 이러한 행위에 장기적 결과의 엄청난 규모와 그 환원 불가능성이 첨가된다. 이 모든 것이 책임을 윤리학의 중심에 세워 놓는다.

– 요나스, "책임의 원칙"

핵심 확인
요나스는 외부적인 통제가 없는 과학 기술의 발전은 문제를 야기하기 때문에 이를 통제할 수 있는 윤리학, 즉 책임 윤리를 새롭게 확립해야 한다고 보았다.

자료 ❷ 인류는 지구상에 계속 존재해야 한다. 이를 위해서는 사고의 전환이 요청된다. 전통적 윤리는 인간적 삶의 전 지구적 조건과 종(種)의 먼 미래와 실존을 고려할 필요가 없었다. 그러나 이제 우리는 자연에 대한 책임, 미래 지향적 책임, 미래 세대의 삶의 조건에 대한 책임까지 숙고해야 한다. 이러한 책임은 단순히 상호적 권리와 의무로만 설명될 수 없다. 우리에게 요청되는 책임은 자녀에 대한 부모의 책임처럼 일방적이고 절대적인 책임이다.

– 요나스, "책임의 원칙"

핵심 확인
요나스는 인류가 존속해야 한다는 당위적 요청을 근거로 인류 존속에 대한 현세대의 책임을 강조하였으며, 윤리적 책임의 범위를 자연과 미래 세대까지 확대할 것을 주장하였다.

이것만은 꼭!

다음 내용이 옳으면 ○표, 틀리면 ×표를 하시오.

(1) 요나스는 과학 기술에 대한 반성적 성찰을 강조하였다. (　　　)

(2) 요나스는 아직 일어나지 않은 일에 대해서도 예견적 책임을 져야 한다고 보았다. (　　　)

(3) 요나스는 유용성의 관점에서 생명과 자연의 가치를 평가해야 한다고 주장하였다. (　　　)

(4) 요나스는 윤리적 책임의 범위를 미래 세대와 자연까지 확대해야 한다고 주장하였다. (　　　)

[정답] (1) ○ (2) ○ (3) × (4) ○

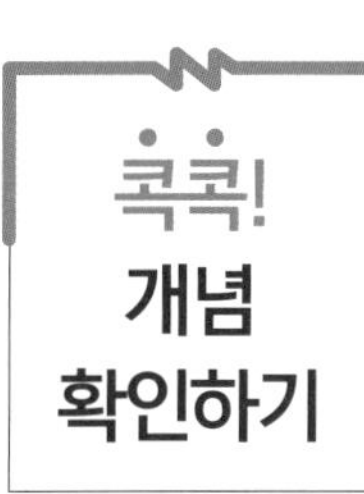

정답과 해설 47쪽

A 과학 기술의 의미와 가치 중립성 논쟁

01 빈칸에 알맞은 말을 쓰시오.

(   )(이)란 관찰, 실험, 조사 등의 객관적인 방법으로 얻어 낸 자연 현상에 대한 체계적인 지식과 그 지식을 활용하여 무엇인가를 만들어 내는 전 과정을 말한다.

02 과학 기술의 가치 중립성에 대한 입장과 그 특징을 바르게 연결하시오.

(1) 과학 기술의 가치 중립성 인정 •

(2) 과학 기술의 가치 중립성 부정 •

• ㉠ 과학 기술도 윤리적 검토나 통제를 통해 윤리적 목적에 기여해야 함

• ㉡ 과학 기술의 본질은 진리의 발견이며, 과학 기술에는 주관적 가치가 개입될 수 없음

B 과학 기술의 성과와 윤리적 문제

03 과학 기술의 발전에 따른 윤리적 문제를 〈보기〉에서 모두 고르시오.

보기
ㄱ. 대중문화의 자본 종속　　ㄴ. 사생활 침해　　ㄷ. 인간의 주체성 약화

(   )

04 알맞은 설명에 ○표를 하시오.

(1) 과학 기술 (낙관주의 , 비관주의)는 과학 기술의 혜택과 성과를 전면 부정한다는 점에서 현실적이지 못하다는 비판을 받는다.

(2) 과학 기술 (낙관주의 , 비관주의)는 과학 기술이 인류에게 무한한 부를 가져다주고, 인류가 당면한 모든 문제를 해결할 수 있다고 본다.

C 과학 기술의 사회적 책임과 책임 윤리

05 알맞은 설명에 ○표를 하시오.

(1) 요나스는 인간뿐만 아니라 자연과 (현세대 , 미래 세대)까지 윤리적 책임의 범위를 확대해야 한다고 주장하였다.

(2) 과학자가 연구 과정에서 조작, 변조, 표절 등 비윤리적 행위를 해서는 안 된다는 것은 과학자의 (내적 , 외적) 책임에 해당한다.

(3) 과학자가 사회적으로 해로운 결과가 예상되는 연구의 위험성을 알리고 연구를 중단해야 한다는 것은 과학자의 (내적 , 외적) 책임에 해당한다.

탄탄! 내신 다지기

A 과학 기술의 의미와 가치 중립성 논쟁

01 ㉠에 대한 옳은 설명을 〈보기〉에서 고른 것은?

> [㉠]은/는 과학과 기술의 합성어로, 관찰, 실험, 조사 등의 객관적인 방법으로 얻어 낸 지식과 그 지식을 활용하는 전 과정을 뜻한다.

〈보기〉
ㄱ. 인간의 삶을 풍요롭게 하여 삶의 질을 향상시킨다.
ㄴ. 자연 현상을 관찰하고 이해하여 일반적인 진리나 법칙으로 체계화하는 학문이다.
ㄷ. 진리의 발견과 활용을 넘어 인간의 존엄성 구현과 삶의 질 향상이라는 윤리적 목적과 연결된다.
ㄹ. 과학적 원리를 활용하여 인간이나 사회에 가치 있는 재화나 서비스를 생산하게 하는 지식이다.

① ㄱ, ㄴ　② ㄱ, ㄷ　③ ㄴ, ㄷ
④ ㄴ, ㄹ　⑤ ㄷ, ㄹ

02 (가), (나)의 입장에 대한 설명으로 옳은 것은?

> (가) 과학 기술은 그 자체로 선(善)도 아니고 악(惡)도 아니다. 과학 기술이 선한지 악한지는 인간이 기술로부터 무엇을 만들어 내고, 기술을 어디에 사용하며, 어떤 조건에서 기술이 만들어지느냐에 달려 있다.
> (나) 가치 중립적인 입장에서 과학 기술을 고찰한다면 인류는 무방비 상태로 과학 기술에 내맡겨질 것이다. 과학 기술이 인간과 자연에 미치는 영향력을 고려해야 한다.

① (가)는 과학 기술 연구에 윤리적 성찰이 필요하다고 본다.
② (가)는 과학 기술의 사회적 영향력을 고려해야 한다고 주장한다.
③ (나)는 과학 기술을 도덕적 평가의 대상으로 본다.
④ (나)는 과학 기술의 본질이 진리의 발견과 활용에 있다고 본다.
⑤ (가), (나)는 과학 기술을 전면 거부해야 한다고 주장한다.

03 ㉠에 들어갈 내용으로 가장 적절한 것은?

> 갑: 과학자의 연구가 사회적으로 부정적인 결과를 낳았다 하더라도 그것은 과학 기술을 이용한 사람들의 잘못이지 과학 기술자는 책임질 이유가 없습니다.
> 을: 아닙니다. 과학 기술자는 자신의 연구 결과가 미칠 사회적 영향을 인식하고 그 활용에 관해 책임을 다해야 합니다. 왜냐하면 [㉠]

① 과학 기술은 가치 중립적이기 때문입니다.
② 과학 기술은 윤리적 규제나 평가로부터 자유로워야 하기 때문입니다.
③ 과학 기술의 연구는 객관적인 진리 탐구를 주된 활동으로 하기 때문입니다.
④ 과학 기술자의 역할과 연구 결과를 활용하는 사람의 역할이 다르기 때문입니다.
⑤ 과학 기술의 연구 목적을 설정하는 과정에서 과학 기술자의 가치가 개입될 수밖에 없기 때문입니다.

B 과학 기술의 성과와 윤리적 문제

04 ㉠, ㉡의 적절한 사례를 〈보기〉에서 고른 것은?

> 과학 기술의 발달은 인류에게 여러 가지 ㉠긍정적인 성과를 가져다주었지만 동시에 많은 ㉡윤리적 문제를 발생시키기도 하였다.

〈보기〉
ㄱ. ㉠: 시공간적 제약을 극복할 수 있게 되었다.
ㄴ. ㉠: 인간의 주체성을 약화시키고 비인간화 현상을 초래하였다.
ㄷ. ㉡: 생명의 존엄성과 본래적 가치가 훼손되었다.
ㄹ. ㉡: 소수의 전유물이었던 문화를 대중이 향유할 수 있게 되었다.

① ㄱ, ㄴ　② ㄱ, ㄷ　③ ㄴ, ㄷ
④ ㄴ, ㄹ　⑤ ㄷ, ㄹ

정답과 해설 47쪽

05 ㉠에 들어갈 내용으로 가장 적절한 것은?

> 과학 기술 낙관주의는 과학 기술의 유용성이라는 긍정적 측면을 강조한다. 이 입장에 따르면 과학 기술은 인류에게 무한한 부를 가져다주고, 과학 기술로 인류가 당면한 모든 문제를 해결할 수 있다. 그러나 과학 기술 낙관주의는 [㉠]는 문제점을 지니고 있다.

① 과학 기술의 부작용만을 지나치게 염려한다
② 과학 기술에 대한 근거 없는 두려움을 조장한다
③ 과학 기술의 폐해와 같은 부정적 측면만을 강조한다
④ 과학 기술이 가져다준 여러 가지 혜택과 성과를 전면 부정한다
⑤ 인간의 책임에 대한 도덕적 숙고를 비롯한 반성적 사고의 중요성을 훼손한다

C 과학 기술의 사회적 책임과 책임 윤리

06 ㉠, ㉡의 적절한 사례를 〈보기〉에서 고른 것은?

> 현대 사회에서 과학 기술이 우리 삶에 미치는 파급 효과가 점점 빨리지고 있으며, 우리에게 어떤 영향을 미칠지 예측하기가 어렵기 때문에 현대 과학 기술의 발전에서 윤리적 책임이 더욱 강조되고 있다. 특히 과학 기술자에게는 ㉠내적 책임과 사회에 대한 책임 의식인 ㉡외적 책임이 요구된다.

〈보기〉
ㄱ. ㉠: 사회적으로 해로운 결과가 예상되는 연구는 중단한다.
ㄴ. ㉠: 과학 기술자는 연구 자료를 표절하거나 조작하지 않는다.
ㄷ. ㉡: 과학 기술자는 자신의 연구 결과가 사회에 미칠 영향력을 인식한다.
ㄹ. ㉡: 기술 영향 평가 제도, 국가 단위의 각종 윤리 위원회 활동 등과 같은 제도를 마련한다.

① ㄱ, ㄴ ② ㄱ, ㄷ ③ ㄴ, ㄷ
④ ㄴ, ㄹ ⑤ ㄷ, ㄹ

07 다음을 주장한 사상가가 지지할 입장을 〈보기〉에서 고른 것은?

> • 네 행위의 결과가 인간 삶의 미래의 가능성을 파괴하지 않도록 행위하라.
> • 자연은 인간 생존을 위한 필수 조건이기 때문만이 아니라 그 자체로도 보호되어야 한다.

〈보기〉
ㄱ. 과학 기술에 대한 반성적 성찰이 필요하다.
ㄴ. 인류의 존속이라는 무조건적 명령을 이행해야 한다.
ㄷ. 최대 다수의 최대 행복을 과학 연구의 목적으로 설정해야 한다.
ㄹ. 윤리적 책임의 범위를 현세대로 한정하여 환경 문제를 해결해야 한다.

① ㄱ, ㄴ ② ㄱ, ㄷ ③ ㄴ, ㄷ
④ ㄴ, ㄹ ⑤ ㄷ, ㄹ

서술형 문제

08 다음 글은 과학 기술의 가치 중립성 논쟁 중에서 어느 의견을 지지하는지 쓰고, 이에 대한 반론을 서술하시오.

> 과학 기술은 진리의 발견과 활용이라는 자체의 목적을 지니고 있지만 이 목적이 궁극적으로 지향하는 바는 인간의 존엄성 구현과 삶의 질 향상이라는 윤리적 목적과 연결되어 있다는 점을 명심해야 한다. 이를 위해 과학 기술은 연구 결과를 활용할 때 가치 중립성을 적용할 수 없는 영역이 존재한다.

도전! 실력 올리기

수능 기출

01 (가)의 입장에 비해 (나)의 입장이 갖는 상대적 특징을 그림의 ㉠~㉤ 중에서 고른 것은?

> (가) 과학 기술을 가치 중립적인 것으로 간주해서는 안 된다. 과학 기술 연구 및 그 결과 활용에 대한 과학자의 공적인 책임 의식과 외부 규제가 없다면, 인류는 과학 기술에 종속당하여 제어할 수도 없고 돌이킬 수도 없는 불행한 미래에 봉착하게 된다.
> (나) 과학 기술 자체에 선악의 잣대를 적용할 수 없으며, 연구 성과의 활용과 초래되는 결과에 대해 과학자에게 어떠한 책임도 물어서는 안 된다. 외부 간섭에서 벗어나 연구에만 전념할 때 과학 기술은 발전 가능하며, 그 결과 인류는 지속적으로 번영하게 된다.

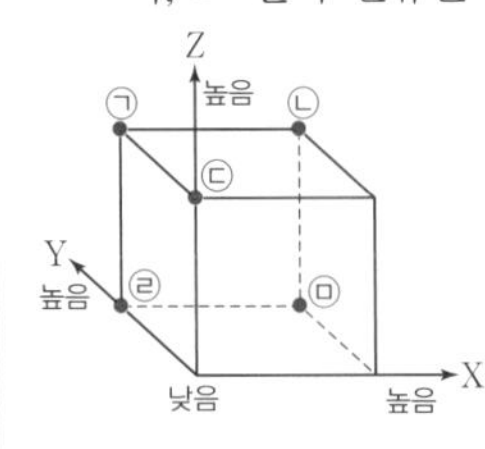

- X: 과학 기술 연구의 독립성이 인류 진보에 공헌함을 강조하는 정도
- Y: 과학 기술 자체에 대한 윤리적 판단을 배제해야 함을 강조하는 정도
- Z: 과학 기술 연구 결과의 활용에 대한 과학자의 사회적 책임을 강조하는 정도

① ㉠　② ㉡　③ ㉢　④ ㉣　⑤ ㉤

02 그림은 서술형 평가 문제와 학생 답안이다. 학생 답안의 ㉠~㉤ 중 옳지 않은 것은?

> **서술형 평가**
>
> ◎ **문제:** 과학 기술의 발전에 따른 성과와 문제점을 서술하시오.
>
> ◎ **학생 답안**
>
> 과학 기술이 우리에게 가져다준 성과로는 ㉠물질적 풍요와 안락한 삶을 들 수 있고, ㉡생명 의료 기술의 발전에 따른 건강 증진과 생명 연장을 들 수 있다. 한편 과학 기술의 부작용으로는 ㉢자원 고갈과 환경 문제를 일으키고, ㉣안락사나 생명 복제 등 생명 윤리 문제가 발생할 수 있다는 점을 들 수 있다. 또한 ㉤국가 간, 계층 간 과학 기술의 접근 가능성의 차이가 줄어 경제적 격차가 커졌다는 점 등이 있다.

① ㉠　② ㉡　③ ㉢　④ ㉣　⑤ ㉤

수능 유형

03 (가)의 입장에서는 긍정, (나)의 입장에서는 부정의 대답을 할 질문으로 가장 적절한 것은?

> (가) 과학적 인식 방법이야말로 우주와 인간을 연결하는 최고의 유일한 방법이며, 인류가 당면한 모든 문제를 과학 기술로 해결할 수 있다.
> (나) 과학 기술은 인류의 삶의 질에 어떠한 이로움도 가져다주지 않았다. 과학 기술은 수많은 윤리적 문제와 자연 파괴를 낳았으며, 결국 과학 기술이 지배하는 인간 소외 사회가 초래될 것이다.

① 과학적 방법이 모든 가치 판단의 기준인가?
② 모든 종류의 과학 기술을 거부해야 하는가?
③ 기계 파괴 운동인 러다이트 운동을 지지하는가?
④ 과학 기술의 발전에 따르는 부작용이 커질 것인가?
⑤ 인간이 과학 기술에 종속되는 현상이 발생하는가?

04 (가)의 갑, 을의 입장을 (나) 그림으로 나타낼 때, A~C에 해당하는 진술로 적절한 것은?

(가)	갑: 내가 원자 폭탄을 만든 것은 사실이지만, 원자 폭탄을 사용할지 결정하는 것은 정치인이며, 나는 맡은 바 임무에 충실했을 뿐이다. 을: 히틀러에게 원자 폭탄이 들어가도록 하는 씻을 수 없는 죄를 인류에게 지을 수 없다. 우리가 연구할 것은 원자 에너지를 평화롭게 활용하는 방안에 한정되어야 한다.
(나)	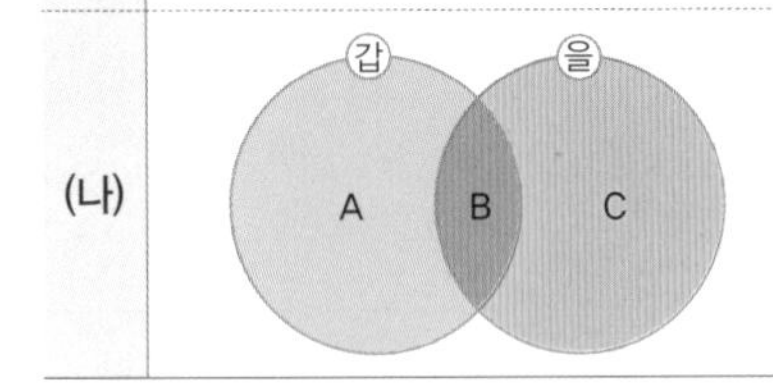 〈범례〉 A: 갑만의 입장 B: 갑, 을의 공통 입장 C: 을만의 입장

① A: 과학 기술의 연구 과정에 대한 도덕적 평가가 필요하다.
② A: 과학 기술은 인간 존엄성의 구현이라는 목표에 충실해야 한다.
③ B: 모든 종류의 과학 기술을 거부해야 한다.
④ C: 과학 기술에 대한 도덕적 평가와 비판은 유보해야 한다.
⑤ C: 과학 기술자는 연구 결과의 활용에 대한 사회적 책임을 져야 한다.

정답과 해설 48쪽

수능 유형

05 갑의 입장에서 을에게 제시할 적절한 조언을 〈보기〉에서 고른 것은?

> 갑: 너의 행위의 귀결이 미래에도 인간이 존속할 수 있는 가능성을 파괴하지 않도록 행위하라.
> 을: 우리는 과학을 활용하여 자연을 지배하고 통제함으로써 인간의 복지를 무한히 증대할 수 있다.

〈보기〉
ㄱ. 과학은 경제적 생산성을 증진하는 데 공헌해야 한다.
ㄴ. 모든 생명체를 목적 그 자체로 존중하고 보호해야 한다.
ㄷ. 과학의 발전이 일으킬 위험에 대해 경각심을 가져야 한다.
ㄹ. 사회에 대한 책임보다 과학적 연구 성과를 더 중시해야 한다.

① ㄱ, ㄴ ② ㄱ, ㄷ ③ ㄴ, ㄷ
④ ㄴ, ㄹ ⑤ ㄷ, ㄹ

06 다음 사상가의 입장으로 적절한 진술만을 〈보기〉에서 있는 대로 고른 것은?

> 마침내 사슬에서 풀려난 프로메테우스는 자발적인 통제를 통해 자신의 권력을 제어할 수 있는 윤리학을 요청한다. 새롭게 등장한 윤리학은 책임이라는 개념을 통해 요약될 수 있다. …(중략)… 새로운 윤리학은 인과적 범위를 전례 없이 미래에까지 적용시키는 행위와 관계가 있다.

〈보기〉
ㄱ. 인간보다 생태계를 우선하는 새로운 윤리를 정립해야 한다.
ㄴ. 윤리적 책임의 범위를 자연과 미래 세대까지 확대해야 한다.
ㄷ. 내재적 가치를 지니는 모든 생명체에 대하여 책임을 져야 한다.
ㄹ. 인류가 존속해야 한다는 것은 무조건 따라야 하는 정언 명령이다.

① ㄱ, ㄴ ② ㄱ, ㄷ ③ ㄴ, ㄹ
④ ㄱ, ㄷ, ㄹ ⑤ ㄴ, ㄷ, ㄹ

07 다음 사상가의 입장에서 긍정의 대답을 할 질문만을 〈보기〉에서 있는 대로 고른 것은?

> 과학 기술로 말미암아 미래에 닥쳐올지 모르는 공포와 재난을 미리 발견하여 그것에 대한 책임 있는 대안을 마련할 수 있어야 한다. 여기서 다음과 같은 명령이 우리에게 부과된다. "너의 행위의 결과가 이 지구상에서 진정한 인간적 삶의 지속과 조화되도록 행위하라."

〈보기〉
ㄱ. 행위의 결과를 충분히 숙고해야 하는가?
ㄴ. 인류 존속이라는 무조건적 명령을 이행해야 하는가?
ㄷ. 미래 세대와 자연 환경에 대한 책임을 중시해야 하는가?
ㄹ. 자연의 가치를 인류의 복지를 증진시킬 수 있는지의 여부로 평가해야 하는가?

① ㄱ, ㄴ ② ㄱ, ㄹ ③ ㄷ, ㄹ
④ ㄱ, ㄴ, ㄷ ⑤ ㄴ, ㄷ, ㄹ

수능 기출

08 다음 서양 사상가의 입장으로 적절하지 <u>않은</u> 것은?

> 우리에게는 악의 인식이 선의 인식보다 무한히 쉽다. 선은 눈에 띄지 않게 존재하며 반성을 하지 않으면 인식될 수 없지만, 악의 현존은 우리에게 인식을 강요한다. 우리가 실제로 무엇을 보호해야 하는가를 알아내기 위해 새로운 윤리학은 공포를 논의 대상으로 삼아야 한다. 인간 행위의 새로운 유형에 적합하고 새로운 유형의 행위 주체를 지향하는 명법은 다음과 같다. "너의 행위의 효과가 지상에서의 진정한 인간적 삶의 지속과 조화될 수 있도록 행위하라."

① 자연이 수용할 수 있는 한에서 과학 기술의 발전을 추구해야 한다.
② 과학 기술의 긍정적인 영향보다 부정적인 영향에 주목해야 한다.
③ 새로운 윤리학은 최고악에 대한 공포에서 출발할 필요가 있다.
④ 새로운 윤리학은 "A이면 B하라."라는 형식의 명법만을 지향한다.
⑤ 사후적 책임뿐만 아니라 사전적 책임도 중시해야 한다.

02 정보 사회와 윤리

핵심 질문으로 흐름잡기

A 정보 기술의 발달에 따른 윤리적 문제와 정보 사회에 필요한 정보 윤리는?

B 정보 사회에서 요구되는 매체 윤리는?

❶ **지적 재산권**
지식, 정보, 기술 등 재산적 가치가 실현될 수 있는 지적 창작물에 부여된 재산에 대한 권리이다.

❷ **저작권**
지적 재산권 중에서 문학, 학술 또는 예술의 범위에 속하는 저작물에 대하여 창작자가 가지는 권리이다. 저작물에 대한 경제적 대가를 보호하는 재산적 측면과 저작권자의 의사를 존중하는 인격적 측면을 포함한다.

❸ **정보의 자기 결정권**
자신의 개인 정보를 누구에게 어떤 범위까지 얼마 동안 어떤 형식으로 공개할 것인가, 언제 폐기할 것인가 등에 관해 정보의 주인이 통제할 수 있는 권리이다.

❹ **사이버 폭력**
사이버 공간에서 상대방이 원하지 않는 언어, 이미지 등을 이용하여 정신적·심리적 피해를 주는 행위를 뜻한다. 사이버 폭력의 예로는 사이버 따돌림, 사이버 명예 훼손, 사이버 모욕, 사이버 스토킹, 사이버 성폭력 등이 있다.

❺ **정보 격차**
교육, 소득 수준, 성별, 지역 등의 차이로 정보에 대한 접근과 이용이 차별되고, 그 결과 경제적·사회적 불균형이 발생하는 현상을 뜻한다.

A 정보 기술의 발달과 정보 윤리

| 시·험·단·서 | 정보 공유론과 정보 사유론의 입장을 비교하는 문제가 출제돼.

1. 정보 기술의 발달이 가져온 사회 변화

(1) **생활의 편리성 향상**: 정보 기술을 통한 일상적 활동과 업무 처리가 가능해짐
— 스마트폰을 이용해 시장을 보고 집으로 물건을 배송시키거나 은행 업무를 처리하곤 해.

(2) **전문 지식의 습득**: 의학, 법률 등 전문적인 정보를 검색함으로써 관련 지식을 쉽게 습득함

(3) **사회 참여의 기회 확대**: 인터넷, SNS*를 통한 청원* 등 정치적 의사 결정에 직접 참여함

(4) **다양성을 존중하는 사회 분위기 조성**: 자기 의견을 자유롭게 표현하고 다양한 의견을 주고받음으로써 사회가 더욱 수평화·다원화됨

2. 정보 기술의 발달에 따른 윤리적 문제

(1) **지적 재산권❶**

— 저작권은 일시적인 소유권만 인정되는 권리야. 저작권법에서는 공공의 목적이나 문화유산 공유 측면에서 저작권 일부를 제한하고 있어.

① 저작물을 쉽게 복제하고 배포할 수 있게 되면서 다른 사람의 저작권❷을 침해하는 문제가 발생할 수 있음

② **지적 재산권을 둘러싼 논쟁**

정보 공유론(copyleft)	정보 사유론(copyright)
정보와 그 산물은 인류가 함께 누릴 자산임 → 더 많은 사람이 쉽게 사용하도록 정보를 공유하여 정보의 가치를 증대해야 함	정보와 그 산물은 개인의 사유 재산임 → 정보 창작자에게 생산 노력의 정당한 대가를 주고 정보를 사용해야 함

(2) **사생활 침해**

① 정보 기술의 발달로 개인 정보를 쉽게 얻을 수 있게 되어 사생활을 침해하는 일이 발생할 수 있음

② 개인 정보 보호를 위해 정보의 유통 과정 전체를 개인이 통제하는 '정보의 자기 결정권❸'이나 '잊힐 권리'가 강조되고 있음 자료 1

(3) **사이버 폭력❹**: 사이버 공간에서 표현의 자유가 악의적으로 이용되어 사이버 폭력이 발생할 수 있음
— 사이버 폭력도 현실 세계의 폭력과 마찬가지로 다른 사람에게 고통을 주고 사회 혼란을 일으킬 수 있어.

(4) **정보 격차❺ 문제**: 정보 기술의 활용이나 정보 처리 능력이 어려운 정보 소외 계층과 그렇지 않은 계층 간의 사회·경제적 격차가 발생할 수 있음

(5) **기타**: 현실 공간과 사이버 공간의 괴리로 자아 정체성 형성에 혼란을 겪을 수 있음, 게임이나 인터넷 중독에 빠질 수 있음, 정보 기술을 활용한 판옵티콘*이 재현될 것이라는 우려가 있음

— 정보 기술에 따른 다양한 윤리 문제가 발생하면서 현실 윤리와 구별되는 정보 윤리가 요구되고 있어.

3. 정보 윤리의 기본 원칙 자료 2

인간 존중의 원칙	타인도 인간으로서 존엄성과 권리를 지니므로 타인의 인격, 사생활, 명예, 지적 재산권 등을 존중해야 함
책임의 원칙	익명성으로 나타날 수 있는 비윤리적인 행동을 막기 위해 자신의 행동이 가져올 결과를 생각하면서 책임 의식을 지녀야 함
정의의 원칙	모든 개인은 동등한 권리를 평등하게 보장받아야 하므로 누구도 타인의 자유나 권리를 침해하지 말아야 함
해악 금지의 원칙	사이버 폭력, 개인 정보 유출, 해킹, 바이러스 유포 등 타인에게 피해를 주는 행위를 해서는 안 됨

시험에 잘 나오는 자료

자료 1 사생활 보호와 '잊힐 권리' 관련 문제 ▶ 155쪽 05번

2014년 유럽 사법 재판소는 스페인 변호사 곤잘레스(Gonzalez)가 청구한 자신에 대한 구글(Google) 검색 결과 삭제 요구에 대해 해당 정보를 노출해도 문제가 없는 합법적인 정보라고 해도, 개인이 요청하면 공익과 비교하여 정보를 삭제해야 한다고 판결하였다.
이러한 판결과 더불어 최근 개인의 신상 정보를 온라인에 공개하고 이를 퍼뜨리는 '신상 털기*와 퍼 나르기' 피해 사례가 속출하고 있는 만큼, 잊힐 권리의 법제화 요구가 더욱 거세어지고 있다. 하지만, 한편에서는 잊힐 권리를 법제화하면 인터넷에서 표현의 자유, 즉 대중의 '알고 기억할 권리'를 침해할 수 있다는 우려를 제기한다. 잊힐 권리를 과거 행적 감추기에 악용하거나 정보 비공개로 인해 추가 피해가 발생할 가능성도 있으므로 신중한 접근이 필요하다. - ○○신문, 2016. 5. 11.

자·료·분·석 잊힐 권리는 온라인에서 자신과 관련된 모든 정보에 대한 삭제와 확산 방지를 요구할 수 있는 정보 주체의 자기 결정권과 통제 권리를 뜻한다. 개인 정보를 비롯하여 자신이 원하지 않는 민감한 정보들이 포털 사이트 등을 통하여 많은 사람에게 공개되지 않아야 한다는 생각이 확산하면서 등장한 권리이다. 그러나 공공의 이익과 안전을 위한 범죄자의 신상 공개나 공직자의 사생활 등 국민의 '알 권리*'를 보장하기 위해 개인의 사생활은 일부 제한될 수 있다.

한·줄·핵·심 정보 사회에서 개인의 사생활을 보호하기 위해 잊힐 권리가 강조되고 있다.

알 권리가 사생활 보호보다 우조건 앞선다는 것은 아니야. 알 권리가 도덕적 정당성을 갖기 위해서는 공익을 위한 목적에서 올바르게 행사되어야 해.

자료 2 세버슨과 스피넬로의 정보 윤리의 기본 원칙 관련 문제 ▶ 154쪽 02번

세버슨의 '정보 윤리학의 기본 원리'	스피넬로의 '사이버 윤리'
• 지적 재산권 존중: "창의적인 노동에는 보상이 따른다."라는 문화적 신념에 기반을 두고 인정되는 것이다. • 사생활 존중: 개인의 정보에 대하여 합당한 비밀이 유지되어야 한다. • 공정한 표현: 주로 제품의 판매자가 그들의 제품과 제공할 서비스를 고객들에게 알리는 일과 관련된다. • 해악 금지: 해킹, 사이버 범죄 등을 규제하는 것으로 타인에게 피해를 주지 말 것을 요구한다.	• 자율성: 스스로 도덕 원칙을 수립하여 행동하고 타인의 자기 결정 능력을 존중해야 한다. • 해악 금지: 남에게 해악을 끼치거나 상해를 입히는 일을 피해야 한다. • 선행: 타인의 복지를 증진하는 방향으로 행동해야 한다. • 정의: 공정한 기준에 따라 혜택이나 부담을 공정하게 배분해야 한다.

자·료·분·석 정보 윤리의 기본 원칙으로 세버슨은 지적 재산권 존중, 사생활 존중, 공정한 표현, 해악 금지를 제시하였다. 한편, 스피넬로는 자율성, 해악 금지, 선행, 정의를 제시하였다. 이러한 원칙들은 정보 기술의 발전으로 새롭게 만들어진 미디어 환경이나 가상 공간 등과 관련하여 일정한 윤리적 규범을 준수할 것을 요구한다. 현실과 가상 공간의 행동 주체는 결국 인간이기 때문에 현실에서 지켜야 할 바람직한 삶의 자세와 크게 구분되지 않는다고 본 것이다.

한·줄·핵·심 정보 윤리는 인간성 존중, 자유, 평등, 책임, 정의 등과 같은 전통적인 가치와 일정한 관련을 맺고 있다.

내용 이해를 돕는 팁

궁금해요

Q. 사이버 따돌림은 무엇인가요?
A. 인터넷, 휴대 전화 등 정보 통신 기기를 이용해 특정인과 관련된 개인 정보 또는 허위 사실을 유포해 지속적·반복적으로 공격을 가하는 행위, 또는 온라인 그룹에서 고의로 특정인을 배제하여 상대방이 고통을 느끼도록 하는 행위를 말해.

용어 더하기

* **SNS(Social Network Services)**
특정한 관심이나 활동을 공유하는 사람들 사이의 관계망을 구축해 주는 온라인 서비스를 말한다.

* **청원**
국민이 국가 기관에 대하여 어떤 의견이나 사항을 문서로써 진정하는 것을 말한다.

* **판옵티콘(Panopticon)**
1791년 영국의 공리주의 철학자인 벤담이 죄수를 효과적으로 감시할 목적으로 고안한 원형 감옥을 말한다.

* **신상 털기**
신상 관련 자료를 인터넷 검색을 이용하여 찾아 내어 다시 인터넷에 무차별 공개하는 사이버 테러의 일종이다.

* **알 권리**
국민이 사회적 현실에 관한 정보를 자유롭게 알 수 있는 권리이다.

B 정보 사회에서의 매체 윤리

| 시·험·단·서 | 매체의 발달로 나타난 다양한 윤리 문제와 현대인이 지켜야 할 매체 윤리를 묻는 문제가 출제돼.

1. 뉴 미디어의 등장과 특징

(1) 뉴 미디어[6]의 등장

① 정보 기술의 발달로 새로운 대중 매체로서 등장함

(매체: 다양한 정보를 신속하고 정확하게 전달하기 위한 매개체를 말해.)

② 텔레비전이나 신문, 라디오 등 기존 매체들도 제공하던 정보를 인터넷을 통해 전달 및 소비하면서 뉴 미디어로 재탄생 되기도 함 예 신문, 서적 → 인터넷 신문, 웹진*, 전자책/텔레비전, 라디오 → IPTV*, 위성 방송

(2) 기존 매체와 뉴 미디어의 특징

구분	특징
기존 매체	• 권위 있는 전문가가 정보를 제작·생산함 • 소수가 다수에게 일방적으로 정보를 전달함
뉴 미디어	• 아날로그 시대에 개별적으로 존재했던 매체들이 하나의 정보망으로 통합됨 • 정보 기술을 활용하는 누구나 정보를 생산, 유통, 소비할 수 있음 • 정보 생산 주체와 소비 주체의 쌍방향적 의사소통이 이루어짐 • 모든 정보를 디지털화함으로써 정보를 신속하게 수집·전달함

(쌍방향적 의사소통: 정보의 생산자와 소비자가 비교적 수평적인 관계를 바탕으로 의견을 자유롭게 주고받는다는 뜻이야.)

2. 뉴 미디어 시대의 윤리적 문제

(1) 알 권리와 인격권의 대립

① 국민의 알 권리 보장을 위한 매체의 정보 전달이 특정 개인의 인격권[7]을 침해할 가능성이 있음

② 개인의 인격권 침해를 방지하기 위해 매체는 정보를 전달할 때 국민의 알 권리를 보장하되 개인의 인격권을 침해하는지 살펴야 함

(2) 허위 정보[8]와 유해 정보의 전달 자료 3

① 뉴 미디어는 허위 정보나 유해 정보를 전달할 때가 많아 기존 매체 수준으로 신뢰하기 어려움

② SNS를 통해 부정확한 정보가 빠르게 확산되어 피해와 혼란을 키우기도 함

(3) 책임의 분산: 특정 저작물을 여러 공간에 저장함으로써 정보가 분산되면서 책임도 분산되어 윤리적 책임 의식이 약화됨

(예를 들어 사진, 글 등을 소셜미디어, 블로그, 카페 게시판 등에 퍼가서 저장할 경우 무분별하게 유통될 수 있고, 익명성으로 도덕적 책임을 별로 느끼지 않게 돼.)

3. 뉴 미디어 시대에 요구되는 매체 윤리

(1) 정보 생산과 유통 과정에서 필요한 윤리

① **진실한 태도 유지:** 사실을 있는 그대로 전달하고, 정보를 자의적*으로 해석하거나 왜곡해서는 안 됨

② **객관성과 공정성 추구:** 관련된 내용을 동등하고 균형 있게 취급하고, 개인적이고 주관적인 정보를 지양해야 함

③ **표현의 자유에 대한 한계 인식:** 표현의 자유는 타인의 권리를 침해하지 않으며, 사회 질서와 공공복리를 침해하지 않는 범위에서 허용되어야 함 자료 4

(2) 정보의 소비 과정에서 필요한 윤리

① **미디어 리터러시[9] 함양:** 자신이 찾아 낸 정보의 가치를 비판적으로 평가하고, 자신의 목적에 맞게 기존 정보를 새로운 정보로 조합하는 능력을 함양해야 함

② **소통과 시민 의식 함양:** 매체가 제공하는 정보를 바탕으로 소통·협력하며, 매체들이 공정하고 객관적인 정보를 제공하는지 감시해야 함

---

❻ 뉴 미디어
기존의 매체들이 제공하던 정보를 가공, 전달, 소비하는 포괄적 융합 매체를 말한다.
예 인터넷, SNS 등

❼ 인격권
인간의 존엄성에 바탕을 둔 사적 권리이자 인격적 이익을 기본 내용으로 하며 그 주체만이 행사할 수 있는 권리이다. 인격권에는 사생활을 침해당하지 않을 권리인 '사생활권', 성명을 사용하는 것에 관한 권리인 '성명권', 초상에 대한 독점적 권리인 '초상권', 자기 저작에 관해 갖는 권리인 '저작 인격권'이 있다.

❽ 허위 정보와 데이터 스모그(data smog)
인터넷의 급속한 발달로 쏟아져 나오는 많은 정보 중 필요 없는 정보나 허위 정보들이 마치 대기 오염의 주범인 스모그처럼 가상 공간을 어지럽힌다는 뜻에서 유래된 용어이다.

❾ 미디어 리터러시
정보 사회에서 매체를 이해하고 활용하는 데 필요한 기본적인 읽기, 쓰기, 능력을 말한다. 포괄적으로는 다양한 형태의 커뮤니케이션에 접근하고 분석·평가하고 발신하는 능력을 의미한다.

시험에 잘 나오는 자료

자료 3 뉴 미디어의 순기능과 부작용 관련 문제 ▶ 153쪽 06번

(가) 인터넷과 모바일 같은 정보 통신 기술을 이용해 국민이 정치 과정에 직접 참여하는 민주주의를 전자 민주주의라고 한다. 국민은 인터넷을 이용해서 구청이나 시청은 물론 국회의원, 대통령에게도 자신의 생각과 의견을 전달할 수 있고, 정치가는 자신의 정치적 신념이나 정책을 알리기 위해 홈페이지를 만들고 국민에게 자신이 한 일을 알릴 수 있게 되었다. 유권자는 인터넷 토론 게시판에서 서로 정치적 의견을 나누고, 인터넷이나 모바일을 이용해 투표를 할 수 있다.

(나) 누리 소통망(SNS)에 올라오는 영상에 자극적인 장면이 담기는 사례가 증가하고 있다. '좋아요' 표시나 댓글을 더 많이 받으려는 사람이 많기 때문이다. 하지만, 자극적이고 혐오스러운 영상을 법적으로 규제하기는 어렵다. 불특정 다수를 상대로 하기 때문이다. 자신이 올리는 영상이 사회적으로 문제가 된다는 점을 모르는 사람이 많다. 기술이 발전하는 만큼 학교에서 이에 상응하는 '윤리 교육'을 시행해야 한다.

– ○○신문, 2016. 4. 13.

자·료·분·석 SNS, 인터넷 등과 같은 뉴 미디어를 통해 누구나 손쉽게 정보를 생산하고 이를 광범위하고 빠르게 전달할 수 있다. 그래서 뉴 미디어는 (가) 사례와 같이 시민의 정치 참여를 유발하는 순기능을 하기도 하지만, (나) 사례와 같이 허위 정보나 유해 정보를 전달하는 부작용도 일으키고 있다.

한·줄·핵·심 뉴 미디어는 순기능과 동시에 윤리적 문제도 지니므로, 올바른 매체 윤리가 요구된다.

자료 4 밀이 강조한 표현의 자유

전체 인류 가운데 단 한 사람이 다른 생각을 가지고 있다고 해서, 그 사람에게 침묵을 강요하는 일은 옳지 못하다. 이것은 어떤 한 사람이 자기와 생각이 다르다고 나머지 사람 전부에게 침묵을 강요하는 일만큼이나 용납될 수 없는 것이다. …(중략)… 그러나 다른 사람들이 옳지 못한 행동을 하도록 하는 데 직접적인 영향을 끼칠 수 있는 상황이라면, 의견의 자유도 무제한적으로 허용될 수는 없다. 어떤 종류의 행동이든 정당한 이유 없이 다른 사람에게 해를 끼치는 것은 강압적인 통제를 받을 수 있으며, 사안이 심각하다면 반드시 통제해야 한다. 나아가 필요하다면 사회 전체가 적극적으로 간섭해야 한다.

– 밀, "자유론"

자·료·분·석 영국의 철학자 밀*은 옳은 의견뿐만 아니라 잘못된 의견일지라도 표현의 자유를 억압해서는 안 된다고 보았다. 표현의 자유를 침해하게 되면 진리를 찾을 기회를 잃거나 진리를 명확하게 드러낼 기회를 놓칠 수 있기 때문이다. 다만 개인의 자유가 다른 사람에게 해를 끼칠 때는 제한될 수 있다고 주장하였다.

한·줄·핵·심 밀은 다른 사람에게 피해를 주지 않는 한 개인은 최대한의 자유를 누릴 수 있다고 주장하였다.

내용 이해를 돕는 팁

궁금해요

Q. SNS의 또 다른 부작용에는 무엇이 있나요?

A. SNS에 과도하게 의존하면서 타인의 관심이나 반응에 매달리는 사람들이 많아지고 있어. 이에 타인의 관심을 끌고자 인터넷 게시판에 악의적으로 글을 올리는 '어그로'나 자신의 상황을 과장하고 부풀리는 허언증의 하나인 '뮌하우젠 증후군'이 나타나기도 해.

용어 더하기

* **웹진(webzine)** 월드 와이드 웹(world wide web)과 잡지(magazine)의 합성어로 인터넷상에서 발간되는 잡지를 말한다.

* **IPTV** 초고속 인터넷망을 이용하여 제공되는 양방향 텔레비전 서비스로, 편리한 시간에 보고 싶은 프로그램을 골라 볼 수 있는 방식을 말한다.

* **자의적** 일정한 질서를 무시하고 제멋대로 하는 것 혹은 자기 마음대로 해석하는 것을 뜻한다.

* **밀(Mill, J. S.)** 19세기 영국의 철학자이자 경제학자로, 벤담의 양적 공리주의와 구분되는 질적 공리주의의 사상을 발전시켰다. 주요 저서로 "자유론", "공리주의" 등이 있다.

정보는 사유 재산일까, 모두가 함께 누려야 할 자산일까?

개념풀 Guide 정보 사유론과 정보 공유론의 입장을 비교해 보자.

관련 문제 ▶ 154쪽 01번, 03번

쟁점 짚어보기

정보 사유론(copyright)	정보 공유론(copyleft)
• 정보와 그 산물은 창작자의 개인 자산임 • 창작자의 노력에 대한 경제적 이익을 보장함으로써 창작 의욕을 높여 더 좋은 정보를 많이 생산할 수 있음 • 저작물에 대한 무단 표절과 복제를 막고 저작자의 노력에 정당한 대가를 내야 함	• 정보와 그 산물은 인류가 함께 누려야 할 자산으로 모두가 공유해야 함 • 정보와 지식은 사회 구성원이 공유하고 활용할 때 의미와 가치가 있음 • 특정한 개인이나 집단이 정보를 독점한다면 지속적인 정보의 발전이 어려움

자료에서 쟁점 찾아보기

자료 ❶ 상당한 시간과 비용을 들여 만든 정보는 하나의 상품이므로 그것을 만든 정보 창작자의 소유권을 인정해야 하며, 다른 사람이 이용하면 일정한 금액을 지급해야 한다. 이는 사회 구성원 간의 정보에 접근할 기회의 차이를 심화할 수 있지만, 정보 창작자의 창작 의욕을 고취하여 더 많은 양질의 정보를 생산할 수 있게 한다.

쟁점 확인
정보 창작자의 소유권을 인정함으로써, 창작 의욕을 고취하여 더 많은 양질의 정보를 생산할 수 있다.
⋯→ 정보 □□□

[정답] 사유론

자료 ❷ 소프트웨어의 발전은 일종의 진화 과정과 같다. 어떤 사람이 특정 프로그램을 만들고, 다른 사람이 그 프로그램에 새 기능을 부여하며, 그 후에 또 다른 사람이 다른 부분을 손질하는 것이다. 소유권의 존재는 이러한 진화를 방해한다. 만약 정보에 대한 배타적 소유권이 인정된다면 이러한 종류의 진화는 멈추게 될 것이고, 사회 구성원 간의 정보 접근 기회의 불평등이 심화될 것이다.

쟁점 확인
정보에 대한 배타적 소유권을 인정하면 사회 구성원 간의 정보 접근 기회의 불평등이 심화될 것이므로 옳지 못하다.
⋯→ 정보 □□□

[정답] 공유론

이것만은 꼭!

다음 설명이 정보 사유론에 해당하면 '사', 정보 공유론에 해당하면 '공'이라고 쓰시오.

(1) 정보의 공공재적 성격을 중시한다. (　　　)
(2) 정보 소유에 대한 배타적 권리를 보장해야 한다. (　　　)
(3) 정보 창작자에 대한 지적 재산권을 보호해야 한다. (　　　)
(4) 지적 재산권에 대한 경제적 보상은 창작 의욕을 높인다. (　　　)
(5) 정보 소유권을 폐지하여 정보 격차 문제를 해소해야 한다. (　　　)
(6) 양질의 정보 생산을 위해 정보 복제에 제약이 없어야 한다. (　　　)
(7) 정보는 모두가 자유롭게 접근하고 공유해야 할 상호 협력의 산물이다. (　　　)

[정답] (1) 공 (2) 사 (3) 사 (4) 사 (5) 공 (6) 공 (7) 공

콕콕! 개념 확인하기

정답과 해설 50쪽

A 정보 기술의 발달과 정보 윤리

01 정보 기술의 발달에 따른 윤리적 문제를 〈보기〉에서 모두 고르시오.

〈보기〉
ㄱ. 성 상품화　ㄴ. 사생활 침해　ㄷ. 사이버 폭력
ㄹ. 지적 재산권 침해　ㅁ. 게임·인터넷 중독　ㅂ. 감시와 통제의 가능성 감소

(　　　　　)

02 빈칸에 알맞은 말을 쓰시오.

(1) 지적 재산권을 둘러싼 논쟁에서 정보 생산자에게 노력의 대가를 충분히 지급하여 정보의 질적 향상을 도모해야 한다는 입장을 정보 □□□(이)라고 한다.

(2) 지적 재산권을 둘러싼 논쟁에서 정보의 공공재적 성격을 중시하며, 더 많은 사람이 쉽게 사용하도록 정보를 공유해야 한다는 입장을 정보 □□□(이)라고 한다.

(3) 정보 사회에서 사생활 침해 문제가 발생하면서 자신과 관련된 정보의 유통 과정 전체를 개인이 통제하는 정보의 □□ □□□이/가 강조되고 있다.

(4) □□ □□을/를 주장하는 사람들은 개인에게 자기 정보에 대한 삭제권이 있어야 함을 주장하고, □ □□을/를 주장하는 사람들은 사생활 보호가 공익을 위해 일부 제한될 수 있음을 주장한다.

03 사이버 공간에서 지켜야 할 정보 윤리의 기본 원칙과 그 내용을 바르게 연결하시오.

(1) 인간 존중의 원칙 •　　• ㉠ 타인의 자유나 권리를 침해하지 말아야 함
(2) 책임의 원칙 •　　• ㉡ 타인의 인격, 지적 재산권 등을 존중해야 함
(3) 해악 금지의 원칙 •　　• ㉢ 타인에게 해를 끼치지 말아야 함
(4) 정의의 원칙 •　　• ㉣ 자기 행동에 대한 책임 의식을 지녀야 함

B 정보 사회에서의 매체 윤리

04 빈칸에 알맞은 말을 쓰시오.

(1) 정보 기술의 발전으로 인터넷, SNS 등 새롭게 등장한 매체를 □ □□□(이)라고 한다.

(2) 매체가 국민의 알 권리를 위해 정보를 전달할 때 개인의 사생활권, 성명권, 초상권, 저작 인격권 등인 □□□을/를 침해할 가능성이 있다.

(3) 정보의 소비 과정에서 정보를 비판적으로 읽어 내면서 매체를 제대로 사용하고 바람직하게 표현하는 능력을 □□□ □□□□(이)라고 한다.

05 다음 내용이 옳으면 ○표, 틀리면 ×표를 하시오.

(1) 정보 사회에서 요구되는 매체 윤리에 따르면 정보 생산자는 있는 그대로 사실을 전달하고 정보를 자의적으로 해석하거나 왜곡해서는 안 된다. (　　)

(2) 정보의 소비 과정에서 매체가 주관적인 정보를 제공하는지 감시해야 한다. (　　)

탄탄! 내신 다지기

A 정보 기술의 발달과 정보 윤리

01 정보 사회의 모습으로 옳지 않은 것은?

① 정보의 일방향적 소통이 가능해졌다.
② 수평적이고 다원적인 사회 분위기가 형성되었다.
③ 정치적 의사 결정에 직접 참여할 수 있는 기회가 확대되었다.
④ 정보의 빠른 검색과 활용으로 일반인도 전문적인 정보를 습득할 수 있게 되었다.
⑤ 은행 업무, 전자 상거래 등이 보편화되어 일상적인 업무를 쉽고 빠르게 처리하게 되었다.

02 ㉠에 해당하는 적절한 사례를 〈보기〉에서 고른 것은?

> 정보 기술의 발달로 다양한 정보가 순식간에 생겨나는가 하면 생산된 정보의 전달 속도도 빨라져 정보의 파급 효과가 더욱 커졌다. 이에 따라 ㉠새로운 윤리 문제가 발생하여 정보 윤리의 필요성이 대두되고 있다.

〈보기〉
ㄱ. 감시와 통제의 가능성 감소
ㄴ. 사이버 폭력과 사이버 테러
ㄷ. 지적 재산권과 관련된 논쟁 축소
ㄹ. 현실과 사이버 공간의 괴리로 인한 자아 정체성 혼란

① ㄱ, ㄴ　② ㄱ, ㄷ　③ ㄴ, ㄷ
④ ㄴ, ㄹ　⑤ ㄷ, ㄹ

03 다음에서 설명하는 개념으로 가장 적절한 것은?

> 사이버 공간에서 발생하는 사이버 폭력의 종류로, 특정한 사람을 온라인 게임이나 채팅, 게시판에서 고의로 배제하는 행위이다.

① 사이버 해킹　② 사이버 테러
③ 사이버 따돌림　④ 사이버 스토킹
⑤ 사이버 리터러시

04 다음은 지적 재산권을 둘러싼 논쟁에 대한 입장이다. 이 입장에서 지지할 주장을 〈보기〉에서 고른 것은?

> 정보의 복제 가능성은 무한하다. 정보를 자유롭게 복제할 수 없도록 한다면 정보는 더는 무한한 것이 아니라 유한한 것이 된다. 그렇게 되면 정보의 고유한 특성은 사라지고 그것은 사람들에게도 불행한 일이 된다.

〈보기〉
ㄱ. 정당한 대가를 지급하고 정보를 사용해야 한다.
ㄴ. 정보 소유에 대한 배타적 권리를 보장해야 한다.
ㄷ. 모든 사람이 지적 창작물을 자유롭게 공유할 수 있도록 해야 한다.
ㄹ. 정보의 가치를 증대하기 위해서는 정보에 대한 독점을 허용해서는 안 된다.

① ㄱ, ㄴ　② ㄱ, ㄷ　③ ㄴ, ㄷ
④ ㄴ, ㄹ　⑤ ㄷ, ㄹ

05 정보 사회의 윤리적 문제 해결을 위해 가져야 할 올바른 자세만을 〈보기〉에서 있는 대로 고른 것은?

〈보기〉
ㄱ. 사이버 공간에서 공동체의 조화로운 삶을 추구한다.
ㄴ. 정보의 진실성과 공정성을 추구하여 정의를 실현한다.
ㄷ. 정보의 인간다움보다는 정보의 이용 가치만을 중시한다.
ㄹ. 사이버 공간에서 만나는 모든 사람의 인권과 자유를 동등하게 존중한다.

① ㄱ, ㄴ　② ㄱ, ㄷ　③ ㄴ, ㄹ
④ ㄱ, ㄴ, ㄹ　⑤ ㄴ, ㄷ, ㄹ

B 정보 사회에서의 매체 윤리

06 ㉠이 강조되는 원인으로 가장 적절한 것은?

최근에는 누리 소통망(SNS)과 같은 다양한 관계망 서비스에서 자신이 했던 발언을 후회하더라도 글을 삭제하기 어렵고, 또 자기 정보가 쉽게 검색되는 문제가 발생하고 있다. 이를 배경으로 인터넷을 통해 많은 사람에게 정보가 공개되지 않도록 정보 공개를 통제할 수 있는 ㉠잊힐 권리가 대두되고 있다.

① 정보 소통을 일방향으로 유지하기 위해
② 정보를 공유하여 정보 격차를 해소하기 위해
③ 개인 정보 노출로 인한 문제를 해결하기 위해
④ 정보를 통제하여 기존 사회 질서를 유지하기 위해
⑤ 정보 전달 매체가 정보를 조작하거나 왜곡하는 것을 막기 위해

07 갑, 을의 입장에 대한 옳은 설명만을 〈보기〉에서 있는 대로 고른 것은?

갑: 표현의 자유는 민주주의를 실현하는 기초입니다. 알 권리는 표현의 자유를 위한 전제이며, 합리적인 행동을 위한 조건입니다.
을: 무분별한 보도나 인터넷 댓글 등이 개인의 명예 훼손과 사생활 침해를 일으키고 있습니다. 개인의 존엄성과 사적 권리를 보호하는 방안이 강조되어야 합니다.

〈보기〉
ㄱ. 갑은 국민이 사회적 현실에 관한 정보를 자유롭게 알 수 있는 권리가 있다고 본다.
ㄴ. 갑은 국민의 알 권리를 보장하면 개인의 불이익을 방지하거나 제거할 수 있다고 본다.
ㄷ. 을은 매체의 정보 전달이 특정 개인의 인격권을 침해할 수 있다고 본다.
ㄹ. 을은 정부나 관련 기관에 모든 정보를 공개하라고 요구하면 공익을 실현할 수 있다고 본다.

① ㄱ, ㄷ ② ㄱ, ㄹ ③ ㄴ, ㄹ
④ ㄱ, ㄴ, ㄷ ⑤ ㄴ, ㄷ, ㄹ

08 ㉠에 들어갈 적절한 내용을 〈보기〉에서 고른 것은?

갑: 사이버 공간에서 표현의 자유는 무제한 허용되어야 합니다. 그렇지 않으면 사이버 공간이 우리에게 제공하는 많은 이점을 상실하게 될 것입니다.
을: 아닙니다. 현실에서와 마찬가지로 사이버 공간에서도 표현의 자유는 제한되어야 합니다. 사이버 공간에서 표현의 자유는 [㉠]

〈보기〉
ㄱ. 사회 질서를 훼손하지 않는 범위 내에서 허용되어야 합니다.
ㄴ. 타인의 인권을 침해하지 않는 범위 내에서 허용되어야 합니다.
ㄷ. 경제적으로 중산층에 해당하는 사람들에 대해서만 허용되어야 합니다.
ㄹ. 사전 검열을 통해 사회적 물의를 일으키지 않을 범위 내에서 허용되어야 합니다.

① ㄱ, ㄴ ② ㄱ, ㄷ ③ ㄴ, ㄷ
④ ㄴ, ㄹ ⑤ ㄷ, ㄹ

서술형 문제

09 다음 글이 지적 재산권을 둘러싼 논쟁 중 어느 입장에 해당하는지 쓰고, 이에 반대하는 입장의 주장을 서술하시오.

저작물은 개인이 시간과 노력을 투입하여 만든 창의적 생산물이기 때문에 무단으로 복제하여 사용하는 행위는 옳지 않다. 지적 재산권을 보호해야 창작 의욕도 고취되고 사회의 지적 자산도 풍부해진다.

도전! 실력 올리기

수능 기출

01 (가)의 입장에서 볼 때, 퍼즐 (나)의 세로 낱말 (A)에 대한 설명으로 가장 적절한 것은?

(가)	소프트웨어의 발선은 진화 과정과 유사하다. 특정 프로그램을 이용한 어떤 사람이 그 일부를 손질하여 새로운 기능을 부여하고, 그 후 또 다른 사람이 다른 부분을 손질하여 또 다른 특성을 부여하기 때문이다. 소유권의 존재는 이러한 진화를 방해한다.
(나)	(A) / (B) [가로 열쇠] (A): 사사로운 정이나 관계에 이끌려 일을 하는 것. 실적이 아니라 정치성·혈연·지연·개인적 친분 등을 중심으로 공직에 사람을 임용하는 인사 관행 (B): 선악의 행위에 따라 받게 되는 고락(苦樂)의 갚음. 인과 ○○ [세로 열쇠] (A): …… 개념

① 누구나 자유롭게 사용하게 되면 진화에 방해를 받는 개체이다.

② 사용자가 어디서든 네트워크에 접근할 수 있는 공적 환경이다.

③ 모두가 자유롭게 접근하고 공유해야 할 상호 협력의 산물이다.

④ 소유권의 자유로운 이전을 통해 진화하는 프로그램의 단위이다.

⑤ 무한한 복제·수정이 가능하므로 무단 사용을 금해야 할 자산이다.

02 ㉠~㉤에 대한 설명으로 옳지 않은 것은?

- 정보 기술의 발달: ㉠새로운 윤리 문제가 발생하고 있음
- 스피넬로의 사이버 윤리: ㉡자율성의 원리, ㉢해악 금지의 원리, ㉣선행의 원리, ㉤정의의 원리

① ㉠: 다른 사람의 저작권을 침해할 수 있다.

② ㉡: 원하는 것을 자유롭게 할 수 있다는 원리이다.

③ ㉢: 남에게 해악을 끼치면 안 된다는 원리이다.

④ ㉣: 다른 사람의 복지를 증진하는 방향으로 행동해야 한다는 원리이다.

⑤ ㉤: 혜택이나 부담을 공정하게 배분해야 한다는 원리이다.

수능 유형

03 (가)의 입장에 비해 (나)의 입장이 갖는 상대적 특징을 그림의 ㉠~㉤ 중에서 고른 것은?

(가) 정보는 확산 이전에 생성되어야 하고 생성은 특정 개인이나 집단의 사적인 노력과 투자의 산물이기 때문에 우선적으로 보호되어야 한다. 만약 적절한 보상 시스템이 존재하지 않는다면 정보의 생성은 빈약해지고 결과적으로 사회에서 의미 있는 정보의 유통이 불가능해진다.

(나) 정보와 지식은 기본적으로 인류의 집단적 경험과 기억, 학습이 담겨 있는 보편적 자산임에도 불구하고 특정 개인의 소유로 인정한다면, 개인의 욕망으로 인해 인류 보편적 재산이 상품화되고 결과적으로 다수가 소수에 종속되는 결과로 귀결된다. 이는 경제 민주화에 역행하고 인터넷의 기본 정신인 개방과 공유의 원칙에도 어긋난다.

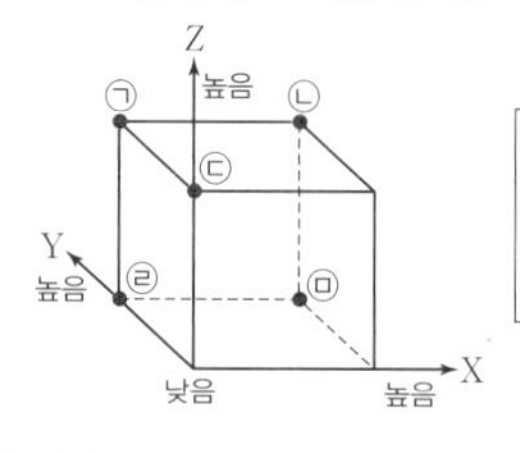

- X: 정보 소유에 대한 배타적 권리를 인정하는 정도
- Y: 정보 격차의 완화 가능성 정도
- Z: 정보의 공유재적 성격 강조 정도

① ㉠ ② ㉡ ③ ㉢ ④ ㉣ ⑤ ㉤

수능 유형

04 그림의 강연자가 지지할 입장으로 가장 적절한 것은?

정보 사회에서 정보는 물이나 전기와 같이 인간이 생활하는 데 가장 필수적인 요소입니다. 물이나 전기 없이 며칠을 견디는 것이 고통스러운 일인 것처럼 정보 소외 계층은 정보를 소유하지 못하여 상당한 고통을 느낄 것이며, 정보 사회에서 경쟁력을 확보하지 못하여 사회적 약자로 머물게 될 것입니다. …(중략)… 인간은 누구나 인간답게 살 수 있는 최소한의 권리를 가지고 있습니다. 정부는 이러한 시민의 권리를 충족할 방안을 마련해야 합니다.

① 정보 격차를 심화하기 위해 노력해야 한다.

② 정보 창작자의 배타적 소유를 인정해야 한다.

③ 정보 소외 계층을 위한 정보 공유 지원책을 마련한다.

④ 정보 사유화를 강화하여 새로운 정보의 산출에 힘써야 한다.

⑤ 국가의 독점적 정보 관리로부터 시민의 사생활을 보호해야 한다.

05 다음 기사의 제목으로 가장 적절한 것은?

2014년 유럽 사법 재판소는 스페인 변호사 곤잘레스가 청구한 '자신에 대한 구글(Google) 검색 결과 삭제 요구'에 대해 해당 정보를 노출해도 문제가 없는 합법적인 정보라고 해도, 개인이 요청하면 정보를 삭제해야 한다고 판결하였다. 하지만 한편에서는 잊힐 권리를 법제화하면 인터넷에서 표현의 자유, 즉 대중의 '알고 기억할 권리'를 침해할 수 있다는 우려를 제기한다.

① 기술에 대한 의존성은 비도덕적인가?
② 사이버 폭력의 유형과 대책은 무엇인가?
③ 정보 사회에서 감시와 통제는 필연적인가?
④ 표현의 자유는 어디까지 허용해야 하는가?
⑤ 잊힐 권리와 알 권리 중 무엇을 우선해야 하는가?

수능 유형

06 갑, 을의 입장을 〈보기〉에서 고른 것은?

갑: 장발장은 전과자 신분을 숨기고 시장이 되었어. 하지만 정보 사회에서는 사람들이 잊거나 지우고 싶은 정보가 인터넷에 남아 있어서 타인이 볼 수 있지. 따라서 자신이 원하지 않는 정보를 삭제할 수 있는 '잊힐 권리'를 보장해야 해.
을: 장발장이 아무리 시민을 위해 봉사했다 하더라도 그를 시장으로 뽑을 때 사람들이 그의 과거를 알아야만 했다고 봐. 정보 사회에서는 누구나 그러한 정보에 접근할 수 있어야 하지. 사람들이 알아야 할 정보라면 삭제를 금지해야 해.

〈보기〉
ㄱ. 갑: 개인에게 자기 정보에 대한 삭제권이 있어야 한다.
ㄴ. 갑: 잊힐 권리 보장이 알 권리 침해로 이어질 수 있다.
ㄷ. 을: 사생활 보호는 공익을 위해 제한될 수 있다.
ㄹ. 갑, 을: 자기 정보에 대한 배타적 관리권이 절대적이다.

① ㄱ, ㄴ ② ㄱ, ㄷ ③ ㄴ, ㄷ
④ ㄴ, ㄹ ⑤ ㄷ, ㄹ

07 ㉠의 특징으로 옳지 않은 것은?

뉴 미디어 시대에서 정보의 소비 활동은 곧 새로운 창출로 이어질 수 있으므로 정보 소비의 주체는 동시에 정보 생산의 주체가 될 수 있다. 이와 관련하여 ㉠'미디어 리터러시'는 우리가 살아가는 데 갖추어야 할 핵심적인 삶의 기술이라고 할 수 있다.

① 정보 생산과 유통 과정에서 필요한 정보 전달 능력이다.
② 다양한 형태의 커뮤니케이션에 접근하고 분석하는 능력이다.
③ 정보의 가치를 제대로 평가하기 위해 필요한 비판적 사고 능력이다.
④ 자신의 목적에 맞게 기존의 정보를 새로운 정보로 조합하는 능력을 포함한다.
⑤ 정보 사회에서 매체를 사용하고 이해하는 데 필요한 기본적인 읽기, 쓰기 능력을 말한다.

08 ㉠에 들어갈 적절한 내용을 〈보기〉에서 고른 것은?

갑: 오늘날 개인 정보를 비롯해 자신이 원하지 않는 민감한 정보들이 포털 사이트 등을 통해 많은 사람에게 공개되고 있어. 인간의 존엄성을 유지하기 위해서 개인 정보는 철저히 보호되어야 한다고 생각해.
을: 나는 개인 정보의 보호도 중요하지만 모든 국민의 사생활이 반드시 보호되어야 하는 것은 아니라고 생각해. 왜냐하면 (㉠)

〈보기〉
ㄱ. 개인은 자신의 정보에 관한 자기 결정권을 지니기 때문이야.
ㄴ. 개인 정보 노출은 자기 정보 관리에 소홀한 개인의 책임이기 때문이야.
ㄷ. 공공의 이익과 안전을 위해 개인 정보는 필요에 따라 공개될 수도 있기 때문이야.
ㄹ. 국민은 정치, 사회 현실 등에 관한 정보를 자유롭게 얻을 수 있는 알 권리를 갖고 있기 때문이야.

① ㄱ, ㄴ ② ㄱ, ㄷ ③ ㄴ, ㄷ
④ ㄴ, ㄹ ⑤ ㄷ, ㄹ

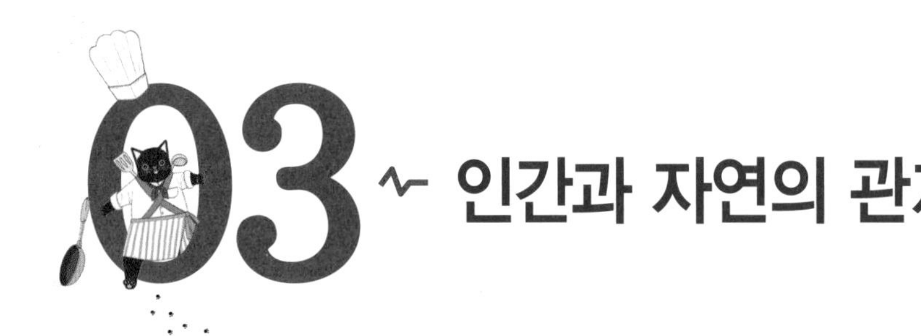

03 인간과 자연의 관계

핵심 질문으로 흐름잡기

A 자연을 바라보는 서양의 다양한 관점은?

B 자연을 바라보는 동양의 다양한 관점은?

A 자연을 바라보는 서양의 관점

| 시·험·단·서 | 인간 중심주의와 탈인간 중심주의(동물 중심주의, 생명 중심주의, 생태 중심주의)의 입장을 비교하는 문제가 출제돼.

1. 인간 중심주의

(1) 입장: 오직 인간만이 이성을 지닌 존재라는 점에서 도덕적 지위를 지님

도덕적 지위: 도덕적 행위를 결정할 수 있는 윤리적 동물이라는 뜻이야.

(2) 특징[1]

① **이분법적 세계관*:** 인간과 자연을 분리하여 바라보며 인간이 자연보다 우월하다고 봄

② **도구적 자연관** 자료 1

• 동식물을 포함한 자연은 그 자체로 가치 있는 것이 아니라, 인간의 풍요로운 삶을 위한 도구에 불과하다고 봄

• 자연을 유용성의 관점에서 평가함

③ 자연을 개발과 극복의 대상으로 바라보고 이를 이용해야 한다고 봄

④ 인간만이 생명권*, 자유권, 행복 추구권* 등과 같은 기본적 권리를 지닌다고 봄

(3) 관련 사상가

아리스토텔레스	• "식물은 동물의 생존을 위해, 동물은 인간의 생존을 위해서 존재한다." • 이성을 지닌 인간이 이성이 없는 자연을 이용할 수 있다고 봄
아퀴나스	• "신의 섭리에 따라 동물은 자연의 과정에서 인간이 사용하도록 운명 지어졌다." • 동물을 살해하거나 이용하는 것은 부정의한 것이 아니라고 봄
베이컨	• "방황하고 있는 자연을 사냥해서 노예로 만들어 인간의 이익에 봉사하도록 해야 한다." • "지식은 힘이다." • 과학의 목적은 자연을 정복해 인간의 물질적 삶을 향상하는 데 있음
데카르트	• "동물과 식물은 살아 있긴 하지만, 기계 또는 '사고 없는 야수'일 뿐이다." • 기계론적 자연관: 인간과 달리 자연은 의식이 없는 단순한 기계에 불과함 → 인간은 자연을 마음대로 이용하고 지배할 수 있음 • 인간과 자연의 관계를 각각 인식 주체와 인식 대상으로 설정함으로써 인간이 자연을 이용하고 정복하는 사유의 출발점이 됨
칸트 자료 2	• 이성을 지닌 인간만이 자율적으로 행동하는 도덕적 주체로 봄 • "동물에 관련한 우리의 의무는 인간성 실현을 위한 간접적인 도덕적 의무에 불과하다." → 인간의 도덕성을 위해 자연을 잔인하게 다루면 안 된다고 봄

간접적인 도덕적 의무: 칸트는 이성적 존재인 인간 상호 간의 의무만이 직접적 의무라고 보았어.

(4) 의의와 한계

① **의의:** 자연을 탐구하고 개발함으로써 과학 기술의 발전과 경제 성장을 이루어 인간의 삶을 풍요롭게 하는 데 도움을 줌

② **한계:** 인간의 필요를 충족하기 위해 자연을 도구화하고 정복하는 것을 정당화함 → 자연 남용과 훼손으로 생태계 환경 문제 초래

(5) 온건한 인간 중심주의[2] 자료 3

온건한 인간 중심주의: 강경한 인간 중심주의의 문제점을 보완하고자 등장했어.

① **입장:** 인류의 장기적 이익을 위해 자연을 존중하면서도 신중하고 분별력 있게 사용해야 함

② **특징**

• 인간이 다른 존재보다 본질적으로 더 가치 있다고 여긴다는 점에서 인간 중심주의에 해당함

• 인간의 장기적인 생존과 복지를 위해 자연의 보전과 관리가 필요하다고 봄

③ **한계:** 자연을 인간의 욕구를 충족하기 위한 대상으로 본다는 점에서 인간 중심주의의 한계를 벗어나지 못함

---

❶ 인간 중심주의 자연관의 특징

구분	내용
이분법적 세계관	인간과 자연을 분리하여, 인간을 자연보다 우월한 존재로 인식함
도구적 자연관	• 자연은 인간의 욕구를 충족하기 위한 하나의 도구에 불과하다고 봄 • 자연을 유용성의 관점에서 평가함
환원주의적 사고	생명 현상도 물리학적 개념으로 설명 가능하다고 봄
기계론적 자연관	자연을 기계에 비유하고, 자연을 기계적인과 법칙에 종속된 물질로 봄

❷ 온건한 인간 중심주의의 주장이 지니는 논증

• 영리함의 논증: 인간이 영리하다면 자연을 장기적으로 이용하기 위해 환경을 보호해야 함

• 세대 간의 분배 정의 논증: 인간의 장기적인 생존과 복지를 위해서는 자연 보호를 통해 미래 세대에 대해 책임질 줄 알아야 함

시험에 잘 나오는 자료

자료 1 인간 중심주의 윤리에 드러난 도구적 자연관 관련 문제 ▶ 167쪽 14번

인간은 자연의 사용자 및 자연의 해석자로서 자연의 질서에 관해 실제로 관찰하고, 고찰한 것만큼 무엇인가를 할 수 있다. …(중략)… 인간의 지식이 곧 힘이다. – 베이컨, "신기관"

자·료·분·석 베이컨은 자연에 대한 지식을 참된 지식으로 보고, 이러한 지식을 이용하여 자연을 지배하고 활용하는 것이 곧 힘이라고 파악하였다. 이는 자연을 단지 인간의 필요를 위해 존재하는 물질적 대상으로 여긴 것으로, 이처럼 인간 중심주의 윤리에서는 자연을 인간의 이익에 따라 평가하는 도구적 자연관을 엿볼 수 있다.

한·줄·핵·심 도구적 자연관은 자연을 도구로 여김으로써 인간 중심주의적 사고를 정당화하였다.

자료 2 칸트의 인간 중심주의 관련 문제 ▶ 164쪽 02번

자연은 비록 무생물이지만 아름답다는 것을 고려할 때, 자연을 무자비하게 파괴하고자 하는 성향은 인간의 자신에 대한 의무를 거스르는 것이다. …(중략)… 동물은 비록 이성이 없을지라도 살아 있는 피조물임을 고려할 때, 동물을 폭력적으로 잔인하게 다루는 것은 인간 자신에 대한 의무를 훨씬 더 심각하게 거스르는 것이다. 그래서 인간은 이러한 것을 삼가야 할 의무를 지니고 있다. – 칸트, "윤리 형이상학"

자·료·분·석 칸트는 무생물인 광물이나 식물, 동물을 함부로 다루는 것에 반대하였다. 그 이유는 그것들이 그 자체로 도덕적으로 존중받을 가치를 지니기 때문이 아니라, 그것들을 함부로 대하는 행위가 인간성을 해친다고 보았기 때문이다.

한·줄·핵·심 칸트는 동물에 대한 인간의 의무는 인간성 실현을 위한 간접적인 도덕적 의무에 불과하다고 보았다.

자료 3 패스모어의 온건한 인간 중심주의 관련 문제 ▶ 168쪽 01번

이제 우리는 쓰레기를 바다에 버리고, 대기를 오염시키고, 생태계를 파괴하며, 자원을 고갈시키는 일이 미래 세대 또는 현세대의 동료 인간에게 해를 끼치므로 나쁘다는 것을 알게 되었다. …(중략)… 더욱 감수성 있는 사회라면 오물로 가득 찬 강, 들판과 같은 산업화 이후 서구의 풍경을 용납하지 않을 것이다. – 패스모어, "자연에 대한 인간의 책임"

자·료·분·석 패스모어로 대표되는 온건한 인간 중심주의에서는 인류의 장기적인 이익을 위해서는 생태계가 안정되어야 한다고 보고 그에 대한 인간의 책임을 강조한다. 이 입장은 강경한 인간 중심주의에 비해 자연에 대한 존중과 책임 문제에 관심을 기울인다는 점에서 의미가 있지만, 인간의 이익이나 관심을 벗어난 환경 오염이나 생태계 파괴는 여전히 고려하지 않는다는 한계를 지니고 있다.

한·줄·핵·심 온건한 인간 중심주의에서는 현세대를 포함한 인류의 장기적인 이익을 위해 자연을 분별력 있게 사용해야 한다고 주장한다.

내용 이해를 돕는 팁

궁금해요

Q. 이분법적 세계관의 문제점은 무엇인가요?

A. 이분법적 사고는 영혼을 소유한 인간은 도덕적 주체로, 영혼이 결여된 자연은 기계적 존재로 여겨. 그래서 인간이 자연을 마음대로 이용하고 지배할 수 있다고 정당화해. 이러한 사고는 자연이 지닌 본래적 가치를 외면하고 자연을 지배와 착취의 대상으로 여긴다는 문제점이 있어.

용어 더하기

* **이분법적 세계관**
인간과 자연, 남성과 여성, 이성과 감성, 정신과 육체 등과 같이 두 개의 서로 배척되는 것으로 인식하는 사고를 뜻한다.

* **생명권**
인격권의 하나로, 인간의 생명이 불법으로 침해당하지 않을 권리이다.

* **행복 추구권**
국민이 인간으로서 행복을 추구할 수 있는 권리로, 일반적으로 행동 자유권과 인격의 자유 발현권, 생존권 등을 뜻한다.

2. 동물 중심주의

(1) 입장: 인간뿐만 아니라 동물도 도덕적 고려의 대상이 되어야 함

(2) 관련 사상가

공리주의자인 벤담과 밀의 사상은 동물 중심주의 윤리의 이론적 토대를 제공했어.

벤담	동물을 대우하는 데 있어서 고려해야 할 것은 이성을 지니는지, 말을 할 수 있는지가 아니라 '고통을 느낄 수 있는지'로 봄
밀	도덕은 인간만이 아니라 쾌락과 고통을 느낄 수 있는 존재 전체에 영향을 미치는 인간의 행위에 관한 규칙과 계율이라고 봄
싱어	• 공리주의에 근거하여 '동물 해방론'을 주장함 • 도덕적 고려의 기준은 쾌고 감수 능력 → 동물도 쾌락과 고통을 느끼므로 도덕적 고려의 대상이며, 고통에서 해방되어야 함 • '이익 평등 고려의 원칙❸'에 근거해 인간을 차별하고 동물을 차별하는 태도를 종 차별주의❹라고 비판함
레건	• 의무론에 근거하여 '동물 권리론'을 주장함 • 일부 동물도 '삶의 주체'로서 도덕적 권리를 지니므로 동물을 인간을 위한 수단으로 취급해서는 안 됨

종 차별주의: 쾌락과 고통을 느끼는 능력을 지닌 동물을 인간과 종이 다르다는 이유로 차별해서는 안 된다는 뜻이야.

삶의 주체: 레건은 삶의 주체가 된다는 것은 믿음, 욕구, 지각, 기억, 자신의 미래를 포함하여 미래에 대한 의식, 쾌락과 고통 등의 감정을 느낄 수 있는 것이라고 보았어.

(3) 의의와 한계

① 의의

- 공장식 사육 방식, 오락을 위한 동물 사냥, 무분별한 동물 실험 등 동물에 대한 인간의 비도덕적 관행을 반성하게 함
- 도덕적 고려의 범위를 동물까지 확대하여 도덕적 사고의 폭을 넓힘

② 한계

- 동물 이외의 식물, 생태계 전체에 대한 고려가 부족함
- 인간의 이익과 동물의 이익이 충돌할 때 어느 쪽이 우선하는지 판단하기 어려움
- 현실에서 실천하는 데 어려움이 따름 — 공장식 사육 방식, 동물 실험 등이 불가피하게 요구되기 때문이야.

3. 생명 중심주의

(1) 입장: 도덕적 고려의 범위를 모든 생명체로 확장해야 함 — 인간과 동물뿐만 아니라 식물도 포함해.

(2) 관련 사상가

슈바이처 자료 4	• 생명 외경(畏敬) 사상: 생명의 신비를 두려워하고 존경하는 마음으로 모든 생명을 소중히 여겨야 함 • 생명을 유지하고 고양하는 것은 선(善), 생명을 억압하는 것은 악(惡)으로 파악함 • 생명의 동등성과 차등성을 주장함❺
테일러 자료 5	• 모든 생명체는 자기의 생존·성장·발전·번식이라는 목적을 추구한다는 점에서 '목적론적 삶의 중심'이라고 봄 • 모든 생명체는 내재적 가치를 지닌 존재이므로 도덕적으로 존중받아야 함 • 생명체에 대한 네 가지 의무❻: 악행 금지의 의무, 불간섭의 의무, 성실의 의무, 보상적 정의의 의무를 제시함

(3) 의의와 한계

① 의의

- 모든 생명체의 고유한 가치를 인정함
- 도덕적 고려의 범위를 모든 생명체까지 확장하고 생명을 존중하는 태도를 강조함

② 한계

- 개별 생명체의 가치만을 강조하는 개체론적 관점❼으로 생태계 전체를 고려하지 못함 — 자연적으로 발생한 환경 파괴를 해결하거나 나무 심기 등으로 인한 효과를 간과할 수 있어.
- 인간이 자연에 개입하여 이로운 결과를 낳을 수도 있음을 간과함
- 인간의 생존을 어렵게 할 수 있음 — 인간이 생존에 필요한 식량을 구하는 데 어려움을 겪을 수 있어.

---

❸ 이익 평등 고려의 원칙
쾌락과 고통을 느끼는 모든 존재의 이익을 평등하게 고려해야 한다는 원칙이다.

❹ 종 차별주의(종 이기주의)
인종 차별이나 성차별이 도덕적으로 정당화될 수 없는 것처럼, 자기가 속한 종의 이익을 옹호하기 위해 다른 종의 이익을 배척하는 태도를 비판하는 용어이다.

❺ 슈바이처의 생명의 동등성과 차등성
- 생명의 동등성: 모든 생명은 살고자 하는 의지가 있으며, 생명은 그 자체로 신성하다는 의미에서 모든 생명은 동등함
- 생명의 차등성: 자기 존재를 유지하기 위해 불가피하게 다른 생명을 해쳐야 할 경우 생명의 차등성이 드러나지만, 그럼에도 모든 생명에 대해 무한한 책임을 지녀야 함

❻ 테일러의 생명체에 대한 네 가지 의무
- 악행 금지의 의무: 다른 생명체에게 해를 끼쳐서는 안 됨
- 불간섭의 의무: 생명체의 자유를 보장하고 생태계를 조작·통제하지 않아야 함
- 성실의 의무: 인간의 쾌락을 위해 사냥 등의 행위를 하지 말아야 함
- 보상적 정의의 의무: 인간이 다른 생명체에 해를 입혔을 때 그 피해를 보상해야 함

❼ 개체론적 관점과 동물 중심주의, 생명 중심주의
동물 중심주의는 동물 개체의 이익에 관심을 집중하고, 생명 중심주의는 개별 생명체의 존재론적 가치를 강조한다. 이처럼 동물 중심주의와 생명 중심주의는 '개체'에 초점을 맞추는 개체론적 관점에 해당한다.

시험에 잘 나오는 자료

자료 4 슈바이처의 생명 외경 사상 관련 문제 ▶ 165쪽 08번

인간은 다른 모든 생명 의지에 대해서도 자신의 생명 의지를 대할 때와 마찬가지로 생명에 대해 외경심을 가져야 한다고 느끼게 된다. 선(善)이란 생명을 유지하는 것, 생명을 촉진하는 것, 그리고 발전 가능한 생명을 그 최고의 가치에까지 끌어올리는 것이다. 반면 악(惡)은 생명을 파괴하는 것, 생명을 저해하는 것, 그리고 발전 가능한 생명을 억누르는 것이다. 이것이야말로 도덕의 절대적 기본적인 원리이다.

– 슈바이처, "나의 생애와 사상"

자·료·분·석 슈바이처는 생명을 지상 최고의 가치로 정하고, 생명을 대하는 윤리적 자세를 선악(善惡) 판단의 중요한 기준으로 삼았다. 생명을 유지하고 고양하는 것은 선(善), 생명을 억압하는 것은 악(惡)이라는 것이다. 그는 모든 생명은 살고자 하는 의지를 지니며, 그 자체로 신성하다는 생명 외경 사상을 강조하였으며, 모든 생명은 그 자체로 선이며 본래적 가치를 지니므로 모든 생명을 존중해야 한다고 보았다.

한·줄·핵·심 슈바이처는 생명의 신비를 두려워하고 존경하는 마음으로 모든 생명을 소중히 여겨야 한다는 생명 외경 사상을 주장하였다.

자료 5 테일러의 '목적론적 삶의 중심' 관련 문제 ▶ 166쪽 10번

생명체가 '목적론적 삶의 중심'이라는 것은 그것의 외적 활동뿐만 아니라 내적 작용이 목표 지향적이라는 것, 그리고 자신의 생존을 유지하고 자신의 종(種)을 재생산하고 변화하는 환경에 적응하게 하는 생명 활동을 성공적으로 수행하게 해주는 경향성을 갖고 있다는 것이다. 생명체가 목적론적 삶의 중심이 되도록 하는 것은 자신의 선(善)을 실현하도록 방향 지어진 유기체의 작용이 갖는 일관성과 통일성이다.

– 테일러, "자연에 대한 존중"

자·료·분·석 슈바이처의 사상을 계승한 테일러는 모든 생명체가 '목적론적 삶의 중심'이라고 규정하였다. 왜냐하면 모든 생명체는 생존, 성장, 발전, 번식이라는 목적을 지향하고 있으며, 그러한 목적을 실현하기 위해 환경에 적응하려고 애쓰는 존재이기 때문이다. 그는 모든 생명체가 의식의 유무와는 상관없이 고유한 선(善)을 지니며, 따라서 인간은 고유한 선을 지닌 생명체를 도덕적으로 고려해야 한다고 주장하였다.

한·줄·핵·심 테일러는 모든 생명체가 '목적론적 삶의 중심'으로서 자신의 고유한 선을 실현하고자 하므로 도덕적으로 고려해야 한다고 주장하였다.

내용 이해를 돕는 팁

궁금해요

Q. 싱어와 레건의 차이점은 무엇인가요?

A. 싱어와 레건은 동물도 도덕적 고려의 대상이 되어야 한다는 동물 중심주의에 해당해. 그러나 동물이 도덕적 고려를 받아야하는 이유에 대한 입장은 서로 달라.

싱어
동물은 쾌락과 고통을 느낄 수 있는 존재이기 때문에 동물을 고통으로부터 해방해야 함
레건
동물은 삶의 주체로서 고유한 가치를 지니기 때문에 도덕적으로 존중받을 권리가 있음

용어 더하기

* **쾌고 감수 능력**
  쾌락과 고통을 느끼는 능력이다.

* **공장식 사육 방식**

정해진 공간에서 최대한 많은 수의 가축을 키우기 위해 도입된 사육 방식으로, 가축이 거의 움직일 수 없는 비좁은 공간 안에서 최소한의 자유도 누리지 못하게 사육한다.

* **고양**
  정신이나 기분을 북돋워서 높이는 것을 뜻한다.

* **내재적 가치**
  다른 것의 수단으로서의 가치가 아니라 그 존재 자체가 지니는 가치이다.

❽ 전일론적 관점
전체로서의 자연환경, 종과 생태계의 보전에 초점을 맞추는 견해이다. 생태 중심주의에서는 동물·생명 중심주의가 개별 생명체에 초점을 맞추는 개체론의 성격을 지닌다고 비판한다.

❾ 큰 자아실현
'큰 자아'란 자연과 함께 있는 자아로, 큰 자아실현이란 인간이 자신을 자연과 같은 존재로 인식하는 것을 말한다.

❿ 생명 중심적 평등
모든 유기체는 생명의 연결망 속에 본래적으로 연결되어 있으며 평등한 가치를 지닌다는 뜻이다.

⓫ 환경 파시즘
레건이 생태 중심주의를 비판하면서 사용한 용어로, 생태계 전체를 위해서라면 인간을 포함한 개별 동물을 희생시킬 수 있다는 관점이다.

⓬ 연기설(緣起說)
모든 현상은 무수한 원인인 '인(因)' 무수한 조건인 '연(緣)'에 의해 생겨나며, 원인이 없으면 결과도 없다는 불교의 사상이다. 연기설에 따르면 모든 현상은 독립적으로 존재할 수 없으며 서로 영향을 주고받으며 변화와 생성을 거듭한다.

4. 생태 중심주의

(1) 입장

(인간과 동식물 외에 무생물까지를 포함해.)

① 생태계 전체를 도덕적 고려의 대상으로 삼아야 함

② 개체론적 환경 윤리로는 환경 문제를 해결하기 힘듦 → 생태계 전체의 유기적 관계와 상호 의존성을 강조하는 전일론적 관점❽ 주장

(2) 관련 사상가 자료 6

레오폴드	• 대지 윤리: 도덕 공동체의 범위를 식물, 동물, 토양과 물을 포함하는 대지까지 확장함 • 인간은 자연의 지배자가 아니라 구성원에 불과하며, 생태계의 안정을 유지할 의무가 있음 • 대지 피라미드: 생명 공동체의 각 집단은 먹이 사슬에 따른 고유한 생태학적 역할을 함
네스*	• 심층 생태주의: 환경 문제 해결을 위해 세계관과 생활 양식 자체를 생태 중심적으로 바꿔야 함 • '큰 자아실현❾'과 '생명 중심적 평등❿'을 제시함

(네스는 인류의 건강과 풍요를 위해 환경 오염과 자원 고갈 등의 문제 해결에만 관심을 가지는 것을 비판했어.)

(3) 의의와 한계

① 의의
- 환경 문제를 해결하기 위해 자연에 대한 인식을 근본적으로 바꾸어야 한다는 점을 일깨움
- 인간과 자연의 공존을 모색하는 새로운 관점을 제시함

② 한계
- 개별 생명체보다 생태계 전체의 이익을 우선하여 환경 파시즘⓫으로 흐를 수 있음
- 생태계의 가치 실현에 인간의 무분별한 개입을 허용하지 않아 환경 보전을 위한 현실적 방안을 제시하지 못함

B 자연을 바라보는 동양의 관점

| 시·험·단·서 | 유교, 불교, 도가의 자연관의 특징과 그 현대적 의의를 묻는 문제가 출제돼.

1. 유교의 자연관

(1) 인간과 자연이 조화를 이루는 천인합일*의 경지를 추구함

(2) 인간이 자연을 본받아 다른 존재와 타인에게 인(仁)*을 실천해야 한다고 봄

2. 불교의 자연관

(1) 연기설⓬에 근거하여 만물의 상호 의존성을 자각하여 생명을 소중히 여기고 자비*를 베풀어야 한다고 봄

(인간과 자연이 분리되어 존재하는 것이 아니라, 하나의 그물망으로 긴밀하게 연결되어 있다고 보는 거야.)

(2) 살아 있는 것을 죽이지 않는 불살생(不殺生)의 생명 존중 사상을 주장함

3. 도가의 자연관

(1) 무위자연*을 추구하여 자연의 한 부분인 인간이 자연에 조작과 통제를 가하는 것을 반대함

(2) 자연은 아무런 목적이 없는 무위(無爲)의 체계로서 무목적의 질서를 담고 있다고 파악함

4. 우리나라에서 엿볼 수 있는 자연관

단군 신화	하늘을 상징하는 환웅과 땅을 상징하는 웅녀가 결합하여 인간인 단군이 탄생함 → 천인합일의 사상이 녹아 있음
민간 신앙	동식물뿐만 아니라 무생물 등 모든 자연 만물에 영혼이나 생명이 있다고 믿음
풍수지리 사상*	땅에도 생명이 있다고 보고 땅과 인간의 조화를 중시함

(인간 중심주의와 도구적 자연관에서 비롯된 오늘날 환경 문제를 극복하기 위한 사상적 기반을 마련하는 데 도움을 줄 수 있어.)

5. 동양의 자연관의 현대적 의의: 인간과 자연이 상호 의존적 관계임을 강조하여 인간과 자연의 공존과 조화, 화합하는 방법을 모색할 수 있게 함 자료 7

시험에 잘 나오는 자료

자료 6 레오폴드와 네스의 생태 중심주의 윤리 관련 문제 ▶ 166쪽 12번

• 대지 윤리는 인간을 대지 공동체의 정복자에서 그 구성원으로 변화시키는 것이다. 공동체의 구성원은 동료나 전체 공동체에 대해 존경심을 가져야 한다. 대지 윤리는 인간에게 자원들(흙, 물, 식물, 동물 등)의 사용, 권리, 혹은 변화를 금지하지 않는다. 그러나 그들이 비록 일부 지역에 국한되더라도 자연 상태 그대로 생존할 권리는 보장되어야 한다. 어떤 것이 생명 공동체의 온전성, 안정성, 아름다움을 보전하는 경향이 있다면 옳고, 그렇지 않으면 그르다. – 레오폴드, "모래 군의 열두 달"

• 더 넓은 관점인 (자연과 나의) 동일시를 통하면, 환경 보호 덕분에 자기 이익에도 도움이 된다는 것을 알 수 있다. …(중략)… 자기실현을 협소한 자아의 만족으로 보는 것은 자신을 심각하게 과소평가하는 일임을 알 때, 우리는 사람들에게 더 큰 자아라는 관념을 이야기할 수 있다. – 네스, "산처럼 생각하라"

자·료·분·석 레오폴드는 인간이 대지의 구성원에 불과하며, 도덕 공동체의 경계를 식물과 동물뿐만 아니라 토양과 물을 포함하는 대지까지 확장한 '대지 윤리'를 제시하였다. 한편 네스는 당시 만연하던 인간 중심주의적 환경 보호 운동을 비판하고, 환경 위기를 극복하기 위해서 인간의 세계관을 근본적으로 바꿔야 한다고 주장하였다. 또한 자신을 자연의 일부로 인식하고, 모든 생명체를 상호 연결된 공동체의 평등한 구성원으로 여길 것을 강조하였다.

한·줄·핵·심 생태 중심주의는 개체로서의 생명의 가치보다 생태계 전체의 유기적 관계와 균형이 중요하다고 본다.

자료 7 동양의 자연관이 지니는 의의 관련 문제 ▶ 167쪽 15번

유교

하늘은 나의 아버지이며 땅은 나의 어머니이다. 그리고 나와 같이 작은 존재도 이들 가운데서 친밀한 위치를 발견한다. 그러므로 우주를 가득 채우고 있는 것을 나는 나의 몸으로 여기며, 우주를 이끌고 가는 것을 나의 본성으로 여긴다. 모든 사람은 나의 형제자매이며, 만물은 나의 식구이다. – "성리대전"

불교

한 개의 작은 티끌 가운데서 수없는 세계들을 모두 본다. 한 개의 티끌에서 그런 것처럼 일체의 티끌마다 모두 그러해 온갖 세계 그 가운데 다 들어가니 이것은 헤아릴 수 없는 일이다. – "화엄경"

도가

하늘도 땅도 나와 함께 태어났으며 만물이 나와 더불어 하나이다. – "장자"

자·료·분·석 동양의 자연관은 인간과 자연의 조화를 강조하고, 자연 친화적인 삶을 바탕으로 인간과 자연이 상호 의존하고 협력할 것을 강조하는 유기체적 세계관을 지니고 있다.

한·줄·핵·심 동양의 자연관은 자연을 정복과 지배의 대상이 아닌 인간과 상호 의존적인 관계를 맺고 있다고 파악하여 오늘날 환경 문제를 해결할 수 있는 실마리가 된다.

내용 이해를 돕는 팁

용어 더하기

* **네스(Naess, A.)** 심층 생태학의 창시자로, 생태 운동을 몸소 실천한 철학자이자 운동가이다.
* **천인합일(天人合一)** 하늘과 사람이 하나로 합쳐진다는 유교의 개념이다.
* **인(仁)** 유교 사상에서 가장 핵심이 되는 덕목으로, 타고난 인간 내면의 도덕성을 강조한다. "논어"에서는 인을 '남을 사랑하는 것'이며, '자신이 하고자 하지 않는 것을 남에게 시키지 않는 것'이라고 하였다.
* **자비(慈悲)** 남을 깊이 사랑하고 가엾게 여긴다는 뜻이다.
* **무위자연(無爲自然)** 억지로 무엇을 하지 않고 자연의 순리에 따라 삶을 산다는 도가의 개념이다.
* **풍수지리 사상** 지형이나 방위를 인간의 길흉화복과 연결해 죽은 사람을 묻거나 집을 짓는 데 알맞은 장소를 찾는 이론이다.

싱어와 레건의 사상, 어떻게 다를까?

개념풀 Guide 동물 중심주의자인 싱어와 레건의 입장을 비교해 보자.

관련 문제 ▶ 165쪽 06번

핵심 짚어보기

싱어	• 공리주의의 입장에서 '동물 해방론'을 주장함 • 동물도 쾌락과 고통을 느끼는 쾌고 감수 능력을 가지고 있으므로 고통을 줄여주기 위해 동물을 도덕적으로 고려해야 함 • 이익 평등 고려의 원칙에 근거해 인간의 이익과 동물의 이익을 평등하게 고려하지 않는 태도를 '종 차별주의'라고 비판함
레건	• 의무론의 입장에서 '동물 권리론'을 주장함 • 동물도 '삶의 주체'로서 수단이 아닌 목적으로 대우받아야 하므로 동물을 도덕적으로 고려해야 함

자료에서 핵심 찾아보기

자료 ❶

만약 한 존재가 고통을 느낀다면 그와 같은 고통을 고려의 대상으로 삼길 거부하는 자세를 옹호할 수 있는 도덕적인 논증은 없다. 한 존재의 본성이 어떠하든, 평등의 원리는 그 존재의 고통을 다른 존재의 동일한 고통과 동일하게 취급할 것을 요구한다. 따라서 쾌고 감수 능력은 다른 존재의 이익에 관심을 가질지의 여부를 판가름하는 유일한 경계가 된다.

– 싱어, "동물 해방"

핵심 확인

싱어는 고통과 즐거움을 느낄 수 있는 능력은 어떤 존재가 '최소한 고통 당하지 않을 이익 관심'을 갖는 조건이라고 보았다. 즉, 동물도 인간처럼 고통을 피하고 쾌락을 좋아하는 이익 관심을 지니기 때문에 '이익 평등 고려의 원칙'에 따라 인간과 동물을 동등하게 고려해야 한다는 것이다.

자료 ❷

삶의 주체가 된다는 것은 믿음, 욕구, 지각, 기억, 자신의 미래를 포함하여 미래에 대한 의식, 쾌락과 고통 등의 감정을 느낄 수 있다는 것이다. 즉 선호와 복지에 대한 이익 관심과 자기의 욕구와 목표를 위해 행동할 수 있는 능력이 있으며, 순간의 시간을 넘어서 자신의 정체성을 느낄 수 있고, 타자와는 별개로 자신의 삶이 좋을 수도 나쁠 수도 있다는 의미에서 자신의 복지를 갖고 있다는 것이다.

– 레건, "동물 권리를 위한 사례"

핵심 확인

레건에 따르면 '삶의 주체'는 단순히 살아 있다는 의미를 넘어 자신의 삶을 영위할 수 있는 능력을 지닌 행위자이다. 이러한 주체는 본래적 가치를 지니므로 다른 것의 수단이 아니라 목적으로 대우받아야 한다. 몇몇 동물도 '삶의 주체'라 할 수 있으므로, 인간을 위한 수단으로 취급해서는 안 된다.

이것만은 꼭!

다음 내용이 옳으면 ○표, 틀리면 ×표를 하시오.

(1) 싱어는 공장식 동물 사육과 동물에게 과도한 고통을 가하는 동물 실험에 반대한다. (　　　)

(2) 싱어는 인간을 특별하게 대하고 인간과 같이 쾌고 감수 능력을 지닌 동물을 차별하는 태도를 '종 차별주의'라고 비판한다. (　　　)

(3) 레건은 이익 평등 고려의 원칙에 입각해 동물을 차별하는 태도를 비판한다. (　　　)

(4) 레건은 삶의 주체가 되기 위해서는 쾌고 감수 능력뿐만 아니라 기억, 지각, 믿음, 미래에 대한 감각 등의 특성이 요구된다고 본다. (　　　)

[정답] (1) ○ (2) ○ (3) × (4) ○

콕콕! 개념 확인하기

정답과 해설 53쪽

A 자연을 바라보는 서양의 관점

01 다음 자연관과 그 주장을 바르게 연결하시오.

(1) 인간 중심주의 • • ㉠ 인간만이 도덕적 지위를 지닌다고 봄

(2) 동물 중심주의 • • ㉡ 생태계 전체를 도덕적 고려의 대상으로 삼음

(3) 생명 중심주의 • • ㉢ 모든 생명체를 도덕적 고려의 대상으로 간주함

(4) 생태 중심주의 • • ㉣ 도덕적 고려의 대상을 인간과 동물까지 확대함

02 빈칸에 알맞은 말을 쓰시오.

(1) 인간 중심주의는 자연을 인간의 욕망 충족을 위한 도구로 보는 □□□ 자연관을 특징으로 한다.

(2) 싱어는 인간을 특별하게 대우하고 쾌락과 고통을 느낄 수 있는 동물을 차별하는 것은 일종의 □ □□□□(이)라고 주장한다.

(3) 슈바이처는 모든 생명에 대한 신비를 두려워하고 존경하는 마음으로 모든 생명을 소중히 여기는 생명 □□을/를 강조한다.

(4) 레오폴드는 도덕 공동체의 범위를 동식물, 흙, 물을 포함하는 □□까지 확장한다.

03 알맞은 설명에 ○표를 하시오.

(1) 레건은 (동물 , 식물)은 삶의 주체이기 때문에 도덕적 지위를 갖는다고 본다.

(2) 테일러는 모든 생명체가 (도구적 , 목적론적) 삶의 중심이므로 도덕적으로 존중해야 한다고 본다.

(3) 심층 생태주의에서는 환경 문제 해결을 위해 (큰 자아 , 인간 중심적 자아)를 강조한다.

B 자연을 바라보는 동양의 관점

04 빈칸에 알맞은 말을 쓰시오.

(1) 유교에서는 인간과 자연이 하나가 되는 □□□□의 경지를 추구한다.

(2) 불교에서는 □□□을/를 바탕으로 만물의 상호 의존성을 자각하고 모든 생명을 소중히 여기며 □□을/를 베풀 것을 강조한다.

(3) 도가에서는 인간을 자연의 한 부분으로 보고 자연의 순리에 따르는 □□□□의 삶을 강조한다.

05 다음 내용이 옳으면 ○표, 틀리면 ×표를 하시오.

(1) 동양에서는 인간과 자연을 상호 의존과 협력의 관계로 파악한다. (　　　)

(2) 유교에서는 하늘의 도를 본받아 인(仁)을 실천할 것을 강조한다. (　　　)

(3) 불교에서는 살아 있는 것을 죽이지 않는 불살생의 계율을 강조한다. (　　　)

(4) 도가에서는 인위적인 노력으로 자연과 하나가 되어야 한다고 강조한다. (　　　)

탄탄! 내신 다지기

A 자연을 바라보는 서양의 관점

01 다음 관점을 지닌 환경 윤리에 대한 적절한 설명을 〈보기〉에서 고른 것은?

> 방황하고 있는 자연을 사냥해서 노예로 만들어 인간의 이익에 봉사하도록 해야 한다.

〈보기〉
ㄱ. 자연은 그 자체로 내재적 가치를 지닌다고 본다.
ㄴ. 인간 이외의 동물도 도덕적 지위를 갖는다고 본다.
ㄷ. 자연을 인간의 욕구를 충족하기 위한 도구로 간주한다.
ㄹ. 인간과 자연을 분리하여 바라보는 이분법적 관점을 지닌다.

① ㄱ, ㄴ ② ㄱ, ㄷ ③ ㄴ, ㄷ
④ ㄴ, ㄹ ⑤ ㄷ, ㄹ

02 다음 사상가의 입장만을 〈보기〉에서 있는 대로 고른 것은?

> 동물은 비록 이성은 없을지라도 살아 있는 피조물임을 고려할 때, 동물을 폭력적으로 잔인하게 다루는 것은 인간 자신에 대한 의무를 훨씬 더 심각하게 거스르는 것이다. 그래서 인간은 이러한 것을 삼가야 할 의무를 지니고 있다. 왜냐하면, 이는 인간의 고통이라는 공유된 감정을 무디게 하며, 사람 간 관계의 도덕성에 참으로 이바지할 수 있는 자연스러운 소질을 약화시키고, 점차 그 소질을 제거하기 때문이다.

〈보기〉
ㄱ. 인간은 동물에 대해 간접적인 의무를 지닌다.
ㄴ. 인간은 다른 존재보다 본질적으로 더 가치 있다.
ㄷ. 인간만이 도덕적 행위를 결정할 수 있는 존재이다.
ㄹ. 고통과 쾌락을 느끼는 능력이 도덕적 배려의 기준이 된다.

① ㄱ, ㄷ ② ㄱ, ㄹ ③ ㄴ, ㄹ
④ ㄱ, ㄴ, ㄷ ⑤ ㄴ, ㄷ, ㄹ

03 다음 입장에 대한 비판으로 가장 적절한 것은?

> 자연은 그 자체로 가치 있는 존재가 아니라 인간의 생존과 복지를 위한 도구에 불과하다. 자연은 정복의 대상이며, 인간의 욕구와 편의를 위한 도구적 가치만을 지닌다.

① 인간의 문화적 활동을 허용하지 않아 비현실적이다.
② 동물의 개체 보호를 중시하여 생태계의 조화와 균형을 깨뜨릴 수 있다.
③ 모든 생명체를 도덕적으로 고려하여 인간의 생존에 위협이 될 수 있다.
④ 자연에 대한 인간의 간섭을 막아 자연적으로 발생하는 환경 파괴를 방치할 수 있다.
⑤ 자연 남용과 훼손을 정당화하여 생태계 전체를 위협하는 환경 문제를 초래할 수 있다.

04 ㉠에 대한 옳은 입장을 〈보기〉에서 고른 것은?

> ㉠이 자연관은 이전의 극단적 인간 중심주의의 문제점을 보완하고자 등장한 것으로, 인간의 장기적 생존을 위해 자연을 존중하면서도 신중하고 분별력 있게 사용해야 한다고 주장한다.

〈보기〉
ㄱ. 자연 보호를 통한 책임의 범위는 현세대로 한정해야 한다.
ㄴ. 인간이 다른 존재보다 본질적으로 더 가치 있다고 여긴다.
ㄷ. 인간의 장기적인 생존과 복지를 위해 자연환경을 보호해야 한다.
ㄹ. 인간 이외의 다른 모든 존재를 그 자체로 목적으로 대우해야 한다.

① ㄱ, ㄴ ② ㄱ, ㄷ ③ ㄴ, ㄷ
④ ㄴ, ㄹ ⑤ ㄷ, ㄹ

05 그림은 어느 학생의 노트 필기 내용이다. ㉠~㉤ 중 옳지 않은 것은?

동물 중심주의 윤리

1. 특징
- 도덕적 고려의 대상을 동물까지 확대함 …… ㉠
- 공장식 사육 방식 중단, 단순 오락을 위한 사냥과 동물 학대 금지를 주장함 …… ㉡

2. 대표 사상가
- 싱어: 동물도 삶의 주체로서 자신만의 고유한 삶의 영역이 있음을 주장해야 함 …… ㉢
- 레건: 의무론의 관점에서 동물의 권리를 강조함 …… ㉣

3. 한계
- 동물 이외의 생명을 충분히 고려하지 못함 …… ㉤

① ㉠ ② ㉡ ③ ㉢ ④ ㉣ ⑤ ㉤

06 갑, 을의 입장으로 가장 적절한 것은?

갑: 어떤 아이가 길에서 돌멩이를 발로 찼다고 해서, 돌멩이의 이익 관심이 손상되는 것은 아니다. 왜냐하면 돌멩이는 고통을 느낄 수 없기 때문이다. 그러나 쥐는 발에 차이지 않을 이익 관심을 지닌다. 왜냐하면 쥐는 발에 차인다면 고통을 느낄 것이기 때문이다.
을: 정상적인 인간은 도덕적 행위자로서 도덕적 지위를 지닌다. 그러나 다른 포유류들은 기쁨과 통증을 느끼는 감정적인 생활을 할 뿐만 아니라 희망과 목적을 추구할 수 있는 삶의 주체이기 때문에 도덕적 지위를 지닌다.

① 갑: 이성을 지닌 인간만이 도덕적 고려의 대상이다.
② 갑: 전일론적 관점에서 생명체의 내재적 가치를 인정해야 한다.
③ 을: 동물을 인간과 다르게 대우하는 것은 종 차별주의이다.
④ 을: 성장한 포유동물은 삶의 주체이기 때문에 도덕적 지위를 지닌다.
⑤ 갑, 을: 공리주의의 관점에서 동물의 도덕적 지위를 고려해야 한다.

07 다음 입장이 지니는 한계를 〈보기〉에서 고른 것은?

- 동물을 대우할 때 고려해야 할 것은 이성을 지니거나 말을 할 수 있는지가 아니라 '고통을 느낄 수 있는가'이다.
- 도덕은 인간만이 아니라 쾌고(快苦)를 느낄 수 있는 존재 전체에 영향을 미치는 인간의 행위에 관한 규칙과 계율이다.

〈보기〉
ㄱ. 무분별한 환경 개발로 생태계 위기를 초래한다.
ㄴ. 동물 이외의 생명과 생태계에 대한 고려가 부족하다.
ㄷ. 개별 동물의 희생을 강요하여 '환경 파시즘'으로 흐를 수 있다.
ㄹ. 인간과 동물 사이의 이익이 충돌할 경우 어느 쪽 이익을 우선해야 할지 판단하기 어렵다.

① ㄱ, ㄴ ② ㄱ, ㄷ ③ ㄴ, ㄷ
④ ㄴ, ㄹ ⑤ ㄷ, ㄹ

08 갑은 부정, 을은 긍정의 대답을 할 질문으로 가장 적절한 것은?

갑: 과학의 목적은 자연을 인간의 의도에 맞도록 변형함으로써 인간의 활동 영역을 넓히는 것이다. 예를 들면 동물을 해부하고 실험하는 것은 인간의 육체에 담긴 비밀을 밝히는 도구로 활용하기 위해서이다. 또 동물 실험은 인류의 삶을 향상시킬 수 있는 효용성을 발견하는 것이 그 목적이다.
을: 윤리적인 인간은 이 생명 혹은 저 생명이 얼마나 값진가를 묻지 않으며, 그것이 나에게 얼마나 이익이 되는가를 묻지 않는다. 그에게는 생명 그 자체가 거룩하다. 그는 나무에서 나뭇잎 하나를 함부로 따지 않고, 어떤 꽃도 망가뜨리지 않으며, 어떤 곤충도 밟아 죽이지 않도록 항상 주의한다.

① 무생물을 도덕적으로 존중해야 하는가?
② 인간은 동물에 대해 간접적인 의무를 지는가?
③ 모든 생명체는 인간의 이익에 기여해야 하는가?
④ 생태계를 구성하는 요소 간 관계에 주목해야 하는가?
⑤ 탈인간 중심주의를 바탕으로 인간과 자연의 관계를 규정하는가?

09 갑, 을 사상가의 공통된 입장으로 가장 적절한 것은?

> 갑: 인간은 자기가 도울 수 있는 모든 생명체를 돕고 어떤 생명체에도 해가 되는 행동을 하지 않을 때 비로소 진정한 의미에서 윤리적이라고 할 수 있다.
> 을: 생명체가 삶의 목적론적 중심이라고 하는 것은 생명체의 내적 기능과 외적 활동들이 모두 목적 지향적으로 자신의 유기체적 존재를 지속시키는 일정한 경향을 갖는다는 것을 의미한다.

① 개별 생명체보다 생태계 전체의 가치를 우선한다.
② 인간의 경제적 이익을 위해 동물을 이용할 수 있다.
③ 무생물을 포함한 자연 전체에 대해 도덕적 책임을 져야 한다.
④ 모든 생명체는 본래적·내재적 가치를 지니므로 존중해야 한다.
⑤ 인간의 생존을 위해 불가피하게 다른 생명을 해치더라도 도덕적 책임은 없다.

10 다음 사상가가 강조한 생명체에 대한 네 가지 의무로 옳지 않은 것은?

> 모든 생명체는 의식의 유무와 상관없이 생존, 성장, 발전, 번식 등 자기 보존을 향한 목적 지향적 활동을 한다. 또한 이를 위해 환경에 적응하려고 애쓰는 존재로서 단일화된 체계이며, 본래적 가치를 지닌 도덕적 고려의 대상이다.

① 어떤 생명체도 해치지 말아야 한다.
② 생태계 전체를 도덕적 고려의 대상으로 삼고 배려해야 한다.
③ 인간이 다른 생명체에게 해를 끼쳤을 때 그 피해를 보상해야 한다.
④ 개체 생명의 자유를 침해하거나 생태계를 조작·통제해서는 안 된다.
⑤ 동물 사냥 등 인간의 즐거움을 위해 야생 동물을 기만하는 행위를 해서는 안 된다.

11 다음 사상가의 입장을 〈보기〉에서 고른 것은?

> 우리는 '큰 자아실현'과 '생명 중심적 평등'을 추구해야 한다. 큰 자아실현은 자신을 자연의 일부로서 자연과 상호 연관 속에서 존재하는 것으로 이해하는 과정이다. 생명 중심적 평등은 모든 생명체가 상호 연결된 전체의 평등한 구성원으로서 동등한 가치를 가진다는 것이다.

〈보기〉
ㄱ. 도덕적 고려 대상의 기준은 쾌고 감수 능력이다.
ㄴ. 생태계의 모든 존재가 평등한 권리를 누려야 한다.
ㄷ. 인간의 장기적 생존을 위해 자연을 보호해야 한다.
ㄹ. 환경 문제의 해결을 위해 인간의 세계관과 생활 양식의 근본적 변화가 필요하다.

① ㄱ, ㄴ ② ㄱ, ㄷ ③ ㄴ, ㄷ
④ ㄴ, ㄹ ⑤ ㄷ, ㄹ

12 갑, 을 사상가의 공통된 주장을 〈보기〉에서 고른 것은?

> 갑: 생명체가 목적론적 삶의 중심이 되게끔 하는 것은 자신의 선(善)을 실현하도록 방향 지어진 유기체의 작용이 갖는 일관성과 통일성이다.
> 을: 대지 윤리는 인간을 대지 공동체의 정복자에서 그 구성원으로 변화시키는 것이다. 공동체의 구성원은 동료나 전체 공동체에 대해 존경심을 가져야 한다.

〈보기〉
ㄱ. 무생물을 포함한 생태계 전체의 상호 의존성을 고려해야 한다.
ㄴ. 인간을 포함한 모든 생명체는 자기 나름의 가치를 지닌 존재이다.
ㄷ. 인간과 자연을 서로 분리되어 있는 별개의 대상으로 보아야 한다.
ㄹ. 자연의 가치를 인간의 필요와 유용성을 기준으로 측정해서는 안 된다.

① ㄱ, ㄴ ② ㄱ, ㄷ ③ ㄴ, ㄷ
④ ㄴ, ㄹ ⑤ ㄷ, ㄹ

13 다음 사상가의 입장으로 가장 적절한 것은?

> 통찰력 있는 사람들은 이른바 '무생물적 자연'을 살아 있는 것으로 간주해 왔다. …(중략)… 철학은 도덕적 죄의식을 느끼지 않고는 지구를 파괴할 수 없는 이유를 제시해야 한다. 즉, '죽은 것(무생물)'으로 간주해 왔던 지구도 사실은 일종의 생명적 성질을 소유하며, 따라서 우리는 지구 그 자체를 직관적으로 존중해야 한다.

① 인간만이 직접적인 도덕적 고려의 대상이다.
② 인간의 장기적 이익을 위해 환경을 보전해야 한다.
③ 인간을 대지의 정복자가 아니라 구성원으로 바라보아야 한다.
④ 모든 생명체는 목적론적 삶의 중심으로서 도덕적 지위를 갖는다.
⑤ 동식물과 같은 존재는 인간과 관련하여 간접적으로 고려해야 한다.

B 자연을 바라보는 동양의 관점

14 갑이 을에게 제기할 수 있는 적절한 비판을 〈보기〉에서 고른 것은?

> 갑: 사람은 땅을 본받고, 땅은 하늘을 본받고, 하늘은 도(道)를 본받고, 도는 자연을 본받는다.
> 을: 인간은 자연의 사용자 및 자연의 해석자로서 자연의 질서에 관해 실제로 관찰하고 고찰한 것만큼 무엇인가를 할 수 있다. 그 이상의 것은 알 수도 없고, 할 수도 없다. 인간의 지식은 곧 힘이다.

보기

ㄱ. 자연을 본받고 따르는 것이 이상적인 삶임을 간과하고 있다.
ㄴ. 인간과 자연 간에는 위계적인 질서가 있음을 간과하고 있다.
ㄷ. 인간과 자연을 유기체적인 관계로 파악해야 함을 간과하고 있다.
ㄹ. 자연을 탐구하고 이용함으로써 더 풍요로운 삶을 살 수 있음을 간과하고 있다.

① ㄱ, ㄴ ② ㄱ, ㄷ ③ ㄴ, ㄷ
④ ㄴ, ㄹ ⑤ ㄷ, ㄹ

15 (가)~(다) 사상의 공통된 입장으로 가장 적절한 것은?

> (가) 인간이 하늘의 도를 본받아 다른 인간과 존재를 사랑하고 어질게 행동하는 인(仁)을 베푸는 것이 바람직한 삶이다.
> (나) 연기(緣起)의 원리에 따라 자연 만물은 독립적으로 존재하는 것이 아니라 서로 밀접하게 관계를 맺고 있다.
> (다) 무위자연(無爲自然)을 추구하며 인간의 의지나 욕구와 상관없이 존재하는 자연의 가치와 아름다움을 인정한다.

① 자연은 의식이 없는 단순한 물질이다.
② 인간은 자연을 지배하고 정복해야 한다.
③ 인류의 행복을 위해 자연을 보전하고 관리해야 한다.
④ 자연은 그 자체로서 가치 있는 존재가 아닌 인간을 위한 도구에 불과하다.
⑤ 인간도 생태계를 구성하는 자연의 일부로서 다른 생명체와 유기적 관계를 이룬다.

서술형 문제

16 다음 자연관이 지니는 한계를 두 가지 서술하시오.

> 대지 피라미드는 태양 에너지가 흐르는 생명적 요소와 무생명적 요소로 이루어진 고도의 유기적 구조이다. 피라미드의 위아래층 간에는 수많은 먹이 사슬로 긴밀하게 연결되어 있으며, 그 사슬이 복잡하게 얽히고설킨 모습은 일견 무질서하게 보일 수도 있으나 체제의 안정을 위해 늘 유기적으로 작동한다. 그러므로 대지는 생명이 없는 단순한 흙이 아니라 그 이상의 것을 의미한다.

도전! 실력 올리기

01 다음 사상가가 긍정의 대답을 할 질문을 〈보기〉에서 고른 것은?

> 이제 우리는 쓰레기를 바다에 버리고, 대기를 오염시키고, 생태계를 파괴하며, 자원을 고갈시키는 일이 미래 세대 또는 현세대의 동료 인간에게 해를 끼치므로 나쁘다는 것을 알게 되었다. …(중략)… 더욱 감수성 있는 사회라면 오물로 가득 찬 강, 들판과 같은 산업화 이후 서구의 풍경을 용납하지 않을 것이다.

〈보기〉
ㄱ. 모든 생명체의 고유한 가치를 존중해야 하는가?
ㄴ. 인간의 장기적 생존을 위해 환경을 보호해야 하는가?
ㄷ. 식물은 동물을 위해, 동물은 인간을 위해 존재하는가?
ㄹ. 근대의 도구적 자연관과 이분법적 세계관으로 환경 문제가 심각해졌는가?

① ㄱ, ㄴ ② ㄱ, ㄷ ③ ㄴ, ㄷ
④ ㄴ, ㄹ ⑤ ㄷ, ㄹ

02 (가)~(다)에 들어갈 적절한 질문을 〈보기〉에서 고른 것은?

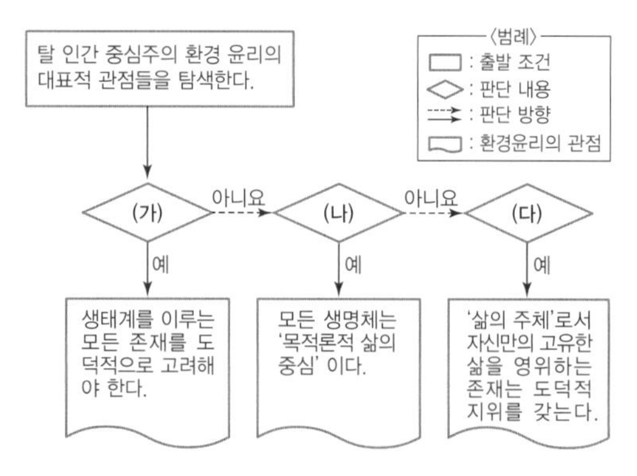

〈보기〉
ㄱ. (가): 물이나 토양과 같은 무생물도 도덕적으로 고려해야 하는가?
ㄴ. (나): 인간은 생명체에 대한 네 가지 의무를 갖는가?
ㄷ. (다): 동물을 도덕적 행위의 주체로 보아야 하는가?
ㄹ. (다): 모든 생명체를 인간과 동등하게 대우해야 하는가?

① ㄱ, ㄴ ② ㄱ, ㄷ ③ ㄴ, ㄷ
④ ㄴ, ㄹ ⑤ ㄷ, ㄹ

수능 유형

03 (가)의 입장에 비해 (나)의 입장이 갖는 상대적 특징을 그림의 ㉠~㉤ 중에서 고른 것은?

> (가) 우리는 지각, 기억, 믿음 등을 지닌 삶의 주체의 내재적 가치를 존중해야 한다. 그들의 가치는 도덕적 행위 능력과 무관하게 존중되어야 한다.
> (나) 이성이 없지만 생명이 있는 일부 피조물과 관련하여 동물을 폭력적으로, 그리고 동시에 잔학하게 다루는 것은 인간의 자기 자신에 대한 의무와 배치된다.

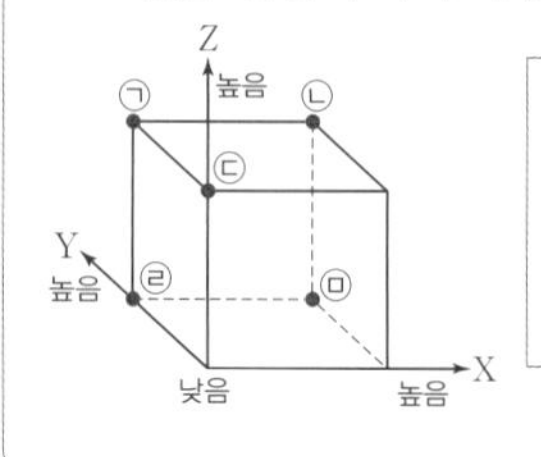

• X: 동물을 도덕적 고려의 대상으로 보는 정도
• Y: 이성적 존재만을 삶의 주체로 인정하는 정도
• Z: 자연을 인간의 복지를 위한 수단으로 보는 정도

① ㉠ ② ㉡ ③ ㉢ ④ ㉣ ⑤ ㉤

수능 유형

04 갑의 입장에서 〈문제 상황〉의 A에게 해 줄 수 있는 적절한 조언만을 〈보기〉에서 있는 대로 고른 것은?

> 갑: 고통과 쾌락의 감수 능력이 이익 관심을 갖는 전제 조건이 된다. …(중략)… 고통과 즐거움을 느낄 수 있는 능력은 어떤 존재가 이익 관심을 갖는다고 말할 수 있기 위한 필요조건일 뿐만 아니라 충분조건이기도 하다. 예를 들어, 쥐는 발에 차이지 않을 이익 관심을 갖는다. 발에 차인다면 쥐는 고통을 느낄 것이기 때문이다.
>
> 〈문제 상황〉
> 축산업자 A는 부드러운 송아지 고기를 얻기 위한 새로운 방법을 고안하였다. 그것은 작게 개조한 우리 안에 송아지를 가두고 풀 대신 액체 사료를 사용하는 등 공장식 사육 체계로 도축하는 것이다.

〈보기〉
ㄱ. 동물이 느낄 고통을 고려해야 한다.
ㄴ. 인간과 자연을 분리하여 바라보아야 한다.
ㄷ. 살아 있는 모든 것을 소중하게 대해야 한다.
ㄹ. 인간과 동물을 차별하는 사고에서 벗어나야 한다.

① ㄱ, ㄴ ② ㄱ, ㄹ ③ ㄴ, ㄷ
④ ㄱ, ㄷ, ㄹ ⑤ ㄴ, ㄷ, ㄹ

정답과 해설 55쪽

수능 기출

05 (가)의 갑, 을, 병 사상가들의 입장을 (나) 그림으로 표현할 때, A～D에 해당하는 적절한 진술만을 〈보기〉에서 있는 대로 고른 것은?

(가)
갑: 어떤 존재의 고통을 고려하지 않는 도덕적 논증은 있을 수 없다. 이익 평등 고려의 원리는 존재들 간의 동일한 고통을 동일하게 고려할 것을 요구한다.
을: 생명체가 목적론적 삶의 중심이라는 것은 그 활동이 목표 지향적이라는 뜻으로, 생명 활동을 성공적으로 수행하는 항상적인 경향성이 있다는 말이다.
병: 인류는 대지 공동체의 평범한 구성원이 되어야 한다. 이러한 인류의 역할은 동료 구성원과 대지 공동체 자체에 대한 존중을 필연적으로 수반한다.

(나)

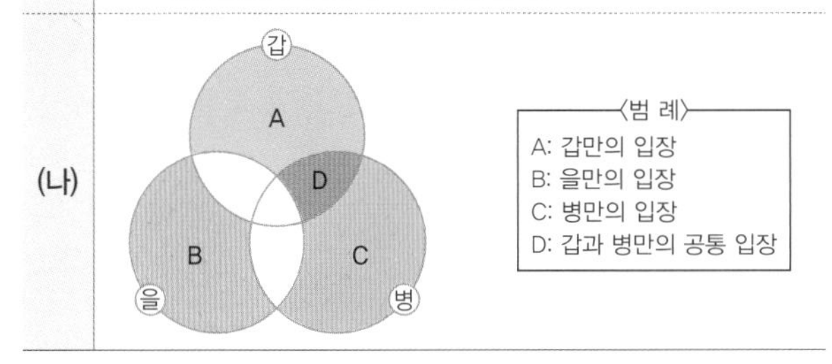

〈보기〉
ㄱ. A: 평등의 원리에 따라 인간과 모든 동물을 동일하게 대우해야 한다.
ㄴ. B: 인간은 생명체에 끼친 해악에 대한 보상적 정의의 의무를 지닌다.
ㄷ. C: 개체주의적 관점을 지양하고 인간 중심주의에서 벗어나야 한다.
ㄹ. D: 쾌고 감수 능력을 지닌 동물은 도덕적 고려 대상에 속한다.

① ㄱ, ㄹ ② ㄴ, ㄷ ③ ㄴ, ㄹ
④ ㄱ, ㄴ, ㄷ ⑤ ㄱ, ㄷ, ㄹ

수능 유형

06 (가)의 갑, 을, 병 사상가들의 입장을 (나) 그림으로 탐구할 때, A～D에 해당하는 적절한 질문만을 〈보기〉에서 있는 대로 고른 것은?

(가)
갑: 동물을 이용하는 것이 자연법을 거스르는 것은 아니다. 하지만 인간이 동물의 고통에 동정심을 느낀다면 인간에게는 더 많은 동정심을 갖게 될 것이다.
을: 모든 생명체는 내재적 가치를 지니며 자기 보존을 위해 자신의 고유한 방식으로 각자의 선을 추구한다는 점에서 동등한 목적론적 삶의 중심이다.
병: 생명 공동체의 범위를 대지까지 확장시키기 위해서는 생태계를 경제적 관점뿐만 아니라 윤리적·심미적 관점으로도 살펴봐야 한다.

(나)

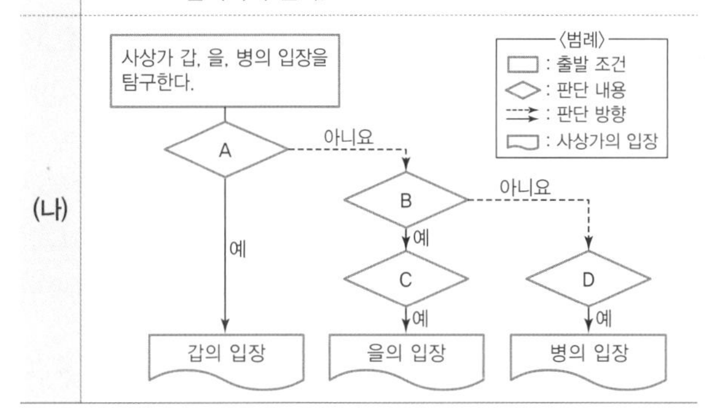

〈보기〉
ㄱ. A: 인간은 동물을 수단으로만 취급해도 되는가?
ㄴ. B: 무생물은 도덕적 고려의 대상이 아닌가?
ㄷ. C: 개체로서의 생명보다 생태계 전체의 이익을 고려해야 하는가?
ㄹ. D: 물[水]은 도덕 공동체의 범위에서 제외되는가?

① ㄱ, ㄴ ② ㄱ, ㄹ ③ ㄷ, ㄹ
④ ㄱ, ㄴ, ㄷ ⑤ ㄴ, ㄷ, ㄹ

07 그림은 서술형 평가 문제와 학생 답안이다. 학생 답안의 ㉠～㉤ 중 옳지 않은 것은?

서술형 평가

◎ **문제:** 유교, 불교, 도가의 자연관을 서술하시오.
◎ **학생 답안**
유교는 ㉠인간과 자연이 조화를 이루는 천인합일의 경지를 추구한다. 불교에서는 ㉡연기의 원리에 따라 우주 만물이 상호 의존적으로 존재한다고 설명한다. 도가에서는 ㉢자연이 무위의 체계로서 무질서를 담고 있다고 파악하여 ㉣인간이 자연에 가하는 인위적 조작을 거부한다. 세 사상 모두 ㉤인간과 자연의 조화를 이루는 삶을 강조한다.

① ㉠ ② ㉡ ③ ㉢ ④ ㉣ ⑤ ㉤

04 환경 문제에 대한 윤리적 쟁점

핵심 질문으로 흐름잡기
A 기후 변화와 기후 정의가 윤리적 문제는?
B 환경 보전의 의미와 윤리적 의의는?

A 기후 정의 문제와 미래 세대에 대한 책임 문제

| 시·험·단·서 | 기후 변화에 따른 문제점과 미래 세대에 대한 책임 윤리의 필요성을 묻는 문제가 출제돼.

1. 기후 변화❶와 기후 정의 문제

(1) **기후 변화의 의미:** 기후가 평균 수준을 벗어나 변화하는 것 예 지구 온난화*

(2) **기후 변화의 문제점:** 다양한 생물 종의 감소와 멸종, 농토의 사막화와 그에 따른 식량 생산량 감소, 홍수와 해수면 상승 등으로 환경 난민 증가 등

(3) **기후 정의❷ 문제** 자료 1 — 오늘날 기후 변화는 그 발생에 대해 책임이 거의 없는 국가들이 도리어 위험에 노출되는 현상, 즉 기후 불평등을 야기하고 있어.

① **기후 정의에 관한 쟁점:** 기후 변화 책임은 온실가스*를 많이 배출한 선진국에 있음에도 그 피해는 개발 도상국*이 입는 경우가 많아 불공평함, 성장을 막 시작한 개발 도상국에 기후 문제 해결을 위해 경제 성장 속도를 늦추라고 하는 것은 부당함

② **기후 정의를 실현하기 위한 노력**
- 선진국은 기후 변화에 따라 피해를 본 나라에 적극 보상해야 함
- 국가 간 탄소 배출권 거래 제도❸를 통해 온실가스 배출량을 줄이기 위해 노력해야 함

2. 미래 세대에 대한 책임 문제와 책임 윤리

(1) **미래 세대에 대한 책임 문제:** 환경 문제는 미래 세대의 생존 및 삶의 질 문제와 직결되어 있음 → 미래 세대에 대한 고려가 필요함 — 자연은 현세대뿐만 아니라 미래 세대도 함께 누려야 하는 것이기 때문이야.

(2) **요나스의 책임 윤리** 자료 2

① 인류가 존재해야 한다는 당위적 요청을 근거로 인류 존속에 관한 현세대의 책임을 강조함

② 칸트의 정언 명령을 변형하여 새로운 생태학적 정언 명령❹을 제시함

B 생태 지속 가능성 문제

| 시·험·단·서 | 환경적으로 건전하고 지속 가능한 발전의 의미를 묻는 문제가 출제돼.

1. 개발과 환경 보전의 딜레마*

구분	개발론	환경 보전론
입장	자연을 개발하여 많은 사람이 이익을 얻는 것이 환경 보전보다 우선하는 가치임 → 자연 개발 강조	환경을 보전하고 자연의 가치를 지키는 것이 인류의 생존에 필수적임 → 환경 보전 강조
문제점	환경 파괴로 이어질 수 있음	경제 성장을 제약할 수 있음

2. 환경적으로 건전하고 지속 가능한 발전❺ — 개발과 환경 보전의 딜레마를 해결하기 위해 등장한 개념이야.

(1) **의미:** 미래 세대에게 남겨 주어야 할 자연환경을 파괴하지 않는 범위에서 현세대의 필요를 충족하는 발전

(2) **환경적으로 건전하고 지속 가능한 발전을 위한 노력**

① **개인적 차원의 노력:** 환경친화적 소비의 생활화, 에너지 절약의 습관화 등

② **사회적 차원의 노력:** 환경을 고려한 건전한 환경 기술 개발, 화석 연료를 대체할 신·재생 에너지 개발

③ **국제적 차원의 노력:** 국제 협력 체제 구축 예 몬트리올 의정서, 바젤 협약, 생물 다양성 협약 — 동식물과 천연자원 보존 협약이야.

---

❶ **기후 변화의 원인**
산업화와 도시화로 인한 각종 공해 물질의 발생과 온실가스 배출량의 증가 등이 해당한다.

❷ **기후 정의**
기후 변화에 따른 불평등을 해소함으로써 실현되는 정의로, 기후 변화의 문제를 형평성의 관점에서 바라본다.

❸ **탄소 배출권 거래 제도**

의미	교토 의정서 가입 국가와 해당 국가의 기업들이 목표보다 탄소 배출량을 줄이면 그렇지 못한 국가나 기업에 탄소 배출권을 판매할 수 있게 한 제도
장점	경제적 유인을 제공하여 온실가스를 효과적으로 감축할 수 있음
문제점	돈만 지불하면 온실가스를 배출해도 된다는 그릇된 인식을 지니게 할 우려가 있음

❹ **요나스의 생태학적 정언 명령**
- "너의 행위의 효과가 지상에서의 진정한 인간적 삶의 지속과 조화될 수 있도록 행위하라."
- "너의 행위의 효과가 인간 생명의 미래의 가능성에 관해 파괴적이지 않도록 행위하라."

❺ **환경적으로 건전하고 지속 가능한 발전**
생태 지속 가능성의 범위에서 환경 개발을 추구함으로써 인간과 자연이 공존하며, 개발과 보존을 조화와 균형의 관점에서 바라보는 것이다.

시험에 잘 나오는 자료

자료 1 기후 정의 문제 관련 문제 ▶ 173쪽 03번

방글라데시는 기후 변화에 따른 해수면 상승으로 주요 섬들의 65%가 바닷물에 잠식되어 수많은 사람이 삶의 터전을 잃었다. 집과 토지를 잃은 농민들이 도시로 유입되어 빈민으로 살아가면서 사회적 갈등과 범죄가 증가하고 있다. 그런데 선진국은 기후 변화의 주요 원인인 온실가스를 1인당 연간 18.5톤을 배출하는 데 비해 방글라데시는 1인당 연간 1톤도 배출하지 않는다.

– 박병도, "기후 변화 취약성과 기후 정의"

자·료·분·석 개발 도상국은 온실가스의 배출량이 선진국보다 훨씬 적지만 피해는 선진국보다 더 크게 발생하고 있다. 기후 변화에 직접적인 영향을 미치는 온실가스의 75%가 선진국에서 배출되지만 기후 변화에 따른 자연재해는 대부분 온실가스 배출량이 적은 개발 도상국에서 발생하고 있기 때문이다. 정의의 관점에서 선진국은 개발 도상국에 책임 있는 자세를 지녀야 한다. 또한 각 국가는 온실가스 배출량을 줄이기 위해 노력해야 한다. 선진국은 물론 개발 도상국도 산업 구조를 생태 친화적으로 바꾸어 나감으로써 기후 변화의 근본 원인인 온실가스의 배출량을 줄여 나가야 한다.

한·줄·핵·심 기후 정의는 기후 변화에 따른 불평등을 해결하기 위해 등장하였다.

자료 2 요나스의 책임 윤리 관련 문제 ▶ 175쪽 02번

후세에 인간은 어쨌든 실존할 수 있기 때문에 만약 우리의 잘못된 행위로 인해서 미래 세대를 위한 세계를 타락시켰다면, 불행의 창시자로서 우리를 비난할 수 있는 권리가 미래 세대에 있는 것이다. 미래 세대가 존재하는 것에 대해서는 단지 그들의 부모에게 책임을 물을 수 있는 데 반하여, 그들이 생존할 수 있는 조건에 관해서는 현재의 우리에게 책임이 있다고 생각할 수 있다. 따라서 아직 존재하고 있지는 않지만 존재할 것으로 기대되는 미래 세대의 권리에 대하여 우리는 응답할 의무가 있다. 이런 의무 때문에 심각한 결과를 가져올 수 있는 행위를 할 때 우리는 그들에 대해 책임을 져야 한다.

– 요나스, "책임의 원칙"

자·료·분·석 요나스는 책임 윤리의 관점에서 자연 개발과 환경 보전의 문제를 검토해야 한다고 주장하였다. 그는 미래에도 인간다운 삶을 살아가는 데 적합한 환경이 존재해야 인류가 영속*할 수 있다고 보았다. 그래서 현세대의 행위로 자연에 나타나는 결과가 미래 세대의 생존 가능성을 파괴하지 않도록 해야 한다고 강조하며, 그에 따라 현세대가 지녀야 할 덕목으로 두려움, 겸손, 검소, 절제를 제시하였다. 현세대의 잘못으로 미래 세대가 생존할 수 없을지도 모른다는 사실에 대한 두려움을 갖고 겸손한 태도를 지니며, 검소한 생활과 절제하는 소비 습관을 길러야 한다는 것이다.

한·줄·핵·심 요나스는 시간적으로는 먼 미래, 공간적으로는 전 지구에까지 미치는 새로운 책임 윤리를 제시하였다.

내용 이해를 돕는 팁

궁금해요

Q. 기후 협약에는 무엇이 있나요?

A. 기후 변화와 지구 온난화에 대응하기 위한 대표적인 기후 협약은 다음과 같아.

교토 의정서(1997)
• 37개 선진국 대상, 온실가스 배출량을 1990년 수준보다 평균 5.2% 감축 • 탄소 배출권 거래 제도 도입
파리 기후 협약(2015)
• 195개 당사국 대상, 지구 평균 온도 상승폭을 산업화 이전과 비교해 1.5도까지 제한 • 2020년부터 개발 도상국에 1,000억 달러 지원

용어 더하기

* **지구 온난화**
대기 중 온실가스 작용으로 지구 표면의 온도가 상승하는 현상이다.

* **온실가스**
지구 대기를 오염시켜 온실 효과를 일으키는 가스를 통틀어 이르는 말. 주로 이산화 탄소, 메탄 따위의 가스를 말한다.

* **개발 도상국**
산업의 근대화와 경제 개발이 선진국에 비하여 뒤떨어진 나라를 말한다.

* **딜레마(dilemma)**
선택해야 할 길은 두 가지 중 하나로 정해져 있는데, 그 어느 쪽을 선택해도 바람직하지 못한 결과가 나오게 되는 곤란한 상황을 뜻한다.

* **영속(永續)**
영원히 계속된다는 뜻이다.

콕콕! 개념 확인하기

정답과 해설 56쪽

A 기후 정의 문제와 미래 세대에 대한 책임 문제

01 기후 변화에 따른 문제점으로 옳으면 ○표, 틀리면 ×표를 하시오.

(1) 가뭄으로 농토가 사막화되어 식량 생산량이 감소한다. (　　　)

(2) 생물 종의 감소와 생태계 먹이 사슬의 붕괴가 나타난다. (　　　)

(3) 극지방의 해빙으로 해수면이 상승하여 환경 난민이 증가한다. (　　　)

02 빈칸에 알맞은 말을 쓰시오.

(1) 선진국은 온실가스의 배출량이 개발 도상국보다 훨씬 많지만 피해는 개발 도상국이 더 많이 입는 등의 불평등을 해소함으로써 실현되는 정의를 □□ □□(이)라고 한다.

(2) □□□은/는 인류가 존재해야 한다는 당위적 요청을 근거로 인류 존속에 관한 현세대의 □□을/를 강조하였다.

03 기후 변화 협약과 그 특징을 바르게 연결하시오.

(1) 교토 의정서 •　　　　• ㉠ 탄소 배출권 거래 제도를 도입함

(2) 파리 기후 협약 •　　　　• ㉡ 지구의 평균 온도 상승폭을 산업화 이전과 비교하여 1.5도까지 제한함

B 생태 지속 가능성 문제

04 다음 설명이 개발론의 입장이면 '개', 환경 보전론의 입장이면 '보'라고 쓰시오.

(1) 환경 파괴로 이어질 수 있다는 문제점이 있다. (　　　)

(2) 경제 성장을 제약할 수 있다는 문제점이 제기된다. (　　　)

(3) 자연을 개발하여 많은 사람이 이익을 얻고 풍요로운 삶을 누려야 한다. (　　　)

(4) 환경을 보전하고 자연의 가치를 지키는 것이 인류의 생존에 필수적이다. (　　　)

05 다음에서 설명하는 개념을 쓰시오.

> 미래 세대가 자신의 욕구를 충족할 수 있는 능력을 해치지 않으면서도 현세대의 욕구를 충족하는 발전

(　　　　　　　　　　)

06 환경 문제를 해결하기 위한 개인적, 사회적, 국제적 노력을 <보기>에서 고르시오.

> 보기
> ㄱ. 환경친화적 소비 생활　　　ㄴ. 국가 간 협약 체결
> ㄷ. 건전한 환경 기술 개발　　　ㄹ. 신·재생 에너지 개발

(1) 개인적 노력 (　　　)　(2) 사회적 노력 (　　　)　(3) 국제적 노력 (　　　)

탄탄! 내신 다지기

정답과 해설 57쪽

A 기후 정의 문제와 미래 세대에 대한 책임 문제

01 ㉠으로 발생한 문제를 〈보기〉에서 고른 것은?

기후 변화란 자연적 요인 또는 인간 활동의 결과로 장기적으로 기후가 변화는 현상이다. 기후 변화의 대표적인 예로는 대기 중에 존재하는 온실가스의 작용으로 지구 표면의 기온이 상승하는 [㉠]이/가 있다.

〈보기〉
ㄱ. 해수면 상승으로 저지대가 침수된다.
ㄴ. 남아프리카, 지중해, 유럽 등에서 물 공급량이 늘어난다.
ㄷ. 이상 기후와 사막화 등을 일으켜 질병 발생이 증가한다.
ㄹ. 개발 도상국이나 후진국에 비해 선진국의 피해가 증가한다.

① ㄱ, ㄴ ② ㄱ, ㄷ ③ ㄴ, ㄷ
④ ㄴ, ㄹ ⑤ ㄷ, ㄹ

02 다음 기후 협약들이 공통으로 시사하는 내용으로 가장 적절한 것은?

• 교토 의정서 • 파리 협약 • 몬트리올 의정서

① 환경 문제는 경제적 발전을 통해 해결할 수 있다.
② 개인의 노력만으로도 환경 문제를 해결할 수 있다.
③ 현세대의 행복을 위한 환경 개발 방안을 모색해야 한다.
④ 환경 문제의 해결을 위해 국가적 협력보다 환경 단체의 노력이 더 필요하다.
⑤ 환경 문제는 전 지구적인 문제이므로 국가 간의 협력을 통해 해결해야 한다.

03 다음 글은 신문 칼럼이다. ㉠에 들어갈 제목으로 가장 적절한 것은?

○○신문 ○○○○년 ○월 ○일

칼 럼

[㉠]

기후 변화 현상은 지역에 따라 미치는 영향이 다르고, 해당 국가의 경제력에 따라 대처할 수 있는 역량도 다르다. 네덜란드처럼 물에 뜨는 집을 지어 대처할 수 있는 나라가 있는가 하면, 방글라데시처럼 흙과 짚으로 지은 집이 홍수로 떠내려가 버리는 곳도 있다. 이처럼 기후 변화로 인한 피해가 특정 국가나 특정 계층에서 더 크게 발생한다면, 이를 단순한 자연 현상이 아닌 사회 구조적 문제로 보아야 한다.

① 미래 세대에 대한 현세대의 책임
② 기후 변화 문제의 원인과 대처 방안
③ 기후 변화가 지구 환경에 미치는 영향
④ 기후 변화에 대응하기 위한 국제적 협력
⑤ 정의의 관점에서 살펴본 기후 변화 문제

04 밑줄 친 A의 입장으로 옳지 않은 것은?

사상가 A는 인류가 존재해야 한다는 당위적 요청을 근거로 인류 존속에 관한 현세대의 책임을 강조하였다. 그에 따르면 우리의 책임은 일차적으로 미래 세대의 존재를 보장하는 것이며, 이차적으로는 그들의 삶의 질을 배려하는 것이다.

① 인류 존속을 위해 현세대의 책임이 중요하다.
② 미래 세대를 위해 자연을 최대한 개발해야 한다.
③ 우리의 행동이 미래에 미칠 영향을 고려해야 한다.
④ 미래 세대가 건강한 자연환경에서 살아갈 권리를 존중해야 한다.
⑤ 현세대가 지녀야 할 덕목에는 두려움, 겸손, 검소, 절제 등이 있다.

05 ㉠에 들어갈 내용으로 가장 적절한 것은?

현세대가 생태계 파괴를 지속한다면 미래 세대는 생존할 수 없을 것이다. 따라서 우리는 겸손한 태도로 검소하고 절제하는 삶을 살아갈 책임이 있다. 그런데 어떤 사람들은 "미래는 예측할 수 없는데 미래 세대가 무엇을 원할지 우리가 어떻게 알 수 있을까? 아직 존재하지도 않는 미래 세대에 대해 현세대가 책임을 질 필요는 없다."라고 주장한다. 나는 이러한 견해에 대해 [㉠]고 생각한다.

① 인류의 존속을 위한 자연 파괴가 정당함을 간과하고 있다
② 현세대의 삶이 미래 세대의 삶보다 중요함을 간과하고 있다
③ 현세대가 미래의 환경에 대한 책임이 있음을 간과하고 있다
④ 현세대와 미래 세대의 삶이 분리되어 있음을 간과하고 있다
⑤ 미래 세대를 위해 모든 형태의 개발을 중단해야 함을 간과하고 있다

B 생태 지속 가능성 문제

06 ㉠에 대한 설명으로 옳은 것은?

[㉠](이)란 미래 세대가 자신의 욕구를 충족할 수 있는 능력을 해치지 않으면서도 현세대의 욕구를 충족하는 발전을 뜻한다. 예를 들어 친환경 기술인 태양광 기술을 이용하면 환경 보전과 경제 성장의 효과를 동시에 얻을 수 있다.

① 환경 보존보다는 경제 성장을 더 중시한다.
② 화석 연료를 중요한 에너지원으로 강조한다.
③ 미래 세대보다 현세대의 행복을 더 강조한다.
④ 양적 성장주의에 대한 반성이 바탕이 되어야 한다.
⑤ 자연의 자정 능력 범위를 넘어서는 환경 개발을 중시한다.

07 그림은 수업의 한 장면이다. 교사의 질문에 대해 옳게 대답한 학생만을 있는 대로 고른 것은?

① 갑, 을 ② 갑, 정 ③ 을, 병
④ 갑, 병, 정 ⑤ 을, 병, 정

서술형 문제

08 ㉠의 문제점을 서술하시오.

개발론자는 ㉠<u>자연이 도구적 가치를 지니며 개발에 따른 환경 문제는 경제 성장과 기술 발달로 해결할 수 있다는 점에 근거하여 자연 개발을 강조</u>한다. 반면 보존론자는 자연이 내재적 가치를 지닌다는 점과 자연을 보존하는 것이 장기적으로도 큰 이익이 된다고 강조한다. 두 입장 중 어느 한쪽을 선택하기는 쉽지 않지만, 이러한 딜레마를 해결하기 위해 생태 지속 가능성을 고려해야 한다. 이러한 인식을 바탕으로 제시된 개념이 '환경적으로 건전하고 지속 가능한 발전'이다.

도전! 실력 올리기

정답과 해설 58쪽

01 다음 제도에 대한 적절한 비판을 〈보기〉에서 고른 것은?

교토 의정서 가입 국가와 해당 국가의 기업들이 탄소 배출량을 목표보다 많이 줄이면 그렇지 못한 국가나 기업에 탄소 배출권을 판매할 수 있게 한 제도이다.

〈보기〉
ㄱ. 환경 문제에 인간이 과도하게 개입한다.
ㄴ. 환경 문제를 지나치게 윤리적으로 접근한다.
ㄷ. 자본으로 환경 파괴를 정당화할 우려가 있다.
ㄹ. 환경 문제를 해결하는 데 필요한 인류 공동의 책임이 약화될 수 있다.

① ㄱ, ㄴ ② ㄱ, ㄷ ③ ㄴ, ㄷ
④ ㄴ, ㄹ ⑤ ㄷ, ㄹ

수능 유형

02 다음을 주장한 사상가의 관점에만 모두 'V'를 표시한 학생은?

• 지구상에서 우리 모두가 몰락하지 않으려면 우리의 탐욕스러운 권력을 억제해야 한다. 이것이 바로 말 없는 피조물들의 고발이다.
• 너의 행위의 결과가 지구상에서 인간의 지속 가능한 삶과 조화될 수 있도록, 즉 미래 인류의 존속 가능성을 파괴하지 않도록 행위하라.

번호	관점 \ 학생	갑	을	병	정	무
(1)	인류의 존속이라는 무조건적인 명령을 이행해야 한다.	V			V	V
(2)	환경의 무분별한 개발에 대해 비판적으로 성찰해야 한다.		V	V	V	
(3)	미래 세대의 생존을 위해 현세대의 생존 권리를 포기해야 한다.	V	V			V
(4)	미래 세대에 대한 책임감을 바탕으로 환경 문제를 해결해야 한다.			V	V	V

① 갑 ② 을 ③ 병 ④ 정 ⑤ 무

수능 유형

03 그림은 서술형 평가 문제와 학생 답안이다. 학생 답안의 ㉠~㉤ 중 옳지 않은 것은?

서술형 평가

◎ 문제: '지속 가능한 발전'의 관점에서 볼 때, 미래 세대에 대한 현세대의 책임을 서술하시오.
◎ 학생 답안
㉠인류는 하나의 연속적 세대로 이루어진 도덕 공동체를 형성하며, ㉡현세대는 자연환경을 독점적으로 이용하거나 처분할 권리를 갖는다. 그리고 ㉢과거 세대가 물려준 것과 같이 현세대도 다음 세대에 자연환경을 온전하게 물려줄 도덕적 책임이 있다. 더 나아가 ㉣미래 세대도 인간이므로 현세대와 같은 권리를 갖는 것은 당연하다. 따라서 ㉤현세대가 미래 세대에 지는 책임은 내 자손만이 아니라 모든 인류와 존재를 지속시킬 의무를 갖는 것이다.

① ㉠ ② ㉡ ③ ㉢ ④ ㉣ ⑤ ㉤

04 갑, 을의 입장으로 옳지 않은 것은?

갑: 환경 오염도 성장 후 축적된 자본과 기술로 해결할 수 있는 문제이므로, 환경 보호에 앞서 성장에 우선순위를 부여해야 한다.
을: 자연은 단순히 인간의 수단으로 존재하는 것이 아니라 본래적 가치를 지닌 존재이므로 자연을 보전해야 한다.

① 갑: 인간의 복지와 풍요를 위해 개발이 필요하다.
② 갑: 사람들에게 도움이 된다면 자연을 개발하는 것이 바람직하다.
③ 을: 자연 보호를 위해 손해를 감수할 수 있어야 한다.
④ 을: 자연은 인간에게 경제적 이익을 제공하는 원천이 되어야 한다.
⑤ 을: 일정 부분 경제 성장을 제약하더라도 자연환경을 보호해야 한다.

한눈에 보는

대단원 정리

01 과학 기술과 윤리

A 과학 기술의 의미와 가치 중립성 논쟁

가치 중립성 인정	가치 중립성 부정
• 과학 기술에는 주관적 가치가 개입될 수 없음 • 과학 기술은 윤리적 평가의 대상이 아님	• 과학 기술도 가치 판단에서 자유로울 수 없음 • 과학 기술도 윤리적 검토나 통제를 받아야 함

B 과학 기술의 성과와 윤리적 문제

(1) 과학 기술의 성과와 윤리적 문제

성과	물질적 풍요와 안락한 삶, 건강 증진과 생명 연장, 시공간 제약 극복, 대중문화의 발달
문제점	인간의 주체성 약화와 비인간화, 인권과 사생활 침해, 생명의 존엄성 훼손, 환경 문제 심화

(2) 과학 기술의 발달에 따른 상반된 시각

과학 기술 낙관주의	과학 기술 비관주의
과학 기술로 인류가 당면한 모든 문제를 해결할 수 있다고 봄	과학 기술의 폐해나 부정적인 측면만 강조함

C 과학 기술의 사회적 책임과 책임 윤리

(1) 과학 기술의 사회적 책임

과학 기술자의 내적 책임	과학 기술자의 외적 책임
연구 과정에서 조작, 변조, 표절 등 비윤리적 행위를 해서는 안 됨	연구 결과가 사회에 미칠 영향을 인식하고 책임을 다해야 함

(2) 요나스의 책임 윤리

윤리적 책임의 범위 확대	인간뿐만 아니라 자연, 미래 세대에 대한 책임까지 고려해야 함
예견적 책임 강조	과학 기술의 발전이 미래에 끼치게 될 결과를 예측하여 생명에 대한 도덕적 책임을 져야 함

02 정보 사회와 윤리

A 정보 기술의 발달과 정보 윤리

(1) 정보 기술의 발달에 따른 윤리적 문제

지적 재산권 문제	• 정보 공유론: 정보와 그 산물은 인류가 함께 누릴 자산임 • 정보 사유론: 정보와 그 산물은 개인의 사유 재산임
사생활 침해	개인 정보를 쉽게 얻을 수 있어 사생활 침해 발생 → '잊힐 권리'나 '정보의 자기 결정권' 요구
사이버 폭력	사이버 따돌림, 사이버 명예 훼손, 사이버 모욕, 사이버 스토킹, 사이버 성폭력 등
정보 격차 문제	정보 소외 계층과 그렇지 않은 계층 간의 사회적·경제적 격차가 발생할 수 있음

(2) 정보 윤리의 기본 원칙

인간 존중의 원칙, 책임의 원칙, 정의의 원칙, 해악 금지의 원칙

B 정보 사회에서의 매체 윤리

(1) 뉴 미디어의 특징

- 정보 생산 주체와 소비 주체의 쌍방향적 의사소통이 가능해짐
- 다수의 정보 이용자들이 정보의 제공과 감시의 역할을 수행함
- 아날로그 시대에 개별적으로 존재했던 매체들이 하나의 정보망으로 통합됨

(2) 뉴 미디어 시대의 윤리적 문제

알 권리와 인격권의 대립	국민의 알 권리 보장을 위한 매체의 정보 전달이 특정 개인의 인격권을 침해할 수 있음
허위·유해 정보의 전달	검증되지 않은 뉴 미디어의 정보를 신뢰하기 어려움
책임의 분산	정보와 책임이 분산되므로 윤리적 책임 의식이 약화됨

(3) 뉴 미디어 시대에 요구되는 매체 윤리

- 진실한 태도 유지, 객관성과 공정성 추구, 표현의 자유에 대한 한계 인식
- 미디어 리터러시 함양, 소통과 시민 의식 함양

03 인간과 자연의 관계

A 자연을 바라보는 서양의 관점

(1) 인간 중심주의

고려 대상	인간
특징	• 이분법적 세계관: 인간과 자연을 분리, 인간이 더 우월하다고 봄 • 도구적 자연관: 자연을 인간을 위한 도구로 봄
사상가	아리스토텔레스, 아퀴나스, 베이컨, 데카르트, 칸트

(2) 동물 중심주의

고려 대상	인간, 동물
주요 주장	• 싱어(동물 해방론): 공리주의에 근거, 도덕적 고려 기준은 쾌고 감수 능력, 종 차별주의에 반대함 • 레건(동물 권리론): 의무론에 근거, 일부 동물은 '삶의 주체'로서 권리를 지님

(3) 생명 중심주의

고려 대상	모든 생명체(인간, 동식물)
주요 주장	• 슈바이처: 생명에 대한 사랑과 책임을 강조하는 생명 외경을 주장함 • 테일러: 모든 생명체는 '목적론적 삶의 중심'으로 존중받아야 함

(4) 생태 중심주의

고려 대상	생태계 전체(인간, 동식물, 무생물)
주요 주장	• 레오폴드(대지 윤리): 도덕 공동체의 범위를 대지까지 확장함 • 네스(심층 생태주의): 큰 자아실현, 생명 중심적 평등을 추구함

B 자연을 바라보는 동양의 관점

유교	인간과 자연이 조화를 이루는 천인합일의 경지를 추구함
불교	연기설에 근거하여 만물의 상호 의존성과 자비를 강조함
도가	무위자연 추구 → 인간이 자연을 통제하는 것에 반대함

04 환경 문제에 대한 윤리적 쟁점

A 기후 정의 문제와 미래 세대에 대한 책임 문제

(1) 기후 변화와 기후 정의 문제

기후 변화의 의미와 문제점	• 의미: 기후가 평균 수준을 벗어나는 것 • 문제점: 다양한 생물 종의 감소와 멸종, 농토의 사막화와 그에 따른 식량 생산량 감소, 홍수와 해수면 상승 등으로 환경 난민 증가
기후 정의의 문제	기후 변화 책임은 선진국에 있음에도 그 피해는 개발 도상국이 입는 경우가 많음 → 기후 정의 실현이 필요함

(2) 미래 세대에 대한 책임 문제와 책임 윤리

미래 세대에 대한 책임	환경 문제는 미래 세대의 생존 및 삶의 질 문제와 직결되어 있음
요나스의 책임 윤리	• 인류가 존재해야 한다는 당위적 요청을 근거로 인류 존속에 관한 현세대의 책임을 강조함 • "너의 행위의 효과가 지상에서의 진정한 인간적 삶의 지속과 조화될 수 있도록 행위하라." • "너의 행위의 효과가 인간 생명의 미래의 가능성에 관해 파괴적이지 않도록 행위하라."

B 생태 지속 가능성 문제

(1) 개발과 환경 보전의 딜레마

개발론	환경 보전론
자연을 개발하여 많은 사람이 이익을 얻는 것이 환경 보전보다 우선하는 가치임 → 자연 개발 강조	환경을 보전하고 자연의 가치를 지키는 것이 인류의 생존에 필수적임 → 환경 보전 강조

(2) 환경적으로 건전하고 지속 가능한 발전

의미	미래 세대가 자신의 욕구를 충족할 수 있는 능력을 해치지 않으면서도 현세대의 욕구를 충족하는 발전, 즉 미래 세대도 현세대만큼 잘 살 수 있게 하는 범위에서 자연을 이용해야 함
실천 방안	• 개인적 노력: 환경친화적 소비 생활의 생활화 • 사회적 노력: 환경을 고려한 건전한 환경 기술 개발, 화석 연료를 대체할 신·재생 에너지 개발 • 국제적 노력: 국제 협력 체제 구축

한번에 끝내는 대단원 문제

정답과 해설 58쪽

01 (가)의 갑의 입장에 비해 을의 입장이 갖는 상대적 특징을 (나) 그림의 ㉠~㉤ 중에서 고른 것은?

(가)
갑: 과학은 사회적·문화적 맥락에서 이해해야 한다. 과학에는 사회 집단의 정치적 관계, 가치관 등이 반영될 수밖에 없다. 과학이 스스로 발전하는 것이 아니라 사회의 요구나 가치를 반영하여 발전하는 것이다. 따라서 과학이 올바른 방향으로 나아가도록 하기 위해서는 사회적 관심이 요구된다.
을: 윤리와 과학은 서로 고유한 영역을 가지고 있으며, 이 영역은 서로 겹치지 않는다. 과학적인 도덕이 있을 수 없듯이 비도덕적인 과학도 있을 수 없다. 과학과 윤리는 한 점에서 접하기만 하는 두 개의 원과 같이 별개의 영역이다.

(나)
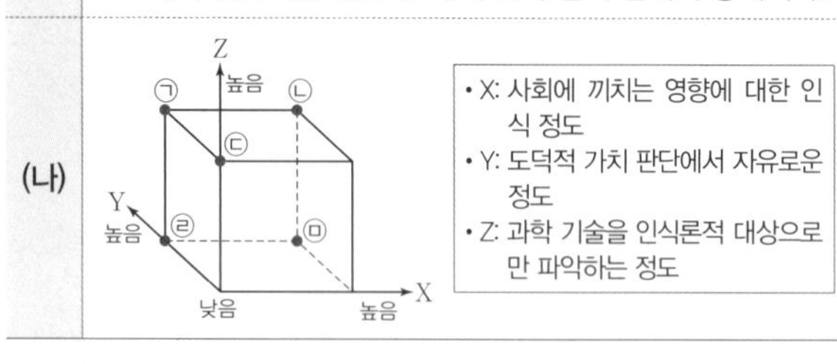

• X: 사회에 끼치는 영향에 대한 인식 정도
• Y: 도덕적 가치 판단에서 자유로운 정도
• Z: 과학 기술을 인식론적 대상으로만 파악하는 정도

① ㉠ ② ㉡ ③ ㉢ ④ ㉣ ⑤ ㉤

02 ㉠에 대한 반론으로 가장 적절한 것은?

대전제: 가치 중립적인 것은 도덕적 가치 판단의 대상이 아니다.
소전제: ㉠
결 론: 과학 기술의 연구 개발은 도덕적 가치 판단의 대상이 아니다.

① 과학 기술은 도덕적 가치 판단으로부터 자유로워야 한다.
② 과학 기술의 연구 목표를 설정할 때 가치 판단이 개입한다.
③ 과학 기술의 발전을 위해 가치 중립적 태도를 유지해야 한다.
④ 과학 기술의 연구 대상과 도덕의 탐구 대상은 서로 구별된다.
⑤ 과학적 사실 판단은 도덕적 가치 판단에 종속되어서는 안 된다.

03 갑, 을의 입장에 대한 설명으로 옳은 것은?

갑: 기술은 단지 수단일 뿐이지 그 자체는 선도 아니고 악도 아니다.
을: 과학 기술을 가치 중립적인 것으로 고찰할 때, 우리는 무방비 상태로 과학 기술에 내맡겨진다.

① 갑: 기술을 가치 중립적으로 바라보아서는 안 된다.
② 갑: 기술은 인간 사회와 무관하게 그 자체의 발전 논리를 가지고 있다.
③ 을: 기술 자체에는 어떠한 가치도 포함될 수 없다.
④ 을: 기술은 가치 중립적이므로 연구의 자유를 보장해야 한다.
⑤ 갑, 을: 기술이 인간의 삶에 기여할 수 있도록 기술에 대한 인간의 통제가 필요하다.

04 다음은 어느 현대 사상가의 입장이다. 이 사상가의 관점에 해당하는 진술에만 모두 'V'를 표시한 학생은?

핵분열 이론을 연구한 사람은 원자 폭탄 투하의 책임이 없습니다. 그러나 원자 폭탄을 만든 사람은 다릅니다. 그는 응분의 책임을 져야 합니다. 과학자는 한 개인의 차원만이 아니라 인간 공동체의 차원에서 행동해야 하기 때문입니다. 원자 폭탄을 만든 미국의 원자 물리학자들은 정치적인 영향력을 행사하는 데 너무 소극적이었다는 비난을 면할 수가 없을 겁니다. 그들은 원자 폭탄의 역효과를 연구 초기부터 이미 충분히 알고 있었을 것이기 때문입니다.

번호	관점 \ 학생	갑	을	병	정	무
(1)	과학 기술은 윤리적 가치 평가에 의해 지도되고 규제되어야 한다.	V	V		V	
(2)	과학 기술자는 자신의 연구 활동을 사회의 연관성 안에서 생각해야 한다.	V			V	V
(3)	과학 기술자가 연구 대상을 선정하는 과정은 가치로부터 독립적이지 않다.		V	V	V	V
(4)	과학 기술 그 자체는 좋은 것도 나쁜 것도 아닌 가치 중립적인 것이어야 한다.			V		V

① 갑 ② 을 ③ 병 ④ 정 ⑤ 무

05 다음 입장에 대한 옳은 설명만을 〈보기〉에서 있는 대로 고른 것은?

> 오늘날 과학 기술은 인류에게 무한한 부를 가져다줄 것이며, 인류는 과학 기술을 이용하여 사회의 모든 문제를 해결하고 영원한 행복을 누릴 것이다.

〈보기〉
- ㄱ. 과학 기술에 대해 혐오주의적 태도를 갖는다.
- ㄴ. 과학 기술의 유용성만을 강조하고, 부정적 영향을 간과한다.
- ㄷ. 과학 기술이 가져다줄 미래를 지나치게 낙관적으로 바라본다.
- ㄹ. 과학 기술의 발전과 윤리적 반성이 함께 이루어져야 한다고 주장한다.

① ㄱ, ㄴ ② ㄱ, ㄹ ③ ㄴ, ㄷ
④ ㄱ, ㄷ, ㄹ ⑤ ㄴ, ㄷ, ㄹ

06 갑, 을의 입장에 대한 설명으로 적절하지 않은 것은?

> 갑: 과학의 발전과 인류의 복지 증진을 위해서는 과학 연구 활동의 자유가 보장되어야 합니다. 즉, 과학자는 연구 과정에서 도덕 규범만 준수하면 됩니다.
> 을: 과학자는 진리 탐구의 과정에서 당연히 도덕 규범을 지켜야 합니다. 또한 자신의 자유로운 과학 연구 활동 결과로 초래될 수 있는 사회적 영향도 고려해야 합니다.
> 갑: 과학자의 연구 결과가 어떻게 활용되고, 그것이 사회에 어떤 결과를 가져올지는 과학자가 관여할 문제가 아닙니다.
> 을: 아닙니다. 과학자는 자신의 연구가 인류의 복지에 미칠 영향도 고려해야 합니다.

① 갑은 과학자가 연구 결과로 인한 사회적 책임으로부터 자유로워야 한다고 본다.
② 갑은 연구 과정에서 어떠한 정보나 자료도 표절하거나 조작해서는 안 된다고 본다.
③ 을은 과학자가 과학 기술의 활용에 대한 정치적 결정에 관여해서는 안 된다고 본다.
④ 을은 사회적으로 해로운 결과가 예상되는 연구는 위험성을 알리고 중단해야 한다고 본다.
⑤ 갑, 을 모두 과학 연구 과정에서 도덕 규범을 지켜야 한다는 점을 인정한다.

07 갑에 비해 을이 강조하는 과학 기술자의 책임으로 옳지 않은 것은?

> 갑: 과학자는 개발하는 연구자로 할 수 있는 것을 할 뿐입니다. 원자 폭탄에 대한 책임은 연구자가 아닌 사용자의 몫입니다.
> 을: 핵분열 이론을 연구한 사람은 원자 폭탄 투하의 책임이 없습니다. 그러나 원자 폭탄을 만든 사람은 책임을 져야 합니다. 과학자는 한 개인의 차원만이 아니라 인간 공동체의 차원에서 행동해야 하기 때문입니다.

① 과학 기술의 부작용에 주의할 책임
② 인류 전체의 생존을 위해 노력할 책임
③ 윤리적 검토에 구애받지 않고 연구할 책임
④ 연구 결과를 인류의 평화를 위해 활용할 책임
⑤ 연구 결과가 사회에 해가 되지 않도록 노력할 책임

08 다음은 우리나라 법률 조항의 일부이다. 이 법률에서 유추할 수 있는 내용에만 'V'를 표시한 학생은?

> 제70조 사람을 비방할 목적으로 정보 통신망을 통하여 공공연하게 사실을 드러내어 다른 사람의 명예를 훼손하는 자는 2년 이하의 징역이나 금고 또는 2천만 원 이하의 벌금에 처한다.
> 제74조 다음 각 호의 어느 하나에 해당하는 자는 1년 이하의 징역 또는 1천만 원 이하의 벌금에 처한다.
> – 음란한 부호·문언·음향·화상 또는 영상을 배포·판매·임대하거나 공공연하게 전시한 자
> – 공포심이나 불안감을 유발하는 부호·문언·음향·화상 또는 영상을 반복적으로 상대방에게 도달하게 한 자

번호	내용 \ 학생	갑	을	병	정	무
(1)	개인의 표현의 자유를 무한히 존중해야 한다.	V			V	V
(2)	사이버 폭력은 피해자에게 심각한 정신적·심리적 피해를 줄 수 있다.	V	V		V	
(3)	사이버 공간에서는 합리적 이성과 양심에 따라 자신의 행동을 숙고해야 한다.		V	V		V
(4)	거짓된 정보가 아니라면 어떤 정보라도 사이버 공간에서 자유롭게 공개할 수 있다.			V	V	V

① 갑 ② 을 ③ 병 ④ 정 ⑤ 무

09 (가)의 갑, 을의 입장을 (나) 그림으로 표현할 때, A~C에 대한 적절한 진술을 〈보기〉에서 고른 것은?

(가)	갑: 정보에 대한 창작자의 소유권을 인정하게 되면 새로운 창작이 이루어지기 어렵다. 정보의 지속적인 발전을 위해 정보의 사적 소유권을 인정하면 안 된다. 을: 정보에 대한 창작자의 소유권을 인정해야 한다. 그러면 창작되는 정보의 수준이 높아지고 더 많은 지적 산물이 창조될 수 있다.
(나)	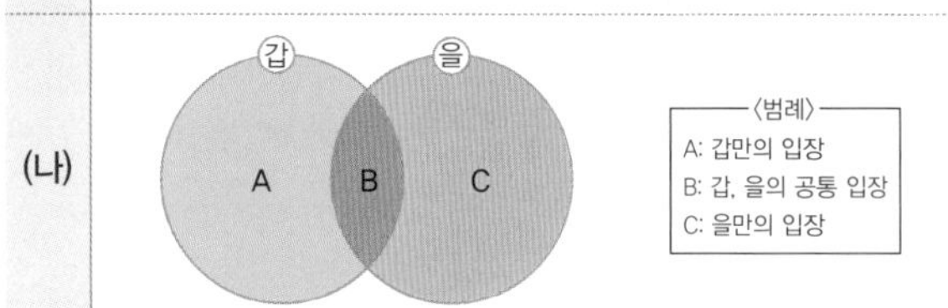

〈보기〉

ㄱ. A: 타인의 저작물을 도용하거나 표절하는 행위를 처벌해야 한다.

ㄴ. B: 정보에 대한 접근 기회는 누구에게나 열려 있어야 한다.

ㄷ. B: 타인의 지적 창작물에 대한 존중 의식을 함양해야 한다.

ㄹ. C: 지식과 정보의 공공재적 성격을 강화해야 한다.

① ㄱ, ㄴ ② ㄱ, ㄷ ③ ㄴ, ㄷ
④ ㄴ, ㄹ ⑤ ㄷ, ㄹ

10 그림에 나타난 문제에 대한 적절한 해결 방안을 〈보기〉에서 고른 것은?

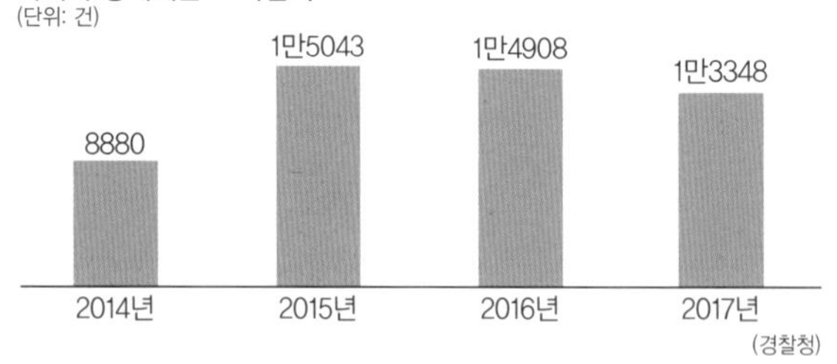

〈보기〉

ㄱ. 사이버 공간에서 소통의 일방향성을 추구한다.

ㄴ. 사이버 범죄 예방을 위한 제도적 장치를 마련한다.

ㄷ. 사이버 공간에서 표현의 자유를 무제한으로 인정한다.

ㄹ. 사이버 범죄도 피해자의 존엄성을 훼손하는 폭력임을 인식한다.

① ㄱ, ㄴ ② ㄱ, ㄷ ③ ㄴ, ㄷ
④ ㄴ, ㄹ ⑤ ㄷ, ㄹ

11 ㉠, ㉡에 대한 설명으로 적절하지 않은 것은?

정보 사회의 훌륭한 시민이 갖추어야 할 조건이나 덕목을 생각할 때 ㉠정보에 대한 리터러시만으로는 불완전하다는 것을 느끼게 된다. 정보를 '윤리적으로 다루는' 능력도 필요하다. 이에 따라 최근에는 ㉡사이버 시민성이라는 용어가 자주 논의된다.

① ㉠: 원하는 정보를 찾아 내어 획득할 수 있는 능력이다.

② ㉠: 자신이 원하는 정보를 가장 효과적인 매체 형식으로 제작하고 배포하는 능력이다.

③ ㉡: 정보에 대한 오해가 없도록 추상적인 표현을 구사하는 태도이다.

④ ㉡: 정보와 관련된 누군가에게 미칠 파장과 결과를 고려하는 모습이다.

⑤ ㉡: 정보와 관계된 사람들의 입장을 고루 이해하고 중립적 입장을 견지하는 모습이다.

12 다음 주장에 대한 적절한 비판만을 〈보기〉에서 있는 대로 고른 것은?

인터넷이 일상화됨에 따라 개인 정보를 비롯하여 자신이 원하지 않는 민감한 정보가 자기도 모르게 포털사이트 등을 통하여 많은 사람에게 유포되거나 자기 과거 모습이 원하지 않는 상태에서 불특정 다수에게 전달되거나 공유될 가능성이 커졌다. 따라서 정보 사회에서 개개인은 자신의 사생활에 대한 권리를 보장받고 자신이 원치 않는 정보에 대해 삭제를 요구할 수 있는 권리를 지녀야 한다.

〈보기〉

ㄱ. 자기 정보에 대한 배타적 관리권을 절대적으로 보장해야 한다.

ㄴ. 개인은 자신과 관련된 정보를 통제할 수 있는 권리를 지녀야 한다.

ㄷ. 공익을 고려하여 인터넷에 올라온 정보 기록을 삭제해서는 안 된다.

ㄹ. 사생활을 보호받을 권리 못지않게 시민들의 알 권리도 중시되어야 한다.

① ㄱ, ㄷ ② ㄴ, ㄹ ③ ㄷ, ㄹ
④ ㄱ, ㄴ, ㄷ ⑤ ㄱ, ㄴ, ㄹ

13 갑, 을의 입장에서 질문에 모두 바르게 대답한 것은?

> 갑: 이성이 없지만 생명이 있는 동식물을 잔학하게 다루는 것은 인간의 자기 자신에 대한 의무에 어긋난다.
> 을: 자기가 속한 종의 이익을 옹호하면서 다른 종의 이익을 배척하는 태도는 도덕적으로 정당화될 수 없다.

	질문	갑	을
①	인간만이 아니라 모든 생명체가 동등한 가치를 지니는가?	예	예
②	인간은 동물에 대해 직접적인 의무를 지니는가?	예	아니요
③	식물을 보존하는 것이 인간의 간접적인 의무인가?	아니요	예
④	인간 이외의 존재도 도덕적 지위를 인정해야 하는가?	아니요	예
⑤	인간과 동물을 동등하게 대우하는 것이 도덕적인가?	예	예

14 (가)의 갑, 을, 병 사상가들의 입장을 (나) 그림으로 표현할 때, A~D에 해당하는 적절한 진술만을 〈보기〉에서 있는 대로 고른 것은?

(가)

갑: 인간처럼 고통을 느낄 수 있는 능력을 소유한 존재는 인간과 동일한 이익 관심을 가진다. 그들에 대한 차별은 인종 차별과 같이 부도덕한 것이다.
을: 욕구를 가진 존재는 타자와 구분되는 자신의 복지를 갖고 있다. 이 존재는 희망과 목적을 가지고 있는 삶의 주체이며, 수단으로만 대우받아서는 안 된다.
병: 대지는 인간을 비롯한 자연의 모든 존재가 서로 그물망처럼 얽혀 있는 공동체이다. 우리는 그 구성원으로서 공동체에 대한 존경심을 가져야 한다.

(나)

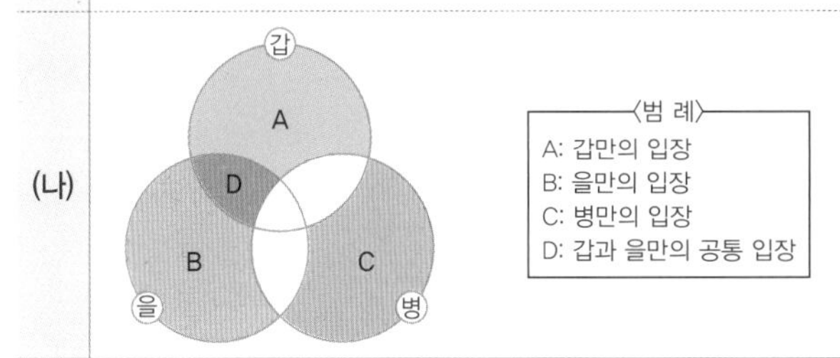

〈보기〉
ㄱ. A: 도덕적 행위 주체인 인간은 동물을 배려해야 한다.
ㄴ. B: 삶의 주체인 동물의 권리를 의무론의 관점에서 존중해야 한다.
ㄷ. C: 인간은 생태계 전체에 대해 책임을 져야 한다.
ㄹ. D: 개체는 쾌고 감수 능력을 지녀야만 도덕적 지위를 갖는다.

① ㄱ, ㄷ ② ㄱ, ㄹ ③ ㄴ, ㄷ
④ ㄱ, ㄴ, ㄹ ⑤ ㄴ, ㄷ, ㄹ

15 (가)의 서양 사상가 갑, 을, 병의 입장을 (나) 그림으로 표현할 때, A~D에 해당하는 옳은 질문만을 〈보기〉에서 있는 대로 고른 것은?

(가)

갑: 어떤 존재가 이성을 갖고 있지 않다면 그것은 수단으로서 상대적인 가치밖에 지니지 않기 때문에 사물이라고 불린다. 반면에 이성적 존재는 인격이라 불린다. 왜냐하면 이성적 존재의 성질은 이미 목적 자체이기 때문이다.
을: 고유의 가치를 지닌 개체는 그에 상응할 만큼 존중되어야 하지, 단지 수단으로 취급되어서는 안 된다. 고유의 가치를 지닌 개체들은 그러한 가치를 지닌 개체 모두가 받는 동일한 존중을 받을 권리가 있다. 인간과 동물은 자기 삶의 주체일 수 있다. 따라서 동물은 고유의 가치를 지니며, 그들을 존중하는 것이 정당하다고 할 수 있다.
병: 의식이 있든 없든 모든 존재는 자기 보존과 행복을 향해 움직이는 목적 지향적인 활동의 단일화된 체계라는 점에서 동등한 목적론적 삶의 중심이다. 생명체가 목적론적 삶의 중심이라고 하는 것은 생명체의 내적 기능과 외적 활동들이 모두 목적 지향적으로 자신의 유기체적 존재를 지속시키려는 일정한 경향을 갖는다는 것을 의미한다.

(나)

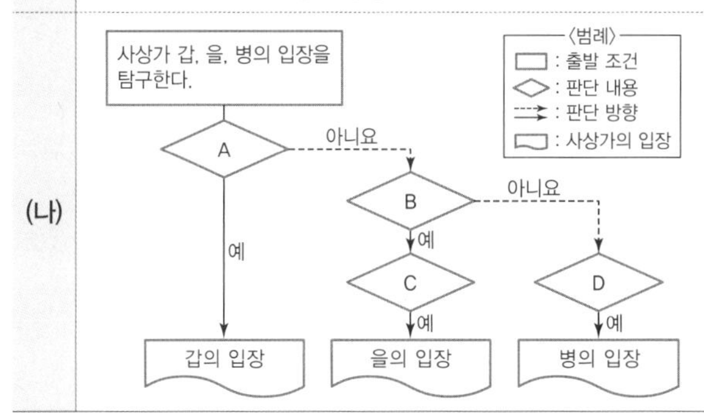

〈보기〉
ㄱ. A: 인간은 동물에 대해 간접적인 의무만을 지니는가?
ㄴ. B: 동물은 도덕적 행위의 주체로 행위할 수 있기 때문에 고유한 가치를 지니는가?
ㄷ. C: 동물도 삶의 주체로서 자신만의 고유한 삶을 영위할 권리를 가지는가?
ㄹ. D: 전체론적 입장에서 벗어나 개별 생명체를 존중해야 하는가?

① ㄱ, ㄴ ② ㄱ, ㄷ ③ ㄴ, ㄹ
④ ㄱ, ㄷ, ㄹ ⑤ ㄴ, ㄷ, ㄹ

16 (가)의 갑의 입장에 비해 을의 입장이 갖는 상대적 특징을 (나) 그림의 ㉠~㉤ 중에서 고른 것은?

(가)

갑: 과학의 목적은 자연을 인간의 의도에 맞게 변형함으로써 인간의 활동 영역을 넓히는 것이다. 예를 들면 동물을 해부하고 실험하는 것은 인간의 육체에 담긴 비밀을 밝히는 도구로 활용하기 위해서이다.

을: 바람직한 삶의 자세를 한마디로 요약하면 "물 같이 되라."라는 것이나. '도'처럼 된다든가 '도'에 맞추어 살아간다는 것을 좀 더 구체적으로 표현한 것이 바로 물처럼 되는 것이다. 물은 도의 최고의 상징이다.

(나)

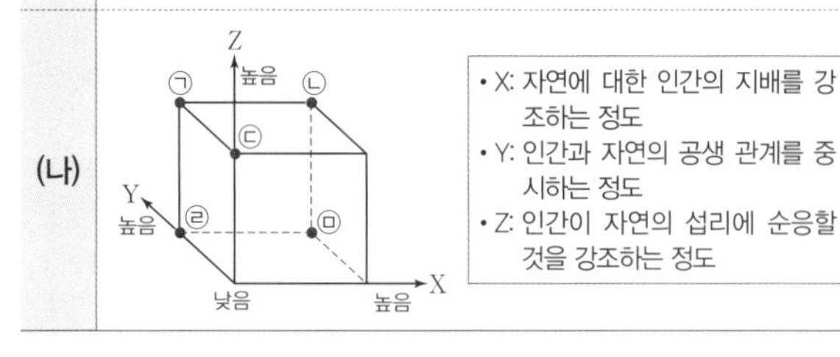

① ㉠ ② ㉡ ③ ㉢ ④ ㉣ ⑤ ㉤

17 (가)~(다) 사상에 대한 옳은 설명만을 〈보기〉에서 있는 대로 고른 것은?

(가) 하늘은 나의 아버지이며 땅은 나의 어머니이다. 그러므로 우주를 가득 채우고 있는 것을 나는 나의 몸으로 여기며, 우주를 이끌고 가는 것을 나의 본성으로 여긴다.

(나) 하늘과 땅은 편애하지 않아 모든 것을 짚으로 만든 개처럼 취급한다. 하늘과 땅 사이는 커다란 풀무의 바람통처럼 비어 있으나 다함이 없다.

(다) 인드라망은 끝없이 큰 그물로 이음새마다 보석처럼 투명하게 빛나는 구슬이 자리 잡고 있다. 구슬들은 혼자 빛날 수 없으며 반드시 다른 구슬의 빛을 받아야만 세상을 밝힐 수 있다.

〈보기〉

ㄱ. (가)는 살아 있는 것을 죽이지 않는 불살생(不殺生)을 강조한다.

ㄴ. (나)는 자연을 목적이 없는 무위(無爲)의 체계로서 무목적의 질서를 담고 있다고 본다.

ㄷ. (다)는 연기설에 근거하여 만물의 상호 독립성을 자각하여 자비를 베풀라고 주장한다.

ㄹ. (가), (나), (다) 모두 자연을 정복과 지배의 대상이 아닌 인간과 상호 의존적인 관계로 파악한다.

① ㄱ, ㄷ ② ㄴ, ㄹ ③ ㄷ, ㄹ
④ ㄱ, ㄴ, ㄷ ⑤ ㄱ, ㄴ, ㄹ

18 다음 사상가가 긍정의 대답을 할 질문을 〈보기〉에서 고른 것은?

인류는 지구상에 계속 존재해야 한다. 이를 위해서는 사고의 전환이 요청된다. 전통적 윤리는 인간적 삶의 전 지구적 조건과 종(種)의 먼 미래와 실존을 고려할 필요가 없었다. 그러나 이제 우리는 자연에 대한 책임, 미래 지향적 책임, 미래 세대의 삶의 조건에 대한 책임까지 숙고해야 한다.

〈보기〉

ㄱ. 미래 세대의 권리는 현세대의 권리보다 우선하는가?

ㄴ. 책임의 대상과 범위에 미래 세대도 포함해야 하는가?

ㄷ. 현세대의 필요와 욕구를 충족시키는 데 주력해야 하는가?

ㄹ. 인간은 예견할 수 있는 모든 결과에 대해서 책임져야 하는가?

① ㄱ, ㄴ ② ㄱ, ㄷ ③ ㄴ, ㄷ
④ ㄴ, ㄹ ⑤ ㄷ, ㄹ

19 ㉠을 실현하기 위한 적절한 방안만을 〈보기〉에서 있는 대로 고른 것은?

[㉠]은/는 현세대의 개발 욕구를 충족시키면서도 미래 세대의 개발 능력을 저해하지 않는 '환경친화적 발전'이다. 사회 전 분야에서 각종 개발에 앞서 환경 친화성을 먼저 평가해 정책에 반영함으로써 미래 세대가 제대로 보전된 환경 속에서 적절한 방안을 이룰 수 있도록 하는 것을 뜻한다.

〈보기〉

ㄱ. 친환경 기술 개발에 힘쓴다.

ㄴ. 환경 친화적 소비 생활을 한다.

ㄷ. 환경 문제에 대한 국제 협력 체제를 갖춘다.

ㄹ. 저개발 국가들이 성장 중심의 경제 개발에 주력한다.

① ㄱ, ㄷ ② ㄱ, ㄹ ③ ㄴ, ㄹ
④ ㄱ, ㄴ, ㄷ ⑤ ㄴ, ㄷ, ㄹ

20 다음 글을 읽고 물음에 답하시오.

> 과학 기술의 발전을 어떻게 바라보아야 할 것인가에 대해 상반되는 두 입장이 있다. [㉠]은/는 과학 기술의 발전을 지나치게 낙관적으로 바라보는 입장이다. 이 입장은 인류가 과학 기술을 이용하여 사회의 모든 문제를 해결하고 무한한 부와 행복을 누릴 것이라고 본다. 반대로 [㉡]은/는 과학 기술의 발전을 비관적으로 바라보는 입장이다. 이 입장은 과학 기술의 비인간적이며 비윤리적인 측면을 부각한다.

(1) ㉠, ㉡에 들어갈 말을 각각 쓰시오.

㉠ (   ), ㉡ (   )

(2) ㉠, ㉡이 갖는 문제점을 각각 서술하시오.

21 다음 글을 읽고 물음에 답하시오.

> 어떤 의견의 표현을 억압하는 것은 의견을 주장하는 사람뿐 아니라 반대하는 사람에게도 손해이다. 만약 그 의견이 옳다면 오류를 바로잡고 진리를 주장할 기회를 놓치게 되고, 그 의견이 옳지 않다면 오류와 정면으로 대결함으로써 진리를 더욱 분명하게 알 이점을 잃게 된다.

(1) 윗글의 주장이 사이버 공간에서 적용되어야 하는 이유를 두 가지 서술하시오.

(2) 사이버 공간에서 표현의 자유를 제한할 수 있는 경우를 두 가지 서술하시오.

22 다음 글을 읽고 물음에 답하시오.

> 슈바이처는 생명의 신비를 두려워하고 존경하는 마음으로 모든 생명을 소중히 여겨야 한다는 [㉠] 사상을 제시하였다.
> 테일러는 모든 생명체가 '[㉡]의 중심'이라고 규정하였다. 그는 모든 생명체가 의식의 유무나 유용성에 관계없이 고유한 가치를 지닌다고 보았다. 또한 ㉢생명체에 대한 인간의 네 가지 의무를 제시하였다.

(1) ㉠, ㉡에 들어갈 말을 각각 쓰시오.

㉠ (   ), ㉡ (   )

(2) ㉢의 내용을 네 가지 서술하시오.

23 다음 글을 읽고 물음에 답하시오.

> [㉠]은/는 국가마다 할당된 감축량 의무 달성을 위해 자국의 기업별·부문별로 배출량을 할당하고, 기업은 할당된 온실가스 감축 의무를 이행하지 못할 경우 다른 나라 기업으로부터 할당량을 매입할 수 있도록 하는 제도이다.

(1) ㉠의 명칭을 쓰시오.

(   )

(2) ㉠의 제도를 비판하는 내용을 두 가지 서술하시오.

V
문화와 윤리

배울 내용 한눈에 보기

01 예술과 대중문화 윤리

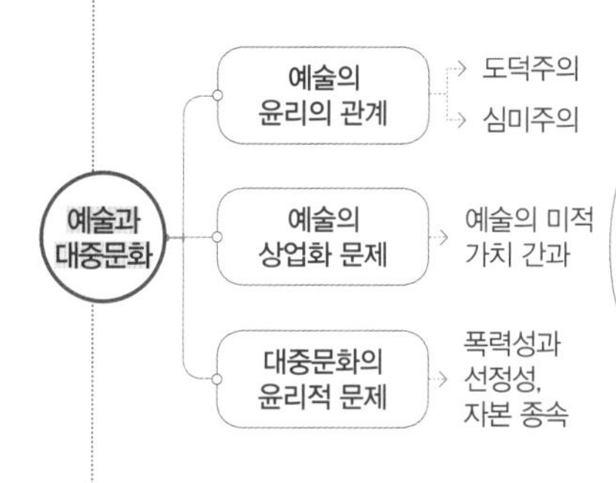

예술과 윤리의 관계에 대해 도덕주의적 관점과 심미주의적 관점이 있어. 또, 현대 사회에서는 예술의 지나친 상업화로 인한 문제와 폭력성 등 대중문화의 윤리적 문제가 발생하고 있어.

02 의식주 윤리와 윤리적 소비

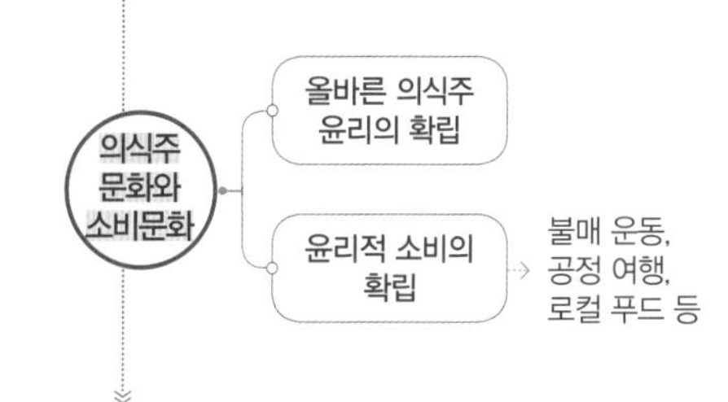

올바른 의식주 윤리를 확립하고 윤리적 가치 판단에 따른 윤리적 소비문화를 확립해야 해.

03 다문화 사회의 윤리

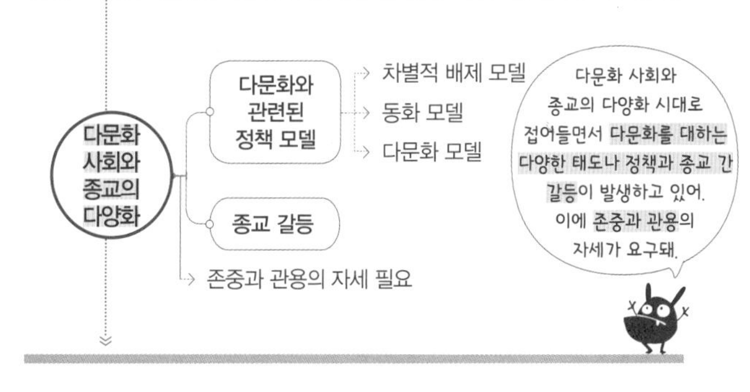

01 예술과 대중문화 윤리

핵심 질문으로 흐름잡기
- A 예술과 윤리의 관계는?
- B 예술의 상업화로 인한 문제는?
- C 대중문화의 윤리적 문제는?

A 예술과 윤리의 관계

| 시·험·단·서 | 예술과 윤리의 관계에 대해 도덕주의와 심미주의의 입장을 비교하는 문제가 출제돼.

1. 예술의 의미와 기능

(1) 예술*의 의미: 아름다움을 표현·창조·감상하는 인간의 활동과 그 산물

(2) 예술의 기능

① 인간의 정서와 감정을 정화함

② 삶을 통찰할 수 있게 함

③ 인간과 사회가 변화하는 계기를 마련함
— 인간은 예술 활동을 통해 사회의 모순을 비판하거나 새로운 사상과 가치를 창조할 수 있어.

2. 예술과 윤리의 관계

(1) 예술과 윤리의 관계에 대한 관점

— 예술 지상주의, 유미(唯美)주의라고도 해.

구분	도덕주의 자료 1	심미주의
입장	• 윤리적 가치가 미적 가치보다 우위에 있음 • 예술은 인간의 올바른 품성 함양을 목적으로 하거나 도덕적 교훈을 제공해야 함 • 예술의 사회성을 강조하는 참여 예술론 지지 → 예술에 대한 적절한 규제가 필요함	• 윤리적 가치와 미적 가치는 무관함 • 예술은 '예술을 위한 예술'로, 미적 가치 추구만이 목적임 • 예술의 자율성을 강조하는 순수 예술론 지지 → 예술에 대한 윤리적 규제에 반대함
대표 사상가	• 플라톤❶: "예술의 존재 이유는 선을 권장하고 덕성을 장려하는 데 있다." • 톨스토이: "예술 작품의 가치는 도덕적 가치에 의해 결정된다."	• 와일드: "예술가에게 윤리적 동정심이란 용서할 수 없는 매너리즘이다." • 스핑건: "시가 도덕적이다, 비도덕적이다라고 말하는 것은 무의미하다."
문제점	예술의 자율성을 침해하고 예술가의 자유로운 창작을 제한할 수 있음	예술의 사회적 영향과 책임을 간과하여 사회 질서를 혼란스럽게 할 수 있음

(2) 예술과 윤리의 바람직한 관계

① 예술이 미적 가치를 추구하면서 도덕성 함양에도 도움을 줄 수 있음을 알아야 함
— 인간의 삶에서 미적 가치와 윤리적 가치는 불가분의 관계야.

② 예술과 윤리의 조화를 강조한 사상

• 유교의 예악(禮樂) 사상: 공자가 "예(禮)에서 사람이 서고, 악(樂)에서 인격이 완성된다."라고 주장하였듯이 유교에서는 예와 악을 상호 보완 관계로 봄

• 칸트의 사상: "미(美)는 도덕성의 상징이다." → 미와 선은 형식이 유사하므로, 미는 도덕적 선의 상징이 된다고 봄 자료 2

B 예술의 상업화 문제

| 시·험·단·서 | 예술의 상업화로 인한 긍정적 측면과 부정적 측면을 묻는 문제가 출제돼.

1. 현대 예술의 특징

— 주관주의는 아름다움이 개인의 주관에 달려 있다고 봐. 이러한 사고로 인해 현대에는 예술에 대한 절대적 기준과 권위주의적 사고에서 벗어나게 되었어.

(1) 전통적 미의 기준 붕괴 → 주관주의가 주목을 받음 예 포스트모더니즘*

(2) 예술을 향유하는 계층의 확장, 대중 매체와 자본주의의 발달 → 예술의 대중화, 예술의 상업화 현상 발생
— 소수 특권층만 예술을 누리던 과거와 달리 대중의 미적 취향과 가치를 반영하고 충족하는 방향으로 확장되었어.

2. 예술의 대중화

(1) 일반 대중 누구나 예술을 즐기는 현상

(2) 키치❷가 대중의 욕구를 만족시키면서 대중 예술❸이 성장함

---

❶ 플라톤의 예술관
플라톤은 예술 작품이 도덕적 가치를 담고 있는지 국가가 판단해야 하며, 이를 위해 예술의 검열이 필요하다고 주장하였다.

❷ 키치(kitsch)

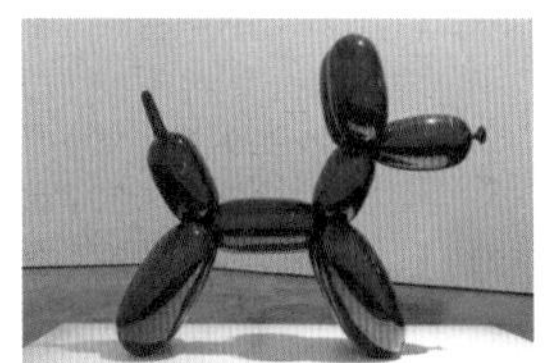

▲ 쿤스(Koons, J)의 '풍선 강아지'

'저속한 작품'이란 뜻으로, 진품을 모방하고 변형한 저속한 작품을 일컫는 용어이다. 키치는 난해한 작품을 감상할 능력이 부족한 대중의 욕구를 만족시켜 대중 예술의 발전을 촉진하였다.

❸ 대중 예술과 순수 예술

대중 예술	• 대중의 취향을 반영한 예술 • 작품의 상업성과 대중성 강조
순수 예술	• 예술가가 자신의 예술적 세계관을 표현하는 데 초점을 둠 • 작품의 고유성과 독창성 강조

시험에 잘 나오는 자료

자료 1 유교 사상가의 도덕주의 예술관

관련 문제 ▶ 192쪽 03번

- 성인은 조석으로 음을 듣고 마음을 씻어 혈맥을 고동치게 함으로써 화평한 뜻을 유발하도록 했던 것이다. 그러므로 순임금이 나라를 세울 때 악(樂)이 완성됨에 따라 그 효과로 모든 관원이 성실하게 화합하고 덕으로 겸양했으니, 인간은 반드시 음악으로써 가르치는 것이 알맞지 않은가. …(중략)… 그러므로 예(禮)와 악(樂)은 잠시라도 몸에서 떠나서는 안 되며, …(중략)… 음악을 진작함으로써 인간을 교화할 수 있는 것이다.

  – 정약용, "여유당전서"

- 악(樂)이란 아무것으로도 변화시킬 수 없는 조화이며, 예(禮)란 아무것으로도 바꿀 수 없는 이치이다. 악은 모든 것을 화합하게 하지만, 예는 모든 것을 따로따로 구분한다. 그러나 예악(禮樂)은 모두 사람들의 마음을 주관한다. – "순자"

자·료·분·석 정약용은 음악을 통해 인격을 갈고닦아 성인(聖人)이 될 수 있으므로 항상 악(樂)을 가까이 해야 한다고 보았다. 즉 음악이 인간의 품성을 향상시키는 데 기여한다는 것이다. 순자는 인간 내면의 바람직한 변화를 위한 예술의 역할을 중요하게 인식하였다.

한·줄·핵·심 유교 사상가 정약용과 순자 모두 음악을 정치적 교화, 인격 수양, 화합을 위한 중요한 도구로 여겼으므로 이들의 입장은 도덕주의로 분류할 수 있다.

자료 2 칸트가 본 미(美)와 선(善)의 관계

- 미적 체험을 통한 자유와 도덕의 전제인 자유는 서로 다른 것이기는 하지만 '이기적인 욕구에서 벗어나 있다.'라는 점에서는 동일하다. 그러므로 "미(美)는 도덕성의 상징이다."라고 말할 수 있으며, 더 나아가 미는 도덕성의 실현에 기여할 수 있다.
- 순수하게 감성적인 동물은 감각적인 즐거움만을 느낄 수 있으며, 순수하게 이성적인 존재(천사나 신)의 의욕은 선에 해당한다. 인간은 이성적 존재자가 느낄 수 있는 선을 추구할 수도 있고, 동물이 느낄 수 있는 안락함을 추구할 수도 있다. 그러나 미적 즐거움은 동물과 신적 존재 사이의 중간자인 인간에게 고유한 것이며, 감성적인 것으로부터 순수 이성적인 것으로 나아가는 계기를 마련한다.

  – 칸트, "판단력 비판"

자·료·분·석 칸트는 자유로운 미적 체험이나 자유로운 도덕적 행위는 서로 다른 것이지만 '특정 이익을 추구하는 것이 아니다(무관심성)'라는 점에서 유사성을 가지며 서로 상징 관계에 있다고 보았다. 미는 인간이 감성적인 것으로부터 순수 이성적인 것으로 나아가는 계기를 마련한다는 측면에서 미와 선이 상호 보완적이라는 것이다.

한·줄·핵·심 칸트는 미와 도덕성은 유사성을 가진다고 보았으며, 상징 관계에 있는 미를 통해 도덕성을 실현할 수 있다고 보았다.

내용 이해를 돕는 팁

궁금해요

Q. 예술의 대중화의 사례로 무엇이 있나요?

A.

▲ 화가 반 고흐의 작품을 가방에 활용한 상품

예술이 대중화되면서 순수 예술과 대중 예술의 경계가 흐려지고 있어. 순수 예술의 분야인 그림이 옷, 그릇 등에 접목되는 등 실생활에 폭넓게 활용되고 있어.

용어 더하기

* **예술**
'예(藝)'는 '심는다'라는 뜻으로 기초 교양의 씨를 뿌리는 인격 도야의 의미를 가진다. 그리고 '술(術)'은 본래 '나라 안의 길'이라는 뜻으로 어떤 곤란한 과제를 능숙하게 해결할 수 있는 능력을 의미한다.

* **포스트모더니즘(postmodernism)**
1960년에 일어난 문화 운동이면서 정치 · 경제 · 사회의 모든 영역과 관련되는 한 시대의 이념이다. '탈현대'라는 의미를 담고 있으며, 절대 이념을 거부하고, 개성 · 자율성 · 다양성 · 대중성을 중시하였다.

예술의 경제적 가치를 중시하는 경향의 증가와 예술 작품을 대량으로 생산하고 소비할 수 있는 대중 매체의 발달로 예술의 상업화 현상은 더욱 확대되고 있어.

3. 예술의 상업화 자료 3

(1) 예술의 상업화의 의미: 예술 작품에 상품 가치를 매겨 거래하는 현상으로, 상품의 매매를 통해 이윤을 얻는 일이 예술 작품에도 적용됨을 뜻함

(2) 예술의 상업화의 긍정적 측면과 부정적 측면

우리는 예술의 상업화가 지닌 긍정적 측면과 부정적 측면을 균형 있게 인식해야 해.

긍정적 측면	부정적 측면
• 일부 부유층이 누리던 예술을 대중도 누리게 됨 • 대중의 취향과 가치를 반영하여 다양한 예술 분야가 발전함 • 예술가에게 경제적 이익을 보장하여 창작 의욕을 높이고 예술 활동에 전념할 수 있게 함	• 예술의 본질이 왜곡될 수 있음 • 예술 작품을 단지 하나의 상품이자 부의 축적 수단으로 간주하게 됨 • 예술 작품의 경제성만을 중시한 나머지 예술의 미적 가치와 윤리적 가치를 간과함

예술의 질적 저하로 이어질 수 있어.

C 대중문화의 윤리적 문제

| 시·험·단·서 | 대중문화의 자본 종속에 대한 아도르노의 입장을 묻는 문제가 출제돼.

1. 대중문화의 의미와 특징

(1) 대중문화[4]의 의미: 대중 사회를 기반으로 형성되어 다수의 사람이 소비하고 향유하는 문화

(2) 대중문화의 특징

신문, 방송, 인터넷 등 대중 매체를 통해 생산·복제되어 빠르게 전파돼.

① **대량 문화:** 다양한 복제 기술을 이용하여 문화를 대량 생산하고 유통함

② **통속* 문화:** 대중의 흥미와 관심에 즉각적으로 반응함

2. 대중문화와 관련된 윤리적 문제와 윤리적 규제

(1) 대중문화와 관련된 윤리적 문제

① **폭력성과 선정성 문제**

• 소비자의 관심을 끌기 위해 폭력성·선정성을 극대화하는 것

• 폭력성과 선정성은 청소년을 포함한 대중 정서에 악영향을 미치며, 모방 범죄로 이어질 수 있음

대중문화의 과도한 폭력성은 폭력에 대한 그릇된 인식을 심어주고, 선정성은 인간의 육체와 성의 가치를 왜곡시켜.

② **자본 종속 문제[5]**

• 자본의 힘이 대중문화를 지배하는 현상

• 자금력을 갖춘 일부 문화 기획사가 대중문화를 주도하게 됨 → 획일화된 문화 상품만이 양산되어 문화의 다양성이 위축됨

• 대중의 취향과 기호만을 중시하여 예술의 자율성과 독립성이 제약될 수 있음

• 아도르노: 현대 예술은 자본에 종속되어 문화 산업[6]으로 획일화되었다고 비판함 자료 4

(2) 대중문화에 대한 윤리적 규제 논쟁

규제를 찬성하는 입장	규제를 반대하는 입장
• 대중문화의 상업성으로 인한 문화의 규격화·획일화 현상을 방지해야 함 • 대중문화의 폭력성·선정성 등이 대중의 정서에 미칠 부정적 영향을 방지해야 함	• 대중문화가 강자의 이데올로기*를 일방적으로 전달하는 도구로 전락할 수 있음 • 대중이 다양한 문화를 창조하는 역할을 방해할 수 있음

3. 올바른 대중문화 형성을 위한 노력

(1) 소비자: 대중문화를 주체적이고 비판적으로 수용해야 함

(2) 생산자: 건전한 대중문화를 보급하기 위해 노력해야 함

(3) 법적·제도적 측면: 방송법 등을 통해 생산과 소비에 대한 공적 책임을 부여하고, 여러 계층이 참여하는 사회적 기구를 만들어 자율적으로 대중문화를 자정*하려는 노력을 해야 함

❹ 대중문화의 예
텔레비전 프로그램, 영화, 연극, 음악, 만화 등이 대표적인 대중문화이다.

❺ 자본 종속의 예
• 간접 광고(PPL): 영화나 드라마의 소품으로 등장하는 상품을 일컫는 말로, 브랜드가 돋보이는 이미지, 명칭 등을 노출하여 관객들에게 홍보하는 일종의 광고 마케팅
• 블록버스터: 대규모의 제작비, 세트, 특수 효과 등을 동원하여 단기간에 큰 흥행을 올리는 영화 제작 방식

❻ 문화 산업
문화 생산물이나 서비스가 상업적·경제적 전략하에서 하나의 상품으로 생산·판매되는 현대의 산업 형태를 뜻한다. 아도르노는 대중화되고 상업화된 예술을 '문화 산업'이라고 비판하였다.

시험에 잘 나오는 자료

자료 3 예술의 상업화에 대한 상반된 시각 관련 문제 ▸ 193쪽 09번

(가)
비즈니스 아트는 예술 다음에 오는 단계이다. 나는 스스로가 상업적 예술가이기를 주장하였고, 이제는 비즈니스, 즉 사업 예술가로서 끝마무리를 지으려고 한다. 돈을 번다는 것은 예술이고, 일한다는 것도 예술이다. 그리고 훌륭한 사업이 최상의 예술이다.
– 앤디 워홀 외, "아메리칸 센추리"

(나)
미술 전체가 거대한 투기 사업이 되었다. 진정으로 그림을 좋아하는 사람은 많지 않다. 대부분 속물적인 의도로 그림을 구매해 미술관에 맡겨 둔다. 사람들은 확신이 없어서 가장 비싼 것만 구입한다. 감상은 커녕 창고에 넣어 두고 최종가를 알기 위해 매일 화랑에 전화를 거는 사람들도 있다.
– 페기 구겐하임

자·료·분·석 (가)는 대표적인 팝 아트* 작가인 앤디 워홀의 주장으로, "가장 사업적인 것이 가장 예술적인 것"이라고 선언하면서 예술의 상업화를 표방하였다. 그는 예술의 상업성을 옹호하면서 자신을 '사업 미술가'로, 작업실을 '공장'으로 표현하기도 하였다. 한편 (나)는 세계적인 미술품 수집가인 페기 구겐하임의 주장으로 예술의 상업화의 부정적 측면을 강조하였다. 예술의 상업화를 부정적으로 보는 입장에서는 예술의 상업화가 예술 작품을 단지 하나의 상품이자 부의 축적 수단으로 바라보도록 만든다고 지적한다.

한·줄·핵·심 예술의 상업화는 예술가의 창작 의욕을 높일 수 있지만, 예술 작품의 경제성만을 중시한 나머지 예술의 미적 가치를 간과하고 있다는 비판을 받기도 한다.

자료 4 아도르노의 문화 산업 비판 관련 문제 ▸ 195쪽 06번

문화 산업은 소비자의 모든 욕구가 실현될 수 있는 것처럼 제시하지만, 그 욕구들은 문화 산업에 의해 사전 결정된 것이다. 소비자는 자신을 영원한 소비자로서, 즉 문화 산업의 객체로서 느끼게 되는 것이 체계의 원리이다. 문화 산업은 자신이 행하는 기만이 욕구의 충족인 양 소비자를 설득하려 들 뿐만 아니라 이를 넘어 문화 산업이 무엇을 제공하든 소비자는 그것에 만족해야 한다는 것을 소비자에게 주입시킨다. 문화 산업이 제공하는 낙원은 똑같은 일상생활이다. 탈출이나 가출은 처음부터 출발점으로 다시 돌아오도록 설계되어 있다. 즐거움은 체념을 부추기며, 체념은 즐거움 속에서 잊혀지고 싶어 한다.
– 아도르노 · 호르크하이머, "계몽의 변증법"

자·료·분·석 아도르노는 대중화·상업화된 예술을 '문화 산업'이라는 새로운 용어로 지칭하면서, 현대 예술이 자본에 종속됨에 따라 예술 작품이 오직 시장 가치와 물질적 가치로 평가되어 버린다고 비판하였다. 또한 이에 따라 감상자의 체험을 획일화시킨다고 지적하였다. 그에 따르면 문화 산업은 이윤 추구를 목적으로 대량 생산과 대량 소비를 추구하며, 이 과정에서 대중의 취향에 따라 획일화된 문화 상품을 끊임없이 생산한다. 즉, 예술 작품은 하나의 상품으로 전락해 버렸으며, 이를 감상하고 체험하는 것은 더는 감상자의 고유한 체험이 아니라 표준화된 소비 양식이 될 뿐이라는 것이다.

한·줄·핵·심 아도르노는 현대 예술이 자본에 종속되어 하나의 상품으로 전락하는 '문화 산업'이 되었다고 비판하였다.

내용 이해를 돕는 팁

용어 더하기

* **통속**
세상에 널리 통하는 일반적인 풍속을 뜻한다. 일반적으로 많은 사람이 좋아하거나 세상에서 널리 통하는 것을 말한다.

* **이데올로기(Ideologie)**
사회 집단에 있어서 사상, 행동, 생활 방법을 근본적으로 제약 하는 관념이나 역사적 · 사회적 입장을 반영한 이념을 말한다.

* **자정**
비리 따위로 부패된 조직이 어떤 조치를 하여 스스로 정화하는 것을 말한다.

* **팝 아트(pop art)**

▲ 대표적인 팝아트 작가인 앤디 워홀의 작품

상품, 광고 등 대중적이고 일상적인 것들뿐만 아니라 콜라 캔, 만화 주인공 등 흔한 소재를 끌어들인 미술을 말한다. 팝 아트는 대중문화를 상징하는 것을 예술의 영역으로 끌어들임으로써 무엇이나 예술이 될 수 있음을 보여 주었다.

예술과 도덕은 어떤 관계일까?

개념풀 Guide 예술과 도덕의 관계에 대한 도덕주의와 심미주의 입장을 비교해 보자.

관련 문제 ▶ 194쪽 02번, 03번

쟁점 짚어보기

도덕주의	심미주의
• 윤리적 가치가 미적 가치보다 우위에 있음 • 예술의 목적: 인간의 올바른 품성 함양, 도덕적 교훈 제공 • 참여 예술론 → 예술의 사회성 옹호 • 대표 사상가: 플라톤, 톨스토이	• 윤리적 가치와 미적 가치는 무관함 • 예술의 목적: '예술을 위한 예술'로, 미적 가치만을 추구 • 순수 예술론 → 예술의 자율성 옹호 • 대표 사상가: 와일드, 스핑건

자료에서 쟁점 찾아보기

자료 ❶

• 예술 작품은 몸에 좋은 곳에서 불어오는 미풍처럼 사람들에게 좋은 영향을 주며, 어릴 때부터 곧장 자기도 모르는 사이에 아름다운 말을 닮고 사랑하고 공감하도록 이끈다. 우리는 아름다운 작품에서 시각과 청각의 부딪힘을 통해 아름다운 말의 닮음과 조화에 이끌린다. – 플라톤

• 현대 예술의 사명은 인간의 행복이 인간 상호 간의 결합에 있다는 진리를 이성의 영역에서 감정의 영역으로 옮겨 현재 지배하고 있는 폭력 대신 신의 세계, 즉 인간의 최고 목적으로 간주하는 사랑의 세계를 건설하는 일이다. – 톨스토이

쟁점 확인

플라톤, 톨스토이와 같은 입장은 예술의 목적이 인간의 도덕적 품성을 함양하는 데 이바지해야 한다고 보면서, 예술 작품은 도덕적 교훈이나 모범을 제공해야 한다고 주장한다.

⋯▸ □□주의

[정답] 도덕

자료 ❷

• 아름다운 것에서 아름다운 의미를 찾는 자들은 교양 있는 자들이다. 세상에 도덕적인 작품, 비도덕적인 작품이라는 것은 없다. 작품은 잘 쓰였거나 형편없이 쓰였거나 둘 중 하나일 뿐이다. 예술은 도덕이 미칠 수 있는 영역 밖에 있다. 예술의 눈은 아름답고 불멸하며 끊임없이 변화하는 것에 고정되어 있기 때문이다. – 와일드

• 시(詩)가 도덕적이라든가 혹은 비도덕적이라고 말하는 것은, 정삼각형은 도덕적이고 이등변 삼각형은 비도덕적이라고 말하는 것과 같이 무의미하다. – 스핑건

쟁점 확인

와일드, 스핑건과 같은 입장은 예술이 예술 이외의 다른 목적을 추구해서는 안 된다고 보면서, 예술은 아름다우면 되는 것이지 도덕적 교훈을 제공할 필요는 없다고 주장한다.

⋯▸ □□주의

[정답] 심미

이것만은 꼭!

다음 설명이 도덕주의에 해당하면 '도', 심미주의에 해당하면 '심'이라고 쓰시오.

(1) 미적 경험은 그 자체로 가치 있다. (　　　)

(2) 예술은 도덕적 교훈을 제공해야 한다. (　　　)

(3) 예술이 가치 있는 것은 예술이 지닌 윤리적 가치 때문이다. (　　　)

(4) 예술 작품의 도덕적 가치가 작품의 예술적 가치를 결정하는 것은 아니다. (　　　)

[정답] (1) 심 (2) 도 (3) 도 (4) 심

콕콕! 개념 확인하기

정답과 해설 63쪽

A 예술과 윤리의 관계

01 빈칸에 알맞은 말을 쓰시오.

(1) 윤리적 가치가 미적 가치보다 우위에 있으므로 예술은 윤리의 지도를 받아야 한다고 보는 입장을 □□□□(이)라고 한다.

(2) 미적 가치와 윤리적 가치를 독립된 영역으로 보며, 예술을 위한 예술을 주장하는 입장을 □□□□(이)라고 한다.

02 알맞은 설명에 ○표를 하시오.

(1) 예술과 윤리의 관계에 있어 도덕주의는 예술의 (사회성 , 자율성)을 강조하며, 예술 작품에 대한 도덕적 검열이 (필요하다 , 필요하지 않다)고 본다.

(2) 예술과 윤리의 관계에 있어 심미주의는 예술의 (사회성 , 자율성)을 강조하며, 예술 작품에 대한 도덕적 검열이 (필요하다 , 필요하지 않다)고 본다.

B 예술의 상업화 문제

03 빈칸에 알맞은 말을 쓰시오.

(1) 예술의 □□□(이)란 예술 작품의 대량 생산과 보급이 가능해지면서 일반 대중 누구나 예술을 즐기는 현상을 말한다.

(2) 예술의 □□□(이)란 상품을 사고파는 행위를 통해 이윤을 얻는 일이 예술 작품에도 적용되는 현상이다.

(3) □□은/는 진품을 모방하고 변형한 저속한 그림을 일컫는 말로, 순수 예술을 훼손하였다는 비판과 대중의 욕구를 충족시켰다는 평가를 받는다.

C 대중문화의 윤리적 문제

04 빈칸에 알맞은 말을 쓰시오.

(1) □□□□은/는 텔레비전, 라디오, 영화 등 많은 사람이 쉽게 접할 수 있는 통속적이고 가벼운 오락물과 같은 생활 예술을 말한다.

(2) □□ □□은/는 문화 생산물이나 서비스가 상업적·경제적 전략하에서 하나의 상품으로 생산, 판매되는 현대의 산업 형태를 뜻한다.

05 알맞은 설명에 ○표를 하시오.

(1) 아도르노는 현대 예술이 자본에 종속되어 문화 산업으로 (다양화 , 획일화)되었다고 보고, 상품으로 전락한 예술 작품을 감상하는 것은 감상자에게 (표준화된 소비 양식 , 고유한 체험)이 될 것이라고 보았다.

(2) 대중문화의 소비자는 대중문화를 (맹목적 , 비판적)으로 수용해야 하며, 생산자는 건전한 대중문화의 보급을 위해 지나친 이윤 추구를 (지향 , 지양)해야 한다.

탄탄! 내신 다지기

A 예술과 윤리의 관계

01 다음 사상가의 입장으로 옳지 않은 것은?

> 세상에 도덕적인 작품, 비도덕적인 작품은 없다. 작품은 잘 쓰였거나 형편없이 쓰였거나 둘 중 하나일 뿐이다.

① 미적 경험은 그 자체로 가치 있다.
② 예술은 도덕성의 실현에 기여해야 한다.
③ 예술은 도덕적 평가로부터 자유로워야 한다.
④ 예술은 아름다움 그 자체만을 목표로 해야 한다.
⑤ 예술이 추구하는 미적 가치는 도덕적 가치와 무관하다.

02 다음 사상가가 지지할 주장으로 가장 적절한 것은?

> 나는 음악적 수련이야말로 다른 어떤 수련보다도 가장 가치가 있는 분야라고 보네. 음악의 리듬과 하모니는 영혼의 내부에 우아함을 심어주고, 올바른 자에게는 우아함을, 올바르지 못한 자에게는 추악함을 알게 해 줄 수 있네.

① 예술은 인격 완성에 도움을 주어야 한다.
② 예술은 예술 자체를 위한 것이어야 한다.
③ 예술은 사회적 검열의 대상이 되어서는 안 된다.
④ 예술은 작품을 통한 사회 참여를 지양해야 한다.
⑤ 예술가는 사회 질서 유지에 이바지할 의무가 없다.

03 다음 글의 입장에서 긍정의 대답을 할 질문만을 〈보기〉에서 있는 대로 고른 것은?

> 음악[樂]은 즐거움이다. 즐거움의 감정이 없는 사람은 없으며, 사람의 음성과 동작에는 성정(性情)의 변화가 고스란히 드러난다.

〈보기〉
ㄱ. 예술은 사회 질서의 유지에 기여해야 하는가?
ㄴ. 예술은 선(善)보다 미(美)를 중시해야 하는가?
ㄷ. 예술은 예술 그 자체를 위해 존재해야 하는가?
ㄹ. 예술은 인간의 감정을 순화하는 데 기여해야 하는가?

① ㄱ, ㄴ ② ㄱ, ㄹ ③ ㄴ, ㄷ
④ ㄱ, ㄷ, ㄹ ⑤ ㄴ, ㄷ, ㄹ

04 ㉠에 들어갈 내용으로 가장 적절한 것은?

> 갑: 예술은 예술 자체의 아름다움을 추구하는 것을 목표로 해야 하고, 도덕이나 정치의 평가로부터 자유로워야 해.
> 을: 그렇게 생각해서는 안 돼. 예술은 인류를 행복으로 이끄는 데 없어서는 안 될 수단이야. 예술은 오직 인류애를 위한 것이며, 예술의 목적은 미(美)도 아니고, 쾌락은 더더욱 아니야.
> 갑: 예술을 드러내고 예술가를 숨기는 것이 예술의 목표가 되어야 해. 예술가에게 윤리적 공감은 불필요해. 왜냐하면 [㉠]

① 예술의 자율성이 침해될 수 있기 때문이야.
② 예술이 사회에 미치는 영향력이 크기 때문이야.
③ 예술이 공동체의 질서 유지에 기여하기 때문이야.
④ 인간의 삶과 무관한 예술은 존재할 수 없기 때문이야.
⑤ 도덕적 목적이 예술 작품으로 구현되어야 하기 때문이야.

B 예술의 상업화 문제

05 다음 글에 나타난 현대 예술의 특징으로 옳은 설명을 〈보기〉에서 고른 것은?

> 현대 사회에 접어들어 전통적인 미의 기준이 허물어지기 시작하면서 주관주의가 점차 주목을 받게 되었다. 현대 예술의 영역에 키치와 패러디, 기성품 등이 등장하면서 예술의 경계가 확장되었으며, 급속도로 대중화와 상업화의 과정을 거치게 되었다.

〈보기〉
ㄱ. 미(美)에 대한 절대적 기준이 성립된다.
ㄴ. 기존의 권위주의적 사고가 크게 강화된다.
ㄷ. 예술에 대한 소비자들의 다양한 해석이 중시된다.
ㄹ. 기존의 가치관에서 벗어나거나 해체하려는 시도들이 나타난다.

① ㄱ, ㄴ ② ㄱ, ㄷ ③ ㄴ, ㄷ
④ ㄴ, ㄹ ⑤ ㄷ, ㄹ

06 ㉠이 과도하게 강조될 때 나타날 수 있는 문제점으로 옳지 않은 것은?

> 대표적인 팝 아트 예술가인 앤디 워홀은 ㉠예술의 상업화를 지지하며, 자신을 '사업 미술가', 작업실을 '공장'으로 표현하기도 하였다.

① 일부 부유층만 예술을 향유하게 될 수 있다.
② 예술 작품을 부의 축적 수단으로만 간주하게 될 수 있다.
③ 예술가가 미적 가치를 구현하고자 하는 본래 목적을 상실할 수 있다.
④ 예술의 상품 가치를 높이기 위해 대중의 취향을 반영하는 데만 치중할 수 있다.
⑤ 예술 작품의 경제성만을 지나치게 중시하여 예술의 미적 가치를 간과할 수 있다.

C 대중문화의 윤리적 문제

07 그림의 강연자가 지지할 주장으로 옳지 않은 것은?

> 현대 자본주의 사회는 과거보다 교묘하고 더욱 효과적인 방법으로 대중을 다룰 수 있게 되었습니다. 대중 예술에 투사된 세계는 갈등이 조화롭게 해결되는 듯한 느낌을 주지만, 이는 대중을 기만한 대리 만족일 뿐입니다. 문화 산업은 대중을 통제함으로써 지배 계급의 이념을 재생산하며, 그 속에서 개인은 자유롭고 욕구를 실현하는 것처럼 보이지만 실상은 그 욕구들도 문화 산업에 의해 사전에 결정된 것이며, 경제적·문화적 산물일 뿐입니다.

① 문화 산업으로 예술이 표준화되었다.
② 예술 작품은 하나의 상품으로 전락하게 되었다.
③ 문화 산업의 성장은 대중의 비판 의식을 강화시켰다.
④ 현대 예술은 자본에 종속되어 문화 산업으로 획일화되었다.
⑤ 현대 예술은 대중 예술의 감상자에게 표준화된 소비 양식을 제공해 준다.

08 갑은 부정, 을은 긍정의 대답을 할 질문으로 가장 적절한 것은?

> 갑: 대중문화가 본질적으로 대중의 기호를 중시한다고 해도 대중, 특히 청소년들에게 악영향을 줄 수 있는 유해 요소가 포함되어 있다면 윤리적 규제는 불가피해.
> 을: 대중문화를 규제하다 보면 자유롭게 표현할 자유가 제한되고, 대중은 다양한 대중문화를 즐길 권리를 침해받게 돼.

① 대중문화는 정치 이데올로기의 도구가 되어야 하는가?
② 청소년에게 해로운 내용을 담은 대중문화를 규제해야 하는가?
③ 대중문화의 상업성으로 인한 획일화 현상을 방지해야 하는가?
④ 대중문화의 자율성이 대중의 정서에 미칠 영향보다 중요한가?
⑤ 대중문화가 미칠 사회적 영향력을 최우선으로 고려해야 하는가?

서술형 문제

09 예술의 상업화에 대한 갑과 을의 입장을 서술하시오.

> 갑: 비즈니스 아트는 예술 다음에 오는 단계이다. 나는 스스로가 상업적 예술가이기를 주장했고, 이제는 비즈니스, 즉 사업 예술가로 끝마무리를 지으려고 한다. 사업에서 성공한다는 것은 가장 매력적인 종류의 예술이다.
> 을: 현대 산업 사회에서 문화는 상품화되었다. 모든 예술적 가치는 오직 시장의 교환적 가치에 의해 결정되고 있다. 즉 예술 작품은 미적 가치가 아니라 교환적 가치에 의해서 평가된다.

도전! 실력 올리기

01 ㉠에 들어갈 내용으로 가장 적절한 것은?

> 예술은 오직 인류애를 위한 것이며, 예술의 목적은 미(美)도 아니고 쾌락은 더더욱 아니다. 그런데 어떤 작가는 "예술가에 있어서 윤리적 동정심이란 용서할 수 없는 매너리즘이다."라고 주장한다. 나는 이 작가의 견해가 [㉠] 고 생각한다.

① 예술과 도덕이 상호 의존의 관계임을 강조하고 있다
② 예술은 예술 그 자체를 목적으로 삼아야 함을 간과하고 있다
③ 예술이 미적 가치보다 선의 가치를 추구해야 함을 강조하고 있다
④ 예술이 인간의 도덕성 함양에 기여할 수 있어야 함을 간과하고 있다
⑤ 예술에 대한 평가는 도덕적 가치와 분리될 수 없음을 강조하고 있다

수능 유형

02 (가)의 갑, 을의 입장을 (나) 그림으로 표현할 때, A~C에 들어갈 내용으로 가장 적절한 것은?

(가)
갑: 음악적인 수련이야말로 다른 어떤 수련보다 가장 가치가 있다. 음악의 리듬과 하모니는 영혼의 내부로 파고 들어가서 우아함을 심어주고, 올바른 자에게는 우아함을, 올바르지 못한 자에게는 추악함을 알게 한다.
을: 시(詩)가 도덕적이라든가 혹은 비도덕적이라고 말하는 것은, 정삼각형은 도덕적이고 이등변 삼각형은 비도덕적이라고 말하는 것과 같이 무의미하다.

(나)
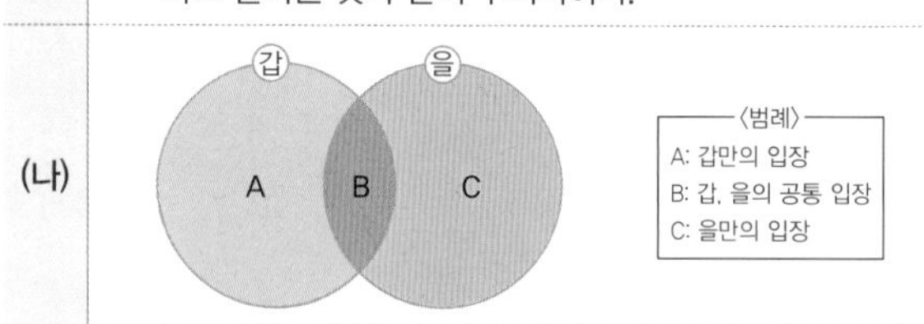

① A: 미적 가치와 윤리적 가치는 무관하다.
② B: 예술과 윤리는 조화를 이룰 수 없다.
③ B: 예술 이외의 목적을 예술보다 우위에 두는 것을 경계한다.
④ C: 예술의 독자성과 자율성을 보장해야 한다.
⑤ C: 예술의 목적은 인간의 올바른 도덕적 품성을 함양하는 것이어야 한다.

수능 유형

03 갑에 비해 을이 갖는 예술에 대한 입장의 상대적 특징을 그림의 ㉠~㉤ 중에서 고른 것은?

> 갑: 우리는 아름다운 작품에서 시각과 청각의 부딪힘을 통해 아름다운 말과의 닮음과 조화에 이끌린다.
> 을: 예술은 도덕이 미칠 수 있는 영역 밖에 있다. 예술의 눈은 아름답고 불멸하며 끊임없이 변화하는 것에 고정되어 있기 때문이다.

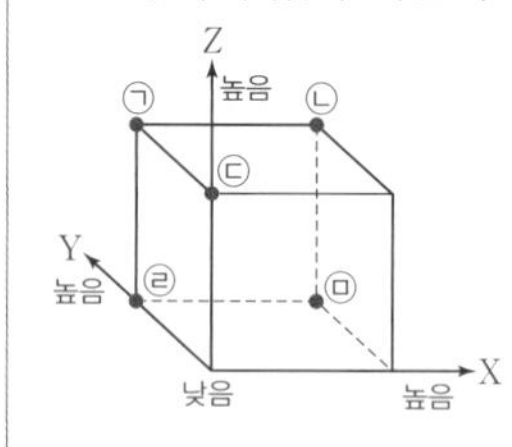

• X: 예술의 자율성을 옹호하는 정도
• Y: 예술과 도덕의 분리를 강조하는 정도
• Z: 예술의 사회적 영향을 강조하는 정도

① ㉠ ② ㉡ ③ ㉢ ④ ㉣ ⑤ ㉤

수능 기출

04 다음 서양 사상가의 입장을 〈보기〉에서 고른 것은?

> • 만약 즐거움을 위한 시가 훌륭한 법질서를 갖는 국가 안에 존재해야 할 이유가 있다면, 우리는 기꺼이 시를 받아들일 것이다. 시가 즐거움을 줄 뿐만 아니라 국가와 인간 생활에 이로운 것임이 밝혀진다면 우리에게도 분명 이득이 될 것이기 때문이다.
> • 시인이나 작가들이 모방을 할 경우에는, 용감하고 절제 있고 경건하며 자유인다운 사람들을 모방해야만 한다. 반면에 그 어떤 창피스러운 것도 모방하지 말아야 하며, 이런 것을 모방하는 데 능한 사람들이 되어서도 안 된다.

〈보기〉
ㄱ. 예술은 선의 실현에 기여해야 한다.
ㄴ. 예술은 진리를 왜곡할 경우 비판받아야 한다.
ㄷ. 예술에서 미와 선의 내용은 유사할 필요가 없다.
ㄹ. 예술은 사물의 실재보다 외관을 아름답게 모방해야 한다.

① ㄱ, ㄴ ② ㄱ, ㄷ ③ ㄴ, ㄷ
④ ㄴ, ㄹ ⑤ ㄷ, ㄹ

정답과 해설 64쪽

05 그림은 서술형 평가 문제와 학생 답안이다. 학생 답안의 ㉠~㉤ 중 옳지 않은 것은?

서술형 평가

◎ **문제:** 예술의 상업화의 양면성을 서술하시오.
◎ **학생 답안**
예술의 상업화는 ㉠예술을 일반 대중도 쉽게 접하고 감상할 수 있도록 만드는 데 기여하였고, ㉡일상적 소재와 예술적 소재를 명확히 구분하였다는 긍정적인 측면을 지닌다. 그러나 자본주의 사회에서 ㉢예술의 상업화 현상이 심화됨으로써 예술의 본래 목적이 경시되고, 경제적 이익을 얻기 위해 예술을 악용하는 사례가 나타나기도 한다. 또한 ㉣예술을 상업적 가치로만 평가하면서 예술이 지닌 미적 가치가 경시되고, ㉤대중의 감각적 취향을 반영한 작품만을 생산하기도 한다.

① ㉠ ② ㉡ ③ ㉢ ④ ㉣ ⑤ ㉤

06 다음 사상가의 입장에 부합하는 관점에만 모두 'V'를 표시한 학생은?

자본주의의 한 양식으로서 문화 산업은 예술의 상품화를 확산시킨다. 문화 산업은 대중의 욕구를 일괄적으로 처리하고 조정하며, 그들의 의식을 지배하여 심미적 경험의 빈곤화를 극한으로 진행한다. 그 결과 문화 산업이 독점한 대중문화는 사람들의 모든 사고를 동질적으로 반응하게 한다.

번호	관점 \ 학생	갑	을	병	정	무
(1)	문화 산업은 대중의 사고를 획일적으로 만든다.	V	V		V	
(2)	문화 산업은 대중을 통제하고 그 의식을 조작한다.	V				V
(3)	문화 산업은 대중의 심미적 경험을 풍부하게 만든다.		V	V	V	V
(4)	문화 산업은 대중의 다양한 문화를 즐길 권리를 강화시킨다.			V	V	V

① 갑 ② 을 ③ 병 ④ 정 ⑤ 무

수능 기출

07 갑, 을의 입장으로 가장 적절한 것은?

갑: 예술은 사회에 저항하는 힘을 가져야 한다. 그렇지 않으면 예술은 단순한 상품으로 전락한다. 고급 예술은 상품화되었다 하더라도 자율성을 주장하지만, 대중문화는 산업을 자처하며 대중을 기만하고 그들의 의식을 속박한다.
을: 예술은 삶의 일부를 형성한다. 경험으로서 예술 작품은 우리의 삶 속에 존재한다. 오늘날 미적인 것은 모든 삶의 영역 속으로 빨려 들어가고 있다. 삶 속에서도 대중 예술에서도 미적인 것의 구현은 가능하다.

① 갑: 문화 산업은 기존 질서를 옹호하고 사회를 몰개성화한다.
② 갑: 예술 본연의 목적은 일상적 삶의 고통을 잊게 하는 것이다.
③ 을: 대중 예술은 예술과 삶을 통합시키기보다는 분리시킨다.
④ 을: 예술 작품은 삶 속에서 기능하지 않아야 미적 가치를 지닌다.
⑤ 갑, 을: 대중 예술은 감상자를 사유의 주체가 되도록 독려한다.

08 갑, 을의 토론 주제로 가장 적절한 것은?

갑: 자본주의의 힘이 대중문화를 지배하면 자금력을 갖춘 일부 문화 기획사가 대중문화를 주도하게 될 것입니다. 이러한 문화의 규격화와 획일화 현상을 제도적으로 방지해야 합니다.
을: 특정한 기준으로 대중문화를 규제하면 공정성을 잃게 됩니다. 다수나 강자의 목소리 혹은 정치적 이데올로기를 일방적으로 전달하는 도구가 되어 대중문화가 본질을 잃을 수도 있습니다.

① 대중문화는 통속적인가?
② 예술은 현실 사회를 반영하는가?
③ 예술의 상업화는 불가피한 현상인가?
④ 대중문화에 대한 윤리적 규제가 필요한가?
⑤ 예술가는 사회 발전에 이바지해야 하는가?

02 의식주 윤리와 윤리적 소비

핵심 질문으로 흐름잡기

[A] 의식주 문화와 관련된 윤리적 문제는?

[B] 윤리적 소비의 의미와 실천 방법은?

A 의식주 문화와 관련된 윤리적 문제

| 시·험·단·서 | 의식주 문화와 관련된 윤리적 문제를 묻는 문제가 출제돼.

1. 의복 문화와 관련된 윤리적 문제

(1) 의복의 윤리적 의미: 자아와 가치관의 형성에 영향을 줌, 예의에 대한 사회적 기준이 됨

└ 때와 장소에 맞는 의복을 착용했는지에 따라 그 사람의 됨됨이를 평가하는 기준이 되기도 해.

(2) 의복 문화와 관련된 윤리적 문제

① 유행 추구 현상

긍정적 관점	개인의 미적 감각과 가치관을 표현하는 계기가 됨
부정적 관점	• 맹목적인 모방과 동조 소비❶는 획일화와 몰개성화를 초래함 • 패스트 패션❷은 자원 낭비, 환경 문제, 노동 착취 등을 조장함 자료 1

② 명품 선호 현상

긍정적 관점	품질이 우수하고 희소한 상품을 향유해 개인의 심리적 만족을 높여줌
부정적 관점	• 과시 소비❸로, 사회 계층 간의 위화감을 조성하고 서민층에게 상대적 박탈감을 느끼게 함 • 과소비와 사치 풍조 등 그릇된 소비 풍조를 조장함

2. 음식 문화와 관련된 윤리적 문제

(1) 음식의 윤리적 의미: 생명과 건강을 유지하는 원동력임, 사회적 도덕성과 건강한 생태계 유지에 영향을 줌

정직한 먹거리의 생산과 유통은 사회의 도덕성을 구현하며, 바른 방법으로 자연에서 식재료를 얻을 때 생태계가 건강하게 보존될 수 있어.

(2) 음식 문화와 관련된 윤리적 문제

① 식품의 안전성 문제

- 유전자 변형 농산물❹의 안전성 문제
- 이윤 극대화를 위한 부정 식품 생산

식품 생산성과 질을 높이기 위해 본래 유전자를 새롭게 조작하고 변형해 만든 식품을 말해.

② 환경 문제

- 화학 비료 등으로 토양·수질 오염 증가
- 무분별한 소비로 음식물 쓰레기 증가
- 식품의 운송에 따른 탄소 배출량 증가

③ **동물 복지 문제:** 육류 대량 생산을 위한 공장식 축산업 증가 → 동물 학대 문제 발생

④ **음식 불평등 문제:** 국가 간 빈부 격차 심화에 따른 식량 수급의 불균형

(3) 바람직한 음식 문화 형성을 위한 윤리적 고려

① **개인적 차원:** 로컬 푸드·슬로푸드 운동❺에 동참하기, 육류 소비 절제하기 등

② **사회적 차원:** 안전 먹거리 인증제, 동물 복지 제도 등 다양한 제도적 기반 마련 등

3. 주거 문화와 관련된 윤리적 문제

(1) 주거의 윤리적 의미: 심리적 안정과 휴식을 제공함, 행복한 삶을 위한 터전을 마련해 줌

(2) 주거의 본질 자료 2

볼노우	• "인간은 어떤 특정한 자리에 정착하여 거주할 공간인 집을 필요로 한다." • 주거는 인간 삶을 위한 기본 바탕이고, 집을 소유하는 것보다 집과 내적 관계를 맺는 문제가 더욱 중요함
하이데거	• "인간은 집에서 비로소 평화를 누리게 된다." • 주거는 심리적 안정과 평화를 주는 곳임

---

❶ 동조 소비
소속된 단체에서 소외되지 않으려고 자신의 필요와 상관없는 물품을 구매하는 행위로, 유행에 민감하게 반응하는 소비 형태로 나타난다.

❷ 패스트 패션(fast fashion)
소비자의 기호를 바로 파악해 유행에 따라 신제품을 출시하여 제품 수명이 짧은 의류이다. 이는 여러 윤리적 문제를 초래하기도 한다.

❸ 과시 소비
체면과 타인의 시선을 중시하는 문화로 인해 나타나며, 소비를 통해 자신의 우월성을 과시하려 한다.

❹ 유전자 변형 농산물(GMO)에 대한 관점
- 긍정적 관점: 식품이 지닌 영양소가 증대됨, 대량 생산과 신선도 유지가 가능해짐
- 부정적 관점: 인체에 해가 될 수 있음, 생태계에 교란이 생길 수 있음

❺ 로컬 푸드·슬로푸드 운동

로컬 푸드(local food) 운동
장거리 운송을 거치지 않은 지역 농산물 이용을 추구함
슬로푸드(slow food) 운동
비만 등을 유발하는 패스트푸드 문제를 해결하고자 가공하지 않고 자연 숙성이나 전통적인 방식으로 만든 음식 섭취를 추구함

시험에 잘 나오는 자료

자료 1 패스트 패션의 윤리적 문제

관련 문제 ▶ 202쪽 01번

경제학자라면 누구나 동의하겠지만, 저렴한 가격은 소비를 촉진한다. 그리고 현재 패션의 저렴한 가격은 쇼핑의 무질서 상태를 부추기고 있다. 이제 미국 사람들 전체가 한 해 동안 사들여 쌓아 두는 옷은 약 200억 벌에 이른다. 석유와 물은 점점 부족해지고 있다. 빙산이 녹고 있다. 우리는 지구의 기후를 영원히 달라지게 만들었다. 요즘 우리가 입는 옷의 대부분을 생산하고 국민의 패션 취향이 나날이 발전하는 중국은 환경적으로 위기에 처해 있다.

– 엘리자베스 클라인, "나는 왜 패스트 패션에 열광했는가?"

자·료·분·석 '패스트 패션'은 최신 유행을 반영하여 짧은 주기로 대량 생산해 판매하는 의류로, 주로 개발 도상국에서 생산되어 가격이 저렴하다. 그래서 소비자는 유행하는 옷을 저렴하게 살 수 있으나 이로 인해 과소비가 발생하고 버려지는 옷이 많아진다. 이렇게 버려진 옷은 소각될 때 각종 유해 물질을 배출하여 환경 오염을 유발하기도 한다. 한편이 값싼 원단과 저렴한 인건비에 생산 기반을 두기 때문에 노동 착취 등을 조장한다는 비판을 받는다. 이러한 문제점을 극복하기 위해 '슬로 패션*' 운동이 대안으로 떠오르고 있다.

한·줄·핵·심 패스트 패션은 자원 낭비, 환경 문제, 노동 착취 등의 윤리적 문제를 초래한다.

자료 2 볼노우와 하이데거가 말하는 주거의 본질

관련 문제 ▶ 204쪽 03번

- 우리 시대의 인간은 고향을 잃고 지구상 어떤 곳에도 매여 있지 않은 영원한 망명자이다. 하지만 집은 이러한 위험과 희생의 공간인 외부 공간과 구분되는 안정과 평화의 공간이다. 인간은 자신의 중심점인 집을 스스로 만들어 그곳에 뿌리내리고 살 때 진정한 거주를 실현한다. 인간은 이러한 거주의 실현을 통해 단순히 공간을 점유하는 것이 아닌 거주자가 됨으로써 자신의 본질을 실현하고 온전한 의미에서 인간이 될 수 있다.

  – 볼노우

- 현대 과학 기술은 모든 존재자들을 계산 가능한 에너지원으로 무자비하게 동원하고 지배함으로써 모든 존재자가 자신의 고유한 존재를 발현하면서도 서로 조화와 애정을 갖고 운영되었던 고향의 세계를 추방해 버렸다. 우리는 예스럽고 안정된 삶의 세계로서 '고(故)', 그리고 익명의 타자들이 사는 곳이 아닌 자연적 유대와 서로에 대한 애정의 공간으로서 전통을 공유했던 '향(鄕)'을 상실한 삶을 살아가고 있다.

  – 하이데거

자·료·분·석 독일의 철학자 볼노우는 인간이 어떤 특정한 자리에 정착하여 거주할 공간인 집을 필요로 한다고 하여 주거가 인간의 삶을 위한 기본 바탕이라고 보았다. 또한 하이데거는 인간이 집에서 비로소 평화를 누리게 된다고 하여 주거를 심리적 안정과 평화를 주는 곳으로 보았다.

한·줄·핵·심 볼노우와 하이데거는 주거가 인간의 삶을 위한 기본 바탕이자 심리적 평화를 주는 곳이라고 하였다.

내용 이해를 돕는 팁

궁금해요

Q. 로컬 푸드 운동의 사례에는 무엇이 있나요?

A. 미국의 '100마일 다이어트 운동', 일본의 '지산지소 운동' 등이 있어.

100마일 다이어트 운동
100마일 이내 거리에서 생산된 농산물만을 소비하자는 운동

지산지소 운동
지역에서 생산한 농산물을 지역에서 소비하자는 운동

용어 더하기

* **의복**
옷은 물론 모자, 장갑, 신발, 장신구 등을 포함한다.

* **몰개성화**
개인이 집단에 포함되면서 자신의 정체성이나 특성을 잃어버리고 집단 속으로 융합된다고 느끼는 심리 상태이다.

* **동물 복지 제도**
인간이 동물을 이용하는 데 윤리적인 책임을 지고 동물에게 필요한 기초적인 조건을 보장하려는 제도이다.

* **슬로 패션(slow fashion)**
'환경 파괴 없이 오랫동안 지속적으로 사용할 수 있는 패션'으로, 친환경 소재와 친환경 공법으로 의류를 생산하여 유행보다는 생태 환경과 건강에 더 많은 가치를 부여한다.

(3) 주거 문화와 관련된 윤리적 문제

① **주거의 불안정성과 불평등 문제:** 집을 주거가 아닌 재산 증식 수단(투기* 대상)으로 인식 → 집값이 지나치게 상승하여 주거권[6]의 위기를 초래함 (집을 경제적 가치로만 인식하고 있어.)

② **이웃 간 소통 단절과 갈등 문제:** 폐쇄적인 구조의 공동 주택으로 주거 문화가 변화하면서 이웃 간 소통 단절과 층간 소음 등 갈등이 발생함

③ **삶의 질 저하 문제:** 도시에 주거가 밀집하면서 교통 혼잡과 환경 오염 등이 발생하여 생활의 질이 떨어짐

(4) 바람직한 주거 문화 형성을 위한 윤리적 고려

① 주거권을 보장하여 주거 안정을 도모하고 주거 불평등을 시정해야 함

② 집을 부의 축적 수단으로 여기지 말고 인간 삶의 기본 바탕이자 정신적 평화와 안정을 제공하는 공간으로 인식하여 삶의 질을 높여야 함

B 윤리적 소비문화

| 시·험·단·서 | 윤리적 소비와 합리적 소비의 의미와 특징을 비교하는 문제가 출제돼.

1. 현대 소비문화의 특징

(1) 대량 소비와 과소비[7]가 나타남

(2) 사회적 욕구나 자아실현의 욕구를 충족하려는 소비가 확대됨 예 기호 소비[8]

(3) 소비자의 영향력이 확대됨 → 소비자가 어떤 의식을 갖고 소비를 하는지에 따라 사회에 여러 영향을 끼칠 수 있음

2. 합리적 소비와 윤리적 소비

(1) 합리적 소비

의미	소비자가 상품의 가격, 품질 등을 따져 가장 큰 만족을 주는 상품을 구매하는 소비
특징	• 합리성과 효율성을 중시함 • 의도하지 않게 인권 침해, 동물 학대, 환경 문제 등을 조장할 수 있음

(예를 들어 환경에 악영향을 주는 상품을 다른 제품보다 저렴하다는 이유로 계속 구입할 수 있어.)

(2) 윤리적 소비[9]

의미	윤리적 가치 판단에 따라 상품, 서비스를 구매하고 사용하는 것을 중시하는 소비
특징	• 합리적 소비의 한계를 인식하고 보완하는 과정에서 등장함 • 가격을 소비의 유일한 기준으로 삼지 않으며, 소비 행위가 타인과 사회는 물론 생태계 전체에 어떤 결과를 가져올지를 고려함

(소비자의 이익을 넘어 노동자의 인권이나 환경 문제 등을 적극적으로 고려하고 관심을 가지는 소비야.)

3. 윤리적 소비의 형태와 실천 방법 자료 3 자료 4

(1) 윤리적 소비의 형태

① **불매 운동*:** 환경, 인권 침해 등 윤리적 문제를 일으킨 기업의 제품 구매를 거부하는 것

② **긍정적 구매:** 윤리적 상품을 구매하는 것 예 공정 무역[10] 상품, 유기농 제품, 환경이나 동물 복지 인증*을 받은 제품 구매 (생산자는 정당한 이익을 얻고, 소비자는 좋은 물건을 저렴하게 구매할 수 있어.)

③ **관계적 구매:** 생산자와 소비자가 직접 관계를 맺고 물건을 사고파는 것 예 생활 협동조합*

④ **지속 가능한 소비:** 미래 세대까지 고려하여 환경적으로 건강하고 지속 가능한 소비를 하는 것 예 일회용품 구매 자제, 재활용 제품 구매

(2) 윤리적 소비의 실천 방법

① **개인적 차원:** 일상생활에서 윤리적 소비를 실천하려는 의지를 지녀야 함

② **사회적 차원:** 윤리적 소비 확산을 위한 제도적 장치 마련이 필요함

[6] 주거권
인간다운 주거 생활을 할 수 있는 권리로, 오늘날의 주거권은 인간다운 삶을 위한 인권의 한 요소로 여겨진다.

[7] 과소비의 형태
• 과시 소비: 타인에게 자신의 부를 과시하기 위한 소비
• 의존 소비: 자기 판단이 아닌 광고 등을 보고 하는 소비
• 충동 소비: 계획 없이 충동적으로 구매하는 소비

[8] 기호 소비
물건의 기능이나 용도 때문이 아니라 기호(記號)에 따라 소비하는 것이다. 예를 들어 예술가처럼 보이고 싶어 베레모를 사서 쓰는 것이 기호 소비에 해당한다.

[9] 윤리적 소비를 평가하는 기준
• 환경: 기후 변화, 주거와 자원, 오염과 독성, 식품 첨가물, 환경 보전
• 사람: 인권, 노동자 권리, 아동 학대 · 착취, 무책임한 판매
• 동물: 동물 실험, 공장형 사육, 동물의 권리
• 지속 가능성: 유기농 제품, 공정 무역, 에너지 효율

[10] 공정 무역
• 의미: 선진국과 개발 도상국 간 불공정한 무역 구조에서 발생하는 부의 편중, 노동력 착취 등의 문제를 해결하기 위해 등장한 무역 형태
• 실천 방법: 생산자에게 최저 구매 가격을 보장, 생산자와 직거래를 통해 유통 과정을 줄여 생산자에게 합당한 이윤이 돌아갈 수 있게 함

시험에 잘 나오는 자료

자료 3 윤리적 소비 실천하기 관련 문제 ▶ 203쪽 08번

▲ 사회적 기업 제품 마크

▲ 국제 공정 무역 기준을 준수한 제품 인증 마크

▲ 높은 수준의 동물 복지 기준에 따른 축산물 인증 마크

우리는 왜 윤리적 소비를 해야 할까요? 우리가 물건을 하나씩 구매할 때마다 우리는 투표를 하고 있는 것입니다. 노동 착취를 통해 만들어진 값싼 옷을 사는 것은 노동자들의 착취에 찬성표를 던지는 것이며, 연료 소비가 많은 자동차를 구입하는 것은 기후 변화에 찬성표를 던지는 것입니다. 소비자의 한 사람으로서 우리는 지갑 안에 자신의 의견을 표명할 힘을 가지고 있는 것입니다. – 한국사회적기업진흥원, "2015 착한 소비"

자·료·분·석 윤리적 소비란 단순히 개인의 선호나 욕구를 충족하기 위한 소비가 아니라 상품이나 서비스를 구매할 때 장기적 관점에서 환경이나 인권 등을 고려하여 소비하는 것이다. 이는 사회를 바꾸는 중요한 수단이자 사회적 가치를 실현하는 긍정적 수단이 될 수 있다.

한·줄·핵·심 윤리적 소비는 윤리적 가치에 따라 판단하여 소비하는 것이다.

자료 4 공정 여행 실천하기 관련 문제 ▶ 205쪽 08번

공정 여행은 여행자와 여행 대상국의 국민이 평등한 관계를 맺는 여행이다. 그러면 공정 여행이 등장한 배경은 무엇일까? 관광 산업은 전 세계적으로 매년 발전하고 있지만, 그 이익의 대부분은 관광지가 아닌 일부 선진국의 다국적 기업*이나 외국인에게 돌아간다. 이러한 점을 반성하는 취지로 공정 여행이 등장하였다. 또한 기존의 즐기기만 하는 여행, 무분별한 여행으로 인한 문제점, 즉 여행지에서 무책임한 행동과 낭비로 인한 환경 오염, 문명 파괴 등을 지양하기 위해 공정 여행이 새로운 여행 방법으로 떠오르고 있다.

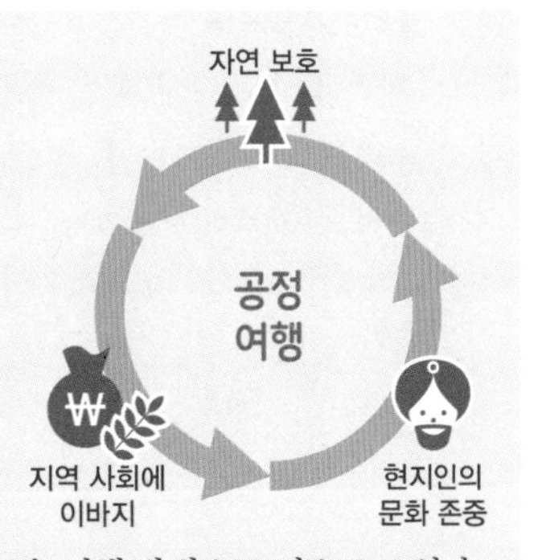

– 한국 공항 공사 누리집

자·료·분·석 공정 여행은 항공 교통을 이용하고 호텔에 투숙하며 유명 관광지를 둘러보고 쇼핑을 하는 일반적인 해외 여행과 달리, 탄소 배출에서 자유로운 친환경적인 교통수단을 활용하며, 현지인이 운영하는 숙소와 식당을 이용하는 등 여행자 자신뿐 아니라 모두가 행복할 수 있는 방향을 추구한다. 공정 여행은 공정한 가격 지불, 자연환경 보호, 건강한 노동 환경 추구 등을 목표로 한다.

한·줄·핵·심 공정 여행이란 현지 환경을 존중하고 현지인에게 직접 혜택이 갈 수 있도록 하는 여행 형태를 말한다.

내용 이해를 돕는 팁

용어 더하기

* **투기**
시세 변동을 예상하여 차익을 얻기 위해 하는 매매 거래를 뜻한다.

* **불매 운동**
어떤 특정한 상품을 사지 않는 일로, 보통 그 상품의 제조 국가나 제조 업체에 대한 항의나 저항의 뜻을 표시하기 위해 그 물건을 사지 말자고 캠페인을 벌이거나 서명 운동을 벌이기도 한다.

* **동물 복지 인증**
농장 동물의 고통과 스트레스를 최소화하여 농장 동물의 복지 수준을 향상시키기 위한 제도이다.

* **생활 협동조합**
조합이 직접 생활필수품을 사들여 조합원들에게 저렴하게 판매하는 형태로, 미리 공급과 가격을 결정하므로 판매 가격이 비교적 안정적이다.

* **다국적 기업**
세계 각지에 자회사 · 지사 · 합병 회사 · 공장 등을 확보하고, 생산 · 판매 활동을 국제적 규모로 수행하는 기업으로 세계 기업이라고도 한다.

합리적 소비와 윤리적 소비의 차이점은?

개념풀 Guide 합리적 소비와 윤리적 소비의 의미와 특징을 비교해 보자.

관련 문제 ▸ 204쪽 04번

쟁점 짚어보기

합리적 소비	윤리적 소비
• 소비자가 상품의 가격과 품질 등을 따져 가장 큰 만족을 주는 상품을 구매하는 소비 • 합리성, 효율성 중시 • 의도하지 않게 인권 침해, 동물 학대, 환경 문제 등을 조장할 수 있음	• 소비자가 윤리적인 가치 판단과 신념에 따라 상품을 구매하는 소비 • 환경, 노동, 복지, 인권, 공동체 중시 • 예 친환경 소비, 공정 무역, 공정 여행, 로컬 푸드 제품 구매 등

자료에서 쟁점 찾아보기

자료 ❶ 2000년대 이후에는 패션계에서도 환경과 자원을 보호하고자 친환경 의류 상품과 지속 가능한 슬로 패션(slow fashion) 상품 개발과 홍보에 주력하고 있다. 또 기업의 윤리적·도덕적 가치를 기반으로 박애주의적 패션 산업을 중시하고 있다. 의복을 생산할 때 친환경 공정을 늘리고, 제3세계의 값싼 노동력 착취를 금지하고 공정 거래를 권장하며, 사회에 기업의 이익을 환원하기 위해 광고와 불우 이웃 돕기 후원금을 지원하고 있다.

– 김민자, "20세기 패션 히스토리"

쟁점 확인
소비자가 윤리적인 가치에 따라 개인뿐만 아니라 사회와 공동체, 환경 등을 고려한 소비 활동을 하는 것을 강조한다.

··· □□□ 소비

[정답] 윤리적

자료 ❷ 장기화된 경기 불황과 1인 가구의 증가로 효율에 가치를 둔 합리적 소비자가 늘어나면서 소비에 따른 기회비용은 낮추고, 심리적 만족감은 극대화하는 '렌털 시장'이 주목받고 있다. '렌털 시장'은 비슷한 비용으로 항상 최신 제품을 쓸 수 있다는 점, 그리고 직접 제품을 관리하거나 처분할 필요가 없다는 점, 소유하는 것보다 다양하게 이용하고 활용할 수 있다는 점 때문에 젊은 소비자들을 중심으로 성장하고 있다. 렌털의 인기는 최근 몇 년간 이어진 '가성비 트렌드'의 영향이다. 저성장이 장기화되면서 소득이 정체되는 상황에서 젊은 소비자들은 최소한의 비용으로 이전과 비슷한 생활 수준을 유지할 수 있는 대안으로 렌털을 선택한 것이다.

– 기획재정부 경제이야기 경제M, "새롭게 떠오른 합리적 소비 트렌드"

쟁점 확인
소비자가 한정된 소득 범위에서 합리성과 효율성을 고려하여 소비하는 것으로 소비자 개인의 만족감을 강조한다.

··· □□□ 소비

[정답] 합리적

이것만은 꼭!

다음 설명이 합리적 소비에 해당하면 '합', 윤리적 소비에 해당하면 '윤'이라고 쓰시오.

(1) 저소득층과 취약 계층에 일자리를 제공하는 기업의 물건을 구매한다. (　　　)

(2) 가격이 다소 비싸더라도 사회적 책임을 다하는 기업의 제품을 구매한다. (　　　)

(3) 노동자의 인권을 억압하는 다국적 기업의 제품에 대해 불매 운동을 벌인다. (　　　)

(4) 물건을 구매할 때, 상품 정보를 고려하여 최저가로 판매하는 인터넷 쇼핑몰의 상품을 고른다. (　　　)

[정답] (1) 윤 (2) 윤 (3) 윤 (4) 합

정답과 해설 66쪽

A 의식주 문화와 관련된 윤리적 문제

01 빈칸에 알맞은 말을 쓰시오.

(1) □□□ □□(이)란 최신 유행을 즉각 반영한 디자인, 비교적 저렴한 가격, 빠른 상품 회전율로 승부하는 패션 또는 사업을 말한다.

(2) 의복 문화와 관련된 윤리적 문제 중 □□ □□ 현상은 사회 계층 간 위화감을 조성하고 과소비와 사치 풍조를 조장한다는 비판을 받는다.

02 음식과 관련된 윤리적 문제와 그 사례를 바르게 연결하시오.

(1) 식품 안전성 문제 • • ㉠ 국가 간 빈부 격차 심화에 따른 식량 수급 불균형

(2) 동물 복지 문제 • • ㉡ 대규모 공장식 사육과 도축

(3) 음식 불평등 문제 • • ㉢ 유전자 변형 농산물의 안전성 여부

03 주거의 윤리적 의미로 적절한 것을 〈보기〉에서 고르시오.

〈보기〉
ㄱ. 건강한 생태계 유지
ㄴ. 심리적 안정과 휴식 제공
ㄷ. 자아와 가치관 형성에 영향
ㄹ. 행복한 삶을 위한 터전 마련

( )

B 윤리적 소비문화

04 알맞은 설명에 ○표를 하시오.

(1) (합리적 , 윤리적) 소비는 최소의 비용으로 최대의 만족을 얻으려는 소비이다.

(2) (합리적 , 윤리적) 소비는 환경, 인권, 정의 등과 같은 윤리적 가치에 따른 소비이다.

(3) (패스트푸드 , 슬로푸드) 운동은 '좋고 깨끗하고 공정한' 먹거리의 제공을 추구하며, 천천히 조리되며 건강에 도움이 되는 것을 추구한다.

05 빈칸에 알맞은 말을 쓰시오.

(1) 윤리적 소비에는 윤리적 문제를 일으킨 기업의 제품 구매를 거부하는 □□ 운동이 있다.

(2) □□ □□은/는 생산자에게 최저 구매 가격을 보장해 공정한 가격을 지불하고, 생산자 단체와 직거래를 통해 유통 과정을 줄여 생산자에게 합당한 이윤이 돌아갈 수 있게 한다.

06 다음 내용이 윤리적 소비에 해당하면 ○표, 해당하지 않으면 ×표를 하시오.

(1) 물건 구매 시 상품의 가격을 최우선으로 고려하여 최저가로 판매하는 대형 마트의 상품을 고른다. ( )

(2) 대규모 여행업체를 통하지 않고 현지인이 운영하는 숙소에서 머물고 현지 음식을 즐기면서 자전거로 배낭여행을 한다. ( )

탄탄! 내신 다지기

A 의식주 문화와 관련된 윤리적 문제

01 ㉠의 문제점으로 옳지 않은 것은?

> ㉠패스트 패션(fast fashion)이란 소비자의 기호를 파악해 유행에 따라 신제품을 출시하여 제품 수명이 짧은 의류를 지칭하는 말로, 막대한 물류 생산과 공급, 값싼 원단과 저렴한 인건비를 기반으로 한 패션 산업을 가리킨다.

① 버려지는 옷이 많아진다.
② 과소비가 이루어질 수 있다.
③ 생산 과정에서 환경 오염을 발생시킬 수 있다.
④ 사회적 위화감과 그릇된 소비 풍조를 조장할 수 있다.
⑤ 생산 단가를 낮추기 위해 노동자의 임금 착취가 발생할 수 있다.

02 갑, 을의 입장에 대한 적절한 설명을 〈보기〉에서 고른 것은?

> 갑: 사람들의 명품 선호 현상은 개인의 자유라고 생각해. 사람들이 명품을 선호하면 기업은 명품을 만들고자 노력할 것이고, 이는 결국 제품의 질적 향상으로 이어질 수 있어.
> 을: 명품 선호 현상이 개인의 자유라는 점은 나도 공감해. 하지만 명품 소비는 사치를 조장하고 사회 계층 간에 위화감을 줄 수 있기 때문에 단순한 개인적인 차원의 문제라고 볼 수는 없어.

〈보기〉
ㄱ. 갑은 자유주의 관점에서 명품 선호 현상을 바라보고 있다.
ㄴ. 갑은 명품 선호 현상이 사회적 문제로 이어질 수 있음을 지적하고 있다.
ㄷ. 을은 명품 선호 현상이 개인적 차원을 넘어 사회적 문제임을 강조하고 있다.
ㄹ. 갑, 을 모두 명품 선호 현상을 긍정적인 관점에서 보고 있다.

① ㄱ, ㄴ ② ㄱ, ㄷ ③ ㄴ, ㄷ
④ ㄴ, ㄹ ⑤ ㄷ, ㄹ

03 다음을 주장한 사람의 입장에서 부정의 대답을 할 질문으로 가장 적절한 것은?

> 우리가 음식을 먹는 행위는 단순히 생존에만 그치는 것이 아니라 공동체와 생태계 전체에 영향을 미칩니다. 잘 먹는다는 것은 인간의 건강과 생태학적 건강을 동시에 고려하며, 지속 가능한 식사에 관심을 둔다는 것입니다.

① 먹는다는 것은 생존하는 것 이상의 가치를 가지는가?
② 먹거리에 대한 선택 기준으로 편리함과 가격을 우선해야 하는가?
③ 음식을 먹는다는 것은 사회적·생태학적 차원의 의미를 포함하는가?
④ 생태 환경의 지속 가능성을 고려하여 음식의 구입 여부를 결정해야 하는가?
⑤ 음식의 생산과 유통 구조에서 생산자에 대한 착취가 없는 음식을 구매해야 하는가?

04 그림은 서술형 평가 문제와 학생 답안이다. 학생 답안의 ㉠~㉤ 중 옳지 않은 것은?

서술형 평가

◎ **문제:** 오늘날 주거 문화가 가져오는 윤리적 문제를 서술하시오.
◎ **학생 답안**
오늘날 주거 문화가 아파트 등 ㉠개방적인 공동 주택으로 바뀌면서 이웃과 갈등 문제가 발생한다. 또한 ㉡획일적인 아파트 건축으로 건축의 개성이 말살되고, ㉢도시에 주거가 밀집하면서 교통 혼잡 등이 발생하여 생활의 질이 떨어진다. 나아가 ㉣무분별한 개발로 환경 파괴가 가속화되고 있다. 마지막으로 ㉤주거의 불안정성과 불평등 문제로 사람들이 어려움을 겪기도 한다.

① ㉠ ② ㉡ ③ ㉢ ④ ㉣ ⑤ ㉤

B 윤리적 소비문화

05 갑, 을의 입장에 대한 적절한 설명만을 〈보기〉에서 있는 대로 고른 것은?

> 갑: 올바른 소비를 위해서는 상품에 관련된 정보를 충분히 알아본 뒤, 주어진 예산의 범위 내에서 가장 효용성이 높은 제품을 구매해야 한다.
> 을: 올바른 소비를 위해서는 불필요한 소비를 줄이면서, 인간과 동물을 착취하고 환경에 해를 끼치는 상품의 구매를 거부하고, 인권, 사회, 정의, 환경 등 인류 전체를 고려하는 소비를 실천해야 한다.

〈보기〉
ㄱ. 갑은 공정 무역 제품을 선호할 것이다.
ㄴ. 갑은 자율적 선택권과 최적의 효용을 중시할 것이다.
ㄷ. 을은 개인적 선호보다 공공성을 상품 선택의 기준으로 강조할 것이다.
ㄹ. 갑, 을 모두 사치를 줄이고 절제하는 소비 습관을 강조할 것이다.

① ㄱ, ㄴ ② ㄱ, ㄹ ③ ㄴ, ㄷ
④ ㄱ, ㄷ, ㄹ ⑤ ㄴ, ㄷ, ㄹ

06 ㉠에 들어갈 말로 가장 적절한 것은?

> 푸드 마일리지(food mileage)는 음식 재료가 산지에서 소비자까지 수송되는 거리를 말한다. 푸드 마일리지가 높아지면 신선도가 떨어지고 탄소 배출량이 증가한다. 그 대안으로 나타난 것이 바로 [㉠] 운동으로, 가까운 곳에서 생산된 신선한 식품을 구매하자는 운동이다.

① 슬로푸드
② 로컬 푸드
③ 정크 푸드
④ 패스트푸드
⑤ 레토르트 푸드

07 다음 글에서 설명하는 무역 형태의 목표로 적절하지 <u>않은</u> 것은?

> 개발 도상국 생산자의 경제적 자립과 지속 가능한 발전을 위해 생산자에게 더 유리한 무역 조건을 제공하는 무역 형태로, 정의로운 국제적 무역 질서를 확보하고, 노동자의 인권을 보호하며 환경을 보전하는 윤리적 가치를 실현하는 것을 의의로 한다.

① 공정한 가격 지불
② 값싼 노동 인력의 동원
③ 건강한 노동 환경 추구
④ 생산자의 합당한 이윤 보장
⑤ 장기 계약을 통한 생산 환경 보호

서술형 문제

08 다음 글을 읽고 물음에 답하시오.

> 합리적 소비의 한계를 인식하고 이를 보완하는 과정에서 등장한 소비의 형태로, 소비자의 영향력 확대와 다양한 사회 문제에 대한 관심 속에서 도덕적 가치에 따라 재화와 서비스를 구매하고 사용하며 처리하는 소비의 방식을 말한다.

(1) 위에서 말하는 소비 형태를 지칭하는 말을 쓰시오.
( )

(2) 위에서 언급하고 있는 소비 형태를 <u>두 가지</u> 이상 제시하고, 그 의미를 간략하게 서술하시오.

도전! 실력 올리기

01 갑, 을 사상가의 공통된 입장으로 가장 적절한 것은?

갑: 음식물에 대한 욕망은 자연적이다. 그러므로 결핍되면 채우려고 한다. 하지만 지나친 정도로 먹고 마시는 것은 자연의 한도를 넘어서는 것이다. 이런 사람은 노예나 다름없는 사람이다.
을: 소박한 식사와 물만으로 만족하고 호사스러운 삶의 쾌락을 멀리할 때 나의 몸은 상쾌하기 그지없다. 내가 무절제하고 향락적인 삶을 멀리하는 까닭은 그러한 삶 자체가 나쁘기 때문이라기보다는 그러한 삶 뒤에 찾아오는 해악 때문이다.

① 음식을 통해 문화적 정체성을 형성해야 한다.
② 음식을 통해 자연의 순환 과정에 참여해야 한다.
③ 음식을 통해 개인적 취향의 차이를 드러내야 한다.
④ 음식은 공동체의 동질감과 연대감 형성에 기여해야 한다.
⑤ 음식에 대한 욕망을 조절하는 절제의 미덕을 갖추어야 한다.

02 다음 사상가의 입장에서 부정의 대답을 할 질문으로 가장 적절한 것은?

인간은 체험을 통해 자신이 위치한 공간을 삶의 중심으로 형성할 수 있다. 체험된 공간은 가치를 지향하는 삶의 관계들을 통해서 사람과 관계된다. 체험된 모든 공간은 그것을 체험한 인간과 서로 분리할 수 없다. 인간과 집의 관계는 집을 짓고 그 안에 살면서 자기 집 같고, 마음 편하며, 믿을 만한 친숙함이 있다고 이해될 수 있다. 인간은 이성적 노력을 통해 자신의 집을 지어야 하며, 그 집에서 자기 삶의 질서를 만들어 나가야 하고, 혼란을 일으키는 외부 세계와의 끊임없는 투쟁 속에서 이러한 질서를 지켜 내야 할 책임을 갖는다.

① 집은 자기 존재의 뿌리가 되는 곳인가?
② 주거는 인간 삶을 위한 기본 바탕인가?
③ 집과 인간이 내적 관계를 맺는 문제가 중요한가?
④ 집은 관계성보다 소유하는 차원의 문제가 중요한가?
⑤ 집이라는 공간은 인간과 집의 관계 속에서 의미를 지니는가?

수능 기출

03 다음 서양 사상가의 입장으로 가장 적절한 것은?

우리 시대의 인간은 고향을 잃고 지구상 어떤 곳에도 매여 있지 않은 영원한 망명자이다. 하지만 집은 이러한 위험과 희생의 공간인 외부 공간과 구분되는 안정과 평화의 공간이다. 인간은 자신의 중심점인 집을 스스로 만들어 그곳에 뿌리내리고 살 때 진정한 거주를 실현한다. 인간은 이러한 거주의 실현을 통해 단순히 공간을 점유하는 것이 아닌 거주자가 됨으로써 자신의 본질을 실현하고 온전한 의미에서 인간이 될 수 있다.

① 진정한 거주는 단순히 공간을 점유하는 행위로 국한된다.
② 인간은 진정한 거주를 실현하지 못하면 영원한 망명자이다.
③ 인간은 거주자가 됨으로써 자신의 본질을 실현할 수 없다.
④ 외부 공간은 위험과 희생이 아닌 안정과 평화의 공간이다.
⑤ 진정한 삶의 실현을 위해 거주 공간이 필요한 것은 아니다.

수능 기출

04 (가), (나)의 입장을 <보기>에서 고른 것은?

(가) 소비의 목적은 소비자의 만족감 충족이다. 소비자는 자신의 욕구와 상품에 대한 정보를 바탕으로 소득 범위 내에서 상품을 적절하게 선택하여 최소 비용으로 최대 만족을 얻을 수 있어야 한다.
(나) 소비자는 자신을 넘어 사회 및 환경에 이르기까지 영향을 미친다. 따라서 자신에게 돌아오는 직접적인 혜택만 생각하지 말고, 장기적 관점에서 사회와 자연에 미치는 영향도 고려하여 소비해야 한다.

<보기>
ㄱ. (가): 자율적 선택권과 최적의 효용은 소비의 필수적 요소이다.
ㄴ. (가): 개인적 선호보다 공공성을 상품 선택 기준으로 삼아야 한다.
ㄷ. (나): 생태적 영향을 고려한 지속 가능한 소비는 소비자의 의무이다.
ㄹ. (가), (나): 인권과 노동의 가치는 소비자가 고려할 사항이 아니다.

① ㄱ, ㄴ ② ㄱ, ㄷ ③ ㄴ, ㄷ
④ ㄴ, ㄹ ⑤ ㄷ, ㄹ

수능 유형

05 (가)에서 갑에 비해 을이 갖는 소비 형태의 상대적 특징을 (나) 그림의 ㉠~㉤ 중에서 고른 것은?

(가)	갑: 자신의 경제력 내에서 가장 큰 만족을 추구하는 소비야말로 가장 바람직한 형태이다. 왜냐하면 소비자 개인의 욕구 충족과 만족을 극대화시킬 수 있기 때문이다. 을: 개인적인 소비 행위라도 그것이 타인과 사회는 물론 생태계 전체에 어떤 결과를 가져올지 고려해야 한다. 윤리적 가치 판단이 전제된 소비야말로 지향해야 할 가장 바람직한 형태이다.
(나)	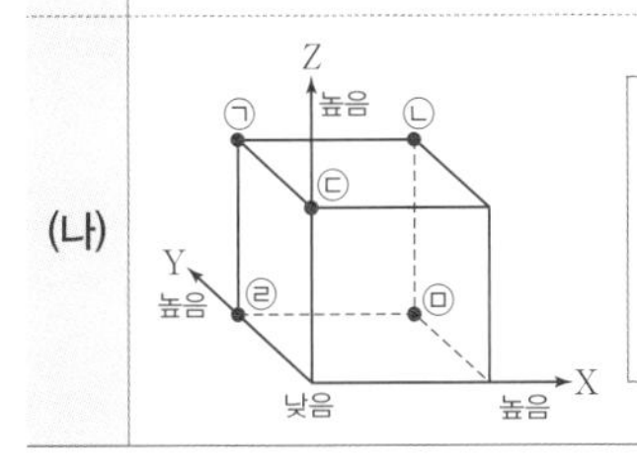 • X: 소비와 개인적인 욕구의 관련성을 강조하는 정도 • Y: 소비가 사회에 미치는 영향력을 강조하는 정도 • Z: 소비가 환경에 미치는 영향력을 강조하는 정도

① ㉠ ② ㉡ ③ ㉢ ④ ㉣ ⑤ ㉤

수능 유형

06 (가)의 갑, 을의 입장을 (나) 그림으로 표현할 때, A~C에 들어갈 내용으로 가장 적절한 것은?

(가)	갑: 소비 행위에서 소비에 따른 기회비용과 만족감을 고려해 편익이 많은 소비를 해야 하며, 자신의 경제력 안에서 최선의 제품과 서비스를 구매해야 한다. 을: 소비 행위에서 경제적 약자와 인간, 환경 공동체를 고려하는 소비를 해야 하며, 생산자의 인권을 우선적으로 고려하는 제품과 친환경적인 제품을 구매해야 한다.
(나)	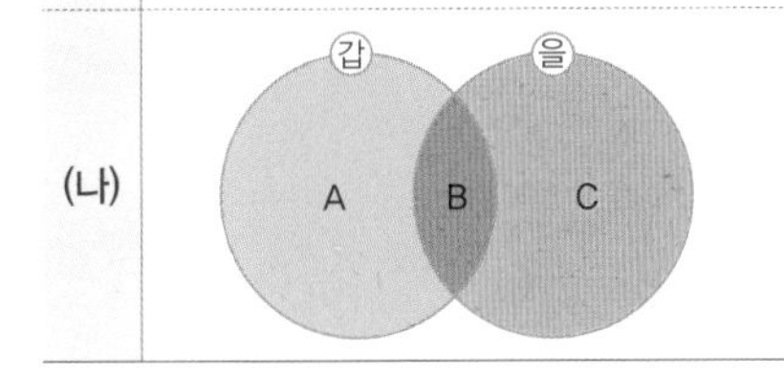 〈범례〉 A: 갑만의 입장 B: 갑, 을의 공통 입장 C: 을만의 입장

① A: 비용이 더 들더라도 보편적 가치를 추구하는 소비를 해야 한다.
② A: 사회 공동체와 환경에 해를 끼치는 물품은 구매하지 말아야 한다.
③ B: 무절제와 낭비를 지양하는 검소한 소비 습관이 필요하다.
④ C: 최대한 효율적으로 소비하여 자신의 만족을 극대화해야 한다.
⑤ C: 소비자 개인의 경제적 만족이 소비의 우선 기준이 되어야 한다.

07 다음 글에서 강조하는 소비의 형태로 옳지 않은 것은?

> 당장 경제적인 이익이 되지 않더라도 장기적인 차원에서 이웃을 고려하고, 자연환경까지 생각하는 윤리적 관점의 소비를 해야 한다.

① 동물 복지를 적극적으로 고려하여 화장품을 만드는 기업의 제품을 구매하는 행위
② 여행에서 유명 호텔과 식당보다는 현지인이 운영하는 숙소와 식당을 이용하는 행위
③ 반경 50km 이내에서 생산된 친환경 농산물을 생산하는 기업의 제품을 구매하는 행위
④ 생산 원가를 낮추기 위해 아동과 청소년의 노동으로 만들어진 제품을 적극 구매하는 행위
⑤ 단기 계약보다는 장기 계약을 통해 생산자에게 안정적인 노동 환경을 제공하는 무역 제품을 구매하는 행위

08 다음 글에 나타난 문제점의 대안이 될 수 있는 여행의 방법에만 모두 'V'를 표시한 학생은?

> 여행은 개인적으로 보면 자유, 성장의 의미를 지니지만, 산업적으로는 거대한 세계 경제축이다. 우리가 여행에 쓰는 돈 중 단 10%만 현지에 쓰일 뿐 대부분은 항공 회사나 다국적 기업이 있는 선진국으로 돌아간다. 관광업에 종사하는 사람들은 여전히 가난하고, 관광 개발 후 파괴된 마을과 숲이 남는다. 여행할 때에도 환경, 경제, 인권을 고려해야 한다.

번호	학생 / 여행의 방법	갑	을	병	정	무
(1)	유명 관광지 위주의 쇼핑 여행을 즐긴다.	V		V		V
(2)	현지인들이 운영하는 숙소와 식당을 이용한다.	V	V		V	
(3)	현지의 작은 마을을 찾아 현지 문화를 체험한다.		V		V	V
(4)	여행지에서 친환경적으로 자전거 여행을 한다.			V	V	V

① 갑 ② 을 ③ 병 ④ 정 ⑤ 무

03 다문화 사회의 윤리

핵심 질문으로 흐름잡기

A 다문화 사회를 대하는 다양한 정책 모델은?

B 종교의 의미와 종교 간 갈등 극복 방안은?

A 문화 다양성과 존중

| 시·험·단·서 | 다문화 사회에 대한 다양한 정책 모델의 입장을 비교하는 문제가 출제돼.

1. 다문화 사회의 의미와 영향

(1) **다문화 사회의 의미**: 한 국가 안에 다양한 인종과 문화적 배경이 다른 사람들이 공존하는 사회

└ 세계화에 따라 정치, 경제 등 다양한 분야에서 국가 간 교류가 증대하면서 다문화 사회가 도래했어.

(2) **다문화 사회의 영향**

① **긍정적 영향**: 새로운 문화 요소의 도입으로 문화 발전의 기회가 확대됨

② **부정적 영향**: 다양한 문화적 요소가 충돌하여 갈등이 발생하기도 함

2. 다문화 사회의 정책 모델

(1) **차별적 배제 모델❶**

① **입장**: 이주민*을 특정 목적으로만 받아들이고, 내국인과 동등한 권리를 인정하지 않음

② **한계**: 인간의 존엄성과 평등이라는 보편 윤리❷에 어긋남

(2) **동화 모델**

① **입장**: 이주민의 문화와 같은 소수 문화는 주류 문화*에 적응하고 통합되어야 함

② **대표 이론**

용광로 이론	• 다양한 물질들이 용광로에서 용해*되어 하나로 만들어지듯이, 다양한 문화를 섞어 하나의 문화로 탄생시킨다는 뜻 • 이주민의 문화를 주류 사회에 융합하여 편입*시키려는 관점을 지님 • 1960년대 미국에서 백인 주류 문화를 중심으로 소수 민족의 문화를 통합하려 했다는 비판을 받음

③ **장점**: 문화적 충돌에 따른 사회 혼란과 갈등을 방지하고 사회적 연대감과 결속력을 강화함

④ **한계**: 문화의 다양성이 상실되어 문화적 역동성이 파괴되고, 이주민들이 자신의 문화적 정체성을 유지하며 살아가기 어려움

(3) **다문화 모델**

① **입장**: 민족이나 문화의 다양성을 인정하고 고유한 문화를 유지할 수 있도록 함

② **대표 이론** 자료 1

샐러드 볼 이론 (다문화주의)	• 한 국가 또는 사회 안에 살고 있는 다양한 문화를 평등하게 인정함 • 장점: 소수자의 문화를 존중하고 문화 간 다양성을 확보할 수 있음 • 한계: 사회적 연대감이나 결속력이 부족하여 사회적 통합을 이루기 어려움
국수 대접 이론 (문화 다원주의)	• 주류 문화의 정체성을 유지하면서 비주류 문화의 공존을 인정함 • 장점: 주류 문화를 중심으로 한 사회적 통합을 용이하게 함 • 한계: 비주류 문화를 주류 문화와 동등하게 취급하지 않음

└ 주류 문화는 국수와 국물처럼 중심 역할을 하고, 이주민의 문화는 색다른 맛을 더해 주는 고명이 되어 자신의 문화적 정체성을 유지하면서 조화를 이루어 공존한다고 보는 거야.

3. 다문화 사회에 요구되는 존중과 관용

(1) **존중의 자세**

① 다문화 사회에서는 다른 나라의 문화를 존중하는 문화 상대주의❸의 자세가 필요함

② 문화 상대주의를 윤리 상대주의❹로 이해해서는 안 됨

• 문화 상대주의를 윤리 상대주의로 이해할 경우 보편 윤리를 위반하는 문화까지 인정하는 문제가 발생함 자료 2

└ 예를 들어 노예 제도, 인종 차별 등은 인간의 존엄성, 자유, 평등 같은 보편 윤리에 어긋나지만, 극단적인 윤리 상대주의에서는 이 같은 문화도 인정해.

• 문화의 고유성과 상대적 가치를 존중하되, 보편 윤리의 관점에서 비판적으로 성찰해야 함

---

❶ 차별적 배제 모델
이민자를 3D 직종과 같이 특정한 노동 시장 영역에만 받아들이고, 내국인과 동등한 복지나 선거권 부여와 같은 사회적·정치적 영역은 제한하는 모델이다. 국가가 원치 않는 이민자의 정착을 원천적으로 차단하려는 정책 유형이라고 할 수 있다.

❷ 보편 윤리
사회나 관습에 상관없이 보편적이고 절대적인 진리를 말한다. 예를 들어 국가나 문화권에 상관없이 갖고 있는 '사람을 죽이면 안 된다.'라는 가치가 있다.

❸ 문화 상대주의
다양한 문화를 대할 때 각각의 문화가 지닌 고유성과 상대적 가치를 이해하고 존중하는 태도이다.

❹ 윤리 상대주의
윤리도 문화에 포함되므로 옳고 그름은 사회에 따라 다양하며, 보편적인 도덕적 기준은 존재하지 않는다는 입장이다.

시험에 잘 나오는 자료

자료 1 샐러드 볼 이론과 국수 대접 이론 관련 문제 ▶ 214쪽 02번

(가) 샐러드 볼 이론

다양한 채소와 과일을 서로 대등한 관점에서 섞는다는 것으로, 각 문화의 고유성을 유지하면서 조화와 공존을 이룬다는 관점이다.

(나) 국수 대접 이론

국수의 주재료인 면 위에 고명을 얹어 국수의 맛을 내듯이, 주류 문화를 중심으로 비주류 문화와의 조화를 이룬다는 관점이다.

자·료·분·석 샐러드 볼 이론과 국수 대접 이론은 문화 다양성을 인정하고 사회 통합을 추구한다는 점에서 공통점을 갖지만, 그 조건과 실현 방법에는 차이가 있다. 샐러드 볼 이론은 모든 문화가 평등하다는 점을 강조하며 주류 문화의 존재를 인정하지 않지만, 국수 대접 이론은 문화의 다양성을 인정하면서도 주류 문화의 존재를 인정한다.

한·줄·핵·심 샐러드 볼 이론과 국수 대접 이론은 이주민의 고유한 문화와 자율성을 존중하여 문화 다양성을 실현하고자 한다.

자료 2 극단적 윤리 상대주의의 문제점 관련 문제 ▶ 215쪽 05번

사람들이 자기 마음대로 다른 사람을 죽일 수 있고 누구도 그러한 행위가 잘못된 것으로 생각하지 않는다고 가정해 보자. 그런 사회에서는 어떤 사람도 자신이 안전하다고 느끼지 못할 것이다. 이런 상황이라면 타인과 관계를 맺는 것이 위험해질 것이며 결국에 사회는 붕괴될 것이다. 그래서 사람들은 서로 해를 끼치지 않을 것을 믿는 사람들과 작은 집단을 만들어 연대할지도 모른다. 그런데 이런 상황이 무엇을 의미하는지 주목해 보자. 사람들은 살인을 반대하는 규칙을 인정하는 작은 사회를 구성하게 되는 것이다. 그렇다면 살인의 금지는 모든 사회에 필수적인 특징이라고 할 수 있다. 정리하자면 모든 사회에는 사회가 존재하기 위해 필수적인 도덕률이 있어야만 한다고 할 수 있다. 그리고 이 규칙은 모든 사회에서 유효하다. 문화 간의 차이점을 과대평가하는 것은 오류이다. 모든 도덕률이 사회마다 달라질 수는 없다.

– 레이첼스, "도덕 철학의 기초"

자·료·분·석 문화 상대주의 관점을 지닌 일부 사람들은 윤리도 상대적이라고 주장한다. 그래서 "옳고 그름에 관한 보편적 기준은 없다."라는 극단적 윤리 상대주의를 제시한다. 이러한 극단적 윤리 상대주의의 관점에서 문화를 이해하면 노예 제도나 인종 차별도 하나의 문화로서 받아들여야 한다. 즉, 보편 윤리를 위배하는 문화도 인정해야 하는 모순이 생겨난다.

한·줄·핵·심 극단적 윤리 상대주의는 보편 윤리를 부정하여 문화에 대한 비판적 성찰을 방해한다.

내용 이해를 돕는 팁

궁금해요

Q. 문화를 이해하는 태도 문화 상대주의 외에 무엇이 있나요?

A. 문화 절대주의, 문화 사대주의, 자문화 중심주의가 있어.

문화 절대주의
문화를 절대적인 기준으로 평가하고 우열을 가리는 태도
문화 사대주의
다른 사회권의 문화를 무비판적으로 동경하거나 숭상하는 태도
자문화 중심주의
자신이 속한 문화만을 우월하게 보고 타 문화는 열등하게 보는 태도

용어 더하기

* **이주민**
다른 지역에서 옮겨 와서 사는 사람을 말한다.

* **주류 문화**
한 사회의 성원 대부분이 공유하는 문화를 말한다.

* **용해**
녹거나 녹이는 일을 뜻한다.

* **편입**
이미 짜인 동아리나 무리에 끼어 들어가는 것이다.

❺ 관용의 역설
관용을 무제한적으로 허용한 결과 관용 자체를 부정하는 사상이나 태도까지 인정하게 되어 인권을 침해하고 사회 질서가 무너지는 현상을 의미한다.

❻ 종교의 구성 요소
- 내용적 측면: 성스럽고 거룩한 것에 관한 체험과 믿음을 포함함
- 형식적 측면: 경전과 교리, 의례와 형식, 교단 등을 포함함

❼ 종교적 존재
(Homo religiosus)
종교학자 엘리아데는 종교적 지향성을 인간의 근본적 성향이라고 보면서 인간을 '종교적 존재'로 규정하였다. 인간은 삶의 불안과 불완전성에 직면할 때, 초월적 존재에 의지함으로써 위안을 얻는다는 뜻이다.

❽ 종교가 윤리적 삶을 고양하는 데 주는 도움
종교는 사람들에게 마음의 평화와 위안을 주고, 올바른 가치관의 형성에 기여하며, 인류가 나아가야 할 바람직한 방향을 제시하는 데 도움을 줄 수 있다.

(2) 관용의 자세

① 문화 다양성을 지향하는 사회는 관용*의 가치를 바르게 인식하고 실천함

② 다문화에 대한 존중과 관용에도 한계가 있음을 인식해야 함 → 관용의 역설❺ 경계

└ 인간의 존엄성과 같이 보편적 가치를 훼손하거나 사회 정의를 해치는 행위에 대해서까지 관용해야 하는 것은 아니야.

③ **관용의 범위**
- 타인의 인권과 자유를 침해하지 않는 범위 내에서 관용해야 함
- 사회 질서를 훼손하지 않는 범위 내에서 관용해야 함

B 종교의 공존과 관용

| 시·험·단·서 | 종교 간 갈등을 바람직하게 극복하는 방안을 묻는 문제가 출제돼.

1. 인간의 삶과 종교

— 종교가 발생한 주된 원인은 인간이 유한하고 불완전한 존재이기 때문이야.

(1) 종교❻의 의미: 신앙 행위와 종교의 가르침, 성스러움과 관련된 심리 상태 등의 다양한 현상을 아우르는 말

(2) 인간은 종교적 존재❼: 인간은 종교를 통해 실존적 문제 상황을 해결하고 삶의 궁극적 의미를 발견하려 함

2. 종교와 윤리의 관계

(1) 종교와 윤리의 차이점과 공통점

구분	종교	윤리
차이점	초월*적 세계, 궁극적 존재에 근거한 종교적 신념과 교리 제시	인간의 이성, 상식, 양심에 근거한 규범 제시
공통점	도덕성을 중시함 → 인간 존엄성을 실현하는 윤리적 계율* 중시	

└ 윤리와 마찬가지로 종교에서도 윤리적 계율을 중시해. 예를 들어 불교에서는 타인을 사랑하고 베푸는 자비를, 그리스도교에서는 이웃에 대한 사랑을 강조해.

(2) 종교와 윤리의 바람직한 관계

① 대부분 종교는 윤리에서 강조하는 보편 윤리를 강조함 → 보편 윤리가 배제된 종교는 진정한 종교로 볼 수 없음

└ 여러 종교 경전에서 '황금률'이 발견되는 것으로 확인할 수 있어.

② 종교는 윤리적 삶을 고양하는 데 도움을 줄 수 있고, 윤리는 종교가 올바른 방향으로 나아가는 데 도움을 줄 수 있음❽

3. 종교 간 갈등의 원인과 극복 방안

(1) 종교 간 갈등의 원인과 양상

① **갈등의 원인**
- 자기 종교만을 맹신*하고 다른 종교의 존재를 인정하지 않는 배타적인 태도
- 타 종교에 대한 무지와 편견, 선입견
- 교리 해석의 차이

② **갈등의 양상**
- 다른 종교를 믿는 사람들 사이의 갈등이 테러, 폭력 등으로 이어짐
- 종교 갈등에 계급, 인종, 민족 등 다른 요소가 연관되어 심화됨

(2) 종교 간 갈등의 극복 방안

① **종교의 자유 인정:** 타 종교에 대한 자율성을 인정하고 이해하는 태도를 가져야 함

② **타 종교에 대한 관용:** 다른 종교인은 물론 종교를 갖지 않은 사람에게도 관용의 자세를 가져야 함 자료 3

③ **종교 간 적극적인 대화와 협력:** 사랑과 자비, 평등과 평화 같은 보편적 가치를 바탕으로 협력하고자 하는 종교 간 노력이 필요함 자료 4

시험에 잘 나오는 자료

자료 3 종교 간 관용과 공존을 지향하는 원효의 화쟁 사상

원효의 화쟁 사상은 원융회통 사상(圓融會通思想)이라고도 하며, 원효의 저술인 "십문화쟁론(十門和諍論)"에 이 사상이 전개되어 있다. 부처가 지향한 이론이 온갖 모순·대립과 쟁론이 끊어진 절대 조화의 세계인 무쟁(無諍)의 세계임에 비해 원효는 모순과 대립이 있는 현실에서 모든 대립과 모순·쟁론을 조화·극복하여 하나의 세계로 지향하고자 했는데, 이것이 원효의 화쟁 사상이다.
원효에 따르면, 원래 불교의 모든 가르침은 석가모니의 깨우침을 원천으로 하고 일체의 모든 이론도 결국 그 깨우침의 바탕인 일심(一心)일 뿐이다. 이러한 일심을 바탕으로 한 화쟁은 모든 이론과 종파의 특수성과 상대적 가치를 충분히 인정하면서 전체로서 조화를 살리는 진정한 종교적 관용과 공존을 위한 노력이라고 볼 수 있다.

자·료·분·석 원효는 당시 신라 불교가 서로 다른 교리 때문에 이론이 분분한 것을 보고 이를 화쟁(和諍)하는 데 힘썼다. 화쟁은 서로 다른 쟁론을 하나로 조화시키는 것이다. 이러한 원효의 화쟁 사상은 종교 간 관용과 공존을 위한 노력을 보여 주는 대표적 사례라고 할 수 있다.

한·줄·핵·심 종교 간의 갈등을 극복하려면 종교의 자유를 인정하고 다른 종교에 대해 관용의 자세를 가져야 한다.

자료 4 종교 간 대화를 강조한 큉의 사상

관련 문제 ▶ 215쪽 08번

- 진정한 의미에서 종교 간의 조화를 위한 방법을 모색할 때 절대적으로 요청되는 전제 조건이 있다면 그것은 모든 조건의 자아비판이다. 즉 자신의 실수와 과오의 역사를 비판적 시각으로 성찰하는 것이다. …(중략)… 종교 간의 대화는 내 이웃의 종교를 더욱 깊이 이해하지 않고는 불가능하다. 다른 종교를 거짓된 것으로 배척하는 독선적 태도는 다른 종교에 대한 이해가 결여된 것일 뿐만 아니라 자기 종교의 진리도 편협하게 이해하는 것으로, 성숙한 종교 의식이라 할 수 없다.
- 종교 사이의 대화를 배제하고는 국가 사이의 어떠한 평화도 불가능하고, 종교 사이의 대화를 배제하고서는 종교 사이의 어떠한 평화도 불가능하고, 신학적인 기본 연구를 배제하고서는 종교 사이의 어떠한 태도도 불가능하다.

– 한스 큉, "세계 윤리 구상"

자·료·분·석 큉은 "종교 간의 대화 없이 종교 간의 평화 없고, 종교 평화 없이는 세계 평화도 없다."라고 주장하였다. 그는 대화 역량이 곧 종교 간의 평화를 가능하게 하고, 종교 평화가 세계 평화를 보장해 주는 기초적 조건이라고 보았다. 이처럼 종교 간의 갈등을 극복하고 평화롭게 공존하려면, 먼저 대화를 통해 다른 종교를 이해하려는 자세를 지녀야 한다. 종교 간의 대화는 무지와 오해로 인한 편견을 없애고 다른 종교를 올바르게 이해할 수 있도록 돕는다.

한·줄·핵·심 종교 간의 적극적인 교류와 대화는 세계 평화를 위한 자세이기도 하다.

내용 이해를 돕는 팁

궁금해요

Q. 학자들은 종교를 어떻게 정의했나요?

A. 뒤르켐은 "신과 종교는 사회적 필요에 의해 만들어진 산물이다."라고 하며 종교의 절대성을 부정하였고, 마르크스는 "종교는 인민의 아편이다."이라며 종교를 평가하였다.

용어 더하기

* **관용** 자기 생각에 잘못이나 한계가 있음을 자각하고, 다른 생각이나 문화를 인정하고 받아들이려는 이성적 태도를 가리킨다.
* **초월** 경험이나 인식의 범위를 벗어난 일을 뜻한다.
* **계율** 지켜야 하는 규범을 뜻한다.
* **맹신** 옳고 그름을 가리지 않고 덮어놓고 믿는 일을 뜻한다.

다문화와 관련된 다양한 정책 모델은?

개념풀 Guide 다문화와 관련된 다양한 정책 모델의 입장을 비교해 보자.

관련 문제 ▶ 214쪽 01번

핵심 짚어보기

차별적 배제 모델	동화 모델	다문화 모델
• 이민자의 정착에 대한 배타적 정책 • 특정 지역이나 직업에 한해서만 이주민을 받아들임 • 이주민과 내국인의 권리를 동등하게 인정하지 않음	• 소수 문화를 주류 문화로 편입하여 통합시키는 정책 • 이주민이 출신국의 언어적·문화적 특성을 포기하고 주류 사회의 일원이 되게 함 • 대표 이론: 용광로 이론	• 이주민의 고유한 문화와 자율성을 존중하는 정책 • 정책의 목표를 동화가 아닌 공존에 둠 • 대표 이론: 샐러드 볼 이론, 국수 대접 이론

자료에서 핵심 찾아보기

자료 ❶ 차별적 배제 모델은 귀화를 엄격히 제한하고 이주민에게 국적을 쉽게 부여하지 않는다. 노동력을 유입하기 위하여 노동 분야에서 한정적으로 관련된 권리를 부여할 뿐, 국적과 정치적 권리에 관한한 매우 제한적이거나 아예 권리를 부여하지 않는다. 주로 단일한 민족적 정체성이 강한 국가에서 찾아볼 수 있다. 매우 복잡하고 많은 비용이 소요되는 국적 부여 절차는 이주민을 선별적으로 받아들이는 장치로 활용될 때가 많다.

– 김종득, "차별 없는 내·외국인 근로자! 함께하는 글로벌 문화!"

핵심 확인
차별적 배제 모델은 이주민과 내국인의 동등한 권리를 인정하지 않고, 이주민을 효과적으로 통제하려 한다.

자료 ❷ 동화 모델은 이민자들이 기존 문화와 종교, 사회적 질서와 가치, 언어 등을 받아들이도록 해야 한다는 것이다. '기존 문화와 가치'에 다양한 문화권에서 온 이민자들을 융화 또는 흡수시키는 것이다.

– 김종득, "차별 없는 내·외국인 근로자! 함께하는 글로벌 문화!"

핵심 확인
동화 모델은 이주민이 내국인의 문화에 완전히 동화하고, 주류 사회의 일원이 되게 한다.

자료 ❸ 다문화 모델은 이민 오기 전 지녔던 사회적 가치와 문화, 종교 등을 있는 그대로 인정하자는 것이다. 무지개처럼 각각의 색을 인정해 조화를 이루는 것이 인위적으로 하나의 색으로 통일하려는 과정에서 일어나는 불필요한 갈등과 충돌을 막고 다양성을 통해 발전을 이룰 수 있다는 생각이다.

– 김종득, "차별 없는 내·외국인 근로자! 함께하는 글로벌 문화!"

핵심 확인
다문화 모델은 타 문화에 대한 관용을 바탕으로 이주민의 문화와 자율성을 존중한다.

이것만은 꼭!

다음 설명이 차별적 배제 모델에 해당하면 '차', 동화 모델에 해당하면 '동', 다문화 모델에 해당하면 '다'라고 쓰시오.

(1) 소수 문화의 정체성과 문화적 다양성을 존중해야 한다. (   )
(2) 이주민 문화는 주류 문화 속에 편입되어 동질화되어야 한다. (   )
(3) 이주민을 특정 목적으로만 받아들이는 분리 정책을 실시해야 한다. (   )

[정답] (1) 다 (2) 동 (3) 차

콕콕! 개념 확인하기

정답과 해설 69쪽

A 문화 다양성과 존중

01 빈칸에 알맞은 말을 쓰시오.

(1) □□□ □□(이)란 한 국가 안에 다양한 인종과 문화적 배경이 다른 사람들이 공존하는 사회를 뜻한다.

(2) 다문화 정책 모델 중 □□□ □□ 모델은 이주민을 특정 목적으로만 받아들이고, 이주민에게 내국인과 동등한 권리를 부여하지 않는다.

02 다문화 사회의 정책 모델과 대표 이론을 바르게 연결하시오.

(1) 동화 모델 • • ㉠ 국수 대접 이론

(2) 다문화주의 • • ㉡ 용광로 이론

(3) 문화 다원주의 • • ㉢ 샐러드 볼 이론

03 알맞은 설명에 ○표를 하시오.

(1) 다양한 문화에 대한 존중을 (문화 상대주의 , 윤리 상대주의)로 확장해서 이해해서는 안 된다.

(2) 인종·종교 차별은 자유, 인권, 평등과 같은 (보편적 , 특수적) 가치를 훼손하므로 존중의 대상이 될 수 없다.

(3) 다문화에 대한 존중과 관용에는 한계가 (있음 , 없음)을 인식해야 한다.

B 종교의 공존과 관용

04 빈칸에 알맞은 말을 쓰시오.

인간은 종교를 통해 인간의 실존적 문제 상황을 해결하고 삶의 궁극적 의미를 발견하려 한다. 그런 의미에서 인간을 (   )(이)라고 한다.

05 종교와 윤리의 특성을 바르게 연결하시오.

(1) 종교 • • ㉠ 초월적 세계와 궁극적 세계에 근거한 신념과 교리 제시

(2) 윤리 • • ㉡ 인간의 이성과 상식, 양심에 근거한 규범 제시

06 다음 설명이 옳으면 ○표, 틀리면 ×표를 하시오.

(1) 종교와 윤리는 모두 도덕성과 윤리의 실천을 중시한다는 점에서 공통점을 지닌다. (   )

(2) 종교 간의 공존을 위해서는 타 종교에 대한 배타성을 인정하고 이해하는 태도를 지녀야 한다. (   )

(3) 종교 간의 공존을 위해서는 다른 종교인은 물론 종교를 갖지 않은 사람에게도 관용의 자세를 가져야 한다. (   )

탄탄! 내신 다지기

A 문화 다양성과 존중

01 다음 글에 나타난 사회에 대한 옳은 설명만을 〈보기〉에서 있는 대로 고른 것은?

> • 국제결혼이나 외국인 노동자 채용이 증가하고 있다.
> • 오늘날 국제 사회에서 문화와 인적 교류가 활발히 이루어지고 있다.
> • 전체 인구에서 이질적 배경을 가진 사람들의 비율이 증가하고 있다.

〈보기〉
ㄱ. 문화적 배경이 다른 사람들에 대한 관용의 자세가 요구된다.
ㄴ. 세계화의 진행으로 국가 간의 교류가 줄어들면서 등장하였다.
ㄷ. 문화적 정체성을 지키기 위해서 다른 문화를 받아들이지 않는 일이 늘어난다.
ㄹ. 새로운 문화 요소의 도입으로 문화가 발전할 수 있는 기회가 확대되기도 한다.

① ㄱ, ㄴ ② ㄱ, ㄹ ③ ㄴ, ㄷ
④ ㄱ, ㄷ, ㄹ ⑤ ㄴ, ㄷ, ㄹ

02 ㉠에 대한 설명으로 옳은 것은?

> 다문화에 대한 다양한 정책 중에서 ㉠동화(同化) 모델은 이민자들이 거주국의 기존 문화와 관습 등을 받아들여 소수의 비주류 문화를 주류 문화에 편입하고자 하는 입장이다. 미국의 '용광로(melting pot) 이론'이 대표적이다.

① 문화의 다양성과 공존을 강조하는 입장이다.
② 소수 민족의 문화와 인권을 최대한 존중한다.
③ 사회 통합과 질서 유지에 유리하다는 장점이 있다.
④ 주류 문화를 기반으로 하여 비주류 문화와 공존을 추구한다.
⑤ 특정 지역이나 특정 직업에서만 이주민을 받아들이자고 주장한다.

03 다음 다문화 정책 모델을 지지하는 사람의 입장에서 긍정의 대답을 할 질문으로 가장 적절한 것은?

> 이민자는 국가 정책을 통해 통합해야 할 사회의 일부가 아니라 손님으로 대우해야 한다. 즉 3D 직종의 노동 시장과 같은 특정 경제 영역에만 받아들이고, 복지 혜택, 국적과 시민권, 선거권과 피선거권 부여와 같은 사회적·정치적 영역에서는 이주민을 받아들이지 말아야 한다.

① 소수 문화를 인정하고 존중해야 하는가?
② 다양한 문화를 있는 그대로 인정해야 하는가?
③ 이주민의 문화를 내국인과 동등하게 인정하는 것은 부당한가?
④ 주류 문화를 기반으로 하여 비주류 문화와 공존을 추구해야 하는가?
⑤ 문화 집단이 각자의 정체성을 유지하면서 대등하게 공존해야 하는가?

04 다음과 같은 태도가 사회에 미칠 수 있는 영향으로 가장 적절한 것은?

> 옳고 그름에 대한 보편적이고 절대적인 기준은 없다. 또한 모든 사회에 공통적으로 적용할 수 있는 보편타당한 윤리 규범은 존재하지 않는다. 명예 살인과 같은 관습도 충분히 허용될 수 있어야 한다.

① 인간의 존엄성과 인권이 강화된다.
② 다양한 문화가 공존하며 조화를 이루게 된다.
③ 문화적 획일화가 진행되어 문화의 역동성이 저해된다.
④ 보편 윤리의 존재를 부정하고 문화에 대한 성찰을 방해한다.
⑤ 문화를 비판적으로 받아들여 바람직한 문화 발전의 원동력이 된다.

05 다음 글을 통해 유추할 수 있는 내용으로 가장 적절한 것은?

> 관용은 자기 생각에 잘못이나 한계가 있음을 자각하고, 다른 생각이나 문화를 인정하고 받아들이려는 이성적 태도를 가리킨다. 하지만 아무 제약 없는 관용은 반드시 관용의 소멸을 불러온다. 우리는 관용의 이름으로 불관용을 관용하지 않을 권리를 천명해야 한다.
>
> – 칼 포퍼, "열린 사회와 그 적들"

① 관용의 실천은 무제한적으로 이루어져야 한다.
② 관용의 제한은 법적 근거에서 이루어져야 한다.
③ 관용을 부정하는 태도에 대해서도 관용해야 한다.
④ 관용은 사회 질서를 어지럽히므로 최소한으로 이루어져야 한다.
⑤ 관용은 보편적인 가치를 추구하는 범위 안에서 보장되어야 한다.

B 종교의 공존과 관용

06 갑, 을의 입장에 대한 옳은 설명을 〈보기〉에서 고른 것은?

> 갑: 종교와 윤리는 다른 영역에 속하는 문제로 분리해서 보아야 한다. 종교와 윤리는 각각 다른 목적을 추구하기 때문이다.
> 을: 종교와 윤리의 관심 영역은 다르지만, 서로 일정한 관계성을 맺고 있다. 종교는 윤리적 삶에 도움을 주고, 윤리는 종교의 방향성 제시에 기준이 될 수 있기 때문이다.

〈보기〉
ㄱ. 갑은 종교와 윤리의 상호 보완성을 강조하고 있다.
ㄴ. 갑은 종교의 우월성을 토대로 윤리를 이해하고 있다.
ㄷ. 을은 종교와 윤리의 공존 가능성을 언급하고 있다.
ㄹ. 을은 종교와 윤리가 서로의 발전에 도움을 줄 수 있다고 본다.

① ㄱ, ㄴ ② ㄱ, ㄷ ③ ㄴ, ㄷ
④ ㄴ, ㄹ ⑤ ㄷ, ㄹ

07 다음 가르침을 통해 유추할 수 있는 바람직한 종교의 모습으로 옳은 것은?

> • "살생(殺生)하지 말라." – 불교
> • "네 이웃의 재물을 탐하지 말라." – 그리스도교
> • "너에게 고통을 일으키는 일을 남에게 하지 마라." – 힌두교

① 종교적 권위를 확립해야 한다.
② 과학적으로 증명할 수 있는 존재만을 믿어야 한다.
③ 합리적이고 이성적인 자세로 진리를 추구해야 한다.
④ 보편 윤리에 어긋나지 않는 범위 안에서 활동해야 한다.
⑤ 세속에서 벗어나 이상적인 경지에 도달할 수 있는 수행에 힘써야 한다.

서술형 문제

08 다음 글을 읽고 물음에 답하시오.

> 커다랗고 동그란 그릇 안에서 각기 다른 맛과 향, 색을 가진 다양한 채소가 섞여 각자 고유한 맛을 지키면서 하나의 샐러드가 되는 것처럼, 다양한 민족이 자신의 문화 정체성을 유지하며 다른 문화와 조화를 이루어야 한다.

(1) 윗글에 나타난 다문화 정책 이론을 쓰시오.
( )

(2) (1)에서 답한 다문화 정책 이론의 장점과 한계를 서술하시오.

도전! 실력 올리기

01 갑, 을의 입장에서 모두 긍정의 대답을 할 질문으로 가장 적절한 것은?

> 갑: 다문화 사회로 원활하게 이행하기 위해 주류 문화가 사회 통합의 주체로 존속하는 것을 전제로 이주민과 소수 민족의 문화 정체성을 존중해야 한다.
> 을: 다양한 문화를 있는 그대로 인정하면 사회 통합이 어려워진다. 안정된 사회를 위하여 이주민과 소수 문화를 주류 문화에 편입해 하나의 문화로 만들어야 한다.

① 다양한 문화의 공존이 무엇보다 중요한가?
② 이주민의 문화가 지닌 가치를 존중해야 하는가?
③ 주류 문화를 전제로 문화적 다양성을 중시해야 하는가?
④ 이주민과 소수 문화보다 주류 문화가 중심이 되어야 하는가?
⑤ 이주민과 소수 문화는 주류 문화에 편입되어 동질화 되어야 하는가?

수능 유형

02 (가)의 갑, 을의 입장을 (나) 그림으로 표현할 때, A~C에 들어갈 내용으로 가장 적절한 것은?

(가)
갑: 주류 문화는 국수와 국물처럼 중심 역할을 하고, 이주민의 문화는 색다른 맛을 더해 주는 고명이 되어 자신의 문화적 정체성을 유지하면서 공존할 수 있다.
을: 과일, 야채 등 다양한 재료가 만나 어우러진 샐러드 볼처럼 모든 문화가 각자의 고유한 정체성을 유지하면서 공존하는 방향으로 나아가야 한다.

(나)
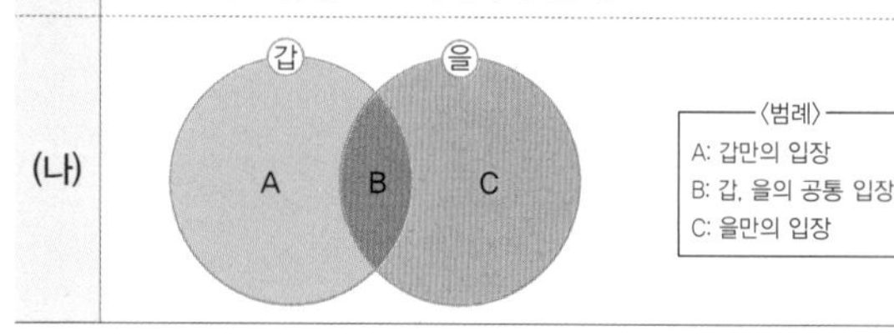

① A: 문화를 융해하여 새로운 문화를 창출해야 한다.
② A: 각 민족의 고유한 문화는 동등한 지위를 누려야 한다.
③ B: 다양한 문화의 존재와 가치를 인정한다.
④ C: 이주민 문화가 주류 문화에 편입되어야 한다.
⑤ C: 문화의 다양성을 인정하면서도 주류 문화가 중심 역할을 해야 한다고 본다.

03 다음 다문화 정책 모델의 입장을 〈보기〉에서 고른 것은?

> 각기 다른 재료들이 섞여 각자 고유의 맛을 지키면서도 하나의 샐러드가 되는 것을 비유한 말로, 여러 민족의 문화가 평등하게 조화되어 다양함이 공존함을 지향한다.

〈보기〉
ㄱ. 이주민들을 특정 목적으로만 받아들인다.
ㄴ. 이주민들의 문화적 정체성을 적극 보호한다.
ㄷ. 이주민의 언어도 공용어로 사용할 수 있게 한다.
ㄹ. 이주민의 문화를 인정하되, 주류 문화를 중심에 두어야 한다.

① ㄱ, ㄴ　② ㄱ, ㄷ　③ ㄴ, ㄷ
④ ㄴ, ㄹ　⑤ ㄷ, ㄹ

수능 유형

04 다음 글의 입장에서 볼 때, 〈가상 대담〉의 ㉠에 들어갈 내용으로 가장 적절한 것은?

> 관용은 문화적 편견과 차별의 문제를 극복하기 위해서 필요하다. 인류의 보편적 가치에 반하는 것들에 대해서는 불관용할 수 있어야 한다. 즉, 개인의 자유권, 생명권과 같은 권리에 대한 침해는 용인되어서는 안 된다. 모든 인간은 자신이 원하는 삶을 자유롭게 선택할 수 있는 권리가 있으며 그 누구도 개인의 자유를 박탈할 수 없다.

〈가상 대담〉
갑: 이런 문화도 관용의 대상인가요? 외국에서 이민을 온 어떤 가족은 여자는 교육받을 필요가 없다고 해서 어린 딸을 학교에 보내지 않았어요. 또 딸이 성인이 되어 외출을 하고 싶어 하는데도 집 밖으로 나가지 못하게 해요.
을: 그런 문화는 [㉠]

① 심각한 인권 침해가 아니므로 용인해야 합니다.
② 부모의 고유한 권리를 존중하여 용인해야 합니다.
③ 자녀의 기본적 권리를 침해하므로 용인해서는 안 됩니다.
④ 종교의 계율과 전통을 충실하게 따른 것이므로 용인해야 합니다.
⑤ 다문화 사회 구성원들의 연대감을 저해하므로 용인해서는 안 됩니다.

정답과 해설 70쪽

05 다음 글의 입장으로 가장 적절한 것은?

> 각 문화의 다양성과 고유성을 존중하는 문화 상대주의는 다양한 문화를 대하는 바람직한 태도이다. 하지만 문화가 상대적이라고 해서 윤리적 가치도 상대적이라고 할 수는 없다. 따라서 문화의 다양성과 특수성을 인정하는 문화 상대주의적 태도를 지니되, 그것이 윤리 상대주의로 흐르지 않도록 주의해야 한다.

① 모든 문화는 절대적 가치를 지닌다.
② 다른 문화에 절대로 간섭하지 말아야 한다.
③ 문화의 옳고 그름을 평가하는 보편적 기준은 없다.
④ 문화의 보편성보다는 특수성이 더욱 중요한 가치이다.
⑤ 보편적 가치를 훼손하는 문화를 비판적으로 성찰할 수 있어야 한다.

수능 유형

06 다음 대화에서 ㉠에 들어갈 진술로 가장 적절한 것은?

> 갑: 다양한 문화를 대할 때는 각각의 문화가 지닌 고유성과 상대적 가치를 이해하고 존중해야 합니다.
> 을: 모든 문화의 다양성을 존중한다면 문화를 비판적으로 성찰할 수 없기 때문에 윤리 상대주의에 빠지는 오류가 생길 수 있습니다.
> 갑: 그래서 문화의 고유성과 상대적 가치를 존중하되, 보편 윤리를 위반하지 않도록 해야 합니다.
> 을: 그것보다는 문화를 평가할 수 있는 절대적 기준을 확립하여 문화를 올바르게 평가하고, 비판적으로 성찰할 수 있어야 합니다.
> 갑: 문화는 절대적 기준으로 평가하는 것이 아닙니다. 당신은 [㉠]

① 윤리 상대주의의 위험성을 간과하고 있습니다.
② 지나치게 문화 사대주의의 입장만을 강조하고 있습니다.
③ 문화는 평가의 대상이 아니라는 사실을 강조하고 있습니다.
④ 자신이 속한 문화만을 우월하게 평가해야 함을 간과하고 있습니다.
⑤ 문화의 공존을 위해서는 다양한 문화를 인정해야 함을 간과하고 있습니다.

수능 유형

07 그림의 토론 주제에 관한 갑, 을의 입장으로 옳지 <u>않은</u> 것은?

• 토론 주제: 도덕의 최종 근거를 종교에서 찾아야 하는가?

도덕의 최종 근거는 종교, 특히 만물을 창조한 신의 명령에서 찾아야 합니다. 불완전한 인간의 판단은 오류의 가능성이 있지만 완전한 존재인 신의 명령은 무조건 옳기 때문입니다.

아닙니다. 신의 명령과 상관없이 그 자체로 옳은 보편타당한 도덕 원리가 있습니다. 인간은 타고난 이성 능력으로 그러한 원리를 인식하여 선악을 판단할 수 있습니다.

① 갑: 도덕적 의무는 오류 가능성이 없는 신의 명령에서 나온다.
② 갑: 인간 이성은 불완전하므로 도덕 판단의 최종 근거가 될 수 없다.
③ 을: 윤리적 판단에서 종교적 권위보다 합리적 이성을 중시해야 한다.
④ 을: 인간은 누구나 선천적으로 옳고 그름을 판단할 수 있는 능력이 있다.
⑤ 갑, 을: 명확하고 보편적인 도덕적 판단 기준은 존재하지 않는다.

08 다음 사상가의 입장을 〈보기〉에서 고른 것은?

> 종교 간 대화 없이 종교의 평화가 있을 수 없고, 종교의 평화 없이 세계의 평화도 있을 수 없다.

보기
ㄱ. 종교들이 공유하는 가르침은 화합과 공존의 태도이다.
ㄴ. 타 종교에 대한 무지와 편견은 종교 간의 갈등과 무관하다.
ㄷ. 종교 간의 관용은 세계 평화의 실현을 위해 필요한 조건이다.
ㄹ. 보편 윤리의 실현과 종교의 단일화는 인류 생존의 조건이다.

① ㄱ, ㄴ ② ㄱ, ㄷ ③ ㄴ, ㄷ
④ ㄴ, ㄹ ⑤ ㄷ, ㄹ

한눈에 보는
대단원 정리

01 예술과 대중문화 윤리

A 예술과 윤리의 관계

(1) 예술의 의미와 기능

의미	아름다움을 표현·창조·감상하는 인간의 활동과 그 산물
기능	• 인간의 감정을 정화하고 인간의 삶을 통찰하게 함 • 인간과 사회가 변화하는 계기를 마련함

(2) 예술과 윤리의 관계에 대한 관점

도덕주의	• 윤리적 가치가 미적 가치보다 우위에 있음 • 참여 예술론: 예술의 사회성과 참여성 강조
심미주의	• 미적 가치와 윤리적 가치는 무관함 • 순수 예술론: 예술의 자율성과 독립성 강조

B 예술의 상업화 문제

긍정적 측면	• 일부 계층이 누리던 예술을 대중도 누리게 됨 • 다양한 예술 분야가 발전함
부정적 측면	• 예술의 미적 가치와 윤리적 가치를 간과함 • 예술 작품을 부의 축적 수단으로 간주하게 됨

C 대중문화의 윤리적 문제

(1) 대중문화와 관련된 윤리적 문제

폭력성과 선정성	소비자의 이목을 끌기 위해 폭력성과 선정성을 극대화함 → 대중 정서에 악영향을 미침, 모방 범죄로 이어질 수 있음
자본 종속 문제	• 자본의 힘이 대중문화를 지배하는 현상 • 획일화된 문화 상품 양산 → 문화의 다양성 위축 • 아도르노: 현대 예술은 자본에 종속되어 '문화 산업'으로 전락함

(2) 대중문화에 대한 윤리적 규제 논쟁

찬성	대중문화의 폭력성·선정성 등이 대중에 미칠 부정적 영향을 방지해야 함
반대	대중문화가 강자의 이데올로기를 일방적으로 전달하는 도구로 전락할 수 있음

02 의식주 윤리와 윤리적 소비

A 의식주 문화와 관련된 윤리적 문제

(1) 의복 문화의 윤리적 문제

유행 추구 현상	획일화와 몰개성화, 패스트 패션으로 인한 노동·환경 문제
명품 선호 현상	과소비와 사치 풍조 등 그릇된 소비 풍조 조장

(2) 음식 문화의 윤리적 문제

식품 안전성 문제	유전자 변형 농산물의 안전성 문제 등
환경 문제	화학 비료 등으로 토양·수질 오염 증가, 무분별한 소비로 음식 쓰레기 증가, 식품 운송에 따른 탄소 배출량 증가
동물 복지 문제	육류 대량 생산을 위한 공장식 축산업 증가 → 동물 학대 문제 발생
음식 불평등	빈부 격차 심화에 따른 식량 수급 불균형

(3) 주거 문화의 윤리적 문제

- 주거의 불안정성과 불평등 문제
- 공동 주택의 폐쇄성으로 인한 이웃 간 소통 단절과 갈등 문제
- 과도한 주거 밀집으로 인한 삶의 질 저하 문제

B 윤리적 소비문화

(1) 합리적 소비와 윤리적 소비

합리적 소비	경제 상황을 고려한 효율적 소비
윤리적 소비	윤리적 가치 판단에 따라 상품이나 서비스를 구매하고 사용하는 것을 중시하는 소비

(2) 윤리적 소비의 형태

불매 운동	윤리적 문제를 일으킨 기업의 제품 구매 거부
긍정적 구매	윤리적 상품 구매 예 공정 무역 상품, 유기농 제품, 동물 복지 인증을 받은 제품 구매
관계적 구매	생산자와 소비자가 직접 관계를 맺고 물건을 사고파는 것 예 생활 협동조합
지속 가능한 소비	미래 세대까지 고려하여 환경적으로 건강하고 지속 가능한 소비를 하는 것 예 일회용품 구매 자제

03
다문화 사회의 윤리

A 문화 다양성과 존중

(1) 다문화 사회의 의미와 영향

의미	한 국가 안에 다양한 인종과 문화적 배경이 다른 사람들이 공존하는 사회
영향	• 문화 발전의 기회가 확대됨 • 다양한 문화적 요소 충돌로 갈등이 발생함

(2) 다문화 사회의 정책 모델

차별적 배제 모델	• 이주민을 특정 지역이나 노동 영역에만 받아들임 • 이주민을 내국인과 동등한 권리를 가진 존재로 인정하지 않음
동화 모델	• 이주민 문화와 같은 소수 문화는 주류 문화에 통합되어야 함 • 사회적 연대감과 결속력을 강화할 수 있지만, 다양한 문화 상실로 이주민의 정체성이 약화됨 • 대표 이론: 용광로 이론
다문화 모델	• 이주민의 고유한 문화와 자율성을 존중함 • 샐러드 볼 이론(다문화주의): 다양한 문화를 평등하게 인정함 • 국수 대접 이론(문화 다원주의): 주류 문화의 정체성을 유지하면서 비주류 문화와의 공존을 인정함

(3) 다문화 사회에서 요구되는 존중과 관용

존중	다른 나라의 문화를 존중하는 문화 상대주의 자세 필요
관용	다문화에 대한 관용에도 한계가 있음을 인식해야 함 → 관용의 역설 경계

B 종교의 공존과 관용

(1) 종교의 의미와 종교와 윤리의 관계

종교의 의미	• 신앙 행위와 종교의 가르침, 성스러움과 관련된 심리 상태 등의 다양한 현상을 아우르는 말 • 인간은 종교적 존재: 종교를 통해 인간은 실존적 문제 상황을 해결하고 삶의 궁극적 의미를 발견하려 함
종교와 윤리의 관계	• 종교: 초월적 세계에 근거한 종교적 교리 제시 • 윤리: 인간의 이성, 양심에 근거한 규범 제시 • 공통점: 인간 존엄성을 실현하는 윤리적 계율 중시 • 종교는 윤리적 삶을 고양하는 데 도움을 주고 윤리는 종교가 올바른 방향으로 나아가는 데 도움을 줌

(2) 종교 간 갈등의 원인과 극복 방안

갈등의 원인	• 자기 종교만 맹신하는 태도 • 다른 종교의 존재를 인정하지 않는 배타적인 태도 • 타 종교에 대한 무지와 편견, 선입견 • 교리 해석의 차이
갈등의 극복 방안	• 종교의 자유 인정: 타 종교에 대한 자율성을 인정하고 이해하는 태도를 가져야 함 • 타 종교에 대한 관용: 다른 종교인은 물론 종교를 갖지 않은 사람에게도 관용의 자세를 가져야 함 • 종교 간 적극적인 대화와 협력: 사랑과 자비, 평등과 평화 같은 보편적 가치를 바탕으로 협력하고자 하는 종교 간 노력이 필요함 • 큉: "종교 간의 대화 없이 종교 간의 평화 없고, 종교 평화 없이는 세계 평화도 없다."

한번에 끝내는
대단원 문제

정답과 해설 72쪽

01 다음 사상가의 입장을 〈보기〉에서 고른 것은?

> 성인은 조석으로 음(音)을 듣고 마음을 씻어 혈맥을 고동치게 함으로써 화평한 뜻을 유발하도록 했던 것이다. 그러므로 순임금이 나라를 세울 때 악(樂)이 완성됨에 따라 그 효과로 모든 관원이 성실하게 화합하고 덕으로 겸양했으니 인간은 반드시 음악으로써 가르치는 것이 알맞지 않은가. 그러므로 예(禮)와 악(樂)은 잠시도 몸에서 떠나서는 안 된다.

〈보기〉
ㄱ. 예술의 독자성을 보장해야 한다.
ㄴ. 예술은 인간의 도덕성 향상에 기여한다.
ㄷ. 예술의 목적은 미적 가치의 구현에 있다.
ㄹ. 예술은 윤리와 도덕의 인도를 받아야 한다.

① ㄱ, ㄴ ② ㄱ, ㄷ ③ ㄴ, ㄷ
④ ㄴ, ㄹ ⑤ ㄷ, ㄹ

02 을에 대한 갑의 평가로 옳지 않은 것은?

> 갑: '미(美)는 도덕성의 상징이다.'라고 말할 수 있으며, 더 나아가 미는 도덕성의 실현에 기여할 수 있다.
> 을: 어떠한 예술가도 윤리적 동정심을 가지고 있지 않다. 예술가에게 윤리적 동정심이란 용서할 수 없는 매너리즘이다.

① 예술이 사회에 미치는 영향력을 강조하고 있다.
② 예술이 도덕적 평가의 대상이 되어야 함을 간과하고 있다.
③ 예술은 예술 그 자체를 위해 존재해야 함을 강조하고 있다.
④ 예술은 도덕과 사회로부터 자유로울 수 없음을 간과하고 있다.
⑤ 예술은 미적 가치를 생산하는 활동이어야 함을 강조하고 있다.

03 ㉠에 들어갈 내용으로 가장 적절한 것은?

> 갑: 사업에서 성공하는 것은 가장 환상적인 예술입니다. 돈 버는 일은 예술이고, 일하는 것도 예술이며, 잘 되는 사업은 최고의 예술입니다.
> 을: 저는 그렇게 생각하지 않습니다. 미술 전체가 거대한 투기 사업이 되었으며, 진정으로 그림을 좋아하는 사람은 많지 않습니다. 사람들은 확신이 없어서 가장 비싼 것만 구입하는 상황입니다.
> 갑: 예술의 상업화를 너무 부정적으로 보는 것은 바람직하지 않습니다. 왜냐하면 예술의 상업화는 [㉠]

① 예술가에게 창작 의욕을 북돋울 수 있기 때문입니다.
② 예술 작품의 윤리적 가치를 지킬 수 있기 때문입니다.
③ 예술 작품이 획일화되고 표준화될 수 있기 때문입니다.
④ 예술 작품을 단지 부의 축적 수단으로 바라보기 때문입니다.
⑤ 예술 작품이 자본에 종속되는 결과를 초래할 수 있기 때문입니다.

04 다음 사상가의 입장에서 부정의 대답을 할 질문으로 가장 적절한 것은?

> 현대 자본주의 사회는 과거보다 교묘하고 더욱 효과적인 방법으로 대중을 다룰 수 있게 되었다. 문화 산업은 대중을 통제함으로써 지배 계급의 이념을 재생산하며, 그 속에서 개인은 자유롭고 욕구를 실현하는 것처럼 보이지만 실상은 그 욕구들도 문화 산업에 의해 결정된 것이며, 경제적·사회적 산물일 뿐이다.

① 대중은 사유의 주체가 아닌 객체인가?
② 대중은 문화의 주체적 생산자가 될 수 있는가?
③ 문화 산업으로 예술의 본질 실현이 어려워지는가?
④ 문화 산업은 대중을 지배하는 도구가 될 수 있는가?
⑤ 문화 산업으로 대중의 다양한 욕구가 충족되지 못하는가?

05 그림은 서술형 평가 문제와 학생 답안이다. 학생 답안의 ㉠~㉤ 중 옳지 않은 것은?

> **서술형 평가**
>
> ◎ **문제:** 음식과 관련된 윤리적 문제에 대해 서술하시오.
> ◎ **학생 답안**
> 음식과 관련된 윤리 문제에는 다음과 같은 것들이 있다. ㉠식품과 관련된 안전성 문제로 유전자 변형 농산물, 인체에 해로운 첨가제 등이 생명권을 위협한다는 문제가 있고, ㉡환경과 관련된 문제에는 식품의 원거리 이동에 따른 탄소 배출량이 감소하면서 로컬 푸드가 증가하는 문제가 있다. 또한 ㉢육류 소비가 증가하고 대규모 공장식 사육과 도축으로 인한 동물 복지 문제가 대두되고 있다. 그리고 ㉣제3세계 인구가 증가하고, 국가 간 빈부 격차가 심화되면서 나타나는 음식 불평등 문제도 있다. 이 외에도 ㉤인스턴트 식품이나 정크 푸드를 손쉽게 구할 수 있어 비만을 초래하는 문제도 제시할 수 있다.

① ㉠ ② ㉡ ③ ㉢ ④ ㉣ ⑤ ㉤

06 갑, 을의 공통된 입장으로 가장 적절한 것은?

> 갑: 소비는 자신을 넘어 사회와 환경에 이르기까지 영향을 미친다. 따라서 장기적인 관점에서 사회와 환경에 미치는 영향을 고려하여 보편적·윤리적 가치가 포함된 소비를 해야 한다.
> 을: 소비의 가장 중요한 목적은 만족감 충족이다. 소비자는 자신의 욕구와 상품에 대한 정보를 바탕으로 자신의 경제적 여건 내에서 최소 비용으로 최대의 만족과 효용을 얻을 수 있어야 한다.

① 소비를 확대하여 삶과 사회를 풍요롭게 해야 한다.
② 환경에 악영향을 끼치는 제품의 구매를 삼가야 한다.
③ 제품 이미지 소비를 통해 과시 욕구를 충족해야 한다.
④ 경제적 효율성과 만족도를 기준으로 소비를 해야 한다.
⑤ 불필요한 사치를 줄이고 절제하는 소비 습관을 가져야 한다.

07 (나)의 입장에 비해 (가)의 입장이 갖는 소비 형태의 상대적 특징을 그림의 ㉠~㉤ 중에서 고른 것은?

> (가) 소비의 올바른 기준은 상품과 서비스를 구입하고자 할 때 공동체, 인권, 환경 등 도덕적 가치를 충족시키느냐 하는 것이다.
> (나) 소비의 올바른 기준은 가격과 품질, 소비에 따른 기회비용과 만족감을 충족시키느냐 하는 것이다.

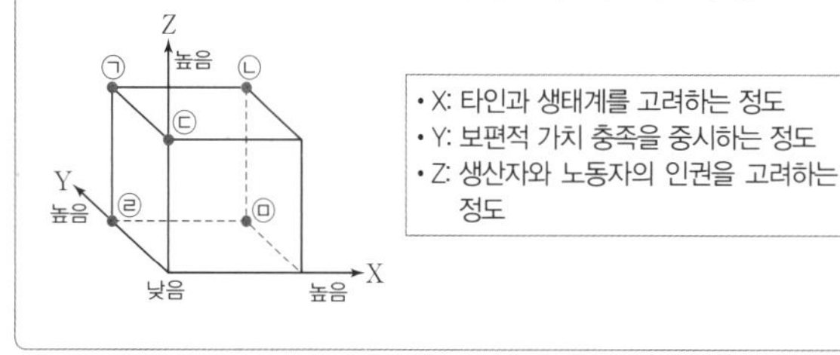

① ㉠ ② ㉡ ③ ㉢ ④ ㉣ ⑤ ㉤

08 다음 무역 형태의 올바른 실천 방법에만 모두 'V'를 표시한 학생은?

> 선진국과 개발 도상국 간의 불공정한 무역 구조에서 발생하는 부의 편중, 노동력 착취 등의 문제를 해결하기 위해 등장한 무역 형태로 윤리적 소비의 대표적 실천 사례라고 할 수 있다.

번호	학생 / 실천 방법	갑	을	병	정	무
(1)	생산자에게 최저 구매 가격을 보장한다.	V	V		V	
(2)	생산자와 직거래를 통해 유통과정을 줄인다.	V		V	V	V
(3)	아동과 청소년의 노동력이 착취되지 않도록 한다.		V		V	V
(4)	장기 계약보다는 단기 계약을 통해 근로자의 생산 환경을 보호한다.			V		V

① 갑 ② 을 ③ 병 ④ 정 ⑤ 무

09 갑의 입장에 비해 을의 입장이 갖는 상대적 특징을 그림의 ㉠~㉤ 중에서 고른 것은?

갑: 이민자는 우리 사회의 일원이 되기 위해 출신국의 사회적 특성과 정체성을 포기해야 한다. 여러 문화가 섞이면 혼란을 야기할 수 있으므로 문화의 단일성을 유지해야 한다.
을: 각기 다른 맛을 가진 채소와 과일들이 조화를 이루어 샐러드를 만들듯이, 다양한 구성원들이 상호 공존하면서 각각의 색깔을 지니면서도 조화를 이루는 사회를 만들어야 한다.

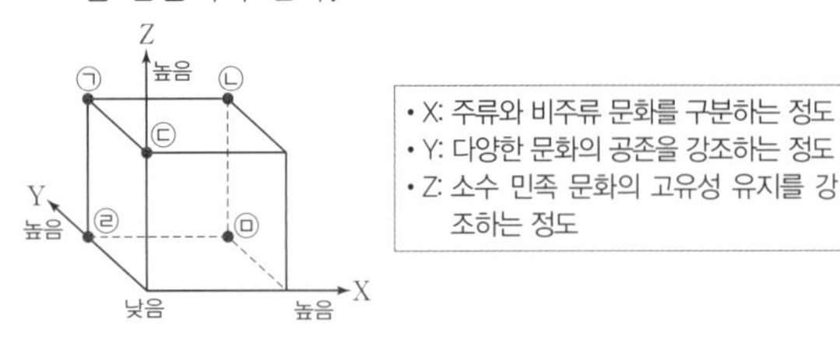

① ㉠ ② ㉡ ③ ㉢ ④ ㉣ ⑤ ㉤

10 갑, 을의 입장에서 모두 긍정의 대답을 할 질문을 〈보기〉에서 고른 것은?

갑: 그릇에 담긴 야채가 고유한 맛과 색을 유지하면서도 맛의 조화를 이루듯이, 다양한 문화적 배경을 가진 민족들이 각각의 특성을 유지하면서도 함께 공존할 수 있다.
을: 국수 대접의 면과 국물이 주된 것이 되고 그 위에 얹은 고명이 맛을 더해 주듯이, 우리 문화가 주류 문화로서 위상을 차지하고 이주민 문화가 비주류 문화가 되어 함께 공존할 수 있다.

보기
ㄱ. 이주민의 문화적 정체성 유지를 허용해야 하는가?
ㄴ. 문화들 간의 주체를 가리지 말고 평등하게 대해야 하는가?
ㄷ. 이주민의 문화가 서로 조화롭게 공존할 수 있어야 하는가?
ㄹ. 주류 문화와 비주류 문화의 구분이 사회 통합에 방해가 되는가?

① ㄱ, ㄴ ② ㄱ, ㄷ ③ ㄴ, ㄷ
④ ㄴ, ㄹ ⑤ ㄷ, ㄹ

11 ㉠에 들어갈 내용으로 가장 적절한 것은?

문화 상대주의를 근거로 윤리 상대주의를 주장하는 것은 논리적 오류이다. 모든 다양한 문화 속에는 공통의 정신이나 가치가 있으며 이것은 절대적인 것이다. 그런데 각 문화는 고유성과 독자성을 가지므로 상대적이며, 윤리 또한 문화의 한 부분이므로 다른 문화에 대해 평가를 하는 것을 부정하는 사람들이 있다. 나는 이러한 사람들의 견해가 [㉠]고 생각한다.

① 문화에 대한 윤리적 성찰의 중요성을 간과하고 있다
② 문화적 다양성과 고유성을 인정해야 함을 간과하고 있다
③ 윤리와 달리 문화는 절대적 판단 기준이 없음을 간과하고 있다
④ 보편적 가치를 기준으로 각 문화를 평가해야 함을 강조하고 있다
⑤ 문화 간의 질적 차이를 인정하고 우수한 문화를 수용해야 함을 강조하고 있다

12 다음 사상가가 제시한 종교 간의 갈등을 극복하기 위한 자세로 가장 적절한 것은?

종교는 우리 인간이 이 세상을 사는 동안, 그리고 죽은 후에도 행복해지기 위해서 만들어졌다. 내세에 행복한 삶을 맞이하려면 올바르게 살아야 한다. 우리 인간의 비뚤어진 본성이 허락하는 범위 안에서 현세의 삶을 행복하게 누리려면 관용을 알고 베풀 줄 알아야 한다.

① 다른 종교에 대해 배타적인 자세를 유지한다.
② 모두의 행복을 위해 자신의 종교를 강요해야 한다.
③ 서로 다른 종교 간 교리를 통합하여 단일화해야 한다.
④ 자신과 다른 종교를 가진 사람도 이해하고 존중해야 한다.
⑤ 자기 종교의 진리를 포기하고 다른 종교를 받아들여야 한다.

13 다음 글을 읽고 물음에 답하시오.

예술은 도덕이 미칠 수 있는 영역 밖에 있다. 예술의 눈은 아름답고 불멸하며 끊임없이 변화하는 것에 고정되어 있기 때문이다. 예술가가 다른 사람의 욕구를 만족하게 하려는 순간 그는 예술가임을 포기한 것이며, 예술가에게 윤리적 공감은 독창성을 잃게 하는 것이다.

(1) 윗글에 나타난 예술관을 쓰시오.

( )

(2) 예술에 대한 윤리적 규제에 대한 윗글의 예술관의 입장을 서술하시오.

14 다음 글을 읽고 물음에 답하시오.

푸드 마일리지는 음식 재료가 산지에서 소비지까지 수송되는 거리를 말한다. 푸드 마일리지가 높을수록 배출하는 온실가스가 많다는 뜻이므로, 푸드 마일리지가 낮은 음식 재료를 이용하면 환경 오염에 미치는 영향을 줄일 수 있다. 이러한 의식과 함께 음식 재료의 생산자와 소비자 사이의 거리를 단축하여 식품의 신선도를 극대화하자는 취지에서 ㉠이 운동이 등장하였다. 즉, 음식 재료의 이동 거리를 최소화하여 생산자와 소비자, 나아가 자연환경에도 이익이 돌아가도록 하는 것이다.

(1) ㉠의 명칭을 쓰시오.

( )

(2) ㉠의 사례를 한 가지 이상 제시하고, 이에 따른 장점을 서술하시오.

15 다음 글을 읽고 물음에 답하시오.

다문화 사회 형성을 위한 다양한 모델에는 다음과 같은 종류가 있다.
먼저 차별적 배제 모델은 이주민을 특정 목적으로만 받아들이고, 내국인과 동등한 권리를 인정하지 않는 모델로, 인간의 존엄성과 평등이라는 보편 윤리에 어긋난다는 단점이 있다.
그리고 동화 모델은 이주민이 출신국의 언어적·문화적 특성을 포기하고 주류 사회의 일원이 되게 하는 모델로, 대표 이론으로 [㉠]이/가 있다.
마지막으로 ㉡다문화 모델은 이주민의 고유한 문화와 자율성을 존중하여 문화 다양성을 실현하려는 입장으로, 타문화에 대한 관용을 바탕으로 한다.

(1) ㉠에 들어갈 개념을 쓰시오.

( )

(2) ㉡의 대표적인 이론을 두 가지 서술하시오.

Ⅵ
평화와 공존의 윤리

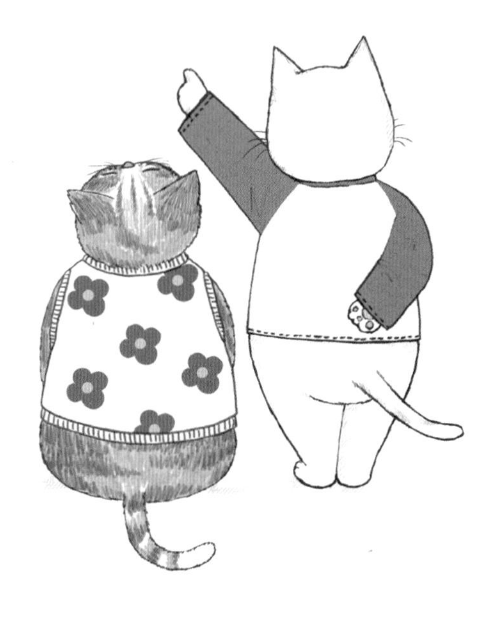

배울 내용 한눈에 보기

01 갈등 해결과 소통의 윤리

사회 갈등에는 이념 갈등, 지역 갈등, 세대 갈등 등이 있어. 이를 극복하기 위해서는 소통과 담론을 통해 사회 통합을 이루어야 해.

02 민족 통합의 윤리

- 통일
  - 윤리적 쟁점 → 통일에 대한 찬반 논쟁, 통일 관련 비용 문제, 북한 인권 문제
  - 통일 한국이 지향해야 할 가치 → 인권, 자유, 정의, 평화

통일을 둘러싼 쟁점으로는 통일에 대한 찬반 논쟁, 통일 관련 비용 문제, 북한 인권 문제가 있어. 이러한 문제를 잘 해결해서 통일 한국은 인권, 자유, 정의, 평화를 지향해야 해.

03 지구촌 평화의 윤리

- 지구촌 평화의 윤리
  - 국제 평화를 실현하기 위한 노력
  - 국제 사회에 대한 책임 → 해외 원조에 대한 다양한 관점

지구촌 평화의 윤리를 실현하기 위해서는 국제 평화를 실현하기 위해 노력하고, 국제 사회에 대한 책임 있는 자세가 필요해.

01 갈등 해결과 소통의 윤리

핵심 질문으로 흐름잡기

A 다양한 사회 갈등의 유형과 사회 통합의 실현 방안은?

B 소통과 담론의 필요성과 이러한 과정에서 필요한 윤리는?

A 사회 갈등과 사회 통합

| 시·험·단·서 | 사회 갈등의 유형을 구분하고, 갈등을 극복하는 데 도움이 되는 다양한 사상을 묻는 문제가 출제돼.

1. 현대 사회와 다양한 갈등

(1) 갈등의 의미: 다양한 개인 혹은 집단이 추구하는 목표나 이해관계가 달라 화합하지 못하거나 적대*시함

(2) 사회 갈등의 원인

① **생각·가치관의 차이:** 자기 생각이나 가치관만을 절대시한 나머지 타인의 생각이나 가치관을 무시할 때 갈등이 발생할 수 있음

② **이해관계의 대립:** 한정된 사회적 자원을 놓고 집단 간에 이해관계가 충돌할 때 갈등이 발생할 수 있음
└ 특정 지역에 사회적 자원이 불공정하게 분배되어 지역 간 격차가 벌어지면 사회 갈등이 더욱 심화될 수 있어.

③ **원활한 소통의 부재:** 의견이 대립하는 주제를 두고 소통이 부족하거나 한쪽에게만 유리하게 결론이 날 때 갈등이 발생할 수 있음

(3) 사회 갈등의 유형

(세대: 역사적, 정치적 사건을 공유한 연령 집단을 말해.)

구분	이념* 갈등	지역 갈등	세대 갈등 자료 1
의미	이상적인 것으로 여기는 생각이나 견해 차이에 따른 갈등	지역주의❶가 정치적으로 이용되고 지역 이기주의로 변질될 때 나타나는 갈등	기술이나 규범의 변화에 빠르게 적응하는 신세대와 상대적으로 그렇지 못한 기성세대의 갈등
특징	경제, 교육 등과 관련된 우리 사회의 모든 쟁점을 이분법적으로 바라봄으로써 발생함	지역의 역사적, 지리적 상황과 결부하여 지역감정❷으로 드러나기도 함	• 각 세대가 서로의 차이를 이해하지 못해 발생함 • 어느 사회에나 존재하는 일반적인 현상임
사례	진보와 보수❸의 갈등	철도, 공항 등 선호 시설을 자기 지역에 유치하려는 경쟁	일자리, 노인 부양 문제 등을 둘러싼 세대 간의 의견 충돌
해소 방안	서로의 가치관을 인정하고 합리적인 의견은 받아들여야 함	지역마다 특색 있게 발전할 수 있도록 국가와 사회가 지원해야 함	세대 간의 차이를 받아들이고 소통을 통해 공감대를 형성해야 함

(4) 사회 갈등의 바람직한 해결: 사회 갈등을 해결해 나가는 과정에서 더 나은 방향으로 사회가 발전할 수 있음 → 사회 갈등의 바람직한 해결을 통해 사회 통합을 이루어야 함
└ 사회 갈등은 사회 구성원들의 소통과 협력을 끌어 낼 수 있다는 점에서 민주주의와 사회 발전에 도움을 주기도 해.

2. 사회 통합의 실현 방안
(사회 통합은 개인의 행복한 삶, 사회 발전, 그리고 국가 경쟁력 강화를 위해 필요해.)

(1) 사회 통합의 의미: 사회 내 개인이나 집단이 상호 작용을 통해 하나로 통합되는 과정

(2) 사회 통합의 실현 방안

① **개인적 차원**
(개인은 사회의 일부로서 공동체의 일에 참여하고 서로 긴밀하게 연결되어 있어서 연대 의식이 필요해.)

• 연대 의식❹을 지녀야 함 자료 2

• 상호 존중과 신뢰에 바탕을 두고 소통해야 하며, 관용과 역지사지*의 자세로 소통하려고 노력해야 함

② **사회적·제도적 차원**

• 사회 통합을 위한 제도와 정책을 마련함

• 공청회 등을 법제화하여 정책의 이해 당사자가 정책 결정 과정에 참여할 수 있어야 함

---

❶ 지역주의
지역주의는 자주성, 자율성, 연대성 등에 기초하므로 지역의 특성과 독자성을 유지하면서 다른 지역과 협력을 추진한다는 긍정적인 의미를 지닌다.

❷ 지역감정
특정한 지역에 살고 있거나 그 지역 출신인 사람에게 다른 지역 사람이 갖는 좋지 않은 생각이나 편견이다.

❸ 진보와 보수
우리나라에서는 주로 진보가 변화, 평등, 노동자 등에 상대적으로 많은 관심을 가지고, 보수는 안정, 성장, 기업가 등에 상대적으로 관심이 많다. 그래서 진보와 보수는 화합할 수 없다고 생각하기 쉽다. 그러나 두 관점 모두 자유, 평등과 같은 인류의 기본 가치를 공유하므로 화합이 가능하다.

❹ 연대 의식
공동체 구성원이 모두 함께 살아가야 한다는 것을 인식하고 공통으로 나누어 가지는 귀속 의식을 말한다.

시험에 잘 나오는 자료

자료 1 정년 연장제를 둘러싼 세대 갈등 관련 문제 ▸ 230쪽 02번

국회 환경 노동 위원회가 「정년 60세 연장법」을 통과시켜 근로자의 정년이 60세 이상으로 늘어난다. 평균 수명이 늘어남에 따라 현재의 정년이 짧다는 여론을 반영하여 여야가 정년을 늘리기로 한 것이다. 하지만, 정년 연장에 대해서는 찬성과 반대 의견이 엇갈린다. 재계*는 정년 연장을 의무화하면 인건비 등 부담이 커질 것이라고 우려하는 반면, 노동계는 일하는 사람은 줄고 부양할 고령자가 급속도로 늘어나는 상황에서 정년 연장은 효과적인 대처법이라고 보아 환영한다.

한편, 정년 연장 의무화가 세대 간 일자리 전쟁의 신호탄이 될 것이라고 우려하기도 한다. 비어야 할 일자리가 정년 연장으로 유지되면 그 피해가 고스란히 청년층에 미치고, 결국 청년 취업자 수는 줄어들고 실업자가 급증할 수밖에 없다는 것이 경제계의 판단이다.

– ○○ 신문, 2013. 4. 26.

자·료·분·석 세대 갈등은 어느 사회에나 연령과 시대별 차이로 나타나는 일반적인 현상이다. 오늘날에는 급속한 사회 변화에 따른 세대 간 갈등이 사회 문제로 대두되고 있다. 최근에는 취업난, 노인 부양 문제 등의 경제적 요인으로 인해 세대 간 의견이 충돌하고 있다.

한·줄·핵·심 기성세대와 젊은 세대 간의 충돌이 가치관의 충돌과 함께 발생하여 각 세대가 서로를 이해하지 못하는 것을 '세대 갈등'이라고 한다.

자료 2 기계적 연대와 유기적 연대 관련 문제 ▸ 232쪽 02번

사회 응집을 유지하기 위해 모두가 똑같은 사람이 되기를 요구한다. 우리의 개성은 사라지고, 우리는 집합적인 생명체가 된다. 그렇게 뭉친 사회적 분자들은 마치 무기체의 분자들처럼 자체의 행동이 없을 때만 함께 행동할 수 있다. 이러한 형태의 연대를 기계적 연대라고 부른다. …(중략)… 이와 반대로 유기적 연대는 분업*의 진전과 함께 나타난다. 기계적 연대는 개인들이 서로 유사할 것을 전제로 하지만, 분업에 의한 유기적 연대는 개인들이 서로 다를 것을 전제로 한다. 기계적 연대는 개인이 집단에 흡수될 때 가능하지만, 유기적 연대는 각 개인이 그 고유한 행동의 영역을 가지고 있을 때만 가능하다. 그러므로 집단이 규제할 수 없는 특수한 기능들을 위해서 개인이 지닌 지적 의식 등을 통제해서는 안 된다. 그 영역이 확장될수록 연대를 기반으로 하는 응집은 강해진다.

– 뒤르켐, "사회 분업론"

자·료·분·석 뒤르켐은 기계적 연대가 구성원들이 동일한 가치와 규범을 공유하여 결속한 상태라면, 유기적 연대는 전문화된 개인들이 개별성을 유지하면서도 상호 의존적으로 결속한 상태라고 주장하였다.

한·줄·핵·심 기계적 연대가 아닌 유기적 연대를 바탕으로 사회 통합을 이루어야 한다.

내용 이해를 돕는 팁

궁금해요

Q. 사회 갈등에는 구체적으로 무엇이 있나요?

A. 소득의 불평등 현상이 심화로 인한 빈부 갈등, 생산의 효율성을 극대화하려는 기업가와 임금·복지 수준 등의 개선을 요구하는 노동자 간의 노사 갈등, 다문화 사회로 진입하면서 이질적인 문화 배경을 지닌 사회 구성원 간의 갈등이 있어.

용어 더하기

* **적대**
적으로 대하거나 적과 같이 대한다는 뜻이다.

* **이념**
한 사회나 집단이 지닌 특정한 가치관이나 믿음을 뜻한다.

* **역지사지(易地思之)**
처지를 바꾸어 생각해 본다는 뜻이다.

* **재계(財界)**
대자본을 지닌 실업가나 금융업자의 활동 분야를 뜻한다.

* **분업**
생산의 모든 과정을 여러 전문적인 부분으로 나누어 여러 사람이 분담하여 일을 완성하는 노동 형태이다.

3. 사회 갈등을 극복하기 위한 동서양의 지혜

(1) 원효의 화쟁 사상[5] — 원효가 불교의 여러 교설 간의 대립을 해소하기 위해 제시한 사상이야.

① 모든 종파와 사상을 분리시켜 고집하지 말고 더 높은 차원에서 하나로 종합해야 한다고 주장함

② 갈등 상황에 있는 개인이나 집단이 자신에 대한 집착과 상대방에 대한 편견을 버려야 서로 화해하고 포용할 수 있음

(2) 공자의 화이부동[6]

① 군자는 자신의 도덕 원칙을 지키면서 주변과 조화를 추구하지만, 소인은 자신의 원칙을 버리고 남과 같아지는 데만 급급함

② 자기 것을 지키되 남의 것도 존중하여 서로 다른 생각이 공존하도록 노력해야 함

(3) 스토아학파의 세계 시민주의

① 인간의 본질은 이성이며, 모든 인간은 이성을 지니므로 평등함

② 모든 사람을 인종, 혈통 등에 의해 차별하지 않고 세계의 동등한 시민으로 대우해야 함

B 소통과 담론의 윤리

| 시·험·단·서 | 하버마스의 담론 윤리의 특징을 묻는 문제가 출제돼.

1. 사회 통합을 위한 윤리적 소통과 담론[7]의 필요성

(1) 사회 구성원의 자발적이고 적극적인 참여를 이끌어 낼 수 있음

(2) 소통과 담론을 통한 합의는 도덕적 정당성과 설득력을 지니게 됨

2. 소통과 담론 윤리

(1) 하버마스의 담론 윤리 자료 3 자료 4 — 독일의 대표적인 담론 윤리학자로, 의사소통의 합리성을 강조했어.

① 수많은 의견이 갈등하는 다원주의 사회에서도 대화와 타협, 담론으로 공정하게 판단하고 이상적인 합의에 도달할 수 있음

② 담론 상황이 이상적 대화 상황에 부합할 때 합리적으로 의사소통을 할 수 있다고 봄 → '이상적 담화' 조건 제시

이해 가능성	대화에 참여한 상대방이 이해할 수 있는 말을 해야 함
정당성	주장은 사회적으로 정당한 규범에 근거해야 함
진리성	주장은 참이며 진리에 바탕을 두어야 함
진실성	자신이 말한 의도를 상대방이 믿을 수 있도록 진실하게 표현해야 함

③ 사회를 통합할 수 있는 가능성을 의사소통 영역인 공론장[8]에서 찾음

(2) 아펠의 담론 윤리

① '인격의 상호 인정'은 진정한 소통을 위한 기본 전제임을 주장함

② 의사소통 공동체의 모든 구성원이 져야 하는 숙고적인 책임을 강조함 → 담론에 참여해야 할 책임과 의사소통 공동체를 유지해야 할 책임을 동시에 지님

— 아펠은 모든 구성원이 져야 하는 책임은 개인의 역할 책임과는 다른 도덕적 책임이라고 보았어.

3. 담론 윤리의 한계와 의의

(1) 담론 윤리의 한계: 합의 과정의 형식적인 조건과 절차로 도덕 규범의 정당성을 파악하므로 합의된 내용에 대해 도덕적 옳고 그름을 평가하기 힘듦

(2) 담론 윤리의 의의: 현대 사회의 다양한 문제를 구성원들의 합리적인 의사소통을 통해 해결하고자 함

⑤ 화쟁(和諍) 사상
원효의 핵심 사상으로, 서로 다른 종파들 간의 다툼[諍]을 더 높은 차원에서 조화[和]하고자 하는 것이다.

⑥ 화이부동(和而不同)
"군자는 다른 사람들과 평화롭게 지내되, 그들과 동화되어 같아지지는 않는다."는 뜻으로, 곧 남과 화목하게 지내지만 자기의 중심과 원칙을 잃지 않는다는 의미이다.

⑦ 담론
갈등이나 문제를 해결하기 위한 이상적 의사소통 행위로, 주로 토론의 형태로 이루어진다.

⑧ 공론장
시민 사회 내부에서 작동하는 의사소통 망으로, 언론, 텔레비전의 공론, 문학적 공론, 정치적 공론, 학술적 공론 등 매우 다양하다.

시험에 잘 나오는 자료

자료 3 하버마스가 제시한 이상적 담화의 조건 관련 문제 ▶ 233쪽 07번

이상적 대화 상황은 자유롭고 평등한 토의가 이루어지는 상황으로, 더 나은 주장에 근거하여 도달한 합의에 따라서만 규제되는 상황을 말한다. 이러한 대화 상황을 위해서는 다음의 조건을 만족해야 한다. 첫째, 표현의 이해 가능성으로, 이해 가능성을 사실적으로 전제해야 한다. 둘째, 표현하는 명제는 참된 명제이어야 한다. 셋째, 제시하는 의견이 규범적 맥락에서 정당해야 한다. 넷째, 말하는 주체가 진실하여야 하며 진지한 발언 태도를 지녀야 한다. 따라서 대화 상황에 참여하는 사람들은 본인이나 다른 대화 상대자를 기만하거나 속일 의도를 가져서는 안 된다. 또한 대화 참여자들은 각각 담론에 효율적으로 참여할 기회가 평등하게 주어져야 한다. – 하버마스, "의사소통 행위 이론"

자·료·분·석 하버마스는 현대 사회의 다양한 문제를 해결하기 위한 공정한 담론 절차를 강조하면서 자유로운 대화를 통한 상호 합의가 있어야 한다고 주장하였다. 이를 위해 올바른 대화의 기준으로 서로 무슨 뜻인지 이해할 수 있고, 대화의 내용이 참이고, 사회적으로 정당한 규범에 근거해야 하며, 진실하게 표현해야 한다고 주장하였다.

한·줄·핵·심 하버마스는 의사소통의 합리성을 실현하기 위해 이해 가능성, 정당성, 진리성, 진실성이라는 이상적 담화 조건을 제시하였다.

자료 4 하버마스가 제시한 담론의 보편화 원칙

모든 타당한 규범은 다음의 조건을 충족해야 한다. 모든 개인의 이해를 만족하기 위해서 그 규범을 일반적으로 따를 때 발생할 수 있는 결과와 부작용을 모든 당사자가 수락할 수 있어야 한다. 그리고 이미 알고 있는 대안적 조절 가능성의 효과보다 결과와 부작용을 고려해야 한다. …(중략)… 어떤 준칙이 일반 법칙이 되기를 바란다면 다른 사람들에게 이 준칙의 타당성을 규정적으로 명령하거나 강제하지 말아야 한다. 개인이 모순 없이 일반 법칙으로 원할 수 있는 것부터 모든 사람이 일치하여 보편적 규범으로 승인하기를 원하는 것으로 무게 중심을 이행해야 한다. – 하버마스, "도덕의식과 소통적 행위"

자·료·분·석 하버마스는 담론 윤리에서 실천적 담론의 참여자로서 모든 당사자들의 동의를 얻을 수 있는 규범만이 타당하다는 실천적 담론 원칙, 그리고 모든 당사자들은 타당한 규범을 따를 때 나타날 수 있는 결과와 부작용을 알고 받아들여야 한다는 보편화 원칙을 강조하였다.

한·줄·핵·심 하버마스는 대화에서 논의되는 규범이 타당성을 가지기 위해서는 모든 구성원이 이 규범을 준수할 때 생기는 결과와 부작용을 어떤 강요 없이 받아들일 수 있어야 한다고 주장하였다.

내용 이해를 돕는 팁

용어 더하기

* **종파**
  부처의 여러 가르침 가운데 제각기 내세우는 요지, 해석, 의식, 수행 방법 등의 차이에서 나누어진 갈래를 의미한다.
* **포용**
  남을 너그럽게 감싸 주거나 받아들이는 것이다.
* **군자**
  행실이 점잖고 어질며 덕과 학식이 높은 사람을 말한다.
* **소인**
  도량이 좁고 간사한 사람을 말한다.
* **아펠(Apel, K. O)**
  독일의 사회학자이자 철학자이다. 보편적인 윤리 규범은 토론을 통해 합리적으로 조정하는 과정에서 만들어진다고 본다. 하버마스와 더불어 대표적인 담론 윤리 사상가이다.

사회 갈등을 극복하기 위한 동양의 지혜는?

개념풀 Guide 사회 갈등을 극복하는 데 도움을 주는 공자의 화이부동, 원효의 화쟁 사상을 알아보자.

관련 문제 ▶ 233쪽 06번

핵심 짚어보기

공자의 화이부동	• 군자는 다른 사람들과 평화롭게 지내지만 그들과 동화되어 같아지지는 않는다는 뜻 • 남과 화목하게 지내지만 자기 중심과 원칙을 잃지 않고 남과 조화를 이루어야 함 • 자기 것을 지키되 남의 것도 존중하여 서로 다른 생각이 공존하도록 노력해야 함
원효의 화쟁 사상	• 모든 종파와 사상을 분리시켜 고집하지 말고 더 높은 차원에서 하나로 종합해야 함 • 자신에 대한 집착과 상대에 대한 편견을 버려야 갈등을 해결할 수 있음 • 자신이 바라보는 것이 부분에 지나지 않음을 인정하고, 다른 사람들이 바라보는 부분과 조합하여 더욱 타당한 견해에 이를 수 있음

자료에서 핵심 찾아보기

자료 ❶ 군자(君子)는 남과 조화를 이루지만 이익에 따라 남과 동일한 행동을 하지 않으며[화이부동(和而不同)], 소인(小人)은 이익에 따라 남과 동일한 행동을 하기는 하지만 남과 조화를 이루지는 못한다[동이불화(同而不和)].

– 공자, "논어"

핵심 확인
공자에 따르면, 군자는 다른 사람과 조화를 이루지만 물질적 이득이나 자신의 욕심을 채우기 위해 남과 동일하게 행동하지는 않는다.

자료 ❷ 일심(一心)이란 무엇인가? 깨끗함과 더러움은 그 성품이 다르지 않고, 참과 거짓 또한 서로 다르지 않다. 그러므로 '하나'라고 한다. 둘이 없는 곳에서 모든 진리가 가장 참되고 헛되지 않아 스스로 아는 성품이 있으니 '마음'이라고 한다. 그러나 둘이 없는 데 어찌 하나가 있으며, 하나가 없는데 무엇을 마음이라고 하는가? 이 마음은 언어와 생각을 초월했으니, 무엇이라고 할 수 없어 억지로 하나의 마음이라고 한다.

– 원효, "대승기신론소"

핵심 확인
원효는 일심 사상을 바탕으로 화쟁 사상을 펼쳤다. 화쟁 사상이란 모든 논쟁에 대해 화해를 추구하는 이론이다.

이것만은 꼭!

다음 내용이 옳으면 ○표, 틀리면 ×표를 하시오.

(1) 원효는 모든 논쟁에 대해 화해를 추구해야 한다는 화쟁 사상을 주장하였다. (　　)

(2) 공자는 소인은 자신의 도덕적 원칙을 지키면서 남과 조화를 이룬다고 보았다. (　　)

(3) 원효는 특정한 종파를 중심으로 다른 종파의 이론을 수용해야 한다고 주장하였다. (　　)

(4) 공자는 남과 조화를 이루지만 이익에 따라 남과 동일한 행동을 하지 말아야 한다고 주장하였다. (　　)

[정답] (1) ○ (2) × (3) × (4) ○

콕콕! 개념 확인하기

정답과 해설 74쪽

A 사회 갈등과 사회 통합

01 사회 갈등의 유형과 그에 대한 설명을 바르게 연결하시오.

(1) 이념 갈등 •
(2) 지역 갈등 •
(3) 세대 갈등 •

• ㉠ 경제, 문화 등과 관련된 사회의 모든 쟁점을 이분법적으로 바라봄으로써 생기는 갈등
• ㉡ 신세대와 기성세대 간의 이해 충돌로 생기는 갈등
• ㉢ 지역주의가 정치적으로 이용될 때 나타나는 갈등
• ㉣ 지역 이기주의, 지역 감정
• ㉤ 진보와 보수의 갈등
• ㉥ 노인 부양 문제 등을 둘러싼 세대 간의 의견 충돌

02 알맞은 설명에 ○표를 하시오.

(1) 사회 갈등이 생기는 것은 (자연스러운 , 인위적인) 현상이다.
(2) 사회 갈등은 타인의 생각이나 가치관을 (무시 , 수긍)할 때 발생할 수 있다.
(3) 사회 갈등은 특정 지역에 사회적 자원이 (불공정 , 공정)하게 분배되어 지역 간 격차가 벌어질 경우 더욱 심화된다.

03 빈칸에 알맞은 말을 쓰시오.

(   )은/는 사회 내 집단이 상호 작용을 통해 하나로 통합되는 과정으로, 사회 갈등의 바람직한 해결을 통해 이룰 수 있다.

B 소통과 담론의 윤리

04 다음 내용이 옳으면 ○표, 틀리면 ×표를 하시오.

(1) 하버마스는 담론 상황이 이상적 대화 상황에 부합할 때 합리적으로 의사소통을 할 수 있다고 본다. (   )
(2) 아펠은 의사소통 공동체의 모든 구성원이 져야 하는 숙고적인 책임을 강조한다. (   )
(3) 담론 윤리는 합의 과정의 형식적인 조건과 절차로 도덕규범의 정당성을 파악하므로 합의된 내용에 대해 도덕적 옳고 그름을 평가하기가 수월하다. (   )

05 하버마스가 제시한 이상적 담화의 조건과 그 의미를 바르게 연결하시오.

(1) 이해 가능성 •
(2) 정당성 •
(3) 진리성 •
(4) 진실성 •

• ㉠ 주장은 참이며 진리에 바탕을 두어야 함
• ㉡ 대화에 참여한 상대방이 이해할 수 있는 말을 해야 함
• ㉢ 주장은 사회적으로 정당한 규범에 근거해야 함
• ㉣ 자신이 말한 의도를 상대방이 믿을 수 있도록 진실하게 표현해야 함

탄탄! 내신 다지기

A 사회 갈등과 사회 통합

01 갑, 을의 대화에 드러난 사회 갈등으로 가장 적절한 것은?

> 갑: 국가가 시장에 적극적으로 개입해서 부(富)를 분배해야 한다고 생각해.
> 을: 경제 성장이 먼저 이루어져야 분배할 부도 생겨. 난 국가가 시장에 대한 간섭을 최소화해야 한다고 생각해.

① 이념 갈등　② 지역 갈등　③ 세대 갈등
④ 정체성 갈등　⑤ 관계상 갈등

02 갑, 을의 입장으로 옳은 내용을 〈보기〉에서 고른 것은?

> 갑: 정년 연장의 의무화는 세대 간 일자리 전쟁의 신호탄이 됩니다. 정년 연장이 유지되면 그 피해는 청년층에게 미치게 됩니다.
> 을: 정년 연장은 일하는 사람이 줄고 부양할 고령자가 급속도로 늘어나는 상황에서 효과적인 대처법이 될 수 있습니다.

보기
ㄱ. 갑: 정년 연장은 청년 일자리를 늘리는 대안이 될 수 있다.
ㄴ. 갑: 정년 연장은 세대 갈등의 주요 원인으로 작용할 수 있다.
ㄷ. 을: 정년 연장은 노인 문제를 해결하는 실질적인 대안이 될 수 있다.
ㄹ. 을: 정년 연장은 지역 갈등을 유발하여 국론 분열을 조장할 수 있다.

① ㄱ, ㄴ　② ㄱ, ㄷ　③ ㄴ, ㄷ
④ ㄴ, ㄹ　⑤ ㄷ, ㄹ

03 ㉠의 원인으로 적절한 내용만을 〈보기〉에서 있는 대로 고른 것은?

> ㉠ 은/는 사회적 가치의 희소성, 가치관이나 이해관계의 차이에서 발생한다. 지위나 명예, 부와 같은 사회적 가치는 한정되어 있는데, 이를 배분하는 과정에서 공정하지 않거나 누군가가 소외되면서 발생하게 된다.

보기
ㄱ. 타인의 생각이나 가치관을 무시할 때 발생한다.
ㄴ. 자기 생각이나 가치관만을 절대시할 때 발생한다.
ㄷ. 사회적 자원의 차등 분배로 지역 간 격차가 완화될 때 발생한다.
ㄹ. 첨예한 주제를 두고 해결하는 과정에서 서로 소통이 부족할 때 발생한다.

① ㄱ, ㄷ　② ㄴ, ㄹ　③ ㄷ, ㄹ
④ ㄱ, ㄴ, ㄷ　⑤ ㄱ, ㄴ, ㄹ

04 사회 통합을 실현하기 위한 방안으로 옳지 않은 것은?

① 다양성을 인정하고 상호 존중의 자세를 지녀야 한다.
② 개인의 이익과 공동선이 조화를 이룰 수 있도록 해야 한다.
③ 상호 존중과 신뢰에 바탕을 둔 소통의 자세를 지녀야 한다.
④ 대화와 토론으로 의사를 결정하는 민주 시민의 자세를 지녀야 한다.
⑤ 정책 결정 과정에 해당 분야의 전문가만 참여할 수 있도록 제도화해야 한다.

정답과 해설 74쪽

05 그림은 어느 학생의 노트 필기 내용이다. ㉠~㉤ 중 옳지 않은 것은?

사회 갈등을 극복하기 위한 동서양의 지혜

1. 공자의 화이부동(和而不同)
   - '다른 사람들과 평화롭게 지내며, 그들과 동화되어 같아진다.'는 의미 ·················· ㉠
   - '남의 것을 존중하되 자기 것을 지킨다.'는 의미 ·· ㉡
2. 원효의 화쟁 사상(和諍思想)
   - 온갖 논쟁에 대해 화해를 추구하여 흩어진 종파를 통합해야 함 ······················ ㉢
   - 불교의 진리는 하나의 마음[一心]과 하나의 지혜(智慧)를 표현한 것임 ················ ㉣
3. 스토아학파의 세계 시민주의
   - 모든 인간은 평등하며, 모든 인간을 세계의 동등한 시민으로 대우해야 함 ············· ㉤

① ㉠ ② ㉡ ③ ㉢ ④ ㉣ ⑤ ㉤

B 소통과 담론의 윤리

06 사회 통합을 위한 올바른 소통의 자세를 〈보기〉에서 고른 것은?

〈보기〉
ㄱ. 특정한 가치만을 개인에게 요구한다.
ㄴ. 다수결로 가치의 일원화를 추구한다.
ㄷ. 소통의 과정을 통해 공론에 도달한다.
ㄹ. 공적인 결정은 토론과 합의를 통해 결정한다.

① ㄱ, ㄴ ② ㄱ, ㄷ ③ ㄴ, ㄷ
④ ㄴ, ㄹ ⑤ ㄷ, ㄹ

07 그림의 강연자가 지지할 주장으로 적절하지 않은 것은?

담론을 통해 도달되는 합의는 개인의 '예' 또는 '아니요'에 달려 있을 뿐만 아니라 각 개인의 자기중심적 관점의 극복에도 달려 있습니다. 비판이 가능한 주장들에 대해 입장을 표명할 수 있는 무제한의 자유가 개인에게 없다면 도달된 합의는 진정한 의미에서 보편적일 수 없습니다. 그리고 다른 모든 사람의 처지에서 생각할 수 있는 모든 사람의 연대적인 공감이 없다면, 보편적 동의를 받을 만한 해결에 결코 이를 수 없습니다.

① 모든 사람이 담론에 참여할 수 있어야 한다.
② 의사소통의 합리성을 함양함으로써 사회 갈등을 해결할 수 있다.
③ 행위 규범은 자유롭고 합리적인 토론을 통한 합의에 의해 정당화될 수 있다.
④ 자유로운 의사소통은 돈이나 권력에 의한 왜곡이나 억압이 없어야 가능하다.
⑤ 이상적 대화 상황을 위해서는 이해 가능성, 정당성, 정확성, 진실성의 조건이 필요하다.

서술형 문제

08 현대 사회의 갈등 유형을 세 가지 제시하고, 사회 갈등과 관련하여 소통과 담론의 중요성을 서술하시오.

도전! 실력 올리기

01 갑, 을의 대화에서 나타난 갈등의 원인으로 가장 적절한 것은?

> 갑: 그동안 우리 지역은 근처에 고속 도로가 없어서 많은 불편을 겪어 왔습니다. 따라서 신설되는 □□ 고속 도로는 꼭 우리 ○○시를 경유해야 합니다.
> 을: □□ 고속 도로가 우리 △△시를 경유하면 환경 훼손은 최소화되고, 도로의 직선화가 가능해 경제적 효과가 극대화됩니다. 따라서 □□ 고속 도로는 꼭 우리 △△시를 경유해야 합니다.

① 사실 자료와 정보의 불일치
② 생각, 이념, 사상, 종교 등 생각 체계의 차이
③ 이상적인 것으로 여기는 생각이나 견해의 차이
④ 사회적 쟁점을 둘러싼 신세대와 기성세대 간의 논쟁
⑤ 선호 시설을 자기 지역에 유치하려는 지역 이기주의

02 다음 서양 사상가의 입장만을 〈보기〉에서 있는 대로 고른 것은?

> 기계적 연대는 개인들이 서로 유사할 것을 전제로 하지만, 분업에 의한 유기적 연대는 개인들이 서로 다를 것을 전제로 한다. 기계적 연대는 개인이 집단에 흡수될 때 가능하지만, 유기적 연대는 각 개인이 그 고유한 행동의 영역을 가지고 있을 때만 가능하다. 집단이 규제할 수 없는 특수한 기능들을 위해서 개인이 지닌 지적 의식 등을 통제해서는 안 된다. 그 영역이 확장될수록 연대를 기반으로 하는 응집은 강해진다. 그러므로 유기적 연대를 바탕으로 사회 통합을 이루어야 한다.

〈보기〉
ㄱ. 유기적 연대를 통해 모두가 똑같은 사람이 되어야 한다.
ㄴ. 유기적 연대는 전문화된 개인들이 개별성을 유지하는 상태이다.
ㄷ. 기계적 연대는 사람들의 개성을 소멸시켜 집합적인 생명체가 되도록 만든다.
ㄹ. 기계적 연대는 구성원들이 동일한 가치와 규범을 공유하여 결속한 상태이다.

① ㄱ, ㄴ ② ㄱ, ㄹ ③ ㄷ, ㄹ
④ ㄱ, ㄴ, ㄷ ⑤ ㄴ, ㄷ, ㄹ

수능 유형

03 다음 글은 신문 칼럼이다. ㉠에 들어갈 제목으로 가장 적절한 것은?

> ○○신문 ○○○○년 ○월 ○일
> **칼 럼**
> ㉠
> 올해 개최된 ○○회 영호남 연극제는 영호남 지역의 특성을 살려 나가면서 서로 교류하고 연마하는 과정을 통해 연극의 발전과 영호남 지역의 단합을 도모하였다. …(중략)… 다른 축제들과 다르게 영호남 연극제는 동서 화합과 지역 연극의 발전을 위해 창립된 것으로 더욱 의미가 있다.

① 세대 갈등 극복을 위한 다양한 노력
② 이념 갈등 극복을 위한 다양한 노력
③ 지역 갈등 극복을 위한 다양한 노력
④ 종교 갈등 극복을 위한 다양한 노력
⑤ 이해관계 갈등 극복을 위한 다양한 노력

수능 유형

04 다음 고대 서양 사상가가 긍정의 대답을 할 질문만을 〈보기〉에서 있는 대로 고른 것은?

> • 사람들을 동요시키는 것은 사태 그 자체가 아니라 그에 대한 의견과 판단이다. 만약 우리가 마음의 동요와 슬픔 때문에 방해를 받는다면, 그 책임은 다른 사람이 아니라 바로 우리 자신에게 있다.
> • 자연은 이성(logos)에 의해 지배되며, 모든 일은 자연의 섭리에 맞게 일어난다. 인간은 이성을 가지고 있다는 점에서 평등한 세계 시민으로서 살아야 한다.

〈보기〉
ㄱ. 모든 인간의 본질은 이성으로 동일한가?
ㄴ. 사람을 인종, 혈통 등에 따라 차별해야 하는가?
ㄷ. 타인과의 갈등은 자신의 정념에서 비롯되는가?
ㄹ. 모든 인간을 세계의 동등한 시민으로 대우해야 하는가?

① ㄱ, ㄴ ② ㄱ, ㄹ ③ ㄴ, ㄷ
④ ㄱ, ㄷ, ㄹ ⑤ ㄴ, ㄷ, ㄹ

정답과 해설 76쪽

수능 유형

05 ㉠에 들어갈 내용으로 가장 적절한 것은?

사회 갈등이 생기는 원인은 사회 현상에 관한 생각이나 가치관의 차이, 이해관계의 대립, 원활한 소통이 이루어지지 않기 때문에 생긴다. …(중략)… 사회 갈등은 이와 같은 다양한 원인이 복잡하게 작용한 결과물로 개인적으로나 사회적으로 여러 가지 문제를 발생시킨다. 이를 해결하기 위해서는 [㉠]

① 합리적 토론으로 정의의 기준과 신념을 통일해야 한다.
② 타인의 모든 주장과 행동을 억압과 조건 없이 인정해야 한다.
③ 서로에 대한 비판을 배제하여 효율적인 의사 결정을 해야 한다.
④ 자신의 가치관과 상반될지라도 관용의 미덕을 발휘해야 한다.
⑤ 소수 집단은 다양한 가치의 조화를 위해 양보의 미덕을 실천해야 한다.

06 다음 사상가의 입장에 부합하는 관점에만 모두 'V'를 표시한 학생은?

일심(一心)이란 무엇인가? 더러움과 깨끗함은 그 성품이 둘이 아니고, 참과 거짓 또한 서로 다르지 않으므로 하나라고 한다. 그러나 이 둘이 아닌 곳에서 모든 법의 진실됨이 허공과는 달라 스스로 신령스러움을 아는 성품이니 이를 마음이라 한다. 이미 둘이 없는데 어찌 하나가 있으며 하나가 없는데 무엇을 두고 마음이라 하겠는가?

번호	관점 \ 학생	갑	을	병	정	무
(1)	오직 일심의 원천에서 모든 대립과 갈등은 사라질 수 있다.	V	V		V	
(2)	일체의 모든 이론은 결국 그 깨우침의 바탕인 일심뿐이다.			V	V	V
(3)	사상적 갈등을 인정하면서 특정 종파를 중심으로 통합해야 한다.	V		V		V
(4)	모든 종파의 특수성과 상대적 가치를 충분히 인정하면서 조화를 이루어야 한다.		V		V	V

① 갑 ② 을 ③ 병 ④ 정 ⑤ 무

07 다음 서양 사상가의 입장에서 볼 때, ㉠이 지녀야 할 올바른 자세만을 〈보기〉에서 있는 대로 고른 것은?

이상적 담화 상황을 구현하기 위해서는 ㉠담화 참가자들 간에 상호 인격적 관계를 바탕으로 정당한 담화 행위가 이루어져야 하고, 말하는 사람은 듣는 사람과 소통하기 위해 참된 진술을 해야 하며, 자신의 견해와 의도, 감정과 희망 등을 솔직하게 표현해야 하고, 담화 참가자들 모두가 이해 가능한 언어를 선택하여 구사해야 한다.

〈보기〉
ㄱ. 상대방에 대한 존중의 자세를 지녀야 한다.
ㄴ. 스스로 행동을 통제하며 규범을 준수해야 한다.
ㄷ. 전문가의 의견에는 절대적인 지지를 표현해야 한다.
ㄹ. 합리적으로 말하고 감정적 비난을 자제해야 한다.

① ㄱ, ㄷ ② ㄱ, ㄹ ③ ㄴ, ㄷ
④ ㄱ, ㄴ, ㄹ ⑤ ㄴ, ㄷ, ㄹ

수능 유형

08 다음 서양 사상가의 입장으로 가장 적절한 것은?

오늘날 시민들은 공적 장소에서 토론할 기회를 제대로 가질 수 없을 뿐만 아니라, 그러한 공적 토론이 시민들에게 권장되지도 않는다. 시민들 간의 합리적 의사소통이 없으면 건강한 민주 사회를 유지할 수 없게 된다. 이러한 문제를 극복하기 위해서는 자유롭고 평등한 시민에 의해 공적 문제에 대한 문제 제기와 토론이 활성화되어야 한다. 민주적 공론장에서 이성적인 시민들이 모두와 합의할 수 있는 논증의 형태로 대화에 참가하고, 그 토론의 결과가 법체계에 반영된다면 현대 사회의 다양한 정치적·윤리적 문제를 해결할 수 있을 것이다.

① 토론의 절차가 아니라 토론의 결과만을 중시해야 한다.
② 공적 문제에 대한 문제 제기는 민주주의의 발전을 저해한다.
③ 토론의 결과가 반영된 법에 대해서는 다시 토론하지 않는다.
④ 정치적 문제를 해결하기 위해 공적 토론을 권장할 필요는 없다.
⑤ 의사소통의 합리성을 실현해야 토론의 합의에 도달할 수 있다.

02 민족 통합의 윤리

핵심 질문으로 흐름잡기

A 통일 문제를 둘러싼 다양한 쟁점은?

B 통일 한국이 지향해야 할 가치와 통일 기반 조성을 위해 필요한 노력은?

A 통일 문제를 둘러싼 다양한 쟁점

| 시·험·단·서 | 통일에 대한 찬반 입장의 논거를 묻거나 통일과 관련한 다양한 비용의 특징을 묻는 문제가 출제돼.

1. 통일에 대한 찬반 논쟁

(1) 통일을 찬성하는 입장과 반대하는 입장의 논거❶

찬성	• 이산가족의 고통을 해소할 수 있음 • 군사비를 줄이고 경제 규모가 확장될 수 있음 • 전쟁의 공포를 해소함으로써 세계 평화에 기여할 수 있음 • 민족의 동질성을 회복하고 민족 공동체를 실현할 수 있음
반대	• 서로 다른 문화와 생활 방식으로 이질감이 큼 • 통합 과정에서 정치적·군사적 혼란이 발생할 수 있음 • 막대한 통일 비용으로 인해 조세 부담이 늘어날 수 있음 • 북한 주민이 남한으로 이주하여 실업과 범죄 증가 등 사회적 혼란과 갈등이 발생할 수 있음

(2) 바람직한 태도: 통일의 필요성❷을 인식하되 통일 과정에서 수반되는 문제를 균형 있게 이해해야 함

2. 통일과 관련한 비용 문제

(1) 통일에 필요한 비용

구분	분단 비용	통일 비용	평화 비용
특징	• 분단으로 인한 대립과 갈등으로 발생하는 경제적·경제 외적 비용의 총체 • 분단 상태가 지속되는 과정에서 소모되는 비용	통일 이후에 남북한의 경제 차이를 해소하고, 이질적 요소 통합을 위해 드는 정치·경제·사회·문화의 비용	• 통일 이전에 한반도의 평화를 유지하고 정착시키기 위한 통일 기반 마련 비용 • 분단 비용과 통일 비용을 감소시킴
예	• 경제적 비용: 군사비, 외교 행정비 등 • 경제 외적 비용: 이산가족의 아픔, 전쟁 위협으로 인한 국민의 불안 등	정치나 화폐 등을 통합하는 비용, 치안 등 사회 문제 처리 비용, 도로와 전기 등 공공재 구축 비용	남북 경제 협력 비용, 대북 지원 비용, 개성 공단 사업, 의료와 식량 지원 등
성격	소모성 비용	통일 편익❸으로 이어지는 투자 비용 자료 1	

└ 분단이 계속되는 한 지속적으로 발생해.

└ 통일 과정과 통일 이후에 한시적으로 발생해.

(2) 바람직한 태도

① 통일은 비용만 초래하는 것이 아니라 편익도 가져오므로 분단 비용과 통일 편익을 함께 고려하여 통일에 따른 비용 문제를 살펴야 함

② 통일을 체계적으로 준비함으로써 통일 비용에 대한 부담을 줄이고 통일 편익을 최대화하도록 노력해야 함

3. 북한 인권 문제 자료 2

└ 인권: 인간이라면 누구나 누려야 할 인류 보편의 가치야.

(1) 북한 인권 문제에 대한 개입은 북한에 대한 내정 간섭이므로 북한 당국이 스스로 해결하도록 해야 한다는 주장과 국제 사회의 개입이 필요하다는 주장이 공존함

(2) 북한 인권 침해 실태❹

① 1인 독재 체재로 주민의 정치 참여를 제한함

② 출신 성분*에 따라 계층을 분류하여 교육 기회, 사회 이동*, 법적 처벌 등을 다르게 적용함

③ 북한 주민들은 기본적인 의식주를 제공받지 못해 생존권을 위협받고 있음

(3) 바람직한 태도: 국제 사회와 함께 북한 주민의 인권 상황을 개선하기 위해 노력해야 함

---

❶ 통일을 찬성하는 입장과 반대하는 입장의 논거

찬성	인도주의적 차원, 민족의 번영과 발전, 평화 실현 등
반대	통일 비용에 대한 부담감, 혼란에 대한 두려움, 북한에 대한 이질감이나 거부감 등

❷ 통일의 필요성

- 개인적 차원: 이산가족의 고통 해소, 자유·평화 등 보편적 가치의 보장 등
- 국가·민족적 차원: 국가 역량 낭비 제거, 경제 규모 확장, 전쟁 위협 해소, 민족 통합과 문화 발전 등
- 국제적 차원: 북한 인권, 핵 문제 해결, 동북아시아와 세계 평화에 기여 등

❸ 통일 편익

통일로 얻게 되는 경제적·경제 외적 보상과 혜택으로, 통일에 필요한 비용이 아니라 통일로 얻게 되는 비용이다.

❹ 북한의 인권 침해 실태 사례

출신 성분과 계층에 따른 차별 배급, 주민의 종교 생활 탄압, 표현의 자유 억압, 정치범 수용소에서 수용자 학대, 수사 기관의 자의적 체포·구금 등이 있다.

시험에 잘 나오는 자료

자료 1 통일 편익 관련 문제 ▶ 240쪽 04번

남북통일을 통해 얻을 수 있는 통일 편익은 다음과 같다. 군사 안보적으로 한반도와 동북아시아 정세에 큰 위협이 사라져 신용 등급 상승, 외국인 투자자 유치, 국방비 절감 등 경제적 이익을 창출할 것이다. 정치·외교적으로는 북한 문제를 둘러싼 정치 갈등이 사라져 경제 발전과 사회 통합을 이루어 국력을 향상할 수 있다. 경제적으로는 남한의 기술과 자본, 북한의 자원과 노동력이 결합하여 새로운 시너지 효과*를 창출할 것이다. 또한 분단 비용 감소와 새로운 시장의 개척, 자원의 효율적 이용 등을 꼽을 수 있다. 사회·문화적으로는 분단으로 인한 갈등이나 적대감을 해소하고 지역주의를 완화함으로써 한민족에 대한 자긍심을 높이고, 한민족이 단결하여 그 능력을 극대화할 수 있을 것이다.

– 통일교육원, "한반도의 오늘과 통일"

자·료·분·석 통일 편익이란 통일로 얻게 되는 이익과 혜택으로, 경제적 편익과 비경제적 편익이 있다. 경제적 편익에는 분단 비용의 감소와 국가 신용도의 상승, 국토의 효율적 이용 등이 있다. 비경제적 편익에는 남북한의 인권 신장, 국제 사회에서 통일 한국의 위상 제고, 이산가족 문제 해결, 전쟁 위험의 해소로 인한 문화와 관광의 기회 증가 등이 있다.

한·줄·핵·심 통일은 비용만 초래하는 것이 아니라 이를 상쇄하고도 남을 편익을 가져온다.

자료 2 북한의 인권 문제와 우리가 지향해야 할 가치

북한의 정치범 수용소는 극심한 인권 침해가 이루어지기 때문에 국제 사회로부터 거센 비난을 받고 있다. 정치범 수용소의 아이들은 10시부터 강제 노동을 해야 한다. 엄마가 아이 일을 도와주면 벌을 받는다. 부모와 자식 사이라도 각자의 일은 각자가 완수해야 한다. 식사로는 옥수수밥을 지급하는데, 보안원의 지적을 받거나 아이 일을 도와주다가 발각되면 이틀 치 식사를 제공받지 못한다. 한편 정치범 수용소에는 지하 감옥이 있다. 개인 과업을 완성하지 못한 사람은 가로 1m, 세로 1m 크기의 독방에 20~30일 동안 구금된다.

– 통일연구원, "북한 인권 백서"

▲ 북한의 함남 요덕 정치범 수용소 모습
많은 수감자가 북한 당국에 의해 강제 노역과 고문에 시달리다 사망하고 있다.

자·료·분·석 자료는 북한의 정치범 수용소*에서 이루어지는 강제 노동, 구금 등 반인도적 인권 침해 실상을 보여 주고 있다. 자료의 내용뿐만 아니라 북한은 한 선거구당 후보가 한 명이며, 감시와 통제로 찬성 투표만 할 수 있다. 또한 기차를 이용하여 도·군의 경계를 넘으려면 북한 당국의 허가를 받아야 한다. 이러한 북한 사회 전반에 걸친 감시와 강압 통치는 북한 주민들에게 커다란 고통을 주고 있다.

한·줄·핵·심 북한 인권 문제를 통해 볼 때 통일 한국은 인간이라면 누구나 마땅히 누려야 하는 기본적 권리를 인정하고 인간으로서 존엄을 보장하는 국가를 지향해야 한다.

내용 이해를 돕는 팁

궁금해요

Q. 북한에서 직업 선택은 어떻게 이루어지나요?

A. 북한에서의 직업 선택은 주로 당과 행정 기관의 조정과 통제에 의해 이루어져. 직장을 배치하는 가장 핵심적인 판단 기준은 성분과 당성이라는 정치적 기준이야. 학력은 사회적 신분 상승의 중요 수단이 되는데, '핵심 계층' 이외에 계층의 진학은 엄격한 규제를 받아.

용어 더하기

* **출신 성분** 북한의 주민 분류 기준으로 주민 성분이라고도 불린다. 북한은 주민을 '핵심 계층', '동요 계층', '적대 계층'의 3계층 51부류로 구분해 의식주, 배급, 직업, 교육 등을 다르게 대우한다.

* **사회 이동** 개인 또는 집단이 어떤 사회적 위치에서 다른 사회적 위치로 이동하는 현상을 말한다.

* **시너지 효과** '1+1'이 2 이상의 효과를 낼 경우를 가리키는 말로, 상승 효과라고도 한다.

* **정치범 수용소** 북한에서 반국가 범죄나 반민족 범죄를 저지른 당사자와 그 가족들을 수용·처벌하기 위해 만든 격리 수용소이다.

❺ 남북한 화해와 평화 실현을 위한 노력

개인적 차원
• 북한에 대한 올바른 인식 • 통일에 대한 관심 • 열린 마음으로 소통·배려 실천
사회·문화적 차원
• 점진적인 사회 통합 • 다양한 분야에서 교류 확대
국가적 차원
• 내부적인 통일 기반 조성: 남남 갈등 해결, 안보 기반 구축과 신뢰 형성, 통일을 위한 체계적 준비 • 국제적인 통일 기반 구축: 국제 사회와 협력 강화

❻ 통일과 통합의 의미
통일과 통합 모두 둘 이상의 조직이나 체제가 하나로 합쳐지는 것을 의미한다. 통일은 주로 국토, 정치와 같이 외적인 것이 하나가 되는 것을 의미하는 데 반해, 통합은 내적인 가치관, 행동, 양식, 습관 등이 하나가 되는 것을 의미한다.

❼ 남남(南南) 갈등
남북 관계를 둘러싼 남한 내에서의 이념적 갈등을 뜻한다. 남남 갈등의 가장 큰 문제점은 국론이 쉽게 통일되지 못한다는 것이다.

B 통일이 지향해야 할 가치

| 시·험·단·서 | 남북한의 화해와 평화 실현을 위해 필요한 노력을 묻는 문제가 출제돼.

1. 통일의 의의와 바람직한 통일의 방법

(1) 통일의 의의

① 남북한 모든 주민에게 인권, 자유, 정의, 평화 등과 같은 보편적 가치를 보장함

② 민족의 분단으로 인한 고통을 줄여주고 정치적·경제적 발전을 도모할 수 있음

③ 새로운 민족 공동체를 건설하고 한반도와 세계 평화에 기여할 수 있음

(2) 바람직한 통일의 방법 자료 3

① 평화적 방법을 통해 점진적*·단계적으로 통일을 이루어 나가야 함

② 국민적 이해와 합의를 기초로 하여 민주적으로 통일을 이루어 나가야 함

③ 주변국들과 협력을 강화하여 그들이 한반도의 통일을 지지하도록 유도해야 함

2. 통일 한국이 지향해야 할 가치

남한도 사회적 약자나 소수자에 대한 차별이 일부 존재한다는 점에서 개선의 여지가 있어.

인권	인간이라면 마땅히 누려야 할 기본적 권리가 인정되고 인간의 존엄과 가치가 존중되는 인권 국가를 지향해야 함
자유	자신의 신념과 선택에 따른 자유로운 삶이 보장되며, 다른 사람 위에 군림하거나 타인의 행복 추구를 방해하지 않는 국가를 지향해야 함
정의	사익이나 공익을 분배할 때 모든 구성원을 공정하게 대우하며, 복지 국가를 지향해야 함
평화	전쟁이 사라진 평화로운 국가로서 동북아시아의 평화 공동체 건설, 세계 평화와 인권 등 보편적 가치를 수호하는 데 이바지하는 국가를 지향해야 함

3. 남북한의 화해와 평화 실현을 위한 노력❺

(1) 개인적 차원의 노력

① 북한은 군사 안보 측면에서는 경계의 대상이지만, 북한 주민은 동포로서 화해와 협력의 대상임을 인식해야 함

② 통일이 언제든 현실로 다가올 수 있음을 인식하고, 통일을 이루고자 하는 확고한 신념을 갖고 통일을 준비하는 자세를 지녀야 함

③ 남북한 간의 편견 해소, 상호 존중, 차이의 수용 등과 같은 화해와 평화를 실현하기 위한 가치를 내면화하려고 노력해야 함 자료 4 — 열린 마음으로 소통하고 배려를 실천해야 해.

(2) 사회·문화적 차원의 노력

① 점진적인 사회 통합❻으로 남북한 긴장 관계를 해소하고 다양한 분야에서 교류를 확대해 가야 함

② 문화·예술·스포츠 교류, 이산가족 상봉 등 교류의 장을 확대하고, 정치·경제·군사 교류로 발전시켜 나가야 함 — 서로를 이해하고 친밀감을 가질 수 있는 비정치적 성격의 교류를 통해 민족이 함께할 기회를 넓혀 가야 해.

(3) 국가적 차원의 노력

① **내부적인 통일 기반 조성**

• 통일 과정에서 표출되는 남남 갈등❼을 해결해야 함

• 평화 통일을 위해 국민적 이해와 합의의 도출, 통일 비용 문제 등에 따른 계획을 세워야 함

• 튼튼한 안보 기반을 구축하고, 사회·경제·문화 분야에서 교류·협력을 도모하여 서로 간에 신뢰를 형성해야 함

② **국제적인 통일 기반 구축**

• 국제 사회와 협력을 강화하여 우호적인 통일 환경을 조성해야 함

• 한반도 통일이 동북아시아와 세계의 평화와 번영에 기여함을 적극 알려야 함

시험에 잘 나오는 자료

자료 3 독일의 통일에서 얻을 수 있는 교훈

관련 문제 ▶ 243쪽 05번, 06번

- 동서독 국경에서 서베를린까지 이어지는 약 200km 구간의 고속 도로는 1970년대 서독 빌리 브란트 총리의 '동방 정책*'과 특히 1972년 '서독~베를린 통과 교통 협정'이 체결되면서 국경 통제소의 차량 지체는 30분 이내로 줄어들었다. 또한 개인이 납부하던 통행료를 서독 정부가 연간 일정액으로 일괄 납부함으로써 이용객이 급격히 늘었다. 서독은 1990년 통일 전까지 서베를린과 연결되는 고속 도로 건설과 보수에 총 24억 마르크(약 1조 3,000억 원), 통행료로 총 83억 마르크(약 4조 5,000억 원)를 동독 정부에 지원하고 국경 통행 장애 완화, 접경 지역 무기 제거, 동독 내 정치범 석방 등을 얻어 냈다.

  – ○○ 신문, 2014. 6. 14.

- 독일은 언제나 냉전*의 최전선에 있었다. 그러나 이제 전쟁의 저주와 고통의 가능성은 현저히 줄어들었다. 동독 주민들은 법치 국가에서 살게 되었고, 정치적 자유와 선거의 자유를 누리게 되었다. 동독 지역은 서독 주민들과 크게 다르지 않은 생활 수준을 누릴 수 있는 매력적인 지역으로 탈바꿈하고 있다. …(중략)… 통일이 가져다준 이점 중 하나는 엄청난 국방비의 절감이며, 이로 인해 동독에 대한 재정 지원이 수월해졌다. 종종 독일의 통일 비용이 과도했다는 말을 듣는다. 그러나 결과를 생각한다면 '비용은 생각하지 마라. 독일 통일은 엄청난 성공이었고 매우 큰 이득이었다.'라고 인정해야 할 것이다.

  – 캄페터, "독일 통일의 기적과 그 교훈"

자·료·분·석 분단 국가였던 독일은 통일 이후 동서독 주민 간의 갈등과 천문학적인 통일 비용으로 어려움을 겪었으나 이를 슬기롭게 극복한 결과 유럽을 선도하는 국가로 발돋움하였다. 동서독 간의 활발한 교류와 협력은 독일 통일의 기초가 되었다.

한·줄·핵·심 우리는 독일의 통일 경험을 교훈 삼아 통일에 따른 충격을 완화하고 체계적으로 통일을 준비해 나가야 한다.

자료 4 남북한의 차이와 동질성

우리는 가족 구성원끼리 서로 닮았다고 생각한다. 그러나 아버지, 어머니, 아들, 딸의 생김새가 모두 똑같지는 않다. 아버지와 아들은 눈이 닮았지만, 귀가 다르고, 어머니와 딸은 코가 닮았지만, 입이 다를 수 있다. 그들은 똑같이 닮지는 않았지만 우리는 그들이 가족임을 알 수 있다. 그것은 각각의 부분적 닮음들이 중첩*하여 전체적으로 닮음의 형상을 이루기 때문이다. 여기서 닮음은 동일성이 아니다. 그것은 차이가 있는 닮음이다.

– 건국대학교 통일인문학연구단, "청소년을 위한 통일 인문학"

자·료·분·석 남북한은 가족이 닮은 것처럼 언어, 문화 등 닮음의 끈을 가지고 있고, 가족의 생김새가 모두 같지는 않은 것처럼 닮음이 동일하지 않다. 그러나 가족의 닮음이 서로의 생김새가 조금은 다른 닮음이듯, 남북한도 서로의 차이와 다른 모습을 버리는 것이 아니라 인정하고 배우면서 새로운 민족 정체성을 만들어 나가야 한다.

한·줄·핵·심 남북한은 서로의 차이를 인정하는 것을 바탕으로 새로운 민족 공통성을 만들어 가야 한다.

내용 이해를 돕는 팁

궁금해요

Q. 독일은 통일을 어떻게 이루었나요?

A. 독일의 통일 과정은 다음과 같아.

1949년
제2차 세계 대전 패배 후 분단 공식화

▼

1960년대 후반
서독은 동방 정책을 통해 동독과 교류·협력하며 장기적인 통일 정책을 시작함

▼

1989년
베를린 장벽 붕괴

▼

1990년
독일 통일

용어 더하기

* **점진적** 서두르지 않고 조금씩 앞으로 나아가는 것을 뜻한다.
* **동방 정책** 1969년 서독의 빌리 브란트 총리가 추진한 동구 공산권과의 관계 정상화를 위한 외교 정책을 말한다.
* **냉전** 제2차 세계 대전 이후 사회주의 진영과 자본주의 진영 간에 발생한 정치, 군사, 외교, 이념상 갈등의 양극화 현상을 뜻한다.
* **중첩** 거듭 겹치거나 포개어지는 것을 말한다.

왜 통일을 해야 할까?

개념풀 Guide 통일의 필요성은 무엇이고, 통일이 가져다주는 이익은 무엇인지 알아보자.

관련 문제 ▶ 240쪽 01번

핵심 짚어보기

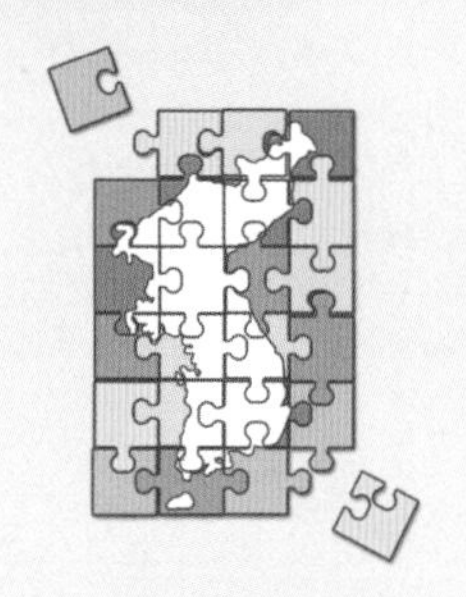

구분	통일의 필요성
개인적 차원	• 이산가족의 고통을 해소할 수 있음 • 자유·평화·인권 등 보편적 가치를 보장하고 인간다운 삶을 누릴 수 있음
국가·민족적 차원	• 전쟁의 위협에 대한 불안을 해소하고, 국가 역량의 낭비를 제거함 • 민족의 경제적 번영을 실현하고, 민족 통합과 문화 발전에 기여함
국제적 차원	• 북한 인권 문제와 핵 문제를 평화적으로 해결함 • 동북아시아와 세계의 평화와 번영에 기여함

자료에서 핵심 찾아보기

자료 ❶ 통일은 사회·경제 혼란으로 야기되는 비용보다 훨씬 더 큰 이득을 가져다준다는 확신과 함께 21세기 민족의 번영과 발전, 개인의 삶의 질 향상과 행복 등을 위해 통일이 반드시 필요하다는 인식이 요구된다. 이를 바탕으로 통일의 필요성을 정리해 보면 다음과 같다. 첫째, 훼손된 민족 정체성을 회복하기 위해 필요하다. 우리 민족은 오랜 시간 같은 문화와 전통을 유지해 왔으나 분단 이후 다른 체제와 사회로 나뉘어 살아오면서 문화적으로 점차 이질화되고 있기 때문이다. 둘째, 통일이 되면 다양한 편익을 누릴 수 있다. 통일은 전쟁 위협을 해소하여 항구적 평화를 보장할 뿐 아니라 내부의 이념적 대립을 종결함으로써 사회 통합과 국론 결집을 가능하게 한다. 셋째, 남북 구성원 모두에게 자유와 인권, 행복한 삶을 보장하기 위해 필요하다. 통일은 북한 주민도 우리와 마찬가지로 자유와 복지, 인간의 존엄과 가치 존중이라는 혜택을 누릴 수 있도록 하기 위해 필요하다.

– 통일 교육원, "2013 통일 문제 이해"

핵심 확인
통일은 민족 정체성과 민족 동질성의 회복, 전쟁 위협의 해소와 항구적 평화 보장, 남북 구성원 모두의 자유와 인권 보장을 위해 필요하다.

자료 ❷ 통일 비용에 대한 흔한 오해는 이것이 소모성 비용, 즉 통일이 되면 막대한 돈만 지출해야 한다고 인식하는 것이다. 하지만 통일 비용은 부강한 선진 대한민국을 건설하기 위한 밑거름이다. 통일 비용은 통일 한국의 기반 구축을 위한 '생산 비용'이고, 북한 동포를 구출하는 데 사용되는 '생명 비용'이며, 북한 경제를 되살리는 '재건 비용'이다. 또한 우리 민족의 생활 기회를 확충하기 위한 '투자 비용'이다.

– 통일교육원, "2016 통일 문제의 이해"

핵심 확인
통일은 비용만 초래하는 것이 아니라 이를 상쇄하고도 남을 정도의 편익과 혜택도 가져온다.

이것만은 꼭!

다음 내용이 옳으면 ○표, 틀리면 ×표를 하시오.

(1) 통일은 민족의 동질성 회복을 위해서 필요하다. (   )

(2) 통일은 새로운 시장의 확보를 통해 경제의 비약적 성장을 가능하게 할 수 있다. (   )

(3) 통일 비용은 통일 한국의 기반을 구축하는 데 지속적으로 드는 소모성 비용이다. (   )

(4) 통일은 비용만 초래하는 것이 아니라 이를 상쇄하고도 남을 정도의 편익과 혜택도 준다. (   )

[정답] (1) ○ (2) ○ (3) × (4) ○

콕콕! 개념 확인하기

정답과 해설 77쪽

A 통일 문제를 둘러싼 다양한 쟁점

01 통일이 필요한 이유를 〈보기〉에서 모두 고르시오.

보기
ㄱ. 이산가족의 고통 해소
ㄴ. 국가 역량의 낭비 제거
ㄷ. 통일 비용의 증가
ㄹ. 민족 통합과 문화 발전
ㅁ. 동북아시아와 세계 평화에 기여

(　　　　)

02 통일과 관련된 비용과 그 의미를 바르게 연결하시오.

(1) 분단 비용 •
(2) 통일 비용 •
(3) 평화 비용 •
(4) 통일 편익 •

• ㉠ 분단으로 인해 남북한이 부담하는 경제적·경제 외적 비용
• ㉡ 통일 이전에 한반도의 평화를 유지하고 정착시키는 데 드는 비용
• ㉢ 통일로 얻게 되는 경제적·경제 외적 보상과 혜택
• ㉣ 남북한의 서로 다른 체제와 제도 등을 통합하고 정비하는 과정에서 지출되는 비용

03 다음 내용이 옳으면 ○표, 틀리면 ×표를 하시오.

(1) 통일은 주변국들의 협력과 무관하게 이루어져야 한다. (　　)
(2) 통일은 평화적 방법으로 단시일 내에 신속하게 이루어져야 한다. (　　)
(3) 통일은 국민적 이해와 합의를 바탕으로 민주적으로 이루어져야 한다. (　　)

B 통일이 지향해야 할 가치

04 통일 한국이 지향해야 할 가치와 그 내용을 바르게 연결하시오.

(1) 인권 •
(2) 자유 •
(3) 정의 •
(4) 평화 •

• ㉠ 자신의 신념과 선택에 따른 삶이 보장되는 국가를 지향해야 함
• ㉡ 인간의 존엄과 가치를 보장하는 국가를 지향해야 함
• ㉢ 동북아시아의 평화 공동체 건설에 기여하는 국가를 지향해야 함
• ㉣ 모든 구성원이 합당하게 대우받는 국가를 지향해야 함

05 다음 내용이 옳으면 ○표, 틀리면 ×표를 하시오.

(1) 통일 과정에서 표출되는 남남 갈등을 해결해야 한다. (　　)
(2) 자체적인 통일을 위해 국제 사회의 협력은 최대한 지양해야 한다. (　　)
(3) 북한을 경계의 대상이자 동반자라는 양면성의 측면에서 이해해야 한다. (　　)
(4) 남북 간의 문화 교류를 확대하되, 경제·정치·군사 교류로 이어지지 않도록 한다. (　　)

탄탄! 내신 다지기

A 통일 문제를 둘러싼 다양한 쟁점

01 갑, 을의 입장에 대한 옳은 설명만을 〈보기〉에서 있는 대로 고른 것은?

> 갑: 통일은 이익과 손해를 떠나 인도주의 차원과 민족적 차원에서 반드시 해야 할 과제로 다루어야 합니다.
> 을: 그렇지 않습니다. 현실적으로 통일에 필요한 비용과 통일로 얻을 수 있는 편익을 고려해야 하며, 통일의 필요성도 이러한 관점에서 재검토해야 합니다.

〈보기〉
ㄱ. 갑은 통일의 필요성을 당위의 관점에서 제기하고 있다.
ㄴ. 갑은 민족 정통성을 계승하는 차원에서 통일이 필요함을 강조하고 있다.
ㄷ. 을은 효용성을 고려하여 통일의 필요성을 검토할 것을 주장하고 있다.
ㄹ. 갑, 을은 통일이 우리 민족의 무조건적인 과제임을 강조하고 있다.

① ㄱ, ㄷ ② ㄱ, ㄹ ③ ㄴ, ㄹ
④ ㄱ, ㄴ, ㄷ ⑤ ㄴ, ㄷ, ㄹ

02 그림은 수업 시간의 판서 내용이다. ㉠에 들어갈 말로 가장 적절한 것은?

> ◎ **수업 목표**: 통일과 관련된 다양한 비용들의 의미를 이해하고, 그 특징을 설명할 수 있다.
> ◎ **학습 내용**: ㉠
> • 의미: 남북한의 분단 상태가 지속되는 과정에서 발생하는 유·무형의 비용
> • 사례: 안보 비용, 체제 유지 비용, 전쟁에 대한 공포나 이산가족의 고통과 같은 무형의 비용 등

① 분단 비용 ② 평화 비용 ③ 통일 비용
④ 투자 비용 ⑤ 통일 편익

03 ㉠에 대한 설명으로 옳지 않은 것은?

> 한반도는 세계에서 분쟁 가능성이 큰 지역으로 국가 안보를 위해 부담해야 할 비용이 막대하다. 따라서 한반도 평화를 위해서는 전쟁 위기를 억제하여 ㉠평화를 유지하고 정착시키기 위한 비용의 지출이 필요하다. 이러한 지출은 통일 이후 부담해야 할 비용을 줄이는 긍정적 효과도 가져올 수 있다.

① 남북 경제 협력, 대북 지원 등에 쓰이는 비용이다.
② 통일 이전에 통일 기반을 마련하기 위해 드는 비용이다.
③ 분단이 지속되는 한 계속해서 지출되는 소모성 비용이다.
④ 남북한 격차를 해소하여 통일 비용의 감소로 이어질 수 있다.
⑤ 한반도의 긴장을 완화시킴으로써 분단 비용의 감소로 이어질 수 있다.

04 갑의 입장에 대해 을이 제기할 반론으로 가장 적절한 것은?

> 갑: 통일이 되면 북한 주민에게 일자리를 빼앗기고, 남북 격차 해소를 위해 세금도 더 많이 내야 한다. 따라서 통일은 국민의 손해만 초래할 것이다.
> 을: 통일은 이산가족의 고통을 해소하고, 민족 역량을 결집해 한반도에 번영과 평화를 가져다줄 것이다. 또한 분단 비용이 소멸되고, 시장이 확대되어 경제적 편익도 증대할 것이다.

① 이산가족의 고통을 지나치게 중시하고 있다.
② 분단 비용이 소모성 비용임을 강조하고 있다.
③ 평화 통일의 필요성을 지나치게 강조하고 있다.
④ 통일이 가져올 다양한 통일 편익을 간과하고 있다.
⑤ 통일 비용이 국민들에게 부담을 준다는 점을 간과하고 있다.

B 통일이 지향해야 할 가치

05 바람직한 통일의 방법에 대한 설명으로 옳지 않은 것은?

① 평화적 방법을 통해 점진적으로 접근한다.
② 국민적 이해와 합의를 토대로 민주적으로 이루어 나간다.
③ 민족 공동체 의식을 회복한 후 단계적으로 체제를 통합해 나간다.
④ 주변국들이 한반도 통일을 지지하도록 동의와 협력을 강화한다.
⑤ 남북한의 다양한 사회적·문화적 교류를 통해 이질성을 모두 제거하는 과정을 거친다.

06 (가)의 관점에서 (나)의 대화에 나타난 문제점을 해결하기 위한 방안으로 가장 적절한 것은?

(가)	통일 과정이나 통일 이후에 나타날 수 있는 여러 가지 문제를 극복하고 통일 한국을 형성하기 위해서는 먼저 남북한 사람들 간의 이해와 화해 그리고 서로 간의 신뢰 회복이 필요하다. 이를 위해서는 우리와 남을 나누지 않고 서로 다름을 수용하고 존중하면서 더불어 살아가는 삶의 태도를 가져야 한다.
(나)	

① 북한 주민들이 남한의 주류 문화에 적응하도록 노력해야 한다.
② 북한 주민들이 스스로 경제적으로 자립하도록 지원을 줄여야 한다.
③ 이질화된 남북한의 언어와 문화의 현실을 먼저 이해할 수 있어야 한다.
④ 남한 사람들이 먼저 외래어를 쓰지 말고 순수한 우리말을 쓰도록 해야 한다.
⑤ 남북한이 우선 정치·경제적으로 통합을 이루어 문화적 갈등을 덜 겪도록 해야 한다.

07 ㉠에 들어갈 내용으로 가장 적절한 것은?

> 분단으로 인해 지난 60여 년간 서로 다른 정치, 경제 체제 속에서 상이한 사고방식과 가치관, 생활 방식을 지니게 된 남과 북이 화합을 이루기는 쉽지 않다. 이를 해결하기 위해서는 우선 스포츠 교류, 이산가족 교류 등 비정치적 분야의 교류를 통해 남북이 서로 신뢰를 쌓아가면서 정치·군사 부분에서도 통합을 이루어 낼 수 있도록 노력해야 한다. 이러한 관점에서 볼 때 통일을 이루기 위해서는 [㉠]

① 정치적 통합을 우선 고려해야 한다.
② 경제적 실익을 우선 고려해야 한다.
③ 사회·문화적 교류를 우선 고려해야 한다.
④ 단일 민족 구성을 위한 정치적 합의를 우선해야 한다.
⑤ 주변국과 협력을 강화할 수 있는 방안을 우선 고려해야 한다.

서술형 문제

08 다음은 통일 과정에서 발생하는 비용에 대한 설명이다. 물음에 답하시오.

(가)	분단 상태가 지속되는 과정에서 소모되는 경제적·경제 외적 비용의 총체
(나)	통일 이전에 평화를 유지하고 정착시키는 데 드는 비용

(1) (가)의 의미와 구체적 사례를 서술하시오.

(2) (나)의 의미와 구체적 사례를 서술하시오.

도전! 실력 올리기

01 ㉠에 대한 설명으로 가장 적절한 것은?

> 평화 통일을 이루기 위해서는 막대한 비용과 노력이 요구된다. 특히 한반도의 전쟁 위기와 안보 불안을 해소하기 위해 ㉠남북 교류 협력이나 대북 지원 등에 대한 비용이 필요하다.

① 소모적인 비용으로 민족 경쟁력을 약화시킨다.
② 전쟁 공포와 이산가족 고통과 같은 무형의 비용이다.
③ 남북한의 분단에 따라 발생하는 군비 확충 비용이다.
④ 통일 이전에 한반도 평화 정착을 위해 드는 비용이다.
⑤ 통일 후 남북의 이질적 요소를 통합하기 위해 사용해야 할 비용이다.

수능 유형

02 (가)의 입장을 (나) 그림으로 탐구할 때, A, B에 들어갈 적절한 질문만을 〈보기〉에서 있는 대로 고른 것은?

(가) 통일 전후에 들어가는 비용에 비해 통일의 편익은 장기간에 걸쳐 발생한다. 통일이 되면 분단 비용은 사라지고 통일 비용은 줄어들지만 통일 편익은 지속해서 증대될 수 있다. 우리가 지향해야 할 통일은 비용은 줄이고, 편익은 증대될 수 있는 통일이 되어야 한다는 점을 고려해 볼 때 통일은 우리에게 이익이 될 것이다.

(나)

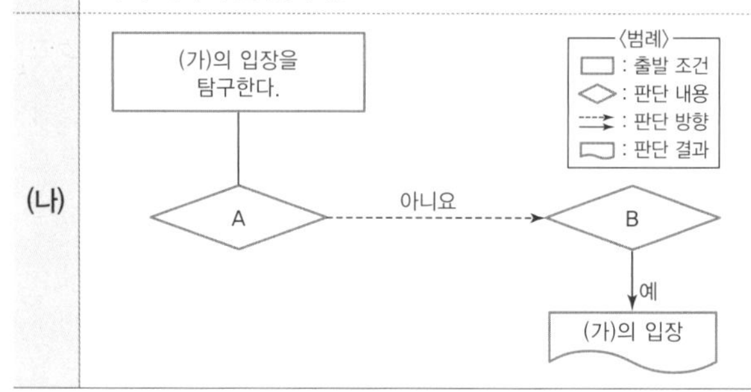

〈보기〉
ㄱ. A: 통일은 분단으로 인해 발생하는 비용을 상쇄할 수 있는가?
ㄴ. A: 통일을 장기적으로 볼 때 편익보다 비용이 크다고 볼 수 있는가?
ㄷ. B: 통일은 효용성이 아닌 당위적 차원에서 접근해야 하는가?
ㄹ. B: 통일은 사회·경제적 측면에서 긍정적 효과를 가져올 수 있는가?

① ㄱ, ㄹ　② ㄴ, ㄷ　③ ㄴ, ㄹ
④ ㄱ, ㄴ, ㄷ　⑤ ㄱ, ㄷ, ㄹ

03 ㉠에 대한 설명으로 가장 적절한 것은?

> [㉠]은/는 통일로 인해 발생할 치안, 사회 갈등과 같은 사회 문제 처리 비용으로, 통일 한국의 번영을 위한 투자적인 성격의 비용이다.

① 통일이 되면 소멸되는 소모성 비용이다.
② 통일 이후 제도 통합의 과정에서 발생하는 비용이다.
③ 분단 상황에서 남북 간의 적대감을 심화시키는 비용이다.
④ 통일 과정에서 소요되는 지출을 절감시키는 기능을 한다.
⑤ 분단으로 인한 대립과 갈등으로 지출되는 직간접 비용이다.

수능 유형

04 (가)의 입장에서 (나)의 ㉠에 들어갈 말로 가장 적절한 것은?

(가) 통일이란 남북한 주민 모두가 민족적 동질성을 바탕으로 공통의 가치관과 신념에 입각하여 민족 단위의 생존과 번영을 지향하는 생활 공동체를 형성하는 것이다. 우리는 이러한 민족 공동체를 형성하기 위해서 사회적 가치, 규범, 문화의 공유를 의미하는 사회·문화 공동체를 형성해야 한다.

(나)

① 정치·군사적 측면의 통합이 선행되어야 합니다.
② 남북한의 경제적 수준의 일치가 선행되어야 합니다.
③ 외형적인 통일을 위해 남북한의 조속한 통합이 선행되어야 합니다.
④ 국제적 합의가 전제된 통일에 대한 공감대 형성이 선행되어야 합니다.
⑤ 사회·문화적 교류 확대를 통한 남북한의 이질성 극복이 선행되어야 합니다.

정답과 해설 79쪽

05 다음 글의 제목으로 가장 적절한 것은?

독일은 언제나 냉전의 최전선에 있었다. 그러나 이제 동독 주민들은 법치 국가에서 살게 되었고, 서독 주민들과 크게 다르지 않은 생활 수준을 누릴 수 있는 매력적인 지역으로 탈바꿈하고 있다. 과거 서독은 서유럽의 변경 지대였다. 그러나 지금은 10개 이상의 이웃 국가에 둘러싸인 유럽의 중심 지역이 되었고, 사회적·문화적·과학적·경제적으로 큰 이득을 보고 있다. 또한 현재 모든 독일인은 유럽 전 지역을 어떠한 제재나 어려움 없이 여행할 수 있게 되었다.

① 독일 통일의 구체적인 과정
② 독일 통일의 정치적·경제적 편익
③ 독일 통일 이후의 동서독 간의 갈등
④ 분단 국가였던 독일의 막대한 통일 비용
⑤ 베를린 장벽의 붕괴로 인한 사회적 혼란

06 다음 사례를 통해 남북한 통합 과정에서 얻을 수 있는 시사점으로 가장 적절한 것은?

1972년 '서독~베를린 통과 교통 협정'이 체결되면서 동서독 국경을 넘는 여행객은 1970년대 말 연간 500만 명에서 1989년 2,500만 명으로 늘었다. 서독은 1990년 통일 전까지 서베를린과 연결되는 고속 도로 건설과 보수에 총 24억 마르크(약 1조 3,000억 원), 통행료 명목으로 총 83억 마르크(약 4조 5,000억 원)를 동독 정부에 지원하고 국경 통행 장애 완화, 접경 지역 무기 제거, 동독 내 정치범 석방 등을 얻어 냈다.

① 통일 비용이 최소화되는 시점까지 남북한의 통일을 보류해야 한다.
② 남북의 활발한 교류와 협력은 남북한 통일의 기초가 됨을 알아야 한다.
③ 훼손된 민족의 정체성을 회복하기 위해 통일이 필요함을 인식해야 한다.
④ 정치·군사적 통합으로 사회·문화적 통합을 이룰 수 있음을 알아야 한다.
⑤ 통일 편익의 측면이 아닌 당위적 측면에서 통일이 필요함을 인식해야 한다.

수능 유형

07 다음 입장에 부합하는 주장으로 가장 적절한 것은?

통일의 의지를 다지기 위한 민족 내부의 역량 강화가 필요합니다. 남북은 군사적 적대 관계와 민족적 협력 관계라는 이중성을 지니고 있어 어느 쪽을 중시하느냐에 따라 통일관이 달라지는데, 이를 둘러싼 의견 대립이 발생해 통일에 장애가 되고 있습니다. 통일을 이루려면 이러한 남한 내부의 갈등을 극복해야 합니다.

① 정부 주도로 통일 정책을 마련하여 불필요한 혼란을 제거해야 한다.
② 남북한 정치 체제를 우선 통일하여 통일과 관련된 소모적 논쟁을 줄여야 한다.
③ 남북간 통일 역량의 격차를 줄이기 위해 북한의 경제 상황을 우선 개선해야 한다.
④ 국제 관계를 고려할 때 분단이 남북 간 평화를 위한 최선의 대안임을 인식해야 한다.
⑤ 통일에 대한 국민적 공감대를 형성하여 통일의 당위성에 대한 인식을 확대해 나가야 한다.

수능 유형

08 갑의 입장에서 을에게 제기할 반론으로 가장 적절한 것은?

갑: 예멘의 경우 사회적 동질성 회복을 위한 과정 없이 통일했기 때문에 계속되는 내전으로 오랜 기간 혼란을 겪었습니다. 따라서 남북한은 통일 이전에 동질성 회복의 과정을 거쳐야 합니다.
을: 분단 상황에서 동질성 회복을 위해 시간을 허비하다 보면 분단 비용이 증가할 수밖에 없습니다. 차라리 외형적 통일을 먼저 달성한 후에 사회적 동질성 회복을 위해 노력하는 것이 바람직합니다.

① 분단 비용을 고려하지 않고 사회적 통합만을 강조하고 있다.
② 단일 정부의 구성보다 사회·문화적 통합의 중요성을 강조하고 있다.
③ 남북한의 통합 과정에서 주변국의 이해관계를 지나치게 강조하고 있다.
④ 정치 지도자들의 결단력에 따르는 제도적 통일의 중요성을 간과하고 있다.
⑤ 평화 통일을 위해 남북한의 사회 통합을 먼저 추구해야 한다는 점을 간과하고 있다.

03 지구촌 평화의 윤리

핵심 질문으로 흐름잡기

A 국제 분쟁 해결을 위한 다양한 입장과 국제 평화 실현을 위한 노력은?
B 해외 원조에 대한 윤리적 입장은?

A 국제 분쟁의 해결과 평화

|시·험·단·서| 칸트가 제시한 영구 평화론과 갈퉁이 제시한 적극적 의미의 평화를 묻는 문제가 출제돼.

1. 국제 분쟁의 원인과 윤리적 문제

(1) 국제 분쟁[1]의 원인 자료 1

① 영역과 자원을 선점하기 위한 경쟁과 갈등

② 문화와 종교 차이에 의한 갈등 — 자율적인 타협이나 제삼자의 중재가 어려워 갈등이 발생하면 쉽게 분쟁으로 이어져.

(2) 국제 분쟁의 윤리적 문제

① **지구촌 평화 위협**: 경쟁국에 대한 군사적 우위*를 확보하려는 과정에서 핵무기 등을 개발하여 지구촌 전체의 평화를 위협함

② **인간의 존엄성과 정의 훼손**: 상호 간 적대감을 증폭하여 집단 살해, 인종 청소*와 같은 반인도적 범죄를 일으킴

2. 국제 분쟁 해결의 다양한 입장

(1) 국제 관계를 바라보는 관점에 따른 분쟁 해결 방법

① 현실주의

국제 관계에 대한 관점	· 국가는 이기적인 인간들로 구성되어 있고, 세계도 자국의 이익을 추구하는 국가들로 이루어져 있다고 봄 → 국가는 자국의 이익만을 추구함 (국가의 의무는 자국의 이익과 생존이므로 국가의 이익이 도덕성과 충돌할 때 국가의 이익을 우선시해야 한다고 봐.) · 모겐소*: "국제 정치는 국가 이익의 관점에서 정의된 권력을 위한 투쟁이다." · 국제 분쟁의 원인: 자국의 이익만을 추구하는 외교 정책으로 발생함 · 해결 방법: 국가의 힘을 키워 세력 균형[2]을 이루어야 함
한계	국제 관계에서 세력 균형은 언제든지 무너질 수 있어 평화를 보장하지 못함

② 이상주의

국제 관계에 대한 관점	· 국가는 도덕성을 고려해야 하며, 국가의 이익보다 인간의 존엄성, 자유, 평등과 같은 보편적 가치를 중시해야 함 · 칸트: "국제 분쟁은 국가 간 도덕성을 확보해야 해결된다." · 국제 분쟁의 원인: 인간 본성에서 유래하는 것이 아니라 상대방에 대한 무지나 오해, 잘못된 제도 때문에 발생함 · 해결 방법: 국가 간의 이성적 대화와 협력을 바탕으로 도덕·여론·법률·제도를 개선해야 함
한계	자국의 이익을 중시하는 현실적인 국제 관계를 설명하기 어려움 (이상주의의 낙관적 기대는 현실에서 나타나는 국가 간의 경쟁이나 갈등과 거리가 멀기 때문이야.)

③ 구성주의

국제 관계에 대한 관점	· 국제 관계는 국가 간의 상호 작용을 통해 구성된다고 봄 · 웬트*: "국제 관계는 국가 간 상호 작용을 통해서 구성된다." · 국제 분쟁의 원인: 국가 간 믿음과 기대에 따른 자국의 이익 여부와 국가 간 정체성의 상호 작용 여부에 따라 발생함 · 해결 방법: 국가 정체성[3]과 이익이 구성되는 과정을 분석하여 문화적 공통점을 찾아 나서야 함
한계	국가의 정체성이나 규범 등 개별 국가의 속성을 지나치게 강조하고 미래에 대한 예측력이 부족함

(2) 헌팅턴*의 문명 충돌 자료 2

① **국제 분쟁의 원인**: 문명의 지지 기반인 종교를 구심점으로 한 문명 간의 충돌

② **해결 방법**: 문명의 조화에 근거한 국제 질서의 구축을 통해 갈등을 극복할 수 있음

---

❶ 국제 분쟁의 사례
- 자원 분쟁: 동중국해 자원을 둘러싼 중국과 일본의 영유권 분쟁
- 종교 분쟁: 카슈미르 지역에 힌두교도와 이슬람교도 간의 분쟁
- 영토 분쟁: 팔레스타인 지역에 유대인과 아랍인 간의 영토 분쟁

❷ 세력 균형
특정한 집단이 다른 집단을 압도할 만큼 강대해지지 않도록 견제하여 균형을 유지하는 것을 의미한다.

❸ 국가 정체성
개인이 국가 구성원으로서 소속감과 국가 구성원이라는 뚜렷한 신념을 지닌 것이다.

시험에 잘 나오는 자료

자료 1 국제 분쟁의 원인과 양상

자·료·분·석 국제 분쟁은 중국과 인도의 국경 분쟁처럼 국가 간에 더 넓은 영토를 확보하려는 영토 분쟁, 보스니아 민족 분쟁처럼 한 민족이 다른 민족을 억압하면서 발생하는 인종·민족 분쟁, 이스라엘과 팔레스타인의 분쟁처럼 다른 종교에 대한 불관용에서 발생하는 종교 분쟁, 북극해의 분쟁처럼 석유나 천연가스 등 자원을 둘러싼 자원 분쟁 등 다양한 형태로 일어난다. 이처럼 국제 분쟁은 다양한 유형으로 구분할 수 있는데, 실제로 하나의 국제 분쟁은 다양한 유형에 속할 수 있다.

한·줄·핵·심 영역과 자원을 선점하기 위한 경쟁과 갈등, 문화와 종교 차이에 의한 갈등으로 인해 국제 분쟁이 발생하고 있다.

자료 2 지구촌 평화를 위협하는 단층선 분쟁 관련 문제 ▶ 252쪽 04번

단층선 분쟁은 서로 다른 문명에 속한 국가나 무리 사이의 집단 분쟁이다. 이 분쟁은 나라들 사이에서, 비정부 집단들 사이에서, 혹은 나라와 비정부 집단 사이에서 일어날 수 있다. 나라 안의 단층선 분쟁은 지리적으로 명확히 구분된 지역에 거주하는 집단들 사이에서 벌어지는 충돌이지만, 지리적으로 혼재되어 있는 집단들 사이에서 발생하기도 한다. 인도의 힌두교도와 이슬람교도, 말레이시아의 이슬람교도와 화교*처럼 지속적인 긴장 관계가 때때로 폭력으로 분출되기도 하고, 신생국이 들어서면서 국경선이 확정되고 주민들을 강제로 이주시키려는 야만적 시도가 강행되어 전면전으로 치닫기도 한다. 단층선 분쟁은 대개는 영토 분쟁의 양상을 띤다. 당사자 중에서 최소한 한 진영의 목표는 영토를 점령한 뒤 다른 진영 사람들을 내쫓거나 죽이거나 둘 다를 감행함으로써, 다시 말해 '민족 청소'를 함으로써 이 지역에서 다른 사람들이 뿌리내리지 못하도록 만드는 데 있다.

— 헌팅턴*, "문명의 충돌"

자·료·분·석 미국의 정치학자 헌팅턴은 오늘날 문명 간의 충돌 가능성이 세계 평화의 가장 큰 위협 요소가 된다고 보았다. 그는 서로 다른 문명에 속한 국가나 무리 사이의 집단 분쟁을 '단층선 분쟁'이라고 하였다. 이러한 단층선 분쟁을 예방하기 위해 여러 원칙을 제시하였는데, 그 중 하나로 한 문명에 속한 인간은 다른 문명에 속한 사람과 공유하는 가치관, 제도, 관행을 확대해 나가야 한다고 주장하였다.

한·줄·핵·심 헌팅턴은 문명 간의 충돌이 국제 분쟁의 주된 원인이라고 보고, 문명의 조화에 근거한 국제 질서를 구축하여 갈등을 극복할 수 있다고 보았다.

내용 이해를 돕는 팁

궁금해요

Q. 현실주의와 이상주의는 어떻게 다른가요?

A. 다음 표로 한눈에 이해해 보자.

구분	현실주의	이상주의
핵심 단어	힘	이성
갈등 원인	자국 이익 추구	잘못된 제도, 무지, 오해
갈등 해결	국가 간 세력 균형	국가 간 이성적 대화·협력

용어 더하기

* **우위** 남보다 나은 위치나 수준을 뜻한다.
* **인종 청소** 강제 이주, 대량 학살 등 다른 민족 집단의 구성원을 강제로 제거하는 정책을 통틀어 일컫는 말이다.
* **모겐소(Morgenthau, H.)** 독일의 정치학자, 역사가로 국제 정치에서 권력의 역할을 분석한 대표적인 학자이다.
* **웬트(Wendt, A.)** 국제 정치학의 구성주의 이론을 발전시킨 정치학자이다.
* **헌팅턴(Huntington, S.)** 문명 충돌론으로 널리 알려진 미국의 정치학자이다. 저서로 "문명의 충돌", "제3의 물결-20세기 후반의 민주화" 등이 있다.
* **화교** 외국에 거주하는 중국인을 일컫는다.

❹ 간접적 폭력의 구분
- 구조적 폭력: 사회 제도나 관습 또는 의식이 폭력을 용인하거나 정당화하는 형태의 폭력 예 억압, 빈곤
- 문화적 폭력: 문화적 측면인 종교, 이념, 언어, 예술 등의 이면에 내재한 직접적 폭력이나 구조적 폭력을 정당화하고 합법화하는 폭력 예 종교적 차별

3. 국제 평화 실현을 위한 노력

(1) 국제 평화의 중요성

① 내전이나 국가 간 전쟁에서 벗어나 인류가 생존할 수 있는 바탕이 됨

② 국가 간 빈부 격차 해소, 반인도주의적 범죄 종식 등 국제 정의를 실현함

③ 현세대는 물론 미래 세대의 생존과 번영까지 고려하여 인류 번영을 도모함

(2) 국제 평화를 실현하기 위한 노력

① **칸트의 영구 평화론*** 자료 3

- 평화에 이르기 위해서는 전쟁을 없애야 한다고 주장함
- 모든 국가가 평화를 유지하기 위해 자유로운 국가들 간의 우호 관계에 기초하여 국제법이 적용되는 국제 연맹을 창설해야 한다고 봄
- 국제 연합*이 결성되는 데 큰 영향을 끼침

② **갈퉁의 적극적 평화** 자료 4 (노르웨이의 평화학자로, 진정한 평화를 이루기 위한 적극적 평화를 강조했어.)

- 전쟁이 멈추어도 빈곤과 인권 침해 등의 문제는 여전히 존재할 수 있음 → 평화를 단순히 전쟁이 없는 상태로 보는 것은 편협한 시각임
- 평화를 소극적 평화와 적극적 평화로 구분하고 적극적 평화의 실현을 강조함

소극적 평화	• 의미: 전쟁, 테러, 범죄와 같은 직접적 폭력이 없는 상태 (폭행, 테러, 전쟁 등 직접적이고 의도적인 폭력을 말해.) • 빈곤이나 인권 침해 같은 다양한 차원의 고통을 고려하지 않는 한계가 있음
적극적 평화	• 의미: 직접적 폭력뿐만 아니라 간접적 폭력❹도 사라진 상태 • 적극적 평화의 실현을 통해 차별과 억압에서 벗어나 인간다운 삶을 보장받을 수 있음 • 평화의 개념을 정의, 인간 존엄성, 삶의 질에 바탕을 둔 '인간 안보❺'의 차원으로 넓힘

③ **개인적·사회적·국가적 차원의 노력**

- 반인도적 범죄에 대해 엄정하게 처벌하여 지구촌의 형사적 정의*를 바로 세워야 함
- 국제 사법 재판소* 등과 같은 기구를 활용하여 분쟁의 평화로운 해결을 위해 노력해야 함
- 분쟁 과정에서 생겨나는 인권 침해에 적극적으로 개입하여 해결해야 함

❺ 인간 안보
안보의 궁극적 대상을 인간으로 보는 관점으로, 전쟁 같은 국가 안보는 물론 경제적 고통으로부터의 자유, 삶의 질, 자유와 인권 보장 등도 안보 개념에 포함한다.

B 국제 사회에 대한 책임과 기여

| 시·험·단·서 | 해외 원조에 대한 싱어, 롤스, 노직의 입장을 비교하는 문제가 출제돼.

1. 세계화를 둘러싼 윤리적 쟁점

(1) 세계화의 의미: 국제 사회에서 상호 의존성이 증가하면서 세계가 단일한 사회 체계로 나아가는 현상 (세계화는 정치, 경제, 문화, 교육 등 다양한 분야에서 나타나기 때문에 국제 사회의 상호 의존성은 더욱 심화되고 있어.)

(2) 세계화의 긍정적 영향

① 전 세계 각국의 경제가 밀접한 관련을 맺게 되면서 창의성과 효율성이 높아져 공동의 번영이 가능해짐

② 다양한 문화 교류를 통해 전 지구적 차원에서 문화 간 공존을 기대할 수 있게 됨

(3) 세계화의 문제점❻

정치	영역과 자원 확보를 위한 국가 간 분쟁이 빈번해질 수 있음
경제	강대국이 시장과 자본을 독점하여 국가 간의 빈부 격차가 심화될 수 있음
사회·문화	상업화·획일화된 선진국 중심의 문화가 전 세계적으로 확대되어 다양한 지역 문화가 사라질 수 있음

(4) 세계화 시대에 지녀야 할 바람직한 태도: 세계 시민으로서 지구촌 문제를 함께 해결해 나가야 한다는 인식을 지녀야 함

❻ 세계화의 문제점과 지역화
세계화를 부정적으로 이해하는 사람들은 세계화에 맞서 지역화를 강조하기도 한다. 지역화는 지역의 전통이나 특성을 살려 다른 지역과 차별화된 경쟁력을 갖추려는 전략을 뜻한다. 그러나 지역화를 지나치게 강조할 경우 배타성과 폐쇄성이 커져 갈등이 발생할 수 있다.

시험에 잘 나오는 자료

자료 3 영구 평화를 위한 예비 조항과 확정 조항 관련 문제 ▶ 253쪽 08번

• 예비 조항

1. 장차 전쟁의 화근이 될 수 있는 내용을 암암리에 유보한 채 맺은 어떤 평화 조약도 결코 평화 조약으로 간주되어서는 안 된다.
2. 어떠한 독립 국가도 상속, 교환, 매매 혹은 증여에 의해 다른 국가의 소유로 전락할 수 없다.
3. 상비군*은 조만간 완전히 폐지되어야 한다.
4. 국가 간의 대외적 분쟁과 관련하여 어떠한 국채도 발행해서는 안 된다.

…(하략)…

• 확정 조항

1. 모든 국가의 시민적 정치 체제는 국가 구성원이 자유롭고 평등하며 공통의 법을 따를 수 있는 공화 정체이어야 한다.
2. 국제법은 자유로운 국가들의 연방 체제*에 기초해야 한다.
3. 국가 간 평등한 관계에 기반을 둔 세계 시민법은 보편적 우호의 조건*들에 국한되어야 한다.

– 칸트, "영구 평화론"

자·료·분·석 칸트는 영구 평화를 위한 일종의 전제 조건이라고 할 수 있는 여섯 항목의 예비 조항과 세 항목의 확정 조항을 제시하였다. 칸트에 따르면, 단일한 세계 국가를 건설하는 것이 바람직하지만 이는 불가능하므로, 현실론으로서 모든 국가가 민주적 법치 국가가 되어야 하고, 이어 국가 간 국제 연맹을 만들고 보편적 우호 관계에 기반을 둔 국제법을 준수하는 것이 영구 평화를 실현하기 위한 방법이다.

한·줄·핵·심 칸트는 전쟁과 평화의 근원적 문제는 국가 간의 신뢰가 정착되어 있느냐가 중요하다고 강조하였다.

자료 4 직접적·구조적·문화적 폭력의 삼각 구도 관련 문제 ▶ 255쪽 16번

직접적 폭력은 언어적 폭력과 신체적 폭력으로 나눌 수 있다. 이러한 폭력은 시간의 흐름에 따라 다시 폭력을 재현하므로 마음의 상처를 남긴다. 구조적 폭력은 정치적·억압적·경제적·착취적 폭력으로 구분된다. 이러한 폭력들은 분열, 붕괴 및 사회적인 소외 등에 의해 조장된다. 문화적 폭력은 종교와 사상, 언어와 예술, 법과 과학, 대중 매체와 교육 전반에 영향을 미쳐서 구조적 폭력과 직접적 폭력을 정당화하는 역할을 한다. 따라서 폭력은 주로 문화적 폭력으로부터 구조적 폭력을 거쳐 직접적 폭력으로 번진다.

– 갈퉁, "평화적 수단에 의한 평화"

자·료·분·석 갈퉁은 평화를 단순하게 전쟁이 없는 상태로 보는 것을 편협한 시각이라고 지적한다. 전쟁과 같은 폭력 외에도 다양한 폭력이 존재하며 각 폭력들은 상호 작용하며 서로 영향을 미친다. 그는 이러한 다양한 폭력들을 모두 제거해야 진정한 평화가 달성될 수 있다고 본다.

한·줄·핵·심 갈퉁은 직접적 폭력뿐만 아니라 구조적 폭력, 문화적 폭력이 서로 연관되어 있으며, 이러한 모든 폭력을 극복한 상태를 진정한 평화라고 보았다.

내용 이해를 돕는 팁

용어 더하기

* **영구 평화론** 독일 철학자 칸트의 저작으로, 국가 간 이해 대립으로 일어나는 전쟁에 종말을 짓게 하여 질서를 부여하자는 주장을 담고 있다.

* **국제 연합(UN)** 제2차 세계 대전 이후 국제 평화와 안전 유지 등에 관한 국제 협력을 달성하기 위해 창설한 국제 평화 기구이다.

* **형사적 정의** 국제 분쟁이나 테러와 같이 국제 사회의 평화와 질서를 해치는 사람이나 집단을 처벌해 행동에 제한을 가하는 것이다.

* **국제 사법 재판소(ICJ)** 국제 연합 기구의 하나로, 조약의 해석, 의무 위반의 사실 여부 등 국제적 분쟁 해결을 위한 상설 재판소이다.

* **상비군** 국가 비상사태에 항상 대비할 수 있도록 편성된 군대 또는 그런 군인을 뜻한다.

* **연방 체제** 국가 간 전쟁 억제를 위한 법적 구속력을 지닌 국제법이 적용되는 체제를 뜻한다.

* **보편적 우호의 조건** 이방인이 다른 나라에 갔을 때, 그곳에서 이방인이 평화적으로 행동하는 한 적대적으로 대우받지 않을 권리이다.

국제 정의를 해치는 문제에는 국제 분쟁, 반인도주의적 범죄, 절대 빈곤, 인권 침해, 환경 파괴 등이 있어.

2. 국제 정의의 필요성과 종류

(1) 국제 정의의 필요성: 세계화의 흐름은 국가 간의 상호 의존도가 높아짐에 따라 정의 실현의 문제가 개별 국가에서 국제 사회로 확대됨

(2) 국제 정의의 종류

종류	형사적 정의	분배적 정의
의미	범죄에 대한 정당한 처벌을 통해 실현되는 정의	가치나 재화의 공정한 분배로 실현되는 정의
국제 정의를 해치는 문제	전쟁, 테러, 학살, 납치 등 반인도주의적 범죄	기아, 절대 빈곤❼ 문제
국제 정의의 실현 방법	국제 형사 재판소*, 국제 사법 재판소, 국제 형사 경찰 기구* 등을 상설화하여 반인도주의적 범죄를 저지르는 개인이나 국가를 처벌함	선진국이 공적 개발 원조❽ 등을 통해 국제 기관을 도움으로써 재화를 공정하게 분배함

3. 해외 원조에 대한 다양한 관점

(1) 해외 원조의 필요성

① 모든 인간은 인간으로서 최소한 경제적·정치적 조건과 인권의 보장이 필요함

② 국제 사회 구성원으로서 기아와 빈곤 문제를 겪는 약소국에 대해 책임감을 지녀야 함

(2) 해외 원조에 대한 다양한 관점

① **의무의 관점**

- 약소국에 대한 원조는 윤리적 의무라고 봄
- 대표 사상가

싱어❾ 자료 5	• 고통을 감소하고 쾌락을 증진해야 한다는 공리주의 입장에서 빈곤으로 인한 고통을 경감하는 것은 윤리적 의무임 • 원조를 통해 얻는 이익이 비용보다 클 경우 친소(親疎)에 관계없이 도와야 함 (친함과 관계없이 도와야 한다는 뜻이야.) • 세계 시민주의 관점에서 전 지구적 차원의 분배 주장: 원조의 대상은 자신이 속한 국가에 한정하는 것이 아니라 지구촌 전체로 확대해야 함
롤스 자료 6	• 해외 원조의 목적은 부의 불평등을 해결하는 것이 아니라 '고통받는 사회'를 '질서 정연한 사회❿'가 되도록 돕는 데 있음 • 원조를 통해 약소국이 스스로 빈곤 문제를 해결하고 질서 정연한 사회를 만들도록 도울 의무가 있음 • 질서 정연한 사회가 되면 그 사회가 여전히 빈곤할지라도 원조를 중단해야 함 → 국제적 차원의 부의 재분배 반대 • '차등의 원칙'을 국제적 분배 정의에는 적용하지 않는다는 비판을 받음

② **자선의 관점**

- 약소국에 대한 원조는 의무가 아니라 자선*의 형식으로 국가나 개인이 자율적으로 선택할 문제라고 봄
- 대표 사상가

노직  자료 7	• 정당하게 취득한 개인의 재산에 대한 소유권은 오직 개인에게 있으며(배타적 소유권*), 그 재산에 대한 처분권* 또한 개인의 자유로운 선택에 달려 있음 • 자신의 부를 어떻게 사용할지는 전적으로 개인의 자유이므로 해외 원조를 실천할 윤리적 의무는 없음 • 해외 원조는 선의를 베푸는 자선의 형태로 이루어져야 함

(3) 해외 원조에 대한 윤리적 자세

① 우리나라도 원조 수혜국(원조를 받는 나라라는 뜻이야.)으로 지금의 발전과 성장을 이루어 원조 공여국(원조를 하는 나라라는 뜻이야.)이 될 수 있었음 → 보답의 차원에서 원조에 대한 책임 의식을 지녀야 함

② 지구촌 일원으로서 국제 정의 실현에 이바지해야 한다는 의무의 차원에서 원조에 대한 책임 의식을 지녀야 함

---

❼ 절대 빈곤
생계유지를 위한 최소한의 필수품이 결핍되어 육체적·정신적 생활이 피폐해진 빈곤 수준을 말한다.

❽ 공적 개발 원조
선진국 정부 또는 공공 기관이 개발 도상국에 자금을 지원하거나 기술 원조를 하는 것으로, 공공 개발 원조 또는 정부 개발 원조라고도 한다.

❾ 해외 원조에 대한 싱어의 입장
싱어는 굶주림으로 죽어 가는 이웃에게 자신의 꼭 필요하지 않은 지출을 기부하는 방식으로 소득의 일정 부분을 적극적으로 기부할 것을 제안했다.

❿ 질서 정연한 사회
독재나 착취와 같은 불합리한 사회 구조나 제도가 개선되어 정치적 전통, 법, 규범 등의 문화가 적정한 수준에 이른 사회를 말한다.

시험에 잘 나오는 자료

자료 5 해외 원조, 인류가 함께 책임을 느껴야 하는 도덕적 문제 관련 문제 ▸ 255쪽 13번

> 우리가 만약 어떤 사람에게 매우 나쁜 일이 일어나는 것을 방지할 힘을 가지고 있고, 그 나쁜 일을 방지함으로써 우리의 중요한 일이 희생되지 않는다면 우리는 그렇게 해야만 한다. …(중략)… 우리는 절대 빈곤에 빠진 사람들을 도울 의무가 있다. …(중략)… 이러한 행위는 자선적인 행위가 아니며, 모든 사람이 마땅히 해야 하는 행위이다.
>
> – 싱어, "실천 윤리학"

자·료·분·석 싱어는 공리주의에 입각해 모든 사람의 고통을 감소시키고 쾌락을 증진하는 것을 윤리적 의무로 본다. 그러한 의미에서 도움을 줄 수 있는 사람은 도움을 받는 사람의 인종, 국가 등에 관계없이 그들의 고통을 줄이기 위해 노력해야 한다. 자신이 돕는 사람이 이웃에 사는 아이이든 다른 나라에 사는 이름도 알지 못하는 외국인이든 이 사이에는 도덕적 차이가 없다는 것이다.

한·줄·핵·심 싱어는 전 지구적 차원에서 적극적인 원조가 필요하다고 본다.

자료 6 해외 원조, 질서 정연한 사회로의 이행 관련 문제 ▸ 254쪽 12번

> 질서 정연한 만민은 고통받는 많은 사회를 원조해야 할 의무가 있다. 원조의 목적은 '고통받는 사회'가 그들의 여러 문제를 합당하게 관리할 수 있게 도와 질서 정연한 국제 사회의 구성원이 되도록 하는 것이다. 이것이 성취된 후에는 여전히 상대적으로 빈곤하더라도 더 이상의 원조는 요구되지 않는다.
>
> – 롤스, "만민법"

자·료·분·석 롤스는 해외 원조의 목표를 불리한 여건의 사회 제도나 사회 구조를 개선하여 '질서 정연한 사회'로 만드는 것으로 보았다. 그에 따르면 불리한 여건을 개선해 준다는 것은 전 지구적 차원의 부의 재분배나 복지 향상을 의미하는 것이 아니다. 따라서 가난한 나라일지라도 질서 정연하다면 원조를 할 필요가 없다고 보았다.

한·줄·핵·심 롤스는 해외 원조의 목적을 경제적 분배가 아니라 질서 정연한 사회로의 이행으로 보았다.

자료 7 해외 원조, 개인의 자유에 맡길 문제 관련 문제 ▸ 255쪽 14번

> 취득에서의 정의 원칙에 따라 소유물을 획득한 사람에게는 그 소유물에 대한 소유 권리가 있다. …(중략)… 최소 국가는 보호와 같은 협소한 기능에만 한정되기 때문에 정당화된다. 이를 넘어서는 포괄 국가는 무엇인가를 행하도록 강제되어서는 안 되는 개인의 권리를 침해할 것이다. …(중략)… 시민들에게 다른 시민들을 돕게 할 목적으로 국가가 강제적인 장치를 사용해서는 안 된다는 것이다.
>
> – 노직, "아나키에서 유토피아로"

자·료·분·석 노직은 개인의 소유권의 절대성을 강조하고, 최소 국가를 이상적 국가로 제시하였다. 따라서 그는 재분배를 위한 복지 정책이나 세금 부과를 반대하였다.

한·줄·핵·심 노직은 빈곤한 사람을 돕는 일은 윤리적 의무가 아닌 개인의 자율에 따른 자선적 행위라고 보았다.

내용 이해를 돕는 팁

용어 더하기

* **국제 형사 재판소(ICC)** 인간의 존엄과 가치, 국제 사회의 정의를 실현하기 위해 설립된 상설 국제 재판소로 집단 살해죄 등 반인도적 범죄를 저지른 가해자의 처벌을 주로 담당한다.
* **국제 형사 경찰 기구(ICPO)** 세계 각국의 경찰이 서로 협력하여 국제적인 형사 범죄의 예방과 해결을 위해 만든 국제 기관이다.
* **자선** 남을 불쌍히 여겨 돕는 것을 말한다.
* **배타적 소유권** 다른 사람이 관여하거나 건드릴 수 없는 독점적 소유권을 말한다.
* **처분권** 특정한 물건의 소유권을 이전하거나 그 물건에 담보권을 설정하는 따위의 행위를 할 수 있는 권리이다.

해외 원조는 자선인가, 의무인가?

개념풀 Guide 해외 원조에 대한 싱어, 롤스, 노직의 입장을 비교해 보자.

관련 문제 ▶ 257쪽 07번

핵심 짚어보기

의무의 관점	싱어	해외 원조는 인류의 행복 증진을 위해 지구촌의 빈곤한 사람들을 돕는 것이며 인류에게 주어진 보편적 의무임
	롤스	해외 원조는 '고통받는 사회'가 적정 수준의 문화를 형성하여 '질서 정연한 사회'가 되도록 돕는 것임
자선의 관점	노직	해외 원조는 개인의 자율적인 선택에 따른 자선적 행위임

자료에서 핵심 찾아보기

자료 ❶ 나는 절대 빈곤과 그에 따른 기아, 열악한 영양 상태, 주거의 부족, 문맹, 질병, 높은 유아 사망률, 낮은 평균 수명 등을 나쁜 것이라고 가정한다. 그리고 또 도덕적으로 중요한 일을 희생시키지 않고 절대 빈곤을 감소시키는 일을 할 수 있는 힘이 풍요한 사람들에게 있다고 가정한다. 만일 이 두 가정과 우리가 논의하고 있는 원칙이 올바르다면, 우리는 절대 빈곤에 빠져 있는 사람들을 도울 의무를 갖게 된다.

– 싱어, "실천 윤리학"

핵심 확인
싱어는 전 인류의 행복을 증진시켜야 한다는 공리주의에 입각해 빈곤으로 고통받는 사람을 돕는 것을 원조의 목적으로 보았다.

자료 ❷ 만민에게는 정의롭거나 적정 수준의 정치 체제와 사회 체제의 유지를 저해하는 불리한 조건에 놓여 있는 다른 만민을 원조할 의무가 있다. 더욱 구체적으로 국제 원조는 '고통을 겪고 있는 사회'라고 부르는 심각한 정치·사회·문화적 어려움에 처한 국가들이 그러한 어려움에서 벗어나 스스로 일을 적절하고 합리적으로 처리할 수 있도록 하는 것을 목표 대상으로 삼아야 한다. 그리하여 이들 국가들이 '질서 정연한 사회'가 되도록 지원해야 한다.

– 롤스, "만민법"

핵심 확인
롤스는 해외 원조의 목적을 고통을 겪는 사회가 자유와 평등이 보장되는 '질서 정연한 사회'로 확립되는 것으로 보았다.

자료 ❸ 자유 사회에서 개인의 선택은 존중되어야 한다. 원조를 강요하는 것은 자신의 소유물에 대한 절대적 권리를 갖는 개인의 권리를 침해하는 것이다. …(중략)… 자유 시장에서 각 개인의 선택은 무엇보다 우선하여 존중되어야 하며, 그것은 자신의 소유물은 물론 그것의 이전(移轉)에 대해서도 똑같이 적용된다. 나아가 '강요받지 않을 권리'는 남을 돕는 일에도 적용된다.

– 노직, "아나키에서 유토피아로"

핵심 확인
노직은 해외 원조를 윤리적 의무가 아닌 개인의 자율적 선택의 문제로 보았다.

이것만은 꼭!

다음 설명이 싱어에 해당하면 '싱', 롤스에 해당하면 '롤', 노직에 해당하면 '노'라고 쓰시오.

(1) 원조의 의무는 국경을 초월한 세계 시민적 의무라고 주장하였다. ( )
(2) 세계적인 경제적 불평등의 완화나 감소가 원조의 목적이라고 주장하였다. ( )
(3) '고통받는 사회'가 '질서 정연한 사회'가 되도록 원조해야 한다고 주장하였다. ( )
(4) 가난한 사람을 돕는 것은 개인적 차원의 자율적 선택의 문제라고 주장하였다. ( )

[정답] (1) 싱 (2) 싱 (3) 롤 (4) 노

콕콕! 개념 확인하기

정답과 해설 80쪽

A 국제 분쟁의 해결과 평화

01 알맞은 설명에 ○표를 하시오.

(1) 국제 관계에 대한 관점 중 (현실주의, 이상주의, 구성주의) 관점에서는 국제 관계에서 국가는 자국의 이익만을 추구한다고 본다.

(2) 국제 관계에 대한 관점 중 (현실주의, 이상주의, 구성주의) 관점에서는 인간이 이성적 존재이듯이 국가도 이성적이고 합리적이라고 보고 도덕과 규범을 강조한다.

(3) 미국의 정치학자인 헌팅턴은 국제 분쟁의 원인을 문명의 지지 기반인 종교를 구심점으로 한 문명 간의 (충돌 , 공존)(으)로 보았다.

02 빈칸에 알맞은 말을 쓰시오.

(1) 칸트는 □□ □□□에서 평화를 이루기 위해서는 전쟁을 없애야 한다고 주장하였다.

(2) 갈퉁은 평화를 직접적 폭력이 제거된 상태인 □□□ 평화와 직접적 폭력뿐만 아니라 간접적 폭력까지 제거된 상태인 □□□ 평화로 구분하였다.

03 갈퉁이 정의한 폭력의 종류와 그 의미를 바르게 연결하시오.

(1) 물리적 폭력 •

(2) 구조적 폭력 •

(3) 문화적 폭력 •

• ㉠ 사회 제도나 관습 또는 의식이 폭력을 용인하는 형태의 폭력

• ㉡ 폭행 · 구타 · 고문 · 테러 · 전쟁 등 직접적이고 의도적인 폭력

• ㉢ 종교, 이념, 언어, 예술 등의 이면에 내재해 있는 직접적 혹은 구조적 폭력을 정당화하는 폭력

B 국제 사회에 대한 책임과 기여

04 빈칸에 알맞은 말을 쓰시오.

(1) □□□은/는 국제 사회에서 상호 의존성이 증가하면서 세계가 단일한 사회 체계로 나아가는 현상을 말한다.

(2) 국제 정의의 종류 중 범죄에 대한 정당한 처벌을 통해 실현되는 정의를 □□□ 정의라고 한다.

(3) 국제 정의를 실현하기 위해 세계적인 기아나 빈곤 문제는 □□□ 정의의 측면에서 해결해야 한다.

05 다음 설명이 옳으면 ○표, 틀리면 ×표를 하시오.

(1) 싱어는 공리주의 관점에서 해외 원조의 의무를 주장하였다. (   )

(2) 싱어는 세계 시민주의 관점에서 국민 · 국가 개념을 뛰어넘는 원조를 요구하였다. (   )

(3) 롤스는 차등의 원칙을 적용하여 해외 원조를 시행해야 한다고 본다. (   )

(4) 롤스는 고통받는 사회가 질서 정연한 사회로 진입한 이후에는 그 사회가 여전히 상대적으로 빈곤할지라도 해외 원조는 중단되어야 한다고 본다. (   )

(5) 노직은 원조를 통해 만민의 복지 수준을 일치시켜야 한다고 본다. (   )

(6) 노직은 가난한 사람들을 돕는 일을 의무화하는 것은 개인에 대한 권리 침해로 본다. (   )

탄탄! 내신 다지기

A 국제 분쟁의 해결과 평화

01 국제 분쟁의 특징으로 옳지 않은 것은?

① 국제 분쟁은 인종 청소와 같은 반인도적 범죄를 일으킨다.
② 국제 분쟁으로는 국가 간에 더 넓은 영토를 확보하려는 영토 분쟁이 있다.
③ 하나의 국제 분쟁은 자원 분쟁, 종교 분쟁, 영토 분쟁 등 여러 유형 중 하나에만 속한다.
④ 국제 분쟁은 영역과 자원을 선점하기 위한 경쟁과 문화와 종교 차이에 의한 갈등이 원인이 되어 발생한다.
⑤ 국제 분쟁은 경쟁국에 대한 군사적 우위를 확보하려는 과정에서 핵무기 등을 개발해 지구촌 전체의 평화를 위협한다.

02 (가), (나)의 국제 관계에 대한 옳은 입장을 <보기>에서 고른 것은?

(가) 국가의 정체성과 이익이 국제 체계에 의해서 구성되고, 반대로 국제 체계도 국가에 의해서 구성된다. 즉 국제 체계 내에서 주체와 구조가 상호 구성된다.
(나) 국제 정치의 기본 구조는 개별 주권 국가들이 스스로 최고 권위를 가진 존재로 간주하고, 그보다 상위의 권위를 인정하지 않는 무정부 상태의 구조이다.

보기
ㄱ. (가): 국가의 정체성과 국제 관계의 구조는 사회적 상호 작용을 통해 구성된다.
ㄴ. (나): 국제 평화는 힘을 가진 국제기구를 통해서만 달성된다.
ㄷ. (나): 국제 사회는 국가의 이익을 위해 다른 국가와 협력할 수 있다.
ㄹ. (가), (나): 국제 사회에서 국가들의 노력으로 분쟁을 해결할 수 없다.

① ㄱ, ㄴ ② ㄱ, ㄷ ③ ㄴ, ㄷ
④ ㄴ, ㄹ ⑤ ㄷ, ㄹ

03 다음 입장에서 지지할 주장으로 가장 적절한 것은?

인간은 이성적 존재이며 국가 역시 이성적이고 합리적이다. 국제 분쟁은 국가 간의 오해나 잘못된 제도 때문에 발생하는 것이므로 국제기구나 국제법과 같은 제도적 개선을 통해 평화를 달성할 수 있다.

① 국제 관계는 국가 간 힘의 논리에 따라 움직인다.
② 국제 관계에서 국가는 자국의 이익만을 추구한다.
③ 국제 분쟁은 국가 간의 도덕성을 확보해야 해결된다.
④ 국제 관계는 국가 간의 상호 작용을 통해서 구성된다.
⑤ 국가 간의 세력 균형을 통해서만 국제 분쟁이 해결된다.

04 다음 사상가의 주장으로 옳은 내용만을 <보기>에서 있는 대로 고른 것은?

문명에 기반을 둔 세계 질서가 태동하고 있다. 문화적 친화력을 갖는 사회들은 서로 협조하며 국가들은 자기 문명권의 핵심국을 중심으로 뭉친다. 확전으로 치달을 가능성이 가장 높은 국지적 분쟁은 판이한 문명에 속한 집단이나 국가 간의 충돌이다.

보기
ㄱ. 문명 간의 충돌이 세계 평화를 가장 위협한다.
ㄴ. 복잡한 국제 관계를 문명 간의 충돌로 단순화해서는 안 된다.
ㄷ. 국가의 힘을 키워 세력 균형을 이루면 국제 분쟁을 해결할 수 있다.
ㄹ. 문명의 조화에 근거한 국제 질서의 구축을 통해 국제 분쟁을 해결할 수 있다.

① ㄱ, ㄴ ② ㄱ, ㄹ ③ ㄴ, ㄷ
④ ㄱ, ㄷ, ㄹ ⑤ ㄴ, ㄷ, ㄹ

05 ㉠의 사례로 가장 적절한 것은?

> 과학과 법, 종교와 사상, 대중 매체와 교육의 내부에도 폭력은 존재한다. ㉠이러한 폭력의 기능은 매우 간단한데, 종교와 사상, 언어와 예술, 법과 과학, 대중 매체와 교육 전반에 영향을 미쳐서 직접적 폭력과 구조적 폭력을 정당화한다.

① 테러와 같은 신체적 위협
② 빈곤과 같은 생계의 위협
③ 폭행과 같은 물리적 폭력
④ 문화와 상징 차원의 폭력
⑤ 여성에 대한 가부장제적 억압

06 갑의 주장에 대해 을이 제기할 수 있는 적절한 반론을 〈보기〉에서 고른 것은?

> 갑: 진정한 평화는 전쟁이나 테러와 같은 물리적 폭력만 제거되면 평화로운 상태라고 할 수 있습니다.
> 을: 아닙니다. 전쟁이나 테러가 사라져도 빈곤이나 인권 침해 등의 문제가 남을 수 있습니다. 평화를 전쟁이나 테러가 사라진 상태로만 협소하게 이해해서는 안 됩니다.

〈보기〉
ㄱ. 물리적 폭력의 위험성을 인식하지 못하고 있다.
ㄴ. 직접적 폭력을 제거해야 진정한 평화가 가능함을 간과하고 있다.
ㄷ. 대중 매체와 교육의 내부에 존재하는 간접적 폭력을 간과하고 있다.
ㄹ. 제도적 폭력이 인간의 삶을 고통스럽게 한다는 것을 간과하고 있다.

① ㄱ, ㄴ ② ㄱ, ㄷ ③ ㄴ, ㄷ
④ ㄴ, ㄹ ⑤ ㄷ, ㄹ

07 다음 사상가가 평화에 대해 지지할 주장으로 옳지 않은 것은?

> 영원한 평화를 위해서는 "네 의지의 준칙이 보편적 입법의 원리가 될 수 있도록 행위하라."라는 원리에 근거한 국제법을 준수해야 한다. 국제법의 이념은 독립해 있는 많은 이웃 국가들의 분립을 전제로 해야 한다.

① 국제 평화를 위해 강력한 군사력의 확보가 중요하다.
② 국제법과 국제기구를 통해 국제 평화를 실현할 수 있다.
③ 국제법은 자유로운 국가들의 연방 체제에 기초해야 한다.
④ 국제 평화를 위해서는 개별 국가의 독립이 우선되어야 한다.
⑤ 국제법은 이성의 명령에 근거한 보편적 원칙에 근거해야 한다.

08 그림은 어느 학생의 노트 필기 내용이다. ㉠~㉤ 중 옳지 않은 것은?

칸트가 주장한 영구 평화를 위한 확정 조항

1. 확정 조항의 내용
   - 모든 국가의 시민적 정치 체제는 공화 정체이어야 한다. ··········· ㉠
   - 국제법은 자유로운 국가들의 연방 체제에 기초해야 한다. ··········· ㉡
   - 세계 시민법은 보편적 우호의 조건들에 국한되어야 한다. ··········· ㉢
2. 확정 조항에 대한 해설
   - 모든 국가는 민주적 법치 국가가 되어야 하고, 국가 간 국제 연맹을 만들어 국제법을 준수해야 한다. ··········· ㉣
   - 세계 시민법은 보편적 우호를 위한 조건과 상관없이 인정된다. ··········· ㉤

① ㉠ ② ㉡ ③ ㉢ ④ ㉣ ⑤ ㉤

B 국제 사회에 대한 책임과 기여

09 갑, 을의 적절한 입장을 〈보기〉에서 고른 것은?

> 갑: 세계화를 통해 전 지구적 차원에서 효율성과 창의성이 한층 더 제고될 수 있습니다. 왜냐하면 세계화는 국가들 간의 상호 의존성을 증대시켜 서로를 긴밀하게 연결해 주기 때문입니다.
> 을: 지역의 전통과 문화를 중시하며 지역의 통제와 지도를 받는 체제를 구축해야 합니다. 왜냐하면 세계화는 지역 문화의 고유성을 훼손하고 문화의 획일화를 가져올 수 있기 때문이다.

〈보기〉
ㄱ. 갑: 경쟁력의 시작은 지역 중심적 사고에서 비롯된다.
ㄴ. 갑: 세계화를 통해 인류의 공동 번영을 이룰 수 있다.
ㄷ. 을: 세계화된 자유 무역과 금융 산업을 추구해야 한다.
ㄹ. 을: 지역의 문화적 고유성과 다양성의 유지가 중요하다.

① ㄱ, ㄴ ② ㄱ, ㄷ ③ ㄴ, ㄷ
④ ㄴ, ㄹ ⑤ ㄷ, ㄹ

10 다음 세계화에 대한 입장에서 긍정의 대답을 할 질문을 〈보기〉에서 고른 것은?

> 선진국들은 과거에 보호 무역을 통해 경제 성장을 이루었다. 그러나 자국의 경쟁력이 갖추어지자마자 다른 나라에 자유 경쟁이나 세계적 기준을 따를 것을 강요하였고, 우위를 선점한 국가들은 다른 나라들이 선진국으로 오르는 데 필요한 조건을 걷어차 버리는 일들을 해왔다. 이처럼 자유 경쟁이나 세계적 기준은 선진국의 편의에 따라 만들어진 것이다.

〈보기〉
ㄱ. 세계화는 인류의 공동 번영을 위한 최선의 대안인가?
ㄴ. 세계화로 인하여 시장과 자본의 독점이 발생하는가?
ㄷ. 경제적 효율성을 증진하기 위해 자유 무역을 확대해야 하는가?
ㄹ. 세계화는 무한 경쟁을 강조하여 국가 간의 빈부 격차를 심화시키는가?

① ㄱ, ㄴ ② ㄱ, ㄷ ③ ㄴ, ㄷ
④ ㄴ, ㄹ ⑤ ㄷ, ㄹ

11 그림은 수업의 한 장면이다. 교사의 질문에 대해 옳게 대답한 학생만을 있는 대로 고른 것은?

① 갑, 을 ② 을, 병 ③ 병, 정
④ 갑, 을, 정 ⑤ 갑, 병, 정

12 다음 서양 사상가의 입장으로 가장 적절한 것은?

> 원조의 의무는 고통받는 사회를 '적정 수준의 사회'로 만드는 데 있다. 사회들 간의 부와 복지 수준은 다양할 수 있으며, 원조의 목적은 그러한 수준을 조정하는 것이 아니라 단지 고통받는 사회를 질서 정연한 사회로 통합시키는 것이다.

① 원조의 목적은 인류의 행복 증진에 있다.
② 원조를 이행할 때 차등의 원칙이 적용되어야 한다.
③ 원조의 목적은 인류 전체의 공리를 증진하는 것이다.
④ 원조는 자선이 아닌 의무의 차원에서 이행해야 한다.
⑤ 원조의 대상은 자신이 속한 국가에 한정하는 것이 아니라 지구촌 전체로 확대해야 한다.

13 다음 사상가가 지지할 주장으로 가장 적절한 것은?

> 원조는 만인이 공정하게 분담해야 할 전 지구적 의무이다. 따라서 내가 돕는 사람이 10야드 떨어진 곳에 사는 이웃의 아이인지, 아니면 이름도 알지 못하는 1만 마일 떨어져 있는 벵골 아이인지가 나에게는 도덕적으로 아무런 차이가 없다.

① 원조는 선의에 따라 시혜를 베푸는 행위이다.
② 약소국에 대한 원조는 각 나라의 자율적 선택이다.
③ 불리한 처지에 놓인 약소국을 돕는 것은 윤리적 의무이다.
④ 원조의 의무는 자국의 어려운 사람들을 돕는 것으로 한정해야 한다.
⑤ 어려운 이웃을 돕는 자선의 마음으로 원조에 대한 책임감을 지녀야 한다.

14 다음 사상가의 입장에 부합하는 관점에만 모두 'V'를 표시한 학생은?

> 어떤 사람이 정당한 방법으로 재산을 취득한 경우 그 사람은 그 재산에 대해 배타적 소유권을 갖는다. 국가가 복지를 위해 소득 재분배 정책을 펼치는 것은 개인의 소유권을 침해하는 것이다. 이러한 원칙은 원조에도 적용된다.

번호	관점 \ 학생	갑	을	병	정	무
(1)	원조에 필요한 비용 마련은 개인의 자선에 달려 있다.	V	V		V	
(2)	원조를 위한 과세는 국가가 개인의 자유를 침해하는 것이다.			V	V	V
(3)	고통받는 사회의 구조나 제도를 개선하는 것이 원조의 목적이다.	V		V		V
(4)	개인에게 원조의 의무를 부과하는 것은 소유권을 침해하는 것이다.		V		V	V

① 갑 ② 을 ③ 병 ④ 정 ⑤ 무

15 갑, 을의 입장에 대한 설명으로 가장 적절한 것은?

> 갑: 모든 사람의 고통을 가능한 한 줄여주는 대신, 쾌락은 가능한 한 증대시키는 것이 윤리적 원칙이 되어야 한다. 가난한 사람을 돕는 것은 이를 실천하는 것이다.
> 을: 각자는 자신이 정당하게 취득한 소유물과 그것의 처분에 대해서 어떤 침해를 받아서도 안 된다. 가난한 사람을 돕는 것은 사적 차원의 자율적 선택의 문제이다.

① 갑은 원조를 자율적 선택의 문제로 본다.
② 갑은 원조의 목적을 정치 문화의 개선으로 본다.
③ 을은 세계 시민주의적 관점에서 원조를 해야 한다고 본다.
④ 을은 원조를 하지 않는다고 해서 그릇된 것은 아니라고 본다.
⑤ 갑, 을은 원조의 목적을 인류의 복지 수준 향상에 있다고 본다.

서술형 문제

16 다음 글을 읽고 물음에 답하시오.

> ㉠구조적 폭력은 정치적, 억압적, 경제적, 착취적 폭력으로 구분된다. 이러한 폭력들은 분열과 붕괴, 사회적인 소외 등에 의해 조장된다. ㉡문화적 폭력은 종교와 사상, 언어와 예술, 대중 매체와 교육 전반에 영향을 미쳐 구조적 폭력과 ㉢직접적 폭력을 정당화하는 역할을 한다.

(1) ㉠, ㉡, ㉢의 사례를 한 가지 이상 쓰시오.

㉠ (　　　　　　　　　　　　　　)
㉡ (　　　　　　　　　　　　　　)
㉢ (　　　　　　　　　　　　　　)

(2) 갈퉁의 진정한 평화에 대한 주장을 ㉠, ㉡, ㉢과 관련지어 서술하시오.

도전! 실력 올리기

01 국제 관계에 대한 (가), (나)의 입장으로 옳지 않은 것은?

(가) 국제 관계는 사회적 상호 작용에 기초를 둔다. 국가 정체성과 이익이 구성되는 과정을 분석하여 문화적 공통점을 찾아야 국제 체제의 안정을 이룰 수 있다.
(나) 국제 관계는 힘을 둘러싼 권력 투쟁이다. 전쟁은 자국의 안보와 이익 실현을 위한 수단의 하나이며, 국제적 수준에서는 도덕성이 적용될 수 없다.

① (가): 국가 정체성은 국가 간의 교류를 통해 변화한다.
② (가): 국제 분쟁은 국가 간의 조화로운 정체성의 형성을 통해 해결할 수 있다.
③ (나): 국제 관계는 이기적 갈등이라는 틀을 벗어날 수 없다.
④ (나): 국제 분쟁은 중립적인 국제기구의 역할을 강화함으로써 해결할 수 있다.
⑤ (가), (나): 국제 관계에서 국제법과 국제 규범의 실효성에는 한계가 있다.

수능 유형

02 갑, 을 사상가의 입장으로 옳지 않은 것은?

갑: 전쟁의 완전 종식과 영구 평화는 도덕적 입법의 최고 자리에 위치한 이성이 명령하는 의무입니다. 영구 평화를 실현하기 위해 모든 전쟁 수단의 금지와 국가 간 영역의 확장이 필요합니다.
을: 전쟁 종식만으로 평화가 보장되지 않습니다. 진정한 평화는 직접적, 구조적, 문화적 폭력을 예방함으로써 가능합니다. 이를 위해 억압과 착취의 구조를 시급히 개선해야 합니다.

① 갑: 개별 국가의 주권을 인정하면서 영원한 평화를 실현해야 한다.
② 갑: 국제법을 통해 국가 간의 우호와 시민의 자유를 증진해야 한다.
③ 을: 편견 극복을 위한 교육은 적극적 평화를 실현하는 방법이다.
④ 을: 직접적 폭력의 제거만으로도 인간다운 삶을 보장받을 수 있다.
⑤ 갑, 을: 평화의 실현을 위해서는 정치 제도의 개선이 필수적이다.

수능 유형

03 다음 사상가의 입장으로 가장 적절한 것은?

폭력에는 신체에 직접 위해를 가하는 직접적 폭력과 인간 사이에서 또는 집단 사이에서 나타나는 억압과 착취가 구조화된 간접적 폭력, 그리고 이러한 폭력들이 수용되게 하는 종교나 사상과 같은 문화적 폭력이 있다. 직접적 폭력의 제거는 소극적 평화에 해당하며, 직접적 폭력과 간접적 폭력이 모두 제거된 상태가 적극적 평화이다.

① 소극적 평화는 적극적 평화를 위한 충분조건이다.
② 개인의 자유가 보장되려면 소극적 평화만으로도 충분하다.
③ 소극적 평화는 개인의 잠재 능력을 최대한 실현할 수 있는 기반이다.
④ 소극적 평화는 평화의 개념을 '국가 안보' 차원에서 '인간 안보' 차원으로 넓혔다.
⑤ 직접적 폭력뿐만 아니라 간접적 폭력까지 제거될 때 진정한 평화가 이루어진다.

수능 기출

04 다음 서양 사상가의 주장으로 옳지 않은 것은?

사회 계약에 기초하여 하나의 국가가 건립되듯이, 국제 관계도 국가들이 자발적으로 결성한 연맹 체제에 기초한 국제법을 통해 평화 상태에 들어설 수 있다. 이 상태에서만 국민의 모든 권리나 국가들의 소유가 확정적인 것으로 인정되고 참된 평화 상태가 될 수 있다. 이러한 연맹의 이념은 모든 국가로 확산되어야 하며, 영원한 평화로의 지속적인 접근은 인간 및 국가의 의무로서, 그리고 권리에 기초한 과제로서 성립될 수 있다.

① 국제적 사회 계약을 통해 연맹 체제를 단일 국가로 전환해야 한다.
② 개별 국가의 시민적 정치 체제는 공화적 체제를 갖추어야 한다.
③ 연맹 체제의 단계에서도 개별 국가의 주권은 인정되어야 한다.
④ 세계 시민법은 인류의 평화적인 교류 조건에 한정되어야 한다.
⑤ 연맹의 확산을 통해 국제 사회는 자연 상태를 벗어나야 한다.

정답과 해설 83쪽

05 다음을 주장한 사람이 긍정의 대답을 할 질문으로 가장 적절한 것은?

> 세계화로 인한 시장 개방은 자본주의가 안정적으로 발전할 수 있도록 해 준다. 따라서 시장 개방과 규칙에 기초한 무역은 모두에게 시장 접근 기회를 보장하여 삶의 기준을 향상시키고 번영을 공유하는 가장 좋은 장치이다.

① 세계화로 부국과 빈국의 경제적 격차가 심화되는가?
② 자유 무역의 실현은 국가 간의 공정한 경쟁을 가능하게 하는가?
③ 경제 성장과 발전은 인류의 삶의 질을 향상시키는 데 불필요한가?
④ 시장 개방으로 발생한 이익 분배에서 형평성이 우선되어야 하는가?
⑤ 세계화로 인한 시장 개방은 선진국보다 개발 도상국에 더 많은 이익을 주는가?

06 ㉠에 들어갈 내용으로 가장 적절한 것은?

> 어려운 상황에 처한 국가의 사람들을 돕는 것은 우리가 그러한 상황이 초래된 데 책임이 있다고 하더라도 우리의 도덕적 자율성에 근거한 자선이 되어야 한다. 그런데 어떤 사람은 원조는 가끔씩 이행되는 그런 의무가 아니라 각 원조 제공자들이 그것을 하나의 원칙으로 간주하는 완전한 의무가 되어야 한다고 말한다. 또한 빈곤으로 어려움을 겪는 국가의 사람들에 대한 원조가 원조 제공자의 선의에 기대는 것이 아닌 빈곤을 초래한 데 대한 책임 의식에 출발해야 한다고 말한다. 나는 이러한 주장이 [㉠]고 생각한다.

① 원조에 대한 선택은 원조 제공자의 재량에 맡겨야 함을 강조하고 있다
② 원조의 수혜자가 제공자에게 원조의 이행을 요구할 수 없음을 중시하고 있다
③ 원조의 의무를 이행하지 못했을 때 법적·사회적 책임을 져야 함을 간과하고 있다
④ 원조가 잘못에 대한 시정이 아닌 어려운 사람들을 돕는 자선 행위임을 간과하고 있다
⑤ 타국 사람들의 어려운 처지가 원조 제공자에 의해 초래되었을 수 있음을 간과하고 있다

수능 유형

07 (가)의 갑, 을, 병의 입장을 (나) 그림으로 표현할 때, A~D에 해당하는 적절한 진술만을 <보기>에서 있는 대로 고른 것은?

(가)
갑: 전 세계 사람들의 이익은 그 사람의 국적과 상관없이 동등하게 고려되어야 한다. 우리 모두는 세계 시민으로서 전 지구적 차원의 원조에 동참해야 한다.
을: 우리를 불가침의 개인들로 간주하는 정의로운 국가는 최소 국가뿐이다. 원조는 개인의 자유로운 선택에 따른 자선적 행위이다.
병: 만민은 정의롭거나 적정 수준의 사회 체제로 나아가는 데 있어서 불리한 여건으로 인해 고통받고 있는 사회의 국민들을 도와야 한다.

(나)

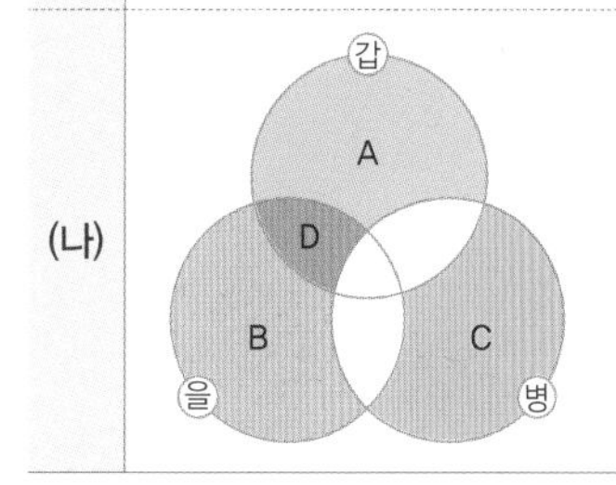

<범례>
A: 갑만의 입장
B: 을만의 입장
C: 병만의 입장
D: 갑과 을만의 공통 입장

<보기>
ㄱ. A: 원조는 인류의 행복 증진을 위한 의무를 이행하는 것이다.
ㄴ. B: 원조의 의무를 실행하기 위한 과세는 강제 노동과 같다.
ㄷ. C: 원조의 대상은 질서 정연한 빈곤국까지도 포함해야 한다.
ㄹ. D: 원조의 최종 목표는 국가 간의 경제적 불평등 해소이다.

① ㄱ, ㄴ ② ㄱ, ㄹ ③ ㄷ, ㄹ
④ ㄱ, ㄴ, ㄷ ⑤ ㄴ, ㄷ, ㄹ

한눈에 보는

대단원 정리

01 갈등 해결과 소통의 윤리

A 사회 갈등과 사회 통합

(1) 사회 갈등의 유형

이념 갈등	이상적인 것으로 여기는 생각이나 견해 차이에 따른 갈등
지역 갈등	지역주의가 정치적으로 이용되고 지역 이기주의로 변질될 때 나타나는 갈등
세대 갈등	기술이나 규범의 변화에 빠르게 적응하는 신세대와 상대적으로 그렇지 못한 기성세대의 갈등

(2) 사회 갈등을 극복하기 위한 동서양의 지혜

원효의 화쟁 사상	편견과 집착을 넘어 소통하면서 대립을 극복하고, 궁극적인 진리로 나아가야 함
공자의 화이부동	자기 것을 지키되 남의 것도 존중하여 서로 다른 생각이 공존하도록 노력해야 함
스토아학파의 세계 시민주의	모든 사람을 인종, 혈통 등에 의해 차별하지 않고 동등하게 대우해야 함

B 소통과 담론의 윤리

(1) 소통과 담론의 필요성

- 사회 구성원의 자발적이고 적극적인 참여를 이끌어 낼 수 있음
- 소통과 담론을 통한 합의는 도덕적 정당성과 설득력을 지니게 됨

(2) 하버마스의 담론 윤리

주장	• 대화와 타협, 담론으로 공정하게 판단하고 이상적인 합의에 도달할 수 있다고 봄 • 의사소통의 합리성을 발현하기 위한 전제 조건으로 이상적 담화 조건을 제시함 • 사회를 통합할 수 있는 가능성을 의사소통 영역인 공론장에서 찾음
이상적 담화 조건	• 이해 가능성: 대화에 참여한 상대방이 이해할 수 있는 말을 해야 함 • 정당성: 주장은 사회적으로 정당한 규범에 근거해야 함 • 진리성: 주장은 참이며 진리에 바탕을 두어야 함 • 진실성: 자신이 말한 의도를 상대방이 믿을 수 있도록 진실하게 표현해야 함

02 민족 통합의 윤리

A 통일 문제를 둘러싼 다양한 쟁점

(1) 통일에 대한 찬반 논쟁

찬성	이산가족의 고통 해소, 민족의 동질성 회복, 전쟁의 공포를 해소하여 세계 평화에 기여 등
반대	통일 한국이 수반할 사회 변동으로 정치적·군사적 혼란, 통일 비용으로 인한 경제적 부담 초래 등

(2) 통일과 관련된 비용

분단 비용	분단으로 인한 대립과 갈등으로 발생하는 경제적·경제 외적 비용의 총체
통일 비용	통일 이후 남북한의 경제 격차를 해소하고, 이질적 요소를 통합하기 위한 비용
평화 비용	• 통일 이전에 한반도의 평화를 유지하고 정착시키기 위한 비용 • 분단 비용, 통일 비용 절감에 도움을 줌
통일 편익	통일로 얻게 되는 경제적·경제 외적 보상과 혜택

(3) 북한 인권 문제

북한 인권 문제에 대한 개입은 북한에 대한 내정 간섭이므로 북한 당국이 스스로 해결하도록 해야 한다는 주장과 국제 사회의 개입이 필요하다는 주장이 공존함

B 통일이 지향해야 할 가치

(1) 바람직한 통일의 방법

- 평화적 방법을 통해 점진적·단계적으로 이루어야 함
- 국민적 이해와 합의를 기초로 민주적으로 이루어야 함
- 주변국들과 협력을 강화하여 한반도의 통일을 지지하게 해야 함

(2) 통일 한국이 지향해야 할 가치

인권	모든 구성원의 존엄과 가치를 존중해야 함
자유	모든 구성원의 자유로운 삶을 보장해야 함
정의	모든 구성원을 공정하게 대우해야 함
평화	세계 평화와 인권 등 보편적 가치를 수호해야 함

03
지구촌 평화의 윤리

A 국제 분쟁의 해결과 평화

(1) 국제 관계를 바라보는 관점

현실주의	• 국가는 자국의 이익만을 추구함 • 국제 분쟁 해결을 위해 세력 균형이 필요함
이상주의	• 국가는 이성적·합리적임 • 국제법이나 국제 규범을 통한 제도 개선으로 국제 분쟁을 방지할 수 있음
구성주의	• 국제 관계는 국가 간의 상호 작용을 통해 정체성을 형성하고 관계를 구성함 • 국제 분쟁 해결을 위해 국가 정체성과 이익이 구성되는 과정을 분석하여 문화적 공통점을 찾아 나서야 함

(2) 국제 평화를 실현하기 위한 노력

칸트의 영구 평화론	• 평화에 이르기 위해서는 전쟁을 없애야 한다고 봄 • 모든 국가가 평화를 유지하기 위해 자유로운 국가들 간 우호 관계에 기초하여 국제법이 적용되는 국제 연맹의 창설을 주장함 • 국제 연합(UN)이 결성되는 데 영향을 끼침
갈퉁의 적극적 평화	• 폭력을 직접적 폭력과 간접적 폭력으로 구분함 – 직접적 폭력: 폭행, 테러, 전쟁 등 직접적이고 의도적인 폭력 – 간접적 폭력: 문화나 구조적 차원에서 폭력을 묵인하거나 정당화하는 것 • 평화를 단순히 전쟁이 없는 상태로 보는 것은 편협한 시각이라고 비판함 • 평화를 소극적 평화와 적극적 평화로 구분하고, 적극적 평화의 실현을 진정한 평화의 실현으로 봄 – 소극적 평화: 직접적 폭력이 제거된 상태 – 적극적 평화: 직접적 폭력뿐만 아니라 간접적 폭력까지 모두 제거된 상태

B 국제 사회에 대한 책임과 기여

(1) 국제 정의의 종류와 실현 방법

형사적 정의	• 범죄에 대한 정당한 처벌을 통해 실현되는 정의 • 국제 정의 실현 방법: 국제 형사 재판소, 국제 사법 재판소 등을 상설화하여 반인도주의적 범죄를 저지르는 개인이나 국가를 처벌함
분배적 정의	• 가치나 재화의 공정한 분재로 실현되는 정의 • 국제 정의 실현 방법: 선진국이 공적 개발 원조를 통해 국제 기관을 도움으로써 재화를 공정하게 분배함

(2) 해외 원조에 대한 다양한 관점

의무의 관점	싱어	• 해외 원조의 목적은 빈곤한 사람들의 고통을 없애 인류 전체의 행복을 증진시키는 것임 • 고통받는 사람들은 이익 평등 고려의 원칙에 따라 누구나 차별 없이 도움을 받아야 함 • 세계 시민주의 관점에서 지구적 차원의 원조를 강조함
	롤스	• 해외 원조의 목적은 '고통받는 사회'에 적정 수준의 문화를 형성하여 '질서 정연한 사회'가 되도록 돕는 것임 • 해외 원조가 전 지구적 차원의 부의 재분배나 복지 향상을 의미하는 것은 아님 • 국제주의적 관점에서 해외 원조에 있어서 국가의 경계를 중시함
자선의 관점	노직	• 해외 원조나 기부를 실천해야 할 윤리적 의무는 존재하지 않음 • 원조를 자율적 선택의 문제로 보기 때문에 빈곤 문제 해결에 한계가 있다는 비판을 받을 수 있음

한번에 끝내는 대단원 문제

정답과 해설 85쪽

01 다음 고대 서양 사상가의 입장으로 가장 적절한 것은?

> 우주에는 만물을 지배하는 보편적인 이성이 있고, 인간 개개인의 본성에도 이러한 이성이 있다. 따라서 우리 모두는 보편적 이성을 지니고 있다는 점에서 평등하며, 보편적 이성에 합당하게 행동해야 한다.

① 인간은 이성으로 우주를 지배하는 존재이다.
② 이성을 지닌 인간이 모두 평등한 것은 아니다.
③ 모든 사람은 각기 다른 이성을 가진 형제이다.
④ 이성과 일치하는 행위는 인간의 의무라고 할 수 없다.
⑤ 인간은 세계의 동등한 시민으로서 모두 동등하게 대우 받아야 한다.

02 다음 사상가의 입장만을 〈보기〉에서 있는 대로 고른 것은?

> 유기적 연대는 분업의 진전과 함께 나타난다. 기계적 연대는 개인들이 서로 유사할 것을 전제로 하지만, 분업에 의한 유기적 연대는 개인들이 서로 다를 것을 전제로 한다. 기계적 연대는 개인이 집단에 흡수될 때 가능하지만, 유기적 연대는 각 개인이 그 고유한 행동의 영역을 가지고 있을 때에만 가능하다. 그러므로 집단이 규제할 수 없는 특수한 기능들을 위해서 개인이 지닌 지적 의식 등을 통제해서는 안 된다.

〈보기〉
ㄱ. 기계적 연대에서는 개인의 개성이 소멸된다.
ㄴ. 유기적 연대는 모두가 똑같은 사람이 되기를 요구한다.
ㄷ. 기계적 연대는 구성원들이 동일한 가치와 규범을 공유한 상태이다.
ㄹ. 유기적 연대는 전문화된 개인들이 개별성을 유지하면서 서로 결속한 상태이다.

① ㄱ, ㄴ ② ㄱ, ㄷ ③ ㄴ, ㄹ
④ ㄱ, ㄷ, ㄹ ⑤ ㄴ, ㄷ, ㄹ

03 ㉠, ㉡에 대한 설명으로 옳지 않은 것은?

> **사회 갈등의 유형**
> • (㉠): 이상적인 것으로 여기는 생각이나 견해의 차이에 따른 갈등
> • (㉡): 각 세대가 서로의 차이를 이해하고 인정하지 못하여 발생하는 갈등

① ㉠의 대표적인 갈등은 보수와 진보의 갈등이다.
② ㉠은 사회의 모든 쟁점을 이분법적으로 바라봄으로써 갈등이 심화된다.
③ ㉡은 어느 사회에나 존재하는 보편적인 현상이다.
④ ㉡은 신세대와 기성세대가 서로의 차이를 인정하지 않음으로써 발생한다.
⑤ ㉠, ㉡은 지역의 역사적 상황과 결부하여 지역감정으로 확대될 수 있다.

04 다음 서양 사상가가 긍정의 대답을 할 질문으로 가장 적절한 것은?

> 시민들 간의 합리적 의사소통이 없으면 건강한 민주 사회를 유지할 수 없게 된다. 이러한 문제를 극복하기 위해서는 자유롭고 평등한 시민들에 의해 공적 문제에 대한 문제 제기와 토론이 활성화되어야 하며, 민주적 공론장에서 이성적인 시민들이 모두가 합의할 수 있는 논증의 형태로 대화에 참가하고 그 토론의 결과가 법체계에 반영되어야 한다.

① 토론의 절차보다는 토론의 결과만을 중시해야 하는가?
② 공적 문제에 대한 이의 제기는 민주주의 발전을 저해하는가?
③ 토론의 결과가 반영된 법에 대해 다시 토론해서는 안 되는가?
④ 정치적 문제의 해결을 위해 공적 토론을 권장할 필요는 없는가?
⑤ 토론을 통해 합의에 도달하려면 의사소통의 합리성이 실현되어야 하는가?

05 다음은 통일과 관련된 어떤 비용에 대한 ○, × 퀴즈 질문과 정답 결과표이다. ㉠에 들어갈 질문으로 가장 적절한 것은?

번호	질문	정답	
		○	×
(1)	전쟁 위기를 억제하기 위해 지출되는 비용인가?	V	
(2)	남북 경협과 대북 지원에 소요되는 비용인가?	V	
(3)	남북 간의 대결과 갈등으로 인해 발생되는 비용인가?		V
(4)	㉠	V	

① 통일 이후에 소멸되는 소모성 비용인가?
② 통일 후 제도 통합 과정에서 소요되는 비용인가?
③ 분단으로 인한 대립과 갈등으로 발생하는 비용인가?
④ 통일 과정에서 소요되는 비용을 절감시킬 수 있는가?
⑤ 분단 상황에서 남북한 간의 적대감을 심화시키는 비용인가?

06 ㉠에 들어갈 내용으로 가장 적절한 것은?

> 남북한의 진정한 통합을 위해서는 먼저 남북한 사람들 간의 이해와 화해 그리고 서로 간의 신뢰 회복이 필요하다. 이를 위해서는 우리와 남을 나누지 않고 서로 다름을 수용하고 존중하면서 더불어 살아가는 삶의 태도를 가져야 한다. 이러한 관점에서 볼 때 남북한의 진정한 통합을 이루어 내기 위해서는 [㉠]

① 남북한이 이질화된 서로의 문화 현실을 이해하도록 노력해야 한다.
② 주류 문화인 남한의 문화에 북한이 적응할 수 있도록 노력해야 한다.
③ 남북한 간의 내면적 통합을 위해 정치적 통합을 먼저 이루어야 한다.
④ 남한 사람들이 먼저 북한과 같이 순수한 우리말을 쓰도록 해야 한다.
⑤ 북한 이탈 주민이 스스로 경제적으로 자립할 수 있도록 정부 지원을 삭감해야 한다.

07 다음 서양 사상가의 입장으로 옳은 설명을 〈보기〉에서 고른 것은?

> 전쟁 중 미래의 평화를 고려하여 상호 신뢰를 불가능하게 만들 수 있는 적대 행위를 해서는 안 된다. 각 국가의 시민적 체제는 공화정이어야 하며, 국제법은 자유로운 국가들의 연방제에 기초해야 한다.

〈보기〉
ㄱ. 국익의 보호가 전쟁 수행의 목적이 될 수 있다.
ㄴ. 국제법과 국제기구를 통해 국제 평화를 실현할 수 있다.
ㄷ. 영구 평화를 실현하기 위해 상비군을 감축해 나가야 한다.
ㄹ. 정의를 실현하기 위해서 전쟁이라는 수단을 동원할 수 있다.

① ㄱ, ㄴ ② ㄱ, ㄷ ③ ㄴ, ㄷ
④ ㄴ, ㄹ ⑤ ㄷ, ㄹ

08 다음 사상가의 입장만을 〈보기〉에서 있는 대로 고른 것은?

> 외적으로 일어나는 구조적 폭력의 두 가지 주요한 형태는 정치와 경제에서 잘 알려진 억압과 착취입니다. 이 두 가지 형태의 폭력은 몸과 마음에 작용하지만, 반드시 의도된 것은 아닙니다. 그러나 희생자들에게는 의도된 것이 아니라는 게 큰 위안이 되지 못합니다. 이러한 폭력의 모든 것의 이면에는 문화적 폭력이 존재합니다. 모두 상징적인 것으로 종교와 사상, 언어와 예술, 과학과 법, 대중매체와 교육의 내부에 존재합니다.

〈보기〉
ㄱ. 구조적 폭력은 물리적 방법으로 폭력을 가하므로 제거해야 한다.
ㄴ. 직접적·구조적 폭력을 정당화하는 문화적 폭력을 제거해야 한다.
ㄷ. 진정한 평화를 위해서라면 간접적 폭력은 허용할 수 있어야 한다.
ㄹ. 적극적 평화의 추구가 폭력을 예방하는 방안이 될 수 있음을 인식해야 한다.

① ㄱ, ㄴ ② ㄱ, ㄷ ③ ㄴ, ㄹ
④ ㄱ, ㄷ, ㄹ ⑤ ㄴ, ㄷ, ㄹ

09 다음 강연자가 지지할 입장으로 가장 적절한 것은?

세계화된 시장에서 경쟁력 있는 상품을 만들기 위해 값싼 원료와 값싼 생산 입지를 찾아 자본은 범지구적으로 움직입니다. 이 과정에서 원시림이나 원주민이 평화롭게 살고 있는 아름다운 자연과 마을, 그리고 건강하고 정이 넘치는 인간관계를 유지하고 있던 사람들의 삶이 파괴되며, 사람들은 그 자체로 소중하게 대접받는 것이 아니라 일개 생산 요소에 불과한 노동력으로 전락하고 맙니다.

① 세계화의 확대는 개인의 자유를 신장시킨다.
② 세계화는 약소국 주민의 삶과 자연을 황폐화시킨다.
③ 세계화와 지역화가 균형 있게 조화를 이루는 것이 필요하다.
④ 세계적으로 부가 불평등하게 확산되는 원인은 지역화에 있다.
⑤ 세계화는 개발 도상국의 선진 자본주의 국가에 대한 착취의 과정이다.

10 (가), (나)의 특징에 대한 설명으로 옳지 않은 것은?

(가) 미래 사회의 시민은 자기 자신의 비전과 정보를 가진 세계 시민이 되어야 하며, 자신의 지역적 뿌리에서 영양분을 흡수하고 지역 문화를 풍부하게 가꾸며 살아야 한다. 또한 지구적 협력이 필요한 문제들에 대해서 협력적으로 참여해야 한다.
(나) 미래 사회의 시민은 소비를 자극하면서 지구 생태계를 위협하는 대안으로 생산자와 소비자의 거리를 좁히는 방안을 모색해야 한다. 또한 세계 경제가 아니라 지역 경제를, 지구적 협력보다는 지역에 필요한 문제들에 대해 협력해야 한다.

① (가)는 세계화와 지역화를 결합하기 위해 노력한다.
② (가)는 지역 공동체가 지닌 다양한 문화적 요소를 인정한다.
③ (나)는 지역 중심적 사고를 토대로 지역의 이익과 발전을 추구한다.
④ (나)는 각 지역의 고유한 전통을 살려 다른 지역과 차별화된 경쟁력을 갖추려고 노력한다.
⑤ (가), (나)는 지역성에 기초를 둔 세계 시민성을 강조한다.

11 다음 사상가의 입장으로 가장 적절한 것은?

원조의 목적은 고통받는 사회를 적정 수준의 사회로 만드는 데 있다. 사회들 간의 부와 복지 수준은 다양할 수 있다. 그러나 그러한 수준들을 조정하는 것은 원조의 목표가 아니다. 단지 고통받는 사회들만이 도움을 필요로 한다.

① 세계 시민주의 차원에서 원조가 이루어져야 한다.
② 인류의 균등한 복지 수준을 목표로 원조해야 한다.
③ 사회 구조의 개선보다 개인의 삶을 개선해야 한다.
④ 질서 정연한 빈곤국은 원조 대상국에서 제외해야 한다.
⑤ 차등의 원칙을 국제 사회에 적용하여 빈곤국을 도와야 한다.

12 다음 가상 대담의 ㉠에 들어갈 말로 가장 적절한 것은?

① 빈곤국의 사회 구조와 제도를 개선해 주는 것입니다.
② 빈곤국과 선진국의 사회적 부를 평준화시키는 것입니다.
③ 빈곤국이 질서 정연한 사회로 이행하도록 돕는 것입니다.
④ 빈곤국에 대한 원조를 온전히 개인의 자유로운 선택에 맡기는 것입니다.
⑤ 빈곤국의 빈민들에게 자신의 꼭 필요하지 않은 지출을 기부하는 것입니다.

13 다음 글을 읽고 물음에 답하시오.

최근 정부는 국민연금의 소득 대체율을 50%로 상향 조정한다고 발표하였다. 국민연금은 세대 간 연대에서 비롯되는 사회 보장 제도이기 때문에 미래 세대가 현세대를 부양하는 부담을 짊어질 수밖에 없다. 보험료 부담이 높아질 수밖에 없는 청년층은 이번 개정안에 대해 반발하는 반면, 국민연금을 받고 있거나 수급을 코앞에 둔 50대 이상 장·노년층은 개정안을 반기고 있다.

(1) 위의 사례에 해당되는 사회 갈등을 쓰시오.
( )

(2) (1)에서 답한 사회 갈등의 발생 원인을 쓰고, 갈등 완화를 위해 필요한 자세를 서술하시오.

14 다음 표는 통일과 관련된 비용이다. 물음에 답하시오.

종류	의미
㉠	남북 분단과 갈등으로 발생하는 유·무형의 지출 비용을 의미함
㉡	남북한의 서로 다른 체제와 제도, 양식 등을 통합하고 정비하는 과정에서 지출되는 비용을 의미함

(1) ㉠, ㉡에 들어갈 말을 쓰시오.
㉠ ( ), ㉡ ( )

(2) ㉠, ㉡의 특징과 구체적 사례를 두 가지 이상 서술하시오.

15 다음은 국제 관계에 대한 관점을 비교한 표이다. 물음에 답하시오.

관점	㉠	㉡
핵심 개념	힘, 권력	이성
갈등 원인	자국 이익 추구	잘못된 제도, 무지, 오해
갈등 해결	국가 간의 세력 균형	국제 기구, 국제법, 국제 규범을 통한 제도의 개선

(1) ㉠, ㉡에 들어갈 말을 쓰시오.
㉠ ( ), ㉡ ( )

(2) ㉠, ㉡의 한계를 서술하시오.

16 다음은 서양 사상가 갑, 을의 주장이다. 물음에 답하시오.

갑: 약소국에 대한 원조는 ㉠공리주의 이론에 근거하여 판단해야 한다. 따라서 빈곤으로 고통을 받는 사람들을 돕는 것이 도덕적 의무라고 볼 수 있다.
을: ㉡질서 정연한 사회가 불리한 여건으로 인해 ㉢고통받는 사회를 돕는 것은 인류의 도덕적 의무이므로 약소국에 대한 원조를 의무로 받아들여야 한다.

(1) 갑, 을 사상가를 쓰시오.
갑 ( ), 을 ( )

(2) 갑, 을 사상가가 주장하는 해외 원조 목적의 차이점을 ㉠~㉢을 사용하여 서술하시오.

꿈을 찾는 법

꿈을 찾고 있나요?

여러분의 꿈은 무엇인가요? 요리사, 연예인, 비행사, 변호사, 전문 경영인(CEO)…
혹시 아직 꿈이 없다면, 꿈을 찾기 위해 고민을 하고 있나요?
꿈을 찾았다고 해도 이것이 진정 내가 찾는 꿈인지 고민이 들 때가 있을 거예요.

꿈을 찾기 위해 어떻게 해야 할까요?

일단 내가 꿈꾸고자 하는 것들을 하나씩 빈 노트에 적어보세요.
그리고 내가 정말 흥미를 느끼는 일인지, 나의 적성에 맞는 일인지,
내가 잘할 수 있는 일인지 등을 생각해 보아요.
적성과 노력, 흥미 모두 중요하지만 가장 중요한 것은
내가 정말 행복할 수 있는 일인가 하는 거예요.

꿈을 찾는 과정에서 주저앉아 울고 싶을 때…

삶에 지쳐 잠시 주저앉아 있거나 어디로 가야 할지
인생의 방향을 잃었을 때 그 자리에 주저앉아 울기보다는
앞으로 더 좋아질 것이라는 희망과 가슴속 깊이 간직한
꿈을 떠올려 보아요.

하이라이트 지학사

개념 학습과 정리가 한번에 끝나는 기본서

개념풀

생활과 윤리

정답과 해설

개념과 정리가 한번에 끝나는 기본서

개념풀

생활과 윤리

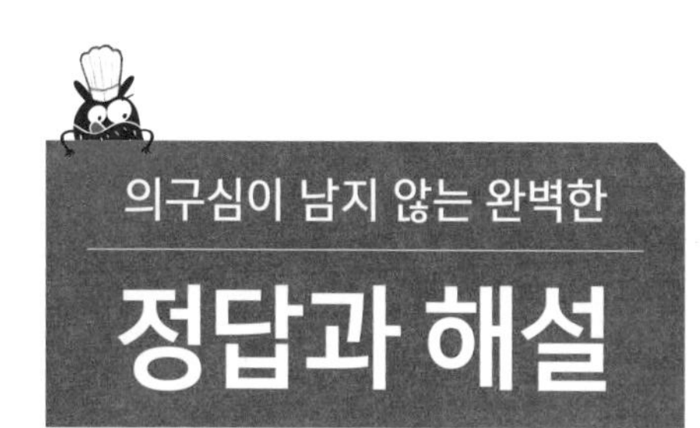

I 현대의 삶과 실천 윤리

01 현대 생활과 실천 윤리

콕콕! 개념 확인하기 17쪽

01 (1) ㉠ (2) ㉣ (3) ㉡ (4) ㉢
02 (1) ○ (2) × (3) ○
03 (1) 생명 (2) 사회 (3) 문화 (4) 평화
04 ㄴ, ㄷ
05 (1) 이론 (2) 학제적

탄탄! 내신 다지기 18~19쪽

01 ① 02 ② 03 ③ 04 ② 05 ① 06 ⑤ 07 ⑤
08 해설 참조

01 윤리학의 분야

[선택지 분석]

(가) (나)
① 실천 윤리학 기술 윤리학

➡ (가)는 삶의 실천적 영역에서 제기되는 문제를 해결하고자 한다는 점을 통해 실천 윤리학임을 알 수 있다. (나)는 도덕적 풍습을 기술하는 데 중점을 둔다는 점을 통해 기술 윤리학임을 알 수 있다.

02 새로운 윤리 문제의 등장과 특징

자료 분석 | 제시문은 인공 지능 대화 로봇의 등장을 사례로 들어 과학 기술의 발달로 등장한 새로운 윤리 문제를 다루고 있다.

[선택지 분석]

㉠ 광범위한 파급 효과를 가진다.

× 책임 소재를 명확하게 ~~가릴 수 있다.~~ 가리기 어렵다.

➡ 현대 사회의 변화로 등장한 새로운 윤리 문제는 그 책임 소재를 가리기 어려운 특징을 지닌다.

㉢ 전통적인 윤리 규범으로 해결하기 어렵다.

➡ 현대 사회의 변화로 등장한 새로운 윤리 문제는 기존의 전통적인 윤리 규범만으로는 해결하기 어려운 특징을 지닌다.

× 사회 관습을 조사하여 객관적으로 기술하는 윤리학만으로도 해결할 수 있다. → 기술 윤리학

03 윤리학의 구분

자료 분석 | 제시된 그림은 윤리학의 구분을 표로 나타낸 것으로 ㉠은 실천 윤리학이다.

[선택지 분석]

① 도덕적 풍습에 대한 객관적 기술을 목표로 한다.

➡ 기술 윤리학에 대한 설명이다.

② 주로 도덕적 언어의 논리적 타당성과 그 의미를 분석한다.

➡ 메타 윤리학에 대한 설명이다.

③ 삶에서 발생하는 다양한 문제에 윤리적 원리를 적용한다.

➡ 실천 윤리학은 이론 윤리학에서 제공하는 도덕 원리를 토대로 현실의 구체적인 윤리 문제의 바람직한 해결 방안을 모색하고 제시한다.

④ '옳음'과 '좋음'과 같은 용어의 의미를 명확히 하고자 한다.

➡ 메타 윤리학에 대한 설명이다.

⑤ 도덕적 행위를 정당화하는 규범적 근거를 제시하는 것에 중점을 둔다.

➡ 이론 윤리학에 대한 설명이다.

04 메타 윤리학의 특징

자료 분석 | 도덕적 언어의 의미를 주로 분석하는 학문이라는 점을 통해 빈칸에 들어갈 말이 메타 윤리학임을 알 수 있다.

[선택지 분석]

① 규범 윤리학의 일종이다.

➡ 규범 윤리학에는 이론 윤리학, 실천 윤리학이 포함된다.

② 도덕적 지식의 성립 가능성을 탐구한다.

➡ 메타 윤리학은 도덕적 언어의 의미 분석, 도덕적 추론의 정당성을 검증하기 위한 논리 분석에 주목한다.

③ 도덕 현상을 기술하고 설명하는 데 그 목적이 있다.

➡ 기술 윤리학에 대한 설명이다.

④ 이론을 활용하여 현실의 도덕 문제를 해결하고자 한다.

➡ 실천 윤리학에 대한 설명이다.

⑤ 보편적인 도덕규범을 찾는 것을 윤리학의 목표로 삼는다.

➡ 이론 윤리학에 대한 설명이다.

05 실천 윤리학의 특징

자료 분석 | 제시문에서 윤리학이 학제적 성격을 가져야 한다고 보는 점을 통해 밑줄 친 윤리학이 실천 윤리학을 지칭하고 있음을 알 수 있다.

[선택지 분석]

① 다양하고 전문화된 사회에는 불필요하다.

➡ 현대의 다양하고 전문화된 사회에서 발생하는 새로운 윤리 문제들을 기존의 도덕 원리로는 해결하기 어려우므로 실천 윤리학이 필요하다.

② 다양한 학문과 연계된 학제적 연구가 필요하다.

➡ 실천 윤리학은 실제 삶의 문제를 해결할 때 윤리학뿐만 아니라 관련 학문과 연계된 학제적 연구가 필요하다고 본다.

③ 윤리적 쟁점을 파악하고 최선의 해결책을 찾고자 한다.

➡ 실천 윤리학은 윤리적 쟁점을 파악하고 그 해결책을 찾고자 한다.

④ 과거에는 없었던 새로운 윤리 문제의 등장과 관련이 깊다.

➡ 현대 사회의 변화로 과거에는 없었던 새로운 윤리 문제가 등장하였고, 이에 대한 해결 방안을 모색하고자 실천 윤리학이 대두되었다.

⑤ 과학과 산업의 발달로 인한 새로운 윤리 문제의 등장과 관련이 깊다.

➡ 현대 사회에서는 과학과 산업이 급속도로 발달하였고 이로 인해 과거에는 없었던 새로운 윤리적 문제가 등장하였다. 실천 윤리학은 이에 대한 해결 방안을 모색하고자 대두되었다.

06 실천 윤리학의 특징

자료 분석 | (가)는 과거에는 다루어지지 않았으나 현대 사회에 새롭게 등장한 인공 임신 중절에 대한 사례이다. (나)의 밑줄 친 ㉠ 윤리학은 실천 윤리학이다. 따라서 실천 윤리학의 관점에서 해결책을 찾아야 한다.

[선택지 분석]

① 문제 상황을 사실대로 기술하여 문제를 해결할 수 있다.

➡ 기술 윤리학에 대한 설명이다.

② 생명 존중에 대한 도덕 원리를 통해 문제를 해결할 수 있다.

➡ 추상적인 도덕 원리만으로는 현대 사회의 새로운 윤리 문제를 해결하기 위한 구체적인 해결 방안을 제시하기 어렵다.

③ 인공 임신 중절에 관한 법률을 통해 문제를 해결할 수 있다.

➡ 법학 지식만으로는 윤리 문제를 해결하기 어렵다.

④ 도덕적 언어의 논리적 타당성 분석을 통해 문제를 해결할 수 있다.

➡ 메타 윤리학에 대한 설명이다.

⑤ 윤리학과 법률, 의학 등 관련 분야의 지식을 통해 문제를 해결할 수 있다.

➡ 현대 사회의 새로운 윤리 문제를 해결하기 위해서는 윤리학적 지식뿐만 아니라 다양한 관련 분야의 지식을 학제적으로 이용해야 한다.

07 실천 윤리학의 특징

자료 분석 | 제시문은 현대 사회의 변화로 '윤리적 공백'이라는 문제 상황이 제기되었고, 이에 대한 해결책으로 새로운 윤리학이 필요해졌음을 강조한다. 이때 밑줄 친 ㉠ '새로운 윤리학'은 실천 윤리학이다.

[선택지 분석]

① 규범 윤리학의 이론들을 부정한다.

➡ 실천 윤리학은 이론 윤리에서 도출한 도덕 원리들을 인정하고 그것을 토대로 실제 삶의 윤리 문제에 대한 해결책을 모색한다.

② 사회 현상보다는 자연 현상에 주목한다.

➡ 윤리학은 자연 현상이 아니라 사회 현상에 주목한다.

③ 도덕적 관습에 대한 서술이 주목적이다. → 기술 윤리학

④ 실천을 위한 이론 탐구가 아니라 언어 분석에 초점을 두고 있다. → 메타 윤리학

⑤ 현실의 도덕 문제 상황에 대해 적절한 윤리적 해결책을 찾고자 한다.

➡ 실천 윤리학은 현실의 구체적인 윤리 문제의 바람직한 해결 방안을 찾아 제시하고자 한다.

08 이론 윤리학과 실천 윤리학

(1) (가) 이론 윤리학, (나) 실천 윤리학

(2) [예시 답안] 이론 윤리학과 실천 윤리학은 공통적으로 윤리 문제의 해결과 도덕적 실천을 지향한다. 또한 올바른 삶의 방향을 제시한다.

채점 기준	
상	이론 윤리학과 실천 윤리학의 공통점을 두 가지 이상 서술한 경우
중	이론 윤리학과 실천 윤리학의 공통점을 한 가지만 서술한 경우
하	이론 윤리학과 실천 윤리학의 공통점을 서술하지 못한 경우

도전! 실력 올리기 20~21쪽

01 ③ **02** ③ **03** ⑤ **04** ② **05** ① **06** ⑤ **07** ④ **08** ④

01 실천 윤리학의 특징

자료 분석 | 제시문의 '나'는 윤리학의 근본 과제를 도덕 원리를 이용하여 실제 삶에 적용하는 것으로 보는 점을 통해 실천 윤리학을 지향하고 있다. '어떤 사람들'은 윤리학의 근본 과제를 어떤 현상에 대한 객관적 기술이라고 보는 점을 통해 기술 윤리학을 지향하고 있다.

[선택지 분석]

① 도덕 추론에 대한 논리적 구조 분석의 필요성을 주장한다

➡ 메타 윤리학에 대한 설명이다.

② 도덕 현상의 인과 관계에 대한 탐구의 가능성을 ~~부정~~ 강조한다

➡ 기술 윤리학은 도덕 현상의 인과 관계에 대한 탐구 가능성을 인정하고 그것을 명확하게 설명하고자 한다.

③ 실천적 규범을 통한 도덕 문제 해결의 중요성을 경시한다

➡ 기술 윤리학과 달리 실천 윤리학은 현실에 적용할 수 있는 실천적 규범을 구체적인 삶에 적용하여 도덕 문제를 해결하고자 한다.

④ 현실적 도덕에 대한 가치 중립적 설명의 필요성을 무시한다

➡ 기술 윤리학은 현실적 도덕에 대한 가치 중립적인 설명을 강조한다.

⑤ 보편적 도덕규범의 이론적 체계 구성의 중요성을 강조한다

➡ 이론 윤리학에 대한 설명이다.

02 메타 윤리학, 이론 윤리학, 실천 윤리학

자료 분석 | 갑은 메타 윤리학, 을은 이론 윤리학, 병은 실천 윤리학의 입장이다.

[선택지 분석]

ㄱ. 갑은 행위의 기준이 되는 규범 제시를 중시한다. (을)

➡ 이론 윤리학에 대한 설명으로, 을에 해당한다.

ㄴ. 을은 도덕 법칙의 정당화와 이론적 분석을 중시한다.

➡ 이론 윤리학은 어떤 도덕 원리가 윤리적 행위를 위한 근본 원리로 성립할 수 있는지 탐구하고 도덕 법칙의 정당화와 이론적 분석을 중시한다.

ㄷ. 병은 윤리학과 인접 학문의 학제적 연계를 중시한다.

➡ 실천 윤리학은 새롭게 등장한 윤리 문제를 해결하기 위해 윤리학과 다양한 학문의 학제적 연계를 중시한다.

ㄹ. 갑, 을은 다양한 도덕적 관습의 객관적 기술을 중시한다.

➡ 기술 윤리학에 대한 설명이다.

03 실천 윤리학의 특징

자료 분석 | 제시문은 변화된 현대 사회에 나타난 새로운 윤리 문제를 기존의 이론 윤리학으로는 해결하기 어려워지면서, 새로운 윤리학이 필요해졌다는 내용이다. 따라서 ㉠에는 실천 윤리학의 특징이 들어가야 한다.

[선택지 분석]

① 윤리학의 학문적 성립 가능성을 부정한다.

➡ 실천 윤리학도 윤리학의 한 분야로서 윤리학의 학문적 성립 가능성을 인정한다.

② 다양한 도덕적 관습의 객관적 기술을 중시한다.

➡ 기술 윤리학에 대한 설명이다.

③ 도덕 문제의 해결보다는 도덕 언어의 분석을 강조한다.

➡ 메타 윤리학에 대한 설명이다. 실천 윤리학은 도덕 언어의 분석보다 도덕 문제의 해결을 강조한다.

④ 도덕 판단의 근거가 되는 규범 체계의 필요성을 부정한다.

➡ 실천 윤리학은 이론 윤리학에서 제공하는 도덕 원리를 근거로 실제 윤리 문제의 구체적 해결 방안을 찾고자 한다. 따라서 도덕 판단의 근거가 되는 규범 체계를 인정한다.

⑤ 도덕규범의 현실적인 적용과 구체적인 대안의 실천을 강조한다.

➡ 실천 윤리학은 이론 윤리학에서 제공하는 도덕규범을 현실의 윤리 문제에 적용하고 구체적인 해결 방안을 모색하며 실천을 강조한다.

04 실천 윤리학과 메타 윤리학

자료 분석 | (가)는 윤리적 문제의 해결책을 찾고자 하며 실천 지향적인 윤리학을 말하는 점에서 실천 윤리학, (나)는 윤리적 단어의 의미를 분명히 파악해야 한다고 보는 점에서 메타 윤리학에 대한 설명임을 알 수 있다.

[선택지 분석]

ㄱ. (가)는 특정 시대의 관습에 대해 철저히 조사하고 객관적으로 기술한다. → 기술 윤리학

ㄴ. (나)는 도덕적 언어의 의미와 논리적 타당성을 철저하게 분석한다.

➡ 메타 윤리학에 대한 설명이다.

ㄷ. (가)는 (나)와 달리 실천적 영역의 도덕 문제 해결을 중시한다.

➡ 도덕 언어의 분석에 중점을 두는 메타 윤리학과 달리 실천 윤리학은 실제 다양한 영역에서 제기되는 도덕 문제에 대한 구체적 해결 방안의 제공을 중시한다.

ㄹ. (가), (나)는 모두 도덕 판단이 감정 표현이므로 무의미하다고 주장한다.

➡ 실천 윤리학, 메타 윤리학 모두 도덕 판단이 무의미하다고 보지 않는다.

05 기술 윤리학과 실천 윤리학

자료 분석 | 갑은 도덕적 현상이나 윤리적 관습에 대한 사실들을 명확히 기술하고 그 사실들 간의 인과 관계를 객관적으로 설명하는 것에 주안점을 두는 기술 윤리학의 입장이다. 을은 도덕 원리와 관련된 인접 학문의 전문적 지식을 고려하여 구체적인 문제에 관한 도덕적 해결책을 모색하는 실천 윤리학의 입장이다.

[선택지 분석]

ㄱ. 갑은 도덕 현상에 대한 경험 과학적인 접근을 강조한다.

➡ 도덕 현상에 대한 경험 과학적인 접근을 강조하는 것은 기술 윤리학의 입장이다.

ㄴ. 을은 도덕 문제를 해결하기 위해 인접 학문과의 연계를 중시한다.

➡ 도덕 문제를 해결하기 위해 인접 학문과의 연계를 중시하는 것은 실천 윤리학의 입장이다.

ㄷ. 갑은 을과 달리 객관적인 도덕 원리의 확립을 중시한다.

➡ 객관적인 도덕 원리의 확립을 중시하는 것은 이론 윤리학의 입장이다. 이론 윤리학은 도덕적인 행위에 대한 이론적 분석과 정당화를 다루며, 구체적 상황에서 일어나는 현실적인 윤리 문제의 해결을 위한 이론적 토대를 제공한다.

ㄹ. 을은 갑과 달리 도덕 언어의 분석을 윤리학적 탐구의 본질로 간주한다.

➡ 도덕 언어의 분석을 윤리학적 탐구의 본질로 간주하는 것은 메타 윤리학의 입장이다.

06 실천 윤리학의 특징

자료 분석 | 제시문은 메타 윤리학이 구체적인 현실의 삶에 실질적인 기여를 하지 못하였고, 이를 계기로 새로운 윤리학이 등장하였다는 내용이다. 따라서 ㉠에는 실천 윤리학에 관한 내용이 들어가야 한다.

[선택지 분석]

① 윤리학과 인접 학문의 학제적 연구를 부정한다.

➡ 실천 윤리학은 다양한 인접 학문과 협력하는 학제적 연구를 필요로 한다.

② 도덕적 탐구가 학문적으로 성립 가능함을 부정한다.

③ 도덕적 관행을 객관적 사실로 보아야 한다고 강조한다. → 기술 윤리학

④ 도덕적 추론에 사용되는 개념의 정확한 사용을 강조한다. → 메타 윤리학

⑤ 도덕 언어의 분석보다 윤리 문제의 해결이 중요함을 강조한다. → 실천 윤리학

07 실천 윤리학의 특징

자료 분석 | 제시문은 자율 주행 자동차가 돌발 상황을 마주했을 때 어떤 대처를 해야 하느냐에 대한 딜레마 상황을 다루고 있다. 이처럼 현대 사회에서 새롭게 등장한 윤리 문제를 해결하기 위해 실천 윤리학이 대두하였다.

[선택지 분석]

① 특정 사회의 관습에 대해 조사하고 기술한다.
➡ 기술 윤리학에 대한 설명이다.

② 주어진 세계와 그 현상을 설명하는 데 중점을 둔다.
➡ 주어진 세계와 그 현상을 설명하는 것은 과학이다. 윤리학은 과학과 달리 가치와 규범을 탐구하는 학문이다.

③ 도덕적 추론의 형식적 타당성을 검토하는 데 주력한다.
➡ 메타 윤리학에 대한 설명이다.

✔ 다양한 학문 간의 학제적 연구를 통해 문제를 해결한다.
➡ 실천 윤리학은 다양한 인접 학문 간의 학제적 연구를 통한 윤리 문제 해결을 강조한다.

⑤ 도덕적 언어의 의미와 논리적 타당성을 엄밀히 분석한다.
➡ 도덕적 언어 분석을 강조하는 것은 메타 윤리학이다.

08 윤리적 공백과 실천 윤리학의 등장

자료 분석 | 제시된 그림은 기술의 발전과 이성의 도덕적 숙고 간의 간격을 나타내고 있으며, 이를 윤리적 공백(㉠)이라고 한다. 요나스는 윤리적 공백을 극복하기 위해 새로운 윤리학의 필요성을 주장하였다.

[선택지 분석]

① 도덕적 숙고와는 별개로 과학 기술은 발전해야 한다.
➡ 도덕적 숙고와 상관없이 과학 기술이 발전하면 윤리적 공백의 간격이 더 커져 문제가 심각해진다.

② 삶을 성찰할 시간을 줄여 과학 기술의 발전을 도모해야 한다.
➡ 자기 삶을 성찰하는 등 도덕적 숙고의 시간을 줄이고 무조건 과학 기술의 발전에만 주력한다면 윤리적 공백이 더욱 커지게 된다.

③ 현대 사회에 나타난 윤리 문제이므로 기존의 윤리로 해결해야 한다.
➡ 윤리적 공백은 과학 기술의 발달과 그에 대한 도덕적 숙고 간의 간극으로 나타난 현상으로, 기존 윤리로는 해결하기 어려워 실천 윤리학의 필요성이 대두되었다.

✔ 과학 기술의 발달로 새롭게 등장한 문제를 다루는 새로운 윤리가 필요하다.
➡ 현대 사회에 나타난 새로운 윤리 문제를 해결하기 위한 새로운 윤리학, 즉 실천 윤리학이 필요하다.

⑤ 과학 기술의 발전 속도가 느려서 생긴 현상이므로 과학 기술의 발전에 더욱 주력해야 한다.
➡ 윤리적 공백은 과학 기술의 급속한 발전과 그것을 따라가지 못하는 도덕적 숙고 간의 간격이다. 따라서 과학 기술의 발전에만 주력해서는 문제가 심화된다.

02 현대 윤리 문제에 대한 접근

콕콕! 개념 확인하기 27쪽

01 (1) 대동 사회 (2) 자비 (3) 무위자연
02 (1) ㄷ (2) ㄱ (3) ㄴ
03 (1) 의 (2) 연기 (3) 제물
04 (1) ㉡ (2) ㉠ (3) ㉢ (4) ㉣
05 (1) 정언 명령 (2) 최대 다수, 최대 행복 (3) 습관화

탄탄! 내신 다지기 28~29쪽

01 ④ **02** ③ **03** ⑤ **04** ④ **05** ② **06** ⑤ **07** ②
08 해설 참조

01 유교 사상의 특징

자료 분석 | 제시문은 유교 사상에서 제시하는 효에 대한 내용이다.

[선택지 분석]

① 자기 수양을 바탕으로 덕을 함양해야 한다고 본다.
➡ 유교 윤리는 자기 수양을 통해 덕을 함양하고 도덕적으로 완성된 사람이 되기 위해 노력해야 한다고 본다.

② 하늘을 인간에게 도덕적 본성을 부여하는 존재로 본다.
➡ 유교 윤리는 하늘을 자연적인 하늘뿐만 아니라 도덕적 원리를 포함하는 존재로 보며, 인간에게 도덕적 본성을 부여하는 존재로 여긴다.

③ 충서(忠恕)의 덕목을 통해 타인에 대한 존중과 배려를 강조한다.
➡ 충서는 진실된 마음으로 상대를 대하며 자신이 원하지 않는 일을 남에게 하지 말라는 덕목으로, 유교 윤리는 이를 통해 타인에 대한 존중과 배려를 강조한다.

✔ 좌망(坐忘)과 심재(心齋)를 통해 진정한 자유의 경지에 이를 수 있음을 강조한다.
➡ 도가 윤리는 좌망, 심재를 통해 만물을 차별하지 않고 평등하게 보는 진정한 자유의 경지에 도달할 수 있다고 본다.

⑤ 인간은 사단(四端)을 부여받았지만 이기적인 욕구로 인하여 도덕적으로 타락할 수 있다고 본다.
➡ 맹자는 모든 인간이 선천적으로 선한 마음인 사단을 부여받고 태어났지만 이기적인 욕구로 인해 타락할 수 있다고 보고 수양의 필요성을 강조하였다.

02 공자의 유교 윤리

자료 분석 | 제시문은 유교 사상가 공자가 이상 사회로 제시한 대동 사회에 대한 내용이다.

[선택지 분석]

✗ 도덕적 공동체의 실현보다 경제 성장을 우선시해야 한다.
➡ 타고난 내면적 도덕성인 인(仁)의 회복을 강조한 공자는 경제 성장보다는 도덕적 공동체의 실현을 우선시한다.

ㄴ. 수신과 수양을 바탕으로 다른 사람을 편안하게 해야 한다.
➡ 유교 윤리는 개인의 수양을 바탕으로 타인을 편안하게 해야 한다는 수기이안인(修己以安人)을 강조한다.

ㄷ. 선악에 관한 분별적 지혜를 기르고 자신의 욕망을 다스려야 한다.
➡ 유교 윤리는 선악에 대한 명확한 구분을 강조한다.

ㄹ. 겸허와 부쟁의 덕을 실천하여 자연 그대로의 순진한 모습대로 살아야 한다.
➡ 도가 윤리의 특징이다.

03 불교 사상의 특징

자료 분석 | 제시문에서 연기의 깨달음을 언급한 것으로 보아 밑줄 친 '이 사상'이 불교 사상임을 알 수 있다.

[선택지 분석]

① 팔정도와 같은 수행법을 제시한다.
➡ 불교 윤리는 팔정도, 삼학 등의 수행법을 제시한다.

② 살아 있는 모든 존재는 불성을 지닌다고 본다.
➡ 불교 윤리에서는 살아 있는 모든 존재에게는 불성이 있으므로 모든 생명은 평등하다고 본다.

③ 자비를 실천하여 대중을 구제해야 한다고 본다.
➡ 불교 윤리는 연기의 법칙을 깨달아 자비의 마음을 실천하고 이를 통해 대중 구제에 힘써야 한다고 본다.

④ 연기의 법칙을 깨달으면 자비의 마음이 저절로 생긴다고 본다.
➡ 불교 윤리는 연기의 법칙을 깨달으면 모든 것에 대해 자비의 마음이 저절로 생긴다고 본다.

⑤ 충서의 방법으로 타인에 대한 사랑인 인을 실천해야 한다고 본다.
➡ 유교 윤리의 특징이다.

04 도가 윤리의 특징

자료 분석 | 제시문은 장자의 우화 중 일부로, 첫 번째는 본래의 것을 억지로 조절하려 하면 문제가 될 수 있다는 내용이고, 두 번째는 임금이 인간의 기준으로 바닷새를 대접한 탓에 결국 새가 죽음에 이르렀다는 내용이다.

[선택지 분석]

① 인간은 자연보다 우월한 존재이다.
➡ 도가 윤리는 인간과 자연을 평등하게 여긴다.

② 이상적 인간인 보살이 되기 위해 노력해야 한다. → 불교 윤리

③ 인과 예를 통해 도덕적 공동체를 실현해야 한다. → 유교 윤리

④ 자기중심적 사고에서 벗어나 도의 관점에서 만물을 바라보아야 한다.
➡ 도가 윤리는 인간 중심적 관점이 아닌 도의 관점에서 만물을 바라보아야 한다고 주장한다.

⑤ 생로병사의 끊임없는 삶의 고통에서 벗어나 열반에 도달해야 한다. → 불교 윤리

05 칸트 윤리의 특징

자료 분석 | 제시문은 칸트가 제시한 도덕 법칙으로, 각각 보편 법칙의 정식과 목적의 정식에 해당한다.

[선택지 분석]

① 행위의 동기보다 결과를 중시한다.
➡ 칸트는 도덕 판단에서 결과보다 동기를 중시한다.

② 도덕 실천에서 주체적인 자율성을 강조한다.
➡ 칸트는 이성적이고 자율적인 인간은 보편적인 도덕 법칙을 인식할 수 있으며 이를 실천할 수 있다고 보았다.

③ 도덕 법칙을 가언 명령의 형식으로 제시한다.
➡ 칸트에 따르면, 도덕 법칙은 가언 명령이 아닌 정언 명령의 형식으로 제시되어야 한다.

④ '최대 다수의 최대 행복'을 도덕 판단의 기준으로 삼는다.
➡ 공리주의 윤리의 특징이다.

⑤ 언제 어디서나 따라야 할 보편타당한 법칙의 존재를 부정한다.
➡ 칸트는 언제 어디서나 따라야 할 보편타당한 법칙이 존재함을 인정하고, 그에 따른 행동은 옳고 그렇지 않은 행동은 그르다고 본다.

06 양적 공리주의와 질적 공리주의

자료 분석 | 갑은 행위로 인해 발생할 쾌락의 양에 따라 행위의 옳고 그름을 평가하는 양적 공리주의를, 을은 쾌락의 양뿐만 아니라 질도 고려해야 한다는 질적 공리주의를 주장하고 있다.

[선택지 분석]

① 갑은 쾌락 간에 질적인 차이가 있다고 주장한다.
➡ 을의 주장에 해당한다.

② 갑은 도덕적 판단이 쾌락과 무관하다고 주장한다.
➡ 양적 공리주의도 도덕적 판단 기준으로 쾌락(행복)을 중요하게 여긴다.

③ 을은 행위보다 행위자의 도덕성을 중시한다. → 덕 윤리

④ 을은 갑과 달리 쾌락을 양적 차이에만 근거하여 평가한다.
➡ 쾌락을 양적 차이에만 근거하여 평가하는 것은 을이 아닌 갑이다.

⑤ 갑, 을은 모두 행위의 동기보다 결과를 중시한다.
➡ 공리주의는 행위의 동기보다 결과를 중시한다.

07 현대 덕 윤리의 특징

자료 분석 | (가)는 아리스토텔레스의 주장으로, 품성적 덕은 습관의 결과로 생겨난다는 내용이다. 〈문제 상황〉의 A는 옳은 행위가 무엇인지 알면서도 돈의 유혹에 끌려 고민하고 있다.

[선택지 분석]

① 쾌락 계산법을 정밀하게 적용한다.
➡ 공리주의 윤리의 특징이다.

② 옳고 선한 행위를 습관화해야 한다.
➡ 덕 윤리에 따르면, 유덕한 품성을 기르려면 옳고 선한 행위를 습관화하여 행위를 내면화해야 한다.

③ 쾌락의 질적 차이를 고려해야 한다.
➡ 질적 공리주의를 제시한 밀의 주장에 해당한다.
④ 정언 명령 형식의 도덕 법칙을 따라야 한다.
➡ 칸트의 주장에 해당한다.
⑤ 인간에게 자연적으로 주어진 보편적 법을 따라야 한다.
➡ 자연법 윤리에 해당한다.

08 의무론의 특징

(1) 칸트의 의무론
(2) [예시 답안] 의무론에서는 도덕 실천에서 주체적인 자율성을 강조한다. 따라서 도덕 법칙이 외적 강제가 아니라 인간 스스로 주체임을 자각하여 도덕적 삶을 살게 한다. 지수의 선행은 도덕 법칙에 따르는 의무 의식과 선의지에 근거한 행위라고 할 수 있다.

채점 기준	
상	의무론적 관점에서 논리적으로 이타적 행동을 평가한 경우
중	의무론적 관점에서 이타적 행동을 평가하였으나 논리적이지 못한 경우
하	의무론적 관점에 대한 이해가 부족한 경우

도전! 실력 올리기 30~31쪽

01 ⑤ 02 ② 03 ③ 04 ② 05 ① 06 ③ 07 ⑤ 08 ②

01 유교 사상의 특징

자료 분석 | (가)는 공자가 제시한 극기복례(克己復禮)에 대한 설명이다. 극기복례는 사욕을 극복하고 예로 돌아가야 한다는 가르침이며, 공자는 이를 통해 인을 회복할 수 있다고 보았다. 따라서 공자의 입장에서 제시할 통치자의 역할을 찾아야 한다.

[선택지 분석]

① 엄격한 형벌로써 백성을 바로잡아야 한다.
➡ 공자에 따르면, 통치자는 형벌이나 무력보다 도덕과 예의로써 백성을 교화해야 한다.
② 무위(無爲)의 다스림으로 백성을 통치해야 한다. → 도가 사상
③ 옳고 그름을 분별하지 말고 모든 백성을 사랑해야 한다.
➡ 유교 사상은 옳고 그름의 명확한 분별을 강조한다.
④ 사욕을 충족할 수 있게 재화를 충분히 공급해야 한다.
➡ 극기복례의 뜻을 통해서도 알 수 있듯이, 사욕은 충족의 대상이 아닌 극복의 대상이다.
⑤ 덕(德)으로 인도하고 예(禮)로써 가지런하게 해야 한다.
➡ 공자에 따르면, 통치자는 백성을 덕으로 인도하고 예로써 가지런하게 해야 한다.

02 불교 사상의 특징

자료 분석 | 제시문은 불교 사상의 연기설을 나타내는 내용으로, 모든 현상과 존재들이 상호 연관되어 있음을 강조한다. 불교의 연기설은 스스로 존재하는 고정된 실체가 없음을 뜻하며, 이를 바탕으로 불교는 나와 다른 존재는 서로 분리되어 있지 않음을 깨달으면 세상 모든 생명을 사랑할 수 있게 된다고 가르친다.

[선택지 분석]

ㄱ. 팔정도와 삼학을 수행하여 열반에 이를 수 있다.
➡ 불교 사상은 팔정도, 삼학 등을 수행하여 '나'라는 집착을 끊어내고 열반에 이를 수 있다고 본다.
ㄴ. 모두가 더불어 잘 사는 대동 사회를 이루어야 한다.
➡ 대동 사회는 유교 윤리에서 제시하는 이상 사회이다.
ㄷ. '나'라는 불변하는 실체를 중심으로 세계를 이해해야 한다.
➡ 불교 윤리에서는 만물이 독립적으로 존재할 수 없으며, '나'라는 존재도 불변하는 실체가 아님을 깨달아 그것에 얽매이지 않아야 한다고 본다.
ㄹ. 연기에 대한 자각은 자신뿐만 아니라 남도 소중하다는 자비의 마음으로 이어진다.
➡ 불교 윤리는 모든 것이 상호 연결된 관계 속에서만 존재한다는 연기의 법칙을 깨닫게 되면 모든 것에 대하여 자비의 마음이 저절로 생긴다고 본다.

03 도가 사상의 특징

자료 분석 | 제시문은 도가 사상에서 말하는 '도'의 특징을 설명하고 있다. 도는 천지 만물의 근원이자 무엇인가를 억지로 하지 않고 자연을 본받아 자연스럽게 어떤 일이 이루어지도록 한다.

[선택지 분석]

① 효제충신을 통해 인을 실천해야 한다.
➡ 유교 윤리의 특징이다.
② 최고의 선은 다투지 않고 낮은 곳에 머무는 물과 같다.
➡ 도가 사상가 노자는 최고의 선은 물과 같다[上善若水]라고 하였다. 이때 물은 만물을 이롭게 하지만 다투지 않으며 사람들이 싫어하는 낮은 곳에 머물기 때문이다.
③ 연기의 법칙을 깨달아 '나'라는 집착을 끊어내야 한다.
➡ 불교 윤리의 특징이다.
④ 만물과 나 사이의 구별이 없는 제물의 경지에 오르려고 노력해야 한다.
➡ 도가 사상가 장자는 좌망과 심재를 수행하여 세상 만물을 차별하지 않고 평등하게 보는 제물의 경지에 오르기 위해 노력해야 한다고 보았다.

04 도가 사상의 특징

자료 분석 | 제시문은 도가 사상가 노자가 제시한 상선약수(上善若水)에 대한 내용이다. 지극한 선은 물과 같다는 뜻으로 가장 선한 사람은 모두를 이롭게 하지만 그것을 드러내지 않고 항상 낮은 곳에 머문다는 의미를 가지고 있다.

[선택지 분석]

ㄱ. 하늘은 인간과 관련 없는 자연법칙인가?
➡ 노자는 하늘이 인간과 직접적인 관련이 없는 자연법칙이라고 여긴다.
ㄴ. 연기의 가르침을 깨달아 해탈에 이르러야 하는가?
➡ 불교 사상에서 긍정의 대답을 할 질문이다.

ㄷ. 제도와 문명 등의 인위적 가치는 지양해야 하는가?

➡ 도가 사상은 제도나 문명과 같은 인위적 가치보다 자연에 따라 평화롭고 소박하게 살아가는 소국과민의 사회를 지향한다.

ㄹ. 인(仁)을 통해 도덕성을 회복하고 안정된 사회를 실현해야 하는가?

➡ 유교 사상에서 긍정의 대답을 할 질문이다.

05 벤담의 공리주의

자료 분석 | (가)는 벤담의 주장으로, 쾌락 계산법에 대한 내용이다. (나)의 A는 친구 B와 말다툼을 한 후 사이버 불링을 할지 망설이고 있다.

[선택지 분석]

① 사이버 불링이 공리를 극대화하는 것인지 고려하세요.

➡ 공리의 극대화로 행위의 도덕성을 판단하는 것은 공리주의에 해당한다.

② 사이버 불링이 자연법에 부합하는 것인지 고려하세요.

➡ 자연법 윤리에 해당한다.

③ 사이버 불링이 덕성 함양에 기여하는 것인지 고려하세요.

➡ 덕 윤리에 해당한다.

④ 사이버 불링이 모성적 배려를 실천하는 것인지 고려하세요.

➡ 배려 윤리에 해당한다.

⑤ 사이버 불링이 인간을 목적으로 대우하는 것인지 고려하세요.

➡ 칸트 윤리에 해당한다.

06 행위 공리주의와 규칙 공리주의

자료 분석 | 갑은 행위 공리주의를, 을은 규칙 공리주의를 주장하고 있다. 행위 공리주의는 개별적 행위가 가져오는 쾌락에 따라 행위의 옳고 그름을 결정하는 것이고, 이와 달리 규칙 공리주의는 규칙이 최대의 유용성을 산출하는지 판단하고 그 규칙에 부합하는 행위를 옳은 행위로 본다.

[선택지 분석]

① 갑은 의무 의식에 따른 행위가 도덕적 가치를 지닌다고 본다.

➡ 의무론의 입장에 해당한다.

② 갑은 모든 인간에게 자연적으로 주어진 보편의 법칙이 있다고 본다.

➡ 자연법 윤리의 주장에 해당한다.

③ 을은 더 큰 유용성을 산출하는 규칙에 따라 행위해야 한다고 본다.

➡ 규칙 공리주의는 유용성의 원리를 행위 규칙에 적용하여 더 큰 유용성을 산출하는 것으로 판단되는 규칙에 따라 행위하는 것이 옳다고 본다.

④ 을은 갑과 달리 쾌락을 산출하고 고통을 피하는 결과를 낳는 행위를 선한 행위로 본다.

➡ 쾌락을 산출하고 고통을 피하는 결과를 낳는 행위를 선한 행위로 보는 것은 공리주의의 특징이다. 행위 공리주의와 규칙 공리주의 모두 이 특징을 인정한다.

⑤ 갑, 을은 개인의 자유와 선택보다 공동체와 그 전통을 중시한다.

➡ 덕 윤리의 입장에 해당한다. 덕 윤리는 의무론과 공리주의가 개인의 자유와 선택을 과도하게 강조한 점을 비판하고 공동체와 그 공동체의 전통과 역사를 중시한다.

07 칸트 윤리와 공리주의 윤리

자료 분석 | 갑은 선의지 자체만으로도 보석과 같이 빛난다는 표현에서 칸트임을 알 수 있다. 을은 인류가 고통과 쾌락의 지배 아래에 있다고 여긴 점에서 벤담임을 알 수 있다.

[선택지 분석]

ㄱ. 갑은 쾌락의 추구와 고통의 회피를 행위의 동기로 삼는다.

➡ 갑이 아닌 을의 주장에 해당한다.

ㄴ. 을은 유용성의 증대를 도덕 판단을 위한 일반 원리로 삼는다.

➡ 공리주의는 행위를 판단할 때 유용성의 증대 여부를 적용한다.

ㄷ. 갑은 을과 달리 행위의 동기를 결과보다 주목한다.

➡ 칸트는 행위 자체의 도덕성에, 공리주의는 행위의 결과에 주목한다.

ㄹ. 을은 갑과 달리 도덕 판단에서 행복 추구의 경향성을 중시한다.

➡ 칸트는 도덕 판단에서 의무 의식과 선의지에 따르는 것을 중시하는 반면, 공리주의는 이와 달리 도덕 판단에서 행복 추구의 경향성을 중시하다.

08 덕 윤리의 특징

자료 분석 | 아리스토텔레스가 제시한 두 가지 덕에 대해 다루는 점을 통해 ㉠은 덕 윤리임을 알 수 있다. 아리스토텔레스는 지성적 덕과 품성적 덕을 제시했으므로 ㉡은 품성적 덕이다.

[선택지 분석]

ㄱ. ㉠은 행위자 내면의 도덕성과 인성을 중시한다.

➡ 덕 윤리는 행위 자체보다 행위자 내면의 도덕성과 인성을 중시한다.

ㄴ. ㉠은 공동체 구성원의 삶보다 개인의 자유를 중시한다.

➡ 덕 윤리는 개인의 자유와 선택보다 공동체와 그 공동체의 전통과 역사를 더 중시한다.

ㄷ. ㉡은 습관의 결과로 나타난다.

➡ 품성적 덕은 옳은 행동을 반복적으로 실천한 습관의 결과로 나타난다.

ㄹ. ㉡은 유덕한 행위를 지속하지 않아도 저절로 생겨난다.

➡ 품성적 덕은 유덕한 행위를 반복적으로 실천함으로써 생겨난다.

03 윤리 문제에 대한 탐구와 성찰

콕콕! 개념 확인하기 34쪽

01 (1) 정서적 (2) 당위적 (3) 도덕적 추론 (4) 반론, 검토
02 (1) 가치 탐구 (2) 반증 사례 검사
03 (1) ㉠ (2) ㉡ (3) ㉤ (4) ㉢ (5) ㉣
04 (1) 성찰 (2) 경 (3) 중용
05 (1) 일일삼성 (2) 사회, 주체

탄탄! 내신 다지기 35~36쪽

01 ④ **02** ① **03** ③ **04** ④ **05** ④ **06** ③ **07** ②
08 해설 참조

01 도덕적 탐구의 특징

자료 분석 | 제시문은 도덕적 탐구의 의미와 특징을 다루고 있다. 따라서 빈칸에는 도덕적 탐구가 들어가야 한다.

[선택지 분석]

① 가치 탐구가 아닌 사실 탐구만 실시한다.
➡ 도덕적 탐구는 탐구 대상의 성격에 따라 사실 탐구와 가치 탐구로 구분할 수 있다. 따라서 둘 중 하나만을 실시한다고 말할 수 없다.

② 도덕적 감수성과 공감 능력과는 무관하다.
➡ 도덕적 탐구에서 이성적 사고 과정도 필요하지만 도덕적 감수성, 공감, 배려 등 정서적 측면도 고려해야 한다.

③ 이성적 사고보다 정서적 측면에 대한 고려가 더 필요하다.
➡ 도덕적 탐구에서 정서적 측면에 대한 고려가 필요한 것은 맞지만 이성적 사고의 과정도 중요하다.

✔ 도덕적 문제 상황을 합리적으로 해결하는 데 도움을 준다.
➡ 도덕적 탐구를 실시함으로써 도덕 현상을 심층적으로 이해하고 이를 통해 문제 상황을 합리적으로 바라보고 해결할 수 있다.

⑤ 도덕 원리는 모든 사람이 인정하는 것이므로 검토하지 않아도 된다.
➡ 사람마다 기대하는 도덕 원리가 다를 수 있으므로 도덕 원리 검사를 실시해야 한다.

02 도덕 원리 검사 방법

[선택지 분석]

(가)	(나)
✔ 역할 교환 검사법	보편화 가능성 검사법

➡ (가)는 요청받은 사항을 자신의 가족에 적용해 봄으로써 그 도덕 원리가 타당한지 살펴보고 있으므로 딜레마 상황에서 타인의 입장이 되어 보는 역할 교환 검사법에 해당한다. (나)는 요청받은 사항을 모든 사람에게 적용해 봄으로써 그 도덕 원리가 타당한지 살펴보고 있으므로 자신이 속한 상황이 모든 행위자에게 보편적으로 적용할 수 있는지 검토하는 보편화 가능성 검사법에 해당한다.

03 도덕적 탐구에 대한 이해

자료 분석 | 제시문은 도덕적 탐구에서 이성적 사고의 과정도 중요하지만 공감, 배려 등 정서적 측면도 중요하다는 내용이다.

[선택지 분석]

✗ 설득력 있는 해결 방안을 찾는 데 이성적 사고만으로도 충분하다.
➡ 도덕적 탐구는 이성적 사고만으로는 부족하므로 정서적 측면의 보완도 필요하다.

✗ 도덕적 탐구의 과정에서 감정을 표출해야 오류의 가능성을 줄일 수 있다.
➡ 정서적 측면을 고려한다는 것이 감정의 표출을 의미하지는 않는다.

㉢ 당면한 윤리적 문제를 바라보는 관점이 사람마다 다르므로 배려적 사고를 해야 한다.
➡ 도덕적 탐구에서 상대방의 입장에서 생각해 보고 그의 처지와 감정을 존중해 주는 배려적 사고가 필요하다.

㉣ 도덕적 상상력을 통해 당면한 문제가 윤리 문제임을 인식하고 향후 전개 방안을 고려해야 한다.
➡ 도덕적 상상력은 딜레마 상황이 어떻게 전개될 것인지를 고려하는 능력이다.

04 도덕적 탐구의 방법

[선택지 분석]

① ㉠ 다양한 윤리 문제를 해결하기 위해 도덕적 가치와 규범에 주목함

② ㉡ 윤리적 딜레마를 활용한 도덕적 추론으로 이루어짐

③ ㉢ 윤리적 쟁점 확인 → 자료 수집 및 분석 → 입장 채택 및 정당화 근거 제시 → 최선의 대안 도출 → 반성적 성찰 및 입장 정리

✔ ㉣ 가치 탐구이므로 풍부한 자료 수집과 분석은 필요하지 않음
➡ 도덕적 탐구 과정에서 풍부한 자료 수집과 분석은 필요하다.

⑤ ㉤ 타인의 의견을 구하거나 토론의 과정을 거침

05 도덕적 탐구와 윤리적 성찰

자료 분석 | (가)의 갑은 도덕적 탐구의 의미를, 을은 윤리적 성찰의 의미를 말하고 있다.

[선택지 분석]

㉠ A: 사회의 윤리 문제들에 대한 이해와 분석에 중점을 둔다.
➡ 도덕적 탐구에 대한 설명이다.

㉡ B: 도덕적 행위의 실천을 추구한다.
➡ 도덕적 탐구와 윤리적 성찰은 모두 도덕적 행위의 실천을 목적으로 한다.

✗ B: 자신의 도덕적 경험과 무관하게 반성적 사고를 한다.
➡ 도덕적 탐구와 윤리적 성찰은 모두 도덕적 경험을 중시하고 도덕적 실천을 목적으로 한다. 따라서 도덕적 탐구와 성찰이 도덕적 경험과 무관하다고 말할 수 없다.

㉣ C: 도덕적 주체의 도덕성에 중점을 둔다.
➡ 도덕적 탐구와 달리 윤리적 성찰은 도덕적 주체인 개인의 도덕성에 중점을 둔다.

06 소크라테스의 윤리적 성찰

자료 분석 | 제시문은 소크라테스가 삶에 대한 검토와 성찰의 중요성을 시민들에게 말하는 장면이다.

[선택지 분석]

① 돈을 얻기 위해서 덕을 가져야 한다.
➡ 소크라테스의 주장과 거리가 멀다.

② 대화보다는 독서로 덕을 쌓아야 한다.
➡ 소크라테스는 덕에 관한 대화를 통해 자신과 상대방의 윤리적 성찰을 이끌어 냈다.

✔③ 자신의 삶을 검토하면서 살아야 한다.
➡ 소크라테스는 "검토하지 않는 삶은 의미가 없다."라고 하면서 삶에 대한 윤리적 성찰을 강조하였다.

④ 세상과 떨어져 은둔자적 삶을 살아야 한다.
➡ 소크라테스는 은둔자적 삶을 강조하지 않았다.

⑤ 타인에 대한 설득을 포기하고 자신의 내면으로 돌아가야 한다.
➡ 소크라테스는 끊임없이 상대방에게 대화를 시도하고 이를 통해 윤리적 성찰을 이끌어 냈다.

07 윤리적 성찰에 대한 증자와 이황의 주장

자료 분석 | 갑은 증자로 일일삼성을 제시하고 있고, 을은 이황으로 경(敬)을 제시한 내용이다. 두 사상가 모두 삶에서 윤리적 성찰을 강조하고 있다.

[선택지 분석]

① 인간은 자신의 내면과 외면을 모두 바라보아야 한다.

✔② 윤리적 성찰은 인격을 함양하는 데 도움을 주지 못한다.
➡ 윤리적 성찰은 자신의 가치관, 세계관 등을 스스로 검토하게 함으로써 자신의 인격을 올바르게 함양하는 데 도움을 줄 수 있다.

③ 인간은 자기중심적인 삶의 한계를 극복하고자 노력해야 한다.

④ 인간은 지속적인 성찰로 올바른 자아 정체성을 형성할 수 있다.

⑤ 인간은 윤리적 관점에서 끊임없이 자신에게 물음을 던져야 한다.

08 도덕적 추론

(1) [예시 답안] 도덕적 추론이란 옳고 그름을 판단하는 '도덕 원리'와 참과 거짓을 구분하는 '사실 판단'을 근거로 도덕 판단을 내리는 사고 과정을 뜻한다.

채점 기준	
상	'도덕 원리'와 '사실 판단'이라는 용어를 사용하여 도덕적 추론의 의미를 정확하게 서술한 경우
중	'도덕 원리'와 '사실 판단'이라는 용어를 사용하지 않았지만 이유와 근거를 바탕으로 도덕 판단을 내리는 과정임을 서술한 경우
하	도덕적 추론의 의미와 상관없는 내용을 서술한 경우

(2) 뇌사를 죽음으로 인정하는 것은 누군가의 생명을 고의로 해치는 것이다.

도전! 실력 올리기

37쪽

01 ④ **02** ⑤ **03** ③ **04** ④

01 밀의 토론에 대한 주장

자료 분석 | (가)는 밀의 주장으로, 토론에서 자유로운 의견 교환의 중요성을 말하고 있다. 퍼즐 (나)의 가로 낱말 (A)는 '토의', (B)는 '여론'이므로 세로 낱말 (A)는 '토론'이다.

[선택지 분석]

① 기존의 진리에 복종할 필요성을 확인하는 과정이다.
➡ 토론은 기존에 진리로 여겼던 것이라 하더라도 그것이 틀릴 수 있음을 전제로 다수의 사람이 자유로운 의견을 교환하면서 진리를 확인하는 과정이다.

② 다수의 의견이 오류가 없음을 입증하는 숙고의 과정이다.
➡ 토론은 다수의 의견이 옳음을 결정하는 과정이 아니다.

③ 인간의 무오류성을 전제로 정확한 판단을 내리는 과정이다.
➡ 토론에서는 인간의 오류 가능성을 전제로 해야 한다.

✔④ 오류를 최대한으로 줄이고 진리를 찾기 위한 논의의 과정이다.
➡ 밀은 토론을 통해 인식과 판단의 오류 가능성을 줄일 수 있으며, 이를 통해 진리를 찾을 수 있다고 보았다.

⑤ 자신의 주장만을 관철함으로써 상대방과 논쟁을 벌이는 과정이다.
➡ 토론은 자신의 주장만을 관철하는 과정이 아니다.

02 도덕적 탐구의 과정

자료 분석 | 도덕적 탐구를 통해 도덕적 문제 상황에서 어떻게 판단하고 행동하는 것이 옳은지에 대한 기준이나 원칙을 세울 수 있다.

[선택지 분석]

① ㉠: 도덕적 탐구 주제나 문제의 쟁점을 확인한다.

② ㉡: 문제 해결에 필요한 자료를 수집하고 분석한다.

③ ㉢: 쟁점에 대한 입장을 선택하거나 대안을 설정한다.

④ ㉣: 토론의 과정을 거쳐 최선의 대안을 찾는다.

✔⑤ ㉤: 역할 교환 검사법을 통해 정당화 근거의 타당성을 검토한다.
➡ 역할 교환 검사법은 입장 채택 및 정당화 근거의 타당성을 검토하는 단계에서 하는 것이다.

03 토론에 대한 이해

자료 분석 | 제시문은 토론에서 어떤 자세를 지녀야 하는지, 그리고 토론을 통해 도덕적으로 성숙해져야 함을 말하고 있다.

[선택지 분석]

ㄱ. 옳은 의견은 토론을 통해 검증받을 필요가 없다.
➡ 옳다고 여겨지는 의견이라 하더라도 그것이 진리인지에 대해 토론을 통해 검증받을 필요가 있다.

ㄴ. 인간이 완전한 존재라는 가정하에서 토론은 이루어진다.
➡ 토론은 인간의 오류 가능성을 전제로 이루어져야 한다.

ㄷ. 토론 과정에서 타인의 주장과 근거를 경청하는 것이 중요하다.
➡ 토론은 자신의 주장을 관철하는 과정이 아니라 타인의 주장과 근거를 경청하면서 진리를 찾아가는 과정이다.

ㄹ. 승자와 패자를 구분하기보다는 양쪽 주장과 논거를 충분히 살펴보아야 한다.
➡ 토론에서는 승패의 구분이 아니라 모든 의견을 합리적이고 이성적으로 살펴보고 의견을 자유롭게 개진해야 한다.

04 윤리적 성찰에 대한 이해

자료 분석 | 윤리적 성찰은 자신이 가진 인간관, 가치관, 세계관 등을 윤리적 관점에서 전체적으로 검토하고 반성하는 과정을 말한다. 동양 사상에서는 유교의 신독, 윤리적 성찰을 위한 수양 방법을 제시한 이황의 경, 삶의 성찰을 위한 증자의 일일삼성 등 윤리적 성찰을 강조하였다. 서양 사상에서는 소크라테스가 성찰의 중요성을 강조하였고, 아리스토텔레스는 성찰의 방법으로서의 중용을 강조하였다.

[선택지 분석]

① ㉠ 홀로 있을 때에도 도리에 어긋나지 않도록 하는 신독(愼獨)을 주장

② ㉡ 증자는 일일삼성(一日三省)의 수양 방법을 제시

③ ㉢ 이황은 몸가짐을 단정히 하고 엄숙한 태도를 유지하며 항상 또렷한 정신 상태를 유지해야 한다고 주장

④ ㉣ 소크라테스가 대화 없이 혼자서 자신의 삶을 검토해야 한다고 주장
➡ 소크라테스는 사람들과 덕에 관한 대화를 하면서 자신과 상대방의 윤리적 성찰을 이끌어내는 것을 중시하였다.

⑤ ㉤ 아리스토텔레스는 도덕적 행동의 반복적 실천을 강조

한번에 끝내는 대단원 문제 40~43쪽

01 ② 02 ① 03 ① 04 ⑤ 05 ⑤ 06 ④ 07 ⑤
08 ④ 09 ① 10 ⑤ 11 ④ 12 ③
13~16 해설 참조

01 윤리학의 종류와 특징

자료 분석 | (가)는 메타 윤리학, (나)는 이론 윤리학, (다)는 실천 윤리학의 특징을 다루고 있다.

[선택지 분석]

ㄱ. (가)는 도덕적 언어의 의미가 불명확하여 의견 충돌이 일어난다고 본다.
➡ 메타 윤리학은 기존의 이론 윤리학이 도덕적 언어의 의미를 명확하게 규정하지 않고 사용함에 따라 의견 충돌이 일어난다고 보아 도덕적 언어의 의미 분석을 강조한다.

ㄴ. (나)는 도덕적 풍습이나 관습을 단순히 묘사하거나 기술한다.
➡ 기술 윤리학의 특징이다.

ㄷ. (다)는 어떤 도덕 원리가 윤리적 행위를 위한 근본 원리로 성립할 수 있는지 연구한다.
➡ 이론 윤리학의 특징이다.

ㄹ. (나), (다)는 '사람은 어떻게 행동해야 하는가?'에 관한 원리를 탐구하는 규범 윤리학에 속한다.
➡ 이론 윤리학과 실천 윤리학은 규범 윤리학에 속한다.

02 현대 사회의 다양한 윤리 문제

자료 분석 | 현대 사회는 생명 윤리, 사회 윤리, 과학 윤리, 문화 윤리, 평화 윤리 등 다양한 영역에서 윤리 문제가 생기고 있다.

[선택지 분석]

① 평화 윤리
➡ 제시문의 물음은 평화 윤리 영역의 대표적인 내용이다.

② 과학 윤리
➡ 과학 윤리는 과학 기술에 관한 쟁점, 정보와 매체에 관한 쟁점, 환경에 관한 것이다.

③ 사회 윤리
➡ 사회 윤리는 직업 생활에 관한 쟁점, 사회 정의에 관한 쟁점에 관한 것이다.

④ 문화 윤리
➡ 문화 윤리는 예술과 윤리에 관한 쟁점, 의식주와 소비에 관한 쟁점, 문화와 종교에 관한 쟁점에 관한 것이다.

⑤ 생명 윤리
➡ 생명 윤리는 삶과 죽음에 관한 쟁점, 생명 과학에 관한 쟁점, 사랑과 성에 관한 쟁점에 관한 것이다.

03 메타 윤리학의 특징

자료 분석 | 제시된 그림은 윤리학의 종류를 나타낸 것이다. ㉠에는 메타 윤리학이 들어가야 한다.

[선택지 분석]

① 도덕적 언어의 의미를 주로 분석한다.
➡ 메타 윤리학은 윤리학의 학문적 성립 가능성을 모색하기 위해 도덕적 언어의 의미 분석, 도덕적 추론의 정당성을 검증하기 위한 논리 분석에 주목한다.

② 도덕적 의무에 관한 이론적 정당화를 하고자 한다.
➡ 이론 윤리학의 특징이다.

③ 현실적인 도덕 문제들의 해결 방안을 주로 탐구한다.
➡ 실천 윤리학의 특징이다.
④ 특정 시대나 사회의 도덕적 풍습을 객관적으로 기술한다.
➡ 기술 윤리학의 특징이다.
⑤ 모든 행위자에게 타당한 도덕규범의 일관된 체계를 구성하고자 한다.
➡ 이론 윤리학의 특징이다.

04 실천 윤리학의 특징

자료 분석 | 제시문은 이론 윤리학과 실천 윤리학의 특징을 서술하고 있다. ㉠은 실천 윤리학이다.

[선택지 분석]

① 사회의 도덕적 관행을 주로 탐구한다.
➡ 기술 윤리학의 특징이다.
② 윤리학의 학문적 성립 가능성을 주로 탐구한다.
➡ 메타 윤리학의 특징이다.
③ '옳음', '좋음'과 같은 가치 언어를 주로 탐구한다.
➡ 메타 윤리학의 특징이다.
④ 도덕 규칙의 적용보다 객관적인 도덕 원리의 정립을 중시한다.
➡ 이론 윤리학의 특징이다.
⑤ 도덕 원리를 토대로 구체적인 윤리 문제의 바람직한 해결 방안을 모색한다.
➡ 실천 윤리학은 이론 윤리학에서 제공한 도덕 원리를 토대로 실제 삶의 구체적인 윤리 문제의 바람직한 해결 방안을 모색한다.

05 윤리적 공백에 대한 이해

자료 분석 | 제시문은 윤리적 공백의 발생과 그에 따른 실천 윤리학의 필요성을 다루고 있다. 윤리적 공백은 과학 기술의 발전 속도와 과학 기술의 방향에 대한 이성의 도덕적 숙고가 충분히 반영되지 못하여 발생하는 간격을 뜻한다.

[선택지 분석]

① 이론 윤리학과 기술의 발전 사이에는 간극이 없다.
➡ 윤리적 공백은 도덕적 숙고와 과학 기술의 발전 사이의 간극을 말한다.
② 이성의 도덕적 숙고는 과학 기술의 발전 속도를 압도한다.
➡ 윤리적 공백은 과학 기술의 발전 속도를 따라가지 못하는 이성의 도덕적 숙고로 인해 발생하는 공백을 말한다. 즉 과학 기술의 발전이 이성의 도덕적 숙고를 압도하고 있다.
③ 인류가 지금까지 경험하지 못한 윤리 문제는 향후 발생하지 않는다.
➡ 과학 기술의 발달로 인류는 현재까지 경험해 보지 못한 새로운 윤리 문제를 겪고 있다.
④ 과학 기술이 발달해도 도덕적 삶에 새로운 변화를 가져오지는 못한다.
➡ 과학 기술의 발달은 도덕적 삶에 새로운 변화를 가져온다.
⑤ 과학 기술의 발달 속도를 도덕적 숙고가 따라가지 못하면서 간격이 발생한다.
➡ 윤리적 공백은 과학 기술의 발달 속도를 도덕적 숙고가 따라가지 못하면서 발생하는 간격을 뜻한다.

06 도가 사상의 특징

자료 분석 | (가)는 도가 사상가인 장자가 제시한 인간관을 다루고 있다. 도가 사상은 인위적인 행위를 거부하고 무위의 삶을 살 것을 강조한다.

[선택지 분석]

① 효율성을 기준으로 환경 문제에 대처해야 한다.
➡ 도가 사상은 효율성과 같은 인위적인 방안으로 어떤 행위를 하는 것에 반대한다.
② 계산 가능한 것들을 비교해서 최선의 대안을 마련해야 한다.
➡ 도가 사상은 인위적인 해결책보다 자연에의 순응을 통해 문제를 해결하고자 한다.
③ 개인의 자유와 권리를 보장하는 방식의 대안을 마련해야 한다.
➡ 도가 사상의 주장과 거리가 멀다.
④ 인간 역시 자연의 일부임을 깨닫고 자연의 질서에 순응해야 한다.
➡ 도가 사상은 자연의 흐름대로 살고 억지로 무엇을 하지 않는 무위를 추구해야 한다고 본다.
⑤ 다양한 집단의 이해관계를 충분히 반영하여 대책을 마련해야 한다.
➡ 도가 사상의 주장과 거리가 멀다.

07 칸트 윤리의 특징

자료 분석 | 갑은 칸트이다. 칸트는 인간이 정언 명령 형식으로 제시되는 도덕 법칙을 파악할 수 있으며, 선의지를 통해 이를 실천할 수 있다고 보았다.

[선택지 분석]

① 주위 사람들의 평판을 고려해야 합니다.
➡ 칸트는 무조건적인 명령인 도덕 법칙에 따라야 한다고 보았다.
② 행위의 동기보다 이익을 먼저 고려해야 합니다.
➡ 칸트는 행위의 도덕성 판단에서 이익과 같은 결과보다 동기를 중시하였다.
③ 개인의 행복과 사회 전체 행복의 조화를 생각해야 합니다.
➡ 공리주의의 특징에 해당한다.
④ 지금 당장의 이익보다 미래의 이익까지 고려해서 결정해야 합니다.
➡ 칸트는 결과로 나타나는 이익에 대한 고려를 강조하지 않는다.
⑤ 이윤보다 인간이 따라야 하는 보편타당한 도덕 법칙을 고려해야 합니다.
➡ 칸트는 이윤, 쾌락 등의 결과보다 인간이 따라야 하는 보편타당한 도덕 법칙을 고려해야 한다고 본다.

08 덕 윤리의 특징

자료 분석 | 제시된 그림의 강연자는 의무론과 공리주의의 한계를 지적하면서 덕 윤리를 강조하고 있다.

[선택지 분석]

ㄱ. 최대의 유용성을 낳는 행위가 옳은 행위인가?
➡ 공리주의에서 긍정의 대답을 할 질문이다.

ㄴ. 보편적·추상적 사고보다 구체적·맥락적 사고가 중요한가?
➡ 의무론과 공리주의는 보편적이고 추상적인 도덕 법칙이나 공리의 원리를 중시한다. 덕 윤리는 이를 비판하면서 구체적이고 맥락적인 사고를 중시하고 공동체의 전통과 역사를 강조한다.

ㄷ. 공동체의 역사와 전통보다 개인의 자유와 선택을 중시하는가?
➡ 덕 윤리는 개인의 자유와 선택보다 공동체의 역사와 전통을 중시한다.

ㄹ. 유덕한 품성을 갖추려면 옳고 선한 행위를 습관화해야 하는가?
➡ 덕 윤리는 옳고 선한 행위를 꾸준히 실천하여 습관화함으로써 유덕한 품성을 갖출 수 있다고 본다.

09 칸트 윤리와 공리주의 윤리

자료 분석 | 갑은 의무 의식과 선의지에 근거한 행위만을 도덕적 행위로 보는 점에서 칸트임을 알 수 있다. 을은 행위의 결과에 따라 행위를 승인 또는 부인해야 한다고 보는 점에서 공리주의임을 알 수 있다.

[선택지 분석]

① 도덕적 행위는 쾌락이나 행복과 무관한가?
➡ 칸트는 선의지에 근거한 행위만을 도덕적 가치를 지닌 행위로 본다. 따라서 갑은 '예', 을은 '아니요'라고 답할 질문이다.

② 행위의 도덕성은 유용성의 산출과 관련 있는가?
➡ 칸트는 행위의 도덕성을 판단할 때 행위의 결과보다 동기를 중시한다. 따라서 갑은 '아니요', 을은 '예'라고 답할 질문이다.

③ 신경 세포의 활동으로 도덕성을 해명할 수 있는가?
➡ 신경 윤리학에서 긍정의 답을 할 질문이다. 따라서 갑, 을 모두 '아니요'라고 답할 질문이다.

④ 행위 자체가 아니라 행위자의 성품을 평가해야 하는가?
➡ 덕 윤리에서 긍정의 답을 할 질문이다. 덕 윤리에 따르면 칸트 윤리와 공리주의 윤리는 행위자의 성품이 아닌 행위 그 자체를 평가한다. 따라서 갑, 을 모두 '아니요'라고 답할 질문이다.

⑤ 행위 그 자체보다 행위가 가져올 결과를 도덕 판단의 기준으로 삼는가?
➡ 칸트는 행위의 동기를 도덕 판단의 기준으로 삼는다. 따라서 갑은 '아니요', 을은 '예'라고 답할 질문이다.

10 진화 윤리학에 대한 이해

자료 분석 | 제시문은 도덕성을 진화의 측면에서 설명한다는 점에서 진화 윤리학임을 알 수 있다. 진화 윤리학은 인간의 이타적 행동과 성품을 자연 선택을 통해 진화한 결과물로 파악하는 것이다.

[선택지 분석]

① 도덕적 삶의 방향이나 목적 설정을 연구한다.
➡ 진화 윤리학에서는 도덕적 삶의 방향이나 목적 설정에는 관심을 두지 않는다.

② 이타적 행위는 추상적 도덕 원리의 산물이라고 본다.
➡ 진화 윤리학에서는 인간의 이타적 행위가 추상적 도덕 원리가 아닌 생물학적 적응의 산물이라고 본다.

③ 이타적 행위는 생물학적 부적응의 산물이라고 본다.
➡ 진화 윤리학은 인간이 이타적 행위를 하는 것은 생물학적 적응의 산물이라고 본다.

④ 도덕 과학적 접근 방식으로 윤리 문제를 검토하면 안 된다고 본다.
➡ 진화 윤리학은 도덕 과학적 접근의 일부이다.

⑤ 생존과 번식에 도움을 주므로 인간이 이타적 행위를 한다고 본다.
➡ 진화 윤리학은 자신의 생존과 번식에 도움을 주므로 인간이 이타적 행위를 한다고 본다.

11 토론의 중요성

자료 분석 | 제시문은 밀의 주장으로, 토론에서 인간의 오류 가능성을 전제하고 자유롭게 의견을 개진할 수 있어야 한다는 점을 말하고 있다. 밀은 자유롭게 의견을 교환하는 과정을 통해 가장 합당한 결론에 도달할 수 있으며, 언제든지 오류가 발생할 수 있음을 인정해야 한다고 하였다.

[선택지 분석]

① 토론은 최선의 해결책을 모색하기 위한 과정이다.

② 토론 과정에서는 자유로운 의견 교환이 중요하다.

③ 토론을 통해 의견을 검증받을 기회를 얻을 수 있다.

④ 좋은 근거가 나타나도 자기 의견을 바꿀 필요는 없다.
➡ 토론을 하는 이유는 더욱 진리에 가까운 의견이 있다면 자신의 의견을 수정하여 최선의 해결책을 찾기 위해서이다.

⑤ 한 사람의 지혜보다 공동체가 함께하는 토론이 더 나을 수 있다.

12 윤리적 성찰에 대한 이해

자료 분석 | 제시문은 자기 삶과 가치관에 대해 스스로 물음을 던지고 고민할 필요가 있다는 것으로, 이는 윤리적 성찰의 필요성에 대한 내용이다. 윤리적 성찰은 도덕적 자각의 계기를 마련하고 앎과 실천의 간격을 좁히고 인격 함양에 도움을 준다.

[선택지 분석]

ㄱ. 자신의 내면보다는 외면을 응시해야 한다.
➡ 윤리적 성찰은 내면과 외면을 모두 응시하면서 자기 삶을 스스로 반성하는 것이다.

ㄴ. 비판적으로 자신의 삶을 검토할 필요가 있다.
➡ 윤리적 성찰은 자신의 삶과 가치관을 비판적으로 검토하여 자신을 바르게 세우게 한다.

ㄷ 윤리적 성찰은 도덕적 인간이 되기 위해 꼭 필요하다.
➡ 윤리적 성찰은 지난날보다 더 나은 삶을 살게 하여 도덕적 인간이 될 수 있게 도와준다.

ㄹ 인간은 되어 가는 존재가 아니라 이미 만들어진 존재이다.
➡ 인간은 되어 가는 존재이므로 윤리적 성찰을 통해 더욱 바르게 되어 살 수 있다.

13 실천 윤리학의 특징

자료 분석 | 제시문은 실천 윤리학이 등장하게 된 배경과 대표적인 실천 윤리학의 탐구 영역을 예로 들고 있다.

(1) 실천 윤리학

(2) [예시 답안] 실천 윤리학은 현대인이 직면하는 구체적 문제를 직접 다루고 윤리 이론을 적용하여 해결책을 찾고자 한다. 즉 이론 윤리학과 밀접한 관련을 지니며, 실천 지향적 성격을 지닌다. 또한 다양한 학문 영역의 지식을 활용하여 문제를 해결하는 학제적 성격도 지닌다.

채점 기준	
상	실천 윤리학의 특징을 두 가지 이상 서술한 경우
중	실천 윤리학의 특징을 한 가지만 서술한 경우
하	실천 윤리학의 특징을 서술하지 못한 경우

14 칸트 윤리의 특징

자료 분석 | 갑은 이성적이고 자율적인 인간이 도덕 법칙을 인식할 수 있다고 보는 점, 도덕 법칙이 정언 명령의 형식으로 제시된다고 보는 점을 통해 칸트임을 알 수 있다.

(1) 칸트

(2) [예시 답안] 칸트는 인간을 단지 수단으로 취급하지 말고 언제나 동시에 목적으로 대우해야 한다고 강조한다. 따라서 칸트의 관점에서 볼 때 A 씨가 빚을 갚기 위해 자신의 장기를 파는 것은 어떤 목적을 얻기 위해 자신을 수단으로 취급하는 행위이다. 따라서 이성적이고 자율적인 인간으로서 자신을 수단이 아닌 목적으로 대우해야 한다고 조언할 수 있다.

채점 기준	
상	칸트의 도덕 법칙 중 목적의 정식을 제시하고 이에 근거하여 A 씨에 대한 조언을 논리적으로 서술한 경우
중	칸트의 도덕 법칙 중 목적의 정식을 제시하였으나 A 씨에 대한 조언을 논리적으로 서술하지 못한 경우
하	칸트의 도덕 법칙을 근거로 제시하지 못한 경우

15 행위 공리주의와 규칙 공리주의

자료 분석 | 제시문은 유용성의 원리를 적용하는 대상에 따라 행위 공리주의와 규칙 공리주의로 구분할 수 있고, 행위 공리주의의 문제점이 나타나면서 규칙 공리주의가 등장하였다는 내용을 다루고 있다. 규칙 공리주의는 유용성의 원리를 행위의 규칙에 적용하는 것으로, 규칙이 최대의 유용성을 산출하는지 판단하고 규칙에 부합하는 행위를 옳은 행위로 결정한다.

(1) 규칙 공리주의

(2) [예시 답안] 행위 공리주의는 각각의 경우마다 어떤 대안이 더 큰 공리를 가져오는지 계산해야 하는데 이것은 매우 어려운 일이다. 또한 각 대안의 유용성을 계산한 후에 선택한 대안이 일반적인 직관에 어긋날 수 있다는 문제점이 있다.

채점 기준	
상	행위 공리주의의 문제점을 두 가지 이상 서술한 경우
중	행위 공리주의의 문제점을 한 가지만 서술한 경우
하	행위 공리주의의 문제점을 서술하지 못한 경우

16 도덕적 탐구의 과정

(1) 입장 채택 및 정당화 근거 제시

(2) [예시 답안] 도덕적 탐구의 과정에서 '입장 채택 및 정당화 근거 제시' 단계에서는 역할 교환 검사법, 보편화 가능성 검사법 등을 통해 정당화 근거의 타당성을 검토해야 한다. 이때 공감, 배려 등 도덕적 정서에 대한 고려가 필요하다.

채점 기준	
상	정당화 근거의 타당성 검토에 대한 내용과 검토 방법을 모두 서술한 경우
중	정당화 근거의 타당성 검토에 대한 내용을 서술한 경우
하	정당화 근거의 타당성 검토에 대한 내용을 서술하지 못한 경우

Ⅱ 생명과 윤리

01 삶과 죽음의 윤리

콕콕! 개념 확인하기 53쪽

01 출생
02 (1) 인간 (2) 찬성, 반대
03 (1) ㉠ (2) ㉢ (3) ㉡
04 (1) ○ (2) × (3) × (4) ○
05 ㉠ 소극적 ㉡ 자발적

탄탄! 내신 다지기 54~57쪽

01 ② 02 ② 03 ④ 04 ③ 05 ② 06 ② 07 ④
08 ⑤ 09 ② 10 ⑤ 11 ③ 12 ④ 13 ④ 14 ⑤
15 ① 16 해설 참조

01 인공 임신 중절에 대한 찬성 근거

자료 분석 | 제시문은 인공 임신 중절을 하지 않을 경우 임신부와 태아가 모두 불행해질 것을 예견하여 임신 초기의 인공 임신 중절을 허용해 주어야 한다고 주장한다.

[선택지 분석]

㉠ 태아는 아직 인간이 아니다. → 찬성 입장
➡ 태아를 인간이 아닌 존재로 본다면 태아에게 임신부와 동일한 권리를 인정해 주지 않아도 된다. 이는 인공 임신 중절을 찬성하는 입장에서 제시할 수 있는 근거이다.

~~ㄴ~~ 태아는 임신부와 별개의 생명체이다. → 반대 입장
➡ 태아를 임신부와 별개의 생명체로 본다는 것은 성인과 동일한 존재로 본다는 뜻으로, 이는 인공 임신 중절을 반대하는 입장에서 제시할 수 있는 근거이다.

㉢ 여성은 자기 방어와 정당방위의 권리가 있다. → 찬성 입장
➡ 모든 개인은 자기 방어와 정당방위의 권리를 가진다고 보아 일정 조건을 충족할 경우 인공 임신 중절을 할 권리를 가진다. 이는 인공 임신 중절을 찬성하는 입장에서 제시할 수 있는 근거이다.

~~ㄹ~~ 태아는 성장 상태와 상관없이 생명의 주체이다. → 반대 입장

02 인공 임신 중절에 대한 반대 근거

자료 분석 | 제시문은 태아를 완전한 인간으로 보지 않는다는 점에서 인공 임신 중절을 허용해야 한다는 입장이다. 이를 반박하기 위해서는 생명 옹호론의 내용을 선택해야 한다.

[선택지 분석]

㉠ 태아는 인간이 될 잠재성을 지닌 존재이다. → 반대 입장

~~ㄴ~~ 여성은 자신의 삶을 자율적으로 선택할 수 있다. → 찬성 입장
➡ 인간은 자신의 신체와 삶에 대해 자율적으로 선택하고 결정할 권리가 있다는 것은 인공 임신 중절을 찬성하는 입장에서 제시하는 자율 근거에 해당한다.

~~ㄷ~~ 여성은 신체의 일부인 태아에 대해 권리를 가진다. → 찬성 입장

㉣ 무고한 생명체인 태아를 해치는 것은 옳지 않다. → 반대 입장
➡ 잘못이 없는 인간을 해치면 안 되는데, 태아는 무고한 생명체이므로 해쳐서는 안 된다는 주장은 인공 임신 중절을 반대하는 입장에서 제시하는 근거이다.

03 인공 임신 중절에 대한 찬성 근거

자료 분석 | 제시문의 을은 인공 임신 중절을 허용해야 한다고 주장하면서 그 근거로 소유권 근거와 자율 근거를 제시한다.

[선택지 분석]

① 태아가 성인과 동일한 지위를 갖는다 → 반대 입장
② 태아를 비롯한 모든 생명은 존엄하다 → 반대 입장
③ 잘못이 없는 태아를 해쳐서는 안 된다 → 반대 입장
✔④ 인공 임신 중절에 대한 여성의 선택권을 존중해야 한다
➡ 여성은 자신의 신체와 삶에 대해 자율적으로 선택하고 결정할 권리가 있다는 자율 근거는 인공 임신 중절을 찬성하는 입장에서 제시하는 근거이다.
⑤ 태아는 인간으로 성장할 수 있는 잠재성을 가진 존재이다 → 반대 입장

04 인공 임신 중절에 대한 반대 근거

자료 분석 | 제시문 (가)는 인공 임신 중절에 대한 반대 근거인 잠재성 근거에 해당한다.

[선택지 분석]

~~ㄱ~~ A: 무고한 태아를 죽이는 것은 옳지 않은 행위인가?
➡ 인공 임신 중절을 반대하는 입장에서는 무고한 태아를 죽이는 것을 옳지 않은 행위로 볼 것이므로 '예'라고 대답할 질문이다.

㉡ A: 여성은 자기 몸의 일부인 태아에 대해 소유권을 갖는가?
➡ 인공 임신 중절을 반대하는 입장에서는 여성이 태아에 대해 소유권을 가진다고 보지 않는다. 따라서 '아니요'라고 대답할 질문이다.

㉢ B: 태아를 생명이 있는 인간으로 보아야 하는가?
➡ 인공 임신 중절을 반대하는 입장에서는 태아를 생명이 있는 인간으로 본다. 따라서 '예'라고 대답할 질문이다.

~~ㄹ~~ B: 임신한 여성의 결정권이 태아의 생명권보다 우선해야 하는가?
➡ 인공 임신 중절을 반대하는 입장에서는 태아의 생명권을 더 우선해야 한다고 본다. 따라서 '아니요'라고 대답할 질문이다.

05 공자와 불교의 죽음관

자료 분석 | 갑은 죽음에 집착하기보다 현실에서 도덕적 실천을 할 것을 강조한 공자의 주장이다. 을은 전생의 선행이 현생의 삶을 결정하고, 현생의 삶이 내세의 삶을 결정한다고 보는 점을 통해 불교의 관점임을 알 수 있다.

[선택지 분석]

㉠ 갑은 죽음에 집착하기보다 현실에서 도덕적 실천을 강조한다.
➡ 공자는 죽음에 집착하기보다 현생의 도덕적 실천을 강조하였다.

ㄴ. 갑은 죽음을 통해 지혜의 활동을 방해하는 육체에서 영혼이 벗어난다고 본다. → 플라톤

➡ 육체가 지혜의 활동을 방해한다고 보는 점, 죽음을 통해 영혼이 육체에서 해방된다고 보는 점은 플라톤의 주장이다.

ㄷ. 을은 다음 생을 위해 도덕적 실천을 해야 한다고 본다.

➡ 불교 사상은 인과응보의 윤회 사상을 강조하여, 다음 생을 위해 현생에서 도덕적 실천을 해야 한다고 강조한다.

ㄹ. 갑과 을은 죽음을 태어남, 늙음, 병듦과 더불어 인간이 겪어야 할 필연적 고통이라고 본다.

➡ 불교에서만 생로병사를 인간의 고통으로 간주한다.

06 장자의 죽음관

자료 분석 | 장자는 삶과 죽음이 서로 연결된 과정이므로 죽음을 슬퍼할 필요가 없다고 하였다.

[선택지 분석]

① 죽음은 인간의 대표적인 고통 중 하나이다.

➡ 죽음을 인간의 대표적인 고통, 즉 생로병사(生老病死)의 하나로 보는 것은 불교 사상이다.

② 삶과 죽음은 기의 흐름으로 연결되어 있다.

③ 경험할 수 없는 죽음은 인간에게 아무것도 아니다.

➡ 인간이 존재하는 한 죽음은 인간과 함께 있지 않고 죽음이 오면 인간은 이미 존재하지 않기 때문에, 즉 인간이 경험할 수 없는 죽음은 인간에게 아무것도 아니라고 한 것은 에피쿠로스이다.

④ 죽음은 영혼이 육체라는 감옥에서 벗어나는 것이다.

➡ 출생과 함께 영혼은 육체라는 감옥에 갇히게 되며, 죽음을 통해 영혼은 육체라는 감옥에서 벗어날 수 있다고 본 것은 플라톤이다.

⑤ 죽음보다 현실에서 도덕적 삶을 사는 것에 관심을 가져야 한다. → 공자

07 장자와 에피쿠로스의 죽음관

자료 분석 | 갑은 죽음을 기의 변화로 보는 점을 통해 장자의 주장임을 알 수 있다. 을은 인간이 죽으면 감각을 잃으므로 죽음은 우리에게 아무것도 아니라고 보는 점을 통해 에피쿠로스의 주장임을 알 수 있다.

[선택지 분석]

ㄱ. 갑은 삶과 죽음을 서로 연결된 순환 과정으로 본다.

ㄴ. 을은 죽음을 원자가 분리되어 개별 원자로 돌아가는 것으로 본다.

➡ 에피쿠로스는 세계의 모든 존재는 원자로 구성되었으며 죽음은 원자가 흩어져 개별 원자로 되돌아가는 것이라고 보았다.

ㄷ. 갑, 을은 죽음을 애도하는 형식을 중요시한다.

➡ 장자와 에피쿠로스가 죽음에 대한 애도 형식을 중요시하였다고 보기 어렵다.

ㄹ. 갑, 을은 죽음을 두려움의 대상으로 여기지 않는다.

➡ 장자는 삶과 죽음이 자연스러운 순환 과정이므로 죽음에 대해 슬퍼하거나 두려워할 필요가 없다고 보았다. 에피쿠로스는 인간이 죽음을 감각할 수 없으므로 두려워할 필요가 없다고 보았다.

08 플라톤의 죽음관

자료 분석 | 플라톤은 죽음을 통해 영혼이 육체에서 해방되어 이데아의 세계로 돌아갈 때 비로소 진정한 진리를 깨달을 수 있다고 하였다.

[선택지 분석]

① 육체가 불멸하는 삶이 가장 축복받은 삶인가?

② 쾌락을 추구할 수 없는 죽음을 두려워해야 하는가?

➡ 플라톤은 죽음을 통해 진정한 진리를 깨달을 수 있게 되므로 죽음을 기꺼이 맞이해야 할 대상이라고 보았다.

③ 삶과 죽음의 끊임없는 윤회로부터 벗어나야 하는가? → 불교

④ 인간은 영혼과 육체의 결합을 통해 진리를 인식할 수 있는가?

➡ 플라톤에 따르면 영혼은 육체의 감옥에 갇혀 있으면 진정한 진리를 깨달을 수 없다. 따라서 영혼과 육체의 결합이 아닌 육체에서 영혼이 해방됨으로써 진리를 인식할 수 있다고 보았다.

⑤ 죽음은 육체에서 해방된 영혼이 이데아의 세계로 돌아가는 것인가?

09 하이데거의 죽음관

자료 분석 | 죽음을 외면하지 말고 언제나 함께 있다는 점을 인지해야 한다고 보는 점, 자신이 죽는다는 사실을 아는 것이 삶이 시작되는 사건이라고 보는 점을 통해 하이데거의 주장임을 알 수 있다.

[선택지 분석]

① 감각할 수 없는 죽음을 두려워할 필요가 없다. → 에피쿠로스

② 죽음을 직시할 때에만 진정한 삶을 살 수 있다.

➡ 인간은 죽음 앞으로 미리 달려가 봄으로써, 즉 죽음을 직시할 수 있어야만 더욱 가치 있는 삶, 진정한 삶을 살아갈 수 있다고 보는 것은 하이데거의 주장이다.

③ 인간이 존재하는 한 죽음은 인간과 함께 있지 않다. → 에피쿠로스

④ 죽음을 통해 인간의 영혼은 참된 진리를 발견할 수 있다. → 플라톤

⑤ 한 생명이 죽으면 그 영혼은 다음 세상에서 다시 태어난다. → 불교

10 자살에 대한 동서양 사상의 주장

[선택지 분석]

① ㉠ 유교: 부모로부터 물려받은 육체를 함부로 훼손하지 않는 것이 효의 시작임

② ㉡ 불교: 불살생의 계율에 따라 모든 생명을 소중히 여기고 존중해야 함

③ ㉢ 자연법사상: 자살은 인간의 자연적 성향인 자기 보존의 의무를 다하지 않은 것임

④ ㉣ 칸트: 자살은 고통에서 벗어나기 위해 자기 인격을 수단으로 대우한 것임

⑤ ㉤ 아퀴나스: 자살은 문제의 해결이 아니라 회피하는 것임

➡ 아퀴나스는 자살이 자연법에 어긋나는 행위이며, 자신이 속한 공동체를 훼손하는 행위라고 보아 자살을 반대하였다.

11 자살에 대한 칸트의 주장

자료 분석 | 자기 사랑의 원리에 의해 생을 단축하는 것을 보편적 자연법칙으로 볼 수 없다고 보는 점을 통해 칸트의 주장임을 알 수 있다. 칸트는 삶이 자신에게 해가 되기 때문에 자살을 한다는 주장에 대해 삶을 위해 죽음을 선택하는 것은 모순이 되기 때문에 보편적 자연법칙이 될 수 없고, 따라서 자살을 해서는 안 된다고 본다.

[선택지 분석]

① 자살을 해도 자아실현의 가능성은 남는다.
➡ 자살은 인격을 훼손하고 자아실현의 가능성을 원천적으로 없애는 결과를 초래한다. 따라서 틀린 말이며 칸트의 주장이라고도 볼 수 없다.

② 개인의 자살은 사회에 영향을 미치지 않는다.
➡ 일반적으로 자살은 사회에 부정적 영향을 미친다고 볼 수 있다. 또한 칸트는 행위의 도덕성을 평가할 때 결과를 고려하지 않으므로 사회에 대한 영향을 언급했다고 보기 어렵다.

③ 자살은 스스로 모순되므로 보편 법칙이 될 수 없다.
➡ 제시문에서 자연은 생명을 촉진하는 것인데 생명을 파괴하는 것이 자연법칙이라면 둘 사이에 모순이 생긴다고 본다. 즉 칸트의 관점에서는 자살은 스스로 모순되는 것이므로 보편 법칙이 될 수 없다고 볼 수 있다.

④ 고통 회피를 위해서 자기 인격을 수단으로 사용할 수 있다.
➡ 칸트는 인간을 수단이 아닌 목적으로 대우할 것을 강조하였다. 따라서 고통 회피를 위해 자신의 인격을 수단으로 사용하는 것, 즉 자살을 해서는 안 된다고 보았다.

⑤ 자살은 해결할 수 없는 문제를 회피하는 수단이 될 수 있다.
➡ 칸트의 입장이라고 보기 어렵다.

12 연명 의료에 대한 이해

자료 분석 | 제시문은 「연명 의료 결정법」의 일부로, 환자의 자율성, 생명의 가치, 의료인의 책무 등을 함께 고려하여 신중하게 접근해야 함을 강조한다.

[선택지 분석]

㉠ 환자는 자신에 대한 진료 정보를 알아야 한다.
➡ 환자는 본인에게 시행될 의료 행위에 대해 알고 스스로 결정할 권리를 지닌다는 점을 통해 옳은 설명임을 알 수 있다.

㉡ 연명 의료 중단을 결정해도 산소, 물 등을 공급해야 한다.
➡ 연명 의료 중단 등에 관한 모든 행위가 인간 존엄을 침해해서는 안 된다는 점을 통해 옳은 설명임을 알 수 있다.

㉢ 연명 의료에 대한 환자의 자기 결정을 존중하여 인간의 존엄을 보호해야 한다.
➡ 연명 의료 중단 등에 관한 모든 행위가 인간 존엄을 침해해서는 안 된다는 점을 통해 옳은 설명임을 알 수 있다.

㉣ 제한된 의료 자원을 효율적으로 사용하기 위해 연명 의료는 중단되어야 한다.
➡ 해당 법률은 환자의 자율성을 보호하기 위해 연명 의료에 신중하게 접근할 것을 강조하는 내용이므로 효율적 사용은 틀린 설명이다.

13 안락사에 대한 찬반 논쟁

[선택지 분석]

① ㉠ 연명 치료가 환자 본인과 그 가족에게 경제적인 부담을 준다 → 안락사 찬성 근거

② ㉡ 연명 치료가 제한된 의료 자원을 효율적으로 사용하는 것을 가로막는다 → 안락사 찬성 근거

③ ㉢ 모든 인간의 생명은 존엄하다
➡ 안락사를 반대하는 입장에서는 모든 인간의 생명은 존엄하므로 생명의 중단, 즉 죽음에 인위적으로 개입하는 것은 옳지 않은 행위라고 본다.

④ ㉣ 환자의 자율성을 존중해야 한다
➡ 안락사에 대한 환자 본인의 자율적인 선택을 존중해야 한다고 보는 것은 안락사를 찬성하는 입장에서 제시할 근거이다.

⑤ ㉤ 의료인의 기본 임무는 생명을 살리는 것
➡ 의료인의 기본 임무는 생명을 살리는 것이므로 그에 반하는 행위인 안락사를 행해서는 안 된다고 보는 것은 안락사를 반대하는 입장에서 제시할 근거이다.

14 뇌사와 장기 이식에 대한 이해

[선택지 분석]

① 죽음의 판정 기준은 뇌사가 아니라 심폐사이어야 한다.
➡ 제시된 법률 내용만으로 해당 내용의 옳고 그름을 판단하기는 어렵다. 하지만 장기 이식을 위해서는 심폐사가 아닌 뇌사를 죽음의 기준으로 인정할 필요가 있다.

② 뇌사자의 장기를 적출하여 다른 환자에게 이식해서는 안 된다.
➡ 제시된 법률은 일정 경우에 한해 뇌사자의 장기를 적출하여 다른 환자에게 이식할 수 있다고 본다.

③ 의사가 동의하면 뇌사자의 장기를 다른 환자에게 이식할 수 있다.
➡ 제시된 법률에 따르면, 뇌사자 본인 또는 그 가족(유족)이 동의한 경우에 장기를 이식할 수 있다. 따라서 의사가 동의한다고 해서 장기를 적출할 수 있다고 볼 수는 없다.

④ 장기 이식에 동의한 사람은 이후에 동의 의사를 철회할 수 없다.

⑤ 환자 본인이나 그 가족이 장기 기증을 거부하면 장기를 적출할 수 없다.
➡ 제시된 법률을 통해 본인이 장기 기증을 거부한 경우, 또는 환자 본인이 동의하였어도 그 가족이 명시적으로 거부하는 경우에 대해서는 장기를 적출할 수 없음을 알 수 있다.

15 뇌사에 대한 반대 논거 이해

자료 분석 | 제시문은 뇌의 죽음이 인간 고유의 기능을 수행할 수 없음을 의미하므로 뇌사를 죽음으로 인정해야 한다는 입장이다.

[선택지 분석]

㉠ 생명은 실용성으로 따질 수 있는 것이 아니다.
➡ 뇌사를 반대하는 입장에서는 생명을 실용성으로 따져서는 안 된다고 반박한다.

ㄴ. 호흡과 심장 박동이 이루어지고 있으면 죽은 것이 아니다. → 심폐사를 죽음의 기준으로 여김

➡ 뇌가 기능을 잃어도 심폐의 기능이 살아 있다면 죽은 것이 아니라고 보는 것은 뇌사가 아닌 심폐사를 죽음의 기준으로 보는 입장이다.

ㄷ. 무의미한 치료는 환자 본인과 가족들에게 고통만을 남긴다. → 뇌사를 죽음의 기준으로 여김

ㄹ. 뇌사를 인정하며 장기 이식을 통해 더 많은 생명을 살릴 수 있다. → 뇌사를 죽음의 기준으로 여김

16 인공 임신 중절에 대한 찬성 근거

[예시 답안] 제시문은 태아의 생명권을 존중해야 한다는 것으로 인공 임신 중절을 반대하는 입장에 해당한다. 하지만 태아는 여성 몸의 일부에 불과하고, 여성은 자신의 신체와 삶에 대하여 자율적으로 선택하고 결정할 권리가 있다. 또한 개인은 사생활을 침해당하지 않을 권리를 갖는데 인공 임신 중절은 임신부의 사생활에 해당하므로 그 영역을 침해해서는 안 된다. 그러므로 인공 임신 중절에 대해서는 여성의 선택권을 존중해 주어야 한다.

채점 기준	
상	제시문이 인공 임신 중절을 반대하는 입장에 해당함을 파악하고 선택 옹호론의 입장에서 반박 근거를 3개 이상 제시한 경우
중	제시문이 인공 임신 중절을 반대하는 입장에 해당함을 파악하고 선택 옹호론의 입장에서 반박 근거를 2개 이하로 제시한 경우
하	제시문이 인공 임신 중절을 반대하는 입장에 해당함을 파악하지 못하고 서술한 경우

도전! 실력 올리기

58~59쪽

01 ③ 02 ③ 03 ⑤ 04 ② 05 ⑤ 06 ④ 07 ④ 08 ②

01 태아의 인간으로서의 지위에 대한 이해

자료 분석 | 갑은 태아를 임신부의 신체 중 일부로 보는 것으로 보아 태아를 나중에 성장할 인간과 동일하게 보지 않으며, 여성의 선택권을 태아의 생명권보다 우선해야 한다고 보는 입장이다. 을은 태아를 수정과 동시에 인간과 같은 존재로 여겨야 한다고 보는 점을 통해 태아를 인간과 동일하게 보는 입장임을 알 수 있다.

[선택지 분석]

① 태아는 완전한 인격체로서의 지위를 갖는가?

➡ 갑은 태아를 완전한 인격체가 아닌 임신부 신체의 일부로 본다. 따라서 갑이 '아니요'로 답할 질문이다.

② 태아는 성인으로 발달할 잠재성을 갖고 있는가?

➡ 태아를 성인으로 발달할 잠재성을 가진 존재로 보는 것은 인간으로서의 지위를 가진 존재로 보는 것과 같다. 따라서 을이 '예'로 답할 질문이다.

③ 태아를 존엄성을 가진 인간으로 대우해야 하는가?

➡ 태아를 임신부 신체의 일부로 보는 갑은 태아를 존엄성을 가진 인간으로 대우하지 않을 것이다. 반면 태아를 생명을 가진 인간으로 보는 을은 태아 역시 존엄성을 가진 인간으로 대우해야 한다고 볼 것이다. 따라서 갑은 '아니요', 을은 '예'로 답할 질문이다.

④ 어떠한 경우에도 태아의 생명은 보호되어야 하는가?

➡ 갑은 인공 임신 중절의 허용 여부를 임신부의 결정에 맡겨야 한다고 보므로 갑이 '아니요'로 답할 질문이다.

⑤ 태아의 생명권보다 여성의 선택권을 우선시해야 하는가?

➡ 갑은 인공 임신 중절을 임신부, 즉 여성이 결정해야 한다고 보므로 갑이 '예'로 답할 질문이다.

02 인공 임신 중절의 예외적 허용

자료 분석 | 제시문은 인공 임신 중절의 예외적 허용 기준을 명시한 「모자 보건법」의 일부이다.

[선택지 분석]

① 모든 경우의 인공 임신 중절을 금지한다.

➡ 제시된 법률은 인공 임신 중절을 예외적으로 허용하는 기준을 밝히므로 옳지 않다.

② 본인의 동의만으로 인공 임신 중절을 할 수 있다.

➡ 제시된 법률에 따르면, 예외적 경우에 한해 본인과 배우자의 동의가 있어야 인공 임신 중절을 할 수 있다.

③ 일부 경우에 한해서만 인공 임신 중절을 허용한다.

④ 원하지 않은 임신에 한해 인공 임신 중절을 할 수 있다.

➡ '원하지 않은 임신'은 법률에 제시된 경우에 해당되지 않는다.

⑤ 여성은 스스로의 선택에 따라 인공 임신 중절을 할 수 있다.

➡ 제시된 법률에 따르면, 여성(임신부)은 법률에 명시된 경우에 한해 본인과 배우자의 동의가 있어야 인공 임신 중절을 할 수 있다.

03 도가와 불교의 죽음관

자료 분석 | (가)는 삶과 죽음을 기의 변화로 보는 점을 통해 도가의 죽음관임을 알 수 있다. (나)는 전생과 현생이 서로 영향을 준다고 보는 점을 통해 불교의 죽음관임을 알 수 있다.

[선택지 분석]

① ~~(가)는~~ (나)는 윤회설의 입장에서 삶과 죽음이 하나라고 본다.

② ~~(나)는~~ 공자는 사후 세계에 대한 탐구보다 현실에서의 도덕적 실천을 강조한다.

③ ~~(가)는 (나)와 달리~~ 에피쿠로스는 인간을 이루던 원자가 흩어지는 것을 죽음으로 본다.

④ ~~(나)는 (가)와 달리~~ 에피쿠로스는 인간은 죽음을 감각할 수 없기 때문에 두려워할 필요가 없다고 본다.

⑤ (가), (나)는 삶과 죽음을 차별하지 않고 서로 연결된 것으로 본다.

➡ 도가 사상은 삶과 죽음이 서로 연결된 과정이라 여기고, 불교 사상은 윤회설에 따라 삶과 죽음이 하나라고 보았다.

04 도가와 불교의 죽음관

자료 분석 | 갑은 도가의 이상적 인간상인 '지인'을 제시한 점, 삶은 기가 모인 것이라고 보는 점을 통해 도가 사상의 입장임을 알 수 있다. 을은 이것이 있으므로 저것이 있다는 인연법을 제시한 점을 통해 불교 사상의 입장임을 알 수 있다.

[선택지 분석]

ㄱ 갑: 죽음은 기가 모이고 흩어지는 과정의 일부임을 강조한다.
➡ 도가 사상의 주장이다.

ㄴ 갑: 죽음에 대한 성찰과 애도(哀悼)의 의무를 강조한다.
➡ 도가 사상은 죽음에 대한 애도의 의무를 말하지 않는다.

ㄷ 을: 연기(緣起)에 대한 깨달음을 추구하는 삶을 강조한다.
➡ 불교는 연기의 진리를 깨닫고 그에 따른 삶을 추구해야 함을 강조한다.

ㄹ 갑, 을: 삶과 죽음을 분별하여 고통에서 벗어날 것을 강조한다.
➡ 도가 사상, 불교 사상은 모두 삶과 죽음의 분별을 말하지 않는다.

05 공자와 장자의 죽음관

자료 분석 | 갑은 '삶을 모르는데 죽음을 알겠는가?'라는 문구, 자신을 희생하여 인을 이룬다고 보는 점을 통해 공자임을 알 수 있다. 을은 도가의 이상적 인간상인 '진인'을 제시한 점, 기의 변화로 삶과 죽음이 생겨난다고 보는 점을 통해 장자임을 알 수 있다.

[선택지 분석]

① 갑: 사람이 죽음에 임해서는 삶을 성찰하게 된다.
➡ 갑의 '사람이 죽을 때는 하는 말이 착한 법'이라는 내용을 통해 유추할 수 있다.

② 갑: 자신의 인격적 수양과 도덕적 삶에 최선을 다해야 한다.

③ 을: 삶은 기가 모인 것, 죽음은 기가 흩어진 것이다.

④ 을: 삶과 죽음은 자연적이고 필연적인 것이므로 슬퍼할 이유가 없다.

⑤ 갑, 을: 깨달음을 통해 삶과 죽음이 연속되는 윤회를 벗어나야 한다.
➡ 불교 사상의 죽음관에 해당한다.

06 안락사에 대한 칸트의 견해

자료 분석 | 갑은 인간을 수단으로 이용해서는 안 되며, 목적 그 자체로 여겨야 한다고 보는 점을 통해 칸트임을 알 수 있다.

[선택지 분석]

① 사회 전체의 이익을 고려해야 한다.
➡ 칸트는 결과가 아닌 동기를 근거로 도덕적 판단을 해야 한다고 주장하였다.

② 환자의 자율적 결정을 존중해야 한다.
➡ 칸트의 주장에 따르면, 환자의 자율적 결정이라고 하더라도 고통을 없애기 위해 죽음을 선택하는 것은 자신의 인격을 수단으로 이용하는 것이므로 옳지 않다.

③ 의사의 견해에 따라 판단해야 한다.
➡ 칸트의 관점과 거리가 멀다.

④ 생명 그 자체의 존엄성을 존중해야 한다.
➡ 칸트는 인간의 인격을 항상 목적 그 자체로 보아야 한다고 강조하였으므로 생명 그 자체의 존엄성을 존중하여 안락사를 해서는 안 된다고 조언할 것이다.

⑤ 환자의 고통과 가족의 경제적 부담을 고려해야 한다.
➡ 환자의 고통과 가족의 경제적 부담을 고려하는 것은 곧 안락사 허용으로 인한 결과를 고려하라는 말이다. 이는 결과보다 동기를 중시하는 칸트의 입장이라고 볼 수 없다.

07 안락사에 대한 찬반 논쟁

자료 분석 | 갑은 환자와 그 가족의 고통 감소, 환자의 생명에 대한 자기 결정권을 강조하여 안락사를 허용한 판결을 지지한다. 반면 을은 생명은 자신조차도 함부로 할 수 없는 존엄한 것이므로 자발적 안락사라고 하더라도 허용해서는 안 된다고 주장한다.

[선택지 분석]

ㄱ 갑은 개인은 자기 생명에 대해 배타적 권리가 있음을 주장한다.
➡ 갑은 생명에 대한 자기 결정권을 강조하여 개인이 자기 생명에 대해 배타적 권리가 있음을 주장한다.

ㄴ 갑은 안락사 허용은 결과적 이익을 고려한 결정임을 주장한다.
➡ 갑은 안락사 허용을 통해 결과적으로 환자와 그 가족의 고통을 덜어줄 수 있음을 강조한다.

ㄷ 을은 생명의 종식 여부는 자율적 선택의 문제가 아님을 주장한다.
➡ 을은 생명은 하늘이 부여한 존엄한 것이므로 그 종식 여부를 인간이 결정할 수 없다고 주장한다.

ㄹ 을은 안락사는 인간의 존엄성을 ~~보호~~(훼손)하는 ~~도덕적~~(비도덕적) 행위임을 주장한다.

08 뇌사에 대한 찬반 논쟁

자료 분석 | 갑은 뇌의 기능이 멈추어도 유지될 수 있는 인간의 생명을 존엄하다고 보는 점을 통해 뇌사를 반대하고 심폐사를 지지하는 입장임을 알 수 있다. 을은 뇌사를 죽음으로 인정할 경우 장기 이식을 통해 다른 환자를 살릴 수 있다고 보아 뇌사를 지지하는 입장이다.

[선택지 분석]

① 뇌사를 죽음의 기준으로 보아야 하는가?
➡ 갑은 뇌사를 죽음의 기준으로 보지 않으며, 을은 죽음의 기준으로 본다.

② 인간의 생명 그 자체가 목적이 될 수 있는가?
➡ 갑은 뇌의 명령 없이도 유지되는 인간 생명 그 자체를 목적으로 여겨야 한다고 본다. 반면, 을은 생명 그 자체보다 뇌의 죽음에 주목한다.

③ 사람의 인격은 심장이 아니라 뇌에서 비롯되는가?
➡ 갑은 사람의 인격이 뇌가 아닌 심장에서 비롯된다고 본다.

④ 뇌사 상태에서 생명을 연장하는 행위는 무의미한가?
➡ 갑은 뇌의 기능이 멈추어도 그 생명이 유지되고 있다면 생명 연장 의료를 해야 한다고 볼 것이다. 하지만 을은 뇌사 상태에서 생명 연장 의료 행위를 하는 것은 무의미하다고 볼 것이다.

⑤ 의료 자원의 효율적 이용이라는 관점에서 인간의 생명을 바라보아야 하는가?
➡ 을은 뇌사를 죽음으로 인정하시 않고 생명 연장 의료 행위를 하는 것은 무의미하며, 의료 자원을 비효율적으로 이용하는 것이라고 본다.

02 생명 윤리

콕콕! 개념 확인하기 65쪽

01 (1) ○ (2) ○ (3) ○
02 (1) 선행 (2) 동일성 (3) 유전자 (4) 생식 세포
03 감소, 개선, 대체
04 (1) ㉠ (2) ㉢ (3) ㉡
05 (1) 찬 (2) 찬 (3) 반

탄탄! 내신 다지기 66~67쪽

01 ④ **02** ④ **03** ④ **04** ① **05** ③ **06** ① **07** ②
08 해설 참조

01 생명 윤리의 필요성

자료 분석 | 제시문은 생명 과학의 잘못된 사용으로 인한 문제점을 지적하고 신중한 접근의 필요성을 강조하며 '생명 윤리'의 의미를 말하고 있다.

[선택지 분석]

㉠ 생명 과학의 연구 방향을 제시해 준다.
㉡ 생명 과학의 윤리적 정당성과 한계를 다룬다.
㉢ 인간의 존엄성을 제고하고 삶의 질을 향상시키고자 한다.
➡ 생명 윤리는 생명 과학의 무분별한 사용으로 위협받는 인간 존엄성 문제를 막고자 한다. 그래서 생명 윤리는 인간 존엄성을 제고하고 삶의 질을 향상시키고자 노력한다.
㉣ 과학적인 접근을 통해 생명의 존엄성을 실현하고자 한다.
➡ 생명 윤리는 윤리학적 접근을 통해, 생명 과학은 과학적 접근을 통해 그 학문의 목적을 실현하고자 한다.

02 배아의 인간으로서의 지위

자료 분석 | A는 배아 복제이고, B는 개체 복제이다. 배아 복제를 찬성하는 사람들은 복제된 배아를 완전한 인간이라고 보지 않기 때문에 난치병 치료 목적으로 활용할 수 있다고 주장한다. 인간 개체 복제는 불임 부부의 고통을 덜어줄 수도 있지만 자연스러운 출산 과정에 어긋나고 인간의 고유성을 위협해 대부분의 나라에서 금지되고 있다.

[선택지 분석]

㉠ A를 찬성하는 사람들은 배아가 아직 완전한 인간이 아니라고 주장한다.
㉡ A를 반대하는 사람들은 배아로부터 획득한 줄기세포를 활용할 수 있다고 주장한다.
➡ 배아 복제를 찬성하는 사람들은 배아로부터 획득한 줄기세포를 활용할 수 있다고 주장한다.
㉢ B를 찬성하는 사람들은 불임 부부의 고통을 해소해 줄 수 있다고 주장한다.
㉣ B를 반대하는 사람들은 복제된 인간은 자신의 고유성을 갖기 어렵다고 주장한다.

03 배아의 인간으로서의 지위와 배아 복제

자료 분석 | 갑은 배아 줄기세포를 이용한 난치병 및 불치병 치료, 이식용 장기 수급 등에 도움을 줄 수 있다고 보는 것으로 보아 배아 복제를 찬성하는 입장임을 알 수 있다. 을은 치료용 배아 복제를 허용하면 인간 개체 복제의 가능성이 높아질 수 있다고 여기는 점을 통해 배아 복제를 반대하는 입장임을 알 수 있다.

[선택지 분석]

① 갑은 배아에게 인간의 지위를 부여하지 않는다.
➡ 갑은 배아 복제를 찬성하는 점을 통해 배아에 인간으로서의 지위를 부여하지 않음을 알 수 있다.
② 을은 배아 복제를 중대한 불법 행위로 본다.
➡ 을은 배아를 이용 대상이 아닌 인간의 지위를 가진 생명체로 여긴다. 따라서 배아 복제를 인간 생명을 연구나 실험 목적으로 이용하는 불법 행위로 여긴다.
③ 갑은 배아 복제의 유용성을, 을은 배아 복제의 위험성을 강조한다.
④ 갑, 을은 배아 복제가 인간의 존엄성을 해치지 않는다고 본다.
➡ 을은 배아를 인간의 지위를 가진 생명으로 보므로 배아 복제가 인간의 존엄성을 해친다고 본다.
⑤ 갑, 을은 배아의 인간으로서의 지위에 대해 서로 다르게 판단한다.
➡ 갑은 배아 복제를 찬성하는 점을 통해 배아에 인간으로서의 지위를 부여하지 않음을 알 수 있다. 반면, 을은 배아를 인간의 지위를 가지고 있는 생명으로 간주한다.

04 생식 세포 유전자 치료에 대한 논쟁

자료 분석 | 그림의 갑은 유전자 치료가 새로운 우생학을 부추길 수 있다고 지적한다. 반면, 을은 유전자 치료를 통해 유전적 질병 문제를 해결할 수 있음을 강조한다.

[선택지 분석]

① 유전학적 개량이 가져올 위험성을 간과하고 있다.
➡ 유전자 치료의 장점을 강조하는 을에 대해 유전자 치료가 가진 위험성을 간과하고 있다고 지적할 수 있다.
② 선천성 유전 질환을 치료하고 예방할 수 있음을 간과하고 있다.

③ 병의 유전을 막아 후세대의 병을 예방할 수 있음을 간과하고 있다.
④ 새로운 치료법 개발을 통해 경제적 가치를 높일 수 있음을 간과하고 있다.
⑤ 유전적 결함이 있는 배아를 바로잡아 출생의 가능성을 높일 수 있음을 간과하고 있다.

05 동물 실험의 3R 원칙

자료 분석 | 제시된 내용은 동물 실험을 할 때 지켜야 할 윤리 원칙인 3R 원칙이다.

[선택지 분석]

ㄱ. 모든 경우의 동물 실험을 금지해야 한다.
➡ 3R 원칙은 동물 실험의 무조건적 금지를 강조하는 것이 아니라 동물 실험을 할 때 지켜야 할 내용들을 다룬다.

ㄴ. 동물 실험을 하더라도 동물의 복지에 관심을 가져야 한다. → '개선' 원칙

ㄷ. 동물 실험을 대체할 방법이 있어도 동물 실험을 실시해야 한다.
➡ 제시된 내용의 '대체' 원칙을 통해 동물 실험의 대체 방안이 있으면 대체해야 함을 알 수 있다.

ㄹ. 동물 실험의 환경을 개선하고 사용되는 동물의 수를 줄여야 한다. → '감소' 원칙

06 동물 권리에 대한 아리스토텔레스의 관점

자료 분석 | 제시문은 동물에 대한 아리스토텔레스의 주장이다.

[선택지 분석]

① 동물은 인간을 위한 수단이므로 권리를 갖지 않는가?
➡ 아리스토텔레스에 의하면, 동물은 인간을 위한 수단이며 도덕적 고려를 받을 권리를 갖지 않는다.

② 동물에게 고통을 주는 동물 실험을 금지해야 하는가?
➡ 아리스토텔레스는 동물이 겪는 고통에 대해 말하지 않았다.

③ 동물을 잔혹하게 대하면 인간의 품위를 손상시키는가? → 칸트

④ 인간과 종이 다르다는 이유로 동물을 차별 대우해도 되는가?
➡ 종 차별주의를 비판한 것은 싱어이다.

⑤ 동물은 지각, 기억, 감정 등을 가진 삶의 주체가 될 수 있는가? → 레건

07 동물 권리에 대한 싱어와 레건의 관점

자료 분석 | 갑은 인간과 동물이 모두 감정을 지녔으며 이익을 동등하게 고려해야 한다고 본 점을 통해 싱어임을 알 수 있다. 을은 동물이 자기 욕구와 목표를 위해 행동할 수 있는 삶의 주체이며 내재적 가치를 지닌다고 본 점을 통해 레건임을 알 수 있다.

[선택지 분석]

① 갑은 이성이 없는 동물은 어떠한 권리도 없다고 주장한다.
➡ 싱어는 동물이 인간과 같은 권리를 갖는 것은 아니지만 고통을 피하고 생존할 수 있게 하는 권리는 보장받아야 한다고 주장하였다.

② 갑은 동물이 쾌고 감수 능력을 가지므로 도덕적으로 고려되어야 한다고 주장한다.
➡ 싱어는 동물이 인간과 마찬가지로 즐거움과 고통을 느끼기 때문에 도덕적 지위를 가진다고 본다.

③ 을은 동물에게는 삶의 주체로서 갖는 가치가 없다고 주장한다.
➡ 레건은 동물이 인간과 같은 삶의 주체로서 그 자체로 존중받을 내재적 가치를 지니며, 삶의 주체가 되는 동물은 도덕적 지위를 지닌다고 본다.

④ 갑, 을은 의무론의 관점에서 동물이 권리를 갖는다고 주장한다.
➡ 싱어는 공리주의의 관점에서, 레건은 의무론의 관점에서 동물 권리에 접근한다.

⑤ 갑, 을은 인간에게 동물을 도덕적으로 배려하고 존중해야 할 의무가 없다고 주장한다.
➡ 싱어와 레건은 인간이 동물을 도덕적으로 배려하고 존중할 의무를 갖는다고 본다.

08 생명 의료 윤리 원칙의 충돌과 해결

[예시 답안] 제시된 상황은 생명 의료 윤리 원칙 중 환자의 자율적 의사를 최대한 존중하면서 치료해야 한다는 '자율성 존중의 원칙'과 의사는 환자의 병을 치료하고 건강을 증진하도록 노력해야 한다는 '선행의 원칙'이 충돌한 상황이다. 이 경우 선행의 원칙에 따라 '나'는 수혈이 필요한 응급 환자에게 수혈을 하여 환자를 살려야 한다고 생각한다.

채점 기준	
상	제시된 상황에서 충돌하는 생명 의료 윤리 원칙의 종류를 파악하였으며 그에 근거하여 자기 판단을 서술한 경우
중	제시된 상황에서 충돌하는 생명 의료 윤리 원칙의 종류를 파악하였으나 자기 판단을 서술하지 못한 경우
하	제시된 상황에서 충돌하는 생명 의료 윤리 원칙의 종류를 파악하지 못한 경우

도전! 실력 올리기

68~69쪽

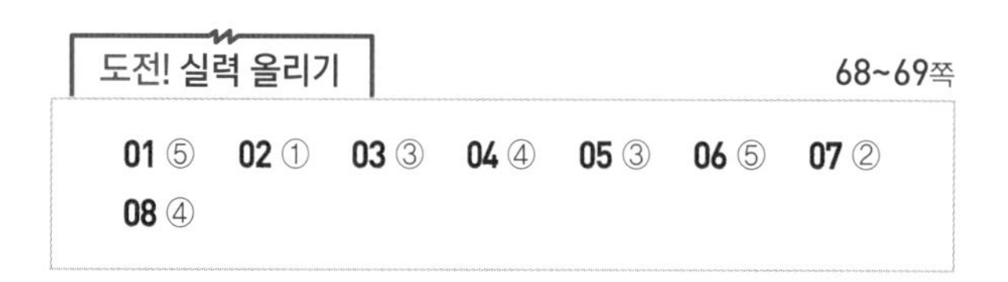
01 ⑤ 02 ① 03 ③ 04 ④ 05 ③ 06 ⑤ 07 ② 08 ④

01 동물 복제에 대한 논쟁

자료 분석 | (가)의 내용을 삼단 논법으로 나타내면 (나)와 같으며 빈칸 ㉠에는 '동물 복제는 종의 다양성을 훼손하는 행위이다.'가 들어가야 한다.

[선택지 분석]

① 동물 복제는 생명 경시 풍조를 조장할 수 있다.
② 동물 복제는 특정 종만으로 생태계를 재편한다.
③ 동물 복제는 자연의 질서를 위배하는 행위이다.
④ 동물 복제는 인간 복제를 위한 첫걸음이 될 수 있다.
⑤ 동물 복제는 우수한 품종을 개발할 방법을 제공한다.
➡ ㉠에 대한 반론의 근거로 적절하다.

02 인간 복제에 대한 이해

자료 분석 | 제시문은 복제된 인간이 자율성과 주체성을 갖지 못한 채 살아갈 수밖에 없는 상황을 다루고 있다. 이것은 복제된 인간이 태어난 것이 아니라 만들어진 인간이기 때문이다.

[선택지 분석]

ㄱ. 복제된 인간은 정체성의 혼란을 겪는다.
➡ 복제된 인간은 태어난 것이 아니라 의도를 가지고 만들어진 존재이므로 정체성 혼란을 겪을 수 있다.

ㄴ. 복제된 인간은 자율적으로 삶을 살아가기 어렵다.
➡ 복제된 인간은 인간으로서의 자율성, 주체성, 고유성, 정체성 등을 올바르게 누리며 살기 어려운 존재이다.

ㄷ. 인간 개체 복제는 난임 부부의 고통을 덜어줄 수 있다.
➡ 인간 개체 복제를 통해 얻을 수 있는 장점으로, 제시문의 관점과 다르다.

ㄹ. 인간 개체 복제를 통해 고유성을 가진 인간을 만들 수 있다.
➡ 제시문은 복제된 인간은 의도를 가지고 만들어진 존재이므로 당사자와 주변 환경에 대한 모든 정보가 알려져 있다고 본다. 따라서 복제된 인간이 고유성을 가진 인간이라고 보기 어렵다.

03 유전자 치료 연구의 허용 조건

자료 분석 | 제시문은 「생명 윤리 및 안전에 관한 법률」로, 이는 유전자 치료를 허용하는 조건을 명시하고 있다. 이 법률에 따르면 일정한 조건하에서 유전차 치료가 가능하지만 배아, 난자, 정자 및 태아에 대하여는 시행할 수 없음을 명시하고 있다.

[선택지 분석]

ㄱ. 모든 유형의 유전자 치료를 금지해야 한다.
➡ 제시문은 유전자 치료를 금지하는 것이 아니라 유전자 치료를 허용하는 조건을 담고 있다.

ㄴ. 암 환자는 유전자 치료보다 항암 치료를 우선해야 한다.
➡ 제시된 법률에 따르면 유전자 치료는 치료할 방법이 없거나 다른 치료법에 비해 유전자 치료가 현저히 우수할 것으로 예상되는 경우에만 시행할 수 있다.

ㄷ. 불임 부부를 위해 정자에 대한 유전자 치료를 시행해야 한다.
➡ 제시된 법률에 따르면, 배아, 난자, 정자, 태아 등에 대해서는 유전자 치료를 시행해서는 안 된다.

ㄹ. 유전자 치료는 인간의 존엄과 가치를 침해하지 않는 범위 내에서 가능하다.
➡ 제시된 법률은 인간의 존엄과 가치를 침해하거나 인체에 해를 끼치는 것을 방지하여 생명 윤리 및 안전을 확보하고 국민의 건강과 삶의 질 향상에 이바지하는 것을 목적으로 한다.

04 유전자 치료에 대한 논쟁

자료 분석 | 제시된 그림의 강연자는 인간 유전자를 임의로 조작하여 태어난 인간은 자율적 인격체라는 측면에서 기존의 인간과 동등할 수 없음을 지적한다.

[선택지 분석]

① 의도적인 유전자 개입은 인간을 도구화시킨다.

② 적극적 유전자 조작은 인간관계를 왜곡시킨다.

③ 유전자 개입은 자율적 삶의 가능성을 제약한다.

④ 유전자 조작을 통해 훌륭한 인류를 만들어야 한다.
➡ 유전자 조작을 지지하는 입장에서 제시할 내용이다.

⑤ 우생학을 위한 연구는 인간의 존엄과 자유를 침해한다.
➡ 제시문의 관점에서 볼 때 이러한 우생학은 실시되어서는 안 된다.

05 유전 정보에 대한 알 권리 논쟁

자료 분석 | 갑은 자기 유전 정보를 알면 미래에 대한 불안함을 야기할 뿐이므로 자기 유전 정보에 대한 모를 권리를 강조한다. 을은 자기 유전 정보를 알면 스스로 삶을 계획하여 살아갈 수 있으므로 자기 유전 정보에 대해 알 권리를 보장해야 한다고 강조한다.

[선택지 분석]

ㄱ. 갑: 자기 유전 정보를 알아야 불필요한 해악을 막을 수 있다.

ㄴ. 갑: 자기 유전 정보에 대한 무지를 개인의 권리로 인정해야 한다.
➡ 갑은 해악 금지의 원칙에 따라 자기 유전 정보에 대한 무지, 즉 모를 권리를 강조한다.

ㄷ. 을: 자기 유전 정보를 알아야 자율적 삶을 누리는 데 도움이 된다.
➡ 을은 자율성 존중의 원칙에 따라 자기 유전 정보에 대해 알아야 한다고 본다.

ㄹ. 갑, 을: 미래의 불가피한 유전 질환에 대해 고려할 필요는 없다.
➡ 을의 주장에 해당하지 않는다.

06 동물의 권리에 대한 칸트의 관점

자료 분석 | (가)는 인간이 동물에게 직접적 의무가 아닌 간접적 의무를 지닌다고 본 점을 통해 칸트임을 알 수 있다. (나)는 동물 실험의 결과를 인간에게 바로 적용할 수도 없으므로 단순히 편리를 위해 동물을 고통스럽게 해서는 안 된다고 주장한다.

[선택지 분석]

① 동물 실험을 인체 실험으로 대체해야 한다.
➡ 칸트의 입장과 거리가 멀다.

② 동물과 인간의 이익을 동등하게 고려해야 한다. → 싱어

③ 고통을 느끼는 동물에 대한 실험을 금지해야 한다.
➡ 칸트는 동물이 고통을 느낄 수 있어서가 아니라 동물을 괴롭히면 인간의 품위를 손상시킬 수 있으므로 동물 학대를 금지하였다. 따라서 칸트의 입장과 거리가 멀다.

④ 인류의 복지를 위해 모든 종류의 동물 실험을 허용해야 한다.

⑤ 인간의 품위를 손상시키는 잔혹한 동물 실험을 금지해야 한다.
➡ 칸트는 동물을 잔혹하게 대하면 인간 품위를 손상시킬 수 있다고 보았다. 따라서 칸트의 입장에서 (나)에 대해 인간 품위를 손상시키는 잔혹한 동물 실험을 금지해야 한다고 조언할 수 있다.

07 동물의 권리에 대한 싱어의 관점

자료 분석 | (가)는 고통과 괴로움은 나쁘며 종에 상관없이 그 고통은 사라져야 한다고 보는 점, 종 차별주의를 지적하고 있는 점을 통해 싱어의 주장임을 알 수 있다. (나)는 일부 사람들이 양육의 불편함 등을 이유로 반려동물을 학대하거나 버리는 경우가 있음을 지적한다.

[선택지 분석]

① 반려동물을 생명체로 여기면 안 된다.
➡ 싱어의 주장과 거리가 멀다.

② 인간과 반려동물의 이익을 동등하게 고려해야 한다.
➡ 싱어는 인간과 동물은 모두 감정을 지닌 존재이므로 인간과 동물의 이익을 동등하게 고려해야 한다고 주장하였다.

③ 반려동물은 삶의 주체가 될 수 있으므로 학대하면 안 된다.
➡ 동물이 삶의 주체로서 내재적 가치를 가진다고 주장한 사상가는 레건이다.

④ 반려동물은 자동 기계이므로 학대당하지 않을 권리를 갖지 않는다.
➡ 동물을 자동기계로 본 사상가는 데카르트이다. 데카르트는 동물이 고통을 느끼지 않는다고 보았으며, 기본적 권리를 갖지 않는다고 보았다.

⑤ 내재적 가치를 지닌 반려동물을 고통스럽게 하는 것은 부당한 행위가 아니다.
➡ 싱어의 주장과 거리가 멀다. 싱어는 인간과 동물은 감정을 지닌 존재이므로 인간과 동물의 이익을 동등하게 고려해야 한다고 주장하였다.

08 동물의 권리와 동물 실험

자료 분석 | 갑은 동물이 기본적 권리를 갖지 않으며, 동물 실험의 대안이 없다는 이유로 동물 실험의 정당성을 강조한다. 을은 동물이 기본적 권리를 갖고 있기 때문에 동물 실험은 부당하다는 것을 강조한다.

[선택지 분석]

① 동물 실험은 인간의 생명과 건강을 위해 필요한가?
➡ 갑, 을 모두 동물 실험이 인간 생명을 위해 필요함을 인정한다.

② 동물 실험의 대안 중 확실한 것이 존재하는가?
➡ 갑, 을 모두 동물 실험의 확실한 대안이 없음을 인정한다.

③ 인간과 달리 동물은 기본적 권리를 갖는가?
➡ 갑은 인간이 기본적 권리를 갖는 것과 달리 동물은 갖지 않는다고 본다. 반면 을은 인간과 동물 모두 기본적 권리를 갖는다고 본다.

④ 인간 실험과 달리 동물 실험은 정당한가?
➡ 갑은 동물 실험은 정당하지만 인간 실험은 부당하다고 본다. 반면 을은 동물 실험과 인간 실험 모두 부당하다고 본다.

⑤ 인간과 동물은 생물학적으로 유사한가?
➡ 갑, 을 모두 인간과 동물의 생물학적 유사성을 인정한다.

03 사랑과 성 윤리

콕콕! 개념 확인하기 75쪽

01 (1) 사랑 (2) 쾌락적 (3) 배려 윤리
02 (1) ㉠, ㉣ (2) ㉡, ㉥ (3) ㉢, ㉤
03 (1) 결혼 (2) 가족 (3) 동기간
04 (1) 불감훼상, 입신양명 (2) 양성평등
05 (1) ○ (2) ○

탄탄! 내신 다지기 76~77쪽

01 ④ **02** ② **03** ⑤ **04** ② **05** ④ **06** ④ **07** ①
08 해설 참조

01 프롬이 제시한 사랑의 의미

자료 분석 | 제시된 내용은 프롬이 제시한 사랑의 의미이다. 따라서 빈칸에는 사랑이 들어가야 한다.

[선택지 분석]

㉠ 성(性)과는 전혀 관계가 없다.
➡ 사랑과 성은 밀접한 관련을 가진다.

㉡ 온전한 인격적 관계 속에서 성립할 수 있다.
➡ 사랑은 인간 사이의 온전한 인격적 관계에서 성립하며 인격적 교감이 이루어지게 하는 매개체로 작용한다.

㉢ 상대방의 욕구와 성향을 고려할 필요는 없다.
➡ 사랑은 상대방의 요구에 반응하고 개성을 이해하며 상대방의 생명과 성장에 적극적인 관심을 갖는 것이므로 상대방의 욕구와 성향을 고려해야 한다.

㉣ 책임, 존경, 이해 등과 같은 가치를 내포한다.
➡ 사랑은 책임, 존경, 이해, 관심(보호) 등의 가치를 담고 있다.

02 사랑과 성의 관계에 대한 중도주의 관점

자료 분석 | 제시문에서 사랑이 있는 성이 도덕적으로 옳다고 보는 점을 통해 중도주의 관점임을 알 수 있다.

[선택지 분석]

㉠ 사랑과 성은 인간의 인격과 관련된다.

㉡ 성은 부부간의 신뢰와 사랑을 전제로 할 때만 도덕적이다. → 보수주의 관점

㉢ 성인의 자발적 동의에 따라 이루어지는 모든 성적 관계는 도덕적이다.
➡ 타인에게 피해를 입히지 않은 범위 내에서 성숙한 성인들 간의 자발적인 동의를 통해 이루어지는 성적 관계를 도덕적이라고 보는 것은 자유주의 관점이다.

㉣ 결혼하지 않았더라도 사랑하는 사이라면 성적 관계는 허용될 수 있다.
➡ 성을 결혼과 결부시키지는 않지만 사랑과 관련지어 도덕성을 판단하는 것은 중도주의 관점이다.

03 성과 사랑에 대한 보수주의 관점

자료 분석 | 제시문은 생식이 이루어질 수 없는 방식으로 성적 결합이 이루어지는 것을 반대하고, 다른 여성을 찾아 가정을 벗어나는 것을 비판하는 점을 통해 아퀴나스의 주장임을 알 수 있다. 아퀴나스는 성과 사랑의 관계에 대해 보수주의 관점을 제시하였다.

[선택지 분석]

① 성은 사회의 안정이나 질서 유지와 무관한가? → 아니요
➡ 보수주의 관점에서는 성이 사회의 안정과 질서 유지와도 관련이 있으므로 사랑과 성은 결혼을 통해 이루어져야 한다고 본다. 따라서 보수주의 관점에서 부정의 대답을 할 질문이다.

② 혼전이나 혼외 성적 관계는 도덕적으로 정당한가? → 아니요
➡ 보수주의는 결혼한 부부간의 성적 관계만을 도덕적이라고 본다. 따라서 보수주의 관점에서 부정의 대답을 할 질문이다.

③ 결혼과 성을 결부하는 것은 성적 자유를 제한하는 것인가? → 아니요
➡ 보수주의는 결혼과 성을 결부하여 이해하므로 부정의 대답을 할 질문이다.

④ 사랑 없이 자발적 동의만으로 이루어진 성적 관계는 정당한가? → 아니요
➡ 자유주의 관점에서 지지할 내용이다. 보수주의 관점에서는 부정의 대답을 할 질문이다.

⑤ 출산과 양육에 대한 책임을 질 수 있는 성만이 도덕적으로 정당한가? → 예
➡ 보수주의는 사랑하는 남녀가 결혼이라는 합법적인 테두리 내에서 출산과 양육에 대한 책임을 질 수 있는 성만을 도덕적으로 정당하다고 인정한다. 따라서 보수주의 관점에서 긍정의 대답을 할 질문이다.

04 성 상품화에 대한 논쟁

자료 분석 | 제시문은 성 상품화를 찬성하는 근거를 제시하고 있다.

[선택지 분석]

① 상품 판매에 성적 매력을 이용하는 것은 좋은 전략이다.

② 인간의 성을 상품화하는 것은 인간을 수단화하는 것이다.
➡ 성 상품화를 반대하는 입장에서 제시할 내용이다.

③ 성적 매력을 표현하는 것은 성적 자기 결정권에 해당한다.

④ 성을 상품화하더라도 인간의 인격적 가치를 떨어뜨리지 않는다.

⑤ 경제적 이익을 얻고 물건을 파는 것처럼 성 자체도 상품화할 수 있다.

05 부부간의 윤리

자료 분석 | 제시된 내용은 전통 사회와 현대 사회에서 부부가 지켜야 할 윤리를 제시하고 있다. 빈칸에는 부부가 들어가야 한다.

[선택지 분석]

ㄱ. 서로 간에 신의를 지켜야 한다.

ㄴ. 서로의 다름을 있는 그대로 인정해야 한다.

ㄷ. 남성과 여성을 서로 동등하게 대우해야 한다.

ㄹ. 고정된 성 역할에 따라 가사 분담을 해야 한다.
➡ 가정에서 부부의 역할을 고정적으로 구별하는 것은 무의미하다.

06 가족에 대한 헤겔의 관점

자료 분석 | 제시문은 가족 공동체의 윤리가 시민 사회의 공동체 윤리로 이행하고, 이후 국가 공동체 윤리로 나아간다고 보는 점을 통해 헤겔의 주장임을 알 수 있다.

[선택지 분석]

① 부부간의 사랑은 자녀를 통해 결실을 맺는다.
➡ 헤겔은 부모의 윤리적 사랑의 결실이자 대상을 자녀로 본다.

② 가족은 부부간의 평등한 사랑을 기반으로 한다.
➡ 헤겔에 따르면, 시민적 가족은 부부간의 평등한 사랑에 기반하므로 남녀 사이의 상하 관계는 없다.

③ 가족은 자신과 상대방이 분리되지 않은 공동체이다.
➡ 제시문의 '자신과 상대가 분리되지 않은 가족 공동체'라는 설명을 통해 헤겔의 입장임을 알 수 있다.

④ 시민 사회와 다르게 가족 간에는 이해타산을 중시한다.
➡ 제시문에 따르면 이해타산을 중시하는 것은 가족 공동체가 아니라 시민 사회이다.

⑤ 가족 공동체의 윤리는 시민 사회와 국가 공동체의 윤리로 점차 확대된다.
➡ 헤겔에 따르면, 가족 공동체의 윤리는 시민 사회의 공동체 윤리로 이행하고, 후에 국가 공동체의 윤리로 나아간다.

07 가족 해체 현상에 대한 이해

자료 분석 | 제시문은 가족 간의 대화 단절 정도가 심각함을 드러내는 자료이다. 가족 간의 대화 단절은 가족 해체 현상의 원인이 된다.

[선택지 분석]

① 가족 간 대화 단절과 가족 해체 현상은 관련이 없다.
➡ 가족 간 대화 단절은 가족 해체 현상의 원인이 될 수 있다.

② 가족 간 정서적 단절로 인한 갈등이 심화될 것으로 보인다.
➡ 가족 간 대화 단절은 정서적 단절을 유발하는데, 이로 인해 가족 간에 갈등이 나타날 수 있다.

③ 부모와 자녀 사이에 친밀함을 유지할 계기가 사라지고 있다.
➡ 제시문의 내용처럼 부모와 자녀 간의 대화가 줄어들면 그만큼 친밀함을 유지할 시간이나 계기가 사라지게 된다.

④ 가족 간 대화 단절로 인해 가족의 가치가 실현되지 못하고 있다.
➡ 가족 간 대화 단절은 정서적 안정, 바람직한 인격 형성 등 가족의 가치를 실현하기 어렵게 만든다.

⑤ 가족 간 대화 단절은 청소년의 심리적 상실감, 노인 소외 현상 등으로 이어질 수 있다.
➡ 가족 간 대화 단절은 가족 공동체의 와해를 초래하고 결과적으로 청소년의 심리적 상실감, 노인 소외 현상, 부부의 이혼율 증가 등 사회적 문제로 이어질 수 있다.

08 사랑과 성의 관계에 대한 입장

[예시 답안] 제시문은 도덕적 성의 기준으로 타인에게 피해를 주지 않는 범위를 제시하고 자발적 동의를 강조한다는 점에서 사랑과 성의 관계에 대한 자유주의 관점임을 알 수 있다. 보수주의 관점에 따르면, 결혼이라는 합법적 테두리에서 출산과 양육에 대해 책임질 수 있는 성만이 도덕적으로 정당하다. 이러한 관점에서 자유주의 관점을 보면 결혼한 부부가 아닌 남녀 간의 성은 부도덕하며, 출산과 양육에 대해 책임을 질 수 없으므로 정당하지 못하다.

채점 기준	
상	제시문이 자유주의 관점임을 파악하고 보수주의 관점에서 비판을 바르게 제시한 경우
중	제시문이 자유주의 관점임을 파악하였으나 보수주의 관점에서 비판을 바르게 제시하지 못한 경우
하	제시문이 자유주의 관점임을 파악하지 못한 경우

도전! 실력 올리기 78~79쪽

01 ⑤ 02 ⑤ 03 ③ 04 ① 05 ① 06 ⑤ 07 ⑤ 08 ③

01 사랑과 성의 관계에 대한 관점

자료 분석 | 갑은 부부 사이의 성적 관계만을 도덕적으로 정당하다고 보므로 보수주의이다. 을은 도덕적 성의 조건은 결혼이 아니라 사랑이며, 결혼 여부와 상관없이 사랑하는 사람 사이의 성적 관계는 도덕적으로 정당하다고 보므로 중도주의이다.

[선택지 분석]

① 갑은 부부만이 정당한 성적 관계의 주체는 아니라고 본다.
➡ 보수주의는 부부만이 정당한 성적 관계의 주체라고 본다.

② 갑은 성적 관계의 정당성이 사회 존속과는 무관하다고 본다.
➡ 보수주의는 성이 자유로운 개인적 영역일 뿐만 아니라 사회의 안정과 질서 유지와도 관련이 있다고 본다.

③ ~~을은~~ (자유주의 관점) 자발적인 동의에 근거한 성적 관계는 항상 정당하다고 본다.

④ ~~을은~~ (보수주의 관점) 성적 관계가 부부 사이에서만 정당화될 수 있다고 본다.

⑤ ✓ 갑, 을은 성적 관계에서 서로의 인격적 가치를 존중해야 한다고 본다.
➡ 보수주의, 중도주의는 그 특징이 서로 다르지만 성적 관계에 있어서 서로의 인격적 가치를 존중해야 한다고 보는 점은 공통적이다.

02 길리건의 배려 윤리

자료 분석 | 제시문은 여성의 도덕성을 서술한 점을 통해 배려 윤리에 대한 길리건의 주장임을 알 수 있다.

[선택지 분석]

① 남성의 도덕성과 여성의 도덕성은 동일한가?
➡ 배려 윤리에 따르면, 남성과 여성의 도덕성은 서로 다르다.

② 여성의 도덕성은 정의의 관점에서 잘 드러나는가?
➡ 정의의 관점에 중점을 두는 것은 여성이 아닌 남성의 도덕성이다.

③ 배려의 도덕성은 남성에게서 전혀 나타나지 않는가?
➡ 배려의 도덕성이 여성의 주된 도덕성에 해당하는 것은 맞지만, 남성에게도 나타난다.

④ 보편성과 합리성 중심의 도덕성을 발전시켜야 하는가?
➡ 배려 윤리에서 말하는 정의 윤리의 특징으로, 이는 남성 중심의 윤리에 해당한다.

⑤ ✓ 여성의 도덕성의 특징은 돌봄, 공감, 관계성에서 찾을 수 있는가?
➡ 길리건에 따르면, 여성의 도덕성은 돌봄, 공감, 배려, 관계성, 맥락 등에 대한 고려에서 찾을 수 있다.

03 여성에 대한 성차별 문제

자료 분석 | 제시문은 밀이 주장한 '여성 해방'의 일부이다. 여기서 밀은 여성에 대한 성차별 문제를 지적하고 있다.

[선택지 분석]

① 여성이라는 이유로 사회 진출을 막아서는 안 된다.

② 여성을 예속시키는 수단으로 교육을 이용해서는 안 된다.
➡ 그림의 강연자는 여성을 남성의 지배 아래 두려는 교육과 제도를 비판한다.

③ ✓ 사회적 역할은 남녀의 본성에 따라 적합하게 부여되어야 한다.
➡ 그림의 강연자는 누구도 남녀의 본성을 알 수 없다고 본다.

④ 양성평등은 사회 전체적으로 유용하므로 완전하게 보장해야 한다.
➡ 그림의 강연자는 여성의 사회 진출을 막는 것은 개인적으로 불공평하고 사회적으로 손실이라고 지적한다. 따라서 양성평등의 완전한 보장을 지지할 것이다.

⑤ 자신의 재능을 어떻게 사용할지는 전적으로 개인의 선택에 맡겨야 한다.

04 성차별과 유리천장 지수

자료 분석 | 제시문은 성차별의 정도를 파악하기 위한 수단 중 하나인 유리천장 지수에 대한 설명과 관련 그래프이다.

[선택지 분석]

① ✓ 여성과 남성의 신체적 차이를 무시해야 한다.
➡ 여성과 남성의 신체적 차이를 무시하는 것과 양성평등 실현은 거리가 멀다.

② 여자라는 이유로 능력을 무시해서는 안 된다.
➡ 여성 혹은 남성이라는 이유로 가진 능력을 실현하지 못하게 하는 것은 성차별을 더 심화시킨다.

③ 남녀 간의 다름을 우열로 파악해서는 안 된다.
➡ 남녀 간의 다름은 다름 그 자체로 이해하고 서로 보완해야 한다.

④ 남성다움이나 여성다움을 사회·문화적으로 고정하면 안 된다.

➡ 사회·문화적으로 고정된 남성다움과 여성다움의 성격으로 인해 특정 성에 대한 차별 문제가 발생하기도 한다.

⑤ 성차별은 개인과 사회의 발전을 가로막는다는 사실을 인지해야 한다.

➡ 성차별은 자아실현을 방해하고 잠재력을 실현하지 못하게 하며 국가 차원의 인적 자원 낭비를 초래한다.

05 부부간의 윤리

자료 분석 | 제시된 내용에서 '가정을 이루다', '서로 다른 환경에서 성장한 두 사람이 만나다', '백년해로' 등을 통해 빈칸에 부부가 들어가야 함을 알 수 있다.

[선택지 분석]

ㄱ 혼인(婚姻)을 통해 맺어진 가족 관계이다.

ㄴ 상경여빈(相敬如賓)을 실천해야 하는 관계이다.

ㄷ 항렬(行列)에 따라 서로 역할을 분담하는 관계이다.

➡ 항렬에 따른 관계는 친족에 해당한다.

ㄹ 동기간(同氣間)으로서 배려해야 하는 가족 관계이다.

➡ 동기간은 형제자매 관계를 일컫는 말이다.

06 부부간의 윤리

자료 분석 | (가)는 음양론으로, 음과 양은 단독으로 존재할 수 없으며 서로 조화를 이루어야 한다는 내용이다. (나)는 여성이 아버지, 남편, 아들로 이어지는 남성의 계보에 종속되어야 한다고 본다.

[선택지 분석]

ㄱ 가정에서 부부의 역할을 고정시켜야 한다.

➡ 음양론에 따르면 가정에서 부부는 상호 보완적이고 대등한 관계로서 그 역할을 분담해야 한다.

ㄴ 아내와 남편을 서로 차별하여 대우해야 한다.

➡ 음양론은 음과 양을 서로 우열을 두고 차별하는 것이 아니라 대등한 존재로 보고 조화시켜야 한다고 본다. 마찬가지로 아내와 남편을 대등한 존재로 보고 서로 존경해야 한다고 본다.

ㄷ 부부는 서로 동등한 존재임을 인식해야 한다.

➡ 음양론에 따르면 부부는 (나)와 같이 여성을 남성에 종속되는 존재로 보지 않고 서로를 대등한 존재로 여긴다.

ㄹ 부부간에 서로 존중하고 협력하여 조화를 이루어야 한다.

➡ 음양론에 따르면 부부는 서로를 대등한 존재로 여기고 협력하여 조화를 이루어야 한다.

07 가족 구조의 변화

자료 분석 | 제시문은 1인 가구의 비율 증가와 전통적 가족 구조의 변화를 다루고 있다.

[선택지 분석]

① 기존 4인 가족 가구의 구성은 크게 변함이 없다.

➡ 4인 가족 가구의 비율은 계속 줄어들고 있다.

② 아직 전통적 가족 구조가 무너졌다고 보기 힘들다.

➡ 1, 2인 가구 비율이 2015년에 50%를 넘어섰다. 이를 통해 전통적 가족 구조가 무너지고 있음을 알 수 있다.

③ 홀로 사는 노인층과 젊은 층의 가구 증가는 찾아볼 수 없다.

➡ 1인 가구는 주로 홀로 사는 노인층, 젊은 층으로 구성되어 있다. 따라서 1인 가구가 계속 증가하고 있음을 알 수 있다.

④ 1인 가구는 아직 전체 가구에서 차지하는 비율이 미미하다.

➡ 1인 가구의 비율은 2010년 이후 20%를 넘어 꾸준히 늘고 있다.

⑤ 변하고 있는 가족의 모습과 사회의 변화에 대해 고민해야 한다.

➡ 기존 4인 가족 구조와 같은 전통적 가족 구조가 무너지고 1인 가구가 증가하는 추세에 대해 고민해 볼 필요가 있다.

08 효에 대한 이해

자료 분석 | (가)는 부모님을 기쁘게 해 드리는 것이고, (나)는 부모님에게 잘못이 있을 때 어떻게 해야 하는지 설명하고 있다. 모두 '효'를 설명하고 있다.

[선택지 분석]

① 친구 간에 지켜야 하는 신의에 대한 것이다.

② 형제자매 간에 지켜야 할 규범에 대한 것이다.

③ 진심에서 나오는 마음으로 부모님을 모시는 것이다.

➡ 효는 물질적인 봉양을 넘어서 진심에서 우러나오는 마음으로 부모님을 모시는 것이다.

④ 가족 이외의 관계에서 지켜야 될 규범에 내한 것이다.

⑤ 음양(陰陽)의 관계처럼 부부간의 윤리에 대한 것이다.

한번에 끝내는 대단원 문제 82~85쪽

01 ②	02 ③	03 ⑤	04 ③	05 ③	06 ①	07 ①
08 ④	09 ②	10 ②	11 ②	12 ②		

13~16 해설 참조

01 인공 임신 중절에 대한 논쟁

자료 분석 | 제시문은 자기 신체에 위협이 가해질 때 그에 대한 정당방위 행위를 할 수 있음을 주장하며 여성의 인공 임신 중절에 대한 찬성 견해를 보이고 있다.

[선택지 분석]

① 인공 임신 중절의 대상인 태아를 인간으로 볼 수 없다.

② 인공 임신 중절은 무고한 인간인 태아를 죽이는 행위이다.

➡ 제시문은 신체에 위협이 될 경우 그에 대해 정당방위 행위를 할 수 있다는 내용이다. 이를 직접적으로 반박하려면 태아는 무고한 인간이므로 여성에게 해를 끼치지 않으므로 잘못이 없는 태아를 죽이는 행위인 인공 임신 중절을 해서는 안 된다는 내용이 제시되어야 한다.

③ 인공 임신 중절을 통해 여성은 남성과 동등한 권리를 지닐 수 있다.

④ 인공 임신 중절은 여성이 자기 신체에 대해 자율권을 행사하는 행위이다.

⑤ 인공 임신 중절은 정상적인 성인과 동등한 지위를 가지는 태아를 죽이는 행위이다.

➡ 인공 임신 중절에 반대하는 입장이지만 직접적인 반박과는 거리가 멀다. '태아는 여성의 신체 일부이므로 인공 임신 중절을 할 수 있다'에 대한 직접적 반박이다.

02 죽음에 대한 서양 사상가들의 입장

자료 분석 | 갑은 육체를 벗어나 영혼만으로 사물 그 자체를 보아야만 대상을 순수하게 인식할 수 있다고 보는 점을 통해 플라톤임을 알 수 있다. 을은 죽음이 언제나 인간과 함께 있다고 보는 점을 통해 하이데거임을 알 수 있다.

[선택지 분석]

① 갑: 죽음은 영혼이 육체로부터 해방되는 것이다.

➡ 플라톤에 따르면, 죽음은 영혼이 육체로부터 해방되어 이데아의 세계로 돌아가는 것이다.

② 갑: 인간은 죽음을 통해 참된 지혜에 다가갈 수 있다.

➡ 플라톤에 따르면, 인간은 죽음을 통해 육체로부터 해방된 영혼이 참된 지혜에 다가갈 수 있다.

③ 을: 죽음은 피할 수 있다면 피하는 것이 좋다.

➡ 하이데거는 죽음을 피하지 말고 그것이 자신의 것이라는 사실을 인지하며 살아야 한다고 보았다.

④ 을: 죽음에 대한 자각을 통해 삶을 의미 있게 살아갈 수 있다.

➡ 하이데거는 죽음 앞으로 미리 달려가 봄으로써 삶을 더 가치 있게 살 수 있다고 보았다.

⑤ 갑, 을: 죽음에 대한 자각은 현재의 삶을 반성하게 한다.

➡ 플라톤과 하이데거는 인간이 죽음에 대해 자각함으로써 현재 자신의 삶을 되돌아볼 수 있다고 하였다.

03 죽음에 대한 동양 사상가들의 입장

자료 분석 | 갑은 기의 변화로 만물, 생명, 죽음 등이 생긴다고 보는 점을 통해 장자임을 알 수 있다. 을은 사람을 섬길 줄도 모르면서 어떻게 귀신을 섬길 수 있냐고 반문하는 점을 통해 공자임을 알 수 있다.

[선택지 분석]

① 갑: 삶과 죽음은 서로 연결된 과정이다.

② 갑: 죽음 앞에서 너무 슬퍼할 필요가 없다.

➡ 장자는 기의 자연스러운 변화 과정 속에서 삶과 죽음이 생기는 것이므로 죽음 앞에서 슬퍼할 필요가 없다고 보았다.

③ 을: 현실의 삶 속에서 도덕적 실천을 하기 위해 노력해야 한다.

➡ 공자는 죽음에 집착하기보다는 현실의 삶 속에서 도덕적 실천을 하려고 노력해야 한다고 보았다.

④ 을: 죽음은 자연의 과정으로 받아들이고 마땅히 애도해야 한다.

⑤ 갑, 을: 죽음은 또 다른 세계로 윤회하는 것이다. → 불교 사상

04 안락사에 대한 칸트의 입장

자료 분석 | (가)는 인간을 단지 수단이 아닌 항상 동시에 목적으로 대우하라는 점을 통해 칸트의 주장임을 알 수 있다. (나)는 안락사의 정의를 다루고 있으므로 ㉠에는 안락사가 들어가야 한다.

[선택지 분석]

① 인간의 존엄성을 지켜주는 행위이다.

➡ 칸트는 안락사를 인간의 존엄성을 지켜주는 행위로 보지 않았다.

② 경제적 부담을 줄여주는 이로운 행위이다.

➡ 동기가 아닌 결과를 고려하는 것은 칸트의 관점이 아니다.

③ 인간의 인격을 수단으로 취급하는 행위이다.

➡ 칸트는 인간을 단지 수단이 아닌 항상 동시에 목적으로 대우해야 한다고 주장하였다. 그래서 안락사에 대해 자신의 고통을 해소할 목적으로 자신의 인격(생명)을 훼손하는 행위라고 보며 반대한다.

④ 최대 다수의 최대 행복을 위한 불가피한 행위이다.

➡ 최대 다수의 최대 행복은 공리주의 윤리가 지향하는 내용이다.

⑤ 죽음에 관한 개인의 권리를 인정한 바람직한 행위이다.

➡ 칸트의 주장과 거리가 멀다.

05 안락사의 유형과 논쟁

[선택지 분석]

① ㉠ 적극적 안락사: 약물 주입 등과 같은 행위로 죽음에 이르게 함

② ㉡ 소극적 안락사: 연명 치료를 중단함

③ ㉢ 자발적 안락사: 환자의 보호자가 동의함

➡ 자발적 안락사는 환자의 보호자가 아닌 동의 능력이 있는 환자 스스로가 안락사에 동의한 경우에 시행하는 것이다.

④ ㉣ 비자발적 안락사: 환자의 동의 능력이 없음

⑤ ㉤ 찬성 근거: 환자의 자율성 중시, 심리적·경제적 부담 경감

➡ 안락사를 찬성하는 관점에서는 환자의 자율성과 삶의 질을 중시하고, 환자와 그 가족의 심리적·경제적 부담을 줄여주어야 한다고 주장한다.

06 뇌사에 대한 반대 근거

자료 분석 | 제시문은 뇌 기능이 정지하면 이미 죽음의 단계에 들어선 것으로 보는 점을 통해 뇌사를 지지하는 입장임을 알 수 있다. 따라서 이에 대한 반론으로 뇌사 판정 시 오류 가능성의 인정과 실용적 가치로 뇌사 문제에 접근해서는 안 된다는 점을 제시할 수 있다.

[선택지 분석]

ㄱ. 뇌사 판정 시 오류 가능성이 존재한다.

➡ 뇌사를 죽음으로 인정하지 않는 입장에서 제시하는 근거이다.

ㄴ. 한정된 의료 자원을 효율적으로 활용해야 한다.

➡ 뇌사를 죽음의 기준으로 인정하는 입장에서는 무의미한 연장 의료 행위는 한정된 의료 자원을 비효율적으로 사용하는 것이므로 뇌사를 죽음으로 인정해야 한다고 본다.

ㄷ. 실용적 가치로 뇌사 문제에 접근해서는 안 된다.

➡ 뇌사를 죽음으로 인정하지 않는 입장에서 제시하는 근거이다.

뇌사자의 장기를 장기 이식에 활용할 수 있어야 한다.

➡ 뇌사를 죽음의 기준으로 인정하는 입장에서는 뇌사자의 장기를 다른 환자의 생명을 구하거나 질병을 치료하는 데 사용할 수 있다고 주장한다.

07 배아의 지위와 배아 복제 허용 문제

자료 분석 | 갑은 배아를 인간으로 보기 어려우므로 배아 복제 연구를 허용해야 한다는 입장이다. 을은 배아 복제의 허용이 인간 복제의 허용으로 이어질 수 있으므로 배아 복제 연구를 허용해서는 안 된다는 입장이다. 갑은 ㄱ, ㄴ에 해당하고, 을은 ㄷ, ㄹ에 해당한다.

[선택지 분석]

ㄱ. 배아는 단순한 세포 덩어리에 불과하다.

➡ 배아 복제를 지지하는 입장에서는 배아를 인간 존재의 가능성을 가진 개체가 아닌 세포 덩어리로 본다.

ㄴ. 배아로부터 획득한 줄기세포를 활용할 수 있다.

➡ 배아 복제를 지지하는 입장에서는 복제 배아에서 획득한 줄기세포를 활용하여 난치병 치료에 도움을 줄 수 있다고 본다.

ㄷ. 배아는 수정된 순간부터 출생으로 이어지는 연속적인 과정 중에 있다.

➡ 인간의 발달 과정은 연속적이며 선명한 경계선이 없으므로 배아는 도덕적 지위를 가진다는 연속성 논거에 해당한다.

ㄹ. 배아는 인간이 될 잠재적 가능성을 갖고 있으므로 도덕적 지위를 가진다.

➡ 배아는 인간으로 성장할 잠재성을 지니고 있으므로 도덕적 지위를 가진다는 잠재성 논거에 해당한다. 이처럼 배아의 인간으로서의 지위를 인정하는 경우 배아 복제를 허용해서는 안 된다고 본다.

08 동물 실험에 대한 논쟁

자료 분석 | 제시된 그림의 강연자는 인간과 동물의 유전자가 100% 동일하지 않고, 단 1%의 차이로 인해 문제가 생길 수 있음을 지적하며 동물 실험을 반대한다.

[선택지 분석]

① 생명과 건강을 보호하기 위해 동물 실험을 해야 한다.

➡ 제시된 내용은 동물 실험에 대한 반대 입장이다.

② 인간과 가장 유사한 영장류 위주로 동물 실험을 해야 한다.

➡ 제시된 내용에서 '유전자의 99% 유사성보다 1% 차이점에 주목'해야 한다고 말하는 점을 통해 동물 실험을 하는 것에 대해 반대할 것임을 알 수 있다.

③ 현재 동물 실험의 대안이 없으므로 동물 실험을 해야 한다.

➡ 제시된 내용은 동물 실험에 대한 반대 입장이다.

인간과 동물은 유사하지 않으므로 동물 실험은 중단해야 한다.

➡ 제시된 내용은 인간과 동물의 유전자 차이를 지적하고 그로 인해 문제가 발생할 수 있음을 지적하면서 동물 실험을 중단할 것을 주장한다.

⑤ 인간과 마찬가지로 동물도 고통을 느끼므로 동물 실험은 중단해야 한다.

➡ 제시된 내용은 동물이 고통을 느끼는지에 대해 말하지 않는다.

09 동물의 권리에 대한 레건의 관점

자료 분석 | 제시문은 동물이 학대받지 않을 권리를 지니며, 동물의 도덕적 권리를 존중하지 않고 수단으로 이용하는 것을 비윤리적으로 보는 점을 통해 레건의 주장임을 알 수 있다.

[선택지 분석]

① 동물은 도덕적 권리를 갖지 않는다.

동물도 인간처럼 내재적 가치를 지닌다.

➡ 레건은 한 살 정도의 포유류는 지각, 기억, 감정 등을 가진 삶의 주체가 될 수 있으므로 인간처럼 내재적 가치를 지닌다고 주장하였다.

③ 모든 동물은 인간을 위한 수단으로 이용될 수 있다.

④ 동물은 쾌고 감수 능력을 지니므로 도덕적 고려의 대상이다.

⑤ 과학의 발전을 위해서라면 동물의 가치를 존중하지 않아도 된다.

➡ 레건의 주장과 거리가 멀다.

10 사랑과 성의 관계에 대한 다양한 관점

자료 분석 | 갑은 성이 자손의 번식과 양육을 위한 것이라고 보는 점을 통해 보수주의 관점임을 알 수 있다. 을은 타인에게 피해를 주지 않은 한에서 개인 간 자발적 합의를 통해 이루어지는 성적 관계를 허용해야 한다고 보는 점을 통해 자유주의 관점임을 알 수 있다.

[선택지 분석]

ㄱ. 갑은 결혼 안에서 이루어진 성적 관계만이 도덕적이라고 본다.

➡ 보수주의는 부부간이 사랑과 신뢰를 전제로 결혼과 출산 중심의 성 윤리를 강조한다. 그래서 결혼한 부부의 성적 관계만을 도덕적이라고 본다.

을은 사랑을 동반한 성적 관계를 도덕적이라고 본다.

ㄷ. 갑은 을과 달리 부부간의 신뢰와 사랑을 성의 근거로 제시한다.

➡ 보수주의는 부부간의 사랑과 신뢰를 전제로 결혼과 출산 중심의 성 윤리를 강조한다.

을은 갑과 달리 사랑이 없는 성적 관계를 인간의 존엄성을 무너뜨리는 행위로 간주한다.

➡ 을은 사랑이 없다고 하더라도 성숙한 성인들 간의 자유로운 선택을 통한 성적 관계를 도덕적이라고 본다.

11 성 상품화에 대한 논쟁

자료 분석 | 제시문의 소전제 ㉠에 들어갈 말은 '성 상품화는 인격을 훼손하는 것이다.'이다.

[선택지 분석]

① 성 상품화는 외모 지상주의를 조장한다.

✔② 성 상품화는 자본주의 논리에 부합한다.
➡ 상품의 판매를 위해 성적 매력에 호소하는 것은 자본주의 논리에 부합한다는 것으로, 이는 성 상품화를 찬성하는 입장에서 제시하는 근거이다.
③ 성 상품화는 인간을 도구화하는 것이다. → 반대
④ 성 상품화는 성의 가치와 의미를 훼손한다. → 반대
⑤ 성 상품화는 인격적 가치를 지니는 성을 대상화하는 것이다. → 반대

12 음양론에 따른 부부 윤리

자료 분석 | 제시문은 음양론에 대한 설명이다. 음과 양은 서로 다르지만 단독으로 존재할 수 없고 서로 조화되어야 하듯이 남녀 역시 다르지만 서로 보완하며 살아가야 한다는 내용이다.

[선택지 분석]
① 남녀의 차이를 바탕으로 남녀의 위계질서를 강조한다.
➡ 음양론은 남녀의 위계질서를 말하지 않는다.
✔② 음양의 원리를 근거로 부부를 상호 보완적 관계로 인식한다.
③ 음양은 고정적 관계이므로 고정된 부부의 역할을 강조한다.
➡ 음양론에 따르면 부부는 고정된 역할이 있다기보다 서로 보완하여 조화를 이루어야 할 것을 강조한다.
④ 음양의 원리는 남녀를 서로 분별할 수 없는 통일체로 인식한다.
➡ 음양론의 주장과 거리가 멀다.
⑤ 음양의 관계처럼 남녀를 상대방 없이도 완전한 존재로 간주한다.
➡ 음양론에 따르면 음양이 단독으로 존재할 수 없듯이 부부도 단독으로 존재할 수 없는 관계이다.

13 인공 임신 중절에 대한 논쟁

[예시 답안] 제시문은 인공 임신 중절을 찬성하는 입장의 글이다. 하지만 임신 순간부터 인간으로 성장할 수 있는 잠재성을 가진 존재인 태아를 인공 임신 중절을 통해 죽이는 것은 옳지 않다. 또한 잘못이 없는 인간을 해쳐서는 안 되는데 태아는 잘못이 없는 인간이므로 해치면 안 된다.

채점 기준		
	상	제시문의 관점을 파악하고 두 가지 이상의 근거를 들어 반박한 경우
	중	제시문의 관점을 파악하였으나 한 가지 근거만 들어 반박하여 서술한 경우
	하	제시문의 관점을 파악하지 못한 경우

14 에피쿠로스의 죽음관

(1) 죽음
(2) [예시 답안] 에피쿠로스는 죽음을 인간을 이루던 원자가 흩어지는 것으로 보며, 죽음 이후를 감각할 수 없기 때문에 알 수 없다고 주장한다. 그러므로 죽음 이후 다른 생명으로 다시 태어난다는 것은 에피쿠로스에게 적절하지 않다.

채점 기준		
	상	제시된 사상가의 관점을 파악하고 논리적으로 비판한 경우
	중	제시된 사상가의 관점은 파악하였으나 논리적으로 비판하지 못한 경우
	하	제시된 사상가의 관점을 파악하지 못한 경우

15 배아 복제와 개체 복제

(1) ㉠ 배아 복제, ㉡ 개체 복제
(2) [예시 답안] 대부분의 나라에서는 개체 복제를 금지하고 있다. 이는 개체 복제가 인위적으로 조작하여 인간을 만들어 내는 것과 같아, 인간 생명의 존엄성을 훼손하는 행위이기 때문이다. 또한 의료용 장기 확보를 위해 개체 복제를 하면 복제된 인간의 생명을 도구화할 수 있기 때문이다.

채점 기준		
	상	개체 복제 금지 이유를 두 가지 이상 제시한 경우
	중	개체 복제 금지 이유를 한 가지만 제시한 경우
	하	개체 복제 금지 이유를 제시하지 못한 경우

16 동물의 권리에 대한 관점

(1) 기계
(2) [예시 답안] 갑은 동물을 자동인형으로 보는 데카르트이다. 을은 인간이든 동물이든 상관없이 고통과 괴로움을 줄여야 한다고 보는 싱어이다. 싱어는 동물을 감정이 없는 기계라고 보는 데카르트에 대해 동물 역시 인간과 마찬가지로 쾌락과 고통을 느낄 수 있으므로 동물의 이익도 평등하게 고려되어야 함을 간과했다고 비판할 것이다.

채점 기준		
	상	갑, 을의 관점을 파악하고 갑에 대한 을의 비판 내용을 논리적으로 서술한 경우
	중	갑, 을의 관점을 파악하였으나 갑에 대한 을의 비판 내용을 논리적으로 서술하지 못한 경우
	하	갑, 을의 관점을 파악하지 못한 경우

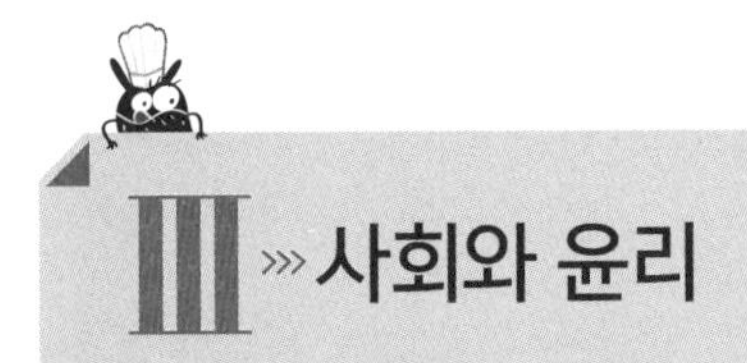

III 사회와 윤리

01 직업과 청렴의 윤리

콕콕! 개념 확인하기 95쪽

01 (1) ㉡ (2) ㉠ (3) ㉢
02 (1) 맹자 (2) 칼뱅
03 (1) ○ (2) ×
04 (1) 협력, 갈등 (2) 전문직, 비대칭성
05 (1) × (2) × (3) × (4) ○

탄탄! 내신 다지기 96~99쪽

01 ④ 02 ③ 03 ① 04 ⑤ 05 ③ 06 ② 07 ③
08 ⑤ 09 ⑤ 10 ① 11 ④ 12 ② 13 ⑤ 14 ②
15 ⑤ 16 해설 참조

01 직업의 의미

[선택지 분석]

✔ ㉠ 생계직 ㉡ 소명직 ㉢ 전문직

➡ 제시문에서는 일반적인 직업의 의미를 구분하고 있다. 직업은 일반적으로 경제적 보상을 받으며 지속적으로 활동하는 일이라는 점에서 생계직(㉠)의 의미를 가진다. 또 직업 소명론에 의하면 직업은 신으로부터 부여받은 소명직(㉡)의 의미를 가진다. 현대 사회에 들어와서는 전문적인 지식과 기술을 필요로 한다는 점에서 전문직(㉢)의 의미를 가지기도 한다.

02 맹자와 순자의 직업관 비교

자료 분석 | 제시문의 갑은 직업을 통해 백성에게 일정한 생계유지 수단을 보장해 주어야 선한 본성을 지킬 수 있다고 본 점을 통해 맹자임을 알 수 있다. 을은 오직 예에 정통한 사람만이 통치자가 될 수 있다고 보는 점을 통해 순자임을 알 수 있다.

[선택지 분석]

① 정신노동보다 육체노동을 중시하는 태도가 필요하다.
➡ 맹자, 순자 모두 정신노동이 중요함을 강조한다.

② 백성의 생업 보장보다는 도덕적 규제에 힘써야 한다.
➡ 맹자는 백성의 생업 보장에 힘쓸 것을 주장하고 있다.

✔③ 직업과 사회적 역할에 대한 적절한 분담이 필요하다.
➡ 맹자와 순자 모두 사회적 역할의 분담, 즉 분업이 필요함을 강조하고 있다.

④ 만민 평등의 관점에서 직업을 차별하지 말아야 한다.
➡ 맹자, 순자 모두 만민 평등의 관점에 부정적이다.

⑤ 직업 종사자는 누구나 선천적인 마음을 지킬 수 없다.
➡ 맹자에 의하면, 정신노동을 주로 하는 선비는 선천적인 도덕심을 지킬 수 있다.

03 칼뱅의 직업관

자료 분석 | 제시문은 직업을 신의 소명이라고 이해하는 점을 통해 칼뱅의 직업 소명설임을 알 수 있다.

[선택지 분석]

✔① 직업적 성공은 신의 축복을 표시하는 징표이다.
➡ 칼뱅의 직업 소명설의 특징이다.

② 부를 축적하는 것은 구원을 거부하는 것과 같다.
➡ 직업 소명설과 신에 의한 구원은 무관하다. 칼뱅은 신의 예정에 의해 이미 구원이 결정되어 있다고 보았다.

③ 경제 발전을 위해 소비 생활을 활성화해야 한다.
➡ 칼뱅은 직업인이 갖추어야 할 덕목으로 검소와 절제를 강조하였다.

④ 직업 생활보다 신앙생활에 충실하게 임해야 한다.
➡ 칼뱅은 직업 생활에 충실한 것이 신의 소명에 부응하는 것이라고 본다.

⑤ 직업을 통해 소유욕과 명예욕을 충족시켜야 한다.
➡ 칼뱅이 강조한 직업인이 갖추어야 할 검소와 절제의 미덕에 어긋난다.

04 플라톤의 직업관

자료 분석 | 제시문은 각 계층에 속한 사람들이 고유한 덕을 발휘하여 그 직분에 충실하면 정의로운 국가가 될 것이라고 보는 점을 통해 플라톤임을 알 수 있다.

[선택지 분석]

① 모든 직업인을 평등한 시민으로 대우해야 한다.
➡ 플라톤은 계층 분류를 통해 각자에게 적합한 역할을 담당해야 한다고 보았다.

② 공적인 직무보다 개인적인 업무의 수행을 중시해야 한다.
➡ 플라톤에 의하면, 통치자와 방위자는 공적 업무 수행을 중시해야 한다.

③ 주기적으로 사회적 역할과 직분을 교환하여 담당해야 한다.
➡ 플라톤은 사회적 역할과 직분의 교환을 반대하였다.

④ 사회 전체 구성원들의 자유로운 직업 선택을 허용해야 한다.
➡ 플라톤은 자유로운 직업 선택이 아니라 고유한 성향에 따라 직업을 구분해야 한다고 주장하였다.

✔⑤ 각 계층에 속한 사람들이 고유한 덕을 발휘하여 자기 직분에 충실해야 한다.
➡ 플라톤은 각자가 타고난 성향에 따라 통치자, 방위자, 생산자 등의 적합한 일에 배치되어야 한다고 보았다.

05 마르크스의 노동관

자료 분석 | 제시문은 자본주의 사회에서 분업 노동은 노동자를 착취하고, 노동자가 생산물과 노동으로부터 소외되는 현상을 초래한다고 보는 점을 통해 마르크스의 주장임을 알 수 있다.

[선택지 분석]

① 노동 경감을 위해 분업 체제를 완성해야 한다.
➡ 마르크스는 분업이 노동의 소외를 가져온다고 주장하였다.

② 효율적인 노동으로 생산성을 향상시켜야 한다.
➡ 자본주의 사회의 특징이다. 마르크스는 이를 비판하였다.
③ 자발적 노동을 통해 자아실현을 이루어야 한다.
➡ 마르크스는 노동으로부터의 소외를 극복하기 위해 인간의 본질이 실현되는 자발적 노동으로의 회복을 강조하였다.
④ 생산의 기계화로 노동으로부터 해방되어야 한다.
➡ 마르크스의 주장과 거리가 멀다.
⑤ 정신노동이 육체노동보다 중요함을 알아야 한다.
➡ 마르크스가 특히 관심을 가진 것은 자본이 없는 육체노동자들의 소외 문제이다.

06 직업 선택의 기준

자료 분석 | 제시문은 직업 선택의 기준으로 경제적 보상이나 사회적 지위, 명예 등과 같은 외재적 가치를 중시할 때의 문제점을 지적하고 있다. 이는 자신의 고유한 내재적 가치에 해당하는 적성과 능력을 직업 선택의 기준으로 삼는 자세가 바람직함을 뜻한다.

[선택지 분석]

① 가문의 명예를 드높일 수 있는가? → 외재적 가치
② 자신이 지닌 적성과 능력에 맞는가?
③ 높은 사회적 지위를 얻을 수 있는가? → 외재적 가치
④ 타인으로부터 존경을 받을 수 있는가? → 외재적 가치
⑤ 기대 이상의 경제적 보상을 제공하는가? → 외재적 가치

07 직업 생활의 올바른 태도

자료 분석 | 제시문은 직업 생활과 행복한 삶에 대하여 진술하고 있다. 따라서 ㉠에는 직업 생활이 행복해지기 위해 필요한 직업인으로서 바람직한 태도가 들어가야 한다. 직업 생활에서 필요한 바람직한 태도로는 일에 대한 책임감, 근면과 성실, 금욕적 태도, 공익에 대한 봉사 정신, 자신의 직업을 천직으로 생각하는 소명 의식, 직업에 필요한 기술과 기능을 갖추는 전문성, 타자와의 연대 의식 등을 들 수 있다.

[선택지 분석]

① 근면하고 성실한 자세
➡ 직업인에게 일반적으로 요청되는 자세이다.
② 공평무사한 업무 처리
➡ 공익 실현을 위해 필요한 자세이다.
③ 타자를 배제한 리더십 발휘
➡ 바람직한 직업 생활을 하려면 타자와의 연대 의식을 발휘하는 것이 필요하다.
④ 전문성을 갖추기 위한 노력
➡ 현대 사회에서 요청되는 직업인의 자세이다.
⑤ 일에 대한 보람과 성취 중시
➡ 행복한 직업 생활을 위해 요청되는 자세이다.

08 기업의 목적

자료 분석 | 제시문은 기업의 목적을 이윤의 극대화로 보고 합법적인 이윤 추구를 넘어서는 사회적 책임을 강요해서는 안 된다고 주장하는 점을 통해 신자유주의자 프리드먼의 주장임을 알 수 있다.

[선택지 분석]

㉠ 기업은 모든 법적 책임으로부터 자유로워야 한다.
➡ 프리드먼은 기업이 법을 준수하는 합법적 범위에서 이윤을 추구해야 한다고 본다.
㉡ 기업에 게임의 규칙을 강요하는 것은 부당하다.
➡ 제시문에 따르면, 게임의 규칙을 준수한다는 것은 곧 법을 준수하는 것이다.
㉢ 기업에 사회적 봉사를 요구하는 것은 잘못이다.
➡ 프리드먼은 기업에 사회적 책임 이행을 강요하는 것을 반대하였다.
㉣ 기업의 책임은 기업의 이윤을 극대화하는 것이다.
➡ 프리드먼은 기업의 유일한 책임이 기업의 목표인 이윤 극대화를 달성하는 것이라고 보았다.

09 기업의 사회적 책임

자료 분석 | 제시문은 기업이 사회적 책임을 이행해야 한다고 본 점을 통해 애로의 주장임을 알 수 있다. 애로는 기업이 법을 지키는 차원을 넘어 사회의 다양한 영역에서 사회적 책임을 적극적으로 이행해야 한다고 보았다.

[선택지 분석]

① 기업의 유일한 책임은 이윤을 극대화하는 것이다.
➡ 프리드먼의 주장이다.
② 기업의 이익 창출에 대한 책임은 경영자에게 있다.
➡ 기업의 이윤 극대화를 지지하는 견해이다.
③ 기업이 사회적 약자를 돕는 것은 바람직하지 않다.
➡ 기업의 사회적 책임을 반대하는 견해이다.
④ 기업이 사회의 공익 증대에 관심을 가져서는 안 된다.
➡ 애로의 입장과 반대되는 견해이다.
⑤ 기업의 사회적 책임 이행은 장기적 이익 창출에 기여한다.
➡ 애로는 기업이 사회적 책임을 적극적으로 이행하면 소비자의 신뢰를 얻을 수 있으므로 장기적으로 기업의 이익 추구와 효율성 향상에 기여할 수 있다고 주장하였다.

10 기업가 윤리

자료 분석 | 제시문의 갑은 기업의 책임을 합법적인 범위에서의 이윤 극대화로 보는 점을 통해 프리드먼임을, 을은 기업의 책임 있는 경영을 강조한 점을 통해 보겔임을 알 수 있다.

[선택지 분석]

㉠ 기업이 추구하는 목적은 이윤의 극대화인가?
➡ 기업의 목적을 프리드먼은 이윤의 극대화에, 보겔은 이윤의 극대화와 사회적 책임의 이행에 두었다. 따라서 모두 이윤의 극대화를 인정하였다.
㉡ 기업들 간의 자유 경쟁 체제를 이루어야 하는가?
➡ 프리드먼, 보겔 모두 기본적으로 자본주의의 자유 경쟁 체제를 인정하고 그 안에서 기업 활동이 이루어져야 함을 주장하였다.
㉢ 기업은 낙후 지역의 지원 활동에 참여해야 하는가?
➡ 보겔만이 긍정의 대답을 할 질문이다.
㉣ 기업은 소비자의 신뢰를 쌓기 위해 힘써야 하는가?
➡ 프리드먼이 부정의 대답을 할 질문이다.

11 근로자 윤리

자료 분석 | 제시문은 기업가와 근로자가 서로의 역할에 충실하며 신뢰와 협력의 관계를 조성할 필요가 있음을 주장한다.

[선택지 분석]

① 돈, 명예, 권력 등의 외재적 가치를 추구한다.

➡ 바람직하지 못한 직업인의 자세이다.

② 기업가와 경쟁의식을 가지고 직무를 수행한다.

➡ 근로자는 기업가와 이익을 분배할 때는 기업가와 경쟁의식을 가질 수 있으나 직무를 수행할 때는 기업 발전을 위한 협력의 자세를 지녀야 한다.

③ 기업의 이윤보다는 근로자의 권리를 중시한다.

➡ 기업의 이윤과 함께 근로자의 권리를 중시하는 것이 바람직하다.

④ 직업에 대한 책임 의식을 가지고 직무에 임한다.

⑤ 기업의 이익을 위해 직무 관련 비밀을 공개한다.

➡ 근로자가 직무 관련 비밀을 공개하는 것은 기업 이익에 해가 되는 행위에 해당한다.

12 공직자 윤리

자료 분석 | 제시문은 목민관이 청렴으로 도를 이루려는 욕심을 지녀야 한다고 보는 점을 통해 정약용의 주장임을 알 수 있다.

[선택지 분석]

① 매사에 투철한 사명감과 책임감을 지닌다.

② 최소의 비용으로 최대의 이익을 창출한다.

➡ 정약용은 업무 수행에 효율성보다 공정성을 더욱 강조하였다.

③ 백성의 이익을 위해 멸사봉공을 실천한다.

④ 봉사와 헌신의 자세로 공적 업무에 임한다.

⑤ 업무 수행 시 공공의 안녕과 복리를 추구한다.

13 전문직 윤리

자료 분석 | 제시문은 전문직의 의미와 특징을 다루고 있다. 따라서 ㉠에는 '전문직'이 들어가야 한다.

[선택지 분석]

ㄱ. 전문 지식과 정보를 사용하여 최대한 이익을 추구해야 한다.

➡ 전문직 종사자들은 일반인이 모르는 지식이나 정보를 이용하여 쉽게 부당한 이익을 취할 수 있으므로 높은 수준의 직업 윤리가 필요하다.

ㄴ. 부패 방지를 위해 청백리 정신을 지니고 직무를 수행해야 한다.

➡ 청백리 정신은 청렴한 관리의 정신으로 공직자 윤리에서 강조한다.

ㄷ. 공인된 자격증이나 면허를 가진 사람만이 직무를 수행해야 한다.

➡ 전문직은 전문적인 지식이나 기술이 필요한 직업이다.

ㄹ. 보편 윤리뿐만 아니라 해당 직종에 요구되는 특수 윤리가 필요하다.

➡ 전문직은 전문적인 지식이나 기술이 필요한 직업으로, 보편 윤리뿐만 아니라 특수 윤리가 필요하다.

14 청렴의 의미

자료 분석 | 제시문은 공직자에게 필요한 윤리를 주장하면서 청백리 정신을 다루고 있다. 따라서 ㉠에 들어갈 말은 '청렴'이다.

[선택지 분석]

① 관용

➡ 다른 사람의 잘못이나 견해를 너그럽게 수용하는 태도와 관련되는 덕목이다.

② 청렴

➡ 공직자 윤리의 핵심 덕목이다.

③ 자율

➡ 스스로 행한 행위에 대해 책임을 지는 덕목이다.

④ 권면

➡ 착한 일을 권하고 힘쓰게 하는 자세를 말한다.

⑤ 신독

➡ 홀로 있을 때에도 잘못을 저지르지 않도록 신중하게 지내는 자세를 말한다.

15 청렴의 윤리

자료 분석 | 제시문의 첫 번째 내용에서는 수령으로 취임할 때부터 백성을 괴롭히지 말고 백성을 위하는 자세를 가져야 함을 강조한 것이고, 두 번째 내용은 수령으로서 임기를 마치고 나서도 청렴한 직무 수행에 보람을 느껴야 한다는 가르침을 담고 있다. 제시된 자료는 정약용이 주장한 것으로 청렴의 윤리를 강조하고 있다.

[선택지 분석]

① 공직자로서 청렴한 삶을 당위로 여겨야 하는가?

② 이로움보다 의로움을 우선적으로 추구해야 하는가?

➡ 부정부패를 막기 위한 정약용의 입장에서 긍정의 대답을 할 질문이다.

③ 공직자로서 본분에 걸맞은 역할을 수행해야 하는가?

④ 공직에 대한 책임감을 가지고 공무를 수행해야 하는가?

⑤ 공무를 수행할 때 공정성보다 효율성을 중시해야 하는가?

➡ 정약용은 공무의 효율성을 빙자하여 수령들이 부정부패를 일삼고 이로 인해 백성들이 고통스러워할 수 있다고 비판하였다. 그래서 공무의 효율성뿐만 아니라 공정한 업무 처리를 강조하였다.

16 직업과 행복한 삶

[예시 답안] 개인적 측면에서는 직업을 통해서 자신의 능력을 발휘하고 자아를 실현할 수 있으며, 사회적 측면에서는 사회 구성원으로서 역할을 분담하는 과정에서 성취감과 보람을 느낌으로써 행복한 삶을 영위할 수 있기 때문이다.

채점 기준	
상	개인적 측면의 직업의 의미와 사회적 측면의 직업의 의미를 행복한 삶과 관련하여 모두 정확하게 서술한 경우
중	개인적 측면의 직업의 의미와 사회적 측면의 직업의 의미 중 한 가지만 행복한 삶과 관련하여 서술한 경우
하	개인적 측면의 직업의 의미와 사회적 측면의 직업의 의미만을 서술한 경우

도전! 실력 올리기 100~101쪽

01 ⑤ 02 ③ 03 ④ 04 ⑤ 05 ③ 06 ⑤ 07 ④
08 ①

01 동양 사상가의 직업관

자료 분석 | 제시문의 갑은 대인과 소인의 역할 분담이 있으므로 각자의 역할에 충실함으로써 조화를 이루어야 한다고 본 맹자이고, 을은 전문적인 능력에 따라 직업을 구분하고 예를 갖춘 자가 통치해야 한다고 본 순자이다.

[선택지 분석]

① 갑은 분업이 사회적 갈등을 증대시킨다고 본다.
➡ 갑은 분업에 의해 사회가 조화롭게 유지된다고 본다.

② 을은 신분에 따른 직업 구분이 불합리하다고 본다.
➡ 을은 신분에 따른 직업 구분이 이치에 맞다고 본다.

③ 갑은 을과 달리 예법에 따른 분업이 필요하다고 본다.
➡ 을은 예법에 따른 분업이 필요하다고 본다.

④ 을은 갑과 달리 자유롭게 직업을 선택해야 한다고 본다.
➡ 갑, 을 모두 자유로운 직업 선택에 부정적인 입장을 보인다.

⑤✓ 갑, 을은 사회적 역할 분담이 이루어져야 한다고 본다.

02 서양 사상가의 직업관

자료 분석 | 제시문의 갑은 직업을 신의 소명이라고 본 칼뱅, 을은 각 계층의 사람들이 자기 직분에 맞는 역할을 수행하는 것이 바람직하다고 본 플라톤이다.

[선택지 분석]

① 갑은 분업이 노동의 소외를 가져온다고 본다.
➡ 마르크스의 직업관에 대한 설명이다.

② 갑은 직업이 있는 사람만이 구원을 받는다고 본다.
➡ 칼뱅에 의하면 구원 여부는 신에 의해 결정되는 것이어서 인간이 알 수 있는 것이 아니다.

③✓ 을은 직업 생활에서 자신의 덕을 발휘해야 한다고 본다.
➡ 플라톤은 개인의 성향이나 덕목 구비에 따라 일정하게 직업을 구분해야 한다고 본다.

④ 을은 갑과 달리 직업의 자유로운 교환을 인정해야 한다고 본다.
➡ 플라톤은 자기 직분에 충실해야 한다고 주장하였다.

⑤ 갑, 을은 직업을 통해 부를 축적해서는 안 된다고 본다.
➡ 칼뱅은 직업을 통한 부의 축적을 신의 축복이라고 보아 긍정적으로 해석하였으며, 플라톤은 생산자 계층이 열심히 노력하고 절제한다면 부를 축적할 수 있다고 본다.

03 동양 사상가의 직업관

자료 분석 | 제시문의 갑은 각자의 본성에 따라 사회적 역할을 분담해야 한다고 본 순자, 을은 선비와 달리 일반 백성들은 일정한 생업이 없으면 도덕적 마음을 가질 수 없다고 본 맹자이다.

[선택지 분석]

① 직업은 신이 인간에게 부여한 신성한 소명이다. → 칼뱅의 직업 소명설

② 예법에서 벗어나 직업 선택의 자유를 인정해야 한다.
➡ 순자와 맹자는 직업 선택의 자유를 인정하지 않았다.

③ 생업이 있더라도 백성은 비도덕적 행위를 할 수 있다.
➡ 맹자는 백성이 생업이 있으면 도덕적 마음을 가질 수 있고 생업이 없으면 비도덕적 행위를 할 수 있다고 보았다.

④✓ 각자의 능력에 따라 직업을 분담하는 것이 바람직하다.

⑤ 직업 생활에서 사람마다 타고난 본성을 발휘해야 한다.
➡ 순자는 성악설에 기초하여 예로써 타고난 본성을 규제할 것을 주장하였다.

04 동서양 사상가의 직업관

자료 분석 | 제시문의 갑은 백성들에게 생업이 보장되지 않으면 도덕적인 마음을 갖기 어렵다고 본 맹자이고, 을은 분업화된 노동으로 인해 노동자가 비인간화되고 노동으로부터 소외당한다고 본 마르크스이다.

[선택지 분석]

① ㉠ 직업에는 대인과 소인의 역할 분담이 있으므로 각자의 역할에 충실해야 한다고 보며,

② ㉡ 직업을 통해 백성의 생활 기반이 마련되어야 한다고 주장한다.

③ ㉢ 노동자는 생산 수단이 없으므로 생계를 위해 자본가에 예속된다고 보며,

④ ㉣ 노동자는 노동을 통해 자아를 실현하고 행복을 누릴 수 있어야 한다고 주장한다.

⑤✓ ㉤ 인간은 분업에 참여함으로써 인간다움을 실현해야 한다고 주장한다.
➡ 마르크스는 노동의 분업을 반대한다.

05 기업가 윤리

자료 분석 | 제시문의 갑은 기업의 책임을 이윤의 극대화로 한정한 프리드먼, 을은 기업이 이윤 추구와 함께 사회적 책임을 다해야 한다고 본 보겔이다.

[선택지 분석]

㉠✗ 갑은 기업의 지역 사회에 대한 투자가 필요하다고 본다.
➡ 프리드먼은 기업의 사회적 책임에 부정적인 입장을 취한다.

㉡ 을은 기업의 자선 활동을 기업에 주어진 사회적 책임이라고 본다.

㉢ 갑은 을보다 기업의 책임을 이윤 창출의 극대화라고 본다.

㉣✗ 을은 갑과 달리 기업의 합법적 경영보다 생산성 증대가 중요하다고 본다.
➡ 갑, 을은 모두 합법적인 경영이 중요하다고 본다.

06 기업의 사회적 책임

자료 분석 | 제시문의 갑은 기업이 이윤 추구 외에 사회적 책임을 수행해야 함을 강조하며, 을은 기업의 유일한 책임이 합법적 범위 안에서 이윤을 극대화하는 것임을 강조한다.

[선택지 분석]

① 이윤을 창출하는 것이 기업 경영의 목표인가?

➡ 갑, 을 모두 긍정의 대답을 할 질문이다.

② 기업의 유일한 책임은 기업의 이익 증대인가?

➡ 을만 긍정의 대답을 할 질문이다.

③ 기업에 책임을 부과하는 것은 비현실적인가?

➡ 갑, 을 모두 부정의 대답을 할 질문이다.

④ 기업의 생산성과 효율성을 증대시켜야 하는가?

➡ 갑, 을 모두 긍정의 대답을 할 질문이다.

⑤ 기업의 사회적 봉사는 기업 이익에 기여하는가?

➡ 갑은 기업의 사회적 봉사가 기업의 좋은 이미지를 창출하여 결국 기업에 이익을 가져다준다고 보는 데 비해, 을은 기업에 사회적 봉사를 요구하는 것은 기업의 이윤을 강탈하는 것과 마찬가지라고 본다.

07 기업의 사회적 책임

자료 분석 | 그림의 강연자는 기업의 사회적 책임을 강조하는 점에서 보겔임을 알 수 있다.

[선택지 분석]

㉠ 기업은 취약 계층의 삶의 수준 향상에 관심을 가져야 한다.

➡ 기업의 사회적 책임은 사회적 약자에 대한 경제적 지원과 관련된다.

㉡ 기업은 사회로부터 얻은 이윤의 환원 방안을 모색해야 한다.

➡ 기업이 전체 사회의 일원이라는 지적에서 강연자의 입장임을 알 수 있다.

㉢ 기업은 사회에 의존하지 않는 자기 완결적 조직이어야 한다.

➡ 제시문에서는 기업이 사회에서 소비자들의 상품 구매에 의해 이윤을 창출한다고 보아 기업의 사회성을 강조한다.

㉣ 기업은 이윤 증대를 위해서라도 공익 활동을 수행해야 한다.

➡ 기업의 사회적 책임을 강조하는 입장에서 제시할 내용이다.

08 공직자 윤리

자료 분석 | 제시문의 첫 번째 내용은 공직자인 목민관이 백성을 위해 자신의 직무에 충실할 것을 강조하고 있으며, 두 번째 내용은 공직자인 목민관이 자애, 청렴, 절용의 덕목을 갖추고 백성을 다스릴 것을 강조하고 있다. 이는 정약용이 제시한 공직자 윤리에 해당한다.

[선택지 분석]

① 의로움과 이로움을 같은 것으로 보아야 하는가?

➡ 부정의 대답을 할 질문이다. 이로움보다 의로움을 중시해야 한다는 것이 정약용이 강조하는 공직자의 덕목이다.

② 사적인 일보다 공적인 일을 우선시해야 하는가?
③ 공적 업무 처리에서 공정성을 중시해야 하는가?
④ 민주성과 효율성 사이의 균형을 잡아야 하는가?
⑤ 피치자들의 의사를 적극적으로 수렴해야 하는가?
(②~⑤: 긍정의 대답을 할 질문)

➡ 백성을 위한 정치를 주장한 정약용의 입장에서 긍정의 대답을 할 질문이다.

02 사회 정의와 윤리

콕콕! 개념 확인하기 109쪽

01 (1) 사회 윤리 (2) 이기적 (3) 정치적 강제력
02 (1) ㉠ (2) ㉢ (3) ㉡
03 (1) ○ (2) × (3) ○
04 (1) 응보주의 (2) 공리주의
05 (1) ㉡ (2) ㉠ (3) ㉢

탄탄! 내신 다지기 110~113쪽

01 ④ **02** ② **03** ③ **04** ① **05** ⑤ **06** ① **07** ⑤
08 ① **09** ③ **10** ④ **11** ① **12** ① **13** ③ **14** ①
15 ④ **16** 해설 참조

01 개인 윤리와 사회 윤리

자료 분석 | ㉠에 들어갈 말은 '개인 윤리', ㉡에 들어갈 말은 '사회 윤리'이다.

[선택지 분석]

① ㉠은 개인의 양심보다 집단에 의한 의사 결정을 중시한다.

➡ 개인 윤리의 관점에서는 개인의 양심을 중시한다.

② ㉠은 사회 구조의 개선 없이는 정의로운 사회를 이룰 수 없다고 본다. → 사회 윤리

③ ㉡은 사회적 도덕 문제를 해결한다는 것은 불가능한 일이라고 본다.

➡ 사회 구조와 제도의 개선으로 사회적 도덕 문제 해결이 가능하다고 본다.

④ ㉡은 개인의 양심 발휘와 사회 구조의 개선을 병행해야 한다고 주장한다.

⑤ ㉠, ㉡은 외부의 강제력에 의한 갈등의 조정이 필요하다고 강조한다. → 사회 윤리

02 니부어의 사회 윤리

자료 분석 | 제시문은 사회 윤리를 주장한 니부어의 주장이다. 니부어는 개인과 달리 사회 집단에서는 개인의 책임 분산, 집단 이익이라는 명분 아래 자신의 이기적 행위를 정당화하기 쉽기 때문에 개인에 비해 이기심이 더 집요하게 나타난다고 보았다.

[선택지 분석]

㉠ 집단의 도덕성은 개인의 도덕성보다 현저히 떨어진다.

㉡ 이타심을 발휘해야 사회의 도덕 문제를 해결하기 쉽다.

➡ 개인 윤리에서 주장하는 내용이다.

㉢ 개인의 도덕성과 집단의 도덕성은 구분되어야 한다.

㉣ 개인의 도덕적 성찰만으로도 사회 정의를 실현할 수 있다.

➡ 개인의 도덕적 성찰을 강조하는 것은 개인 윤리의 입장이다.

03 니부어의 사회 윤리

자료 분석 | 제시문은 니부어가 주장한 사회 윤리에 대한 설명이다. 따라서 ㉠에 들어갈 내용은 니부어의 입장이어야 한다.

[선택지 분석]

① 개인 윤리와 사회 윤리를 구별할 필요가 있다.
➡ 니부어는 개인 윤리와 사회 윤리의 구별을 주장하였다.

② 집단 간 갈등 해결을 위해 강제력이 필요하다.
➡ 니부어는 집단 간 갈등 해결을 위해 강제력이 필요함을 주장하였다.

✔③ 집단 이기주의 문제는 대화로써 해결해야 한다.
➡ 니부어는 집단 이기주의 문제는 대화나 합의에 의해 해결이 불가능하다고 본다.

④ 개인과 사회 집단의 도덕성이 회복되어야 한다.
➡ 니부어는 집단의 도덕성 회복을 위한 사회 구조와 개선, 그리고 그 과정에서 개인의 도덕성이 회복되어야 한다고 본다.

⑤ 사회 집단의 최고 이상은 정의를 실현하는 것이다.
➡ 니부어는 개인의 최고 이상은 도덕 실현, 집단의 최고 이상은 정의를 실현하는 것으로 본다.

04 아리스토텔레스의 분배 정의

자료 분석 | 제시문은 아리스토텔레스의 주장이다. ㉠에 들어갈 내용은 아리스토텔레스가 주장한 분배 정의의 기준이어야 한다.

[선택지 분석]

✔① 같은 것은 같게, 다른 것은 다르게

② 같은 것은 ~~다르게~~(같게), 다른 것은 ~~같게~~(다르게)
➡ 아리스토텔레스는 동등한 구성원이라면 동등한 몫을 부여해야 한다고 본다.

③ 사회적 약자에게 최대의 이익이 되게
➡ 아리스토텔레스는 각자의 몫을 각자에게 분배하는 것이 정의롭다고 보았다.

④ 어느 누구에게나 절대적으로 평등하게
➡ 아리스토텔레스는 동등하지 않은 구성원에게는 동등하지 않은 몫을 분배해야 한다고 보았다.

⑤ 부족한 것은 ~~과하게~~(부족하게), 과한 것은 ~~부족하게~~(과하게)
➡ 아리스토텔레스는 각자가 받아야 할 몫에 비해 과도하거나 부족하지 않은 중용의 상태를 분배적 정의라고 보았다.

05 정의의 실질적 기준

자료 분석 | 갑은 분배 정의의 실질적 기준으로 업적을 강조하고 있다. 한편, 을은 업적이나 실적보다는 모든 사회 구성원들이 행복한 삶을 살아가기 위해 사회적 약자를 비롯한 모든 인간의 기본적 욕구와 필요를 고려하여 분배할 것을 강조하고 있다.

[선택지 분석]

① 능력에 비례한 분배가 정의롭기 때문이다.
➡ 을은 능력이 아니라 필요를 강조한다.

② 업적이나 실적이 객관적 기준이기 때문이다.
➡ 갑이 제시할 논거이다.

③ 시장의 자유 경쟁 질서를 침해하기 때문이다.
➡ 시장의 자유 경쟁 질서는 을에 비해 갑이 강조하는 근거에 해당한다.

④ 항상 균등한 기회를 제공할 수 없기 때문이다.
➡ 균등한 기회를 강조하는 것은 갑의 주장의 근거라고 볼 수 있다.

✔⑤ 사회적 약자의 처지를 고려해야 하기 때문이다.

06 롤스의 차등의 원칙과 기회균등의 원칙

자료 분석 | 제시문은 롤스가 주장한 정의의 제2원칙이다. 밑줄 친 ㉠은 차등의 원칙이며, ㉡은 기회균등의 원칙이다.

[선택지 분석]

	㉠	㉡
✔①	차등의 원칙	기회균등의 원칙
②	차등의 원칙	양도 및 이전의 원칙

➡ 양도 및 이전의 원칙은 노직의 정의 원칙이다.

③	양도 및 이전의 원칙	차등의 원칙

➡ 양도 및 이전의 원칙은 노직의 정의 원칙이다.

④	평등한 자유의 원칙	차등의 원칙

➡ 최소 수혜자에게 최대 이익을 보장하는 원칙은 차등의 원칙이다.

⑤	평등한 자유의 원칙	기회균등의 원칙

➡ 평등한 자유의 원칙은 기본적 자유와 권리를 평등하게 분배해야 한다는 롤스의 제1원칙이다.

07 롤스와 노직 정의론 비교

자료 분석 | 갑은 순수 절차적 정의를 주장한 롤스, 을은 소유 권리의 정의를 주장한 노직이다. 롤스와 노직은 절차가 공정하면 그 결과는 정의롭다고 보는 절차적 정의를 주장한 점에서는 공통적 입장을 취한다.

[선택지 분석]

① 모든 가치를 사회적 가치로 간주해야 하는가?
➡ 왈처가 긍정의 대답을 할 질문이다. 롤스와 노직은 부정의 대답을 할 질문이다.

② 분배 정의의 원칙은 사회마다 다를 수 있는가?
➡ 롤스와 노직 모두 부정의 대답을 할 질문이다.

③ 원초적 입장에서 정의 원칙에 합의해야 하는가?
➡ 롤스만 긍정의 대답을 할 질문이다.

④ 결과의 평등이 분배 정의 실현의 전제 조건인가?
➡ 롤스와 노직은 자유주의자로서 모두 부정의 대답을 할 질문이다.

✔⑤ 공정한 절차를 마련하여 정의를 실현해야 하는가?

08 노직의 소유 권리로서의 정의

자료 분석 | 제시문은 노직의 소유 권리로서의 정의의 원칙이다. 첫 번째 내용은 최초 취득의 원칙, 두 번째 내용은 양도 및 이전의 원칙, 세 번째 내용은 교정의 원칙이다. 자유 지상주의자인 노직은 소유 권리로서의 정의의 관점에서 재화의 최초 취득, 양도 또는 이전, 교정의 과정이 정당하면 국가를 포함한 어느 누구도 개인의 소유권을 침해할 수 없다고 보았다.

[선택지 분석]

ㄱ 국가를 포함한 어느 누구도 개인의 소유권을 침해할 수 없다.

➡ 국가도 개인의 소유권을 침해할 수 없다는 것이 노직의 입장이다.

ㄴ 개인을 보호하는 역할을 수행하는 최소 국가만이 정당하다.

➡ 개인의 소유권을 침해하지 않는 국가를 노직은 최소 국가라고 주장한다.

ㄷ 실질적 평등을 실현할 수 있는 정의의 원칙을 수립해야 한다.

➡ 자유 지상주의자인 노직은 실질적 평등에 반대한다.

ㄹ 부자에게 더 많은 세금을 거두는 누진세 제도를 수용해야 한다.

➡ 노직은 국가에 의한 누진세 제도는 부자의 소유권을 침해하는 부당한 행위라고 보았다.

09 왈처의 복합 평등으로서의 정의

자료 분석 | 제시문은 왈처의 정의론에 관한 내용이다. 첫 번째 내용은 왈처가 주장한 분배 정의의 원칙이며, 두 번째 내용은 왈처가 주장한 복합 평등으로서의 정의에 관한 주장이다.

[선택지 분석]

① 지혜로운 자가 모든 가치를 독점해야 하는가?

➡ 왈처는 가치 독점에 반대한다.

② 모든 사람의 절대적 평등을 실현해야 하는가?

➡ 왈처는 절대적 평등이 아니라 복합 평등을 주장한다.

③ 분배 정의의 기준은 사회마다 다를 수 있는가?

➡ 왈처는 사회마다 정의로운 분배의 기준이 다를 수 있다고 주장하였다.

④ 하나의 가치가 다른 가치들을 지배해야 하는가?

➡ 왈처는 가치 독점에 반대한다.

⑤ 다양한 가치 영역들 간의 경계를 무시해야 하는가?

➡ 왈처는 다양한 가치 영역들 간의 경계를 무시하지 말아야 한다고 주장하였다.

10 소수자 우대 정책

자료 분석 | 갑은 소수자 우대 정책을 지지하는 입장, 을은 소수자 우대 정책을 역차별이라고 보아 반대하는 입장이다.

[선택지 분석]

ㄱ 소수자를 차별할 경우 사회 갈등이 증폭될 수 있다.

➡ 소수자 우대 정책의 필요성을 강조하는 갑의 입장에 가깝다.

ㄴ 잘못이 없는 현세대에게 책임을 묻는 것은 부당하다.

ㄷ 과거의 불평등과 차별을 교정하려는 노력은 정당하다.

➡ 소수자 우대 정책을 정당화하는 논거이다.

ㄹ 소수자를 우대하는 것은 개인의 노력을 무시할 수 있다.

11 노직과 왈처의 정의론 비교

자료 분석 | 갑은 소유 권리로서의 정의를 주장한 노직, 을은 복합 평등으로서의 정의를 주장한 왈처이다. 노직은 어느 누구도 개인의 소유 권리를 침해할 수 없다는 입장에서 부의 재분배는 강제 노동과 다를 바 없이 부당하다고 주장하였다. 한편, 왈처는 모든 가치는 사회적 가치이며, 모든 영역에서 하나의 가치가 독점하는 분배는 정의롭지 않다고 주장하였다.

[선택지 분석]

① 갑은 재분배란 강제 노동과 다를 바 없다고 본다.

➡ 노직은 근로 소득에 대한 과세(재분배)는 강제 노동과 다를 바 없다고 주장하였다.

② 을은 돈이 모든 가치 영역을 지배해야 한다고 본다.

➡ 왈처는 가치 독점에 반대한다.

③ 갑은 을과 달리 모든 경제적 재화의 공유를 중시한다.

➡ 경제적 재화의 공유는 마르크스의 입장이다.

④ 을은 갑과 달리 가상 상황에서의 정의 원칙을 강조한다.

➡ 왈처는 롤스가 주장한 가상 상황에서의 정의 원칙은 비현실적이라고 비판한다.

⑤ 갑, 을은 개인의 천부적 재능을 사회적 자산으로 본다.

➡ 천부적 재능을 사회적 자산으로 보는 것은 롤스의 입장이다.

12 형벌에 대한 벤담의 입장

자료 분석 | 제시문은 공리주의자인 벤담의 주장이다. 벤담을 비롯한 공리주의자들의 관점에서는 범죄의 예방과 사회적 이익의 증가를 처벌의 본질로 삼는다.

[선택지 분석]

① 형벌의 목적은 응분의 보복이 아니라 범죄의 예방에 있다.

② 형벌은 형평성의 원리에 따라 공적 정의를 실현하기 위한 것이다.

➡ 형평성의 원리는 응보주의에서 강조한다.

③ 형벌은 범죄를 저지른 행위 그 자체에 대한 보복이어야 한다.

➡ 칸트의 응보주의에 해당한다.

④ 범죄자는 응분의 형벌을 의욕했기 때문에 처벌받아야 한다.

➡ 응보주의에 의하면, 범죄자는 응분의 형벌을 받을 행위를 의욕했기 때문에 처벌받아야 한다. 응보주의 관점도 아니고, 공리주의 관점도 아니다.

⑤ 범죄자의 행위 결과보다는 행위 동기에 따라 형벌을 정해야 한다.

➡ 공리주의에서는 행위의 결과를 중시한다.

13 루소의 사형 제도 찬성 논거

자료 분석 | 제시문은 사회 계약론의 입장에서 사형 제도를 찬성하는 루소의 주장이다. 루소는 사회 계약에 동의하여 사회 구성원이 된 자는 자신의 생명을 보존하기 위한 약속을 한 것과 다름 없다고 주장한다.

[선택지 분석]

ㄱ 살인범의 인격 존중 차원에서 사형을 집행해야 하는가?

➡ 칸트가 긍정의 대답을 할 질문이다.

ㄴ 사형은 살인범을 교화하는 데 실효성이 있는 형벌인가?

➡ 사형 제도에 찬성하는 루소가 부정의 대답을 할 질문이다.

ㄷ 사회 방위론의 관점에서 사형 제도를 시행해야 하는가?
➡ 시민의 생명을 보장하는 사회를 방위해야 한다는 입장에서 루소가 긍정의 대답을 할 질문이다.

ㄹ 사형의 정당성은 구성원들의 동의에서 찾을 수 있는가?
➡ 사회 계약론자인 루소는 사형의 정당성을 사회를 구성하기로 한 구성원들의 동의에서 찾는다.

14 사형 제도에 대한 베카리아의 입장

자료 분석 | 제시문은 사형 제도를 반대한 베카리아의 주장이다. 베카리아는 범죄 예방의 측면에서 볼 때 사형보다 종신 노역형이 효과적이므로 사형 제도를 폐지해야 한다고 주장하였다.

[선택지 분석]

① 형벌의 목적을 범죄 예방과 교화에 두어야 한다.

② 살인범에게는 생명을 박탈하는 형벌이 적절하다.
➡ 사형 제도에 대한 찬성 논거이다.

③ 종신형은 사형에 비해 지속성이 부족한 형벌이다.
➡ 베카리아는 종신형이 사형보다 지속성이 있는 형벌이라고 보았다.

④ 동등성의 원리에 입각하여 형벌을 부과해야 한다.
➡ 사형 제도에 찬성하는 응보주의의 입장이다.

⑤ 사형은 살인범의 인격을 목적으로 대우하는 것이다.
➡ 사형 제도를 찬성하는 칸트의 입장이다.

15 처벌에 대한 베카리아와 칸트의 입장 비교

자료 분석 | 갑은 사형 제도에 반대하는 베카리아, 을은 사형 제도에 찬성하는 칸트이다.

[선택지 분석]

① 갑: 타인을 살해하는 것은 자신을 살해하는 것과 다름없다. → 칸트의 응보주의

② 갑: 공적 정의의 실현을 위해 보편적 준칙을 채택해야 한다. → 칸트의 입장

③ 을: 공공복리를 명분으로 잔혹한 형벌을 부과해서는 안 된다. → 베카리아의 입장

④ 을: 인격 존중의 원리에 따라 응분의 처벌이 이루어져야 한다.

⑤ 갑, 을: 인간 본성을 사회 전체에 이익이 되도록 활용해야 한다. → 칸트는 반대하는 입장

16 롤스의 정의론

[예시 답안] 자신의 사회적 지위나 능력, 재능, 가치관 등을 모르고 있다는 무지의 베일을 가정해야 공평한 합의를 도출할 수 있기 때문이다.

채점 기준	
상	무지의 베일의 의미와 합의 가능성을 모두 정확하게 서술한 경우
중	무지의 베일의 의미와 합의 가능성 중 한 가지만 서술한 경우
하	원초적 입장에 대한 일반적 의미에 대해서만 서술한 경우

도전! 실력 올리기 114~115쪽

01 ② 02 ④ 03 ② 04 ② 05 ⑤ 06 ③ 07 ④

01 니부어의 사회 윤리

자료 분석 | 제시문은 사회 윤리를 강조한 니부어의 주장이다. 니부어는 사회 집단의 도덕성이 개인의 도덕성에 비해 현저히 떨어진다고 보았다.

[선택지 분석]

ㄱ 사회 집단의 도덕성은 개인의 도덕성보다 현저히 떨어진다.
➡ 니부어가 주장한 사회 윤리의 기본 전제이다.

ㄴ 사회 집단의 이기주의는 개인의 선한 의지로 해결할 수 있다.
➡ 니부어는 집단 이기주의는 개인의 양심으로 해결할 수 없다고 본다.

ㄷ 사회 정의 실현을 위해 정치적·강제적 수단이 필요하다.
➡ 니부어는 사회 문제 해결을 위해 정치적·강제적 수단이 필요하다고 본다.

ㄹ 개인의 도덕성이 수반되지 않아도 사회 정의를 이룰 수 있다.
➡ 니부어는 개인의 도덕성 발휘가 중요하다고 본다.

02 다양한 정의관 비교

자료 분석 | 갑은 아리스토텔레스, 을은 롤스, 병은 노직이다. 아리스토텔레스는 분배적 정의는 기하학적 비례, 교정적 정의는 산술적 비례에 따라야 한다고 본다. 롤스는 사회적·경제적 불평등은 차등의 원칙에 따라 조정되어야 정의롭다고 본다. 노직은 정당한 양도와 이전에 의한 소유 권리를 존중해야 소유 권리로서의 정의가 실현될 수 있다고 본다.

[선택지 분석]

ㄱ 갑: 교정적 정의는 산술적 비례를 따라야 한다.
➡ 아리스토텔레스는 잘못을 저지른 범죄자에게는 그 잘못을 원래 상태대로 되돌리는 산술적 비례의 정의가 필요하다고 본다.

ㄴ 을: 사회적·경제적 재화들을 차등 분배해야 한다.
➡ 롤스는 사회적 약자를 배려하는 차등 분배를 정의롭다고 본다.

ㄷ 병: 재화 이전은 개인의 자유 선택에 의해서만 가능하다.
➡ 노직은 부당한 재화의 이전, 즉 범죄에 의한 소유물은 국가에 의해 시정되어야 한다고 본다.

ㄹ 을, 병: 유용성보다 기회균등의 원리를 중시해야 한다.
➡ 롤스와 노직은 기회균등의 원리를 유용성의 원리보다 중시한다.

03 여러 사상가의 정의관 비교

자료 분석 | 갑은 아리스토텔레스, 을은 롤스, 병은 노직이다.

[선택지 분석]

ㄱ A: 분배적 정의만이 비례를 추구하는 특수적 정의인가?
➡ 아리스토텔레스는 교정적 정의도 특수적 정의로 구분하였다.

ㄴ B: 경제적 불평등은 모두에게 이익이 되어야 정당한가?

✗ C: 원초적 입장에서 개인은 모두의 이익에 관심을 갖는가?

➡ 롤스는 원초적 입장에서 합리적인 당사자들은 자기 이익에만 관심을 갖는다고 가정한다.

ⓔ D: 개인의 자연적 재능을 공동의 소유물로 여기는 것은 부당한가?

04 롤스와 노직의 정의관

자료 분석 | 갑은 공정으로서의 정의를 주장한 롤스, 을은 소유 권리로서의 정의를 주장한 노직이다. 롤스는 원초적 입장이라는 공정한 가상 상황에서 당사자들의 합의에 의해 도출된 정의의 원칙에 따를 것을 강조하였다. 노직은 최초 획득, 양도 또는 이전 등의 절차가 정당하다면 소유물에 대한 소유자의 소유 권리는 정당한 것으로 인정할 것을 강조하였다.

[선택지 분석]

① 근로 소득에 대한 과세는 강제 노동과 같은 것인가?

➡ 롤스가 부정의 대답을 할 질문이다.

② 공정한 절차에 따른 행위의 결과는 정의로운 것인가?

③ 최소 수혜자에게 더 많은 기본권을 보장해야 하는가?

➡ 롤스와 노직 모두 부정의 대답을 할 질문이다.

④ 자유를 배제한 가운데 정의 원칙을 도출해야 하는가?

➡ 롤스와 노직 모두 부정의 대답을 할 질문이다.

⑤ 최대 다수의 최대 행복을 기준으로 분배해야 하는가?

➡ 롤스와 노직은 개인의 희생을 정당화할 수 있는 최대 다수의 최대 행복을 주장하는 공리주의에 반대하였다.

05 소수자 우대 정책

자료 분석 | 갑은 소수자 우대 정책에 찬성하는 입장, 을은 소수자 우대 정책에 반대하는 입장이다.

[선택지 분석]

① 갑: 소수자 집단에게 더욱 유리한 조건을 제공해야 한다.

➡ 소수자 우대 정책에 대한 찬성 논거이다.

② 갑: 부당하게 대우받아 온 약자의 고통을 보상해야 한다.

➡ 소수자 우대 정책에 대한 찬성 논거이다.

③ 을: 스스로의 노력에 따라 정당하게 대우하는 것이 옳다.

➡ 소수자 우대 정책에 대한 반대 논거이다.

④ 을: 과거 잘못에 대해 현세대에 책임을 물어서는 안 된다.

➡ 소수자 우대 정책에 대한 반대 논거이다.

⑤ 갑, 을: 같은 것은 다르게, 다른 것은 같게 대우해야 한다.

➡ '같은 것은 같게, 다른 것은 다르게' 대우하는 것은 아리스토텔레스의 정의의 원칙이다.

06 베카리아와 칸트의 형벌에 대한 입장

자료 분석 | 갑은 베카리아, 을은 칸트이다. 사회 계약론과 공리주의의 입장에서 사형 제도를 반대하는 베카리아는 범죄 예방과 교화의 차원에서 형벌의 양과 정도를 결정해야 한다고 본다.

[선택지 분석]

✗ 범죄를 예방할 수 있는 적절한 처벌이 내려져야 하는가?

➡ 베카리아가 긍정, 칸트가 부정의 대답을 할 질문이다.

ⓛ 범죄를 저지른 사람은 그와 동등한 처벌을 받아야 하는가?

✗ 사회 전체의 이익에 부합하는 행위인지를 고려해야 하는가?

➡ 베카리아가 긍정, 칸트가 부정의 대답을 할 질문이다.

ⓔ 범죄 행위에 상응하는 보복을 정당한 것으로 여겨야 하는가?

07 처벌에 대한 공리주의와 응보주의 입장 비교

자료 분석 | 갑은 공리주의 입장에서 처벌을 주장하는 벤담, 을은 응보주의 입장에서 처벌을 주장하는 칸트이다.

[선택지 분석]

① 범죄자의 사악한 행위를 되갚는 처벌은 공정한가?

➡ 칸트가 긍정의 대답을 할 질문이다.

② 처벌은 범죄의 심각성에 비례하여 내려져야 하는가?

➡ 벤담과 칸트 모두 긍정의 대답을 할 질문이다.

③ 처벌 체계는 범죄자의 사회 복귀에 기여해야 하는가?

➡ 벤담이 긍정의 대답을 할 질문이다.

④ 처벌로 인해 발생하는 악(惡)이 선(善)보다 커야 하는가?

➡ 벤담은 선이 악보다 커야 한다고 보며, 칸트는 처벌 결과의 선악보다는 범죄 행위 그 자체에 상응하는 처벌을 중시한 점에서 둘 다 부정의 대답을 할 질문이다.

⑤ 처벌은 공정한 사회 질서를 유지하기 위한 필요악인가?

➡ 벤담이 긍정의 대답을 할 질문이다.

03 국가와 시민의 윤리

콕콕! 개념 확인하기 121쪽

01 (1) ⓒ (2) ㉠ (3) ⓛ
02 (1) 권위 (2) 혜택 (3) 혜택론
03 (1) ⓛ (2) ⓔ (3) ⓒ (4) ㉠
04 (1) ○ (2) × (3) ×
05 (1) ㄴ (2) ㄷ (3) ㄱ

탄탄! 내신 다지기 122~123쪽

01 ② **02** ① **03** ② **04** ① **05** ④ **06** ③ **07** ⑤
08 해설 참조

01 국가와 시민의 관계

자료 분석 | 제시문은 국가와 시민의 관계에 대해 서술하고 있다. 국가는 시민이 없으면 존재할 수 없으며, 시민은 국가가 없으면 생명과 재산을 보장받지 못한다는 점에서 국가와 시민이 상호 의존 관계에 있음을 보여 주고 있다.

[선택지 분석]

① 국가의 존재는 시민의 희생을 전제로 한다.
➡ 국가는 시민의 생명과 재산을 보장해야 한다.
② 국가와 시민은 상호 의존적인 관계에 있다.
③ 국가에 대한 의무는 시민의 권리를 침해한다.
➡ 국가에 대한 의무는 시민의 권리를 보장한다.
④ 시민은 국가의 지배로부터 자유로운 존재이다.
➡ 시민은 국가에 대한 지배를 인정하고, 국가는 시민의 생명과 재산을 보호하는 관계에 있다.
⑤ 국가는 시민에 대해 주권을 행사하는 주체이다.
➡ 국가가 주권 행사의 주체가 아니라 시민이 국가 권력의 주체이다.

02 아리스토텔레스의 국가관

자료 분석 | 제시문은 공동체주의적 입장을 지닌 아리스토텔레스의 주장이다. 아리스토텔레스는 인간의 정치적 본성에 의해 성립된 국가는 자연스럽게 권위를 가진다고 본다. 따라서 인간은 최고의 공동체인 국가 안에서 행복한 삶을 추구할 수 있다.

[선택지 분석]

① 개인은 국가 안에서만 행복을 누릴 수 있다.
② 국가는 개인들로 구성된 집합체에 불과하다.
➡ 국가보다 개인을 우선시하는 자유주의의 입장이다.
③ 개인과 국가는 상호 갈등 관계를 맺고 있다.
➡ 아리스토텔레스에 의하면 개인과 국가는 상호 의존 관계를 맺고 있다.
④ 인간이 형성하는 최고의 공동체는 가정이다.
➡ 아리스토텔레스에 의하면 최고의 공동체는 국가이다.
⑤ 개인이 없이는 가정, 국가가 존재할 수 없다.
➡ 국가보다 개인을 중시하는 자유주의의 입장이다.

03 소극적 국가와 적극적 국가

자료 분석 | 밑줄 친 ㉠의 '소극적 국가관'은 국가의 소극적 의무를 중시하는 관점이며, ㉡의 '적극적 국가관'은 국가의 적극적 의무를 중시하는 관점이다.

[선택지 분석]

① ㉠: 국가는 의료 복지 서비스를 제공해야 한다. → 적극적 국가관
② ㉠: 국가는 개인의 자유를 최대한 보장해야 한다.
③ ㉡: 국가는 시장에 대한 개입을 최소화해야 한다. → 소극적 국가관
④ ㉡: 국가는 치안 유지와 같은 기본적 역할만 해야 한다.
➡ 소극적 국가관에 해당한다.
⑤ ㉠, ㉡: 국가는 시민의 인간다운 삶을 보장하기 위한 복지를 강화해야 한다. → 적극적 국가관

04 인권의 발달

자료 분석 | 제시문은 인권의 세대별 발달 과정을 설명하고 있다. 제1세대 인권은 근대 시민 혁명 이후 등장한 것으로, 자유권적 기본권으로 사상, 양심, 종교, 언론·집회·결사의 자유 등을 포함한다. 제2세대 인권은 산업 혁명 이후 등장한 것으로, 사회권적 기본권으로 사회 보장에 대한 권리, 일할 수 있는 권리 등을 포함한다. 제3세대 인권은 연대와 단결의 권리로 20세기에 새롭게 제기된 사회적 소수자의 권리와 평화의 권리 등을 포함한다.

[선택지 분석]

	㉠	㉡	㉢
①	자유권	복지권	연대권
②	자유권	평화권	복지권

➡ 평화권은 제3세대 인권, 복지권은 제2세대 인권에 해당한다.

	㉠	㉡	㉢
③	복지권	연대권	자유권

➡ 복지권은 제2세대 인권, 연대권은 제3세대 인권에 해당한다.

	㉠	㉡	㉢
④	복지권	자유권	평화권

➡ 복지권은 제2세대 인권, 자유권은 제1세대 인권에 해당한다.

	㉠	㉡	㉢
⑤	연대권	자유권	복지권

➡ 연대권은 제3세대 인권, 자유권은 제1세대 인권, 복지권은 제2세대 인권에 해당한다.

05 시민의 정치적 참여의 영향

자료 분석 | 제시문은 시민의 참여 방법을 소개하고 있다. 시민의 참여는 국가의 권력 남용을 견제하고, 공동체의 문제를 협력적으로 해결하는 역할을 한다.

[선택지 분석]

㉠ 개인이 추구하는 이익을 공공 정책에 반영할 수 있다.
➡ 시민 참여는 개인 이익이 아니라 공적 이익의 실현을 위한 것이다.
㉡ 정책의 심의, 결정, 집행 과정에 영향력을 행사할 수 있다.
㉢ 자신과 같은 의견을 가진 사람끼리 연대 의식을 강화할 수 있다.
➡ 시민 참여는 공동체 전체의 연대 의식을 강화할 수 있다.
㉣ 한 사회의 구성원으로서 공정한 사회 제도 수립에 기여할 수 있다.

06 시민 불복종에 대한 소로의 입장

자료 분석 | 제시문은 시민 불복종을 주장한 소로의 입장이다. 소로는 시민 불복종의 근거를 개인이 옳다고 믿는 양심에 두었다.

[선택지 분석]

㉠ 다수결의 원칙에 따라 시민 불복종을 전개해야 하는가?
➡ 소로는 다수결의 원칙이 아니라 양심에 근거한 불복종을 주장하였다.
㉡ 양심을 바탕으로 부정의한 법과 제도를 어겨야 하는가?
㉢ 법에 대한 존경심보다 정의에 대한 존경심을 중시해야 하는가?
㉣ 합법적 청원이 무시될 때 최종적으로 불복종을 전개해야 하는가?
➡ 롤스가 긍정의 대답을 할 질문이다. 소로는 양심에 어긋날 경우, 즉각적인 불복종을 주장하였다.

07 시민 불복종에 대한 롤스의 입장

자료 분석 | 제시문은 시민 불복종에 대한 롤스의 입장이다. 롤스는 사회적 다수의 정의관을 바탕으로 평등한 자유의 원칙이나 공정한 기회균등의 원칙에 어긋나는 법이나 정책에 저항할 수 있다고 보았다.

[선택지 분석]

① 시민 불복종에서 폭력은 최후의 수단으로 사용될 수 있다.
➡ 롤스는 폭력적인 시민 불복종은 정당화될 수 없다고 보았다.

② 시민 불복종은 다수의 정의관을 바탕으로 한 위법 행위이다.

③ 시민 불복종은 정의로운 사회를 실현하기 위한 시민운동이다.

④ 시민 불복종은 법에 대한 충실성을 지켜야 정당화될 수 있다.

08 시민 불복종의 정당화 조건

[예시 답안] 시민 불복종이 정당화되기 위해서는 공익을 목적으로 해야 하며, 공개적으로 이루어져야 하고, 평화적인 방법으로 이루어져야 한다. 그리고 합법적 방법이 효력이 없을 때 마지막 수단으로 사용되어야 하고, 법체계를 존중하는 차원에서 처벌을 감수해야 한다.

채점 기준		
	상	시민 불복종 정당화 조건을 두 가지 이상 서술한 경우
	중	시민 불복종 정당화 조건을 한 가지만 서술한 경우
	하	시민 불복종의 의미에 대해서만 서술한 경우

도전! 실력 올리기

124~125쪽

01 ③ 02 ② 03 ④ 04 ② 05 ④ 06 ④ 07 ①
08 ④

01 동서양의 국가관

자료 분석 | 갑은 아리스토텔레스, 을은 맹자이다. 아리스토텔레스는 정치적 본성에 의해 성립된 국가는 자연스럽게 권위를 가지게 된다고 본 데 비해, 맹자는 국가를 통치하는 왕이 백성의 생업을 보장하는 왕도 정치를 실시할 때 국가의 권위가 유지될 수 있다고 보았다.

[선택지 분석]

① 갑은 시민의 동의에 의해 국가가 권위를 갖는다고 본다.
➡ 사회 계약론에 대한 설명이다.

② 갑은 국가에 대한 공동체 의식보다 시민의 자유 의지를 중시한다.
➡ 아리스토텔레스는 시민의 자유 의지보다 국가 공동체 의식을 중시한다.

③ 을은 백성을 근본으로 하는 왕도 정치가 바람직하다고 본다.

④ 을은 구성원을 지배하는 통치자의 권력에 절대성을 부여한다.
➡ 맹자는 왕도를 저버린 왕은 백성에 의해 교체될 수 있다고 본다.

⑤ 갑, 을은 국가 구성원들의 지지 없이도 국가가 존재할 수 있다고 본다.
➡ 맹자는 국가 구성원인 백성들의 지지가 없이는 국가가 존재할 수 없다고 본다.

02 흄의 혜택론

자료 분석 | 제시문은 국가 권위의 정당화 근거로서 혜택론을 강조한 흄의 입장이다. 흄은 사회 계약론자들이 주장하는 동의가 아니라 정부가 제공하는 각종 혜택과 이익에 의해 국가의 권위가 생겨나고, 정치적 복종의 의무가 이루어진다고 보았다.

[선택지 분석]

ㄱ. 국가 권위에 복종해야 하는 근거는 국가가 제공하는 혜택에 있다.

ㄴ. 시민의 동의의 결과인 법에 따라 국가의 권위를 정당화할 수 있다.
➡ 흄이 반대한 사회 계약론자들의 주장이다.

ㄷ. 국민은 국가로부터 외적 침입 방지, 생명과 안전 보호 등의 이익을 얻을 수 있다.

ㄹ. 최대 다수의 최대 행복을 실현하기 위해 국가의 권위로부터 자유로워야 한다.
➡ 흄은 국가 권위에 대한 시민의 복종 근거로서 정부가 제공하는 각종 혜택을 강조한다.

03 정치적 의무에 관한 입장 비교

자료 분석 | 갑은 아리스토텔레스, 을은 사회 계약론자인 로크, 병은 혜택론을 주장한 흄이다.

[선택지 분석]

① 갑은 인간은 국가 내에서 비로소 최선의 삶을 살아갈 수 있다고 본다.
➡ 아리스토텔레스는 인간은 국가 내에서 최선의 삶을 살아갈 수 있다고 하였다.

② 을은 자유로운 개인은 국가에 대한 의무를 자발적으로 선택한다고 본다.
➡ 로크는 자연 상태에서 개인은 자유롭다고 보았다.

③ 병은 국민에게 혜택을 주지 못하는 정부는 존속이 불가능하다고 본다.

④ 갑과 달리 을, 병은 정치적 의무를 이행해야 하는 근거를 사회적 계약이라고 주장한다.
➡ 병은 사회적 계약이 아니라 정부가 제공하는 혜택에 의해 정치적 의무가 발생한다고 보았다.

⑤ 갑, 을, 병은 국가의 존속을 위해 정치적 의무의 이행이 필요하다고 주장한다.
➡ 갑, 을, 병의 공통 입장이다.

04 로크의 사회 계약론

자료 분석 | 제시문은 로크의 사회 계약론의 주장이다. 로크는 자연 상태에서 자유롭고 평등한 개인은 자연권을 지니고 있으나, 재산권에 관한 분쟁을 합리적으로 조정할 수 없는 문제에 당면한다고 보았다.

[선택지 분석]

ㄱ 시민은 계약에 따라 자연권의 일부를 국가에 양도한다.

✕ 시민은 국가 권위의 절대성을 인정해야 할 의무를 지닌다.

➡ 로크는 국가가 부당하게 시민의 재산권을 침해할 때 저항할 수 있는 권리가 있다고 주장하였다.

ㄷ 국가는 자발적인 계약과 동의로써 만들어진 인위적 산물이다.

✕ 국가의 권위에 복종해야 하는 것은 시민의 ~~자연적 의무~~(계약)에 해당한다.

➡ 자연적 의무가 아니라 계약이나 동의에 의한 의무라고 보았다.

05 홉스의 사회 계약론

자료 분석 | 제시문은 "리바이어던"에 수록된 홉스의 주장이다. 홉스는 이기적 본성을 지닌 인간이 만인의 만인에 대한 전쟁 상태에서 벗어나 누구나 자연권을 보장받을 수 있는 평화 유지를 위해 강력한 권력을 행사하는 절대 군주 국가가 시민들의 계약에 의해 형성되었다고 주장하였다.

[선택지 분석]

ㄱ 국가의 중요한 의무는 생명권을 보장하는 것인가?

✕ 자연권 보장을 위해 자연 상태를 유지해야 하는가?

➡ 홉스는 자연권이 침해될 수 있는 전쟁 상태인 자연 상태에서 벗어나 평화로운 질서를 유지하기 위해 국가가 등장하였다고 본다.

ㄷ 구성원들의 합의에 의해 군주정을 실시해야 하는가?

ㄹ 국가에서는 만인의 투쟁 상태에서 벗어날 수 있는가?

06 시민의 권리

자료 분석 | 갑은 소극적 국가관의 입장에서 국가가 시민의 자유권과 평등권을 보장해야 한다고 보고 있으며, 개인의 자유와 권리를 침해하는 국가의 개입에는 반대하고 있다. 그에 비해 을은 적극적 국가관의 입장에서 국가가 국민의 인간다운 삶을 보장하기 위해 사회적·경제적 평등을 실현하는 데 기여해야 한다고 본다.

[선택지 분석]

ㄱ 인권은 자유권과 참정권으로 국한되어야 하는가?

➡ 을이 부정의 대답을 할 질문이다.

✕ 인권은 인간으로서 마땅히 누려야 할 권리인가?

➡ 갑, 을 모두 긍정의 대답을 할 질문이다.

ㄷ 인권은 자유권과 함께 복지권을 포함하는 권리인가?

➡ 갑이 부정의 대답을 할 질문이다.

ㄹ 인권은 사회적·경제적 평등의 실현을 통해 보장되어야 하는가?

➡ 갑이 부정의 대답을 할 질문이다.

07 시민 불복종에 관한 입장 비교

자료 분석 | 갑은 소로, 을은 롤스이다. 소로는 시민 불복종의 근거를 양심의 자유에 두고 부정의한 법에 즉각 불복종할 것을 주장하였다. 한편, 롤스는 시민 불복종의 근거를 다수의 정의관에 두고 법에 대한 충실성의 한계 내에서 부정의한 법에 공개적이고 평화로운 방법으로 공적 정의를 실현하기 위해 시민 불복종을 마지막 정의 실현의 수단으로 전개해야 한다고 주장하였다.

[선택지 분석]

✔ 갑: 시민 불복종의 근거는 개인의 양심에서 찾을 수 있다.

② 갑: 시민 불복종은 평등을 실현하기 위한 위법 행위이다.

➡ 소로에 의하면, 시민 불복종은 자유와 정의 실현을 위한 시민의 저항 운동이다.

③ 을: 시민 불복종 과정에서 최종적으로 폭력을 사용할 수 있다.

➡ 롤스는 폭력의 사용을 반대한다.

④ 을: 시민 불복종의 근거는 개인의 정치적·종교적 신념에서 찾을 수 있다.

➡ 개인적 신념이 아니라 시민 다수의 정의관이다.

⑤ 갑, 을: 시민 불복종은 비공개적으로 의사를 표현해야 정당화될 수 있다.

➡ 롤스는 공적 장소에서 공개적으로 시민 불복종을 표현해야 정당화될 수 있다고 보았다.

08 시민 불복종에 관한 롤스의 입장

자료 분석 | 제시문은 시민 불복종에 대한 롤스의 주장이다. 롤스는 국가가 시행하는 법이나 정책이 시민 다수가 공유하는 정의관에 어긋날 경우, 그 법이나 정책에 불복종할 수 있다고 보았다. 또한 그는 이러한 시민 불복종은 공공적인 것으로서 평등한 자유의 원칙과 기회균등의 원칙에 어긋나는 경우에 정당화될 수 있고, 시민 불복종은 비폭력적인 것으로 제한되어야 한다고 주장하였다.

[선택지 분석]

① 시민 불복종의 주체는 체제의 합법성을 인정하는 시민인가?

➡ 시민 불복종의 주체는 시민이다.

② 시민 불복종의 의도는 동료 시민들에게 공표되어야 하는가?

➡ 시민 불복종은 공공적인 것이어야 한다.

③ 시민 불복종은 공동체의 정의감에 호소하는 정치 행위인가?

➡ 시민 불복종은 다수의 정의관을 근거로 한다.

✔ 시민 불복종의 목적에서 정부 정책의 개혁은 제외되어야 하는가?

➡ 롤스는 불의한 법이나 정부 정책에 시민이 저항하는 것을 시민 불복종의 목표로 삼았다.

⑤ 시민 불복종은 어떠한 합법적 방법도 효과가 없을 때 행해져야 하는가?

➡ 롤스는 시민 불복종은 합법적 청원이 이루어지지 않을 때 행해지는 마지막 수단이어야 정당화될 수 있다고 본다.

한번에 끝내는 대단원 문제 128~133쪽

01 ② 02 ④ 03 ② 04 ⑤ 05 ③ 06 ⑤ 07 ②
08 ④ 09 ④ 10 ③ 11 ⑤ 12 ⑤ 13 ① 14 ③
15 ③ 16 ① 17 ④ 18 ③ 19 ① 20 ①
21~26 해설 참조

01 맹자의 직업관

자료 분석 | 제시문은 맹자의 주장이다. 여기에서 '대인'은 의로운 선비로서 인격을 완성한 사람을 의미하며, '소인'은 자기 이익만을 추구하는 사람을 가리킨다. 맹자는 정신노동과 육체노동을 구분하고, 정신노동을 하는 사람은 주로 공직을 수행하며, 육체노동을 하는 사람은 생산직을 수행한다고 본다.

[선택지 분석]

① 각자의 능력에 따라 분업이 이루어져야 한다.
➡ 맹자는 대인과 소인의 직업을 구분하였다.

② 정신노동과 육체노동을 구분하지 말아야 한다.
➡ 맹자는 정신노동과 육체노동을 구분하였다.

③ 백성의 생업 보장을 위해 왕도를 실천해야 한다.
➡ 맹자가 주장한 왕도는 왕으로서 덕을 갖추고 백성을 위하는 정치를 의미한다.

④ 사회 구성원들의 직업은 상호 보완 관계에 있다.
➡ 맹자는 직업 간 분업과 협력을 주장하고 있다.

⑤ 경제적 안정을 바탕으로 사회 질서를 유지해야 한다.
➡ 맹자는 다스리는 자와 다스림을 받는 사람들 간의 질서가 유지되는 것과, 다스림을 받는 자가 다른 다스림을 받는 사람으로부터 재화를 얻는 일, 즉 경제적 안정이 이루어지는 것이 바람직하다고 본다.

02 칼뱅과 마르크스의 직업관

자료 분석 | 갑은 직업 소명설을 주장한 칼뱅의 입장이고, 을은 공산 사회를 이상 사회로 추구한 마르크스의 입장이다. 칼뱅은 직업을 신이 부여한 소명으로 보고, 직업 생활에 충실하게 임한 결과 부를 축적했다면 그것은 신의 축복이 내려졌다는 징표로 볼 수 있다고 주장하였다. 마르크스는 자본주의 사회에서의 분업이 노동의 착취와 소외를 가져온다고 보고, 인간성을 회복하기 위해서는 인간이 진정한 노동의 주체로서 대우를 받고 노동하는 삶 속에서 자아를 실현할 수 있어야 한다고 보았다.

[선택지 분석]

① 갑: 직업이 있는 사람만이 구원을 받을 수 있다.
➡ 칼뱅은 직업을 소명으로 보았지 구원으로 연결된다고 보지는 않았다.

② 갑: 직업 생활과 종교는 무관함을 깨달아야 한다.
➡ 칼뱅은 직업과 신의 축복을 연관지어 설명하였다.

③ 을: 분업을 확대하여 경제적 풍요를 창출해야 한다.
➡ 마르크스는 분업을 노동 소외의 근원으로 보았다.

④ 을: 노동을 통해 인간의 참된 본질을 회복해야 한다.
➡ 마르크스는 인간의 본질을 노동에서 찾았으며, 인간성 회복을 위해 노동의 착취가 사라져야 한다고 보았다.

⑤ 갑, 을: 노동은 인간의 원죄에 대해 신이 내린 벌이다.
➡ 노동을 원죄로 보는 것은 그리스도교의 관점이다. 마르크스는 종교를 악으로 보아 부정하였다.

03 기업가의 윤리

자료 분석 | 제시된 자료의 갑은 기업의 책임을 합법적 범위에서 이윤 추구의 극대화에 두는 프리드먼이고, 을은 기업의 사회적 책임 이행이 기업의 장기적 이익에 도움이 된다고 보는 애로이다.

[선택지 분석]

① 기업의 이윤 추구는 사회적 부의 증대에 기여하는가?
➡ 신자유주의자인 갑이 긍정의 대답을 할 질문이다.

② 낙후 지역을 지원하여 기업 선호도를 높여야 하는가?
➡ 기업의 사회적 책임을 부정하는 갑은 부정, 기업의 사회적 책임을 강조하는 을만 긍정의 대답을 할 질문이다.

③ 기업의 소유주나 주주의 이익 극대화에 힘써야 하는가?
➡ 갑, 을 모두 기업의 이윤 추구를 긍정한다.

④ 모든 수단과 방법을 동원하여 이윤을 창출해야 하는가?
➡ 갑, 을 모두 부정의 대답을 할 질문이다.

⑤ 기업은 이윤 추구가 아닌 공동선 실현에 주력해야 하는가?
➡ 갑, 을 모두 부정의 대답을 할 질문이다.

04 공직자의 윤리

자료 분석 | 제시문은 정약용이 당시 부패한 지방 수령들에게 백성을 위한 정치를 하기 위해 필요한 자세를 수록한 "목민심서"의 내용 중 일부이다.

[선택지 분석]

① 공직자는 청렴한 삶을 당위로 여겨야 하는가?
➡ 정약용은 공직자의 덕목으로 청렴을 강조하였다.

② 이로움보다 의로움을 우선적으로 추구해야 하는가?
➡ 여기에서 의로움은 공정성을 의미하며, 백성을 위하는 정치를 통해 가능하다.

③ 공직자로서 본분에 걸맞은 역할을 수행해야 하는가?
➡ 백성을 위하는 청렴을 강조한 정약용의 입장에서 긍정의 대답을 할 질문이다.

④ 공사(公私)를 구분하고 절제하는 삶을 살아야 하는가?
➡ '사사로운 정'을 경계한 정약용의 입장에서 긍정의 대답을 할 질문이다.

⑤ 공무를 수행할 때 공정성보다 효율성을 중시해야 하는가?
➡ 공무를 수행할 때 공정성을 강조한 정약용의 입장에서 부정의 대답을 할 질문이다. 공직자는 공정성과 효율성의 균형을 맞추어 공무를 수행하는 것이 바람직하다.

05 청렴의 윤리

자료 분석 | 제시문은 정약용이 지은 "목민심서"의 내용 중 일부이다. ㉠에 들어갈 내용은 '청렴'이다.

[선택지 분석]

① 나와 서로 다른 견해를 너그럽게 받아들이는 태도이다.
➡ 관용에 대한 설명이다.

② 개인의 이익을 위해 사회적 지위를 이용하는 태도이다.
➡ 부패에 관한 설명이다.

✔③ 심성이 맑고 염치를 알아 탐욕을 부리지 않는 태도이다.
➡ 부패를 극복할 수 있는 청렴에 대한 설명이다.

④ 사회적 지위에 맞는 역할을 충실하게 수행하는 태도이다.
➡ 정명(正名)에 대한 설명이다.

⑤ 통치자로서 백성들에게 점잖고 엄숙하게 대하는 태도이다.
➡ 위엄에 대한 설명이다.

06 아리스토텔레스의 정의론

자료 분석 | 제시문은 아리스토텔레스의 주장이다. 첫 번째 내용은 정의를 일반적 정의와 특수적 정의의 구분에 관한 내용이며, 두 번째 내용은 특수적 정의의 한 유형인 분배적 정의의 기준에 관한 내용이다.

[선택지 분석]

✘① 공동체 구성원 모두에게 똑같이 재화를 분배해야 한다.
➡ 노력과 업적을 기하학적 비례에 따라 분배할 것을 주장한다.

② 시민들 간의 분쟁은 산술적 비례에 따라 시정되어야 한다.
➡ 교정적 정의는 산술적 비례에 따라 이루어질 수 있다고 보았다.

③ 돈, 명예, 재화의 분배는 기하학적 비례에 합치해야 한다.
➡ 분배적 정의는 기하학적 비례에 따라 이루어질 수 있다고 보았다.

④ 분배 정의는 일반적 정의가 아닌 특수적 정의로 보아야 한다.
➡ 아리스토텔레스는 분배적 정의, 교정적 정의, 교환적 정의를 특수적 정의로 구분하였다.

07 니부어의 사회 윤리

자료 분석 | 제시문은 개인 윤리와 사회 윤리를 구분할 것을 강조한 니부어의 주장이다. 니부어는 개인적으로는 양심적이고 도덕적일지라도 그들이 모인 사회 집단은 집단의 힘을 이용하여 이기적이며 비도덕적일 수 있다고 주장하였다. 그는 사회 집단의 도덕성을 유지하고 실현하려면 집단의 이기성을 극복하기 위하여 정치적 강제력을 사용해서라도 불합리한 사회 구조와 정책, 제도를 개선해야 한다고 보았다.

[선택지 분석]

① 개인의 선의지가 사회 집단의 도덕성 정도를 결정한다.
➡ 개인 윤리의 입장이다.

✔② 정의 실현을 위해 집단 간 힘의 차이를 극복해야 한다.
➡ 집단 이기주의를 극복하기 위해 정치적 강제력에 의해 힘의 차이를 극복할 수 있어야 한다는 니부어의 입장이다.

③ 개인의 도덕성은 개인이 속한 집단의 크기에 비례한다.
➡ 니부어는 개인의 도덕성과 집단의 도덕성을 별개로 본다.

④ 정의 실현 과정에서 개인의 도덕성 발휘는 불필요하다.
➡ 니부어는 정의 실현 과정에서 정치적 강제력을 집행하는 개인의 도덕성이 필요하다고 보았다.

⑤ 외적 강제력을 배제해야만 사회 정의를 실현할 수 있다.
➡ 니부어는 외적인 정치적 강제력에 의해 사회 구조와 정책, 제도를 개선하여 사회 정의를 실현할 수 있다고 보았다.

08 마르크스의 사회 사상

자료 분석 | 제시문은 "공산당 선언"에서 사회주의 사상가인 마르크스와 엥겔스가 주장한 내용이다. 사회주의 사상가인 마르크스는 필요를 정의의 실질적 기준으로 제시하고, 불평등이 사라진 평등한 사회를 이상 사회로 추구하였다.

[선택지 분석]

✘ㄱ. 더 많이 노력한 사람에게 더 많은 몫을 배정해야 한다.
➡ 분배 정의의 기준으로 노력을 강조하는 입장이다.

ㄴ. 모든 재화를 사회 구성원들에게 평등하게 분배해야 한다.
➡ 마르크스는 평등한 분배를 정의로운 분배로 본다.

✘ㄷ. 사회적 약자에게 최대 이익이 되는 분배 원칙에 합의해야 한다.
➡ 차등의 원칙을 분배 정의의 원칙으로 주장한 롤스의 입장이다.

ㄹ. 능력에 따라 일하고 필요에 따라 분배받는 사회를 이룩해야 한다.
➡ 공산 사회를 지향한 마르크스의 입장이다.

09 롤스의 정의론

자료 분석 | 제시문은 롤스의 정의론에 대한 진술이다. ㉠은 롤스가 정의의 원칙을 도출하는 전제 조건으로 내세운 원초적 입장에 대한 내용으로 볼 수 있다.

[선택지 분석]

① 사회적·경제적 불평등을 인정하면 안 된다.
➡ 롤스는 얼마든지 사회적·경제적 불평등이 생겨날 수 있다고 생각했다.

② 표현의 자유를 동등하게 보장해서는 안 된다.
➡ 롤스는 표현의 자유를 비롯한 정치적 자유는 평등하게 보장되어야 한다고 생각했다.

③ 사회적 약자가 될 가능성을 고려하면 안 된다.
➡ 롤스는 합리적 당사자들이 원초적 입장에서 사회적 강자가 되기보다는 사회적 약자가 될 것을 우선적으로 우려하게 된다고 생각했다.

✔④ 자연적 우연성을 토대로 결정을 내리면 안 된다.
➡ 롤스가 원초적 입장에서 설정한 무지의 베일의 취지이다.

⑤ 개인이 합리적 행위를 한다고 단정해서는 안 된다.
➡ 롤스는 원초적 입장에서 당사자들이 합리적으로 사고하고 행동한다고 가정하였다.

10 노직의 정의론

자료 분석 | 제시문은 자유 지상주의적 입장에서 소유 권리로서의 정의를 주장한 노직의 정의론이다. 노직은 재화의 취득, 양도, 이전의 절차가 정당하면 그로부터 얻은 소유물에 관해서는 개인이 소유 권리를 가진다고 보고, 타인의 침해로부터 개인의 재산을 보호하기 위해 최소한의 역할을 수행하는 최소 국가가 필요하다고 주장하였다.

[선택지 분석]

ㄱ. 능력에 따라 일하고 필요에 따라 분배받아야 하는가?
➡ 노직은 필요에 따라 분배받는 것에 반대한다. 마르크스가 긍정의 대답을 할 질문이다.

ㄴ. 개인은 정당한 소유물에 대해 완전한 소유권을 지니는가?
➡ 소유 권리를 중시하는 노직이 긍정의 대답을 할 질문이다.

ㄷ. 재화의 분배를 전적으로 개인의 자유에 위임해야 하는가?
➡ 최소 국가론의 입장에서 노직이 긍정의 대답을 할 질문이다.

ㄹ. 복지 증대를 위해 국가에 의한 소득 재분배 정책이 필요한가?
➡ 노직은 국가에 의한 재분배 정책에 반대한다.

11 왈처의 정의론

자료 분석 | 제시문은 왈처의 정의론이다. 왈처는 한 영역에서 지배적 영향력을 가진 사람이 다른 영역에서도 유리한 위치를 독점하는 것을 막는 복합 평등으로서의 정의 실현이 필요하다고 주장하였다.

[선택지 분석]

① 천부적 재능을 사회적으로 분포된 자산으로 간주해야 한다. → 롤스의 입장

② 하나의 사회적 가치가 모든 영역에 영향력을 발휘해야 한다. → 왈처와 반대되는 입장

③ 자발적 노동에 의해 획득된 재화의 소유권을 존중해야 한다. → 노직의 입장

④ 사회적 약자에게 최대 이익이 되는 재분배를 실시해야 한다. → 롤스의 입장

⑤ 다양한 영역에서 사회적 가치들이 복합 평등을 이루어야 한다. → 왈처의 입장

12 소수자 우대 정책

자료 분석 | 제시문은 소수자 우대 정책에 대한 토론 내용이다. 제시문의 갑은 과거의 차별로 고통받고 있는 소수자들을 우대해야 한다고 주장하는 데 비해, 을은 사회적 차별을 반대하지만 소수자 우대 정책은 아무런 잘못이 없는 현세대에게 책임을 묻는 것으로 부당하다고 주장한다.

[선택지 분석]

① 사회적 약자를 차별하는 것은 부당한가?
➡ 갑, 을 모두 동의할 질문이다.

② 업적을 기준으로 재화를 분배해야 하는가?
➡ 갑, 을 모두 반대할 질문이다.

③ 공공 이익보다 개인 이익을 중시해야 하는가?
➡ 갑, 을이 주로 논박하는 주제가 아니다.

④ 기회균등의 원칙은 사회적 차별의 원인인가?
➡ 갑, 을이 주로 논박하는 주제가 아니다.

⑤ 특정 집단을 우대해야 정의를 실현할 수 있는가?
➡ 소수자 우대 정책에 대한 논박을 고려할 때 갑은 찬성, 을은 반대를 할 질문으로 토론의 쟁점이라 할 수 있다.

13 칸트의 응보주의

자료 분석 | 제시문은 칸트의 주장이다. 칸트는 응보주의의 입장에서 모든 인간은 이성적·자율적 존재이므로 자신의 행위에 대해 책임을 진다고 본다. 칸트는 형벌이 다른 좋은 목적을 위한 수단이 되어서는 안 되며, 범죄 행위에 상응하는 보복을 가하는 것이 처벌의 본질이라고 주장하였다.

[선택지 분석]

① 형벌은 범죄를 억제하는 기능을 통해 정당화될 수 있다.
➡ 공리주의의 입장이다.

② 형벌은 범죄자의 자율적 행위에 대한 책임을 묻는 것이다.
➡ 칸트의 사형에 대한 입장이다.

③ 형벌은 다른 선을 촉진하기 위한 수단이 되어서는 안 된다.
➡ 공리주의에 반대한 칸트의 형벌에 대한 입장이다.

④ 등가성의 원리에 따라 형벌의 수준과 정도가 정해져야 한다.
➡ 등가성의 원리는 칸트가 주장하는 응보주의에서 강조하는 원리이다.

⑤ 범죄자가 형벌을 저질렀다는 이유로만 형벌이 가해져야 한다.
➡ 응보주의에 입각한 칸트의 주장이다.

14 루소의 사형에 대한 입장

자료 분석 | 제시문은 사형 제도에 찬성하는 루소의 주장이다. 루소는 사회 계약론의 입장에서 사회 구성원이 되겠다는 계약에 참여하는 것은 자신의 안전과 생명을 국가에 위임하고 국가는 시민의 안전과 생명을 책임져야 한다고 본다.

[선택지 분석]

① 사형은 잔혹한 형벌로 인간의 존엄성을 침해한다.
➡ 사형을 반대하는 베카리아의 입장이다.

② 오판의 가능성이 있는 한 사형은 정의에 반대된다.
➡ 사형 제도에 반대하는 입장이다.

③ 사회 방위를 위해 유해한 범죄인을 격리해야 한다.
➡ 살인범을 적으로 간주한 루소의 입장이다.

④ 사회 계약의 취지에 따라 사형 제도를 폐지해야 한다.
➡ 루소와 달리 사형 제도를 반대한 베카리아의 입장이다.

⑤ 사형은 정치 세력에 의해 탄압 도구로 악용될 수 있다.
➡ 사형 제도에 반대하는 입장이다.

15 베카리아의 형벌에 대한 입장

자료 분석 | 제시문은 베카리아의 사형에 대한 주장이다. 베카리아는 사형 제도에 대해 사회 계약론과 공리주의의 입장에서 접근한다. 루소가 사회 계약론에서 사형에 찬성한 데 비해 베카리아는 어느 누구도 자신의 죽음을 전제로 계약에 참여하지 않을 것이라는 점에서 사형 제도에 반대한다. 따라서 사형은 국가가 국민에게 저지르는 살인으로 인간의 존엄성에 반한다고 본다.

[선택지 분석]

① 유용성의 원리에 입각하여 살인범을 처벌해야 한다.
➡ 사형보다 종신 노역형이 유용성이 있다는 베카리아의 입장이다.

② 시민은 누구나 자신의 죽음을 스스로 선택하지는 않는다.
➡ 루소의 사회 계약론과 반대되는 베카리아의 입장이다.

③ 사형은 살인범에게 동해 보복의 원리를 적용한 형벌이다.

④ 필요 이상의 잔혹한 형벌은 사회 계약의 본질과 상반된다.
➡ 사형 제도 폐지를 주장하는 베카리아의 입장이다.

⑤ 사형은 종신 노역형에 비해 사회적 효용이 낮은 형벌이다.
➡ 종신 노역형으로 고통받는 사람들을 지속적으로 바라보게 함으로써 범죄 예방 효과를 크게 할 수 있다는 베카리아의 입장이다.

16 벤담과 베카리아의 처벌에 대한 입장

자료 분석 | 제시된 자료의 갑은 벤담, 을은 베카리아이다. 벤담과 베카리아는 모두 공리주의 입장에서 처벌을 지지한다.

[선택지 분석]

ㄱ. 사회 전체 이익을 고려하여 처벌해야 하는가?
➡ 공리주의의 입장에서 긍정의 대답을 할 질문이다.

ㄴ. 형벌은 유용성 원리에 따라 정해져야 하는가?
➡ 유용성 원리는 공리주의에서 도덕 판단을 내리는 기준이 되는 것이다.

ㄷ. 범죄와 형벌은 응보의 원리에 따라야 하는가?
➡ 응보주의를 주장한 칸트의 입장에서 긍정의 대답을 할 질문이다.

ㄹ. 범죄와 등가성이 있는 보복이 처벌의 본질인가?
➡ 등가성이란 범죄와 상응하는 처벌을 부여하는 것이다.

17 홉스와 흄의 국가관 비교

자료 분석 | 갑은 사회 계약론자인 홉스, 을은 혜택론에 입각하여 정부와 국가의 권위에 복종할 것을 강조한 흄이다.

[선택지 분석]

ㄱ. 갑은 시민의 동의에 의해 국가가 권위를 가지게 된다고 본다.
➡ 사회 계약론의 기본 입장이다.

ㄴ. 을은 인간의 정치적 본성에 의해 국가의 권위가 생겨난다고 본다.
➡ 정치적 본성은 아리스토텔레스가 강조하는 국가 권위의 근거이다.

ㄷ. 을은 갑과 달리 국가의 권위가 정부가 제공하는 혜택에서 비롯된다고 본다.
➡ 흄의 혜택론이다.

ㄹ. 갑, 을은 국가가 시민의 생명과 안전을 보장할 의무를 지닌다고 본다.
➡ 갑, 을은 모두 국가가 생명, 안전 등 이익을 보장할 의무가 있다고 본다.

18 사회 계약론의 국가관

자료 분석 | 로크는 사회 계약론의 입장에서 시민들의 동의에 의해 정치체(정부)가 구성되며, 시민들은 정치체에 자연적 기본권의 일부를 위임하게 된다고 보았다.

[선택지 분석]

① 시민은 본성적으로 사회적 존재이기 때문이다.
➡ 아리스토텔레스의 주장이다.

② 시민은 정부에 대한 자연적 의무가 있기 때문이다.
➡ 사회 계약론자들은 동의와 합의를 국가 권위의 근거로 본다.

③ 시민이 기본권의 일부를 국가에 위임했기 때문이다.
➡ 로크를 비롯한 사회 계약론자들이 국가 권위의 근거로 제시하는 내용이다.

④ 정부가 시민들에게 각종 혜택을 제공했기 때문이다.
➡ 흄이 주장하는 국가 권위의 근거이다.

⑤ 생명권 보장을 위해 절대 권력이 필요하기 때문이다.
➡ 사회 계약론자 중 홉스의 주장이다.

19 시민 불복종에 대한 롤스의 입장

자료 분석 | 제시문은 롤스의 시민 불복종에 관한 주장이다. 롤스는 사회적 다수의 정의관을 바탕으로 평등한 자유의 원칙이나 공정한 기회균등의 원칙에 어긋나는 법이나 정책에 대한 저항으로서의 시민 불복종을 주장하였다. 그는 시민 불복종은 법에 대한 충실성의 한계 내에서 마지막 수단이 되어야 하고, 공개적이며, 성공에 대한 합당한 전망이 있어야 한다고 보았다.

[선택지 분석]

① 다수의 정의관을 근거로 시민 불복종을 전개해야 한다.
➡ 롤스가 주장하는 시민 불복종에 근거한 조언이다.

② 최대 다수의 최대 행복을 불복종의 기준으로 삼아야 한다.
➡ 롤스는 기본적으로 공리주의에 부정적 입장을 취한다.

③ 공공장소에서 법을 공개적으로 위반하는 행위를 삼가야 한다.
➡ 롤스는 시민 불복종을 공개적 위법 행위라고 보았다.

④ 개인의 정치적 신념을 바탕으로 시민 불복종을 정당화해야 한다.
➡ 개인의 정치적 신념이 아니라 다수의 정의관을 강조한다.

⑤ 부정의한 체제 변혁을 위해 폭력을 최종 수단으로 사용해야 한다.
➡ 시민 불복종은 정치 참여의 한 방법으로 폭력 사용에는 반대한다.

20 시민 불복종의 정당화

자료 분석 | 제시문은 정당한 시민 불복종에 관한 롤스의 주장이다. ㉠에 들어갈 말은 '시민 불복종'이다.

[선택지 분석]

① 차등의 원칙을 회복하고자 할 때 정당화된다.
➡ 롤스는 거의 정의로운 사회에서 평등한 자유의 원칙과 기회균등의 원칙에 어긋나는 불의한 법과 정책에 대한 시민 불복종은 정당화된다고 보았다.

② 위법 행위이지만 헌법 체계의 안정을 중시한다.
➡ 법체계의 충실성과 관련된 설명이다.

③ 법 위반에 대한 책임으로 처벌 감수를 포함한다.
➡ 법체계의 충실성과 관련된 설명이다.
④ 공공적이고 비폭력적인 저항의 방식을 강조한다.
➡ 롤스가 주장하는 시민 불복종의 정당화 조건이다.
⑤ 부정의한 법이나 정책의 개선과 변화를 추구한다.
➡ 롤스가 주장하는 시민 불복종의 의미에 해당한다.

21 직업과 행복한 삶

[예시 답안] 사람들은 직업을 통해 생계를 유지하고 사회적 역할을 분담함으로써 삶의 의미를 찾고 행복한 삶을 살아간다.

채점 기준	
상	직업과 행복한 삶의 관계를 직업의 기능과 삶의 의미, 행복을 넣어 정확히 서술한 경우
중	직업의 기능과 행복한 삶의 관계 중 한 가지만 서술한 경우
하	직업의 중요성에 대해서만 서술한 경우

22 실질적 정의의 기준

[예시 답안]
갑: 기회와 혜택을 균등하게 보장해야 실질적 정의를 실현할 수 있다.
을: 개인이 기여한 정도에 따라 분배해야 실질적 정의를 실현할 수 있다.

채점 기준	
상	갑과 을의 입장에 대한 정당화 논거를 모두 정확하게 서술한 경우
중	갑과 을의 입장에 대한 정당화 논거 중 한 가지만 서술한 경우
하	갑, 을이 실질적 정의의 실현을 강조하고 있다고만 서술한 경우

23 롤스의 정의론

자료 분석 | 롤스는 사회의 모든 가치, 즉 자유와 기회, 소득과 부, 인간의 존엄성 등은 기본적으로 평등하게 배분되어야 하며, 가치의 불평등한 배분은 그것이 사회의 최소 수혜자에게 유리한 경우에만 정의롭다고 본다.

㉠ 평등한 자유의 원칙, ㉡ 차등의 원칙, ㉢ 기회균등의 원칙

채점 기준	
상	㉠, ㉡, ㉢을 모두 정확하게 서술한 경우
중	㉠, ㉡, ㉢ 중 두 가지만 서술한 경우
하	㉠, ㉡, ㉢ 중 한 가지만 서술한 경우

24 교정적 정의에 대한 관점

(1) ㉠ 응보주의, ㉡ 공리주의
(2) [예시 답안] 사회 전체의 이익을 고려하여 범죄를 예방하는 결과를 산출하도록 처벌의 경중을 정해야 한다.

채점 기준	
상	사회 전체의 이익 고려와 범죄 예방을 정확하게 서술한 경우
중	사회 전체의 이익 고려만을 서술한 경우
하	공리주의 관점과 벗어난 서술을 한 경우

25 칸트의 사형 정당화 근거

[예시 답안] 살인자에게 사형을 부과하는 것은 자신이 저지른 살인 행위에 상응한 책임을 이행함으로써 인간 존엄성을 실현할 수 있게 한다.

채점 기준	
상	살인자의 책임 이행과 인간 존엄성을 연결하여 정확하게 서술한 경우
중	사형의 책임 이행 측면과 인격 존중 측면 중 한 가지만 서술한 경우
하	사형이 잔혹한 형벌이라는 서술만 한 경우

26 시민 불복종에 대한 입장

[예시 답안] 시민 불복종은 공정하지 못한 법이나 정책의 개선을 촉구하여 정의를 실현시킬 수 있다.

채점 기준	
상	공정하지 못한 법이나 정책 개선과 정의 실현을 정확하게 서술한 경우
중	법, 정책 개선과 정의 실현 중 한 가지만 서술한 경우
하	시민 불복종의 의의를 서술하지 못한 경우

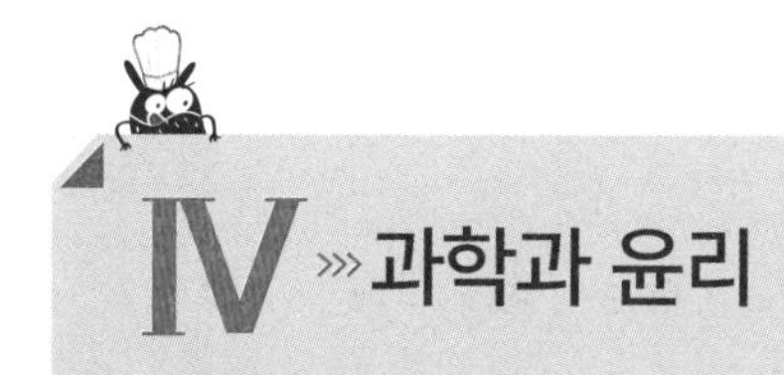

IV 과학과 윤리

01 과학 기술과 윤리

콕콕! 개념 확인하기 141쪽

01 과학 기술
02 (1) ㉡ (2) ㉠
03 ㄴ, ㄷ
04 (1) 비관주의 (2) 낙관주의
05 (1) 미래 세대 (2) 내적 (3) 외적

탄탄! 내신 다지기 142~143쪽

01 ② 02 ③ 03 ⑤ 04 ② 05 ⑤ 06 ③ 07 ①
08 해설 참조

01 과학 기술의 본질

자료 분석 | ㉠은 과학 기술이다. 과학 기술은 인간의 존엄성 구현과 삶의 질 향상이라는 윤리적 목적과 연결되어야 한다.

[선택지 분석]

ㄱ. 인간의 삶을 풍요롭게 하여 삶의 질을 향상시킨다.

ㄴ. 자연 현상을 관찰하고 이해하여 일반적인 진리나 법칙으로 체계화하는 학문이다. → 과학

ㄷ. 진리의 발견과 활용을 넘어 인간의 존엄성 구현과 삶의 질 향상이라는 윤리적 목적과 연결된다.

ㄹ. 과학적 원리를 활용하여 인간이나 사회에 가치 있는 재화나 서비스를 생산하게 하는 지식이다. → 기술

02 과학 기술에 대한 가치 중립성 논쟁

자료 분석 | (가)는 과학 기술에 대한 가치 중립성을 인정하는 입장이고, (나)는 과학 기술에 대한 가치 중립성을 부정하는 입장이다. 과학 기술에 대한 가치 중립성을 부정하는 입장은 과학 기술을 도덕적 평가의 대상으로 본다.

[선택지 분석]

① (가)는 과학 기술 연구에 윤리적 성찰이 필요하다고 본다.

② (가)는 과학 기술의 사회적 영향력을 고려해야 한다고 주장한다.

③ (나)는 과학 기술을 도덕적 평가의 대상으로 본다.

④ (나)는 과학 기술의 본질이 진리의 발견과 활용에 있다고 본다.

⑤ (가), (나)는 과학 기술을 전면 거부해야 한다고 주장한다.

➡ (가), (나) 모두 과학 기술의 성과에 대해서는 인정한다.

03 과학자의 책임 한계에 대한 논쟁

자료 분석 | 갑은 과학자의 사회적 책임을 인정하지 않는 반면, 을은 과학자의 사회적 책임을 인정한다. 따라서 ㉠에는 과학자의 사회적 책임을 인정하는 근거가 들어가야 한다.

[선택지 분석]

① 과학 기술은 가치 중립적이기 때문입니다. → 갑의 입장

② 과학 기술은 윤리적 규제나 평가로부터 자유로워야 하기 때문입니다. → 갑의 입장

③ 과학 기술의 연구는 객관적인 진리 탐구를 주된 활동으로 하기 때문입니다. → 갑의 입장

④ 과학 기술자의 역할과 연구 결과를 활용하는 사람의 역할이 다르기 때문입니다. → 갑의 입장

⑤ 과학 기술의 연구 목적을 설정하는 과정에서 과학 기술자의 가치가 개입될 수밖에 없기 때문입니다.

04 과학 기술의 성과와 윤리적 문제

자료 분석 | 과학 기술의 긍정적 성과로는 시공간적 제약의 극복, 건강 증진과 생명 연장, 물질적 풍요와 안락한 삶, 대중문화의 발달 등이 있고, 윤리적 문제로는 인간의 주체성 약화와 비인간화, 인권과 사생활 침해, 생명의 존엄성 훼손, 환경 문제 심화, 빈부 격차의 심화 등이 있다.

[선택지 분석]

ㄱ. ㉠: 시공간적 제약을 극복할 수 있게 되었다.

ㄴ. ㉢: 인간의 주체성을 약화시키고 비인간화 현상을 초래하였다.

ㄷ. ㉡: 생명의 존엄성과 본래적 가치가 훼손되었다.

ㄹ. ㉣: 소수의 전유물이었던 문화를 대중이 향유할 수 있게 되었다.

05 과학 기술 낙관주의의 문제점

자료 분석 | 과학 기술 낙관주의는 과학 기술의 유용성을 강조하면서 과학 기술로 인류가 당면한 모든 문제를 해결할 수 있다고 보는 관점이다.

[선택지 분석]

① 과학 기술의 부작용만을 지나치게 염려한다
→ 과학 기술 비관주의

② 과학 기술에 대한 근거 없는 두려움을 조장한다
→ 과학 기술 비관주의

③ 과학 기술의 폐해와 같은 부정적 측면만을 강조한다
→ 과학 기술 비관주의

④ 과학 기술이 가져다준 여러 가지 혜택과 성과를 전면 부정한다 → 과학 기술 비관주의

⑤ 인간의 책임에 대한 도덕적 숙고를 비롯한 반성적 사고의 중요성을 훼손한다

➡ 과학 기술 낙관주의는 인간의 책임과 삶의 가치 등에 대한 도덕적 숙고를 비롯한 반성적 사고의 중요성을 훼손한다는 비판을 받는다.

06 과학 기술자의 내적 책임과 외적 책임

자료 분석 | 과학 기술자는 연구 과정에서 조작, 변조, 표절 등의 비윤리적 행위를 하지 않고, 연구 윤리를 준수하는 내적 책임이 있다. 또한 사회적으로 해로운 결과가 예상되는 연구는 그 위험성을 알리고 연구를 중단해야 할 외적 책임도 요구된다.

[선택지 분석]

✗ ㉠: 사회적으로 해로운 결과가 예상되는 연구는 중단한다. → 외적 책임

ㄴ ㉠: 과학 기술자는 연구 자료를 표절하거나 조작하지 않는다.

ㄷ ㉡: 과학 기술자는 자신의 연구 결과가 사회에 미칠 영향력을 인식한다.

✗ ㉡: 기술 영향 평가 제도, 국가 단위의 각종 윤리 위원회 활동 등과 같은 제도를 마련한다.

➡ 과학 기술자만의 책임이 아니라 사회 제도적 차원에서 과학 기술의 바람직한 활용을 위해 요구되는 노력에 해당한다.

07 요나스의 책임 윤리

자료 분석 | 제시문은 요나스의 주장이다. 요나스는 과학 기술 시대에 걸맞은 책임 윤리를 새롭게 확립해야 한다고 주장하였다. 그는 윤리적 책임의 범위를 확대해 자연 전체와 미래 세대에 대한 책임을 중시하는 새로운 윤리가 필요하다고 보았다.

[선택지 분석]

ㄱ 과학 기술에 대한 반성적 성찰이 필요하다.

ㄴ 인류의 존속이라는 무조건적 명령을 이행해야 한다.

➡ 요나스는 인류의 존속이라는 무조건적 명령을 이행하기 위해서는 현세대가 자연과 미래 세대에 대한 책임 의식을 지녀야 한다고 주장하였다.

✗ 최대 다수의 최대 행복을 과학 연구의 목적으로 설정해야 한다.

➡ 공리주의 입장에서 지지할 의견이다.

✗ 유리적 책임의 범위를 현세대로 한정하여 환경 문제를 해결해야 한다.

➡ 요나스는 윤리적 책임의 범위를 현세대뿐만 아니라 미래 세대와 자연 전체로 확대하였다.

08 과학 기술의 가치 중립성을 부정하는 입장에 대한 반론

[예시 답안] 과학 기술의 가치 중립성을 부정하는 입장이다. 과학 기술은 객관적인 관찰과 실험 및 논리적 사고를 통해 지식을 얻기 때문에 주관적 가치가 개입될 수 없다. 사실을 다루는 과학 기술과 가치 판단은 엄격하게 구분되므로 과학 기술은 가치의 간섭이나 규제로부터 자유로워야 한다.

채점 기준	
상	과학 기술의 가치 중립성에 대한 입장과 반론을 모두 서술한 경우
중	과학 기술의 가치 중립성에 대한 입장과 반론 중 하나만 서술한 경우
하	과학 기술의 가치 중립성에 대한 입장과 반론 모두 제대로 서술하지 못한 경우

도전! 실력 올리기 144~145쪽

01 ⑤ 02 ⑤ 03 ① 04 ⑤ 05 ③ 06 ⑤ 07 ④ 08 ④

01 과학 기술의 가치 중립성에 대한 논쟁

자료 분석 | (가)는 과학 기술의 가치 중립성을 부정하는 입장이고, (나)는 과학 기술의 가치 중립성을 인정하는 입장이다. (가)의 입장에 비해 (나)의 입장이 갖는 상대적 특징을 찾아야 한다.

[선택지 분석]

 ⑤ ㉤

➡ 과학 기술 연구의 독립성이 인류 진보에 공헌함을 강조하는 정도는 (가)에 비해 (나)가 상대적으로 높고, 과학 기술 자체에 대한 윤리적 판단을 배제해야 함을 강조하는 정도는 (가)에 비해 (나)가 상대적으로 높으며, 과학 기술 연구 결과의 활용에 대한 과학자의 사회적 책임을 강조하는 정도는 (가)에 비해 (나)가 상대적으로 낮다. 따라서 그림에서 X, Y는 높고 Z는 낮아야 한다.

02 과학 기술의 성과와 문제점

[선택지 분석]

① ㉠ 물질적 풍요와 안락한 삶

② ㉡ 생명 의료 기술의 발전에 따른 건강 증진과 생명 연장

③ ㉢ 자원 고갈과 환경 문제

④ ㉣ 안락사나 생명 복제 등 생명 윤리 문제

✓⑤ ㉤ 국가 간, 계층 간 과학 기술의 접근 가능성의 차이가 줄어 경제적 격차가 커졌다

➡ 교통과 정보 통신 기술의 발달로 과학 기술의 접근 가능성 차이가 벌어져 이에 따른 국가 간, 계층 간의 빈부 격차가 커졌다.

03 과학 기술 낙관주의와 비관주의

자료 분석 | (가)는 과학 기술 낙관주의, (나)는 과학 기술 비관주의의 입장이다. 과학 기술 낙관주의는 과학 기술로 인류가 당면한 모든 문제를 해결할 수 있다고 주장하며, 과학적 방법이 모든 가치 판단의 기준이라고 본다. 반면에 과학 기술 비관주의는 과학 기술의 부작용만을 지나치게 염려하면서, 모든 종류의 과학 기술을 거부한다.

[선택지 분석]

✓① 과학적 방법이 모든 가치 판단의 기준인가? → (가) 긍정, (나) 부정

② 모든 종류의 과학 기술을 거부해야 하는가? → (가) 부정, (나) 긍정

③ 기계 파괴 운동인 러다이트 운동을 지지하는가? → (가) 부정, (나) 긍정

④ 과학 기술의 발전에 따르는 부작용이 커질 것인가? → (가) 부정, (나) 긍정

⑤ 인간이 과학 기술에 종속되는 현상이 발생하는가? → (가) 부정, (나) 긍정

04 과학 기술자의 책임의 한계에 대한 논쟁

자료 분석 | 갑은 과학 기술자가 연구에만 충실하고 그 결과의 활용

에는 책임질 필요가 없다고 보는 반면, 을은 과학 기술자가 자신의 연구 결과의 활용에 대한 책임을 져야 한다고 본다.

[선택지 분석]

① A: 과학 기술의 연구 과정에 대한 도덕적 평가가 필요하다.
➡ 과학 기술자의 사회적 책임을 강조하는 입장이다.

② A: 과학 기술은 인간 존엄성의 구현이라는 목표에 충실해야 한다.
➡ 과학 기술자의 사회적 책임을 강조하는 입장이다.

③ B: 모든 종류의 과학 기술을 거부해야 한다.
➡ 갑, 을 모두 과학 기술을 거부하는 입장은 아니다.

④ C: 과학 기술에 대한 도덕적 평가와 비판은 ~~유보해야 한다~~. 필요하다

⑤ C: 과학 기술자는 연구 결과의 활용에 대한 사회적 책임을 져야 한다.
➡ 과학 기술자의 사회적 책임을 강조하는 입장이다.

05 과학에 대한 요나스와 베이컨의 입장 비교

자료 분석 | 갑은 인간이 생태계 전체에 대한 책임이 있다고 주장하는 요나스이고, 을은 인간 중심주의 자연관을 가진 베이컨이다. 요나스는 베이컨에게 과학적 연구 성과보다 사회에 대한 책임을 더 중요하게 여겨야 한다고 조언할 것이다.

[선택지 분석]

ㄱ. 과학은 경제적 생산성을 증진하는 데 공헌해야 한다. → 베이컨

ㄴ. 모든 생명체를 목적 그 자체로 존중하고 보호해야 한다.
➡ 요나스는 모든 생명체의 내재적 가치를 인정하며, 자연은 그 자체로 존중받아야 한다고 주장한다.

ㄷ. 과학의 발전이 일으킬 위험에 대해 경각심을 가져야 한다.

ㄹ. 사회에 대한 책임보다 과학적 연구 성과를 더 중시해야 한다. → 베이컨

06 요나스의 책임 윤리

자료 분석 | 제시문은 요나스의 주장이다. 요나스는 책임의 범위를 현세대로 한정하는 기존의 전통적 윤리관으로는 과학 기술 시대의 문제를 해결할 수 없다고 보면서 새로운 책임 윤리를 도입해야 한다고 보았다. 그는 현세대의 인간은 인류가 지구상에 영원히 존재하기 위해서 미래 세대와 자연에 대해 책임지는 자세를 지녀야 한다고 주장하였다.

[선택지 분석]

ㄱ. 인간보다 생태계를 우선하는 새로운 윤리를 정립해야 한다.
➡ 요나스는 인간을 포함한 생태계 전체를 중시해야 한다고 주장하였다. 따라서 인간보다 생태계를 우선하는 것은 아니다.

ㄴ. 윤리적 책임의 범위를 자연과 미래 세대까지 확대해야 한다.

ㄷ. 내재적 가치를 지니는 모든 생명체에 대하여 책임을 져야 한다.
➡ 요나스는 내재적 가치를 지니는 모든 생명체에 대한 인간의 책임을 강조하였다.

ㄹ. 인류가 존속해야 한다는 것은 무조건 따라야 하는 정언 명령이다.
➡ 요나스는 인류가 존속해야 한다는 당위적 요청을 근거로 인류 존속에 대한 현세대의 책임을 강조하였다.

07 요나스의 책임 윤리

자료 분석 | 제시문은 요나스의 주장이다. 요나스는 인류가 존재해야 한다는 당위적 요청의 근거로 윤리적 책임의 범위를 인간뿐만 아니라 자연, 미래 세대까지 확장할 것을 주장하였다.

[선택지 분석]

ㄱ. 행위의 결과를 충분히 숙고해야 하는가?
➡ 요나스는 "너의 행위의 결과가 이 지구상에서 진정한 인간적 삶의 지속과 조화되도록 행위하라."라는 생태학적 정언 명령을 통해 행위의 결과를 충분히 숙고할 것을 요구하였다.

ㄴ. 인류 존속이라는 무조건적 명령을 이행해야 하는가?
➡ 요나스는 인류가 존속해야 한다는 당위적 요청을 근거로 인류 존속에 대한 현세대의 책임을 강조하였다.

ㄷ. 미래 세대와 자연 환경에 대한 책임을 중시해야 하는가?

ㄹ. 자연의 가치를 인류의 복지를 증진시킬 수 있는지의 여부로 평가해야 하는가?
➡ 요나스는 자연의 가치를 인류의 복지 향상과 같은 유용성에 두지 않았다.

08 요나스의 책임 윤리

자료 분석 | 제시문은 요나스의 주장이다. 요나스는 칸트의 정언 명령을 생태학적인 상황에 적용하는 새로운 명법을 제시하였다.

[선택지 분석]

① 자연이 수용할 수 있는 한에서 과학 기술의 발전을 추구해야 한다.
➡ 요나스는 과학 기술의 발전이 자연이 수용할 수 있는 한계를 넘어서서는 안 된다고 보았다.

② 과학 기술의 긍정적인 영향보다 부정적인 영향에 주목해야 한다.
➡ 요나스는 과학 기술이 가져온 긍정적 영향에 만족해서는 안 되며, 부정적 영향에 주목해야 한다고 보았다.

③ 새로운 윤리학은 최고악에 대한 공포에서 출발할 필요가 있다.
➡ 요나스는 새로운 윤리학이 가장 극단적 공포에 대한 인식에서부터 출발할 필요가 있다고 보았다.

④ 새로운 윤리학은 "A이면 B하라."라는 형식의 명법만을 지향한다.
➡ "A이면 B하라."는 가언 명령이므로 요나스가 주장한 새로운 윤리학이 지향하는 명법으로 옳지 않다.

⑤ 사후적 책임뿐만 아니라 사전적 책임도 중시해야 한다.
➡ 요나스는 사후적 책임뿐만 아니라, 예견할 수 있는 모든 결과에 대한 사전적 책임도 강조하였다.

02 정보 사회와 윤리

콕콕! 개념 확인하기 151쪽

01 ㄴ, ㄷ, ㄹ, ㅁ
02 (1) 사유론 (2) 공유론 (3) 사기 결정권 (4) 잊힐 권리, 알 권리
03 (1) ㉡ (2) ㉣ (3) ㉢ (4) ㉠
04 (1) 뉴 미디어 (2) 인격권 (3) 미디어 리터러시
05 (1) ○ (2) ×

탄탄! 내신 다지기 152~153쪽

01 ① **02** ④ **03** ③ **04** ⑤ **05** ④ **06** ③ **07** ④
08 ① **09** 해설 참조

01 정보 기술의 발달과 사회의 변화

자료 분석 | 정보 기술의 발달로 생활의 편리성 향상, 전문 지식의 습득, 정치 참여 기회의 확대, 다양성을 존중하는 사회 분위기 조성 등이 가능해졌다.

[선택지 분석]

① 정보의 일방향적 소통이 가능해졌다. 쌍방향적
② 수평적이고 다원적인 사회 분위기가 형성되었다.
➡ 누구나 원하는 정보에 접근해 자기 의사를 표현할 수 있고, 사이버 공동체를 형성하여 구성원끼리 다양한 의견을 주고받음으로써 사회가 더욱 수평화, 다원화되었다.
③ 정치적 의사 결정에 직접 참여할 수 있는 기회가 확대되었다.
④ 정보의 빠른 검색과 활용으로 일반인도 전문적인 정보를 습득할 수 있게 되었다.
⑤ 은행 업무, 전자 상거래 등이 보편화되어 일상적인 업무를 쉽고 빠르게 처리하게 되었다.
➡ 스마트폰을 이용하여 시장을 보고 집으로 물건을 배송시키거나 은행 업무를 처리하는 등 일상 업무를 쉽고 빠르게 해결할 수 있게 되었다.

02 정보 기술의 발전에 따른 윤리적 문제

자료 분석 | 정보 기술 발전에 따른 윤리 문제로는 정보 기술의 발달로 개인 정보를 쉽게 얻을 수 있어 사생활 침해가 있다. 또한 지적 재산권 침해, 사이버 폭력, 사이버 테러, 자아 정체성 혼란, 게임·인터넷 중독 문제, 감시와 통제의 가능성 증가 등이 있다.

[선택지 분석]

ㄱ. 감시와 통제의 가능성 감소 증가
ㄴ. 사이버 폭력과 사이버 테러
ㄷ. 지적 재산권과 관련된 논쟁 축소 확대
ㄹ. 현실과 사이버 공간의 괴리로 인한 자아 정체성 혼란

03 사이버 폭력의 유형

자료 분석 | 사이버 따돌림은 인터넷, 휴대 전화 등 정보 통신 기기를 이용해 특정인과 관련된 개인 정보 또는 허위 사실을 유포해 지속적·반복적으로 공격을 가하는 행위, 또는 온라인 그룹에서 고의로 특정인을 배제하여 상대방이 고통을 느끼도록 하는 행위이다.

[선택지 분석]

① 사이버 해킹
➡ 컴퓨터 네트워크의 취약한 보안망에 불법으로 접근하거나 정보 시스템에 유해한 영향을 끼치는 행위이다.
② 사이버 테러
➡ 주요 기관의 정보 시스템을 파괴하여 국가 기능을 마비시키는 신종 테러이다.
③ 사이버 따돌림
④ 사이버 스토킹
➡ 이메일, 게시판 등의 정보 통신망을 이용해 의도와 악의를 가지고 지속해서 공포감·불안감 등을 유발하는 행위이다.
⑤ 사이버 리터러시
➡ 사이버 공간의 현실을 냉철하게 인식하고 이를 비판적으로 수용하면서, 올바른 사이버 시대의 질서를 창출해 나갈 수 있는 정보 해독력을 말한다.

04 정보 공유론의 입장

자료 분석 | 제시문은 정보 공유론의 입장이다. 정보 공유론은 지적 창작물을 모든 사람이 공유해야 한다고 주장하며, 정보에 대한 독점에 반대한다.

[선택지 분석]

ㄱ. 정당한 대가를 지급하고 정보를 사용해야 한다. → 정보 사유론
ㄴ. 정보 소유에 대한 배타적 권리를 보장해야 한다. → 정보 사유론
ㄷ. 모든 사람이 지적 창작물을 자유롭게 공유할 수 있도록 해야 한다.
➡ 정보 공유론에서는 지적 창작물의 자유로운 공유를 강조한다.
ㄹ. 정보의 가치를 증대하기 위해서는 정보에 대한 독점을 허용해서는 안 된다.
➡ 정보 공유론에서는 특정한 개인이나 집단이 정보를 독점한다면 지속적인 정보의 발전이 어려워진다고 본다.

05 정보 사회에서 지켜야 할 정보 윤리

[선택지 분석]

ㄱ. 사이버 공간에서 공동체의 조화로운 삶을 추구한다.
ㄴ. 정보의 진실성과 공정성을 추구하여 정의를 실현한다.
ㄷ. 정보의 인간다움보다는 정보의 이용 가치만을 중시한다.
➡ 정보 윤리에서는 정보의 이용 가치만을 중시하지 않고 정보가 인간다움을 유지하고 인간의 삶에 기여하도록 강조한다.
ㄹ. 사이버 공간에서 만나는 모든 사람의 인권과 자유를 동등하게 존중한다.

06 잊힐 권리의 등장 배경

[선택지 분석]

① 정보 소통을 일방향으로 유지하기 위해

② 정보를 공유하여 정보 격차를 해소하기 위해
③ 개인 정보 노출로 인한 문제를 해결하기 위해
➡ 매체가 발달하면서 정보를 교환하고 처리하는 과정에서 사적인 정보가 노출될 수 있다. 이를 배경으로 '잊힐 권리'에 관한 문제가 등장하였다.
④ 정보를 통제하여 기존 사회 질서를 유지하기 위해
⑤ 정보 전달 매체가 정보를 조작하거나 왜곡하는 것을 막기 위해

07 알 권리와 인격권 보호의 대립

자료 분석 | 갑은 표현의 자유와 알 권리를 강조하고, 을은 개인의 사생활 보호를 위한 인격권을 강조한다. 표현의 자유와 알 권리를 무제한으로 보장한다면 개인의 명예 훼손이나 사생활 침해가 만연해질 수 있다. 반대로 개인의 인격권만 강조하게 되면 공익상 필요한 경우에도 개인의 정보에 접근할 수 없게 되어 불합리한 결과를 가져올 수 있다.

[선택지 분석]

㉠ 갑은 국민이 사회적 현실에 관한 정보를 자유롭게 알 수 있는 권리가 있다고 본다.

㉡ 갑은 국민의 알 권리를 보장하면 개인의 불이익을 방지하거나 제거할 수 있다고 본다.

㉢ 을은 매체의 정보 전달이 특정 개인의 인격권을 침해할 수 있다고 본다.

㉣ 을은 정부나 관련 기관에 모든 정보를 공개하라고 요구하면 공익을 실현할 수 있다고 본다.
➡ 정부나 관련 기관에 모든 정보를 공개하라고 요구하는 것은 알 권리를 주장하는 사람들의 입장이다.

08 표현의 자유의 한계

자료 분석 | 갑은 사이버 공간에서 표현의 자유를 무제한 허용해야 한다고 주장하는 반면, 을은 사이버 공간에서 표현의 자유는 제한되어야 한다고 주장한다. 을의 입장에서는 다른 사람의 인권을 침해하지 않는 범위 내에서, 나아가 사회 질서와 공공복리를 훼손하지 않는 범위 내에서 표현의 자유를 허용해야 한다고 주장한다.

[선택지 분석]

㉠ 사회 질서를 훼손하지 않는 범위 내에서 허용되어야 합니다.

㉡ 타인의 인권을 침해하지 않는 범위 내에서 허용되어야 합니다.

㉢ 경제적으로 중산층에 해당하는 사람들에 대해서만 허용되어야 합니다.
➡ 표현의 자유를 제한하는 것이 윤리적으로 허용되려면 그 기준이 보편적으로 적용될 수 있어야 한다. 경제적 격차를 기준으로 표현의 자유를 허용하거나 제한하는 것은 보편적으로 적용될 수 없는 기준이다.

㉣ 사전 검열을 통해 사회적 물의를 일으키지 않을 범위 내에서 허용되어야 합니다.
➡ 사전 검열을 하면 사람들의 자율성이나 인권을 침해할 수 있으므로 적절하지 않다.

09 정보 사유론에 대한 반론

[예시 답안] 제시문은 정보 사유론에 해당한다. 이에 대한 반대 입장은 정보 공유론으로, 저작물은 수천 년 동안 인류가 쌓아온 지적 성과물을 토대로 만들어진 것이며, 정보를 자유롭게 공유하고 활용할 때 창작이 활성화되고 정보의 질적인 발전이 가능해진다고 본다. 또한 정보는 공유해도 소모되지 않기 때문에 저작물을 공유하여 최대한 활용해야 한다고 주장한다.

채점 기준	
상	제시문의 입장이 정보 사유론임을 밝히고, 이에 반대하는 입장의 주장을 서술한 경우
중	제시문의 입장이 정보 사유론임을 밝히지 못하고, 이에 반대하는 입장의 주장을 서술한 경우
하	제시문의 입장과 반대 입장의 근거를 모두 서술하지 못한 경우

도전! 실력 올리기

154~155쪽

01 ③ 02 ② 03 ① 04 ③ 05 ⑤ 06 ② 07 ① 08 ⑤

01 정보 공유론의 입장

자료 분석 | (가)는 정보 공유론이다. (나)의 퍼즐 가로 낱말 (A)는 '정실주의', (B)는 '응보'이므로, 세로 낱말 (A)는 '정보'이다. 정보 공유론은 정보와 그 산물을 인류가 함께 누려야 할 자산으로 보아 모두가 공유해야 한다는 관점이다.

[선택지 분석]

① 누구나 자유롭게 사용하게 되면 진화에 방해를 받는 개체이다.
➡ 이 관점에서는 정보를 개인이나 기업이 소유하면 정보가 계속 발전하기 어렵다고 본다.

② 사용자가 어디서든 네트워크에 접근할 수 있는 공적 환경이다.
➡ 유비쿼터스 환경을 가리킨다.

③ 모두가 자유롭게 접근하고 공유해야 할 상호 협력의 산물이다.
➡ 정보 공유론에서는 정보를 인류가 함께 이룩해 온 산물이며, 함께 공유해야 할 자산으로 본다.

④ 소유권의 자유로운 이전을 통해 진화하는 프로그램의 단위이다.
➡ 정보 공유론에서는 개인의 배타적 소유권을 인정하지 않는다.

⑤ 무한한 복제·수정이 가능하므로 무단 사용을 금해야 할 자산이다.
➡ 정보 공유론에 따르면 정보는 누구나 사용할 수 있는 자산이다.

02 정보 윤리의 기본 원칙

[선택지 분석]

① ㉠: 다른 사람의 저작권을 침해할 수 있다.

① ㉡: 원하는 것을 자유롭게 할 수 있다는 원리이다.

➡ 자율성의 원리는 인간 스스로 도덕 원칙을 수립하여 그것을 따를 수 있는 능력이 있으며, 타인도 역시 그러한 자기 능력이 있음을 존중해야 한다는 원리이다.

③ ㉢: 남에게 해악을 끼치면 안 된다는 원리이다.

④ ㉣: 다른 사람의 복지를 증진하는 방향으로 행동해야 한다는 원리이다.

⑤ ㉤: 혜택이나 부담을 공정하게 배분해야 한다는 원리이다.

03 정보 사유론과 정보 공유론

자료 분석 | (가)는 정보 사유론, (나)는 정보 공유론의 입장이다. 정보 사유론은 정보 상품에 대한 판권자의 권리를 최대한 존중하여 정당한 대가를 지불하고 정보를 사용해야 한다는 논리이다. 반면에 정보 공유론은 정보는 나누면 나눌수록 그 가치가 커지므로 모든 정보는 무료로 사용할 수 있어야 한다는 논리이다.

[선택지 분석]

 ㉠

➡ (가)에 비해 (나)는 정보 소유에 대한 배타적 권리를 인정하는 정도는 낮고, 정보 격차의 완화 가능성 정도는 높으며, 정보의 공유재적 성격을 강조하는 정도는 높다. 즉 X는 낮고, Y와 Z는 높다.

04 정보 격차 문제

자료 분석 | 강연자는 정보 격차의 문제점을 지적하면서 이를 완화하기 위해서는 정보 소외 계층에 대한 지원이 필요함을 강조하고 있다.

[선택지 분석]

① 정보 격차를 심화하기 위해 노력해야 한다.

② 정보 창작자의 배타적 소유를 인정해야 한다. → 정보 사유론

③ 정보 소외 계층을 위한 정보 공유 지원책을 마련한다.

④ 정보 사유화를 강화하여 새로운 정보의 산출에 힘써야 한다.

➡ 강연자의 입장에서는 정보를 사유화하는 것이 아니라 공유화함으로써 정보 산출에 힘써야 한다고 말할 것이다.

⑤ 국가의 독점적 정보 관리로부터 시민의 사생활을 보호해야 한다.

05 잊힐 권리와 알 권리

[선택지 분석]

① 기술에 대한 의존성은 비도덕적인가?

② 사이버 폭력의 유형과 대책은 무엇인가?

③ 정보 사회에서 감시와 통제는 필연적인가?

④ 표현의 자유는 어디까지 허용해야 하는가?

➡ 기사는 잊힐 권리와 알 권리 중 무엇을 더 우선해야 하는가에 관한 내용이므로, 표현의 자유의 범위에 관한 내용으로 볼 수 없다.

⑤ 잊힐 권리와 알 권리 중 무엇을 우선해야 하는가?

➡ 기사는 '잊힐 권리'를 법제화할 경우 '알 권리'를 침해할 수 있음을 지적하고 있다.

06 잊힐 권리와 알 권리

자료 분석 | 갑은 '잊힐 권리'를, 을은 '알 권리'를 주장하고 있다. 갑은 자기 정보에 대한 결정권이 당사자에게 있어야 함을, 을은 공익을 위해서 사생활 보호가 제한될 수 있음을 강조하고 있다.

[선택지 분석]

ㄱ. 갑: 개인에게 자기 정보에 대한 삭제권이 있어야 한다.

➡ 갑은 개인에게 자기 정보에 대한 삭제권이 있어야 한다고 주장한다. 이는 정보에 대한 자기 결정권을 주장하는 것이므로 옳은 진술이다.

ㄴ. 갑: 잊힐 권리 보장이 알 권리 침해로 이어질 수 있다.

ㄷ. 을: 사생활 보호는 공익을 위해 제한될 수 있다.

ㄹ. 갑, 을: 자기 정보에 대한 배타적 관리권이 절대적이다.

07 미디어 리터러시의 특징

[선택지 분석]

① 정보 생산과 유통 과정에서 필요한 정보 전달 능력이다.

➡ 미디어 리터러시는 매체가 형성하는 현실을 비판적으로 읽어 내면서 매체를 제대로 사용하고 바람직하게 표현하는 능력을 말한다.

② 다양한 형태의 커뮤니케이션에 접근하고 분석하는 능력이다.

③ 정보의 가치를 제대로 평가하기 위해 필요한 비판적 사고 능력이다.

④ 자신의 목적에 맞게 기존의 정보를 새로운 정보로 조합하는 능력을 포함한다.

⑤ 정보 사회에서 매체를 사용하고 이해하는 데 필요한 기본적인 읽기, 쓰기 능력을 말한다.

08 인격권과 알 권리

자료 분석 | 갑은 국민의 인격권을 보장하기 위해 개인 정보를 철저히 보호해야 한다는 입장이다. 한편 을은 공공의 이익과 안전을 위해서는 개인 정보가 공개될 수 있다고 주장하고 있다. 따라서 ㉠에는 개인 정보의 보호나 개인의 사생활 보호보다 알 권리를 주장하는 이유가 들어가야 한다.

[선택지 분석]

ㄱ. 개인은 자신의 정보에 관한 자기 결정권을 지니기 때문이야. → 갑의 입장

ㄴ. 개인 정보 노출은 자기 정보 관리에 소홀한 개인의 책임이기 때문이야.

➡ 개인의 사생활을 제한할 수 있는 정당한 근거는 공공의 이익과 안전을 위해서이지, 개인의 잘못 때문이 아니다.

ㄷ. 공공의 이익과 안전을 위해 개인 정보는 필요에 따라 공개될 수도 있기 때문이야.

ㄹ. 국민은 정치, 사회 현실 등에 관한 정보를 자유롭게 얻을 수 있는 알 권리를 갖고 있기 때문이야.

➡ 개인 정보가 제한될 수 있다는 주장을 하는 사람들은 국민의 알 권리를 강조한다.

03 ∼ 인간과 자연의 관계

콕콕! 개념 확인하기 163쪽

01 (1) ㉠ (2) ㉣ (3) ㉢ (4) ㉡
02 (1) 도구적 (2) 종 차별주의 (3) 외경 (4) 대지
03 (1) 동물 (2) 목적론적 (3) 큰 자아
04 (1) 천인합일 (2) 연기설, 자비 (3) 무위자연
05 (1) ○ (2) ○ (3) ○ (4) ×

탄탄! 내신 다지기 164~167쪽

01 ⑤ **02** ④ **03** ⑤ **04** ③ **05** ③ **06** ④ **07** ④
08 ⑤ **09** ④ **10** ② **11** ④ **12** ④ **13** ③ **14** ②
15 ⑤ **16** 해설 참조

01 인간 중심주의 윤리

자료 분석 | 제시문은 인간 중심주의 입장이다. 인간 중심주의는 도구적 자연관, 인간과 자연을 둘로 나누는 이분법적 세계관을 갖는다.

[선택지 분석]

㉠ 자연은 ~~그 자체로 내재적 가치~~(도구적 가치)를 지닌다고 본다.
㉡ 인간 이외의 동물도 도덕적 지위를 갖는다고 본다.
➡ 인간 중심주의에서는 인간만이 도덕적 지위를 갖는다고 본다.
㉢ 자연을 인간의 욕구를 충족하기 위한 도구로 간주한다.
㉣ 인간과 자연을 분리하여 바라보는 이분법적 관점을 지닌다.

02 칸트의 인간 중심주의 윤리

자료 분석 | 제시문은 칸트의 인간 중심주의 입장에 대한 내용이다. 칸트는 인간이 동물과 같은 존재에 대해서는 인간성 실현을 위해 간접적 의무를 지닐 뿐이라고 주장하였다.

[선택지 분석]

㉠ 인간은 동물에 대해 간접적인 의무를 지닌다.
㉡ 인간은 다른 존재보다 본질적으로 더 가치 있다.
➡ 칸트는 인간의 행복이나 이익을 우선 고려한다.
㉢ 인간만이 도덕적 행위를 결정할 수 있는 존재이다.
㉣ 고통과 쾌락을 느끼는 능력이 도덕적 배려의 기준이 된다. → 동물 중심주의

03 인간 중심주의 윤리의 문제점

자료 분석 | 제시문은 인간 중심주의 입장이다. 인간 중심주의의 문제점은 인간의 필요 충족을 위해 자연을 남용, 훼손하여 환경 문제를 초래한다는 점이다.

[선택지 분석]

① 인간의 문화적 활동을 허용하지 않아 비현실적이다.
➡ 인간 중심주의는 인간의 문화적 활동을 허용한다.
② 동물의 개체 보호를 중시하여 생태계의 조화와 균형을 깨뜨릴 수 있다.
③ 모든 생명체를 도덕적으로 고려하여 인간의 생존에 위협이 될 수 있다.
④ 자연에 대한 인간의 간섭을 막아 자연적으로 발생하는 환경 파괴를 방치할 수 있다.
⑤ 자연 남용과 훼손을 정당화하여 생태계 전체를 위협하는 환경 문제를 초래할 수 있다.

04 온건한 인간 중심주의의 입장

자료 분석 | ㉠은 온건한 인간 중심주의이다. 온건한 인간 중심주의는 인간의 장기적인 생존과 복지를 위해서는 자연 보호를 통해 미래 세대에 대해 책임질 줄 알아야 한다고 주장한다.

[선택지 분석]

㉠ 자연 보호를 통한 책임의 범위는 ~~현세대로 한정해야~~(미래 세대도 포함해야) 한다.
㉡ 인간이 다른 존재보다 본질적으로 더 가치 있다고 여긴다.
➡ 온건한 인간 중심주의는 인간이 자연의 일부라는 점을 인정하고 자연을 존중할 것을 주장하지만, 인간이 다른 존재보다 본질적으로 더 가치 있다고 여긴다는 점에서 인간 중심주의에 해당한다.
㉢ 인간의 장기적인 생존과 복지를 위해 자연환경을 보호해야 한다.
㉣ 인간 이외의 다른 모든 존재를 그 자체로 목적으로 대우해야 한다.
➡ 온건한 인간 중심주의도 자연을 인간의 욕구를 충족하기 위한 대상으로 본다는 점에서 한계를 지니고 있다.

05 동물 중심주의 윤리

[선택지 분석]

① ㉠ 도덕적 고려의 대상을 동물까지 확대함
② ㉡ 공장식 사육 방식 중단, 단순 오락을 위한 사냥과 동물 학대 금지를 주장함
③ ㉢ 싱어: 동물도 삶의 주체로서 자신만의 고유한 삶의 영역이 있음을 주장해야 함
➡ 레건에 대한 설명이다. 레건은 동물에 대한 인간의 의무를 강조하였다. 그는 동물이 도덕적으로 무능할지라도 삶의 주체로서 자신만의 고유한 삶의 영역이 있음을 인정해야 한다고 주장하였다.
④ ㉣ 레건: 의무론의 관점에서 동물의 권리를 강조함
⑤ ㉤ 동물 이외의 생명을 충분히 고려하지 못함
➡ 동물 중심주의는 동물 이외의 식물이나 무생물 등을 고려하지 못한다는 점에서 비판을 받는다.

06 싱어와 레건의 동물 중심주의 윤리

자료 분석 | 갑은 공리주의 입장에서 동물 해방론을 주장한 싱어, 을은 의무론의 입장에서 동물도 존중받아야 할 권리가 있다고 강조한 레건이다.

[선택지 분석]

① 갑: 이성을 지닌 인간만이 도덕적 고려의 대상이다.
→ 인간 중심주의

② 갑: 전일론적 관점에서 생명체의 내재적 가치를 인정해야 한다. → 생태 중심주의

③ ~~을~~ 갑: 동물을 인간과 다르게 대우하는 것은 종 차별주의이다.

④ 을: 성장한 포유동물은 삶의 주체이기 때문에 도덕적 지위를 지닌다.

➡ 레건은 성장한 포유동물도 도덕적 주체로서 권리가 있다고 보았다.

⑤ ~~갑, 을~~ 갑: 공리주의의 관점에서 동물의 도덕적 지위를 고려해야 한다.

07 동물 중심주의의 한계

자료 분석 | 제시문은 순서대로 벤담과 밀의 동물 중심주의 입장으로, 이는 싱어의 동물 중심주의의 기초가 되었다.

[선택지 분석]

ㄱ. 무분별한 환경 개발로 생태계 위기를 초래한다.
→ 인간 중심주의의 한계

ㄴ. 동물 이외의 생명과 생태계에 대한 고려가 부족하다.

➡ 동물 이외의 식물이나 무생물 등을 고려하지 못한다는 점에서 비판받는다.

ㄷ. 개별 동물의 희생을 강요하여 '환경 파시즘'으로 흐를 수 있다. → 생태 중심주의의 한계

ㄹ. 인간과 동물 사이의 이익이 충돌할 경우 어느 쪽 이익을 우선해야 할지 판단하기 어렵다.

08 인간 중심주의와 생명 중심주의의 비교

자료 분석 | 갑은 인간 중심주의 사상가인 베이컨, 을은 생명 중심주의 사상가인 슈바이처이다. 생명 중심주의는 탈인간 중심주의를 바탕으로 인간과 자연의 관계를 규정한다.

[선택지 분석]

① 무생물을 도덕적으로 존중해야 하는가?

➡ 생태 중심주의의 입장이므로, 갑, 을 모두 부정의 대답을 할 질문이다.

② 인간은 동물에 대해 간접적인 의무를 지니는가? → 갑 부정, 을부정

③ 모든 생명체는 인간의 이익에 기여해야 하는가? → 갑 긍정, 을 부정

④ 생태계를 구성하는 요소 간 관계에 주목해야 하는가?

➡ 생태 중심주의의 입장이므로, 갑, 을 모두 부정의 대답을 할 질문이다.

⑤ 탈인간 중심주의를 바탕으로 인간과 자연의 관계를 규정하는가? → 갑 부정, 을 긍정

09 생명 중심주의 윤리의 특징

자료 분석 | 갑은 슈바이처, 을은 테일러로 모두 생명 중심주의 입장이다. 생명 중심주의는 모든 생명체의 본래적·내재적 가치를 인정하고 존중할 것을 강조한다.

[선택지 분석]

① 개별 생명체보다 생태계 전체의 가치를 우선한다.
→ 생태 중심주의

② 인간의 경제적 이익을 위해 동물을 이용할 수 있다.
→ 인간 중심주의

③ 무생물을 포함한 자연 전체에 대해 도덕적 책임을 져야 한다. → 생태 중심주의

④ 모든 생명체는 본래적·내재적 가치를 지니므로 존중해야 한다.

⑤ 인간의 생존을 위해 불가피하게 다른 생명을 해치더라도 도덕적 책임은 ~~없다~~ 있다.

10 테일러의 생명 중심주의 윤리

자료 분석 | 제시문은 생명 중심주의 윤리를 펼친 테일러의 주장이다. 테일러는 생명체에 대한 악행 금지의 의무, 불간섭의 의무, 성실의 의무, 보상적 정의의 의무를 제시하였다. 생태계 전체를 도덕적 고려의 대상으로 삼고 배려해야 한다는 주장은 생태 중심주의의 입장이다.

[선택지 분석]

① 어떤 생명체도 해치지 말아야 한다. → 악행 금지의 의무

② 생태계 전체를 도덕적 고려의 대상으로 삼고 배려해야 한다.

➡ 생태 중심주의의 입장으로, 테일러가 제시한 의무와 관계 없는 내용이다.

③ 인간이 다른 생명체에게 해를 끼쳤을 때 그 피해를 보상해야 한다. → 보상적 정의의 의무

④ 개체 생명의 자유를 침해하거나 생태계를 조작·통제해서는 안 된다. → 불간섭의 의무

⑤ 동물 사냥 등 인간의 즐거움을 위해 야생 동물을 기만하는 행위를 해서는 안 된다. → 성실(신의)의 의무

11 네스의 심층 생태주의 윤리

자료 분석 | 제시문은 네스의 심층 생태주의의 주장으로, 환경 문제를 해결하기 위해서는 인간의 세계관과 생활 양식의 근본적 변화가 필요하다고 본다.

[선택지 분석]

ㄱ. 도덕적 고려 대상의 기준은 쾌고 감수 능력이다.
→ 동물 중심주의

ㄴ. 생태계의 모든 존재가 평등한 권리를 누려야 한다.

ㄷ. 인간의 장기적 생존을 위해 자연을 보호해야 한다.
→ 온건한 인간 중심주의

ㄹ. 환경 문제의 해결을 위해 인간의 세계관과 생활 양식의 근본적 변화가 필요하다.

12 생명 중심주의 윤리와 생태 중심주의 윤리

자료 분석 | 갑은 생명 중심주의 사상가인 테일러, 을은 생태 중심주의 사상가인 레오폴드이다. 두 사상가의 공통된 견해는 모든 생명체가 내재적 가치를 지니며, 자연의 가치를 유용성을 기준으로 측정해서는 안 된다는 것이다.

[선택지 분석]

ㄱ. 무생물을 포함한 생태계 전체의 상호 의존성을 고려해야 한다. → 생태 중심주의

ㄴ. 인간을 포함한 모든 생명체는 자기 나름의 가치를 지닌 존재이다.

ㄷ. 인간과 자연을 서로 분리되어 있는 별개의 대상으로 보아야 한다. → 인간 중심주의

ㄹ. 자연의 가치를 인간의 필요와 유용성을 기준으로 측정해서는 안 된다.

13 레오폴드의 생태 중심주의 윤리

자료 분석 | 제시문의 사상가는 생태 중심주의 윤리를 주장한 레오폴드이다.

[선택지 분석]

① 인간만이 직접적인 도덕적 고려의 대상이다. → 인간 중심주의

② 인간의 장기적 이익을 위해 환경을 보전해야 한다.
→ 온건한 인간 중심주의

③ 인간을 대지의 정복자가 아니라 구성원으로 바라보아야 한다.

➡ 레오폴드는 인간이 대지의 일원일 뿐이며, 자연은 인간의 이해와 상관없이 내재적 가치를 지니므로 토양, 물, 동식물과 인간까지 포괄하는 생태계 전체를 도덕 공동체의 범위에 포함해야 한다고 보았다.

④ 모든 생명체는 목적론적 삶의 중심으로서 도덕적 지위를 갖는다. → 테일러의 생명 중심주의

⑤ 동식물과 같은 존재는 인간과 관련하여 간접적으로 고려해야 한다. → 칸트

14 노자와 베이컨의 자연관

자료 분석 | 갑은 노자, 을은 베이컨이다. 따라서 노자의 입장에서 베이컨에게 제기할 수 있는 비판을 골라야 한다.

[선택지 분석]

ㄱ. 자연을 본받고 따르는 것이 이상적인 삶임을 간과하고 있다.

➡ 노자는 만물의 생성과 존재의 원리인 도가 궁극적으로 지향하는 것을 자연으로 보았으며, 자연을 본받고 따르는 것을 이상적인 삶으로 여겼다. 따라서 노자가 베이컨에게 제기할 수 있는 비판으로 적절하다.

ㄴ. 인간과 자연 간에는 위계적인 질서가 있음을 간과하고 있다.

➡ 베이컨의 입장이므로 노자가 제기할 비판으로 적절하지 않다. 베이컨은 자연을 단지 인간의 필요를 위해 존재하는 물질적 대상으로 여겼다.

ㄷ. 인간과 자연을 유기체적인 관계로 파악해야 함을 간과하고 있다.

ㄹ. 자연을 탐구하고 이용함으로써 더 풍요로운 삶을 살 수 있음을 간과하고 있다. → 베이컨의 입장

15 동양의 자연관의 특징

자료 분석 | (가)는 유교, (나)는 불교, (다)는 도가의 자연관이다.

[선택지 분석]

① 자연은 의식이 없는 단순한 물질이다. → 데카르트의 자연관

② 인간은 자연을 지배하고 정복해야 한다. → 정복 지향적 자연관

③ 인류의 행복을 위해 자연을 보전하고 관리해야 한다.
→ 온건한 인간 중심주의

④ 자연은 그 자체로서 가치 있는 존재가 아닌 인간을 위한 도구에 불과하다. → 도구적 자연관

⑤ 인간도 생태계를 구성하는 자연의 일부로서 다른 생명체와 유기적 관계를 이룬다.

➡ 유교, 불교, 도가, 즉 동양의 자연관은 인간과 자연이 상호 의존적이고 유기적 관계를 이룬다고 본다.

16 생태 중심주의의 한계

[예시 답안] 생태 중심주의는 개별 생명체의 이익보다는 생태계 전체의 이익을 우선하여 고려하는 전일론적 입장을 지닌다. 그러나 이는 생태계의 안정과 유지를 위해 개별 구성원들의 희생을 강요하여 '환경 파시즘'으로 흐를 수 있다. 또한 생태계의 중요한 가치를 실현하는 데 인간의 개입을 허용하지 않아 비현실적이라는 비판을 받기도 한다.

채점 기준		
	상	생태 중심주의가 지니는 한계를 두 가지 모두 서술한 경우
	중	생태 중심주의가 지니는 한계를 한 가지만 서술한 경우
	하	생태 중심주의가 지니는 한계를 서술하지 못한 경우

도전! 실력 올리기

168~169쪽

01 ④ **02** ① **03** ① **04** ② **05** ② **06** ① **07** ③

01 패스모어의 온건한 인간 중심주의

자료 분석 | 제시문은 패스모어의 주장이다. 그는 서양 근대의 도구적 자연관과 이분법적 세계관으로 오늘날 자연 고갈과 환경 오염, 생태계 파괴 등의 문제가 심각해졌다고 주장하였다.

[선택지 분석]

ㄱ. 모든 생명체의 고유한 가치를 존중해야 하는가? → 생명 중심주의

ㄴ. 인간의 장기적 생존을 위해 환경을 보호해야 하는가?

➡ 패스모어는 온건한 인간 중심주의의 입장에서 인간의 장기적 생존을 위해 자연을 보호해야 한다고 주장하였다.

ㄷ. 식물은 동물을 위해, 동물은 인간을 위해 존재하는가?

➡ 아리스토텔레스의 주장이다.

ㄹ. 근대의 도구적 자연관과 이분법적 세계관으로 환경 문제가 심각해졌는가?

02 생태 중심주의, 생명 중심주의, 동물 중심주의

자료 분석 | (가)는 생태 중심주의만 긍정할 질문, (나)는 생명 중심주의자인 테일러만 긍정할 질문, (다)는 동물 중심주의자인 레건만 긍정할 질문이 들어가야 한다.

[선택지 분석]

㉠ (가): 물이나 토양과 같은 무생물도 도덕적으로 고려해야 하는가? → 생태 중심주의 긍정, 테일러 부정

㉡ (나): 인간은 생명체에 대한 네 가지 의무를 갖는가? → 테일러 긍정, 레건 부정

✕ (다): 동물을 도덕적 행위의 주체로 보아야 하는가? → 레건 부정

✕ (다): 모든 생명체를 인간과 동등하게 대우해야 하는가? → 레건 부정

03 레건과 칸트의 자연관 비교

자료 분석 | (가)는 동물 권리론을 주장한 레건의 입장, (나)는 인간 중심주의 사상가인 칸트의 입장이다.

[선택지 분석]

 ㉠

➡ (가)의 입장에 비해 (나)의 입장은 동물을 도덕적 고려의 대상으로 보는 정도가 낮고, 이성적 존재만을 삶의 주체로 인정하는 정도는 높으며, 자연을 인간의 복지를 위한 수단으로 보는 정도는 높다. 따라서 X는 낮고, Y와 Z는 높다.

04 싱어의 동물 중심주의 윤리

자료 분석 | 갑은 동물 중심주의 입장인 싱어이다. 싱어는 쾌고 감수 능력을 가진 동물을 도덕적 고려의 대상으로 삼아야 하며, 이익 평등 고려의 원칙에 따라 인간과 동물을 차별해서는 안 된다고 주장하였다.

[선택지 분석]

㉠ 동물이 느낄 고통을 고려해야 한다.

✕ 인간과 자연을 분리하여 바라보아야 한다. → 인간 중심주의

✕ 살아 있는 모든 것을 소중하게 대해야 한다. → 생명 중심주의

㉣ 인간과 동물을 차별하는 사고에서 벗어나야 한다.

05 싱어, 테일러, 레오폴드의 자연관 비교

자료 분석 | 갑은 싱어, 을은 테일러, 병은 레오폴드이다.

[선택지 분석]

✕ A: 평등의 원리에 따라 인간과 모든 동물을 동일하게 대우해야 한다.

➡ 싱어의 '이익 평등 고려의 원칙'은 인간과 동물의 이익을 동등하게 고려할 것을 강조한다. 그러나 그렇다고 해서 인간과 모든 동물을 동일하게 대우할 것을 강조하지는 않는다.

㉡ B: 인간은 생명체에 끼친 해악에 대한 보상적 정의의 의무를 지닌다.

➡ 테일러만의 입장이다. 테일러가 말한 보상적 정의의 의무는 인간이 다른 생명체에게 해를 끼쳤을 경우 마땅히 피해를 보상해야 한다는 내용이다.

㉢ C: 개체주의적 관점을 지양하고 인간 중심주의에서 벗어나야 한다. → 레오폴드만의 입장

✕ D: 쾌고 감수 능력을 지닌 동물은 도덕적 고려 대상에 속한다. → 싱어, 테일러, 레오폴드의 공통 입장

06 인간 중심주의, 생명 중심주의, 생태 중심주의 비교

자료 분석 | 갑은 인간 중심주의자인 아퀴나스, 을은 생명 중심주의자인 테일러, 병은 생태 중심주의자인 레오폴드이다.

[선택지 분석]

㉠ A: 인간은 동물을 수단으로만 취급해도 되는가? → 갑 긍정

➡ 아퀴나스는 신의 섭리에 따라 인간이 동물을 사용하도록 되어 있기 때문에 동물을 이용하는 것이 부정의하지 않다고 보았다.

㉡ B: 무생물은 도덕적 고려의 대상이 아닌가? → 을 긍정, 병 부정

✕ C: 개체로서의 생명보다 생태계 전체의 이익을 고려해야 하는가? → 을 부정

✕ D: 물[水]은 도덕 공동체의 범위에서 제외되는가? → 병 부정

➡ 레오폴드는 도덕 공동체의 범위를 토양과 물을 포함한 대지로 확장시켜야 한다고 보았다.

07 동양의 자연관의 특징

자료 분석 | 제시된 학생 답안은 유교, 불교, 도가의 자연관을 서술하고 있다. 도가는 자연을 '무질서'가 아니라 '무목적의 질서'가 존재하는 곳이라고 본다.

[선택지 분석]

① ㉠ 인간과 자연이 조화를 이루는 천인합일의 경지를 추구한다.

➡ 유교에서는 인간을 천지와 더불어 화해와 조화를 지향하는 존재로 파악한다.

② ㉡ 연기의 원리에 따라 우주 만물이 상호 의존적으로 존재한다

➡ 불교에서는 연기에 따라 우주 만물이 상호 의존한다고 보았다.

✓③ ㉢ 자연이 무위의 체계로서 ~~무질서~~ 무목적의 질서를 담고 있다고 파악하여

④ ㉣ 인간이 자연에 가하는 인위적 조작을 거부한다.

⑤ ㉤ 인간과 자연의 조화를 이루는 삶을 강조한다.

04 환경 문제에 대한 윤리적 쟁점

콕콕! 개념 확인하기 172쪽

01 (1) ○ (2) ○ (3) ○
02 (1) 기후 정의 (2) 요나스, 책임
03 (1) ㉠ (2) ㉡
04 (1) 개 (2) 보 (3) 개 (4) 보
05 환경적으로 건전하고 지속 가능한 발전
06 (1) ㄱ (2) ㄷ, ㄹ (3) ㄴ

탄탄! 내신 다지기 173~174쪽

01 ② 02 ⑤ 03 ⑤ 04 ② 05 ③ 06 ④ 07 ②
08 해설 참조

01 기후 변화에 따른 문제점

자료 분석 | ㉠은 지구 온난화이다. 지구 온난화로 극지방 해빙과 해수면이 상승하여 저지대가 침수되고, 이상 기후, 사막화 등을 야기해 질병 발생 증가와 곡물 수확량 감소와 같은 피해를 가져온다. 또한 개발 도상국의 피해 증가, 세계 곳곳의 물 공급량 감소 등의 문제가 발생한다.

[선택지 분석]

㉠ 해수면 상승으로 저지대가 침수된다.

✕ 남아프리카, 지중해, 유럽 등에서 물 공급량이 늘어난다.

➡ 지구 온난화는 물 공급량을 감소시켜 물 부족 현상이 나타난다.

㉢ 이상 기후와 사막화 등을 일으켜 질병 발생이 증가한다.

✕ 개발 도상국이나 후진국에 비해 선진국의 피해가 증가한다.

➡ 기후 변화로 인한 피해는 선진국보다 개발 도상국이나 후진국의 피해가 더 크다.

02 환경 문제 해결을 위한 국제 협약

자료 분석 | 교토 의정서, 파리 협약, 몬트리올 의정서는 환경 문제를 해결하기 위한 전 지구적인 협약이다.

[선택지 분석]

① 환경 문제는 경제적 발전을 통해 해결할 수 있다.

② 개인의 노력만으로도 환경 문제를 해결할 수 있다.

③ 현세대의 행복을 위한 환경 개발 방안을 모색해야 한다.

④ 환경 문제의 해결을 위해 국가적 협력보다 환경 단체의 노력이 더 필요하다.

✔⑤ 환경 문제는 전 지구적인 문제이므로 국가 간의 협력을 통해 해결해야 한다.

➡ 환경 문제는 국지적으로 일어나는 문제가 아니라 전 지구적으로 발생하는 문제이므로 국가 간의 협력을 통해 해결하기 위해 국제 협약을 맺는다.

03 기후 정의 문제

[선택지 분석]

① 미래 세대에 대한 현세대의 책임

② 기후 변화 문제의 원인과 대처 방안

③ 기후 변화가 지구 환경에 미치는 영향

④ 기후 변화에 대응하기 위한 국제적 협력

✔⑤ 정의의 관점에서 살펴본 기후 변화 문제

➡ 제시문에서는 오늘날 기후 변화로 인한 피해가 특정 국가, 특히 후진국이나 개발 도상국에 집중되므로 이러한 현상을 사회 구조적 문제로 보아야 한다고 말하고 있다. 즉, 기후 변화 문제를 환경 문제를 넘어 '정의'에 관한 문제로 보는 것이다.

04 요나스의 책임 윤리

자료 분석 | A는 책임 윤리를 강조한 요나스이다. 그는 현세대가 미래 세대를 위해 자연을 최대한 보전해야 한다고 주장한다.

[선택지 분석]

① 인류 존속을 위해 현세대의 책임이 중요하다.

✔② 미래 세대를 위해 자연을 최대한 ~~개발~~(보전)해야 한다.

③ 우리의 행동이 미래에 미칠 영향을 고려해야 한다.

④ 미래 세대가 건강한 자연환경에서 살아갈 권리를 존중해야 한다.

⑤ 현세대가 지녀야 할 덕목에는 두려움, 겸손, 검소, 절제 등이 있다.

05 미래 세대에 대한 책임

자료 분석 | 제시문은 미래 세대가 도덕적 의무의 대상이 아니라는 견해에 대해 반박하고 있다. 따라서 ㉠에는 현세대는 미래 세대의 생존을 위해 검소한 생활과 절제하는 소비 습관을 길러야 하며 환경 보전의 책임이 있음을 깨달아야 한다는 내용이 들어가야 한다.

[선택지 분석]

① 인류의 존속을 위한 자연 파괴가 ~~정당함~~(부당함)을 간과하고 있다

② ~~현세대의 삶이 미래 세대의 삶보다~~(현세대의 삶과 미래 세대의 삶이 모두) 중요함을 간과하고 있다

✔③ 현세대가 미래의 환경에 대한 책임이 있음을 간과하고 있다

④ 현세대와 미래 세대의 삶이 ~~분리~~(연결)되어 있음을 간과하고 있다

⑤ 미래 세대를 위해 모든 형태의 개발을 중단해야 함을 간과하고 있다

➡ 미래 세대에 대한 책임을 주장하는 입장이 모든 형태의 개발을 거부하는 것은 아니다.

06 환경적으로 건전하고 지속 가능한 발전의 특징

자료 분석 | ㉠은 '환경적으로 건전하고 지속 가능한 발전'이다. 환경적으로 건전하고 지속 가능한 발전을 실현하기 위해서는 '좀 더 빠르게, 좀 더 높게, 좀 더 강하게'와 같은 양적 성장주의를 반성하고, 진정한 행복이 무엇인지에 대한 깊은 성찰이 필요하다.

[선택지 분석]

① 환경 보존보다는 경제 성장을 더 중시한다.

② 화석 연료를 중요한 에너지원으로 강조한다.

➡ 화석 연료 사용을 제한하도록 강조한다.

③ 미래 세대보다 현세대의 행복을 더 강조한다.

✔④ 양적 성장주의에 대한 반성이 바탕이 되어야 한다.

⑤ 자연의 자정 능력 범위를 넘어서는 환경 개발을 ~~중시~~(반대)한다.

➡ 자연의 자정 능력 범위를 넘어서 환경을 개발할 경우 환경이 파괴되면 되돌리기 어렵다.

07 환경적으로 건전하고 지속 가능한 발전을 위한 노력

자료 분석 | 환경적으로 건전하고 지속 가능한 발전을 실현하기 위해서는 개인적으로는 친환경적 소비를 하고, 국가적으로는 관련 제도와 법을 마련하고 확대해야 한다.

[선택지 분석]

(갑) 에너지 절약을 습관화하고 폐기물을 재활용해야 합니다.

~~을~~: 환경 보전과 경제 성장은 함께 추구할 수 없다는 사실을 인식해야 합니다.

➡ 환경적으로 건전하고 지속 가능한 발전은 개발과 환경 보전의 딜레마를 해결하기 위해 나온 개념이다.

~~병~~: 공공 재화인 자연~~을 최대한 개발하고 아낌없이 사용해야~~ 합니다. (개발과 환경 보존이 균형을 이루어야)

(정) 태양광이나 풍력 등을 활용한 신·재생 에너지 개발을 제도적으로 지원해야 합니다.

08 개발론의 문제점

[예시 답안] 자원의 무분별한 개발과 지나친 소비로 인해 환경 파괴와 자원 고갈을 유발한다.

채점 기준	
상	개발론의 문제점을 정확하게 서술한 경우
하	개발론의 문제점을 서술하지 못한 경우

도전! 실력 올리기 175쪽

01 ⑤ **02** ④ **03** ② **04** ④

01 탄소 배출권 거래 제도에 대한 비판

자료 분석 | 제시문의 제도는 탄소 배출권 거래 제도이다. 탄소 배출권 거래 제도는 환경 문제를 시장 논리로 접근한다는 점과 환경 문제를 해결하는 데 필요한 인류 공동의 책임을 약화시킬 수 있다는 점에서 비판을 받는다.

[선택지 분석]

~~ㄱ~~. 환경 문제에 인간이 과도하게 개입한다.

~~ㄴ~~. 환경 문제를 지나치게 윤리적으로 접근한다.

(ㄷ) 자본으로 환경 파괴를 정당화할 우려가 있다.

➡ 탄소 배출권 거래 제도는 탄소 배출량을 목표보다 많이 줄이면 그렇지 못한 국가나 기업에 탄소 배출권을 판매할 수 있게 하였다.

(ㄹ) 환경 문제를 해결하는 데 필요한 인류 공동의 책임이 약화될 수 있다.

02 요나스의 책임 윤리

자료 분석 | 제시문을 주장한 사상가는 요나스이다.

[선택지 분석]

(①) 인류의 존속이라는 무조건적인 명령을 이행해야 한다.

(②) 환경의 무분별한 개발에 대해 비판적으로 성찰해야 한다.

~~③~~ 미래 세대의 생존을 위해 현세대의 생존 권리를 포기해야 한다.

➡ 요나스는 미래 세대를 위해 현세대의 생존 권리를 포기해야 한다고 주장하지 않았다. 그는 현세대와 미래 세대의 권리를 모두 충족하는 책임 윤리를 제시하였다.

(④) 미래 세대에 대한 책임감을 바탕으로 환경 문제를 해결해야 한다.

03 미래 세대에 대한 책임 윤리

[선택지 분석]

① ㉠ 인류는 하나의 연속적 세대로 이루어진 도덕 공동체를 형성하며,

✔② ㉡ 현세대는 자연환경을 독점적으로 이용하거나 처분할 권리를 갖는다.

➡ 지속 가능한 발전의 관점에 따르면, 현세대는 미래 세대를 위하여 자연환경을 온전하게 물려주어야 할 책임이 있다. 그러므로 현세대는 자연환경을 독점적으로 이용하거나 처분할 권리를 갖는다고 보기 어렵다.

③ ㉢ 과거 세대가 물려준 것과 같이 현세대도 다음 세대에 자연환경을 온전하게 물려줄 도덕적 책임이 있다.

④ ㉣ 미래 세대도 인간이므로 현세대와 같은 권리를 갖는 것은 당연하다.

⑤ ㉤ 현세대가 미래 세대에 지는 책임은 내 자손만이 아니라 모든 인류와 존재를 지속시킬 의무를 갖는 것이다.

04 개발론과 환경 보전론의 갈등

자료 분석 | 갑은 성장을 중시하는 개발론자의 입장, 을은 자연과 동식물을 보호하는 것을 우선시하는 환경 보전론자의 입장이다.

[선택지 분석]

① 갑: 인간의 복지와 풍요를 위해 개발이 필요하다.

② 갑: 사람들에게 도움이 된다면 자연을 개발하는 것이 바람직하다.

③ 을: 자연 보호를 위해 손해를 감수할 수 있어야 한다.

➡ 을의 입장에서는 자연 보호를 위해 경제 성장 등의 손해를 감수할 것이다.

✔④ 을: 자연은 인간에게 경제적 이익을 제공하는 원천이 되어야 한다.

➡ 을의 입장에서는 자연을 인간의 이익 추구를 위한 수단이 아니라 본래적 가치를 지닌 존재로 본다.

⑤ 을: 일정 부분 경제 성장을 제약하더라도 자연환경을 보호해야 한다.

한번에 끝내는 대단원 문제 178~183쪽

01 ① **02** ② **03** ② **04** ④ **05** ③ **06** ③ **07** ③
08 ② **09** ③ **10** ④ **11** ③ **12** ③ **13** ④ **14** ⑤
15 ④ **16** ① **17** ② **18** ④ **19** ④
20~23 해설 참조

01 과학 기술의 가치 중립성 논쟁

자료 분석 | 갑은 과학 기술의 가치 중립성을 부정하는 입장으로, 과학 기술에 윤리적 가치가 개입될 수 밖에 없다고 주장한다. 반면, 을은 과학 기술의 가치 중립성을 인정하는 입장으로 윤리와 과학은 각각 고유한 영역이 있으므로 과학 기술은 윤리적 규제나 평가의 대상이 될 수 없다고 강조한다.

[선택지 분석]

➡ 을은 갑에 비해 사회에 끼치는 영향에 대한 인식 정도가 낮고, 도덕적 가치 판단에서 자유로운 정도가 상대적으로 높다. 그리고 과학 기술을 인식론적 대상으로만 파악하는 정도도 높다. 즉 X는 낮고, Y와 Z는 높다.

02 과학 기술의 가치 중립성을 인정하는 입장에 대한 반론

자료 분석 | 소전제 ㉠은 '과학 기술의 연구 개발은 가치 중립적인 것이다.'이다. 이에 대한 반론은 '과학 기술의 연구 개발은 가치 중립적인 것이 아니다.'이다.

[선택지 분석]

① 과학 기술은 도덕적 가치 판단으로부터 자유로워야 한다. → 가치 중립성 인정

② 과학 기술의 연구 목표를 설정할 때 가치 판단이 개입한다. → 가치 중립성 부정

③ 과학 기술의 발전을 위해 가치 중립적 태도를 유지해야 한다. → 가치 중립성 인정

④ 과학 기술의 연구 대상과 도덕의 탐구 대상은 서로 구별된다. → 가치 중립성 인정

⑤ 과학적 사실 판단은 도덕적 가치 판단에 종속되어서는 안 된다. → 가치 중립성 인정

03 과학 기술의 가치 중립성에 대한 논쟁

자료 분석 | 갑은 과학 기술의 가치 중립성을 강조하는 야스퍼스, 을은 과학 기술의 가치 중립성에 반대하는 하이데거이다. 과학 기술의 가치 중립성을 강조하는 입장에서는 기술은 인간 사회와 무관하며 과학 기술의 본질은 진리의 발견과 활용에 있다고 주장한다.

[선택지 분석]

① 갑: 기술을 가치 중립적으로 바라보아서는 안 된다.

② 갑: 기술은 인간 사회와 무관하게 그 자체의 발전 논리를 가지고 있다.

③ 을: 기술 자체에는 어떠한 가치도 포함될 수 없다.

④ 을: 기술은 가치 중립적이므로 연구의 자유를 보장해야 한다.

⑤ 갑, 을: 기술이 인간의 삶에 기여할 수 있도록 기술에 대한 인간의 통제가 필요하다. → 을만의 입장

04 과학 기술의 가치 중립성을 부정하는 입장

자료 분석 | 제시문은 하이젠베르크의 "부분과 전체"의 일부이다. 그는 과학 기술의 가치 중립성을 인정하는 입장에 대해 반대하고 있다. 그는 원자 폭탄을 만든 사람은 원자 폭탄이 가져올 커다란 사회적 영향력에 대해서 이미 충분히 알고 있기 때문에 원자 폭탄으로 인한 결과에 대하여 응분의 책임을 져야 한다고 주장하고 있다.

[선택지 분석]

① 과학 기술은 윤리적 가치 평가에 의해 지도되고 규제되어야 한다. → 가치 중립성 부정

② 과학 기술자는 자신의 연구 활동을 사회의 연관성 안에서 생각해야 한다. → 가치 중립성 부정

③ 과학 기술자가 연구 대상을 선정하는 과정은 가치로부터 독립적이지 않다. → 가치 중립성 부정

④ 과학 기술 그 자체는 좋은 것도 나쁜 것도 아닌 가치 중립적인 것이어야 한다.

➡ 과학 기술의 가치 중립성을 인정하는 주장이다.

05 과학 기술 낙관주의의 특징

자료 분석 | 제시문은 과학 기술 낙관주의의 입장이다. 과학 기술 낙관주의는 과학 기술의 성과와 유용성만을 강조한다.

[선택지 분석]

㉠ 과학 기술에 대해 혐오주의적 태도를 갖는다.

㉡ 과학 기술의 유용성만을 강조하고, 부정적 영향을 간과한다.

㉢ 과학 기술이 가져다줄 미래를 지나치게 낙관적으로 바라본다.

➡ 과학 기술 낙관주의는 인류가 과학 기술을 이용해 사회의 모든 문제를 해결하고 무한한 부와 행복을 누릴 것이라고 본다.

㉣ 과학 기술의 발전과 윤리적 반성이 함께 이루어져야 한다고 주장한다.

➡ 과학 기술 낙관주의는 과학 기술 발전에 따른 부작용 증가, 인간의 책임과 삶의 가치에 대한 도덕적 숙고와 반성적 사고의 중요성을 훼손한다는 비판을 받는다.

06 과학 기술자의 책임 한계에 대한 논쟁

자료 분석 | 갑은 과학자의 내적 책임만을 강조하는 반면, 을은 내적 책임뿐만 아니라 외적 책임까지 필요하다고 주장하고 있다. 을은 과학자가 자신의 연구 활동을 사회와 연관해서 생각해야 한다고 본다. 즉 과학자는 자신의 연구 결과가 사회에 미칠 영향력까지도 미리 예견하고 내다보면서 사회적 책임을 질 수 있어야 한다는 것이다.

[선택지 분석]

① 갑은 과학자가 연구 결과로 인한 사회적 책임으로부터 자유로워야 한다고 본다.

➡ 제시문에서 갑의 두번째 발언에서 알 수 있다.

② 갑은 연구 과정에서 어떠한 정보나 자료도 표절하거나 조작해서는 안 된다고 본다.

➡ 갑은 과학 기술자가 연구 과정에서 도덕 규범, 즉 연구 윤리를 준수해야 한다고 주장하므로 연구 표절과 조작 등에 반대한다.

③ 을은 과학자가 과학 기술의 활용에 대한 정치적 결정에 관여해서는 안 된다고 본다.

④ 을은 사회적으로 해로운 결과가 예상되는 연구는 위험성을 알리고 중단해야 한다고 본다.
⑤ 갑, 을 모두 과학 연구 과정에서 도덕 규범을 지켜야 한다는 점을 인정한다.
➡ 을도 과학자가 진리 탐구 과정에서 당연히 도덕 규범을 지켜야 한다고 말했으므로 과학자의 내적 책임을 인정한다.

07 과학 기술자의 사회적 책임에 대한 논쟁

자료 분석 | 갑은 과학 기술자의 책임을 부정하는 텔러, 을은 과학 기술자의 사회적 책임을 강조하는 하이젠베르크이다. 을은 과학자가 자신의 연구 결과가 사회에 미칠 영향까지도 미리 예견하고 내다보면서 사회적 책임을 질 수 있어야 한다고 강조한다.

[선택지 분석]

① 과학 기술의 부작용에 주의할 책임
② 인류 전체의 생존을 위해 노력할 책임
③ 윤리적 검토에 구애받지 않고 연구할 책임
➡ 갑의 입장에 해당하는 내용이다. 을은 과학 기술자의 사회적 책임을 강조하므로 과학 기술 연구 목표를 설정할 때 윤리적 가치가 개입되어야 한다고 주장할 것이다.
④ 연구 결과를 인류의 평화를 위해 활용할 책임
⑤ 연구 결과가 사회에 해가 되지 않도록 노력할 책임

08 사이버 공간에서의 표현의 자유의 한계

자료 분석 | 제시문은 「정보 통신망 이용 촉진 및 정보 보호 등에 관한 법률」의 일부 조항들이다. 이 법률은 정보 통신망의 이용을 촉진하고 이용자의 개인 정보를 보호하며 건전하고 안전한 정보 통신망 환경을 조성하는 것을 목적으로 제정된 법률이다.

[선택지 분석]

① 개인의 표현의 자유를 무한히 존중해야 한다.
➡ 타인의 인권을 침해하는 등 피해를 주는 경우 표현의 자유는 제한될 수 있다.
② 사이버 폭력은 피해자에게 심각한 정신적·심리적 피해를 줄 수 있다.
③ 사이버 공간에서는 합리적 이성과 양심에 따라 자신의 행동을 숙고해야 한다.
④ 거짓된 정보가 아니라면 어떤 정보라도 사이버 공간에서 자유롭게 공개할 수 있다.
➡ 어떤 정보가 사실이라고 해도, 개인의 인격권을 침해할 수 있는 정보는 공개해서는 안 된다.

09 정보 공유론과 정보 사유론

자료 분석 | 갑은 정보 공유론, 을은 정보 사유론의 입장이다. 정보 공유론은 지식과 정보의 공공재적 성격을 강화해야 한다는 점을 강조하고, 정보 사유론은 정보 소유에 대한 배타적 권리를 보장해야 한다는 점을 강조한다.

[선택지 분석]

㉠ A: 타인의 저작물을 도용하거나 표절하는 행위를 처벌해야 한다. → 정보 사유론
㉡ B: 정보에 대한 접근 기회는 누구에게나 열려 있어야 한다.
㉢ B: 타인의 지적 창작물에 대한 존중 의식을 함양해야 한다.
㉣ C: 지식과 정보의 공공재적 성격을 강화해야 한다. → 정보 공유론

10 정보 사회의 윤리적 문제

자료 분석 | 그래프는 정보 기술의 발전에 따른 윤리적 문제 중 사이버 폭력의 발생 정도를 다룬다. 이를 해결하기 위해서는 개인적 차원에서 인간 존중의 태도를 가져야 할 뿐만 아니라 사회적 차원에서 예방과 관리를 위한 제도적 장치를 마련해야 한다.

[선택지 분석]

㉠ 사이버 공간에서 소통의 ~~일방향성~~(쌍방향성)을 추구한다.
㉡ 사이버 범죄 예방을 위한 제도적 장치를 마련한다.
㉢ 사이버 공간에서 표현의 자유를 무제한으로 인정한다.
➡ 사이버 공간에서 표현의 자유를 무제한으로 인정하면 사이버 폭력이 발생할 가능성이 더 커질 수 있다.
㉣ 사이버 범죄도 피해자의 존엄성을 훼손하는 폭력임을 인식한다.
➡ 사이버 폭력도 현실에서 발생하는 폭력과 같이 피해자의 존엄성을 훼손하는 폭력이다.

11 정보 사회의 매체 윤리

[선택지 분석]

① ㉠: 원하는 정보를 찾아 내어 획득할 수 있는 능력이다.
② ㉠: 자신이 원하는 정보를 가장 효과적인 매체 형식으로 제작하고 배포하는 능력이다.
③ ㉡: 정보에 대한 오해가 없도록 추상적인 표현을 구사하는 태도이다.
➡ 사이버 시민성을 갖춘 사람은 정보에 대한 오해가 없도록 명확한 표현을 구사한다.
④ ㉡: 정보와 관련된 누군가에게 미칠 파장과 결과를 고려하는 모습이다.
➡ 사이버 시민성을 갖춘 사람은 사적인 내용과 공적인 내용을 구분하고, 그 속에 개인 정보가 담겨 있을 때는 특별히 더 조심스럽게 다룬다.
⑤ ㉡: 정보와 관계된 사람들의 입장을 고루 이해하고 중립적 입장을 견지하는 모습이다.

12 잊힐 권리와 알 권리의 갈등

자료 분석 | 제시문은 '잊힐 권리'를 주장하고 있다. '잊힐 권리'란 개인 정보 등이 많은 사람에게 공개되지 않도록 정보를 통제할 권리를 말한다. 이러한 주장에 반대하는 입장은 시민의 '알 권리'를 주장한다.

[선택지 분석]

㉠ 자기 정보에 대한 배타적 관리권을 절대적으로 보장해야 한다. → 잊힐 권리를 주장하는 입장

㉡ 개인은 자신과 관련된 정보를 통제할 수 있는 권리를 지녀야 한다. → 잊힐 권리를 주장하는 입장

㉢ 공익을 고려하여 인터넷에 올라온 개인 정보 기록을 삭제해서는 안 된다.

➡ 알 권리를 중시하는 입장에서는 국민 개개인이 처한 사회적 현실과 이해관계에 있는 정치적·사회적 사실을 알기 위해 공공 기관이나 민간 기업에 관한 정보를 요구하고 접근할 수 있어야 한다고 주장한다.

㉣ 사생활을 보호받을 권리 못지않게 시민들의 알 권리도 중시되어야 한다.

13 인간 중심주의와 동물 중심주의 비교

자료 분석 | 갑은 인간 중심주의자인 칸트, 을은 동물 중심주의자인 싱어이다. 칸트는 인간만이 도덕적 지위를 지닌다고 주장한다.

[선택지 분석]

① 인간만이 아니라 모든 생명체가 동등한 가치를 지니는가?

➡ 갑, 을 모두 부정의 대답을 할 질문이다.

② 인간은 동물에 대해 직접적인 의무를 지니는가?

➡ 갑이 부정, 을이 긍정의 대답을 할 질문이다. 칸트는 동물에 대한 인간의 간접적 의무를 인정한다.

③ 식물을 보존하는 것이 인간의 간접적인 의무인가?

➡ 을이 부정의 대답을 할 질문이다. 싱어는 쾌고 감수 능력을 지닌 동물을 도덕적 고려의 대상으로 인정한다. 식물은 쾌고 감수 능력이 없으므로 해당하지 않는다.

④ 인간 이외의 존재도 도덕적 지위를 인정해야 하는가?

⑤ 인간과 동물을 동등하게 대우하는 것이 도덕적인가?

➡ 갑이 부정의 대답을 할 질문이다. 인간 중심주의는 인간을 동물보다 도덕적으로 우월하다고 여긴다.

14 싱어, 레건, 레오폴드의 환경 윤리 비교

자료 분석 | 갑은 싱어, 을의 레건으로 둘 다 동물 중심주의 입장이고, 병은 레오폴드로 생태 중심주의 입장이다.

[선택지 분석]

㉠ A: 도덕적 행위 주체인 인간은 동물을 배려해야 한다.

➡ 싱어와 레건, 레오폴드 모두 긍정할 질문이다.

㉡ B: 삶의 주체인 동물의 권리를 의무론의 관점에서 존중해야 한다. → 레건만의 입장

㉢ C: 인간은 생태계 전체에 대해 책임을 져야 한다.
→ 레오폴드만의 입장

㉣ D: 개체는 쾌고 감수 능력을 지녀야만 도덕적 지위를 갖는다.

➡ 싱어는 쾌고 감수 능력을 이익의 동등한 고려를 위한 전제 조건으로 본다. 레건은 의무론의 관점을 기초로 인간은 물론 일부 동물도 '삶의 주체'일 수 있으므로 동물을 도덕적 고려의 대상으로 본다.

15 칸트, 레건, 테일러의 환경 윤리 비교

자료 분석 | 갑은 칸트, 을은 레건, 병은 테일러이다.

[선택지 분석]

㉠ A: 인간은 동물에 대해 간접적인 의무만을 지니는가? → 갑: 긍정, 을: 부정

㉡ B: 동물은 도덕적 행위의 주체로 행위할 수 있기 때문에 고유한 가치를 지니는가? → 을: 부정, 병: 부정

➡ 칸트, 레건, 테일러 모두 인간을 도덕적 행위의 주체로 본다.

㉢ C: 동물도 삶의 주체로서 자신만의 고유한 삶을 영위할 권리를 가지는가? → 을: 긍정

㉣ D: 전체론적 입장에서 벗어나 개별 생명체를 존중해야 하는가? → 병: 긍정

➡ 생명 중심주의는 개별 생명체의 존재론적 가치를 강조한다는 점에서 개체론의 성격을 지닌다.

16 서구의 인간 중심주의 자연관과 동양의 자연관 비교

자료 분석 | 갑은 인간 중심주의자인 베이컨, 을은 도가의 자연관을 지니고 있다. 베이컨은 과학의 목적이 자연을 활용하여 인간의 물질적 삶의 향상을 추구하는 것으로 보았고, 도가에서는 무위자연(無爲自然)의 삶을 지향하여 자연의 한 부분인 인간이 자연에 조작과 통제를 가하는 것을 반대하였다.

[선택지 분석]

 ㉠

➡ 을은 갑에 비해 자연에 대한 인간의 지배를 강조하는 정도가 낮고, 인간과 자연의 공생 관계를 중시하는 정도는 높으며, 인간이 자연의 섭리에 순응할 것을 강조하는 정도는 높다. 즉 X는 낮고, Y와 Z는 높다.

17 동양의 자연관

자료 분석 | (가)는 유교, (나)는 도가, (다)는 불교의 자연에 대한 관점이다. (가)~(다) 모두 자연 친화적인 삶을 바탕으로 인간과 자연의 조화를 강조한다.

[선택지 분석]

㉠ (가)는 살아 있는 것을 죽이지 않는 불살생(不殺生)을 강조한다.

㉡ (나)는 자연을 목적이 없는 무위(無爲)의 체계로서 무목적의 질서를 담고 있다고 본다.

㉢ (다)는 연기설에 근거하여 만물의 상호 독립성을 자각하여 자비를 베풀라고 주장한다.

㉣ (가), (나), (다) 모두 자연을 정복과 지배의 대상이 아닌 인간과 상호 의존적인 관계로 파악한다.

18 요나스의 책임 윤리

자료 분석 | 제시문은 새로운 과학 기술 시대의 책임 윤리를 강조한 요나스의 주장이다. 요나스는 인류가 존재해야 한다는 당위적 요청을 근거로 인류 존속에 대한 현세대의 책임을 강조한다.

[선택지 분석]

㉠ 미래 세대의 권리는 현세대의 권리보다 우선하는가?

㉡ 책임의 대상과 범위에 미래 세대도 포함해야 하는가?

✗ 현세대의 필요와 욕구를 충족시키는 데 주력해야 하는가?

㉣ 인간은 예견할 수 있는 모든 결과에 대해서 책임져야 하는가?

➡ 요나스는 과학 기술의 발전이나 환경에 대한 개발 등이 미래에 미치게 될 결과를 예측하여 생명에 대한 도덕적 책임을 져야 한다고 강조하였다.

19 환경적으로 건전하고 지속 가능한 발전을 위한 노력

자료 분석 | ㉠에 들어갈 말은 '환경적으로 건전하고 지속 가능한 발전'이다.

[선택지 분석]

㉠ 친환경 기술 개발에 힘쓴다.

➡ 환경적으로 건전하고 지속 가능한 발전을 실현하기 위한 사회적 차원의 노력으로는 친환경 기술 개발, 신재생 에너지 개발 등이 있다.

㉡ 환경 친화적 소비 생활을 한다.

➡ 환경적으로 건전하고 지속 가능한 발전을 실현하기 위한 개인적 차원의 노력으로는 환경 친화적 소비를 생활화하는 방법이 있다.

㉢ 환경 문제에 대한 국제 협력 체제를 갖춘다.

➡ 환경적으로 건전하고 지속 가능한 발전을 실현하기 위한 국제적 노력으로는 기후 협약을 추진하는 등 환경 문제에 대한 국제 협력 체제를 갖추는 것이 있다.

✗ 저개발 국가들이 성장 중심의 경제 개발에 주력한다.

➡ 성장 중심의 경제 개발은 자연환경을 파괴할 수 있다.

20 과학 기술 낙관주의와 과학 기술 비관주의의 문제점

(1) ㉠ 과학 기술 낙관주의(지상주의), ㉡ 과학 기술 비관주의(혐오주의)

(2) [예시 답안] 과학 기술 낙관주의는 과학 기술이 갖는 부정적 측면을 간과하고 인간의 반성적 사고 능력을 훼손할 수 있다는 문제점을 갖는다. 과학 기술 비관주의는 과학 기술의 가치를 인정하지 않고 과학 기술이 인류에게 가져다준 여러 가지 혜택과 성과를 부정한다는 측면에서 현실을 반영하지 못한다는 문제점을 지닌다.

채점 기준		
	상	과학 기술 낙관주의와 과학 기술 비관주의의 문제점을 모두 서술한 경우
	중	과학 기술 낙관주의와 과학 기술 비관주의의 문제점 중 하나만 서술한 경우
	하	과학 기술 낙관주의와 과학 기술 비관주의의 문제점을 서술하지 못한 경우

21 사이버 공간의 표현의 자유와 제한

(1) [예시 답안] 현실 공간과 마찬가지로 사이버 공간에서도 표현의 자유는 기본적 권리이기 때문이다. 또한 사이버 공간에서 특정한 사상을 강요하거나 표현의 자유를 억압하는 것은 사이버 공간에서 누려야 할 기본권을 침해하는 것이다.

채점 기준		
	상	표현의 자유가 현실 공간에서와 마찬가지로 사이버 공간에서도 침해되어서는 안 될 기본적 권리인 점을 들어 두 가지 모두 서술한 경우
	하	표현의 자유가 현실 공간에서와 마찬가지로 사이버 공간에서도 침해되어서는 안 될 기본적 권리임을 서술하지 못한 경우

(2) [예시 답안] 첫째, 타인의 인권을 침해하는 경우 둘째, 사회 질서를 훼손하는 경우 표현의 자유를 제한할 수 있다.

채점 기준		
	상	사이버 공간에서 표현의 자유를 제한할 수 있는 경우를 두 가지 모두 서술한 경우
	중	사이버 공간에서 표현의 자유를 제한할 수 있는 경우를 한 가지만 서술한 경우
	하	사이버 공간에서 표현의 자유를 제한할 수 있는 경우를 서술하지 못한 경우

22 생명 중심주의 윤리

(1) ㉠ 생명 외경, ㉡ 목적론적 삶

(2) [예시 답안] 첫째, 다른 생명체에게 해를 끼쳐서는 안 된다는 불침해의 의무, 둘째, 생명체의 자유를 보장하고 생태계를 조작하거나 통제하지 않아야 하는 불간섭의 의무, 셋째, 낚시나 덫 등으로 동물을 속이지 않아야 하는 성실(신의)의 의무, 넷째, 동식물에 해를 입혔을 때 보상해야 하는 보상적 정의의 의무이다.

채점 기준		
	상	테일러의 생명체에 대한 인간의 네 가지 의무를 모두 서술한 경우
	중	테일러의 생명체에 대한 인간의 네 가지 의무 중 세 가지만을 서술한 경우
	하	테일러의 생명체에 대한 인간의 네 가지 의무 중 두 가지 이하를 서술한 경우

23 탄소 배출권 거래 제도에 대한 비판

(1) 탄소 배출권 거래 제도

(2) [예시 답안] 탄소 배출권 거래 제도는 시장 논리로 환경 문제에 접근함으로써 비용을 지불할 경제적 능력이 있으면 환경을 파괴해도 된다고 인정하게 만든다는 한계가 있다. 또 환경 문제를 해결하는 데 필요한 인류 공동의 책임을 약화시킨다. 선진국은 비용을 지불하여 탄소 배출량 감축 의무에서 벗어나거나 자본과 기술을 바탕으로 자국의 이익을 우선시할 수 있는데, 이는 기후 변화를 막기 위한 세계적 협력을 어렵게 만들 수 있다.

채점 기준		
	상	시장 논리로 접근한다는 점과 인류 공동의 책임을 약화시킨다는 점 두 가지를 모두 서술한 경우
	중	시장 논리로 접근한다는 점과 인류 공동의 책임을 약화시킨다는 점 중 하나만 서술한 경우
	하	비판 내용을 서술하지 못한 경우

V 문화와 윤리

01 예술과 대중문화 윤리

콕콕! 개념 확인하기 191쪽

01 (1) 도덕주의 (2) 심미주의
02 (1) 사회성, 필요하다 (2) 자율성, 필요하지 않다
03 (1) 대중화 (2) 상업화 (3) 키치
04 (1) 대중문화 (2) 문화 산업
05 (1) 획일화, 표준화된 소비 양식 (2) 비판적, 지양

탄탄! 내신 다지기 192~193쪽

01 ② 02 ① 03 ② 04 ① 05 ⑤ 06 ① 07 ③
08 ④ 09 해설 참조

01 와일드의 예술관

자료 분석 | 제시문의 사상가는 와일드이다. 와일드는 예술의 자율성과 독립성을 강조한 심미주의의 입장이다.

[선택지 분석]

① 미적 경험은 그 자체로 가치 있다. → 심미주의
② 예술은 도덕성의 실현에 기여해야 한다. → 도덕주의
➡ 심미주의에서는 미적 가치와 도덕적 가치가 무관하다고 보고 예술은 오직 예술적 가치만을 추구해야 한다고 주장한다. 예술이 도덕성 실현에 기여해야 한다고 보는 입장은 도덕주의이다.
③ 예술은 도덕적 평가로부터 자유로워야 한다. → 심미주의
④ 예술은 아름다움 그 자체만을 목표로 해야 한다. → 심미주의
⑤ 예술이 추구하는 미적 가치는 도덕적 가치와 무관하다. → 심미주의

02 플라톤의 예술관

자료 분석 | 제시문의 사상가는 도덕주의 예술관의 대표적 사상가인 플라톤이다. 플라톤은 예술의 존재 이유가 선을 권장하고 덕성을 장려하는 데 있다고 보았다.

[선택지 분석]

① 예술은 인격 완성에 도움을 주어야 한다. → 도덕주의
② 예술은 예술 자체를 위한 것이어야 한다. → 심미주의
➡ '예술을 위한 예술'을 주장하는 입장은 심미주의이다.
③ 예술은 사회적 검열의 대상이 되어서는 안 된다. → 심미주의
➡ 플라톤은 예술 작품이 도덕적 가치를 담고 있는지를 국가가 판단해야 하며, 이를 위해 국가의 예술에 대한 검열이 필요하다고 주장하였다.
④ 예술은 작품을 통한 사회 참여를 ~~지양~~ 지향해야 한다.
⑤ 예술가는 사회 질서 유지에 이바지할 의무가 없다. → 심미주의

03 순자의 예악 사상

자료 분석 | 제시문은 동양의 유교 사상가 순자의 예악(禮樂)사상이다. 예악 사상은 도덕과 예술이 다르지 않다는 것으로 도덕과 예술의 관련성을 강조하는 도덕주의 예술관의 입장이 반영되어 있다.

[선택지 분석]

㉠ 예술은 사회 질서의 유지에 기여해야 하는가?
✗ 예술은 선(善)보다 미(美)를 중시해야 하는가? → 심미주의
✗ 예술은 예술 그 자체를 위해 존재해야 하는가? → 심미주의
㉣ 예술은 인간의 감정을 순화하는 데 기여해야 하는가?

04 심미주의와 도덕주의 비교

자료 분석 | 갑은 예술과 윤리의 관계에 대한 심미주의 입장, 을은 도덕주의 입장이다. 따라서 ㉠에 들어갈 진술은 심미주의에서 제시할 입장이어야 한다.

[선택지 분석]

① 예술의 자율성이 침해될 수 있기 때문이야. → 심미주의
➡ 심미주의에서는 예술의 자율성을 강조한다.
② 예술이 사회에 미치는 영향력이 크기 때문이야. → 도덕주의
③ 예술이 공동체의 질서 유지에 기여하기 때문이야. → 도덕주의
④ 인간의 삶과 무관한 예술은 존재할 수 없기 때문이야. → 도덕주의
⑤ 도덕적 목적이 예술 작품으로 구현되어야 하기 때문이야. → 도덕주의

05 현대 예술의 특징

자료 분석 | 현대 사회에 접어들면서 예술은 전통적 미의 기준이 사라지고, 기존의 권위와 가치관에서 벗어나고자 하는 포스트모더니즘이 유행하며, 예술에 대한 다양한 해석이 가능해졌다.

[선택지 분석]

✗ 미(美)에 대한 절대적 기준이 ~~성립된다.~~ 붕괴된다
✗ 기존의 권위주의적 사고가 크게 ~~강화된다.~~ 약화된다
㉢ 예술에 대한 소비자들의 다양한 해석이 중시된다.
㉣ 기존의 가치관에서 벗어나거나 해체하려는 시도들이 나타난다.

06 예술의 상업화에 따른 문제

[선택지 분석]

① 일부 부유층만 예술을 향유하게 될 수 있다.
➡ 예술의 상업화로 일부 계층이 누린 예술을 대중도 누리게 되었다.
② 예술 작품을 부의 축적 수단으로만 간주하게 될 수 있다.
③ 예술가가 미적 가치를 구현하고자 하는 본래 목적을 상실할 수 있다.
➡ 지나친 예술의 상업화는 시장 논리만을 중시하여 예술 활동으로 이익 극대화를 추구함으로써 예술 작품의 질적 저하나 예술가 정신의 마비 등을 가져올 수 있다.

④ 예술의 상품 가치를 높이기 위해 대중의 취향을 반영하는 데만 치중할 수 있다.
⑤ 예술 작품의 경제성만을 지나치게 중시하여 예술의 미적 가치를 간과할 수 있다.

07 아도르노의 문화 산업

자료 분석 | 제시문의 사상가는 아도르노로, 현대 사회의 대중화·상업화된 예술을 '문화 산업'이라고 비판하였다. 그는 현대 예술이 자본에 종속되어 문화 산업으로 획일화되었으며, 이는 하나의 상품으로 전락한 예술 작품을 감상하는 것을 감상자에게 고유한 체험이 아니라 표준화된 소비 양식이 될 뿐이라고 보았다.

[선택지 분석]

① 문화 산업으로 예술이 표준화되었다.
② 예술 작품은 하나의 상품으로 전락하게 되었다.
③ 문화 산업의 성장은 대중의 비판 의식을 강화시켰다.
➡ 아도르노는 문화 산업의 성장이 오히려 대중의 비판 의식을 약화시켰다고 주장하였다.
④ 현대 예술은 자본에 종속되어 문화 산업으로 획일화되었다.
⑤ 현대 예술은 대중 예술의 감상자에게 표준화된 소비 양식을 제공해 준다.

08 대중문화 규제에 대한 논쟁

자료 분석 | 제시문에는 대중문화 규제에 대한 갑, 을의 상반된 입장이 나타나 있다. 갑은 청소년에 대한 유해성을 근거로 대중문화에 대한 규제가 불가피하다는 점을 주장하고 있고, 을은 대중문화에 대한 규제에 반대하면서 표현의 자유를 강조하고 있다.

[선택지 분석]

① 대중문화는 정치 이데올로기의 도구가 되어야 하는가?
➡ 갑, 을 모두 부정의 대답을 할 질문이다. 대중문화 규제를 반대하는 입장에서는 대중문화를 규제할 경우 자유롭게 표현할 권리를 제한하여 대중문화가 강자의 이데올로기를 전달하는 도구로 전락할 수 있다고 주장한다. 그렇다고 대중문화의 규제를 찬성하는 입장에서 대중문화가 정치 이데올로기로서 작동해야 한다고 주장하는 것은 아니다.
② 청소년에게 해로운 내용을 담은 대중문화를 규제해야 하는가? → 갑 긍정, 을 부정
③ 대중문화의 상업성으로 인한 획일화 현상을 방지해야 하는가? → 갑 긍정, 을 부정
④ 대중문화의 자율성이 대중의 정서에 미칠 영향보다 중요한가? → 갑 부정, 을 긍정
⑤ 대중문화가 미칠 사회적 영향력을 최우선으로 고려해야 하는가? → 갑 긍정, 을 부정

09 예술의 상업화에 대한 상반된 시각

[예시 답안] 갑은 예술의 상업화에 대해서 긍정적인 입장이고, 을은 현대 산업 사회에서 상품화된 문화 산업을 비판하면서 예술의 상업화에 대해 비판적으로 보는 입장이다.

채점 기준	
상	예술의 상업화에 대한 갑과 을의 입장을 모두 정확히 서술한 경우
중	예술의 상업화에 대한 갑과 을의 입장 중 하나만 서술한 경우
하	예술의 상업화에 대한 갑과 을의 입장을 제대로 서술하지 못한 경우

도전! 실력 올리기 194~195쪽

01 ④ 02 ④ 03 ⑤ 04 ① 05 ② 06 ① 07 ① 08 ④

01 심미주의에 대한 도덕주의의 비판

자료 분석 | 제시문은 톨스토이의 주장이며, '어떤 작가'는 와일드이다. 톨스토이는 예술과 윤리의 관계에 대해 도덕주의 입장이고, 와일드는 심미주의 입장이다. 따라서 ㉠에는 도덕주의 입장에서 심미주의를 비판하는 내용이 들어가야 한다.

[선택지 분석]

① 예술과 도덕이 ~~상호 의존의 관계~~임을 강조하고 있다 (독립적 관계)
② 예술은 예술 그 자체를 목적으로 삼아야 함을 ~~간과~~하고 있다 (강조)
③ 예술이 미적 가치보다 선의 가치를 추구해야 함을 강조하고 있다
➡ 심미주의는 예술이 도덕적 가치와 무관하므로 오직 '예술을 위한 예술', 즉 예술적 가치만을 추구해야 한다고 본다.
④ 예술이 인간의 도덕성 함양에 기여할 수 있어야 함을 간과하고 있다
➡ 도덕주의에서는 예술이 인간의 도덕성 함양에 기여해야 한다고 본다. 그러나 심미주의에서는 도덕과 예술의 가치를 무관하게 보므로, 도덕주의 입장에서는 심미주의에 대해 이러한 점을 간과하고 있다고 비판할 수 있다.
⑤ 예술에 대한 평가는 도덕적 가치와 분리될 수 ~~없음~~을 강조하고 있다 (있음)

02 도덕주의와 심미주의 비교

자료 분석 | 갑은 도덕주의를 주장한 플라톤, 을은 심미주의를 주장한 스핑건이다. 도덕주의는 예술이 도덕성 함양에 기여해야 한다고 주장하고, 심미주의는 예술의 독립성과 자율성을 강조한다.

[선택지 분석]

① A: 미적 가치와 윤리적 가치는 무관하다.
➡ 심미주의로 C에 들어갈 내용이다.
② B: 예술과 윤리는 조화를 이룰 수 없다.
➡ 극단적인 심미주의의 주장이므로 적절하지 않다.
③ B: 예술 이외의 목적을 예술보다 우위에 두는 것을 경계한다.
➡ 심미주의로 C에 들어갈 내용이다.
④ C: 예술의 독자성과 자율성을 보장해야 한다.

⑤ C: 예술의 목적은 인간의 올바른 도덕적 품성을 함양하는 것이어야 한다.

➡ 도덕주의로 A에 들어갈 내용이다.

03 도덕주의와 심미주의의 관계

자료 분석 | 갑은 예술과 윤리의 상관성에 대해 도덕주의 입장을 지닌 플라톤이고, 을은 심미주의 입장을 지닌 와일드이다. 도덕주의에 비해 심미주의가 갖는 상대적 특징을 고르면 된다.

[선택지 분석]

 ㉤

➡ 도덕주의는 예술이 윤리의 지도를 받아야 한다고 주장하고, 심미주의는 예술의 자율성을 강조한다. 따라서 X는 을이 갑보다 더 높다. 또한 도덕주의는 미적 가치와 도덕적 가치가 서로 관련이 깊다고 보지만, 심미주의는 미적 가치와 도덕적 가치는 무관하다고 본다. 따라서 Y는 을이 갑보다 더 높다. 마지막으로 도덕주의는 예술이 도덕적 가치에 부합해야 한다고 보고, 심미주의는 예술이 오직 미적 가치만을 추구해야 한다고 본다. 따라서 Z는 을이 갑보다 더 낮다.

04 플라톤의 도덕주의 예술관

자료 분석 | 제시문은 플라톤의 주장이다. 플라톤은 예술 작품이 인간의 성품을 순화하고 도덕적 교훈이나 본보기를 제공해야 한다고 보는 도덕주의 입장이다.

[선택지 분석]

㉠ 예술은 선의 실현에 기여해야 한다.

㉡ 예술은 진리를 왜곡할 경우 비판받아야 한다.

➡ 플라톤은 예술이 참된 진리의 영상을 모방해야 한다고 본다.

㉢ 예술에서 미와 선의 내용은 유사할 필요가 없다.

➡ 도덕주의는 예술에서 미와 선의 상관성을 강조한다.

㉣ 예술은 사물의 실재보다 외관을 아름답게 모방해야 한다.

➡ 플라톤은 예술이 사물의 참된 실재를 모방해야 한다고 본다.

05 예술의 상업화의 양면성

자료 분석 | 예술의 상업화가 가져온 긍정적 측면과 부정적 측면을 서술하고 있다.

[선택지 분석]

① ㉠ 예술을 일반 대중도 쉽게 접하고 감상할 수 있도록 만드는 데 기여

② ㉡ 일상적 소재와 예술적 소재를 명확히 구분

➡ 예술의 상업화는 일상적 소재와 예술적 소재의 경계를 없애 예술과 대중의 거리를 좁혔다.

③ ㉢ 예술의 상업화 현상이 심화됨으로써 예술의 본래 목적이 경시되고, 경제적 이익을 얻기 위해 예술을 악용하는 사례

④ ㉣ 예술을 상업적 가치로만 평가하면서 예술이 지닌 미적 가치가 경시

⑤ ㉤ 대중의 감각적 취향을 반영한 작품만을 생산

06 아도르노의 대중 예술 비판

자료 분석 | 제시문의 사상가는 아도르노이다. 아도르노는 현대 사회의 대중 예술을 '문화 산업'이라고 비판면서 문화 산업이 대중을 주체적으로 사유하지 못하게 한다고 보았다.

[선택지 분석]

① 문화 산업은 대중의 사고를 획일적으로 만든다.

➡ 아도르노는 '문화 산업'으로 대중의 의식이 지배당하고 사고가 획일화된다고 주장하였다.

② 문화 산업은 대중을 통제하고 그 의식을 조작한다.

③ 문화 산업은 대중의 심미적 경험을 풍부하게 만든다.

④ 문화 산업은 대중의 다양한 문화를 즐길 권리를 강화시킨다.

07 대중 문화에 대한 아도르노와 슈스터만의 관점

자료 분석 | 갑은 자본주의 사회에서 대중 예술을 문화 산업으로 파악하는 아도르노이고, 을은 대중 예술이 삶 속에서 미적인 가치를 구현할 수 있다는 슈스터만이다.

[선택지 분석]

① 갑: 문화 산업은 기존 질서를 옹호하고 사회를 몰개성화한다.

➡ 아도르노는 자본주의에서 문화 산업은 문화 소비자들의 자발성과 상상력을 위축시키고, 대중이 적극적으로 사유하는 것을 불가능하게 만든다고 하였다. 즉, 문화 산업은 기존 질서를 옹호하고, 사회를 몰개성화한다는 것이다.

② 갑: 예술 본연의 목적은 일상적 삶의 고통을 잊게 하는 것이다.

➡ 아도르노는 예술이 고통을 드러냄으로써 사회에 저항해야 한다고 주장한다.

③ 을: 대중 예술은 예술과 삶을 통합시키기보다는 분리시킨다.

➡ 슈스터만은 예술이 일상적 삶 속에 통합되어 있다고 본다.

④ 을: 예술 작품은 삶 속에서 기능하지 않아야 미적 가치를 지닌다.

➡ 을은 삶 속에서 기능하는 대중 예술도 미적 가치를 지닌다고 본다.

⑤ 갑, 을: 대중 예술은 감상자를 사유의 주체가 되도록 독려한다.

➡ 아도르노는 문화 산업이 대중을 주체적으로 사유하지 못하게 한다고 본다.

08 대중문화에 대한 윤리적 규제 논쟁

자료 분석 | 갑은 대중문화에 대한 윤리적 규제의 필요성을 윤리적 규제의 위험성을 경고하고 있다. 따라서 토론 주제로 가장 적절한 것은 '대중문화에 대한 윤리적 규제가 필요한가?'이다.

[선택지 분석]

① 대중문화는 통속적인가?

② 예술은 현실 사회를 반영하는가?

➡ 갑, 을 모두 예술이 현실 사회를 반영한다는 점에 대해 동의할 것으로 유추할 수 있으므로, 토론 주제로 부적절하다.

③ 예술의 상업화는 불가피한 현상인가?

④ 대중문화에 대한 윤리적 규제가 필요한가?

⑤ 예술가는 사회 발전에 이바지해야 하는가?

➡ 참여 예술론의 입장으로, 제시문과 직접적인 연관성이 없다.

02 의식주 윤리와 윤리적 소비

콕콕! 개념 확인하기 201쪽

01 (1) 패스트 패션 (2) 명품 선호
02 (1) ㉢ (2) ㉡ (3) ㉠
03 ㄴ, ㄹ
04 (1) 합리적 (2) 윤리적 (3) 슬로푸드
05 (1) 불매 (2) 공정 무역
06 (1) × (2) ○

탄탄! 내신 다지기 202~203쪽

01 ④ **02** ② **03** ② **04** ① **05** ⑤ **06** ② **07** ②
08 해설 참조

01 패스트 패션의 문제점

[선택지 분석]

① 버려지는 옷이 많아진다.

② 과소비가 이루어질 수 있다.

③ 생산 과정에서 환경 오염을 발생시킬 수 있다.

④ 사회적 위화감과 그릇된 소비 풍조를 조장할 수 있다.

➡ 명품 선호 현상의 문제점이다.

⑤ 생산 단가를 낮추기 위해 노동자의 임금 착취가 발생할 수 있다.

02 명품 선호 현상에 대한 입장

자료 분석 | 갑은 명품 선호 현상을 긍정적 관점에서 바라보고, 을은 명품 선호 현상이 개인의 자유라는 점은 인정하나 사회적 문제로 발전할 수 있음을 지적하면서 비판적 관점에서 인식한다.

[선택지 분석]

㉠ 갑은 자유주의 관점에서 명품 선호 현상을 바라보고 있다.

㉡ 갑은 명품 선호 현상이 사회적 문제로 이어질 수 있음을 지적하고 있다.
을

㉢ 을은 명품 선호 현상이 개인적 차원을 넘어 사회적 문제임을 강조하고 있다.

㉣ 갑, 을 모두 명품 선호 현상을 긍정적인 관점에서 보고 있다.

➡ 명품 선호 현상을 긍정적 관점에서 보는 사람은 갑만 해당된다.

03 음식 문화의 윤리적 의미

자료 분석 | 제시문의 화자는 음식의 윤리적 의미를 단순한 생존을 위한 수단이 아니라 공동체적 가치, 생태학적 가치까지 포함하여 말하고 있다.

[선택지 분석]

① 먹는다는 것은 생존하는 것 이상의 가치를 가지는가?

② 먹거리에 대한 선택 기준으로 편리함과 가격을 우선해야 하는가?

➡ 음식을 고르는 기준으로 편리함과 가격을 우선한다는 것은 제시문의 화자가 강조하는 공동체적 가치와 거리가 먼 내용이므로 부정의 대답을 할 것이다.

③ 음식을 먹는다는 것은 사회적·생태학적 차원의 의미를 포함하는가?

④ 생태 환경의 지속 가능성을 고려하여 음식의 구입 여부를 결정해야 하는가?

➡ 생태계의 지속성을 고려해 음식을 고른다는 것은 생태학적 가치를 포함한 질문이므로 긍정의 대답을 할 것이다.

⑤ 음식의 생산과 유통 구조에서 생산자에 대한 착취가 없는 음식을 구매해야 하는가?

➡ 음식의 생산과 유통 과정에서 착취가 없어야 한다는 것은 공동체적 가치를 내재한 질문이므로 긍정의 대답을 할 것이다.

04 주거 문화의 윤리적 문제

[선택지 분석]

① ㉠ 개방적인 공동 주택으로 바뀌면서 이웃과 갈등 문제가 발생한다.

➡ 주거 문화가 아파트 등 폐쇄적인 구조의 공동 주택으로 바뀌면서 이웃 간 소통이 단절되고 층간 소음 등 갈등 문제가 발생한다.

② ㉡ 획일적인 아파트 건축으로 건축의 개성이 말살되고,

③ ㉢ 도시에 주거가 밀집하면서 교통 혼잡 등이 발생하여 생활의 질이 떨어진다.

④ ㉣ 무분별한 개발로 환경 파괴가 가속화되고 있다.

⑤ ㉤ 주거의 불안정성과 불평등 문제로 사람들이 어려움을 겪기도 한다.

05 합리적 소비와 윤리적 소비

자료 분석 | 갑은 합리적 소비, 을은 윤리적 소비를 강조한다. 합리적 소비는 개인의 만족감과 효용성을 중시하고, 윤리적 소비는 환경과 인권 등 공공성을 중시한다.

[선택지 분석]

㉠ 갑은 공정 무역 제품을 선호할 것이다.
을

➡ 공정 무역은 윤리적 소비 형태에 해당한다.

㉡ 갑은 자율적 선택권과 최적의 효용을 중시할 것이다.

➡ 합리적 소비는 자신의 소득 범위 내에서 최소한의 비용으로 자기 욕구를 최대한 충족하려는 소비이므로 효용을 중시한다.

㉢ 을은 개인적 선호보다 공공성을 상품 선택의 기준으로 강조할 것이다.
㉣ 갑, 을 모두 사치를 줄이고 절제하는 소비 습관을 강조할 것이다.

06 로컬 푸드의 의미

[선택지 분석]

① 슬로푸드
➡ 슬로푸드 운동은 패스트푸드를 반대하는 식문화 운동이다.

✔② 로컬 푸드
➡ 로컬 푸드 운동은 장거리 운송을 거치지 않은 지역 농산물 소비 운동을 말한다. 수송 과정에서 발생하는 탄소 배출량을 줄이고, 신선한 식재료의 공급이 가능함에 따라 생산자와 소비자 모두에게 이익을 줄 수 있다.

③ 정크 푸드
➡ 열량은 높지만 영양가는 낮은 패스트푸드나 즉석식품을 총칭하여 일컫는 말이다.

④ 패스트푸드
➡ 주문하면 즉시 완성되어 나오는 식품을 말한다.

⑤ 레토르트 푸드
➡ 장기간 식품을 보존할 수 있도록 만든 가공 저장 식품이다.

07 공정 무역의 의미

자료 분석 | 제시문은 윤리적 소비의 실천 형태인 공정 무역을 설명하고 있다.

[선택지 분석]

① 공정한 가격 지불

✔② 값싼 노동 인력의 동원
➡ 공정 무역은 정의로운 국제 무역 질서를 확보하고, 노동자의 인권을 보호하며 환경을 보전하는 가치를 지향한다.

③ 건강한 노동 환경 추구

④ 생산자의 합당한 이윤 보장
➡ 공정 무역은 생산자에게 최저 구매 가격을 보장하고 생산자와 직거래를 통해 유통 과정을 줄여 생산자에게 합당한 이윤이 돌아갈 수 있게 한다.

⑤ 장기 계약을 통한 생산 환경 보호

08 윤리적 소비의 의미

(1) 윤리적 소비

(2) [예시 답안] 윤리적 소비의 형태에는 윤리적 문제를 일으킨 기업의 제품 구매를 거부하는 불매 운동이 있다. 또한 공정 무역 상품이나 유기농 제품 등 윤리적 상품을 구매하는 것이나 생산자와 소비자가 직접 관계를 맺고 물건을 사고 파는 것, 환경적으로 건전하고 지속 가능한 소비를 하여 현세대는 물론 미래 세대의 욕구도 충족해 주는 것 등이 있다.

채점 기준		
	상	윤리적 소비의 형태를 두 가지 이상 정확히 서술한 경우
	중	윤리적 소비의 형태를 한 가지만 정확히 서술한 경우
	하	윤리적 소비의 형태를 제시하지 못한 경우

도전! 실력 올리기 204~205쪽

01 ⑤ **02** ④ **03** ② **04** ② **05** ① **06** ③ **07** ④ **08** ④

01 아리스토텔레스와 에피쿠로스의 음식관

자료 분석 | 갑은 아리스토텔레스, 을은 에피쿠로스로 음식물에 대한 욕망을 적절하게 조절하는 절제의 미덕을 공통적으로 강조하고 있다.

[선택지 분석]

① 음식을 통해 문화적 정체성을 형성해야 한다.
② 음식을 통해 자연의 순환 과정에 참여해야 한다.
③ 음식을 통해 개인적 취향의 차이를 드러내야 한다.
④ 음식은 공동체의 동질감과 연대감 형성에 기여해야 한다.

✔⑤ 음식에 대한 욕망을 조절하는 절제의 미덕을 갖추어야 한다.
➡ 아리스토텔레스는 지나칠 정도로 먹고 마시는 사람을 노예라고 비판하고, 에피쿠로스는 무절제하고 향락적인 삶은 해악을 가져오므로 절제가 필요하다고 말했다.

02 볼노우의 주거 윤리

자료 분석 | 제시문의 사상가는 볼노우이다. 그는 집이 자기 세계의 중심점이면서 자기 존재의 뿌리가 되는 곳으로, 집을 소유하는 차원의 문제보다는 집과 내적 관계를 맺는 문제가 중요하며, 주거는 인간 삶을 위한 기본 바탕이라고 주장하였다.

[선택지 분석]

① 집은 자기 존재의 뿌리가 되는 곳인가? → 긍정
② 주거는 인간 삶을 위한 기본 바탕인가? → 긍정
③ 집과 인간이 내적 관계를 맺는 문제가 중요한가? → 긍정

✔④ 집은 관계성보다 소유하는 차원의 문제가 중요한가? → 부정
➡ 볼노우는 집을 소유하는 문제보다는 집과 인간의 관계성이 중요하다고 본다.

⑤ 집이라는 공간은 인간과 집의 관계 속에서 의미를 지니는가? → 긍정

03 볼노우의 주거 윤리

자료 분석 | 제시문은 볼노우의 주장이다. 볼노우는 주거가 인간 삶을 위한 기본 바탕이라고 주장하였다. 그는 인간이 진정으로 거주하지 못하면 영원한 망명자일 뿐이라고 보았다.

[선택지 분석]

① 진정한 거주는 단순히 공간을 점유하는 행위로 국한된다.
➡ 볼노우는 거주를 단순한 공간 점유로 보지 않았다. 그는 인간이 거주를 통해 자신의 본질을 실현할 수 있다고 주장하였다.

✔② 인간은 진정한 거주를 실현하지 못하면 영원한 망명자이다.

③ 인간은 거주자가 됨으로써 자신의 본질을 실현할 수 ~~없다~~. 있다.

④ 외부 공간은 위험과 희생이 아닌 안정과 평화의 공간이다.
➡ 볼노우는 외부 공간은 위험과 희생의 공간이며, 안정과 평화의 공간인 집과 구별된다고 보았다.

⑤ 진정한 삶의 실현을 위해 거주 공간이 필요한 것은 아니다.
➡ 볼노우는 진정한 삶의 실현을 위해 거주 공간이 반드시 필요하다고 보았다.

04 합리적 소비와 윤리적 소비

자료 분석 | (가)는 자신의 욕구와 상품에 대한 정보를 바탕으로 자신의 경제력 안에서 최대의 만족을 추구하는 합리적 소비에 관한 내용이고, (나)는 소비 행동에서 사회와 환경, 인권 등을 고려하는 윤리적 소비에 관한 내용이다.

[선택지 분석]

① (가): 자율적 선택권과 최적의 효용은 소비의 필수적 요소이다.
➡ 합리적 소비는 소비자의 자율적 선택과 최적의 효용을 중시하여 소비한다.

② (가): 개인적 선호보다 공공성을 상품 선택 기준으로 삼아야 한다.
➡ 합리적 소비는 공공성보다 개인적 선호를 상품 선택의 기준으로 삼는다.

③ (나): 생태적 영향을 고려한 지속 가능한 소비는 소비자의 의무이다.
➡ 윤리적 소비는 생태적 지속 가능성 같은 윤리적 가치와 공공적 가치를 중시한다.

④ (가), (나): 인권과 노동의 가치는 소비자가 고려할 사항이 아니다.
➡ 윤리적 소비는 인권과 노동의 가치 등 윤리적 판단을 고려하여 소비한다.

05 합리적 소비와 윤리적 소비

자료 분석 | 갑은 개인의 만족과 경제적 효율성을 중시하는 합리적 소비이고, 을은 윤리적 가치 판단에 따라 상품을 구매하는 윤리적 소비이다. 윤리적 소비는 사회와 공동체, 환경에 미치는 영향을 강조한다.

[선택지 분석]

➡ 갑에 비해 을은 소비와 개인적인 욕구의 관련성을 강조하는 정도는 낮고, 소비가 사회와 환경에 미치는 영향력을 강조하는 정도는 높다. 따라서 X는 낮고, Y와 Z는 높다.

06 합리적 소비와 윤리적 소비

자료 분석 | 갑은 합리적 소비, 을은 윤리적 소비의 입장이다. 합리적 소비는 자신의 경제력 안에서 최선의 제품을 구매하는 것을, 윤리적 소비는 인류의 보편적 가치를 고려하여 이를 소비 생활에서 실천하는 것을 중시한다.

[선택지 분석]

① A: 비용이 더 들더라도 보편적 가치를 추구하는 소비를 해야 한다.

② A: 사회 공동체와 환경에 해를 끼치는 물품은 구매하지 말아야 한다.
➡ 합리적 소비를 기준으로 물건을 구매할 경우 의도하지 않게 사회 공동체나 환경에 해를 끼칠 수도 있다. 예를 들어 환경에 악영향을 주는 상품을 다른 제품보다 저렴하다는 이유로 계속 구입할 수 있다.

③ B: 무절제와 낭비를 지양하는 검소한 소비 습관이 필요하다.

④ C: 최대한 효율적으로 소비하여 자신의 만족을 극대화해야 한다.

⑤ C: 소비자 개인의 경제적 만족이 소비의 우선 기준이 되어야 한다.

07 윤리적 소비의 실천 사례

자료 분석 | 제시문에는 윤리적 소비의 특징이 제시되어 있다. 윤리적 소비는 환경과 인권, 공동체를 적극적으로 고려하며, 인류의 보편적 가치를 중시하는 소비 형태이다.

[선택지 분석]

① 동물 복지를 적극적으로 고려하여 화장품을 만드는 기업의 제품을 구매하는 행위
➡ 윤리적 소비 형태에 해당한다.

② 여행에서 유명 호텔과 식당보다는 현지인이 운영하는 숙소와 식당을 이용하는 행위
➡ 공정 여행의 모습으로, 윤리적 소비 형태에 해당한다.

③ 반경 50 km 이내에서 생산된 친환경 농산물을 생산하는 기업의 제품을 구매하는 행위
➡ 로컬 푸드 운동으로, 윤리적 소비 형태에 해당한다.

④ 생산 원가를 낮추기 위해 아동과 청소년의 노동으로 만들어진 제품을 적극 구매하는 행위
➡ 윤리적 소비의 형태인 공정 무역은 아동과 청소년의 노동 착취를 금지하고 있다.

⑤ 단기 계약보다는 장기 계약을 통해 생산자에게 안정적인 노동 환경을 제공하는 무역 제품을 구매하는 행위
➡ 공정 무역으로, 윤리적 소비 형태에 해당한다.

08 공정 여행의 특징

자료 분석 | 제시문에는 윤리적 소비의 한 형태인 공정 여행 방식이 제시되어 있다. 공정 여행은 현지 환경을 존중하고 현지인에게 직접 혜택이 돌아가도록 함으로써 여행지 주민까지 함께 행복해지기 위해 등장한 여행의 형태이다.

[선택지 분석]

① 유명 관광지 위주의 쇼핑 여행을 즐긴다.
➡ 공정 여행은 현지인에게 혜택을 주고, 현지 환경을 존중하는 여행이다.

② 현지인들이 운영하는 숙소와 식당을 이용한다.

③ 현지의 작은 마을을 찾아 현지 문화를 체험한다.

④ 여행지에서 친환경적으로 자전거 여행을 한다.

03 다문화 사회의 윤리

콕콕! 개념 확인하기 211쪽

01 (1) 다문화 사회 (2) 차별적 배제
02 (1) ㉡ (2) ㉢ (3) ㉠
03 (1) 윤리 상대주의 (2) 보편적 (3) 있음
04 종교적 존재
05 (1) ㉠ (2) ㉡
06 (1) ○ (2) × (3) ○

탄탄! 내신 다지기 212~213쪽

01 ② **02** ③ **03** ③ **04** ④ **05** ⑤ **06** ⑤ **07** ④
08 해설 참조

01 다문화 사회의 특징

자료 분석 | 제시문은 다문화 사회의 특징이다. 다문화 사회는 한 국가 안에 다양한 인종과 문화적 배경이 다른 사람들이 공존하는 사회로, 국가 간의 교류 증대로 도래하게 되었다.

[선택지 분석]

㉠ 문화적 배경이 다른 사람들에 대한 관용의 자세가 요구된다.
~~㉡~~ 세계화의 진행으로 국가 간의 교류가 ~~줄어들면서~~(증가하면서) 등장하였다.
~~㉢~~ 문화적 정체성을 지키기 위해서 다른 문화를 받아들이지 않는 일이 늘어난다.
➡ 다문화 사회에서는 다른 국가들이나 다른 문화 간 교류가 더욱 활발해진다.
㉣ 새로운 문화 요소의 도입으로 문화가 발전할 수 있는 기회가 확대되기도 한다.

02 동화 모델에 대한 이해

[선택지 분석]

① 문화의 다양성과 공존을 강조하는 입장이다.
② 소수 민족의 문화와 인권을 최대한 존중한다.
③ 사회 통합과 질서 유지에 유리하다는 장점이 있다.
➡ 동화 모델은 이민자들이 기존 문화에 융합할 것을 강조하여 문화적 획일화가 우려된다는 한계를 지니지만, 사회 질서 유지에는 유리할 수 있다.
④ 주류 문화를 기반으로 하여 비주류 문화와 공존을 추구한다. → 문화 다원주의
➡ 동화 모델은 주류 문화와 비주류 문화와의 공존을 주장하지 않는다. 동화 모델은 비주류 문화가 주류 문화로 편입되어야 한다고 보는 입장이다.
⑤ 특정 지역이나 특정 직업에서만 이주민을 받아들이자고 주장한다. → 차별적 배제 모델

03 차별적 배제 모델에 대한 이해

자료 분석 | 제시문의 다문화 정책 모델은 차별적 배제 모델이다.

[선택지 분석]

① 소수 문화를 인정하고 존중해야 하는가?
➡ 차별적 배제 모델은 소수 문화를 인정하지 않는다.
② 다양한 문화를 있는 그대로 인정해야 하는가?
➡ 차별적 배제 모델은 내국인의 문화와 이주 문화를 차별적으로 인정한다.
③ 이주민의 문화를 내국인과 동등하게 인정하는 것은 부당한가?
➡ 긍정의 대답을 할 질문이다. 차별적 배제 모델은 이주민에 대해 내국인과 동등한 복지나 선거권 부여와 같은 사회적·정치적 영역을 제한한다.
④ 주류 문화를 기반으로 하여 비주류 문화와 공존을 추구해야 하는가?
➡ 국수 대접 이론을 지지하는 사람이 긍정의 대답을 할 질문이다.
⑤ 문화 집단이 각자의 정체성을 유지하면서 대등하게 공존해야 하는가?
➡ 샐러드 볼 이론을 지지하는 사람이 긍정의 대답을 할 질문이다.

04 극단적 윤리 상대주의의 문제점

자료 분석 | 제시문은 극단적인 윤리 상대주의에 대한 내용이다. 윤리 상대주의는 윤리도 문화에 포함된다고 보고, 옳고 그름은 사회에 따라 다양할 뿐이며 보편적 기준은 존재하지 않는다는 입장이다.

[선택지 분석]

① 인간의 존엄성과 인권이 ~~강화~~(약화)된다.
② 다양한 문화가 공존하며 조화를 이루게 된다.
③ 문화적 획일화가 진행되어 문화의 역동성이 저해된다.
➡ 문화 절대주의의 문제점에 대한 설명이다.
④ 보편 윤리의 존재를 부정하고 문화에 대한 성찰을 방해한다.
⑤ 문화를 비판적으로 받아들여 바람직한 문화 발전의 원동력이 된다.
➡ 윤리 상대주의는 인간의 존엄성이나 자유, 평등과 같은 보편 윤리도 특정 문화에 따라 다르게 해석될 수 있다고 보므로 문화를 비판적으로 성찰할 수 없게 만든다.

05 관용의 역설

자료 분석 | 제시문은 칼 포퍼의 "관용의 역설"에 대한 내용이다. 관용의 역설이란 관용을 아무런 제한 없이 허용하면 본래의 관용을 부정하게 되는 것을 말한다. 관용은 기본적인 자유와 인권을 침해하지 않는 것과 같은 보편적인 가치 안에서만 보장되어야 한다.

[선택지 분석]

① 관용의 실천은 무제한적으로 이루어져야 한다.
➡ 관용을 무제한적으로 허용하면 본래의 관용을 부정하게 된다.
② 관용의 제한은 법적 근거에서 이루어져야 한다.
➡ 관용을 법적으로 제한하는 것은 바람직하지 않다.
③ 관용을 부정하는 태도에 대해서도 관용해야 한다.
➡ 관용 자체를 부정하는 것은 옳은 태도가 아니다.

④ 관용은 사회 질서를 어지럽히므로 최소한으로 이루어져야 한다.

➡ 관용 자체가 사회 질서를 어지럽히는 것이 아니라, 일부 무제한적인 관용이 사회 질서를 어지럽힐 수 있다는 것이다.

✓⑤ 관용은 보편적인 가치를 추구하는 범위 안에서 보장되어야 한다.

06 종교와 윤리의 관계

자료 분석 | 갑은 종교와 윤리의 차이점만을 강조하고 있고, 을은 종교와 윤리의 상호 보완성을 강조하고 있다.

[선택지 분석]

ㄱ. 갑(→을)은 종교와 윤리의 상호 보완성을 강조하고 있다.

ㄴ. 갑은 종교의 우월성을 토대로 윤리를 이해하고 있다.

➡ 종교가 우월하다고 본다는 내용은 찾아볼 수 없다.

ㄷ. 을은 종교와 윤리의 공존 가능성을 언급하고 있다.

ㄹ. 을은 종교와 윤리가 서로의 발전에 도움을 줄 수 있다고 본다.

➡ 을은 종교와 윤리가 관심 영역은 서로 다르지만 모두 도덕성을 중시한다는 공통점이 있으며, 서로의 발전에 도움을 줄 수 있는 관계라고 설명한다.

07 바람직한 종교의 모습

[선택지 분석]

① 종교적 권위를 확립해야 한다.

② 과학적으로 증명할 수 있는 존재만을 믿어야 한다.

③ 합리적이고 이성적인 자세로 진리를 추구해야 한다.

✓④ 보편 윤리에 어긋나지 않는 범위 안에서 활동해야 한다.

➡ 제시문은 불교, 그리스도교, 힌두교의 대표 계율이다. 대부분의 종교는 세속에서 추구하는 윤리적 실천을 중시하는 규범을 지니고 있다. 종교 윤리와 세속 윤리는 서로의 상관성을 이해하고 조화로운 관계를 유지하기 위해 노력해야 하다

⑤ 세속에서 벗어나 이상적인 경지에 도달할 수 있는 수행에 힘써야 한다.

➡ 바람직한 종교는 세속 윤리와 조화될 수 있는 모습을 제시할 수 있어야 한다.

08 샐러드 볼 이론에 대한 이해

(1) 샐러드 볼 이론

(2) [예시 답안] 샐러드 볼 이론은 이민자나 소수자의 문화를 존중하고 문화 간의 다양성을 확보할 수 있다는 장점이 있으나, 사회적 연대감이나 결속력이 부족하여 사회적 통합을 이루기 어렵다는 한계가 있다.

채점 기준	
상	샐러드 볼 이론의 장점과 한계를 정확하게 서술한 경우
중	샐러드 볼 이론의 장점과 한계 중 한 가지만 정확하게 서술한 경우
하	샐러드 볼 이론의 장점과 한계를 서술하지 못한 경우

도전! 실력 올리기 214~215쪽

01 ④ **02** ③ **03** ③ **04** ③ **05** ⑤ **06** ⑤ **07** ⑤ **08** ②

01 문화 다원주의와 동화 모델의 입장 비교

자료 분석 | 갑은 다문화 모델 중 문화 다원주의 입장으로, 주류 문화를 중심으로 한 비주류 문화의 공존을 인정한다. 을은 동화 모델의 입장으로, 이주민의 문화를 포기하고 주류 문화의 일원이 되는 것을 강조한다.

[선택지 분석]

① 다양한 문화의 공존이 무엇보다 중요한가? → 을 부정

➡ 동화 모델은 다양한 문화의 공존을 추구하지 않는다.

② 이주민의 문화가 지닌 가치를 존중해야 하는가? → 을 부정

➡ 동화 모델은 이주민 문화의 가치를 존중한다고 보기 어렵다.

③ 주류 문화를 전제로 문화적 다양성을 중시해야 하는가? → 을 부정

➡ 동화 모델은 문화의 다양성을 중시하지 않는다.

✓④ 이주민과 소수 문화보다 주류 문화가 중심이 되어야 하는가?

➡ 문화 다원주의는 주류 문화를 중심으로 하여 비주류 문화가 공존해야 한다고 본다.

⑤ 이주민과 소수 문화는 주류 문화에 편입되어 동질화되어야 하는가? → 갑 부정

02 국수 대접 이론과 샐러드 볼 이론

자료 분석 | 갑은 문화 다원주의의 대표 모델인 국수 대접 이론, 을은 다문화주의의 대표 모델인 샐러드 볼 이론의 입장이다. 국수 대접 이론은 주류 문화를 전제로 다른 문화와 공존을 추구하며, 샐러드 볼 이론은 각 문화를 평등한 관점에서 인정한다.

[선택지 분석]

① A: 문화를 융해하여 새로운 문화를 창출해야 한다. → 동화 모델

② A(→C): 각 민족의 고유한 문화는 동등한 지위를 누려야 한다.

➡ 국수 대접 이론은 주류 문화를 중심으로 비주류 문화의 공존을 인정하는 정책으로, 주류 문화와 비주류 문화를 동등하게 취급하지 않는다.

✓③ B: 다양한 문화의 존재와 가치를 인정한다.

➡ 두 이론 모두 이주민의 고유한 문화와 자율성을 존중하여 문화 다양성을 실현하고자 한다.

④ C: 이주민 문화가 주류 문화에 편입되어야 한다. → 동화 모델

⑤ C(→A): 문화의 다양성을 인정하면서도 주류 문화가 중심 역할을 해야 한다고 본다.

03 샐러드 볼 이론의 이해

자료 분석 | 제시문은 샐러드 볼 이론에 대한 내용이다. 샐러드 볼 이론은 이주민의 문화를 평등하게 인정하여 문화의 다양성을 지향한다.

[선택지 분석]

ㄱ. 이주민들을 특정 목적으로만 받아들인다. → 차별적 배제 모델

ㄴ. 이주민들의 문화적 정체성을 적극 보호한다.

ㄷ. 이주민의 언어도 공용어로 사용할 수 있게 한다.

ㄹ. 이주민의 문화를 인정하되, 주류 문화를 중심에 두어야 한다. → 국수 대접 이론

➡ 샐러드 볼 이론은 주류 문화와 이주민의 문화를 평등하게 존중한다.

04 관용의 의미와 한계

자료 분석 | 제시문의 화자는 관용은 필요하나 인류의 보편적 가치에 반하는 것에는 불관용할 수 있어야 한다고 주장한다. 〈가상 대담〉에서는 문화적 차이라는 이유로 신체의 자유와 교육권을 박탈당하는 것이 정당한지를 묻고 있다.

[선택지 분석]

① 심각한 인권 침해가 아니므로 용인해야 합니다.

➡ 신체의 자유나 교육받을 권리는 인간의 기본적 권리이므로 침해해서는 안 된다.

② 부모의 고유한 권리를 존중하여 용인해야 합니다.

③ 자녀의 기본적 권리를 침해하므로 용인해서는 안 됩니다.

➡ 제시문은 관용은 필요하나 인류의 보편적 가치에 반하는 것에는 불관용할 수 있어야 한다고 주장한다. 따라서 갑이 제시한 상황에 대해 관용해서는 안 된다고 주장할 것이다.

④ 종교의 계율과 전통을 충실하게 따른 것이므로 용인해야 합니다.

⑤ 다문화 사회 구성원들의 연대감을 저해하므로 용인해서는 안 됩니다.

05 문화 상대주의와 윤리 상대주의

[선택지 분석]

① 모든 문화는 절대적 가치를 지닌다.

② 다른 문화에 절대로 간섭하지 말아야 한다.

➡ 제시문은 문화가 보편 윤리를 훼손할 경우 평가나 통제가 될 수 있다는 입장이다.

③ 문화의 옳고 그름을 평가하는 보편적 기준은 없다.

➡ 제시문은 문화가 상대적이라고 해서 윤리적 가치도 상대적인 것은 아니라고 주장한다. 즉, 다양한 문화의 특수성을 인정하되 보편 윤리나 가치를 존중해야 함을 강조하고 있다.

④ 문화의 보편성보다는 특수성이 더 중요한 가치이다.

⑤ 보편적 가치를 훼손하는 문화를 비판적으로 성찰할 수 있어야 한다.

➡ 제시문에서는 문화 상대주의가 문화의 고유성과 다양성을 존중하지만, 보편 윤리나 가치를 훼손하는 윤리 상대주의로 흐르는 것을 경계해야 한다고 주장한다.

06 문화 상대주의와 문화 절대주의

자료 분석 | 갑은 문화 상대주의 입장에서 윤리 상대주의를 경계하고 있으며, 을은 문화 절대주의 입장으로 문화가 평가의 대상이 될 수 있어야 한다고 주장하고 있다.

[선택지 분석]

① 윤리 상대주의의 위험성을 간과하고 있습니다.

➡ 을은 모든 문화의 다양성을 인정할 경우 윤리 상대주의의 오류에 빠질 수 있다고 보고 있다.

② 지나치게 문화 사대주의의 입장만을 강조하고 있습니다.

➡ 문화 사대주의는 자국의 문화보다 다른 문화를 맹목적으로 숭배하는 것으로, 제시문과 관련 없는 내용이다.

③ 문화는 평가의 대상이 아니라는 사실을 ~~강조~~ 간과하고 있습니다.

④ 자신이 속한 문화만을 우월하게 평가해야 함을 간과하고 있습니다. → 자문화 중심주의

⑤ 문화의 공존을 위해서는 다양한 문화를 인정해야 함을 간과하고 있습니다.

07 도덕과 종교의 관계

자료 분석 | 갑은 도덕의 최종 근거가 오류 없는 완전한 존재인 신의 명령이 되어야 한다고 본다. 이에 비해 을은 신의 명령과 무관하게 그 자체로 보편타당한 도덕 원리가 존재할 수 있으며, 인간은 이성으로 이를 인식할 수 있다고 주장한다.

[선택지 분석]

① 갑: 도덕적 의무는 오류 가능성이 없는 신의 명령에서 나온다.

➡ 갑은 도덕의 최종 근거가 신의 명령이므로 도덕적 의무가 이로부터 나온다고 본다.

② 갑: 인간 이성은 불완전하므로 도덕 판단의 최종 근거가 될 수 없다.

➡ 갑은 인간이 불완전하므로 인간의 판단 역시 오류가 발생할 수 있다고 본다.

③ 을: 윤리적 판단에서 종교적 권위보다 합리적 이성을 중시해야 한다.

➡ 을은 윤리적 판단이 신의 명령과 무관하다고 보고, 인간의 이성을 중시하고 있다.

④ 을: 인간은 누구나 선천적으로 옳고 그름을 판단할 수 있는 능력이 있다.

➡ 을은 인간의 이성 능력이 타고난 것이라고 주장하고 있다.

⑤ 갑, 을: 명확하고 보편적인 도덕적 판단 기준은 ~~존재하지 않는다~~ 존재한다.

08 종교 간 대화와 관용의 자세

자료 분석 | 제시문은 종교 간 대화와 관용의 자세를 강조한 큉의 주장으로, 종교 평화와 세계 평화를 지향하자는 내용이다.

[선택지 분석]

ㄱ. 종교들이 공유하는 가르침은 화합과 공존의 태도이다.

➡ 종교 간의 화합과 공존의 태도를 강조하고 있다.

ㄴ. 타 종교에 대한 무지와 편견은 종교 간의 갈등과 무관하다.

➡ 타 종교에 대한 무지와 편견으로 종교 분쟁이 일어나기도 한다.

ㄷ. 종교 간의 관용은 세계 평화 실현을 위해 필요한 조건이다.

⑤ 보편 윤리의 실현과 종교의 단일화는 인류 생존의 조건이다.
➡ 종교의 단일화는 종교의 다양성을 부정하는 것이므로 바람직하지 않다.

한번에 끝내는 대단원 문제 218~221쪽

01 ④ 02 ① 03 ① 04 ② 05 ② 06 ⑤ 07 ②
08 ④ 09 ① 10 ② 11 ① 12 ④
13~15 해설 참조

01 정약용의 도덕주의 예술관

자료 분석 | 제시문은 정약용의 예술관이다. 정약용은 예(禮)와 악(樂)의 상관성을 강조하는 도덕주의 예술관의 입장을 가지고 있다.

[선택지 분석]

ㄱ. 예술의 독자성을 보장해야 한다. → 심미주의
ㄴ. 예술은 인간의 도덕성 향상에 기여한다. → 도덕주의
➡ 도덕주의 예술관은 예술과 윤리의 상관성을 강조한다.
ㄷ. 예술의 목적은 미적 가치의 구현에 있다. → 심미주의
ㄹ. 예술은 윤리와 도덕의 인도를 받아야 한다. → 도덕주의

02 도덕주의와 심미주의

자료 분석 | 갑은 도덕주의 예술관의 입장을 가진 칸트, 을은 심미주의 입장을 가진 와일드이다. 도덕주의는 예술과 도덕의 상관성과 예술의 사회적 영향력을 강조하며, 심미주의는 예술 그 자체를 위한 예술을 주장한다. 따라서 도덕주의의 입장에서는 심미주의 입장에 대해 예술의 사회적 영향력을 간과하거나 예술을 위한 예술을 강조한다고 평가할 것이다.

[선택지 분석]

① 예술이 사회에 미치는 영향력을 ~~강조~~ 간과하고 있다.
② 예술이 도덕적 평가의 대상이 되어야 함을 간과하고 있다.
③ 예술은 예술 그 자체를 위해 존재해야 함을 강조하고 있다.
④ 예술은 도덕과 사회로부터 자유로울 수 없음을 간과하고 있다.
⑤ 예술은 미적 가치를 생산하는 활동이어야 함을 강조하고 있다.

03 예술의 상업화에 대한 논쟁

자료 분석 | 갑은 예술의 상업화의 긍정적 측면을 강조한 앤디 워홀이고, 을은 예술의 상업화의 부정적 측면을 제시한 페기 구겐하임이다. 따라서 ㉠에는 예술의 상업화에 대한 긍정적인 입장이 들어가야 한다.

[선택지 분석]

① 예술가에게 창작 의욕을 북돋울 수 있기 때문입니다.
② 예술 작품의 윤리적 가치를 지킬 수 있기 때문입니다.
③ 예술 작품이 획일화되고 표준화될 수 있기 때문입니다.
➡ 예술의 상업화를 비판하는 주장이다.
④ 예술 작품을 단지 부의 축적 수단으로 바라보기 때문입니다.
➡ 예술의 상업화를 비판하는 주장이다.
⑤ 예술 작품이 자본에 종속되는 결과를 초래할 수 있기 때문입니다.
➡ 예술의 상업화를 비판하는 주장이다.

04 아도르노의 대중 예술 비판

자료 분석 | 제시문의 사상가는 아도르노이다. 아도르노는 현대 대중문화를 '문화 산업'이라는 이름으로 비판하였다.

[선택지 분석]

① 대중은 사유의 주체가 아닌 객체인가?
② 대중은 문화의 주체적 생산자가 될 수 있는가?
➡ 아도르노는 문화 산업 속의 대중은 문화의 주체적 생산자가 될 수 없다고 주장하였다.
③ 문화 산업으로 예술의 본질 실현이 어려워지는가?
④ 문화 산업은 대중을 지배하는 도구가 될 수 있는가?
➡ 아도르노는 대중 예술이 지배 계급의 이념을 재생산하는 도구이며, 개인의 욕구들도 문화 산업에 의해 결정된다고 하였다.
⑤ 문화 산업으로 대중의 다양한 욕구가 충족되지 못하는가?
➡ 아도르노는 문화 산업으로 예술이 대중의 다양한 욕구를 충족하지 못하고 획일화되었다고 보았다.

05 음식과 관련된 윤리적 문제

[선택지 분석]

① ㉠ 식품과 관련된 안전성 문제로 유전자 변형 농산물, 인체에 해로운 첨가제 등이 생명권을 위협한다는 문제
② ㉡ 환경과 관련된 문제에는 식품의 원거리 이동에 따른 탄소 배출량이 감소하면서 로컬 푸드가 증가하는 문제
➡ 로컬 푸드는 윤리적 소비의 사례로 제시되는 운동으로, 음식과 관련된 윤리적 문제와 거리가 멀다.
③ ㉢ 육류 소비가 증가하고 대규모 공장식 사육과 도축으로 인한 동물 복지 문제
④ ㉣ 제3세계 인구가 증가하고, 국가 간 빈부 격차가 심화되면서 나타나는 음식 불평등 문제
⑤ ㉤ 인스턴트 식품이나 정크 푸드를 손쉽게 구할 수 있어 비만을 초래하는 문제

06 윤리적 소비와 합리적 소비

자료 분석 | 갑은 윤리적 소비, 을은 합리적 소비를 주장한다.

[선택지 분석]

① 소비를 확대하여 삶과 사회를 풍요롭게 해야 한다.
➡ 단순한 소비의 확대는 윤리적 소비나 합리적 소비에 해당되지 않는다.
② 환경에 악영향을 끼치는 제품의 구매를 삼가야 한다. → 윤리적 소비

➡ 갑에만 해당하는 내용이다. 합리적 소비는 개인의 선호와 경제적 효율성을 중시하는데, 이를 기준으로 소비할 경우 의도하지 않게 윤리적 문제가 있는 제품을 구매할 수도 있다.

③ 제품 이미지 소비를 통해 과시 욕구를 충족해야 한다.

④ 경제적 효율성과 만족도를 기준으로 소비를 해야 한다.

➡ 합리적 소비에 대한 설명으로 을에만 해당한다.

불필요한 사치를 줄이고 절제하는 소비 습관을 가져야 한다.

07 윤리적 소비와 합리적 소비

[선택지 분석]

② ㄴ

➡ (가)는 윤리적 소비, (나)는 합리적 소비의 입장이다. (나)에 비해 (가)는 타인과 생태계를 고려하는 정도, 보편적인 가치 충족을 중시하는 정도가 높고, 생산자와 노동자의 인권을 고려하는 정도도 높다. 따라서 X, Y, Z는 모두 높다.

08 공정 무역의 의미

자료 분석 | 제시문은 윤리적 소비의 한 사례인 공정 무역을 말하고 있다. 공정 무역은 생산자에게 최저 구매 가격을 보장하고, 유통 과정을 줄이는 노력을 하며, 아동과 청소년의 노동력 착취를 금지하면서 근로자의 인권을 중시한다.

[선택지 분석]

① 생산자에게 최저 구매 가격을 보장한다.

② 생산자와 직거래를 통해 유통 과정을 줄인다.

③ 아동과 청소년의 노동력이 착취되지 않도록 한다.

④ 장기 계약보다는 단기 계약을 통해 근로자의 생산 환경을 보호한다.
단기 장기

09 동화 모델과 샐러드 볼 이론

자료 분석 | 갑은 동화 모델, 을은 다문화 모델 중 샐러드 볼 이론의 입장이다. 샐러드 볼 이론은 다양한 문화의 공존을 강조하여 다양한 문화를 평등하게 바라보는 입장이다.

[선택지 분석]

ㄱ

➡ 갑에 비해 을은 주류와 비주류 문화를 구분하는 정도가 낮고, 다양한 문화의 공존을 강조하는 정도는 높으며, 소수 민족 문화의 고유성 유지를 강조하는 정도는 높다. 따라서 X는 낮고, Y와 Z는 높다.

10 샐러드 볼 이론과 국수 대접 이론

자료 분석 | 갑은 샐러드 볼 이론, 을은 국수 대접 이론의 입장이다. 샐러드 볼 이론은 다양한 문화를 평등하게 인정하는 반면, 국수 대접 이론은 주류 문화를 전제로 이주민 문화를 인정한다.

[선택지 분석]

ㄱ. 이주민의 문화적 정체성 유지를 허용해야 하는가?

➡ 갑, 을 모두 긍정의 대답을 할 질문이다. 샐러드 볼 이론과 국수 대접 이론 모두 이주민의 문화를 인정한다.

ㄴ. 문화들 간의 주체를 가리지 말고 평등하게 대해야 하는가?

➡ 을이 부정의 대답을 할 질문이다. 국수 대접 이론은 주류 문화와 비주류 문화를 평등하게 대하지 않고, 차별적으로 인정한다.

ㄷ. 이주민의 문화가 서로 조화롭게 공존할 수 있어야 하는가?

➡ 갑, 을 모두 긍정의 대답을 할 질문이다. 샐러드 볼 이론과 국수 대접 이론 모두 이주민의 문화를 인정하며, 조화로운 공존을 주장한다.

ㄹ. 주류 문화와 비주류 문화의 구분이 사회 통합에 방해가 되는가?

➡ 을이 부정의 대답을 할 질문이다. 국수 대접 이론은 주류 문화와 비주류 문화를 구분한다.

11 문화 상대주의와 윤리 상대주의

자료 분석 | 제시문의 '나'는, 윤리 또한 문화의 한 부분이라고 하면서 윤리 상대주의를 근거로 문화의 평가를 부정하는 사람을 비판하고 있다.

[선택지 분석]

① 문화에 대한 윤리적 성찰의 중요성을 간과하고 있다

➡ 제시문의 '나'는 보편 윤리의 관점에서 문화에 대해 비판적으로 성찰할 것을 강조하고 있다.

② 문화적 다양성과 고유성을 인정해야 함을 간과하고 있다
강조

③ 윤리와 달리 문화는 절대적 판단 기준이 없음을 간과하고 있다

➡ 제시문의 '이러한 사람들'은 윤리 또한 문화의 한 부분이라고 주장하고 있다.

④ 보편적 가치를 기준으로 각 문화를 평가해야 함을 강조하고 있다
간과

➡ 제시문의 '나'는 보편적 가치를 중시하고 있다.

⑤ 문화 간의 질적 차이를 인정하고 우수한 문화를 수용해야 함을 강조하고 있다

12 종교와 관용

자료 분석 | 제시문은 볼테르의 "관용론"의 일부로 상대방의 종교를 인정하는 관용의 자세가 요구된다는 내용이다.

[선택지 분석]

① 다른 종교에 대해 배타적인 자세를 유지한다.

➡ 다른 종교에 대한 배타적인 자세는 바람직하지 않다.

② 모두의 행복을 위해 자신의 종교를 강요해야 한다.

➡ 자신의 종교를 강요하는 모습은 관용과 거리가 멀다.

③ 서로 다른 종교 간 교리를 통합하여 단일화해야 한다.

➡ 교리의 통합과 종교 간 단일화는 종교의 다양성을 부정하는 잘못된 태도이다.

④ 자신과 다른 종교를 가진 사람도 이해하고 존중해야 한다.

⑤ 자기 종교의 진리를 포기하고 다른 종교를 받아들여야 한다.

➡ 종교의 관용이란 자기 종교를 포기하라는 의미가 아니라, 자신의 종교와 다른 종교도 인정하는 태도를 말한다.

13 심미주의의 이해

(1) 심미주의

(2) [예시 답안] 심미주의는 예술과 윤리가 서로 독립적이라고 보고 예술에 대한 윤리적 규제에 반대한다.

채점 기준	
상	예술에 대한 독립성과 윤리적 규제에 대한 내용을 모두 정확히 서술한 경우
중	예술에 대한 독립성과 윤리적 규제에 대한 내용 중 한 가지만 정확하게 서술한 경우
하	예술에 대한 독립성과 윤리적 규제에 대한 내용을 제대로 서술하지 못한 경우

14 로컬 푸드 운동

(1) 로컬 푸드 운동

(2) [예시 답안] 로컬 푸드 운동의 사례로는 100마일 이내 거리에서 생산된 농산물만을 소비하자는 미국의 100마일 다이어트 운동과 이탈리아의 슬로푸드 운동 등이 있다. 로컬 푸드 운동은 지역 경제를 활성화하고, 식품의 운송 거리를 좁혀 이산화탄소 발생량을 최소화하며, 소비자에게는 신선한 음식을 접할 수 있는 이익을 가져온다.

채점 기준	
상	로컬 푸드 운동의 사례와 구체적 장점을 모두 정확히 서술한 경우
중	로컬 푸드 운동의 사례와 구체적 장점 중 한 가지만 정확하게 서술한 경우
하	로컬 푸드 운동의 사례와 구체적 장점을 모두 서술하지 못한 경우

15 다문화 정책 모델의 이해

(1) 용광로 이론

(2) [예시 답안] 다문화 모델에는 다문화주의를 대표하는 샐러드 볼 이론과 문화 다원주의를 대표하는 국수 대접 이론이 있다. 샐러드 볼 이론은 한 국가 또는 사회 안에 살고 있는 다양한 문화를 평등하게 인정하는 것이고, 국수 대접 이론은 주류 문화의 정체성을 유지하면서 비주류 문화의 공존을 인정하는 것이다.

채점 기준	
상	다문화 모델의 대표적 두 가지 이론과 그 의미를 모두 정확하게 서술한 경우
중	다문화 모델의 대표적 두 가지 이론과 그 의미 중 한 가지만 서술한 경우
하	다문화 모델의 대표적 두 가지 이론과 그 의미를 모두 서술하지 못한 경우

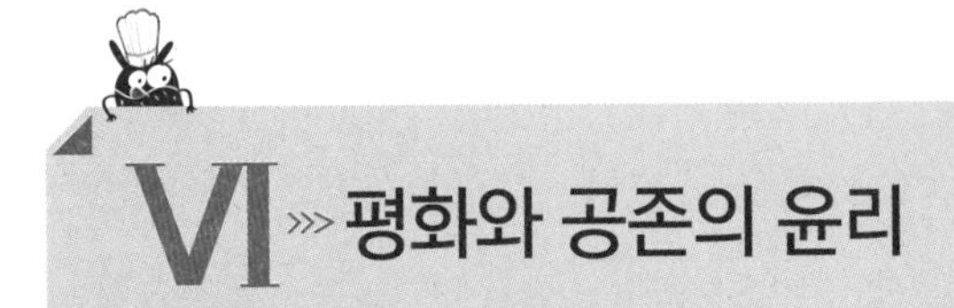

VI 평화와 공존의 윤리

01 갈등 해결과 소통의 윤리

콕콕! 개념 확인하기 229쪽

01 (1) ㉠, ㉤ (2) ㉢, ㉣ (3) ㉡, ㉥
02 (1) 자연스러운 (2) 무시 (3) 불공정
03 사회 통합
04 (1) ○ (2) ○ (3) ×
05 (1) ㉡ (2) ㉢ (3) ㉠ (4) ㉣

탄탄! 내신 다지기 230~231쪽

01 ① **02** ③ **03** ⑤ **04** ⑤ **05** ① **06** ⑤ **07** ⑤
08 해설 참조

01 이념 갈등의 사례 이해

자료 분석 | 갑은 부의 분배를, 을은 경제 성장을 우신적으로 추구해야 한다고 주장하고 있다. 이처럼 추구하는 이념이 다를 경우 발생하는 갈등을 '이념 갈등'이라고 한다. 이념 갈등은 이상적인 것으로 여기는 생각이나 견해의 차이에 따른 갈등을 뜻한다.

[선택지 분석]

✔ 이념 갈등

② 지역 갈등

③ 세대 갈등
➡ 신세대와 기성 세대 간의 갈등이다.

④ 정체성 갈등
➡ 개인이나 집단의 변하기 어려운 본질인 정체성에 대한 침해로 발생하는 갈등이다.

⑤ 관계상 갈등
➡ 상대방과의 관계에서 기대감이 충족되지 않았을 때 발생하는 갈등이다.

02 세대 갈등의 입장 이해

자료 분석 | 갑은 정년 연장 의무화가 청년층 일자리 감소를 유발시킨다는 이유로 반대 입장을, 을은 정년 연장 의무화가 노인 문제를 해결할 수 있는 효과적인 대처법이 될 수 있다는 이유로 찬성 입장을 보이고 있다.

[선택지 분석]

✗ 갑: 정년 연장은 청년 일자리를 늘리는 대안이 될 수 있다.
➡ 갑은 정년 연장이 세대 간 일자리 전쟁의 신호탄이 된다고 보면서 청년 일자리 감소로 이어질 수 있다고 우려하고 있다.

㉡ 갑: 정년 연장은 세대 갈등의 주요 원인으로 작용할 수 있다.

㉢ 을: 정년 연장은 노인 문제를 해결하는 실질적인 대안이 될 수 있다.

✗ 을: 정년 연장은 ~~지역 갈등~~ 세대 갈등을 유발하여 국론 분열을 조장할 수 있다.

03 사회 갈등의 원인 이해

자료 분석 | ㉠은 '사회 갈등'이다. 우리 사회에서 발생하는 갈등은 주로 진보와 보수 간의 이념 갈등, 지역 간의 갈등, 청년 세대와 기성세대 간의 세대 갈등으로 구분할 수 있다.

[선택지 분석]

㉠ 타인의 생각이나 가치관을 무시할 때 발생한다.
➡ 사회 갈등은 타인의 생각이나 가치관을 무시하고 자신의 생각이나 가치관만을 절대시할 때 발생한다.

㉡ 자기 생각이나 가치관만을 절대시할 때 발생한다.

✗ 사회적 자원의 차등 분배로 지역 간 격차가 ~~완화될 때~~ 심화될 때 발생한다.

㉣ 첨예한 주제를 두고 해결하는 과정에서 서로 소통이 부족할 때 발생한다.

04 사회 통합의 실현 방안 이해

[선택지 분석]

① 다양성을 인정하고 상호 존중의 자세를 지녀야 한다.

② 개인의 이익과 공동선이 조화를 이룰 수 있도록 해야 한다.

③ 상호 존중과 신뢰에 바탕을 둔 소통의 자세를 지녀야 한다.

④ 대화와 토론으로 의사를 결정하는 민주 시민의 자세를 지녀야 한다.
➡ 사회 통합을 위해서는 대화와 토론을 통해 의사를 결정하는 과정이 필요하다.

✔⑤ 정책 결정 과정에 해당 분야의 전문가만 참여할 수 있도록 제도화해야 한다.
➡ 사회 통합을 위해서는 정책 결정 과정에 해당 분야의 전문가뿐만 아니라 이해 당사자가 참여할 수 있도록 제도화해야 한다.

05 사회 갈등을 극복하기 위한 동서양의 지혜

[선택지 분석]

✔① ㉠ '다른 사람들과 평화롭게 지내며, 그들과 동화되어 같아진다.'는 의미
➡ 공자가 제시한 화이부동은 다른 사람과 평화롭게 지내지만, 그들과 동화되어 같아지지는 않는다는 의미이다.

② ㉡ '남의 것을 존중하되 자기 것을 지킨다.'는 의미

③ ㉢ 온갖 논쟁에 대해 화해를 추구하여 흩어진 종파를 통합해야 함

④ ㉣ 불교의 진리는 하나의 마음[一心]과 하나의 지혜(智慧)를 표현한 것임

⑤ ㉤ 모든 인간은 평등하며, 모든 인간을 세계의 동등한 시민으로 대우해야 함

06 사회 통합을 위한 올바른 소통의 자세

[선택지 분석]

✗ 특정한 가치만을 개인에게 요구한다.
➡ 사회 통합을 위해서는 다른 사람의 가치관과 신념이 나와 다를 수 있음을 이해해야 한다.

✗ 다수결로 가치의 일원화를 추구한다.
➡ 사회 통합을 위해서는 다양한 가치를 인정해야 한다.

㉢ 소통의 과정을 통해 공론에 도달한다.

㉣ 공적인 결정은 토론과 합의를 통해 결정한다.

07 하버마스의 담론 윤리 이해

자료 분석 | 제시문의 사상가는 하버마스이다. 하버마스는 비판이 가능한 주장들에 대해 입장을 표명할 수 있는 무제한의 자유의 보장을 바탕으로 도달된 합의가 진정한 의미에서 보편적일 수 있다고 주장하였다.

[선택지 분석]

① 모든 사람이 담론에 참여할 수 있어야 한다.

② 의사소통의 합리성을 함양함으로써 사회 갈등을 해결할 수 있다.

③ 행위 규범은 자유롭고 합리적인 토론을 통한 합의에 의해 정당화될 수 있다.
➡ 하버마스는 행위 규범은 그 규범에 의해 영향 받는 사람들이 합리적인 토론을 통해 자유롭게 동의할 경우에만 타당성을 지닐 수 있다고 보았다.

④ 자유로운 의사소통은 돈이나 권력에 의한 왜곡이나 억압이 없어야 가능하다.
➡ 하버마스는 돈이나 권력에 의한 왜곡이나 억압이 없이 의사소통의 규범이 준수되는 가운데 이루어지는 자유로운 의사소통 상황이 이상 사회를 만들 수 있는 토대라고 보았다.

✔⑤ 이상적 대화 상황을 위해서는 이해 가능성, 정당성, ~~정확성~~ 진리성, 진실성의 조건이 필요하다.
➡ 하버마스가 제시한 이상적 담화 상황을 위한 조건은 이해 가능성, 정당성, 진실성, 그리고 진리성이다.

08 사회 갈등과 소통과 담론의 관계

[예시 답안] 현대 사회의 대표적인 갈등으로는 이념 갈등, 세대 갈등, 지역 갈등이 있다. 이러한 갈등은 사회를 분열시키고 혼란을 가져오므로 갈등의 바람직한 해결을 통해 사회 통합을 이루어야 하는데, 사회 통합을 위해 소통과 담론이 필요하다.

채점 기준	
상	현대 사회의 갈등 유형을 세 가지 제시하고, 소통과 담론이 사회 갈등을 해결하는 데 도움을 줄 수 있음을 서술한 경우
중	현대 사회의 갈등 유형을 세 가지 제시하였으나, 소통과 담론이 사회 갈등을 해결하는 데 도움을 줄 수 있음을 서술하지 못한 경우
하	현대 사회의 갈등 유형을 두 가지 이하로 제시하고, 소통과 담론이 사회 갈등을 해결하는 데 도움을 줄 수 있음을 서술하지 못한 경우

도전! 실력 올리기 232~233쪽

01 ⑤ 02 ⑤ 03 ③ 04 ④ 05 ④ 06 ④ 07 ④
08 ⑤

01 지역 갈등 이해

자료 분석 | 제시된 사례는 현대 사회에서 발생하는 갈등 중 지역 갈등의 사례이다. 지역 갈등은 지역주의가 정치적으로 이용되고 지역 이기주의로 변질되면 나타날 수 있다.

[선택지 분석]

① 사실 자료와 정보의 불일치
② 생각, 이념, 사상, 종교 등 생각 체계의 차이
③ 이상적인 것으로 여기는 생각이나 견해의 차이 → 이념 갈등
④ 사회적 쟁점을 둘러싼 신세대와 기성세대 간의 논쟁 → 세대 갈등
⑤ 선호 시설을 자기 지역에 유치하려는 지역 이기주의
➡ 지역 이기주의로 발생하는 사회 갈등은 지역 갈등이다.

02 기계적 연대와 유기적 연대

자료 분석 | 제시문의 사상가는 뒤르켐이다. 뒤르켐은 유기적 연대를 바탕으로 한 사회 통합을 강조하였다.

[선택지 분석]

ㄱ. 유기적 연대를 통해 모두가 똑같은 사람이 되어야 한다.
➡ 유기적 연대는 개인들이 개별성을 유지하면서도 상호적으로 결속한 상태이다.
ㄴ. 유기적 연대는 전문화된 개인들이 개별성을 유지하는 상태이다.
ㄷ. 기계적 연대는 사람들의 개성을 소멸시켜 집합적인 생명체가 되도록 만든다.
➡ 뒤르켐은 기계적 연대가 사람들의 개성을 소멸시킨다고 보고 기계적 연대를 비판하였다.
ㄹ. 기계적 연대는 구성원들이 동일한 가치와 규범을 공유하여 결속한 상태이다.
➡ 기계적 연대는 개인들이 서로 유사할 것을 전제로 한다.

03 지역 갈등 극복을 위한 다양한 노력

[선택지 분석]

① 세대 갈등 극복을 위한 다양한 노력
② 이념 갈등 극복을 위한 다양한 노력
③ 지역 갈등 극복을 위한 다양한 노력
➡ 신문 칼럼은 지역 갈등을 극복하기 위한 노력에 해당하는 사례이다. 지역 갈등은 지역의 역사적, 지리적 상황과 결부되어 발생하는 갈등이다.
④ 종교 갈등 극복을 위한 다양한 노력
⑤ 이해관계 갈등 극복을 위한 다양한 노력

04 사회 갈등 해결을 위한 스토아학파의 관점

자료 분석 | 제시문의 사상가는 스토아학파이다. 스토아학파는 모든 인간은 평등하며, 모든 사람을 차별하지 않고, 세계의 동등한 시민으로 대우해야 한다고 보았다.

[선택지 분석]

ㄱ. 모든 인간의 본질은 이성으로 동일한가?
➡ 스토아학파는 모든 인간은 이성을 지니므로 평등하다고 주장하였다.
ㄴ. 사람을 인종, 혈통 등에 따라 차별해야 하는가?
➡ 스토아학파 사상가는 사람을 인종, 차별 등에 따라 차별해서는 안 된다고 보았다.
ㄷ. 타인과의 갈등은 자신의 정념에서 비롯되는가?
➡ 스토아학파는 타인과의 갈등은 사건 그 자체가 아니라 자신의 정념에 의한 마음의 동요로부터 비롯된 것이라고 보았다.
ㄹ. 모든 인간을 세계의 동등한 시민으로 대우해야 하는가?

05 관용의 중요성 이해

자료 분석 | 제시문은 우리 사회에서 발생하는 다양한 갈등의 원인과 이러한 갈등을 해결하기 위해 우리에게 관용의 미덕이 필요함을 역설하고 있다.

[선택지 분석]

① 합리적 토론으로 정의의 기준과 신념을 통일해야 한다.
➡ 관용은 선의 기준과 신념을 하나로 통일하는 것이 아니다.
② 타인의 모든 주장과 행동을 억압과 조건 없이 인정해야 한다.
➡ 때에 따라서는 불관용의 원칙을 적용해야 하는 주장과 행동이 존재한다.
③ 서로에 대한 비판을 배제하여 효율적인 의사 결정을 해야 한다.
➡ 관용이라고 해서 비판을 배제하지는 않는다.
④ 자신의 가치관과 상반될지라도 관용의 미덕을 발휘해야 한다.
➡ 자신의 가치관과 다르더라도 존중하고 이해하려고 노력한다.
⑤ 소수 집단은 다양한 가치의 조화를 위해 양보의 미덕을 실천해야 한다.
➡ 소수의 의견도 존중되어야 한다.

06 원효의 화쟁 사상 이해

자료 분석 | 제시된 사상가는 원효이다. 원효는 일심을 바탕으로 한 화쟁을 통해 모든 이론, 모든 종파의 특수성과 상대적 가치를 충분히 인정하면서 분쟁하는 종파를 통합하자는 불교 통합론을 제시하였다.

[선택지 분석]

① 오직 일심의 원천에서 모든 대립과 갈등은 사라질 수 있다.
② 일체의 모든 이론은 결국 그 깨우침의 바탕인 일심뿐이다.
③ 사상적 갈등을 인정하면서 특정 종파를 중심으로 통합해야 한다.
➡ 원효는 모든 종파의 특수성과 상대적 가치를 충분히 인정하면서 통합하자고 주장하였다.
④ 모든 종파의 특수성과 상대적 가치를 충분히 인정하면서 조화를 이루어야 한다.

07 이상적 담화 상황을 위한 담화 참가자들의 자세

자료 분석 | 제시문의 사상가는 하버마스이다. 하버마스는 이상적 담화 상황을 구현하기 위해서는 의사소통의 합리성을 실현하여 의견을 자유롭게 논의해야 한다고 주장하였다.

[선택지 분석]

ㄱ 상대방에 대한 존중의 자세를 지녀야 한다.
➡ 의사소통의 과정에서는 대화 상대자를 동등한 인격의 소유자로 대함으로써 존중을 표해야 한다.

ㄴ 스스로 행동을 통제하며 규범을 준수해야 한다.
➡ 의사소통의 합리성을 실현하기 위해서는 스스로가 판단력과 지각력을 갖춘 주체로서 규범을 준수해야 한다.

ㄷ 전문가의 의견에는 절대적인 지지를 표현해야 한다.
➡ 전문가의 의견이라도 다양한 의견을 자유롭게 제시하고 논의할 수 있다. 절대적인 지지를 표현하는 것을 바람직하지 않다.

ㄹ 합리적으로 말하고 감정적 비난을 자제해야 한다.
➡ 이상적 담화 상황을 구현하기 위해서는 대화 상대자를 감정적으로 비난하지 말고 합리적으로 말하고 행동해야 한다.

08 하버마스의 담론 윤리 이해

자료 분석 | 제시문의 사상가는 하버마스이다. 하버마스는 시민의 의사를 공적 결정에 올바르게 반영하기 위해서는 이성적으로 논의하는 능력을 가진 시민이 사회 문제를 해결하는 주체가 되어야 한다고 주장하였다.

[선택지 분석]

① 토론의 절차가 아니라 토론의 결과만을 중시해야 한다.
➡ 하버마스는 담론 과정에서 의사소통의 합리성을 실현하기 위해서는 토론의 절차를 중시해야 한다고 주장하였다.

② 공적 문제에 대한 문제 제기는 민주주의의 발전을 저해한다.
➡ 하버마스는 민주주의의 발전을 위해서는 시민의 의사가 공적 결정에 반영되어야 하므로 공적 문제에 대한 문제 제기가 필요하다고 주장하였다.

③ 토론의 결과가 반영된 법에 대해서는 다시 토론하지 않는다.
➡ 하버마스는 개인들이 자유로운 토론을 통해 이끌어 낸 결과라 하더라도 그 결과가 올바른지에 대해 의사소통의 과정에서 다시 논의가 이루어질 수 있도록 개방적 자세를 지니는 것이 중요하다고 주장하였다.

④ 정치적 문제를 해결하기 위해 공적 토론을 권장할 필요는 없다.
➡ 하버마스는 정치적 문제와 관련된 공적 결정에 시민들의 참여가 중요하므로 공적 토론이 활발하게 이루어져야 한다고 주장하였다.

⑤ 의사소통의 합리성을 실현해야 토론의 합의에 도달할 수 있다.
➡ 하버마스는 서로 갈등하는 다양한 의견을 합리적으로 논의하여 합의에 도달할 수 있도록 하는 의사소통의 합리성을 실현해야 한다고 주장하였다.

02 민족 통합의 윤리

콕콕! 개념 확인하기 239쪽

01 ㄱ, ㄴ, ㄹ, ㅁ
02 (1) ㉠ (2) ㉣ (3) ㉡ (4) ㉢
03 (1) × (2) × (3) ○
04 (1) ㉡ (2) ㉠ (3) ㉣ (4) ㉢
05 (1) ○ (2) × (3) ○ (4) ×

탄탄! 내신 다지기 240~241쪽

01 ④ **02** ① **03** ③ **04** ④ **05** ⑤ **06** ③ **07** ③
08 해설 참조

01 통일에 대한 입장 비교

자료 분석 | 갑은 통일을 인도주의와 민족주의 차원에서 반드시 해야 하는 의무로 여기는 반면, 을은 통일을 비용과 편익의 효용성의 관점에서 다루고 있다.

[선택지 분석]

ㄱ 갑은 통일의 필요성을 당위의 관점에서 제기하고 있다.
➡ 갑은 통일을 반드시 해야 할 과제라고 주장하고 있다.

ㄴ 갑은 민족 정통성을 계승하는 차원에서 통일이 필요함을 강조하고 있다.
➡ 갑은 민족주의 차원에서 통일의 당위성을 주장하고 있다.

ㄷ 을은 효용성을 고려하여 통일의 필요성을 검토할 것을 주장하고 있다.
➡ 을은 비용과 편익의 효용성을 따져 통일의 필요성을 재검토해야 한다고 주장하고 있다.

ㄹ 갑, 을은 통일이 우리 민족의 무조건적인 과제임을 강조하고 있다. (갑)
➡ 을은 효용성의 관점에서 통일에 대해 재검토해야 한다고 주장하고 있다.

02 분단 비용의 이해

[선택지 분석]

① 분단 비용
➡ 칠판의 판서 내용은 분단 비용의 의미와 사례이다. 분단 비용은 분단 상태가 지속되는 과정에서 발생하는 경제적·경제 외적 비용으로, 투자 비용이 아닌 소모성 비용이다.

② 평화 비용
➡ 통일 이전에 한반도의 평화를 유지하고 정착시키기 위해 드는 비용이다.

③ 통일 비용
➡ 통일 이후에 남북한의 경제 차이 해소와 이질적 요소 통합을 위해 드는 정치·경제·사회·문화의 비용이다.

④ 투자 비용

⑤ 통일 편익

03 평화 비용의 특징

자료 분석 | ㉠은 평화 비용이다. 평화 비용은 통일 이전에 한반도 평화를 유지하고 정착시키는 데 드는 비용으로, 남북 경제 협력과 대북 지원 등에 쓰인다.

[선택지 분석]

① 남북 경제 협력, 대북 지원 등에 쓰이는 비용이다.

② 통일 이전에 통일 기반을 마련하기 위해 드는 비용이다.

③ 분단이 지속되는 한 계속해서 지출되는 소모성 비용이다.

➡ 평화 비용은 소모성 지출 비용이 아니라 통일 한국을 위한 투자 비용의 성격을 띤다.

④ 남북한 격차를 해소하여 통일 비용의 감소로 이어질 수 있다.

➡ 평화 비용은 남북 간의 동질성 회복과 경제적 격차 해소에 기여하므로 통일 이후 소요되어야 할 통일 비용을 절감하는 효과가 있다.

⑤ 한반도의 긴장을 완화시킴으로써 분단 비용의 감소로 이어질 수 있다.

➡ 평화 비용은 한반도 긴장 완화와 평화 정착을 도모함으로써 분단 비용을 감소시킨다.

04 통일에 대한 찬반 입장 파악

자료 분석 | 갑은 통일에 대해 부정적 관점을, 을은 통일에 대해 긍정적 관점을 갖고 있다.

[선택지 분석]

① 이산가족의 고통을 지나치게 중시하고 있다.

② 분단 비용이 소모성 비용임을 강조하고 있다.

③ 평화 통일의 필요성을 지나치게 강조하고 있다.

④ 통일이 가져올 다양한 통일 편익을 간과하고 있다.

➡ 갑은 통일이 손해만 초래한다는 입장이고, 을은 통일로 발생하는 경제적·경제 외적 보상과 혜택인 통일 편익을 강조하는 입장이다. 따라서 을은 통일이 가져올 다양한 통일 편익을 갑이 간과하고 있다고 비판할 것이다.

⑤ 통일 비용이 국민들에게 부담을 준다는 점을 간과하고 있다.

05 바람직한 통일의 방법

[선택지 분석]

① 평화적 방법을 통해 점진적으로 접근한다.

② 국민적 이해와 합의를 토대로 민주적으로 이루어 나간다.

③ 민족 공동체 의식을 회복한 후 단계적으로 체제를 통합해 나간다.

④ 주변국들이 한반도 통일을 지지하도록 동의와 협력을 강화한다.

⑤ 남북한의 다양한 사회적·문화적 교류를 통해 이질성을 모두 제거하는 과정을 거친다.

➡ 남북한은 서로의 차이와 다른 모습을 버리는 것이 아니라, 이질성을 인정하고 배우면서 새로운 민족 정체성을 만들어 나가야 한다.

06 남북한 사회 통합을 위한 노력

자료 분석 | (가)에서는 통일을 이루기 위해서는 남북한 사람들 간의 이해와 화해 그리고 서로 간의 신뢰 회복이 필요하다고 주장하고 있다. (나)의 갑, 을의 대화는 분단 이후 이질화된 남북한의 언어와 문화의 현실을 보여주고 있다.

[선택지 분석]

① 북한 주민들이 남한의 주류 문화에 적응하도록 노력해야 한다.

➡ 남한 사회의 문화를 중심으로 북한 이탈 주민을 편입하려는 것은 (가)의 입장에 부합되지 않는다.

② 북한 주민들이 스스로 경제적으로 자립하도록 지원을 줄여야 한다.

③ 이질화된 남북한의 언어와 문화의 현실을 먼저 이해할 수 있어야 한다.

➡ (가)는 통일 한국을 형성하기 위해서 먼저 남과 북의 서로 다름을 수용하고 인정할 줄 알아야 한다는 관점을 취하고 있다.

④ 남한 사람들이 먼저 외래어를 쓰지 말고 순수한 우리말을 쓰도록 해야 한다.

⑤ 남북한이 우선 정치·경제적으로 통합을 이루어 문화적 갈등을 덜 겪도록 해야 한다.

➡ 정치·경제적 통합을 우선적으로 추구하는 것은 남북한의 진정한 통합에 도움이 되지 않는다.

07 통일 기반 조성을 위한 방안 이해

자료 분석 | 제시문은 남북한이 오랜 시간 분단되어 있어 짧은 시간에 동질성의 회복이나 화합을 실현하기 어렵다고 주장한다. 따라서 동질성을 회복하고 하나가 되려면 군사·정치적인 분야처럼 예민한 문제보다는 스포츠, 이산가족 같은 비정치적 성격을 띤 분야에서부터 서로 신뢰를 쌓는 노력이 중요하다고 강조한다.

[선택지 분석]

① 정치적 통합을 우선 고려해야 한다.

➡ 정치적 통합을 우선 추구하는 것보다 사회적·문화적 교류와 협력을 통해 서로 간에 신뢰를 형성해야 한다.

② 경제적 실익을 우선 고려해야 한다.

➡ 스포츠, 이산가족 교류 같은 비정치적 성격을 띤 분야의 교류는 경제적 실익을 목적으로 하는 것이 아니다.

③ 사회·문화적 교류를 우선 고려해야 한다.

➡ 스포츠, 이산가족 교류 등 비정치적 분야의 교류가 사회·문화적 교류이다.

④ 단일 민족 구성을 위한 정치적 합의를 우선해야 한다.

⑤ 주변국과 협력을 강화할 수 있는 방안을 우선 고려해야 한다.

08 분단 비용과 평화 비용 비교

(1) [예시 답안] (가)는 '분단 비용'이다. 분단 비용은 남북한 분단의 결과인 대결과 갈등 때문에 지출되는 유형·무형의 비용으로 군사비, 안보 비용과 같은 유형의 비용과 이산가족의 고통, 외국인 투자의 감소와 같은 무형의 비용이 있다.

채점 기준	
상	분단 비용의 의미와 구체적 사례를 모두 서술한 경우
중	분단 비용의 의미와 구체적 사례 중 하나만 서술한 경우
하	분단 비용의 의미와 구체적 사례 모두 서술하지 못한 경우

(2) [예시 답안] (나)는 '평화 비용'이다. 평화 비용은 통일 이전 한반도의 평화 유지와 정착을 위해 소요되는 비용으로 통일, 외교 비용과 대북 지원을 위한 사회적·경제적 비용이 있다.

채점 기준	
상	평화 비용의 의미와 구체적 사례를 모두 서술한 경우
중	평화 비용의 의미와 구체적 사례 중 하나만 서술한 경우
하	평화 비용의 의미와 구체적 사례 모두 서술하지 못한 경우

도전! 실력 올리기

242~243쪽

01 ④ 02 ③ 03 ② 04 ⑤ 05 ② 06 ② 07 ⑤ 08 ⑤

01 평화 비용의 특징

자료 분석 | ㉠은 평화 비용이다. 평화 비용은 한반도의 평화 정착과 안보 불안을 해소하기 위해 남북 교류 협력이나 대북 지원 등에 사용되는 비용이다.

[선택지 분석]

① 소모적인 비용으로 민족 경쟁력을 약화시킨다.
➡ 소모적 성격의 분단 비용은 민족 경쟁력을 약화시킨다.

② 전쟁 공포와 이산가족 고통과 같은 무형의 비용이다. → 분단 비용

③ 남북한의 분단에 따라 발생하는 군비 확충 비용이다. → 분단 비용

④ 통일 이전에 한반도 평화 정착을 위해 드는 비용이다.

⑤ 통일 후 남북의 이질적 요소를 통합하기 위해 사용해야 할 비용이다. → 통일 비용

02 통일 편익과 통일의 필요성

자료 분석 | (가)는 통일에 따른 편익이 비용보다 크므로 통일을 해야 한다고 주장한다.

[선택지 분석]

㉠ A: 통일은 분단으로 인해 발생하는 비용을 상쇄할 수 있는가?
➡ (가)의 입장에서 '예'로 대답할 질문이다. (가)는 통일 편익이 통일에 드는 비용을 상쇄할 이익이 있다고 본다.

㉡ A: 통일을 장기적으로 볼 때 편익보다 비용이 크다고 볼 수 있는가?
➡ (가)의 입장에서 '아니요'로 대답할 질문이다. (가)는 통일 비용보다 통일 편익을 강조하고 있다.

㉢ B: 통일은 효용성이 아닌 당위적 차원에서 접근해야 하는가?
➡ (가)의 입장에서 '아니요'로 대답할 질문이다. (가)는 통일을 당위적 측면에서 접근하기보다 효율성의 측면에서 접근하고 있다.

㉣ B: 통일은 사회·경제적 측면에서 긍정적 효과를 가져 올 수 있는가?
➡ (가)의 입장에서 '예'로 대답할 질문이다. (가)는 통일은 이익을 가져올 것이라고 말하고 있다.

03 통일 비용의 특징

자료 분석 | ㉠은 '통일 비용'이다. 통일 비용은 통일 과정과 통일 이후에 한시적으로 발생하는 비용이며, 통일 한국의 번영을 위한 투자적인 성격의 비용으로 다양한 통일 편익으로 이어질 수 있다.

[선택지 분석]

① 통일이 되면 소멸되는 소모성 비용이다. → 분단 비용

② 통일 이후 제도 통합의 과정에서 발생하는 비용이다.
➡ 통일 비용은 남북 통일에 소요되는 비용으로 남북한의 서로 다른 체제와 제도, 양식 등을 통합하고 정비하는 과정에서 지출되는 비용이다.

③ 분단 상황에서 남북 간의 적대감을 ~~심화시키는~~ 완화하는 비용이다.

④ 통일 과정에서 소요되는 지출을 절감시키는 기능을 한다. → 평화 비용

⑤ 분단으로 인한 대립과 갈등으로 지출되는 직간접 비용이다. → 분단 비용

04 남북한 사회 통합을 위한 노력

자료 분석 | (가)는 사회적 가치와 규범 그리고 문화를 공유하는 사회·문화 공동체를 형성해야 한다고 본다. 즉 사회·문화적 통합을 지지하는 입장이다.

[선택지 분석]

① 정치·군사적 측면의 통합이 선행되어야 합니다.

② 남북한의 경제적 수준의 일치가 선행되어야 합니다.

③ 외형적인 통일을 위해 남북한의 조속한 통합이 선행되어야 합니다.
➡ (가)는 외적인 통일이 아닌 내적인 통일을 추구하고 있다.

④ 국제적 합의가 전제된 통일에 대한 공감대 형성이 선행되어야 합니다.

⑤ 사회·문화적 교류 확대를 통한 남북한의 이질성 극복이 선행되어야 합니다.
➡ 사회·문화적 공동체를 형성하기 위해서는 남북한 간 사회·문화적 교류 확대를 통해 동질성을 회복해 나가야 한다.

05 독일 통일의 교훈

[선택지 분석]

① 독일 통일의 구체적인 과정

② 독일 통일의 정치적·경제적 편익
➡ 제시문에서 독일은 통일 이후 얻게 된 정치적·경제적 편익으로 유럽을 선도하는 국가로 발돋움하게 되었다고 주장하고 있다.

③ 독일 통일 이후의 동서독 간의 갈등

④ 분단 국가였던 독일의 막대한 통일 비용

⑤ 베를린 장벽의 붕괴로 인한 사회적 혼란

06 독일 통일의 시사점

자료 분석 | 서독은 동독에 대규모 교통 인프라를 투자하였다. 이러한 대규모 투자는 동·서독 간의 활발한 교류와 협력을 촉진시켰고, 그 결과 동·서독 통일의 기초가 되었다. 제시된 사례는 남북의 활발한 교류와 협력이 남북한 통일의 기초가 될 수 있음을 시사한다.

[선택지 분석]

① 통일 비용이 최소화되는 시점까지 남북한의 통일을 보류해야 한다.

✔② 남북의 활발한 교류와 협력은 남북한 통일의 기초가 됨을 알아야 한다.

③ 훼손된 민족의 정체성을 회복하기 위해 통일이 필요함을 인식해야 한다.

④ 정치·군사적 통합으로 사회·문화적 통합을 이룰 수 있음을 알아야 한다.

⑤ 통일 편익의 측면이 아닌 당위적 측면에서 통일이 필요함을 인식해야 한다.

➡ 제시된 사례는 통일 편익의 측면에서도 통일이 필요함을 시사하고 있다.

07 통일 기반 조성을 위한 방안

자료 분석 | 제시문은 남북 관계가 군사적으로 대치하고 있으면서 민족 간 협력이 필요한 이중적 상황에서 무엇에 중점을 두어야 하는지를 놓고 남한 사회 내부에서 갈등이 발생하여 통일의 실현에 장애가 되고 있다고 주장한다. 따라서 이를 해결하기 위해서 먼저 통일을 둘러싼 남한 사회 내부의 갈등을 최소화하려는 노력이 필요하다고 주장할 것이다.

[선택지 분석]

① 정부 주도로 통일 정책을 마련하여 불필요한 혼란을 제거해야 한다.

② 남북한 정치 체제를 우선 통일하여 통일과 관련된 소모적 논쟁을 줄여야 한다.

➡ 제시문의 필자는 남남 갈등으로 인한 소모적 논쟁을 줄이기 위해 정치 체제의 통일이 아닌, 남한 사회 내부의 합리적 의견 교환과 이를 통한 합의가 필요하다고 주장할 것이다.

③ 남북간 통일 역량의 격차를 줄이기 위해 북한의 경제 상황을 우선 개선해야 한다.

④ 국제 관계를 고려할 때 분단이 남북 간 평화를 위한 최선의 대안임을 인식해야 한다.

✔⑤ 통일에 대한 국민적 공감대를 형성하여 통일의 당위성에 대한 인식을 확대해 나가야 한다.

➡ 제시문의 필자는 남남 갈등을 극복하기 위해 통일에 대한 국민적 공감대 형성이 우선되어야 한다고 주장할 것이다.

08 통일 기반 조성을 위한 노력

자료 분석 | 갑은 사회 통합을 우선하고 이후에 외형적 통일을 지향하는 점진적인 통일 방식을 주장하고 있는 반면, 을은 분단 지속으로 인한 비용을 고려하여 외형적 통일을 먼저 하자는 입장이다.

[선택지 분석]

① 분단 비용을 고려하지 않고 사회적 통합만을 강조하고 있다.

➡ 을은 분단 비용을 고려하여 외형적 통일이 먼저 되어야 한다고 주장하고 있다.

② 단일 정부의 구성보다 사회·문화적 통합의 중요성을 강조하고 있다.

➡ 을은 사회·문화적 통일에 앞서 단일 정부의 구성을 더 중요하게 여기고 있다.

③ 남북한의 통합 과정에서 주변국의 이해관계를 지나치게 강조하고 있다.

④ 정치 지도자들의 결단력에 따르는 제도적 통일의 중요성을 간과하고 있다.

✔⑤ 평화 통일을 위해 남북한의 사회 통합을 먼저 추구해야 한다는 점을 간과하고 있다.

➡ 갑은 진정한 통일을 위해서는 남북 간의 동질성 회복이 선행되어야 함을 강조하고 있다. 이러한 갑의 입장에서 볼 때 을은 사회 통합의 추구를 간과한다고 볼 수 있다.

03 ~ 지구촌 평화의 윤리

콕콕! 개념 확인하기 251쪽

01 (1) 현실주의 (2) 이상주의 (3) 충돌
02 (1) 영구 평화론 (2) 소극적, 적극적
03 (1) ㉡ (2) ㉠ (3) ㉢
04 (1) 세계화 (2) 형사적 (3) 분배적
05 (1) ○ (2) ○ (3) × (4) ○ (5) × (6) ○

탄탄! 내신 다지기 252~255쪽

01 ③ **02** ② **03** ③ **04** ② **05** ④ **06** ⑤ **07** ①
08 ⑤ **09** ④ **10** ④ **11** ④ **12** ④ **13** ③ **14** ④
15 ④ **16** 해설 참조

01 국제 분쟁의 특징

[선택지 분석]

① 국제 분쟁은 인종 청소와 같은 반인도적 범죄를 일으킨다.

② 국제 분쟁으로는 국가 간에 더 넓은 영토를 확보하려는 영토 분쟁이 있다.

➡ 국제 분쟁의 유형으로는 영토 분쟁, 인종이나 민족 분쟁, 종교 분쟁, 자원 분쟁 등이 있다.

✔③ 하나의 국제 분쟁은 자원 분쟁, 종교 분쟁, 영토 분쟁 등 여러 유형 중 하나에만 속한다.

➡ 하나의 분쟁이 여러 유형의 분쟁에 속할 수 있다.

④ 국제 분쟁은 영역과 자원을 선점하기 위한 경쟁과 문화와 종교 차이에 의한 갈등이 원인이 되어 발생한다.

⑤ 국제 분쟁은 경쟁국에 대한 군사적 우위를 확보하려는 과정에서 핵무기 등을 개발해 지구촌 전체의 평화를 위협한다.

02 국제 관계에 대한 구성주의와 현실주의 입장 비교

자료 분석 | (가)는 국제 관계 구조가 사회적 상호 작용을 통해 만들어진다고 보는 구성주의, (나)는 국제 사회 국가는 권력과 자국의 이익을 추구한다고 보는 현실주의이다.

[선택지 분석]

㉠ (가): 국가의 정체성과 국제 관계의 구조는 사회적 상호 작용을 통해 구성된다.

➡ 구성주의는 국가의 정체성과 국제 관계의 구조가 주어진 것이 아니라 사회적 상호 작용을 통해 구성된다고 본다.

✕ (나): 국제 평화는 힘을 가진 국제기구를 통해서만 달성된다.

➡ (나)는 국제 평화가 세력 균형을 통해 실현 가능하다고 본다.

㉢ (나): 국제 사회는 국가의 이익을 위해 다른 국가와 협력할 수 있다.

✕ (가), (나): 국제 사회에서 국가들의 노력으로 분쟁을 ~~해결할 수 없다~~. 해결이 가능하다

03 국제 관계에 대한 이상주의 입장 이해

자료 분석 | 제시문은 국제 관계에 대한 이상주의의 입장이다. 이 관점에서는 국제법이나 국제 규범으로 제도를 개선하여 국제 분쟁을 방지할 수 있다고 주장한다.

[선택지 분석]

① 국제 관계는 국가 간 힘의 논리에 따라 움직인다. → 현실주의

② 국제 관계에서 국가는 자국의 이익만을 추구한다. → 현실주의

③✔ 국제 분쟁은 국가 간의 도덕성을 확보해야 해결된다.

➡ 이상주의에서는 인간이 이성적 존재이듯 국가도 이성적이라고 보고 국제 관계에서 국가 간 도덕과 규범을 강조한다.

④ 국제 관계는 국가 간의 상호 작용을 통해서 구성된다. → 구성주의

⑤ 국가 간의 세력 균형을 통해서만 국제 분쟁이 해결된다. → 현실주의

04 헌팅턴이 제기한 문명 충돌

자료 분석 | 제시문의 사상가는 문명의 충돌을 제시한 헌팅턴이다. 그는 동일한 문명 혹은 공통의 문화를 가진 민족과 국가들은 핵심국을 중심으로 통합되는 반면, 서로 다른 문명권에 속한 나라와는 분열을 반복할 것이라고 주장하였다.

[선택지 분석]

㉠ 문명 간의 충돌이 세계 평화를 가장 위협한다.

✕ 복잡한 국제 관계를 문명 간의 충돌로 단순화해서는 안 된다.

➡ 헌팅턴은 국제 분쟁을 판이한 문명에 속한 집단이나 국가 간의 충돌로 이해하였다.

✕ 국가의 힘을 키워 세력 균형을 이루면 국제 분쟁을 해결할 수 있다.

➡ 현실주의의 입장이다.

㉣ 문명의 조화에 근거한 국제 질서의 구축을 통해 국제 분쟁을 해결할 수 있다.

05 문화적 폭력의 이해

자료 분석 | ㉠은 '문화적 폭력'이다. 문화적 폭력은 문화적 측면인 종교, 이념, 언어, 예술 등의 이면에 내재해 있는 직접적 혹은 구조적 폭력을 정당화하고 합법화하는 폭력을 말한다.

[선택지 분석]

① 테러와 같은 신체적 위협 → 직접적 폭력

② 빈곤과 같은 생계의 위협 → 구조적 폭력

③ 폭행과 같은 물리적 폭력 → 직접적 폭력

④✔ 문화와 상징 차원의 폭력

⑤ 여성에 대한 가부장제적 억압 → 구조적 폭력

06 소극적 평화와 적극적 평화

자료 분석 | 갑은 소극적 평화를, 을은 적극적 평화를 강조하고 있다. 갑은 물리적 폭력이 제거된 상태를 평화로 보지만, 을은 직접적인 폭력 이외에도 문화적·구조적인 폭력이 모두 제거된 상태를 평화로 본다.

[선택지 분석]

✕ 물리적 폭력의 위험성을 인식하지 못하고 있다.

➡ 적극적 평화는 직접적 폭력과 간접적 폭력이 모두 제거된 상태를 진정한 평화로 본다. 갑은 직접적 폭력의 한 형태인 물리적 폭력의 위험성을 인지하고 있다.

✕ ~~직접적 폭력~~(직접적 폭력과 간접적 폭력)을 제거해야 진정한 평화가 가능함을 간과하고 있다.

㉢ 대중 매체와 교육의 내부에 존재하는 간접적 폭력을 간과하고 있다.

㉣ 제도적 폭력이 인간의 삶을 고통스럽게 한다는 것을 간과하고 있다.

07 칸트의 영구 평화론 이해

자료 분석 | 제시문의 사상가는 칸트이다. 칸트는 영구 평화로 나아가기 위해서는 국가 간에 서로 주권을 보장하고 타국에 대해 내정 간섭을 하지 말아야 한다고 주장하였다.

[선택지 분석]

①✔ 국제 평화를 위해 강력한 군사력의 확보가 중요하다.

➡ 칸트는 평화를 위해 상비군이 완전히 폐지되어야 한다고 주장하였다.

② 국제법과 국제기구를 통해 국제 평화를 실현할 수 있다.

③ 국제법은 자유로운 국가들의 연방 체제에 기초해야 한다.

④ 국제 평화를 위해서는 개별 국가의 독립이 우선되어야 한다.

➡ 칸트는 국제법의 이념이 독립해 있는 많은 이웃 국가들의 분립을 전제로 한다고 주장하였다.

⑤ 국제법은 이성의 명령에 근거한 보편적 원칙에 근거해야 한다.

➡ 칸트는 영원한 평화를 위해서는 "네 의지의 준칙이 보편적 입법의 원리가 될 수 있도록 행위하라."라는 원리에 근거한 국제법을 준수해야 한다고 주장하였다.

08 칸트의 영구 평화를 위한 확정 조항 이해

[선택지 분석]

① ㉠ 모든 국가의 시민적 정치 체제는 공화 정체이어야 한다.

② ㉡ 국제법은 자유로운 국가들의 연방 체제에 기초해야 한다.

③ ㉢ 세계 시민법은 보편적 우호의 조건들에 국한되어야 한다.

④ ㉣ 모든 국가는 민주적 법치 국가가 되어야 하고, 국가 간 국제 연맹을 만들어 국제법을 준수해야 한다.

⑤ ㉤ 세계 시민법은 보편적 우호를 위한 조건과 상관없이 인정된다.

➡ 칸트는 세계 시민법은 보편적 우호를 위한 조건에 국한되어 인정된다고 보았다.

09 세계화와 지역화의 특징 비교

자료 분석 | 갑은 세계화를 긍정하고, 을은 지역화를 긍정하는 입장이다. 갑은 세계화가 효율성과 창의성을 높여 인류의 공동 번영에 기여할 것이라고 주장하지만, 을은 세계화가 지역 문화의 고유성을 훼손하기 때문에 지역화를 추구해야 한다고 주장한다.

[선택지 분석]

✕ 갑: 경쟁력의 시작은 지역 중심적 사고에서 비롯된다.

㉡ 갑: 세계화를 통해 인류의 공동 번영을 이룰 수 있다.

➡ 갑은 세계화가 세계의 통합과 인류의 공동 번영을 가져올 것이라고 본다.

✕ 을: 세계화된 자유 무역과 금융 산업을 추구해야 한다.

㉣ 을: 지역의 문화적 고유성과 다양성의 유지가 중요하다.

10 세계화의 양면성

자료 분석 | 제시문은 세계화가 자유 경쟁을 바탕으로 선진국 주도로 이루어졌으며, 세계화 과정에서 제시되는 세계적인 기준들은 후진국에 불리하다고 주장한다.

[선택지 분석]

✕ 세계화는 인류의 공동 번영을 위한 최선의 대안인가?

➡ 세계화는 선진국에만 유리하다고 주장하고 있다.

㉡ 세계화로 인하여 시장과 자본의 독점이 발생하는가?

➡ 세계화의 기준이 선진국에 유리하게 되어 있다고 본다.

✕ 경제적 효율성을 증진하기 위해 자유 무역을 확대해야 하는가?

➡ 자유 무역 확대를 통한 경제적 효율성 증진 때문에 선진국과 후진국 간의 격차가 발생했다고 주장하고 있다.

㉣ 세계화는 무한 경쟁을 강조하여 국가 간의 빈부 격차를 심화시키는가?

➡ 자유 경쟁은 이미 유리한 입장에 있는 선진국과 불리한 여건에 있는 후진국의 격차를 더 벌어지게 할 것이라고 본다.

11 국제 정의를 실현하기 위한 방법

[선택지 분석]

갑: ㉠을 실현하기 위해서는 국제 형사 재판소를 상설화해야 합니다.

➡ 형사적 정의는 국제 형사 재판소, 국제 사법 재판소, 국제 형사 경찰 기구 등을 상설화하여 반인도주의적 범죄를 저지른 국가나 개인을 정당하게 처벌하여 실현할 수 있다.

을: ㉠을 실현하기 위해서는 국제 사법 재판소를 상설화해야 합니다.

✕ 병: ㉡을 실현하기 위해서는 국제 형사 경찰 기구를 상설화해야 합니다.

정: ㉡을 실현하기 위해서는 공적 개발 원조를 통해 국제기관을 도와야 합니다.

➡ 분배적 정의는 선진국이 공적 개발 원조 등을 통해 빈곤국이나 국제기관을 도움으로써 재화를 공정하게 분배하여 실현할 수 있다.

12 롤스의 해외 원조에 대한 입장

자료 분석 | 제시문의 사상가는 롤스이다. 롤스는 국제주의적 관점에서 고통받는 사회가 질서 정연한 사회가 되도록 원조해야 한다고 보았다.

[선택지 분석]

① 원조의 목적은 인류의 행복 증진에 있다. → 싱어

② 원조를 이행할 때 차등의 원칙이 적용되어야 한다.

➡ 롤스는 자신이 주장한 차등의 원칙을 국제적 분배 정의에는 적용하지 않았다.

③ 원조의 목적은 인류 전체의 공리를 증진하는 것이다. → 싱어

④ 원조는 자선이 아닌 의무의 차원에서 이행해야 한다.

⑤ 원조의 대상은 자신이 속한 국가에 한정하는 것이 아니라 지구촌 전체로 확대해야 한다. → 싱어

13 싱어의 해외 원조에 대한 입장

자료 분석 | 제시문의 사상가는 싱어이다. 싱어는 공리주의 관점에 입각하여 해외 원조를 윤리적 의무로 보았다.

[선택지 분석]

① 원조는 선의에 따라 시혜를 베푸는 행위이다. → 노직

② 약소국에 대한 원조는 각 나라의 자율적 선택이다. → 노직

③ 불리한 처지에 놓인 약소국을 돕는 것은 윤리적 의무이다.

④ 원조의 의무는 자국의 어려운 사람들을 돕는 것으로 한정해야 한다.

➡ 싱어는 원조의 대상을 자신이 속한 국가에 한정하는 것이 아니라 지구촌 전체로 확대해야 한다고 보았다.

⑤ 어려운 이웃을 돕는 자선의 마음으로 원조에 대한 책임감을 지녀야 한다.
➡ 싱어는 해외 원조를 자선이 아닌 의무로 보았다.

14 노직의 해외 원조에 대한 입장

자료 분석 | 제시문의 사상가는 노직이다. 노직은 원조를 자율적 선택의 문제로 보고, 원조를 이행해야 할 윤리적 의무를 지지는 않는다고 주장하였다.

[선택지 분석]

① 원조에 필요한 비용 마련은 개인의 자선에 달려 있다.
② 원조를 위한 과세는 국가가 개인의 자유를 침해하는 것이다.
③ 고통받는 사회의 구조나 제도를 개선하는 것이 원조의 목적이다. → 롤스
④ 개인에게 원조의 의무를 부과하는 것은 소유권을 침해하는 것이다.

15 싱어와 노직의 해외 원조에 대한 관점 비교

자료 분석 | 갑은 싱어, 을은 노직이다. 싱어는 인류 전체의 공리 증진이라는 공리주의 입장에서 원조의 의무를 실천해야 한다고 주장하였다. 반면 노직은 원조를 의무가 아닌 자율적 선택의 문제로 보고 개인은 사적 차원에서 자발적으로 도움을 줄 수 있지만, 윤리적 의무를 지지는 않는다고 주장하였다.

[선택지 분석]

① ~~갑~~을은 원조를 자율적 선택의 문제로 본다.
② 갑은 원조의 목적을 정치 문화의 개선으로 본다.
➡ 롤스에 대한 설명이다.
③ ~~을~~갑은 세계 시민주의적 관점에서 원조를 해야 한다고 본다.
④ 을은 원조를 하지 않는다고 해서 그릇된 것은 아니라고 본다.
➡ 노직은 원조를 자율적 선택의 문제로 본다. 노직은 자선은 좋은 것이기는 하지만, 하지 않는다고 해서 그릇된 것은 아니라고 주장하였다.
⑤ ~~갑, 을~~갑은 원조의 목적을 인류의 복지 수준 향상에 있다고 본다.

16 갈퉁의 폭력과 평화 이해

(1) ㉠ 억압이나 빈곤, ㉡ 종교적 차별, ㉢ 전쟁이나 테러
(2) [예시 답안] 갈퉁은 진정한 평화는 직접적 폭력뿐만 아니라 구조적 폭력과 문화적 폭력인 간접적 폭력까지 모두 제거된 상태로 보았다.

채점 기준	
상	주어진 단어를 모두 활용하여 갈퉁의 적극적 평화에 대한 의미를 서술한 경우
중	주어진 단어를 모두 활용하지 못했으나 갈퉁의 적극적 평화에 대한 의미를 적절하게 서술한 경우
하	주어진 단어의 활용과 관계없이 갈퉁의 적극적 평화에 대한 의미를 서술하지 못한 경우

도전! 실력 올리기 256~257쪽

01 ④ **02** ④ **03** ⑤ **04** ① **05** ② **06** ④ **07** ①

01 국제 관계에 대한 구성주의와 현실주의 비교

자료 분석 | 국제 관계에 대해 (가)는 구성주의, (나)는 현실주의의 입장이다.

[선택지 분석]

① (가): 국가 정체성은 국가 간의 교류를 통해 변화한다.
➡ 구성주의에서는 국가 정체성이 고정된 것이 아니라 국가들 간의 교류와 대화를 통해 계속 변화한다고 본다.
② (가): 국제 분쟁은 국가 간의 조화로운 정체성의 형성을 통해 해결할 수 있다.
➡ 구성주의에서는 국가 간에 공유하는 문화, 역사와 같은 공동의 기반을 토대로 조화로운 정체성 형성을 통해 국제 분쟁을 해결할 수 있다고 본다.
③ (나): 국제 관계는 이기적 갈등이라는 틀을 벗어날 수 없다.
➡ 현실주의에서는 국가 간에는 이익 충돌을 해결할 수 있는 강력한 기구가 없으므로 국제 관계는 이기적 갈등이라는 틀을 벗어날 수 없다고 본다.
④ (나): 국제 분쟁은 중립적인 국제기구의 역할을 강화함으로써 해결할 수 있다.
➡ 현실주의에서는 국제 관계를 국가들을 통제할 중앙 정부가 없는 무정부적 상태로 본다.
⑤ (가), (나): 국제 관계에서 국제법과 국제 규범의 실효성에는 한계가 있다.

02 평화에 대한 칸트와 갈퉁의 입장 비교

자료 분석 | 갑은 칸트, 을은 갈퉁이다.

[선택지 분석]

① 갑: 개별 국가의 주권을 인정하면서 영원한 평화를 실현해야 한다.
➡ 칸트는 "영구 평화론"을 제시하면서 영구 평화를 실현하기 위해서는 국내적으로 내정 간섭을 받지 않는 공화제를 도입해야 한다고 주장하였다.
② 갑: 국제법을 통해 국가 간의 우호와 시민의 자유를 증진해야 한다.
➡ 칸트는 국제적으로 보편적 우호 관계에 따라 국제법을 적용하는 국제적 연맹 창설을 구상하였다.
③ 을: 편견 극복을 위한 교육은 적극적 평화를 실현하는 방법이다.
➡ 갈퉁은 편견 극복을 위한 교육은 교육 내부에 존재하는 문화적 폭력을 예방하므로 적극적 평화를 실현하는 방법에 해당된다고 보았다.
④ 을: 직접적 폭력의 제거만으로도 인간다운 삶을 보장받을 수 있다.
➡ 갈퉁은 진정한 평화의 실현을 위해서는 직접적 폭력이 사라진 소극적 평화뿐만 아니라, 구조적 폭력과 문화적 폭력이 사라진 적극적 평화가 실현되어야 한다고 주장하였다.

⑤ 갑, 을: 평화의 실현을 위해서는 정치 제도의 개선이 필수적이다.

03 갈퉁의 적극적 평화 이해

자료 분석 | 제시문의 사상가는 갈퉁이다. 갈퉁은 진정한 평화는 적극적 평화이며, 적극적 평화란 모든 사람이 인간답게 살 수 있는 삶의 조건이 형성된 상태를 의미한다고 주장하였다.

[선택지 분석]

① 소극적 평화는 적극적 평화를 위한 ~~충분~~필요조건이다.

② 개인의 자유가 보장되려면 소극적 평화만으로도 충분하다.

➡ 갈퉁은 소극적 평화의 상태에 해당되는 직접적 폭력이 없는 상태에서도 개인을 억압하는 제도나 행위는 존재할 수 있다고 본다.

③ ~~소극적~~적극적 평화는 개인의 잠재 능력을 최대한 실현할 수 있는 기반이다.

④ ~~소극적~~적극적 평화는 평화의 개념을 '국가 안보' 차원에서 '인간 안보' 차원으로 넓혔다.

✔ 직접적 폭력뿐만 아니라 간접적 폭력까지 제거될 때 진정한 평화가 이루어진다.

04 칸트의 영구 평화론 이해

자료 분석 | 제시문은 칸트의 영구 평화론 중 일부이다. 칸트는 각 국가들의 자발적인 연맹 체제에 기초한 국제법을 통해 평화로운 상태에 이를 수 있다고 보았다.

[선택지 분석]

✔ 국제적 사회 계약을 통해 연맹 체제를 단일 국가로 전환해야 한다.

➡ 칸트는 단일 국가나 세계 정부를 통한 세계 평화를 주장하지 않는다. 칸트에 따르면 단일 국가란 현실적으로 불가능하다.

② 개별 국가의 시민적 정치 체제는 공화적 체제를 갖추어야 한다.

③ 연맹 체제의 단계에서도 개별 국가의 주권은 인정되어야 한다.

➡ 제시문의 연맹 체제에서 국민의 모든 권리가 국가들의 소유가 확정적인 것으로 인정된다는 것을 통해 연맹 체제에서도 개별 국가의 주권이 인정됨을 알 수 있다.

④ 세계 시민법은 인류의 평화적인 교류 조건에 한정되어야 한다.

➡ 칸트는 세계의 영구 평화를 위해 세계 시민법은 보편적인 우호 조건들에 국한되어야 한다고 보았다.

⑤ 연맹의 확산을 통해 국제 사회는 자연 상태를 벗어나야 한다.

05 세계화에 대한 긍정적 입장

자료 분석 | 제시문의 필자는 세계화가 경쟁을 강화함으로써 자본주의를 더욱 발전시켜 사람들의 삶을 향상시켜 준다는 이유로 세계화를 긍정적으로 바라보고 있다.

[선택지 분석]

① 세계화로 부국과 빈국의 경제적 격차가 심화되는가?

➡ 필자가 부정의 대답을 할 질문이다. 세계화를 반대하는 입장에서 긍정의 대답을 할 질문이다.

✔ 자유 무역의 실현은 국가 간의 공정한 경쟁을 가능하게 하는가?

➡ 제시문의 필자는 세계화로 시장 개방이 확대되고 자유 무역이 실현되면 시장의 규칙에 근거하여 경쟁이 발생하기 때문에 국가 간에 공정한 경쟁이 가능해질 것이라고 본다.

③ 경제 성장과 발전은 인류의 삶의 질을 형상시키는 데 불필요한가?

➡ 필자가 부정의 대답을 할 질문이다. 제시문에서는 경제 성장과 발전이 모두에게 시장 접근 기회를 보장하여 삶의 기준을 향상시키고 번영하게 해준다고 본다.

④ 시장 개방으로 발생한 이익 분배에서 형평성이 우선되어야 하는가?

⑤ 세계화로 인한 시장 개방은 선진국보다 개발 도상국에 더 많은 이익을 주는가?

➡ 필자가 부정의 대답을 할 질문이다. 필자는 시장 개방이 모든 나라에 이익이 된다고 보고 있다.

06 해외 원조에 대한 다양한 입장

자료 분석 | 제시문의 필자는 빈곤국의 사람들에게 해외 원조를 하는 것은 책임 의식에서 비롯된 것이 아니라 어려운 처지에 있는 사람을 조건 없이 돕고자 하는 자선의 마음에서 이루어져야 한다고 주장하지만, 어떤 사람은 전 세계의 빈곤은 인류 전체의 책임이므로 해외 원조는 개인의 선의에 의존하여 이루어지는 선택의 문제가 아니라고 본다.

[선택지 분석]

① 원조에 대한 선택은 원조 제공자의 재량에 맡겨야 함을 강조하고 있다

➡ 어떤 사람은 원조가 원조 제공자의 재량에 맡겨야 하는 것이 아닌 완전한 의무가 되어야 한다고 주장하고 있다.

② 원조의 수혜자가 제공자에게 원조의 이행을 요구할 수 없음을 중시하고 있다

➡ 어떤 사람은 원조가 원조 제공자의 선의에 기대는 것이 아닌 빈곤을 초래한 데 대한 책임 의식에서 출발해야 한다고 주장하고 있다.

③ 원조의 의무를 이행하지 못했을 때 법적·사회적 책임을 져야 함을 간과하고 있다

➡ 필자는 해외 원조가 의무가 아닌 자선의 차원에서 이행되어야 한다고 주장하고 있다.

✔ 원조가 잘못에 대한 시정이 아닌 어려운 사람들을 돕는 자선 행위임을 간과하고 있다

➡ 필자는 원조가 잘못을 책임지려는 행위가 아니라 어려운 사람을 도우려는 선한 마음에서 출발하는 행위여야 한다고 강조하고 있다.

⑤ 타국 사람들의 어려운 처지가 원조 제공자에 의해 초래되었을 수 있음을 간과하고 있다

07 싱어, 노직, 롤스의 해외 원조에 대한 관점 비교

자료 분석 | 갑은 싱어, 을은 노직, 병은 롤스이다. 싱어와 롤스는 해외 원조를 윤리적 의무로, 노직은 자선의 차원으로 이해한다.

[선택지 분석]

ㄱ A: 원조는 인류의 행복 증진을 위한 의무를 이행하는 것이다.

➡ 싱어에게만 해당되는 진술이므로 정답이다. 롤스는 원조를 '고통받는 사회'에 대한 의무 이행으로 보았고, 노직은 원조를 의무가 아닌 자선의 차원으로 보았다.

ㄴ B: 원조의 의무를 실행하기 위한 과세는 강제 노동과 같다.

➡ 노직에게만 해당되는 진술이므로 정답이다. 노직은 해외 원조를 위해 개인에게 세금을 부과하는 것은 국가가 개인의 자유와 권리를 침해하는 것이라고 보았다.

C: 원조의 대상은 질서 정연한 빈곤국까지도 포함해야 한다.

➡ 롤스는 해외 원조의 목적은 부의 불평등 해결이 아니라 '고통받는 사회'를 '질서 정연한 사회'가 되도록 돕는 데 있다고 보았다. 따라서 빈곤하더라도 질서 정연한 사회라면 원조의 대상이 아니라고 말하였다.

D: 원조의 최종 목표는 국가 간의 경제적 불평등 해소이다.

➡ 싱어, 노직, 롤스 모두 해당되지 않는 진술이다.

한번에 끝내는 대단원 문제 260~263쪽

01 ⑤ 02 ④ 03 ⑤ 04 ⑤ 05 ④ 06 ① 07 ③
08 ③ 09 ② 10 ⑤ 11 ④ 12 ⑤
13~16 해설 참조

01 스토아학파의 세계 시민주의 사상 이해

자료 분석 | 제시문은 스토아학파의 사상이다. 스토아학파는 모든 인간은 이성을 지니므로 모두 평등하며, 따라서 모든 사람을 인종, 혈통 등에 의해 차별하지 않고 세계의 동등한 시민으로서 동등하게 대우해야 한다는 사상을 제시하였다.

[선택지 분석]

① 인간은 이성으로 우주를 지배하는 존재이다.

➡ 스토아학파는 인간이 우주와 자연의 지배를 받는 존재라고 주장하였다.

② 이성을 지닌 인간이 모두 ~~평등한 것은 아니다~~. (평등하다)

③ 모든 사람은 ~~각가 다른~~ (보편적) 이성을 가진 형제이다.

④ 이성과 일치하는 행위는 인간의 ~~의무라고 할 수 없다~~. (의무이다)

⑤ 인간은 세계의 동등한 시민으로서 모두 동등하게 대우받아야 한다.

02 뒤르켐의 사회 통합론 이해

자료 분석 | 제시문의 사상가는 뒤르켐이다. 뒤르켐은 기계적 연대가 아닌 유기적 연대를 바탕으로 사회 통합을 이루어야 한다고 주장하였다.

[선택지 분석]

ㄱ 기계적 연대에서는 개인의 개성이 소멸된다.

➡ 제시문에서 뒤르켐은 기계적 연대가 개인이 서로 유사할 것을 전제로 한다고 주장하고 있다. 따라서 기계적 연대에서는 개인의 개성이 소멸된다고 볼 수 있다.

ㄴ 유기적 연대는 모두가 똑같은 사람이 되기를 요구한다.

➡ 제시문에서 뒤르켐은 유기적 연대가 각 개인이 고유한 행동 영역을 가지고 있을 때에만 가능하다고 주장하고 있다. 따라서 유기적 연대는 모두가 똑같은 사람이 되기를 요구하지 않는다.

ㄷ 기계적 연대는 구성원들이 동일한 가치와 규범을 공유한 상태이다.

ㄹ 유기적 연대는 전문화된 개인들이 개별성을 유지하면서 서로 결속한 상태이다.

03 사회 갈등의 다양한 유형

자료 분석 | ㉠은 이념 갈등, ㉡은 세대 갈등이다.

[선택지 분석]

① ㉠의 대표적인 갈등은 보수와 진보의 갈등이다.

② ㉠은 사회의 모든 쟁점을 이분법적으로 바라봄으로써 갈등이 심화된다.

➡ 사회, 문화, 교육 등과 관련된 우리 사회의 모든 쟁점을 이분법적으로 바라봄으로써 사회 갈등이 심화된다.

③ ㉡은 어느 사회에나 존재하는 보편적인 현상이다.

④ ㉡은 신세대와 기성세대가 서로의 차이를 인정하지 않음으로써 발생한다.

⑤ ㉠, ㉡은 지역의 역사적 상황과 결부하여 지역감정으로 확대될 수 있다.

➡ 세대 갈등에 해당되지 않는 진술이다. 지역의 역사적 상황과 결부하여 지역감정으로 확대될 수 있는 사회 갈등에는 지역 갈등이 있다.

04 하버마스의 담론 윤리 이해

자료 분석 | 제시문의 사상가는 하버마스이다. 하버마스는 의사소통의 합리성을 실현하고 시민의 의사를 공적 결정에 올바르게 반영하기 위해서는 이성적 능력을 가진 시민들이 사회 문제를 해결하는 주체가 되어야 한다고 주장하였다.

[선택지 분석]

① 토론의 절차보다는 토론의 결과만을 중시해야 하는가?

② 공적 문제에 대한 이의 제기는 민주주의 발전을 저해하는가?

③ 토론의 결과가 반영된 법에 대해 다시 토론해서는 안 되는가?

➡ 하버마스는 비록 토론의 결과가 반영된 법이라 할지라도 합의의 결과가 올바른 것인가에 대해 다시 논의가 이루어질 수 있도록 개방적 자세를 지니는 것이 중요하다고 보았다.

④ 정치적 문제의 해결을 위해 공적 토론을 권장할 ~~필요는 없는가?~~ 필요가 있는가?

⑤ 토론을 통해 합의에 도달하려면 의사소통의 합리성이 실현되어야 하는가?

➡ 하버마스는 토론을 통해 합의에 도달하기 위해서는 의사소통의 합리성을 실현해야 하고, 이럴 때에만 대화에 참여한 모든 사람들이 합의 결과를 수용할 수 있다고 보았다.

05 평화 비용에 대한 이해

자료 분석 | (1), (2), (3)의 질문으로 평화 비용에 대한 퀴즈임을 알 수 있다. 평화 비용은 전쟁 위기를 억제하기 위해 지출되는 비용으로 평화를 지키고 창출한다.

[선택지 분석]

① 통일 이후에 소멸되는 소모성 비용인가?

➡ 평화 비용은 소모성 비용이 아니다.

② 통일 후 제도 통합 과정에서 소요되는 비용인가? → 통일 비용

③ 분단으로 인한 대립과 갈등으로 발생하는 비용인가? → 분단 비용

④ 통일 과정에서 소요되는 비용을 절감시킬 수 있는가?

⑤ 분단 상황에서 남북한 간의 적대감을 심화시키는 비용인가?

➡ 평화 비용은 남북 간의 신뢰를 높이고 한반도의 평화 분위기를 조성하는 데 기여한다.

06 남북한 통합을 위한 노력

자료 분석 | 제시문은 남북의 진정한 통합을 위해서 서로 다름을 수용하는 자세로 이질적 문화 현실을 극복해야 한다는 점을 강조한다.

[선택지 분석]

① 남북한이 이질화된 서로의 문화 현실을 이해하도록 노력해야 한다.

② 주류 문화인 남한의 문화에 북한이 적응할 수 있도록 노력해야 한다.

➡ 남북한이 진정한 통합을 이루어 내기 위해서는 서로 다름을 수용하고 존중하는 삶의 태도가 중요하므로 주류와 비주류를 구분해서는 안 된다.

③ 남북한 간의 내면적 통합을 위해 정치적 통합을 먼저 이루어야 한다.

➡ 남북한의 진정한 통합을 위해서는 정치적 통합이 아닌 남북한 사람들 간의 이해와 화해 그리고 신뢰 회복이 우선 필요하다.

④ 남한 사람들이 먼저 북한과 같이 순수한 우리말을 쓰도록 해야 한다.

⑤ 북한 이탈 주민이 스스로 경제적으로 자립할 수 있도록 정부 지원을 삭감해야 한다.

07 칸트의 영구 평화론 이해

자료 분석 | 제시문의 사상가는 칸트로, 영구 평화로 가기 위해서는 공화제를 실현한 국가들이 우호 관계에 기초하여 국제법이 적용되는 국제 연맹을 창설해야 한다고 주장하였다.

[선택지 분석]

ㄱ. 국익의 보호가 전쟁 수행의 목적이 될 수 있다.

➡ 칸트는 전쟁을 반대한다.

ㄴ. 국제법과 국제기구를 통해 국제 평화를 실현할 수 있다.

ㄷ. 영구 평화를 실현하기 위해 상비군을 감축해 나가야 한다.

➡ 칸트는 영구 평화를 위한 예비 조항을 통해 상비군 감축을 제시하였다.

ㄹ. 정의를 실현하기 위해서 전쟁이라는 수단을 동원할 수 있다.

08 갈퉁의 적극적 평화 이해

자료 분석 | 제시문의 사상가는 갈퉁이다. 갈퉁은 평화를 소극적 평화와 적극적 평화로 구분하고, 직접적·물리적 폭력이 제거된 소극적 평화뿐만 아니라 구조적·문화적 폭력이 사라진 적극적 평화를 추구해야 한다고 주장하였다.

[선택지 분석]

ㄱ. 구조적 폭력은 물리적 방법으로 폭력을 가하므로 제거해야 한다.

➡ 갈퉁이 주장하는 구조적 폭력은 물리적인 방법으로 가하는 폭력이 아니다.

ㄴ. 직접적·구조적 폭력을 정당화하는 문화적 폭력을 제거해야 한다.

ㄷ. 진정한 평화를 위해서라면 간접적 폭력은 ~~허용할 수 있어야 한다.~~ 허용해서는 안 된다

ㄹ. 적극적 평화의 추구가 폭력을 예방하는 방안이 될 수 있음을 인식해야 한다.

09 세계화의 문제점 파악

자료 분석 | 강연자는 세계화로 약소국 주민들의 삶과 자연이 황폐화되는 문제를 지적하고 있다.

[선택지 분석]

① 세계화의 확대는 개인의 자유를 신장시킨다.

➡ 강연자는 세계화가 사람들을 일개 생산 요소에 불과한 노동력으로 전락시킨다고 본다.

② 세계화는 약소국 주민의 삶과 자연을 황폐화시킨다.

③ 세계화와 지역화가 균형 있게 조화를 이루는 것이 필요하다.

④ 세계적으로 부가 불평등하게 확산되는 원인은 ~~지역화~~ 세계화에 있다.

⑤ 세계화는 ~~개발 도상국의 선진 자본주의 국가에 대한 착취~~ 선진 자본주의 국가의 개발 도상국에 대한 착취의 과정이다.

10 세계 지역화와 지역화의 입장 비교

자료 분석 | (가)는 세계 지역화, (나)는 지역화에 대한 입장이다. 세계 지역화는 자신의 지역적 뿌리에서 영양분을 흡수하고, 나아가 이를 바탕으로 세계 시민이 되는 것을 중시한다. 한편 지역화는 지역 공동체의 지도와 통제를 받는 소규모 지역 경제를 중시한다.

[선택지 분석]

① (가)는 세계화와 지역화를 결합하기 위해 노력한다.

➡ 세계 지역화는 세계화와 지역화를 결합해 글로컬리즘을 실현하기 위해 노력해야 한다고 주장한다.

② (가)는 지역 공동체가 지닌 다양한 문화적 요소를 인정한다.

③ (나)는 지역 중심적 사고를 토대로 지역의 이익과 발전을 추구한다.

④ (나)는 각 지역의 고유한 전통을 살려 다른 지역과 차별화된 경쟁력을 갖추려고 노력한다.

⑤ ~~(가), (나)~~는 지역성에 기초를 둔 세계 시민성을 강조한다. (가)

11 해외 원조에 대한 롤스의 입장

자료 분석 | 제시문의 사상가는 롤스이다. 롤스는 해외 원조가 자선이 아닌 의무의 차원에서 이루어져야 한다고 보았다.

[선택지 분석]

① 세계 시민주의 차원에서 원조가 이루어져야 한다.

➡ 싱어의 입장이다. 롤스는 국제주의적 관점에서 원조를 주장하였다.

② 인류의 균등한 복지 수준을 목표로 원조해야 한다.

➡ 롤스는 인류의 균등한 복지 수준을 원조의 목표로 보지 않았다.

③ 사회 구조의 개선보다 개인의 삶을 개선해야 한다.

④ 질서 정연한 빈곤국은 원조 대상국에서 제외해야 한다.

➡ 롤스는 고통받는 사회가 질서 정연한 사회가 되면 빈곤의 여부와 관계없이 원조를 중단해야 한다고 보았다.

⑤ 차등의 원칙을 국제 사회에 적용하여 빈곤국을 도와야 한다.

➡ 롤스는 고통받는 사회가 질서 정연한 사회가 되도록 원조해야 한다고 보았지만, 차등의 원칙을 지구적 차원에서 적용하지는 않았다.

12 싱어의 해외 원조에 대한 입장

자료 분석 | 가상 대담의 주인공은 싱어이다. 싱어는 해외 원조가 공리주의 입장에서 인류 전체의 고통을 감소하는 것이기 때문에 절대 빈곤으로 고통받는 사람들을 도와주는 것은 윤리적 의무라고 주장하였다.

[선택지 분석]

① 빈곤국의 사회 구조와 제도를 개선해 주는 것입니다. → 롤스

② 빈곤국과 선진국의 사회적 부를 평준화시키는 것입니다.

③ 빈곤국이 질서 정연한 사회로 이행하도록 돕는 것입니다. → 롤스

④ 빈곤국에 대한 원조를 온전히 개인의 자유로운 선택에 맡기는 것입니다. → 노직

⑤ 빈곤국의 빈민들에게 자신의 꼭 필요하지 않은 지출을 기부하는 것입니다.

➡ 싱어는 굶주림으로 죽어가는 사람들에게 자신의 꼭 필요하지 않은 지출을 기부하는 방식으로 소득의 일정 부분을 적극적으로 기부할 것을 제안하였다.

13 세대 갈등의 원인과 해결 방안 이해

(1) 세대 갈등

(2) [예시 답안] 세대 갈등은 청년 세대와 기성세대 간의 충돌이 가치관의 충돌과 함께 일어나며, 각 세대가 서로의 차이를 이해하고 인정하지 못하여 발생한다. 세대 갈등을 완화하기 위해서는 세대 간의 차이를 자연스럽게 받아들이고, 적극적으로 소통하며 세대 간에 공감대를 형성하는 자세가 필요하다.

채점 기준		
	상	세대 갈등의 원인과 완화 자세를 모두 서술한 경우
	중	세대 갈등의 원인과 완화 자세 중 한 가지만 서술한 경우
	하	세대 갈등의 원인과 완화 자세를 모두 서술하지 못한 경우

VI

14 통일과 관련된 비용 이해

(1) ㉠ 분단 비용, ㉡ 통일 비용

(2) [예시 답안] 분단 비용은 분단이 계속되는 한 지속적으로 발생하며, 민족 구성원 모두의 손해로 이어지는 소모적 성격의 비용으로, 분단 상태 유지를 위한 막대한 국방비, 외교 경쟁에서 발생하는 외교 비용, 이념 교육 비용 등이 있다. 통일 비용은 통일 과정과 통일 이후에 한시적으로 발생하는 비용이며, 통일 한국의 번영을 위한 투자적인 성격의 비용으로, 정치, 행정 제도, 금융, 화폐 등을 통합하는 데 쓰이는 비용, 통일로 발생할 치안, 구호, 사회 갈등과 같은 사회 문제 처리 비용, 도로·전기·수도 등 공공재 구축 비용 등이 있다.

채점 기준		
	상	분단 비용과 통일 비용의 특징과 사례를 모두 서술한 경우
	중	분단 비용과 통일 비용의 특징과 사례 중 한 가지만 서술한 경우
	하	분단 비용과 통일 비용의 특징과 사례를 모두 서술하지 못한 경우

15 현실주의와 이상주의 한계 이해

(1) ㉠ 현실주의, ㉡ 이상주의

(2) [예시 답안] 현실주의는 각 국가가 세력 균형의 평화 상태를 유지하려 하기보다 자국의 우위를 확보하기 위한 군비 경쟁을 강화할 수 있고, 국제 관계에서 세력 균형은 언제든 무너질 수 있으므로 평화를 보장하지 못한다는 한계가 있다. 이상주의는 자국의 이익을 중시하는 현실적인 국제 관계를 설명하기 어렵고, 국제 관계를 통제할 실효성 있는 제재를 할 수 없다는 한계가 있다.

채점 기준		
	상	현실주의와 이상주의 한계를 모두 서술한 경우
	중	현실주의와 이상주의 한계 중 하나만 서술한 경우
	하	현실주의와 이상주의 한계를 모두 서술하지 못한 경우

16 해외 원조에 대한 싱어와 롤스의 관점 비교

(1) 갑: 싱어, 을: 롤스

(2) [예시 답안] 싱어는 다른 사람의 고통과 어려움을 방치하는 행위는 결과적으로 인류 전체의 고통을 증가시키기 때문에 공리주의 관점에서 바람직한 행동이 아니라고 보고, 고통받는 개인의 복지 향상이 해외 원조의 목적이라고 주장하였다. 반면 롤스는 싱어와 달리 원조의 목적을 전 지구적 차원의 부의 재분배나 복지 향상이 아니라고 보고, 고통받는 사회의 불리한 여건을 개선하여 질서 정연한 사회를 만들도록 도와주는 것이 해외 원조의 목적이라고 주장하였다.

채점 기준	
상	주어진 단어를 모두 활용하여 해외 원조에 대한 싱어와 롤스의 입장을 모두 서술한 경우
중	주어진 단어를 모두 활용하지 못했으나 해외 원조에 대한 싱어와 롤스의 입장 중 하나만 서술한 경우
하	주어진 단어의 활용과 관계없이 해외 원조에 대한 싱어와 롤스의 입장을 서술하지 못한 경우

수고했다옹. 개념 학습을
끝냈으니 이제 정리 노트를
작성해 보자~옹!

개념 학습과 정리가 한번에 끝나는 기본서

생활과 윤리

발 행 인 권준구
발 행 처 (주)지학사 (등록번호 : 1957.3.18 제 13-11호) 04056 서울시 마포구 신촌로6길 5
발 행 일 2018년 10월 31일 [초판 1쇄] 2023년 9월 30일 [2판 2쇄]
구입 문의 TEL 02-330-5300 | FAX 02-325-8010 구입 후에는 철회되지 않으며, 잘못된 제품은 구입처에서 교환해 드립니다.
내용 문의 www.jihak.co.kr 전화번호는 홈페이지 〈고객센터 → 담당자 안내〉에 있습니다.

학습한 개념을
스스로 정리해 보는
개념책 1:1 맞춤

정리 노트

개념풀 생활과 윤리

의 노트

개념과 정리가 한번에 끝나는 기본서

개념풀

생활과 윤리

개념책 1:1 맞춤

정리노트

contents

학습한 개념을 단권화 할 수 있는

개념풀 정리노트 사용법

정리노트를 작성하기 전 대단원의 흐름을 살펴보면서 워밍업을 해보세요.

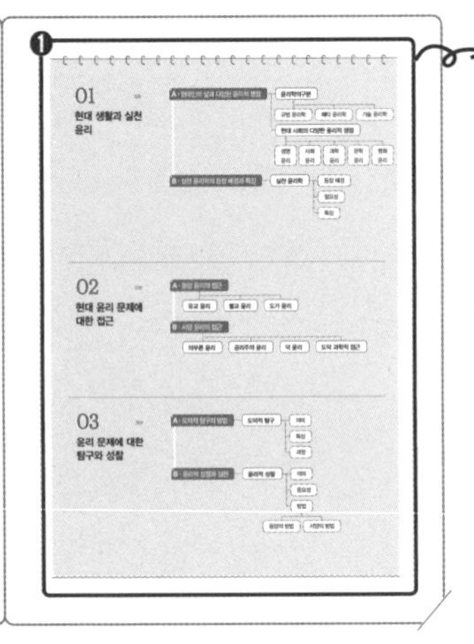

❶ 대단원의 흐름을 한번에 훑어 보세요. 공부했던 내용들의 흐름이 기억날 거예요.

기억이 잘 안난다구요? 기억이 나지 않아도 걱정 마세요. 이제부터 시작이니까요.

중단원별 중요 내용의 구조를 보고, 개념을 정리하세요.

❷ 선배들이 개념책을 보고 중단원 전체의 내용 구조를 정리했어요.

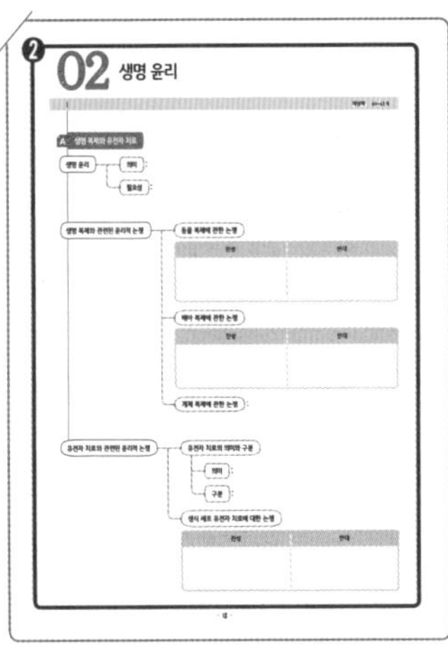

02 생명 윤리

A 생명 복제와 유전자 치료

1. 생명 윤리의 의미와 필요성

2. 생명 복제와 관련된 윤리적 논쟁

(1) 동물 복제에 관한 논쟁

(2) 인간 복제에 관한 논쟁

3. 유전자 치료와 관련된 윤리적 논쟁

(1) 유전자 치료의 의미와 구분

(2) 생식 세포 유전자 치료에 대한 논쟁

❸ 어디서부터 어떻게 정리해야 할지 모른다구요? 개념책을 펴 보세요. 흐름이 같지요? 개념책의 내용을 나만의 스타일로 정리해 보세요.

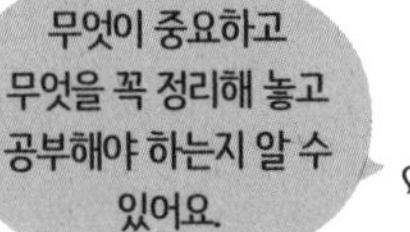

무엇이 중요하고 무엇을 꼭 정리해 놓고 공부해야 하는지 알 수 있어요.

대단원별 개념 정리하기와 마인드맵으로 단원의 내용을 확실하게 정리하세요.

❹ 대단원별 중요한 개념을 다시 적어보세요. 단원의 핵심 개념을 확실하게 정리할 수 있어요.

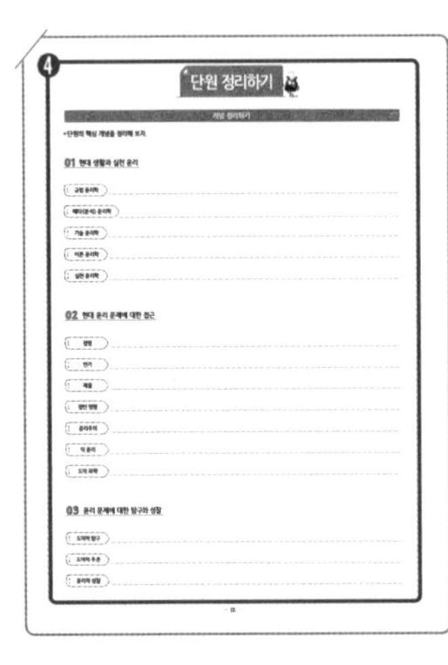

단원 정리하기
01 현대 생활과 실천 윤리
02 현대 윤리 문제에 대한 접근
03 윤리 문제에 대한 탐구와 성찰

I. 현대의 삶과 실천 윤리

현대의 삶과 실천 윤리

❺ 자신만의 마인드 맵을 만들어 보세요. 단원의 핵심 내용이 머리속에 쏙!

정리노트 사용하는 2가지 방법

1. 개념책이나 교과서를 펴놓고 중요 개념을 보면서 써 보기!
2. 외웠던 것을 스스로 확인하는 차원에서 정리해 보기!

수능 1등급 받은
선배들의 정리노트 이야기

정리노트를 작성하기가 막막하다면?
정리노트를 다시 쓰고 싶다면?
지학사 홈페이지(www.jihak.co.kr)에 들어오면,
빈노트와 선배들의 정리노트를 다운받을 수 있어!

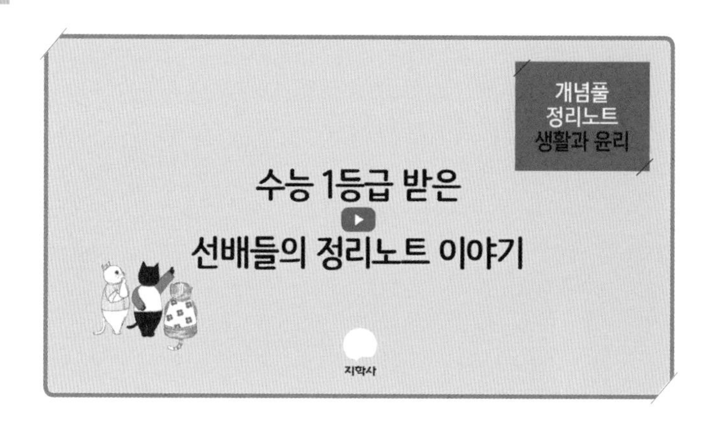

선배들이 직접 들려주는 정리노트 노하우!

"개념풀 정리노트는 단원의 전체 흐름과 중요한 세부 내용까지 모두 볼 수 있도록 구성되어 있어. 그동안 공부했던 걸 시험 전날 정리노트에 채워 보고 가면 그 시험은 만점 예약!"

◂ 동영상 바로보기

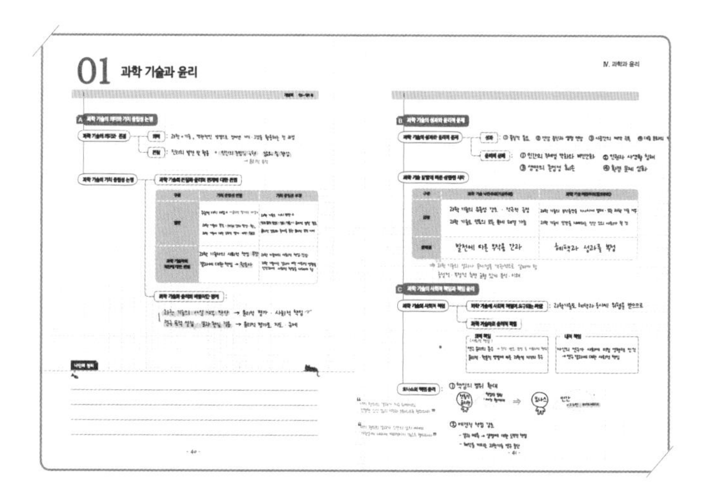

성예림 고려대 재학생

"개념풀 정리노트는 단원의 전체 흐름은 어떤지, 어떤 개념이 중요한지 한눈에 알 수 있도록 구성되어 있어. 하단에 자유롭게 적어볼 수 있는 넉넉한 공간도 있어 모르는 내용을 정리해 놓기 너무 좋아!"

◂ 성예림 학생의 노트 바로가기

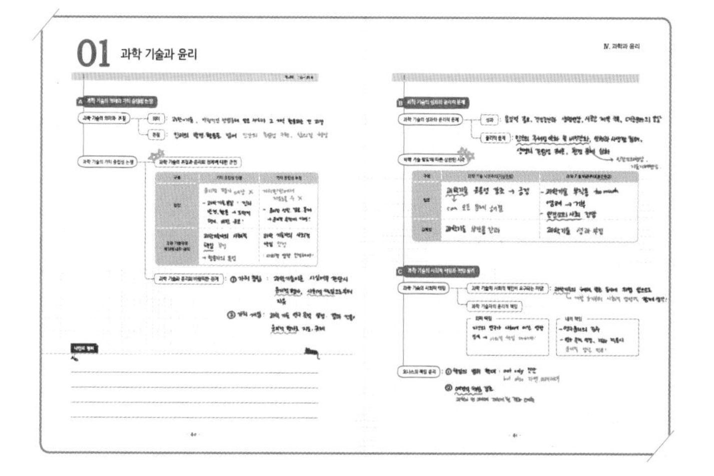

조동휘 고려대 재학생

"시험 기간에 노트 정리를 하며 공부하려고 하면 막상 빈 노트에 무엇부터 써야하는지 막막하잖아. 개념풀 정리노트는 빈 노트에 정리하기 두려운 친구들에게 조금이나마 도움이 될거야!"

◂ 조동휘 학생의 노트 바로가기

» 선배들이 작성한 정리노트 바로가기

I
현대의 삶과 실천 윤리

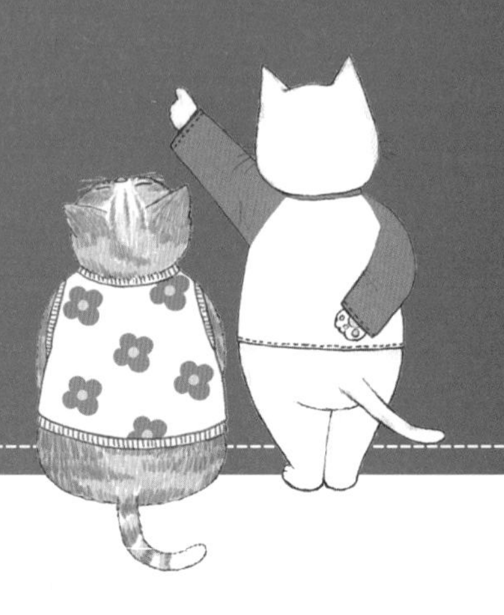

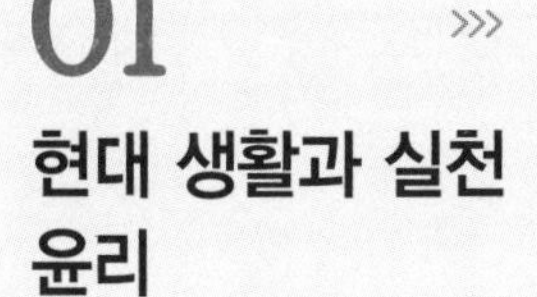

현대 생활과 실천 윤리

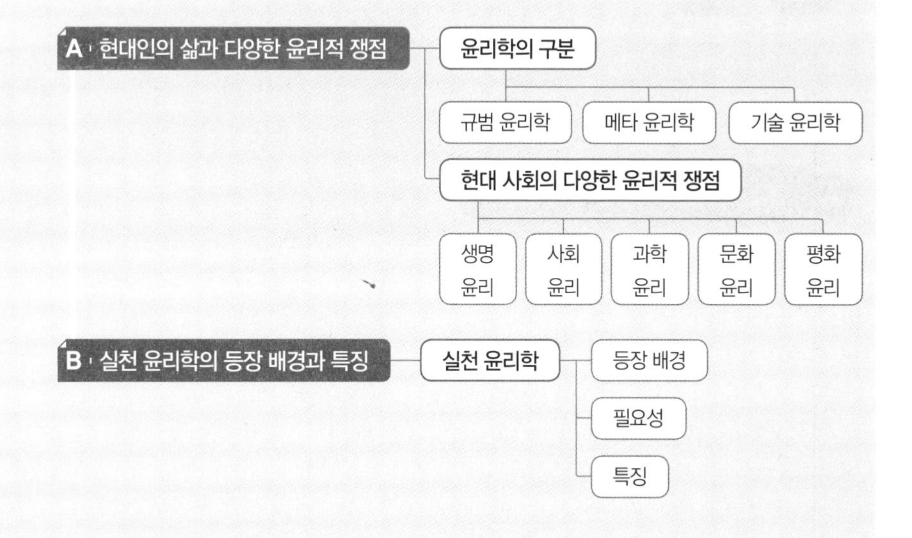

02 현대 윤리 문제에 대한 접근

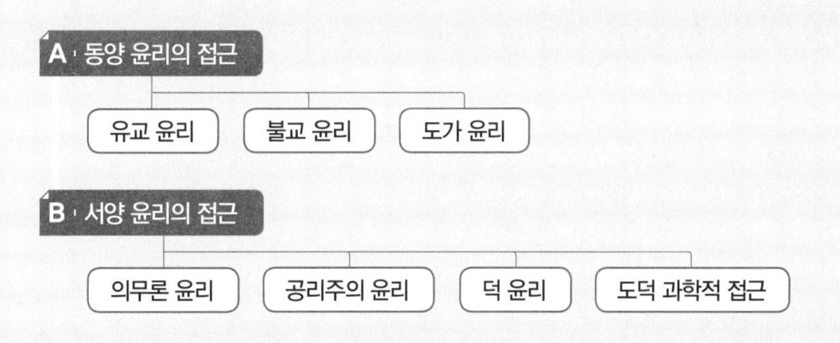

03 윤리 문제에 대한 탐구와 성찰

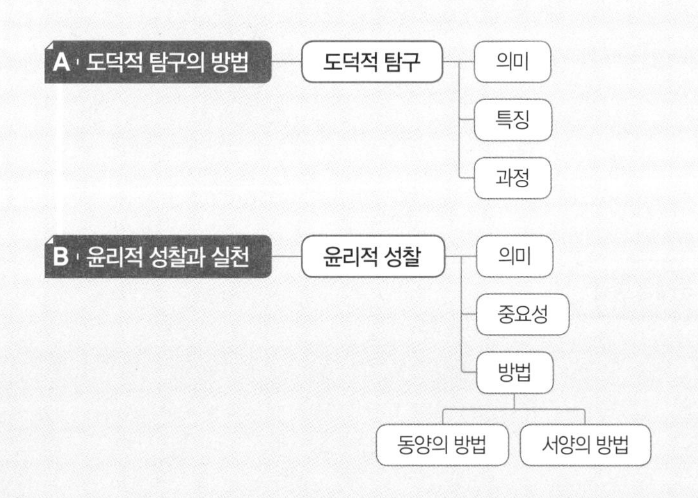

01 현대 생활과 실천 윤리

개념책 12~15 쪽

A 현대인의 삶과 다양한 윤리적 쟁점

윤리학
- 의미 :
- 특징 :
- 구분 :

새로운 윤리 문제의 등장 :

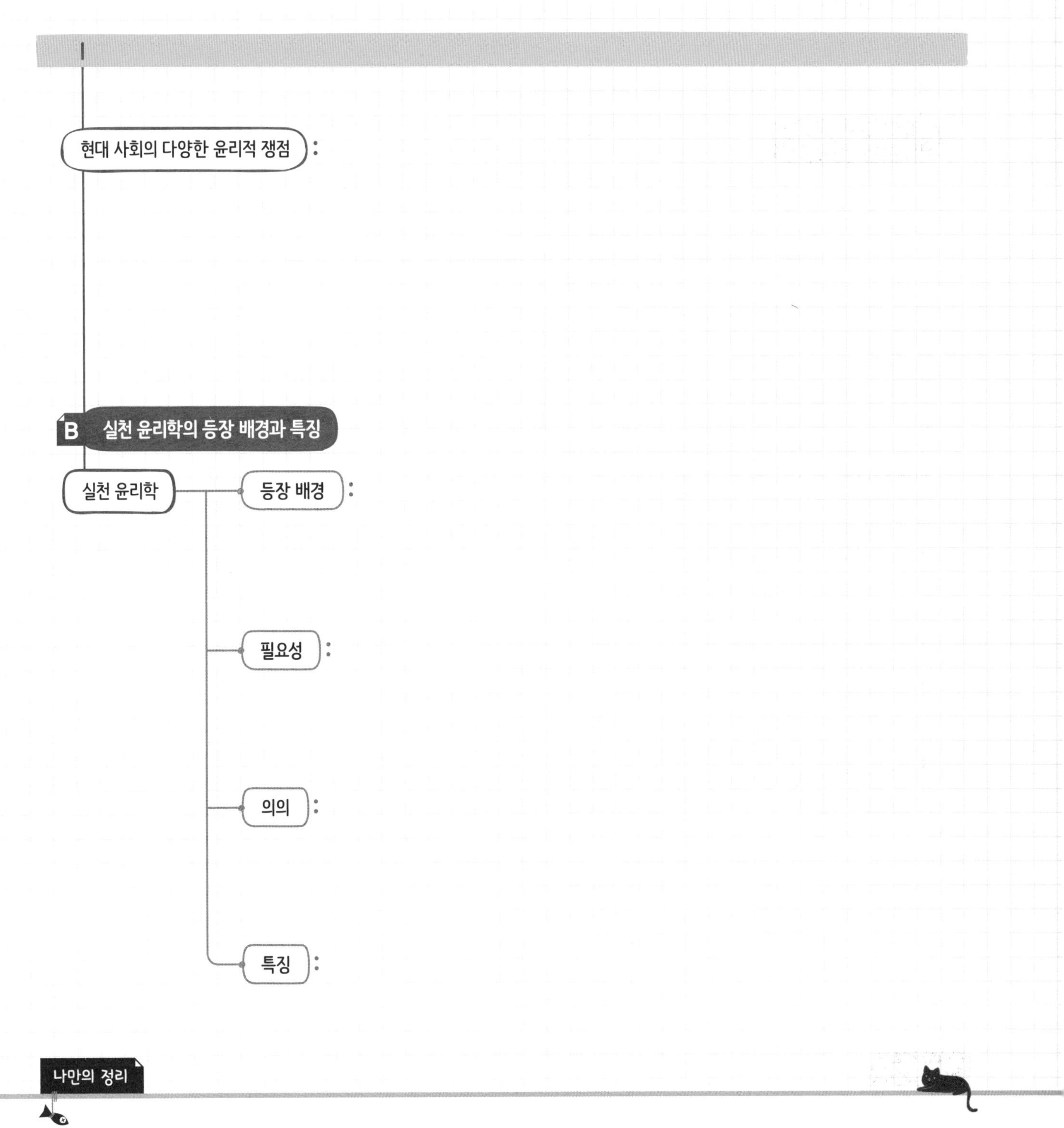

나만의 정리

02 현대 윤리 문제에 대한 접근

개념책 22~25 쪽

A 동양 윤리의 접근

유교 윤리

특징

현대 사회에 주는 시사점

불교 윤리

특징

현대 사회에 주는 시사점

도가 윤리적 접근

특징

현대 사회에 주는 시사점

나만의 정리

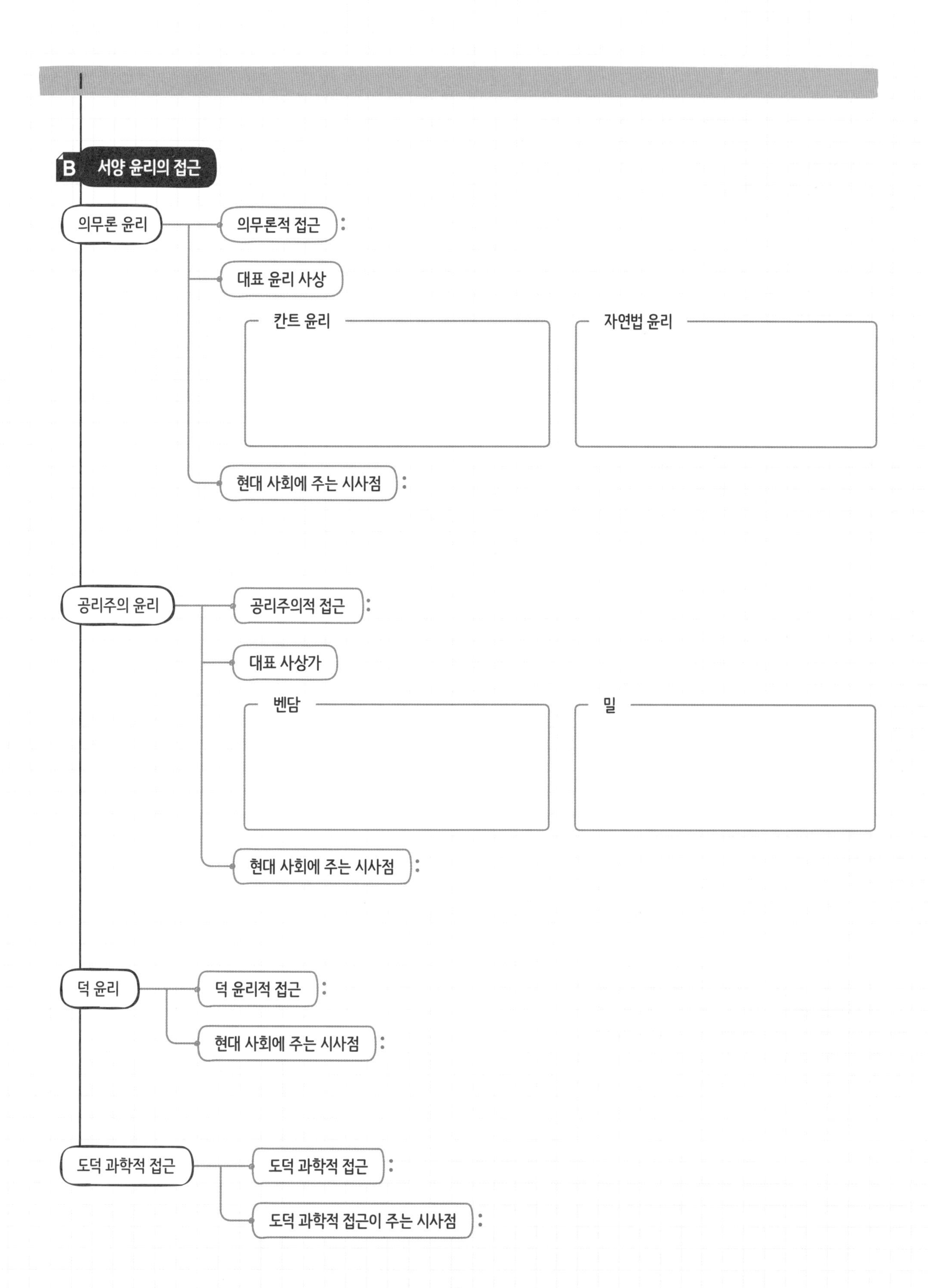
B 서양 윤리의 접근
의무론 윤리
의무론적 접근 :
대표 윤리 사상
칸트 윤리
자연법 윤리
현대 사회에 주는 시사점 :
공리주의 윤리
공리주의적 접근 :
대표 사상가
벤담
밀
현대 사회에 주는 시사점 :
덕 윤리
덕 윤리적 접근 :
현대 사회에 주는 시사점 :
도덕 과학적 접근
도덕 과학적 접근 :
도덕 과학적 접근이 주는 시사점 :

03 윤리 문제에 대한 탐구와 성찰

개념책 32~33 쪽

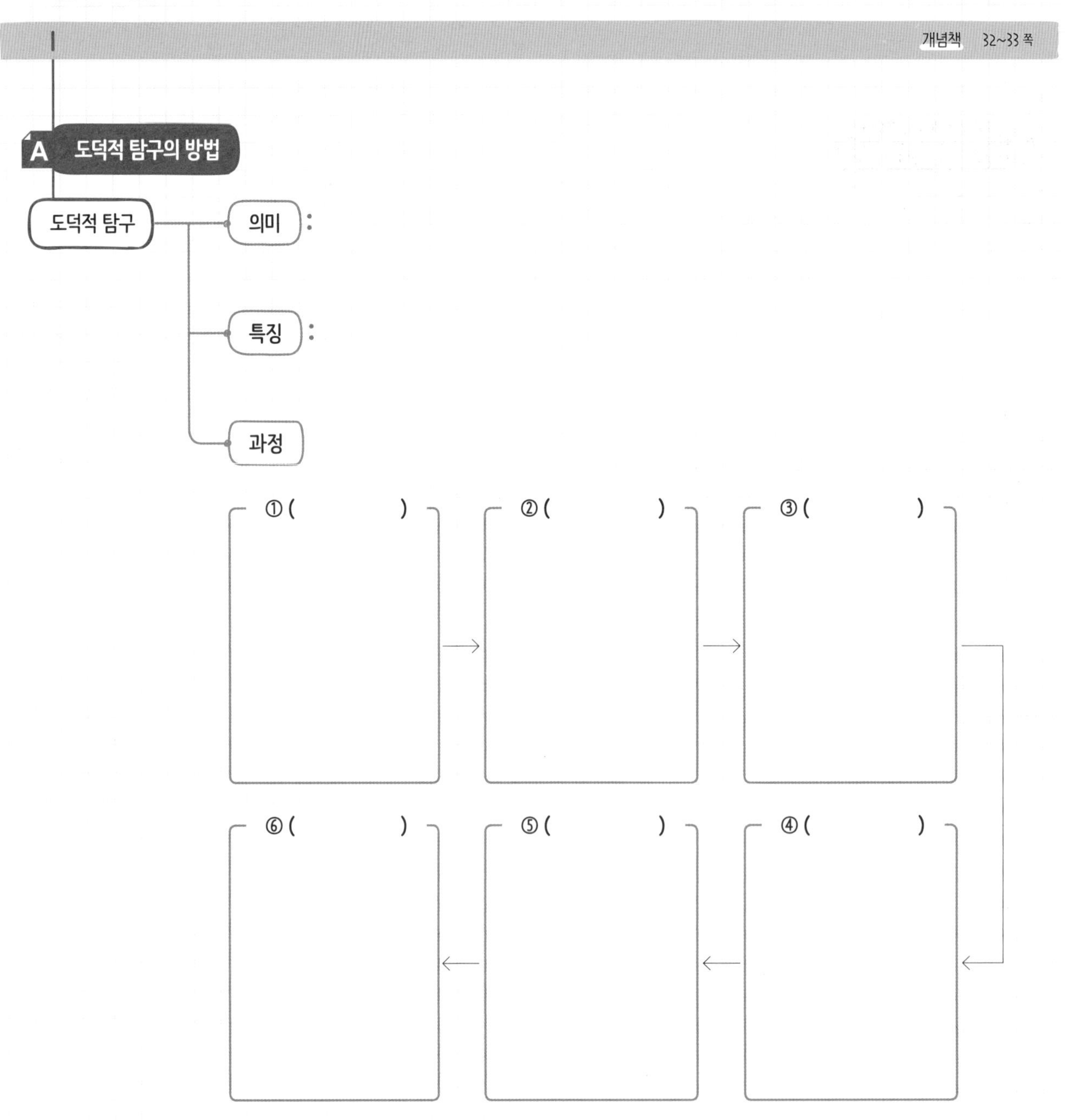

나만의 정리

B 윤리적 성찰과 실천
윤리적 성찰
의미 :
중요성 :
방법 :

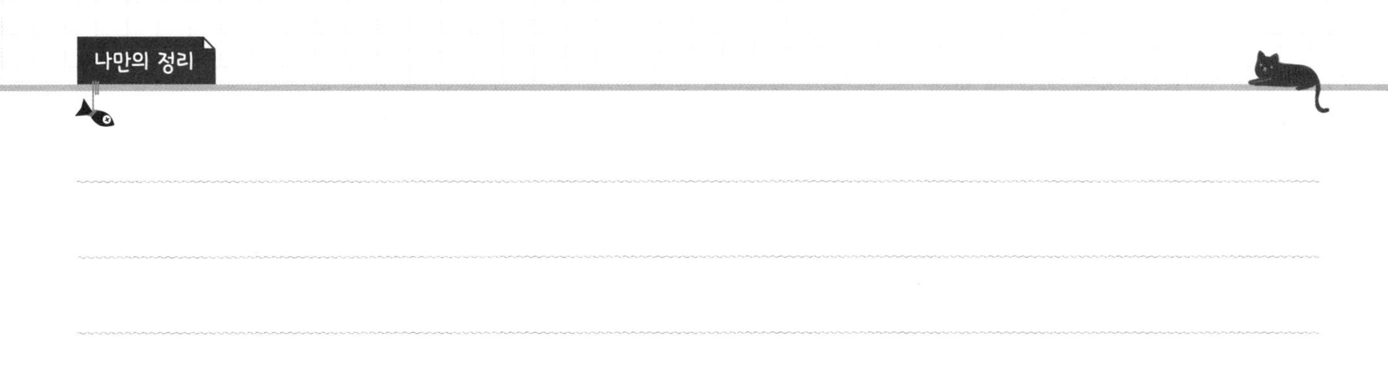
나만의 정리

단원 정리하기

개념 정리하기

◉ 단원의 핵심 개념을 정리해 보자.

01 현대 생활과 실천 윤리

- 규범 윤리학
- 메타(분석) 윤리학
- 기술 윤리학
- 이론 윤리학
- 실천 윤리학

02 현대 윤리 문제에 대한 접근

- 정명
- 연기
- 제물
- 정언 명령
- 공리주의
- 덕 윤리
- 도덕 과학

03 윤리 문제에 대한 탐구와 성찰

- 도덕적 탐구
- 도덕적 추론
- 윤리적 성찰

마인드맵으로 정리하기

◎ 그림에 자신만의 설명을 덧붙여 단원의 핵심 내용을 정리해 보자.

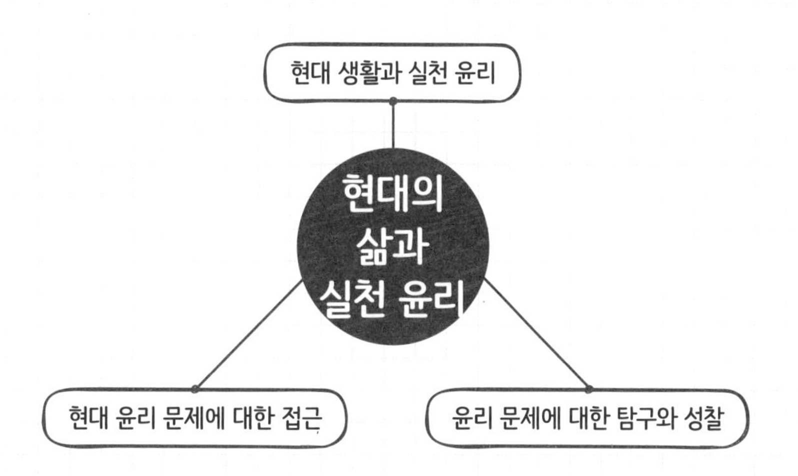

» 선배들이 작성한 정리노트 바로가기

Ⅱ 생명과 윤리

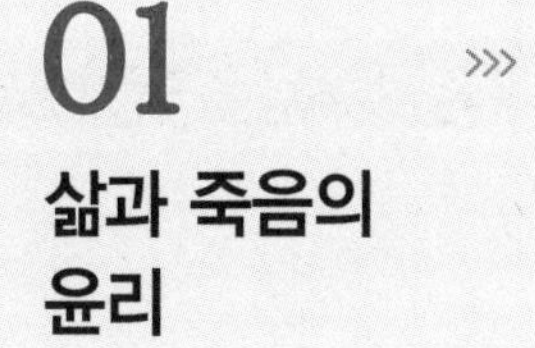

01 삶과 죽음의 윤리

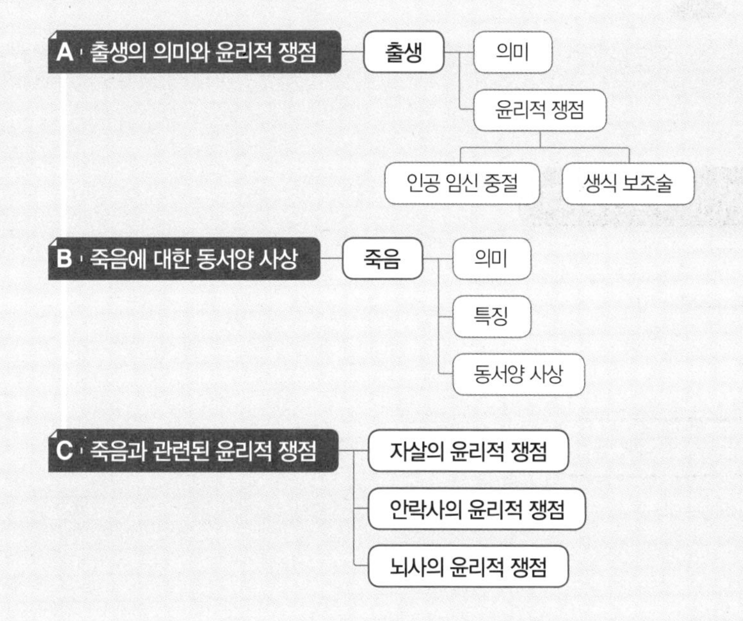

A 출생의 의미와 윤리적 쟁점
출생
의미
윤리적 쟁점
인공 임신 중절
생식 보조술
B 죽음에 대한 동서양 사상
죽음
의미
특징
동서양 사상
C 죽음과 관련된 윤리적 쟁점
자살의 윤리적 쟁점
안락사의 윤리적 쟁점
뇌사의 윤리적 쟁점

02 생명 윤리

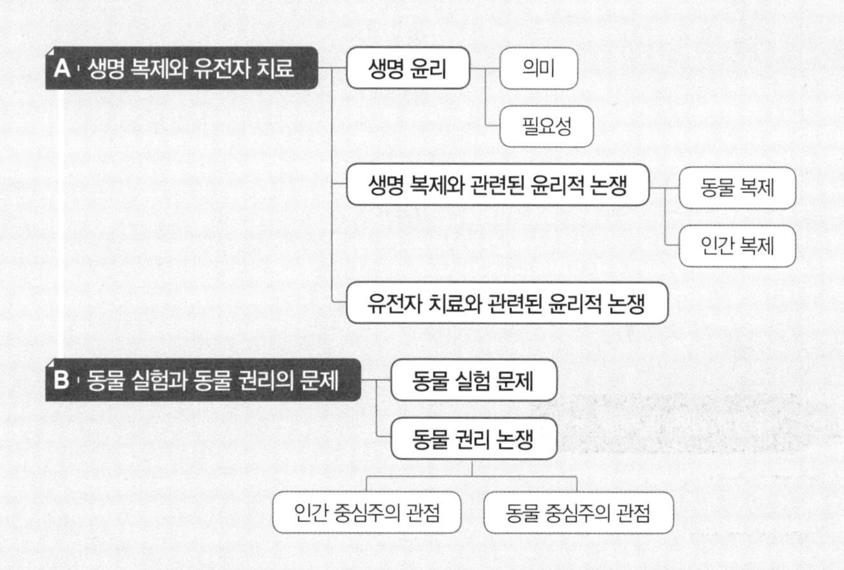

A 생명 복제와 유전자 치료
생명 윤리
의미
필요성
생명 복제와 관련된 윤리적 논쟁
동물 복제
인간 복제
유전자 치료와 관련된 윤리적 논쟁
B 동물 실험과 동물 권리의 문제
동물 실험 문제
동물 권리 논쟁
인간 중심주의 관점
동물 중심주의 관점

03 사랑과 성 윤리

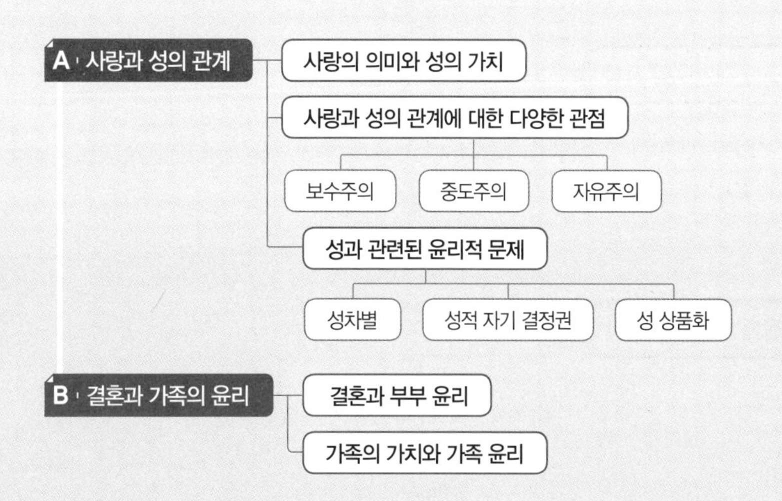

A 사랑과 성의 관계
사랑의 의미와 성의 가치
사랑과 성의 관계에 대한 다양한 관점
보수주의
중도주의
자유주의
성과 관련된 윤리적 문제
성차별
성적 자기 결정권
성 상품화
B 결혼과 가족의 윤리
결혼과 부부 윤리
가족의 가치와 가족 윤리

01 삶과 죽음의 윤리

개념책 46~51 쪽

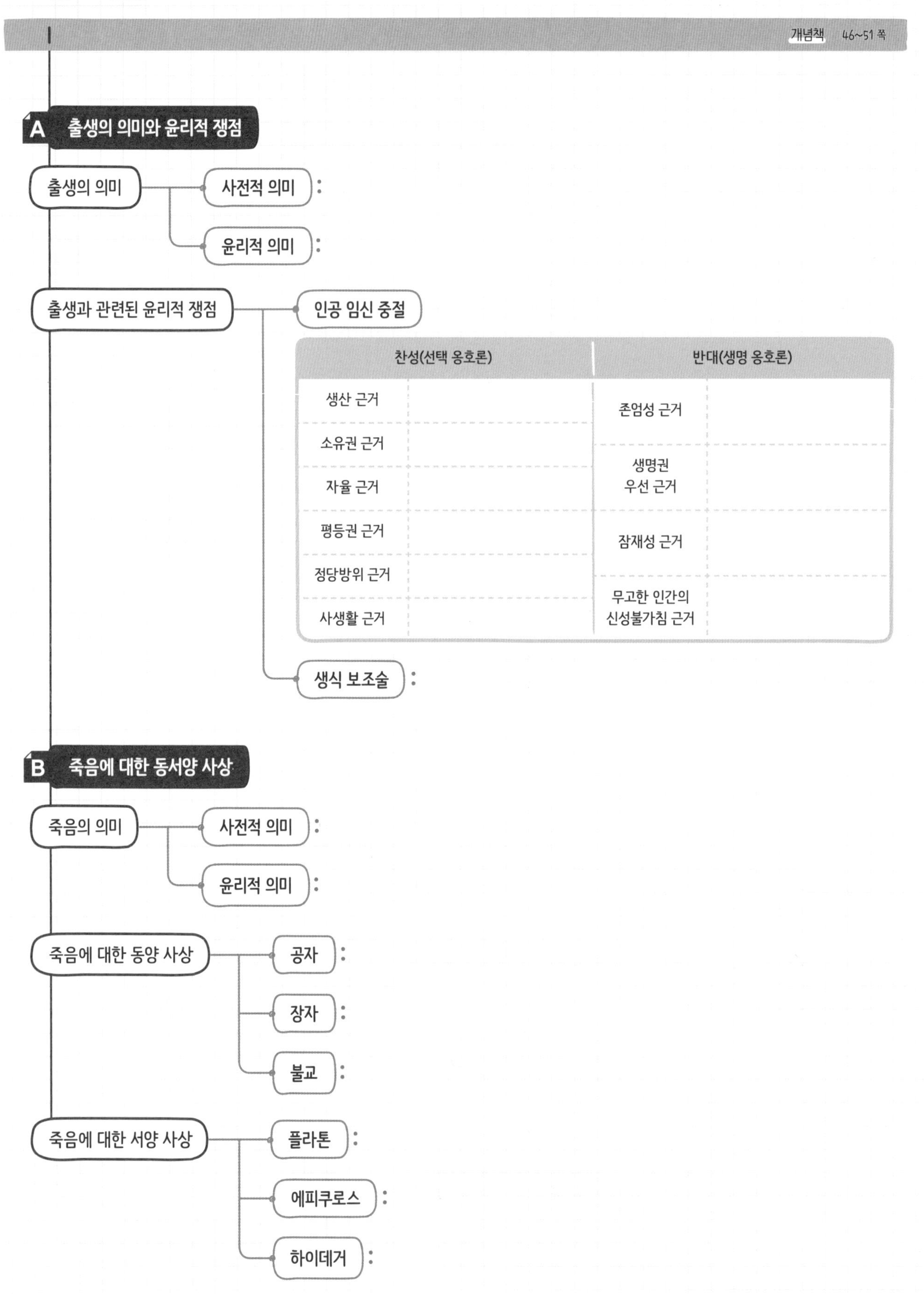

찬성(선택 옹호론)		반대(생명 옹호론)	
생산 근거		존엄성 근거	
소유권 근거			
자율 근거		생명권 우선 근거	
평등권 근거		잠재성 근거	
정당방위 근거			
사생활 근거		무고한 인간의 신성불가침 근거	

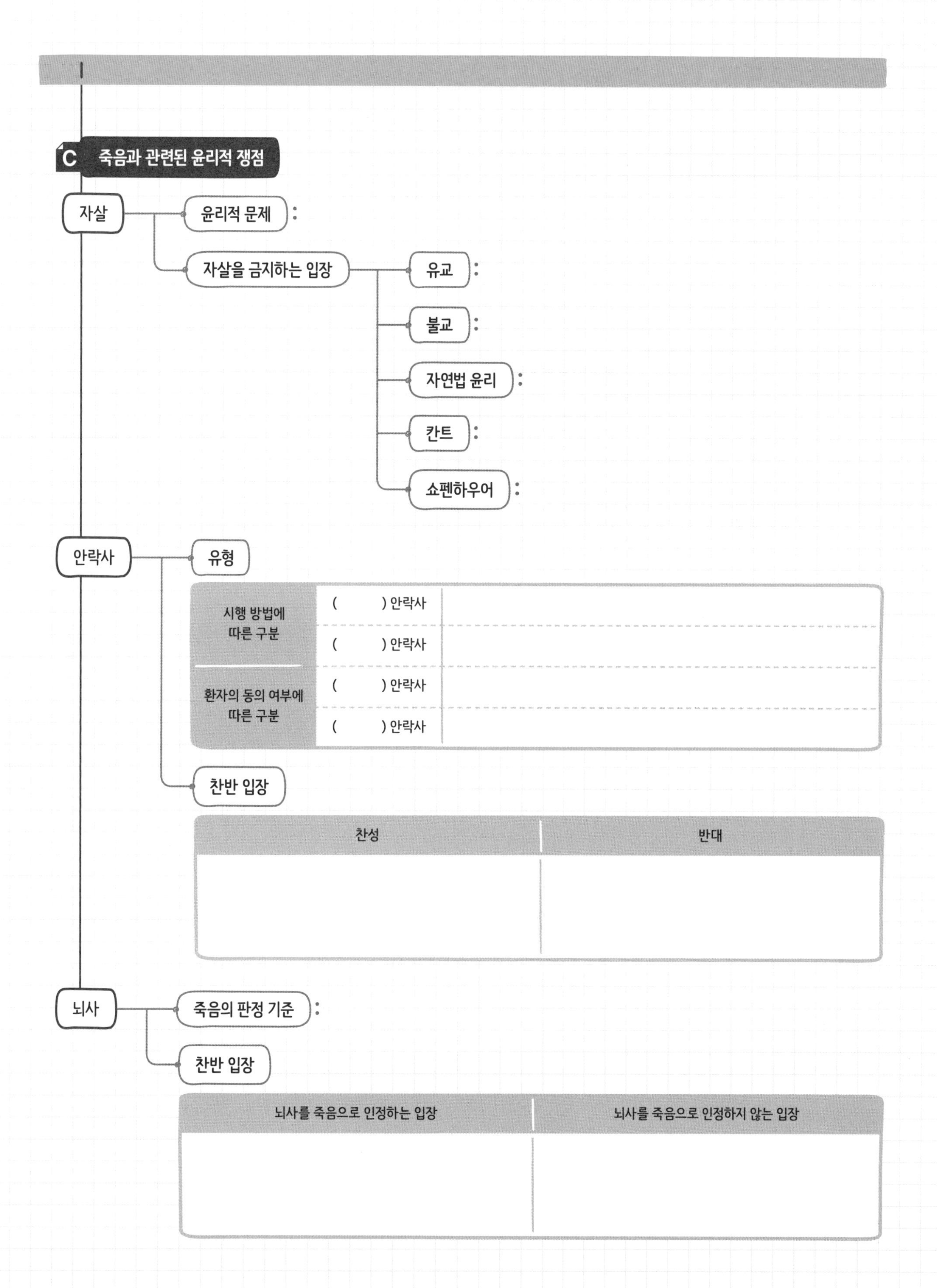

C 죽음과 관련된 윤리적 쟁점
자살
윤리적 문제 :
자살을 금지하는 입장
유교 :
불교 :
자연법 윤리 :
칸트 :
쇼펜하우어 :
안락사
유형
시행 방법에 따른 구분
(   ) 안락사
(   ) 안락사
환자의 동의 여부에 따른 구분
(   ) 안락사
(   ) 안락사
찬반 입장
찬성
반대
뇌사
죽음의 판정 기준 :
찬반 입장
뇌사를 죽음으로 인정하는 입장
뇌사를 죽음으로 인정하지 않는 입장

02 생명 윤리

개념책 60~63 쪽

A 생명 복제와 유전자 치료

생명 윤리
- 의미 :
- 필요성 :

생명 복제와 관련된 윤리적 논쟁
- 동물 복제에 관한 논쟁

찬성	반대

- 배아 복제에 관한 논쟁

찬성	반대

- 개체 복제에 관한 논쟁 :

유전자 치료와 관련된 윤리적 논쟁
- 유전자 치료의 의미와 구분
  - 의미 :
  - 구분 :
- 생식 세포 유전자 치료에 대한 논쟁

찬성	반대

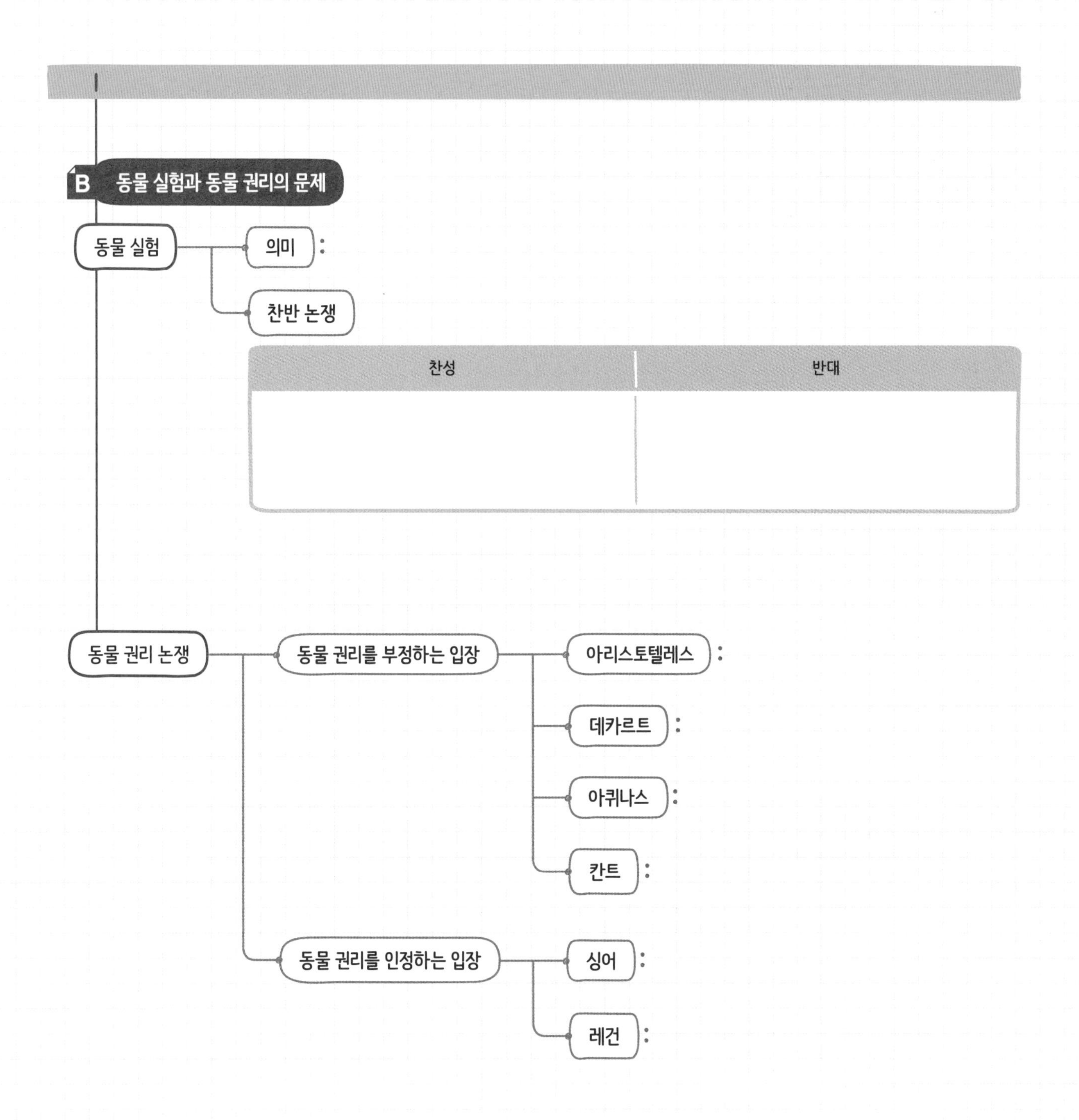
B 동물 실험과 동물 권리의 문제
동물 실험
의미 :
찬반 논쟁
찬성
반대
동물 권리 논쟁
동물 권리를 부정하는 입장
아리스토텔레스 :
데카르트 :
아퀴나스 :
칸트 :
동물 권리를 인정하는 입장
싱어 :
레건 :

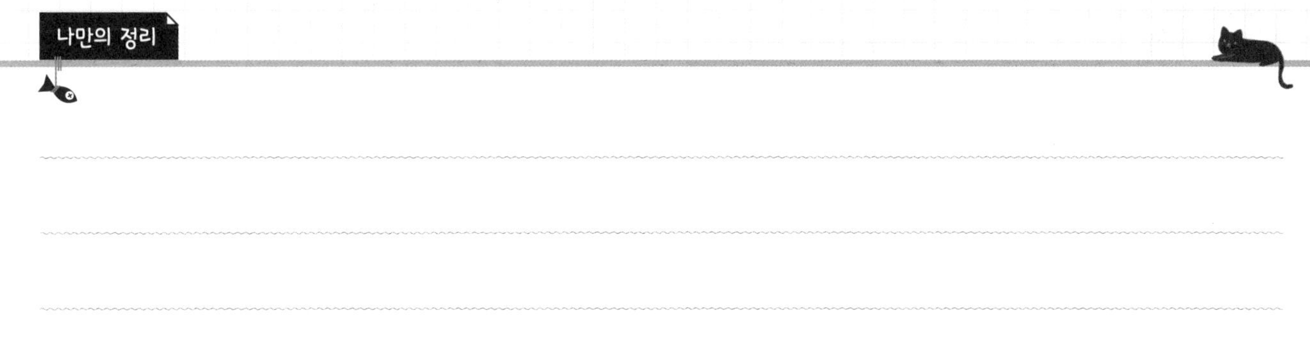
나만의 정리

03 사랑과 성 윤리

개념책 70~73 쪽

A 사랑과 성의 관계

사랑의 의미 :

성의 가치 :

사랑과 성의 관계에 대한 다양한 관점

보수주의	중도주의	자유주의

성과 관련된 윤리적 쟁점들

- 성차별 :
- 성적 자기 결정권 :
- 성 상품화 :

나만의 정리

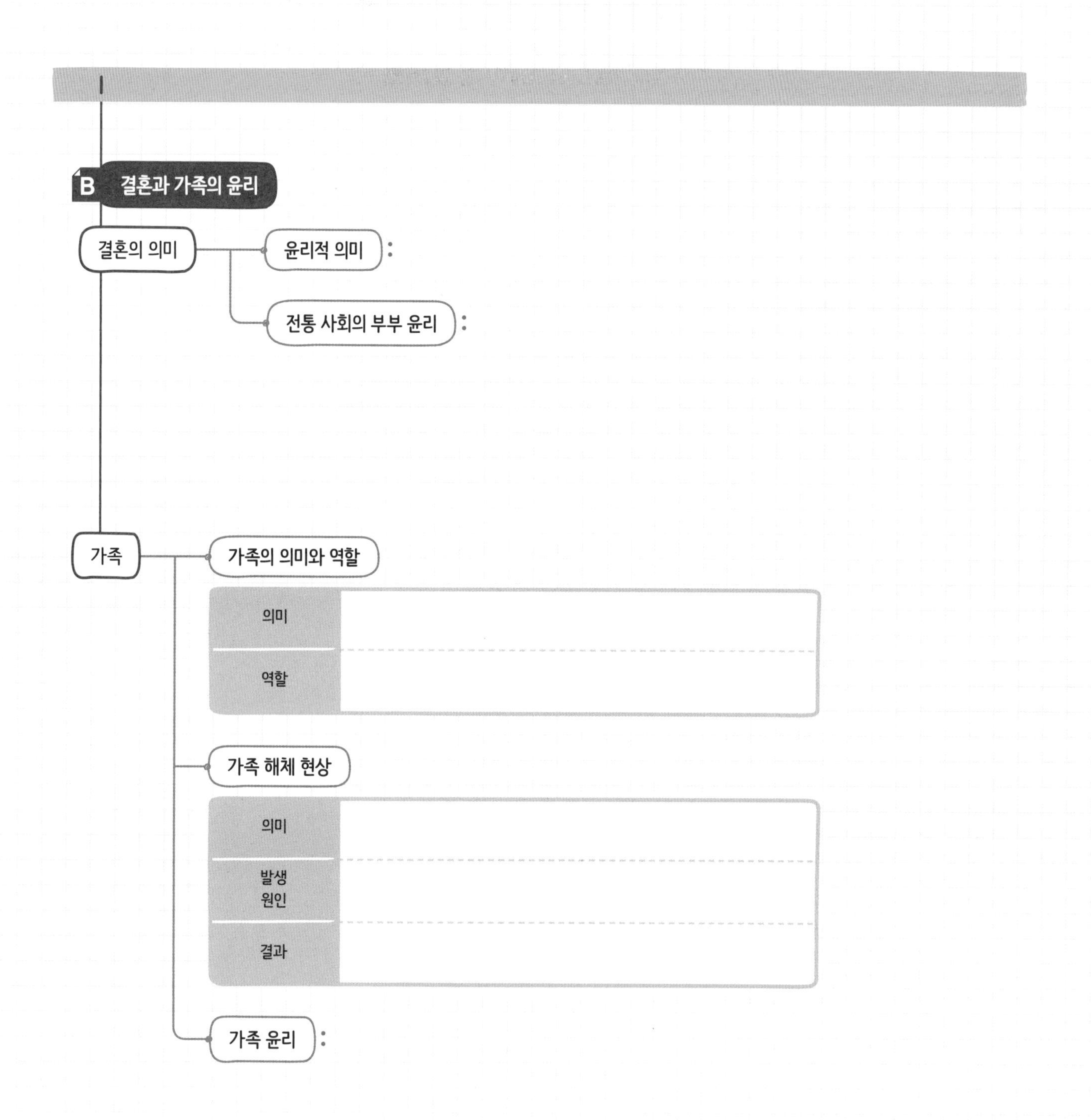
B 결혼과 가족의 윤리
결혼의 의미
윤리적 의미 :
전통 사회의 부부 윤리 :
가족
가족의 의미와 역할
의미
역할
가족 해체 현상
의미
발생 원인
결과
가족 윤리 :

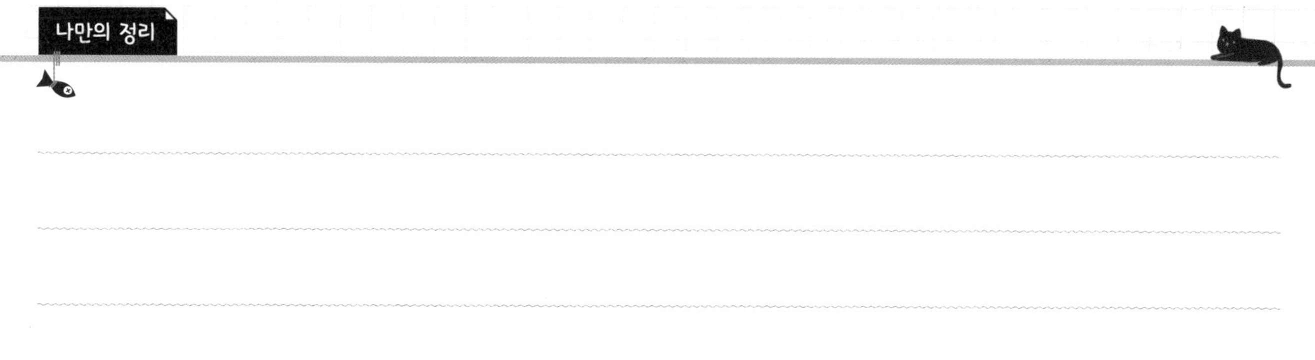
나만의 정리

개념 정리하기

- 단원의 핵심 개념을 정리해 보자.

01 삶과 죽음의 윤리

출생

생식 보조술

인공 임신 중절

선택 옹호론

생명 옹호론

적극적 안락사

소극적 안락사

자발적 안락사

비자발적 안락사

뇌사

나만의 정리

개념 정리하기

02 생명 윤리

생명 윤리

생명 복제

배아 복제

개체 복제

생식 세포 유전자 치료

체세포 유전자 치료

동물 실험

동물 권리

쾌고 감수 능력

종 차별주의

삶의 주체

나만의 정리

개념 정리하기

03 사랑과 성 윤리

사랑

양성평등

성 차별

여성주의 윤리

배려 윤리

성적 자기 결정권

성 상품화

결혼

음양론

가족 해체 현상

나만의 정리

마인드맵으로 정리하기

◎ 그림에 자신만의 설명을 덧붙여 단원의 핵심 내용을 정리해 보자.

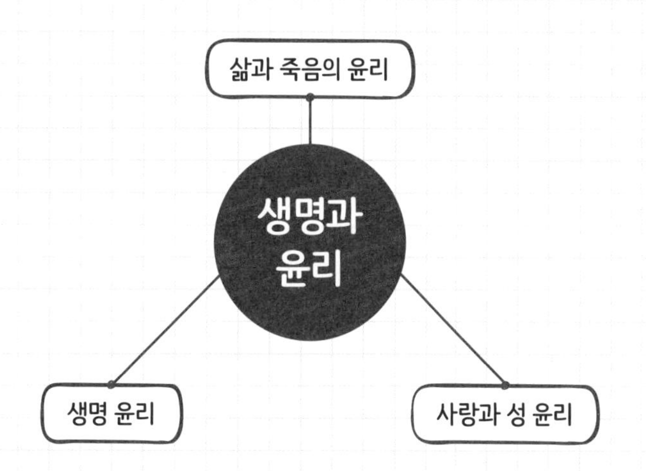

» 선배들이 작성한 정리노트 바로가기

Ⅲ 사회와 윤리

01 직업과 청렴의 윤리

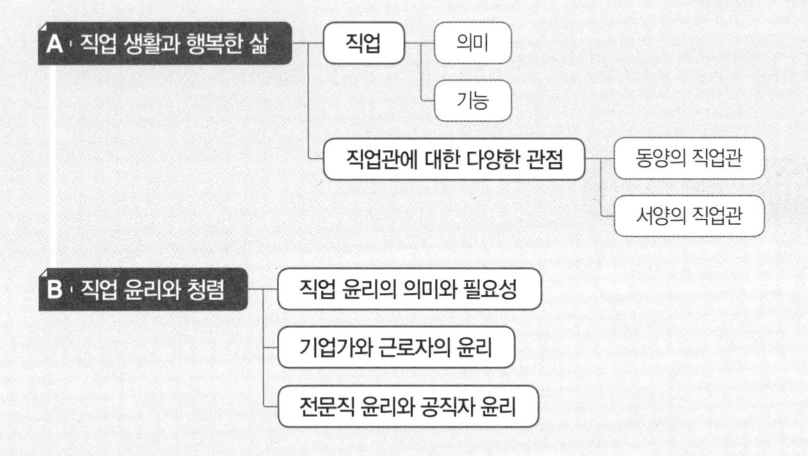

02 사회 정의와 윤리

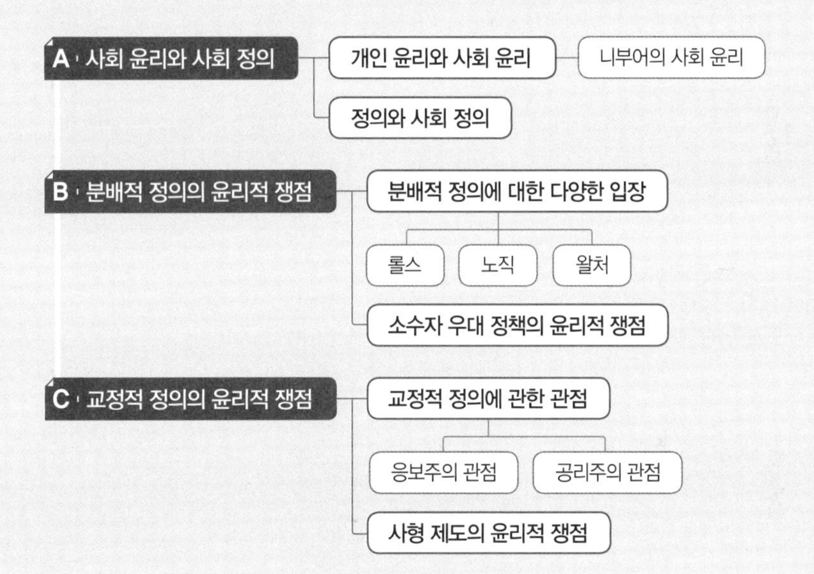

03 국가와 시민의 윤리

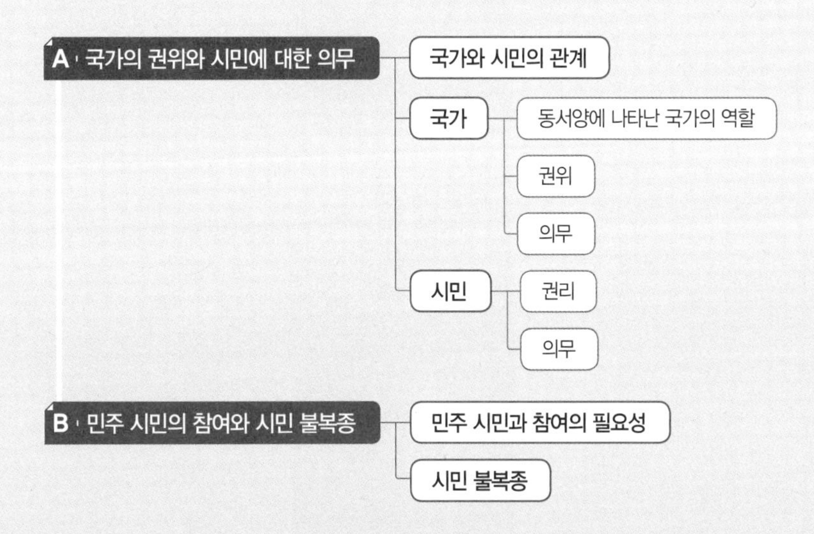

01 직업과 청렴의 윤리

개념책 88~93 쪽

A 직업 생활과 행복한 삶

직업
- 의미 :
- 기능

개인적 측면	사회적 측면

직업에 대한 다양한 관점

동양의 직업관

공자	
맹자	
순자	
우리나라의 장인 정신	

서양의 직업관

플라톤	
칼뱅	
마르크스	

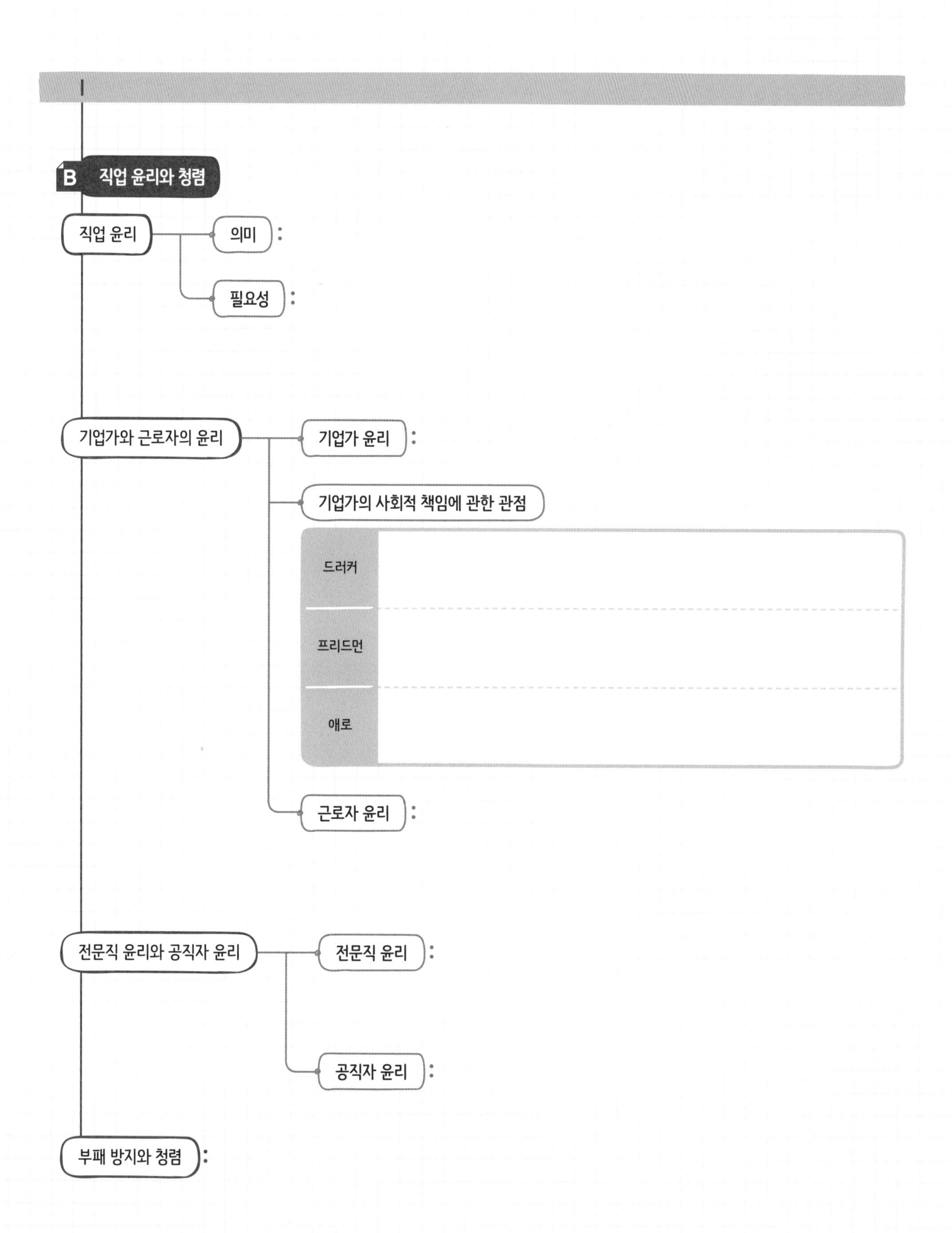
B 직업 윤리와 청렴
직업 윤리
의미 :
필요성 :
기업가와 근로자의 윤리
기업가 윤리 :
기업가의 사회적 책임에 관한 관점
드러커
프리드먼
애로
근로자 윤리 :
전문직 윤리와 공직자 윤리
전문직 윤리 :
공직자 윤리 :
부패 방지와 청렴 :

02 사회 정의와 윤리

개념책 102~107 쪽

A 사회 윤리와 사회 정의

개인 윤리와 사회 윤리

구분	개인 윤리	사회 윤리
문제 원인		
해결 방안		

정의와 사회 정의

정의 :

사회 정의

필요성 :

구분

분배적 정의	
교정적 정의	

B 분배적 정의의 윤리적 쟁점

롤스의 분배적 정의

노직의 분배적 정의

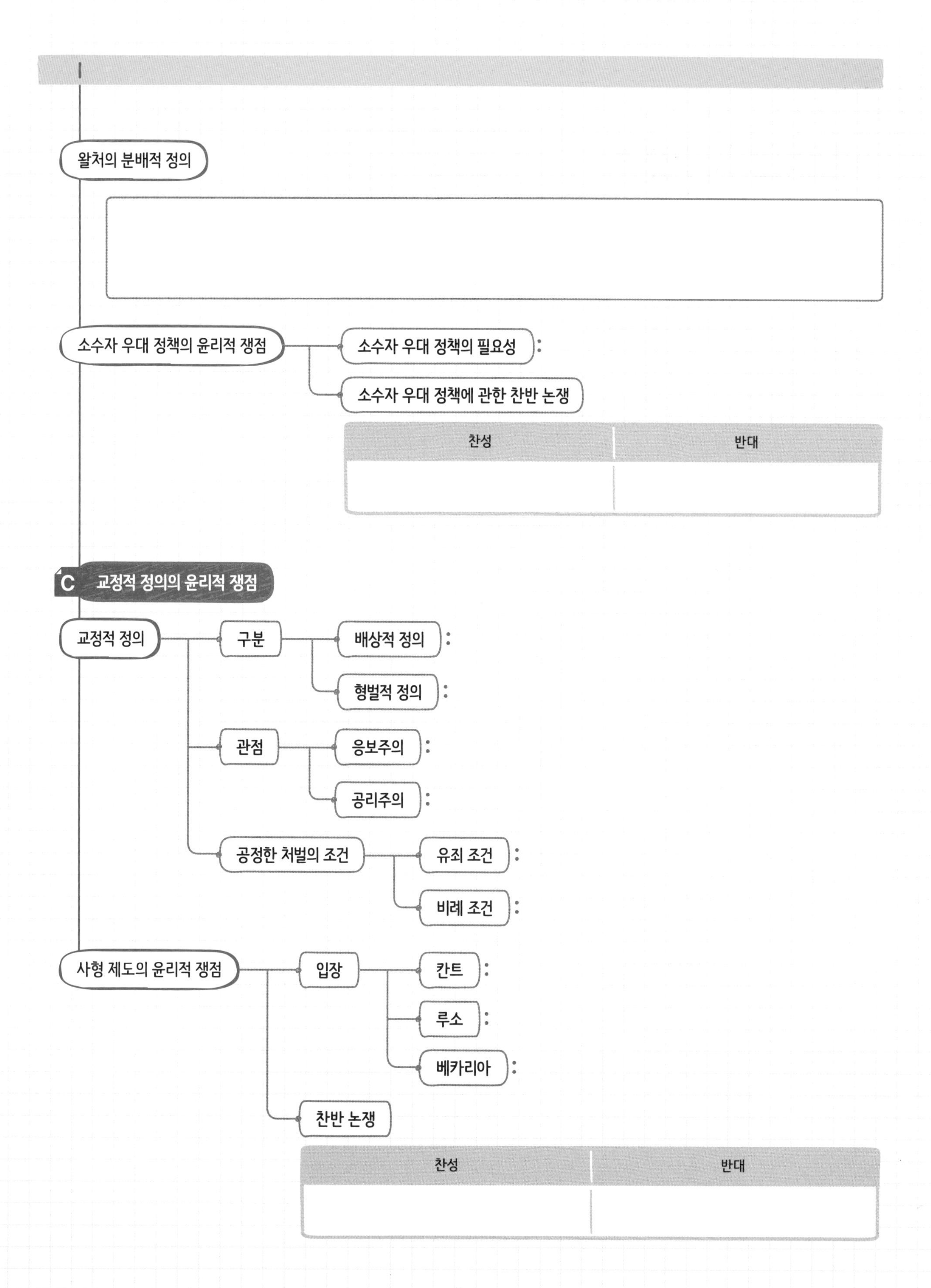
왈처의 분배적 정의
소수자 우대 정책의 윤리적 쟁점
소수자 우대 정책의 필요성 :
소수자 우대 정책에 관한 찬반 논쟁
찬성
반대
C 교정적 정의의 윤리적 쟁점
교정적 정의
구분
배상적 정의 :
형벌적 정의 :
관점
응보주의 :
공리주의 :
공정한 처벌의 조건
유죄 조건 :
비례 조건 :
사형 제도의 윤리적 쟁점
입장
칸트 :
루소 :
베카리아 :
찬반 논쟁
찬성
반대

03 국가와 시민의 윤리

개념책 116~119 쪽

A 국가의 권위와 시민에 대한 의무

국가

동서양에 나타난 국가의 역할

국가의 권위

동의론

혜택론

사회 계약론

국가의 의무

소극적 의무 :

적극적 의무 :

시민

시민의 권리 :

시민의 의무 :

인권의 변화

1세대 인권	
2세대 인권	
3세대 인권	
4세대 인권	

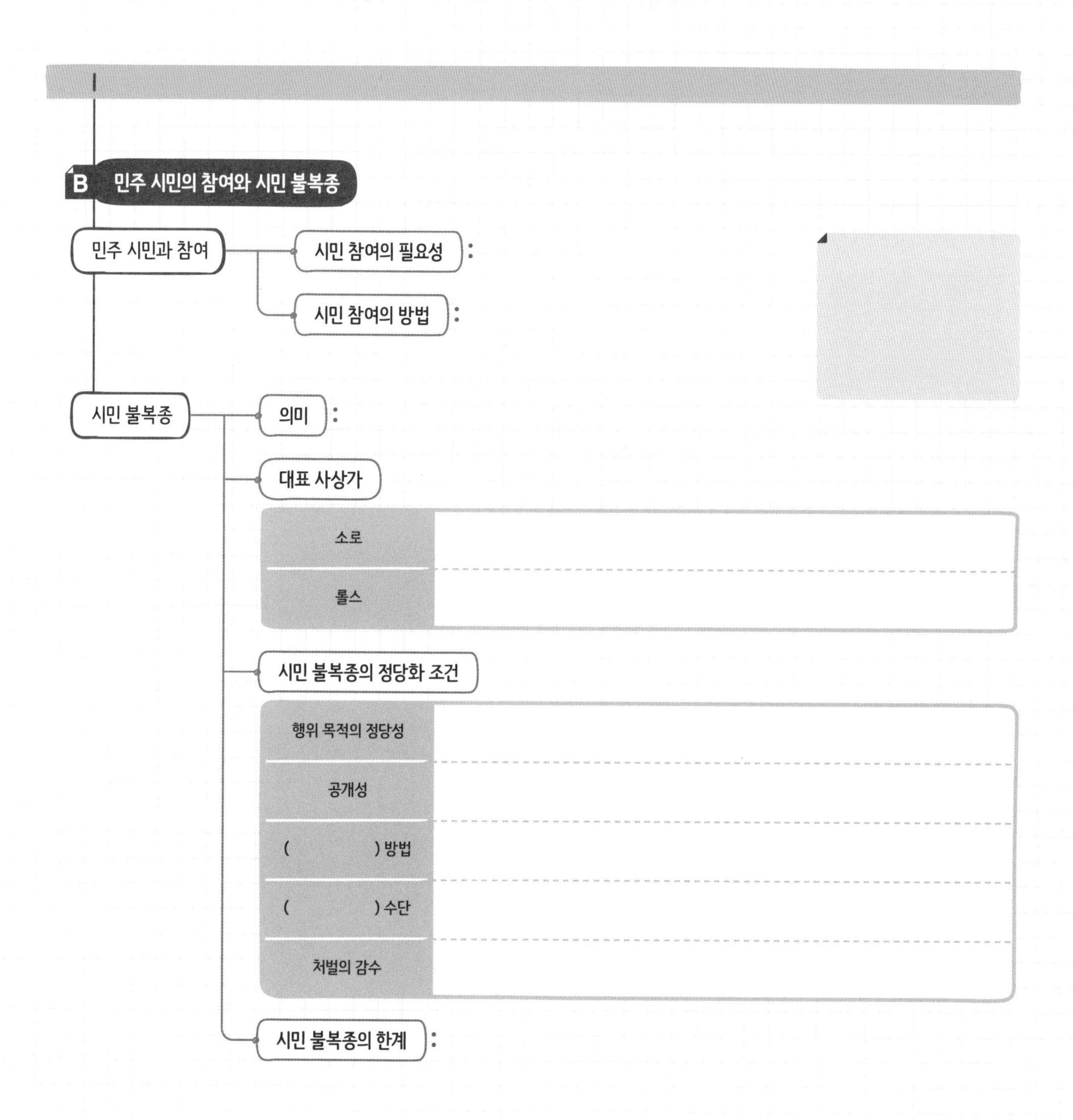
B 민주 시민의 참여와 시민 불복종
민주 시민과 참여
시민 참여의 필요성 :
시민 참여의 방법 :
시민 불복종
의미 :
대표 사상가
소로
롤스
시민 불복종의 정당화 조건
행위 목적의 정당성
공개성
( ) 방법
( ) 수단
처벌의 감수
시민 불복종의 한계 :

나만의 정리

개념 정리하기

● 단원의 핵심 개념을 정리해 보자.

01 직업과 청렴의 윤리

직업

장인 정신

정명 사상

일반 직업 윤리

특수 직업 윤리

윤리 경영

노동 삼권

사회적 책임

청백리 정신

청렴

나만의 정리

개념 정리하기

02 사회 정의와 윤리

개인 윤리

사회 윤리

사회 정의

분배적 정의

교정적 정의

일반적 정의

특수적 정의

원초적 입장

무지의 베일

최소 국가

소수자 우대 정책

역차별

죄형 법정주의

나만의 정리

03 국가와 시민의 윤리

- 동의론
- 혜택론
- 사회 계약론
- 국가의 소극적 의무
- 국가의 적극적 의무
- 1세대 인권
- 2세대 인권
- 3세대 인권
- 4세대 인권
- 시민 참여
- 주민 소환제
- 주민 발의제
- 시민 불복종

나만의 정리

마인드맵으로 정리하기

◦ 그림에 자신만의 설명을 덧붙여 단원의 핵심 내용을 정리해 보자.

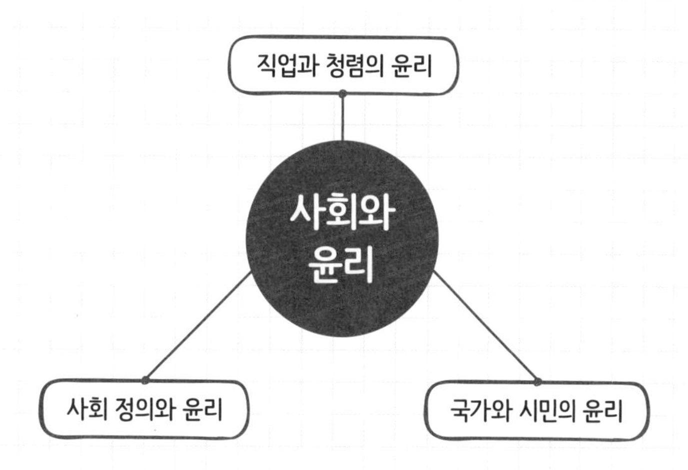

» 선배들이 작성한 정리노트 바로가기

Ⅳ 과학과 윤리

01 과학 기술과 윤리

- A 과학 기술의 의미와 가치 중립성 논쟁
  - 과학 기술의 의미와 본질
  - 과학 기술의 가치 중립성 논쟁
- B 과학 기술의 성과와 윤리적 문제
  - 과학 기술의 성과와 윤리적 문제
  - 과학 기술 발달에 따른 상반된 시각
    - 과학 기술 지상주의
    - 과학 기술 혐오주의
- C 과학 기술의 사회적 책임과 책임 윤리
  - 과학 기술의 사회적 책임
  - 요나스의 책임 윤리

02 정보 사회와 윤리

- A 정보 기술의 발달과 정보 윤리
  - 정보 기술의 발달이 가져온 사회 변화
  - 정보 기술의 발달에 따른 윤리적 문제
  - 정보 윤리의 기본 원칙
    - 인간 존중의 원칙
    - 책임의 원칙
    - 해악 금지의 원칙
    - 정의의 원칙
- B 정보 사회에서의 매체 윤리
  - 뉴 미디어의 등장과 특징
  - 뉴 미디어 시대의 윤리적 문제

03 인간과 자연의 관계

- A 자연을 바라보는 서양의 관점
  - 인간 중심주의
  - 동물 중심주의
  - 생명 중심주의
  - 생태 중심주의
- B 자연을 바라보는 동양의 관점
  - 유교
  - 불교
  - 도가

04 환경 문제에 대한 윤리적 쟁점

- A 기후 정의 문제와 미래 세대에 대한 책임 문제
  - 기후 변화와 기후 정의 문제
  - 미래 세대에 대한 책임 문제와 책임 윤리
- B 생태 지속 가능성 문제
  - 개발과 환경 보전의 딜레마
    - 개발론
    - 환경 보전론
  - 환경적으로 건전하고 지속 가능한 발전

01 과학 기술과 윤리

개념책 136~139 쪽

A 과학 기술의 의미와 가치 중립성 논쟁

과학 기술의 의미와 본질

- 의미 :
- 본질 :

과학 기술의 가치 중립성 논쟁

- 과학 기술의 본질과 윤리의 관계에 대한 관점

구분	가치 중립성 인정	가치 중립성 부정
입장		
과학 기술자의 책임에 대한 관점		

- 과학 기술과 윤리의 바람직한 관계 :

나만의 정리

B 과학 기술의 성과와 윤리적 문제

과학 기술의 성과와 윤리적 문제

- 성과 :
- 윤리적 문제 :

과학 기술 발달에 따른 상반된 시각

구분	과학 기술 낙관주의(지상주의)	과학 기술 비관주의(혐오주의)
입장		
문제점		

C 과학 기술의 사회적 책임과 책임 윤리

과학 기술의 사회적 책임

- 과학 기술에 사회적 책임이 요구되는 까닭 :
- 과학 기술자의 윤리적 책임

외적 책임

내적 책임

요나스의 책임 윤리 :

02 정보 사회와 윤리

개념책 146~149 쪽

A 정보 기술의 발달과 정보 윤리

정보 기술의 발달이 가져온 사회 변화 :

정보 기술의 발달에 따른 윤리적 문제

지적 재산권

사생활 침해

사이버 폭력

정보 격차 문제

정보 윤리의 기본 원칙

인간 존중의 원칙	
책임의 원칙	
해악 금지의 원칙	
정의의 원칙	

나만의 정리

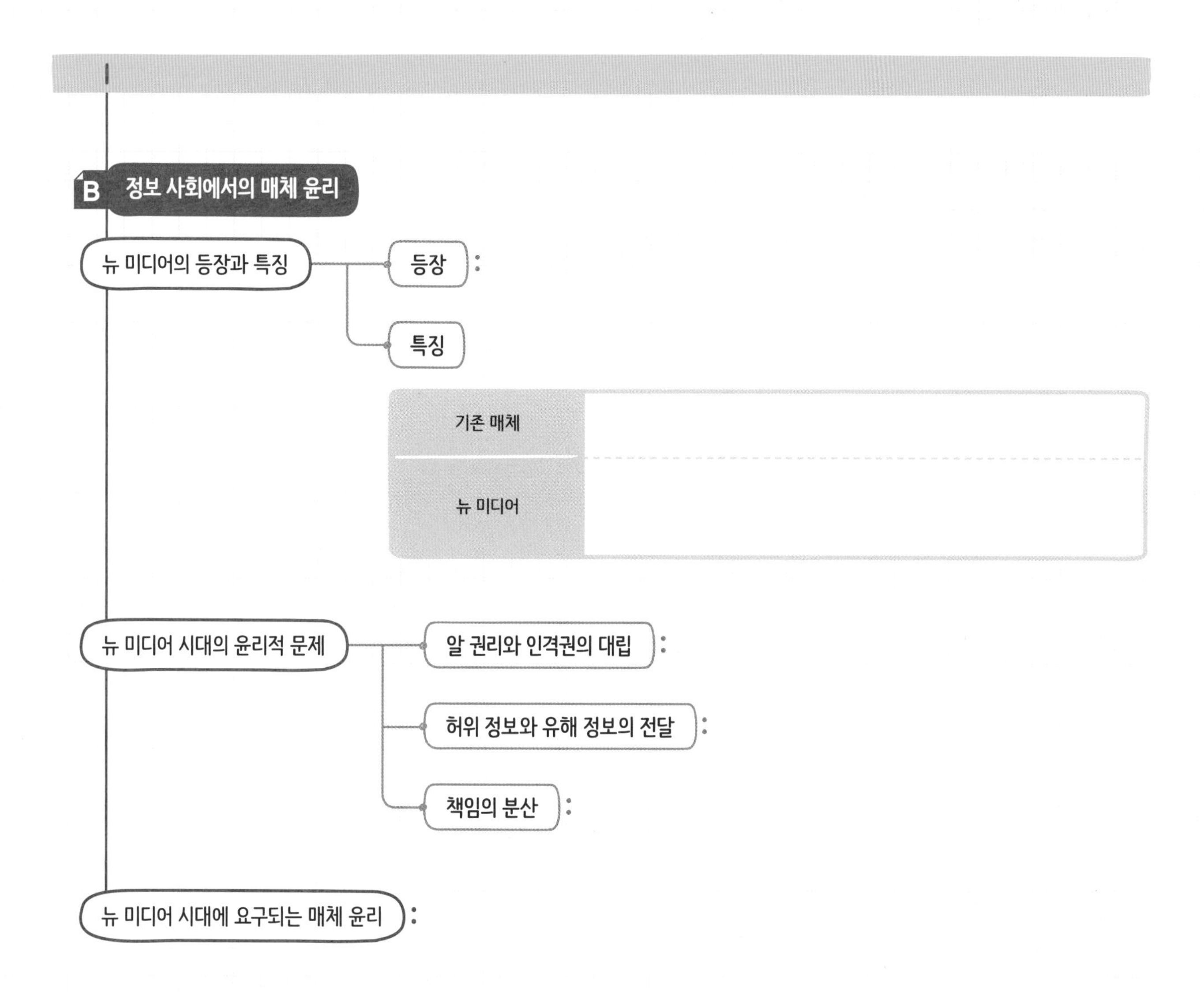
B 정보 사회에서의 매체 윤리
뉴 미디어의 등장과 특징
등장 :
특징
기존 매체
뉴 미디어
뉴 미디어 시대의 윤리적 문제
알 권리와 인격권의 대립 :
허위 정보와 유해 정보의 전달 :
책임의 분산 :
뉴 미디어 시대에 요구되는 매체 윤리 :

나만의 정리

03 인간과 자연의 관계

개념책 156~161 쪽

A 자연을 바라보는 서양의 관점

인간 중심주의

입장	
관련 사상가	
의의	
한계	

동물 중심주의

입장	
관련 사상가	
의의	
한계	

생명 중심주의

입장	
관련 사상가	
의의	
한계	

생태 중심주의

입장	
관련 사상가	
의의	
한계	

B 자연을 바라보는 동양의 관점

유교의 자연관 :

불교의 자연관 :

도가의 자연관 :

우리나라에서 엿볼 수 있는 자연관 :

04 환경 문제에 대한 윤리적 쟁점

개념책 170~171 쪽

A 기후 정의 문제와 미래 세대에 대한 책임 문제

기후 변화와 기후 정의 문제

기후 변화 :

의미	
문제점	

기후 정의 :

미래 세대에 대한 책임 문제와 책임 윤리 :

B 생태 지속 가능성 문제

개발과 환경 보전의 딜레마

구분	개발론	환경 보전론
입장		
문제점		

환경적으로 건전하고 지속 가능한 발전 :

개념 정리하기

● 단원의 핵심 개념을 정리해 보자.

01 과학 기술과 윤리

과학 기술

가치 중립성

과학 기술 낙관주의

과학 기술 비관주의

내적 책임

외적 책임

02 정보 사회와 윤리

정보 공유론

정보 사유론

사이버 폭력

정보 격차

잊힐 권리

알 권리

뉴 미디어

미디어 리터러시

03 인간과 자연의 관계

- 인간 중심주의
- 온건한 인간 중심주의
- 동물 중심주의
- 생명 중심주의
- 생태 중심주의
- 도구적 자연관
- 이익 평등 고려의 원칙
- 삶의 주체
- 생명 외경
- 대지 윤리
- 환경 파시즘
- 천일합일
- 연기설
- 무위자연

04 환경 문제에 대한 윤리적 쟁점

- 기후 변화
- 기후 정의
- 책임 윤리
- 개발론
- 환경 보전론

마인드맵으로 정리하기

◉ 그림에 자신만의 설명을 덧붙여 단원의 핵심 내용을 정리해 보자.

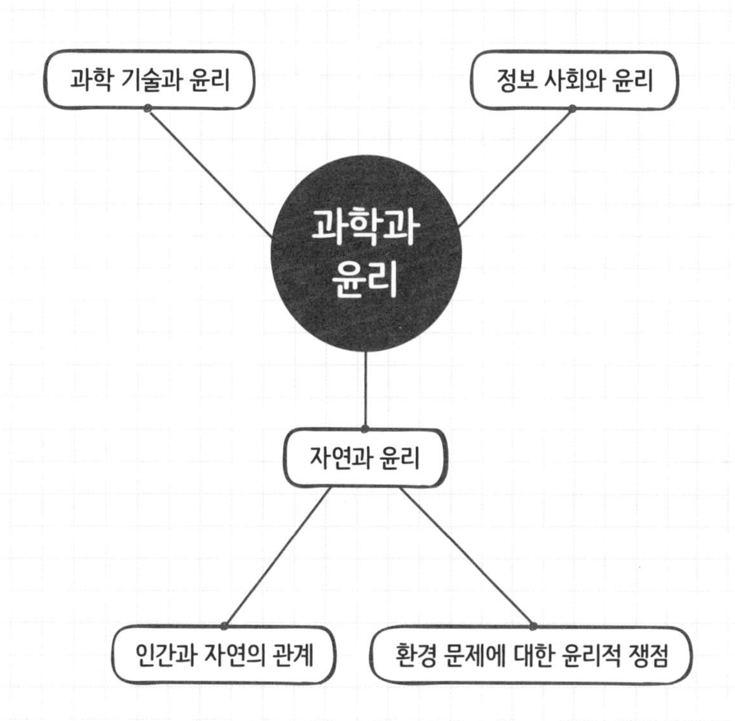

» 선배들이 작성한 정리노트 바로가기

V
문화와 윤리

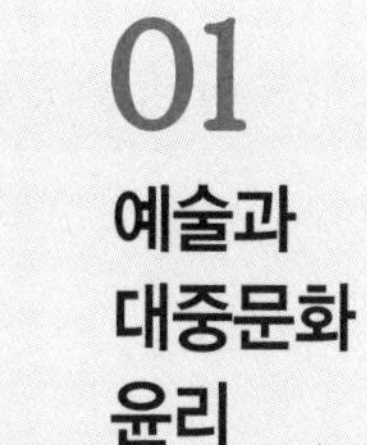

01 예술과 대중문화 윤리

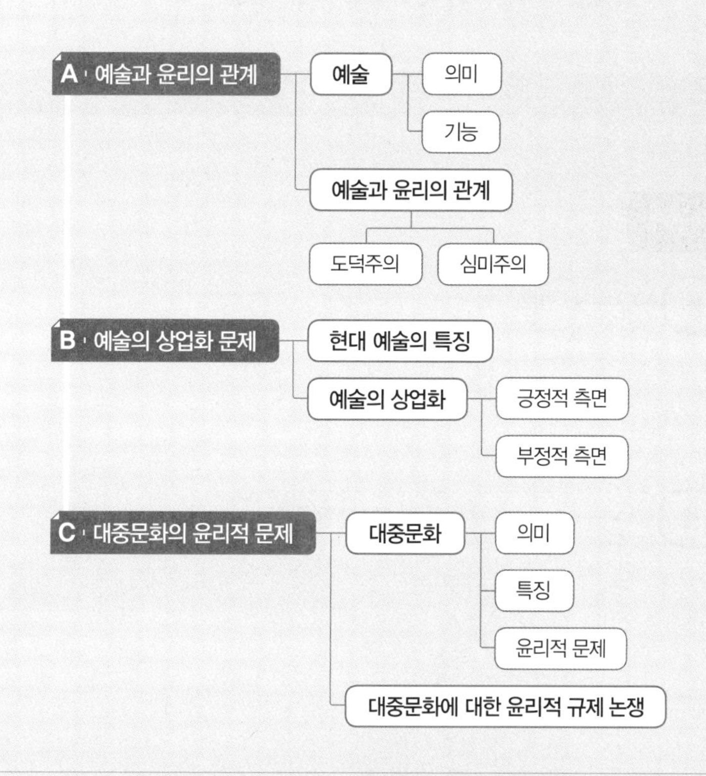

02 의식주 윤리와 윤리적 소비

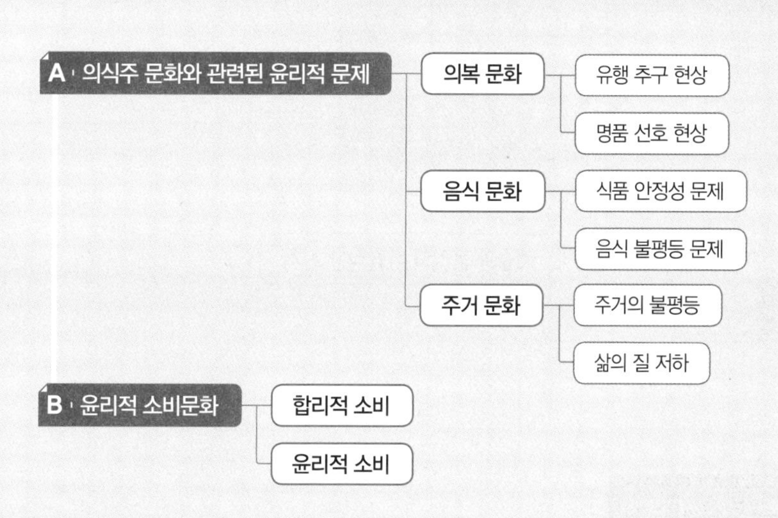

03 다문화 사회의 윤리

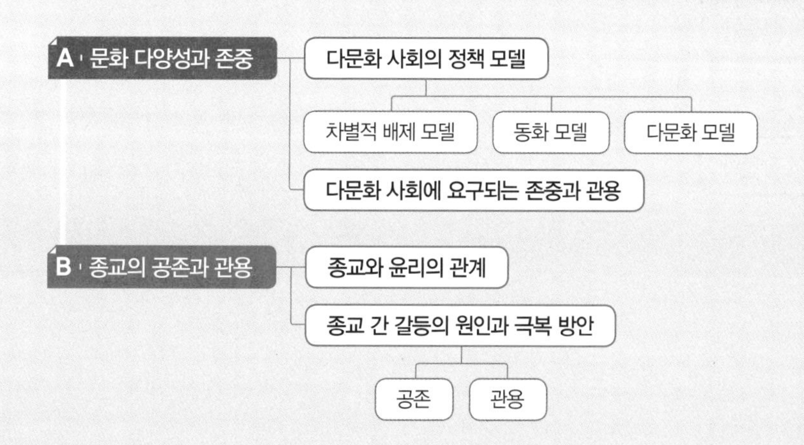

01 예술과 대중문화 윤리

개념책 186~189 쪽

A 예술과 윤리의 관계

예술의 의미와 기능
- 의미 :
- 기능 :

예술과 윤리의 관계
- 예술과 윤리의 관계에 대한 관점

구분	도덕주의	심미주의
입장		
문제점		

- 예술과 윤리의 바람직한 관계 :

B 예술의 상업화 문제

예술의 대중화 :

예술의 상업화

긍정적 측면	부정적 측면

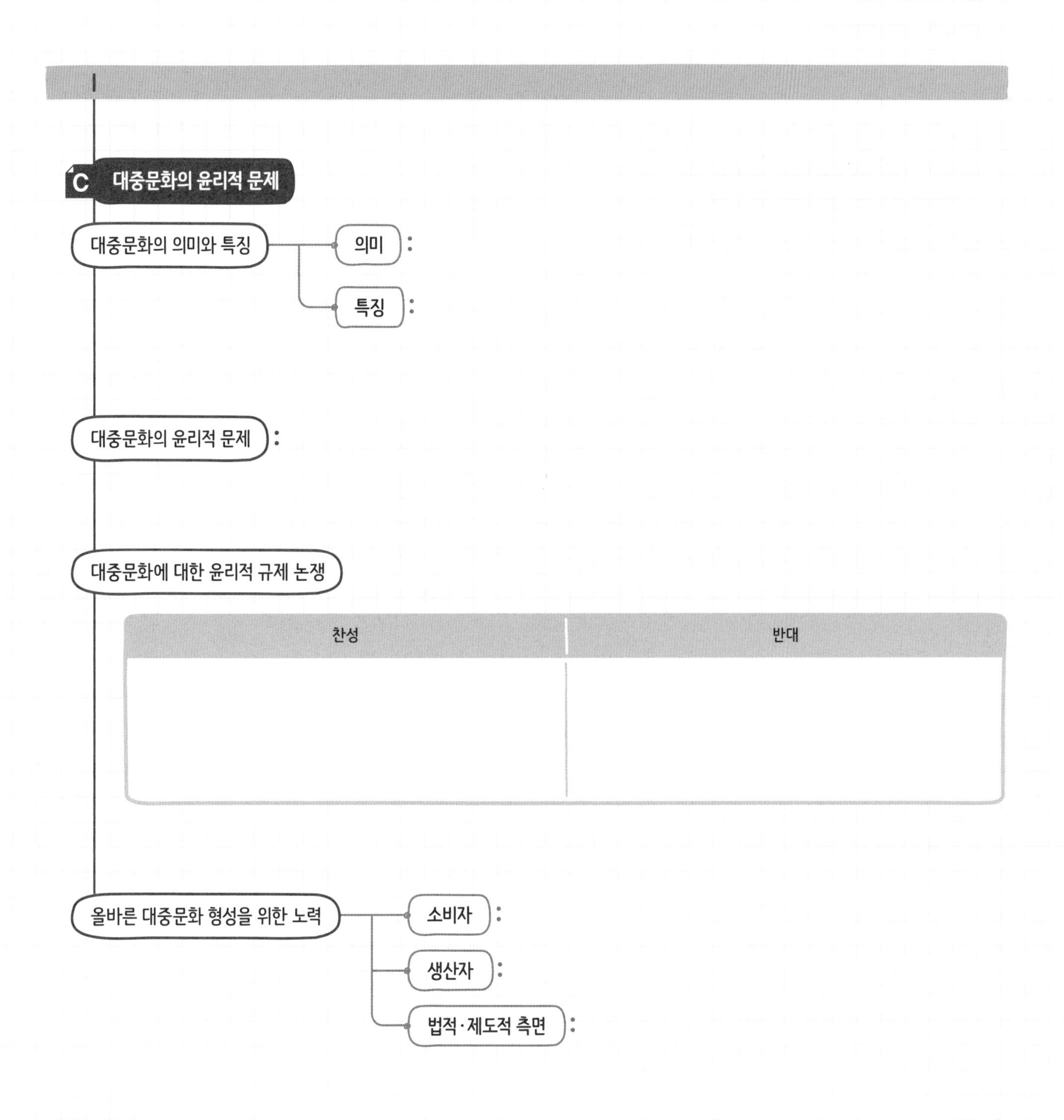
C 대중문화의 윤리적 문제
대중문화의 의미와 특징
의미 :
특징 :
대중문화의 윤리적 문제 :
대중문화에 대한 윤리적 규제 논쟁
찬성
반대
올바른 대중문화 형성을 위한 노력
소비자 :
생산자 :
법적·제도적 측면 :

나만의 정리

02 의식주 윤리와 윤리적 소비

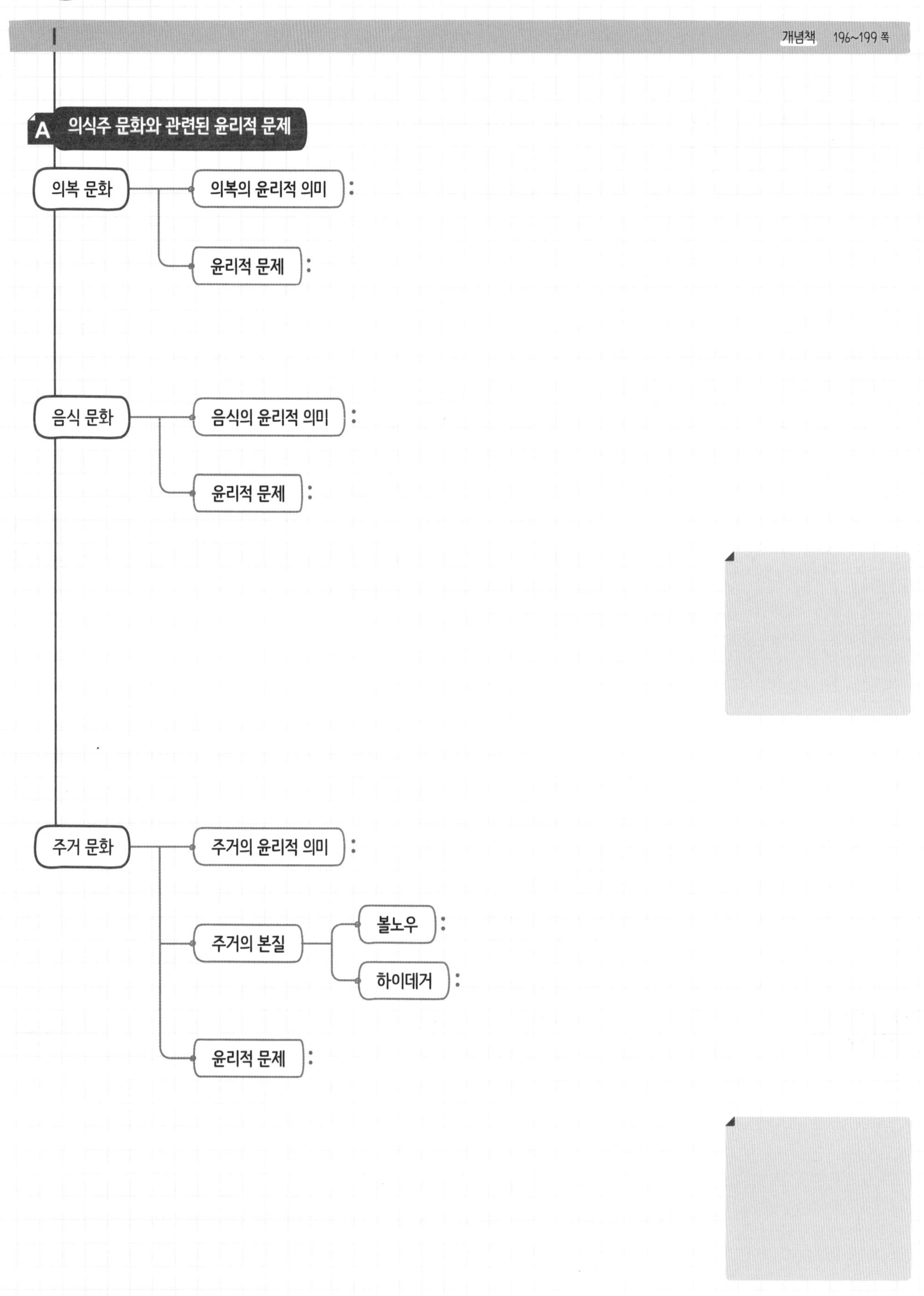

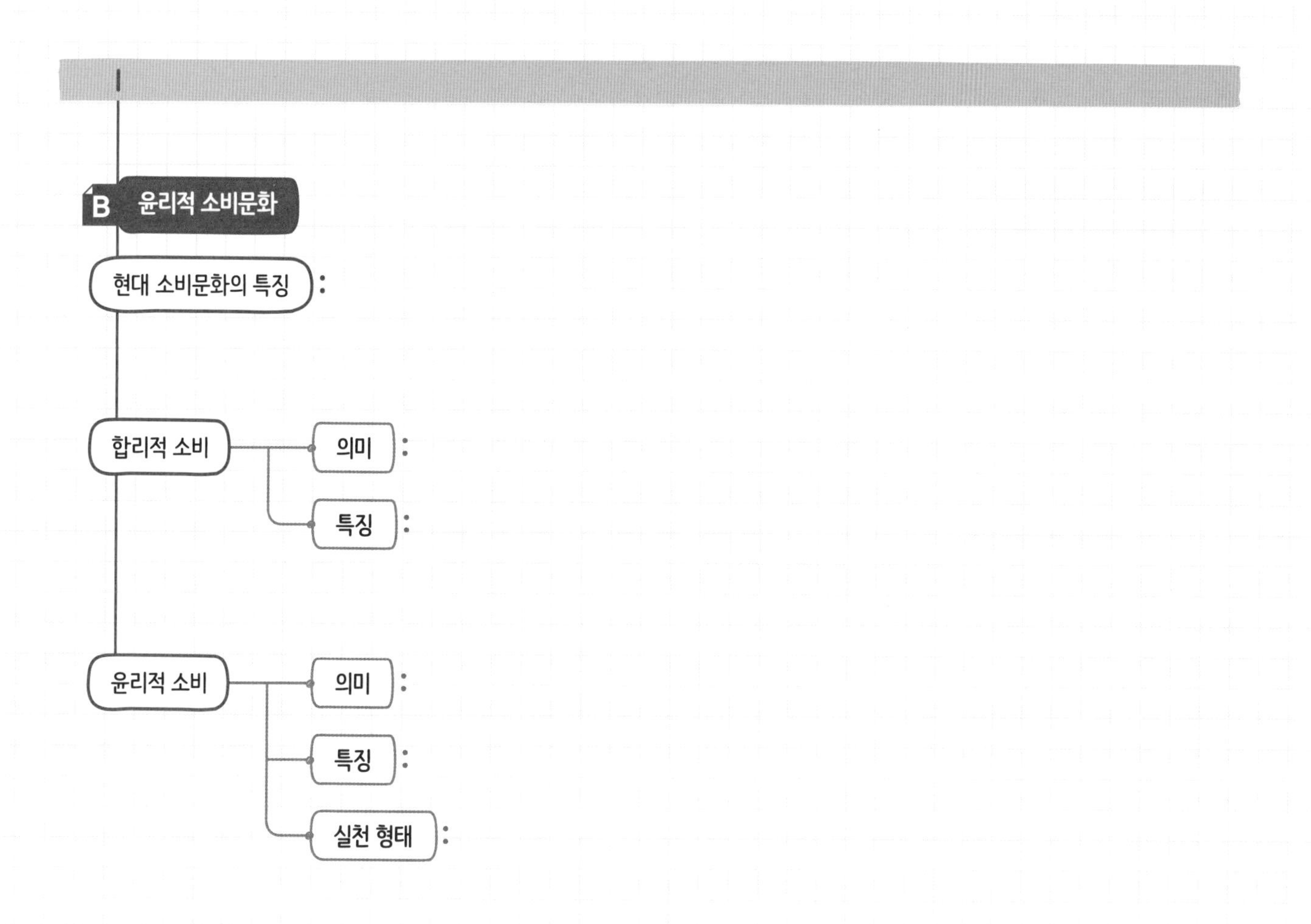

구분	합리적 소비	윤리적 소비
의미		
특징		

나만의 정리

03 다문화 사회의 윤리

개념책 206~209 쪽

A 문화 다양성과 존중

다문화 사회의 의미와 영향

- 의미 :
- 영향

긍정적 영향	
부정적 영향	

다문화 사회의 정책 모델

- 차별적 배제 모델
- 동화 모델
- 다문화 모델

다문화 사회에 필요한 자세 :

나만의 정리

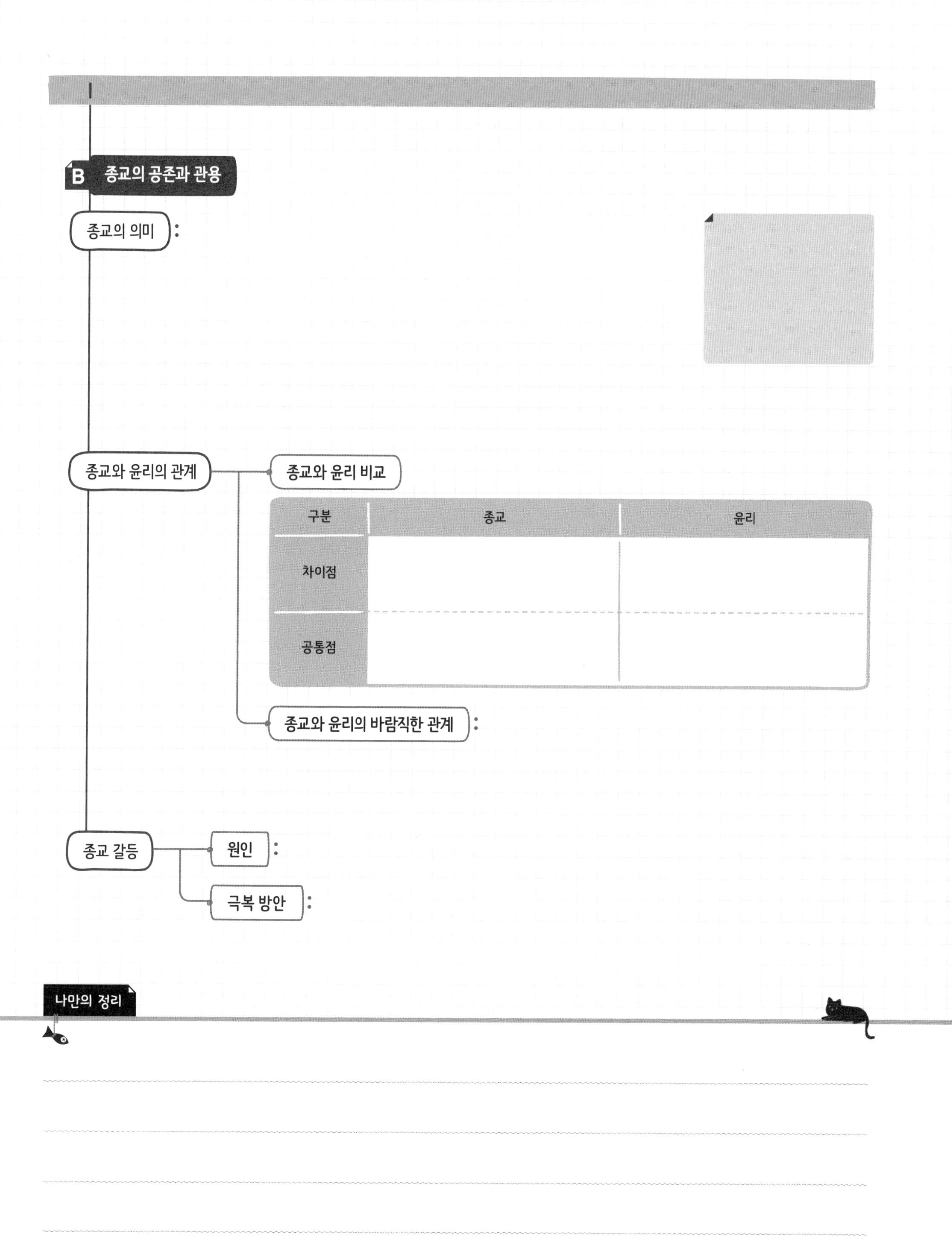
B 종교의 공존과 관용
종교의 의미 :
종교와 윤리의 관계
종교와 윤리 비교
구분
종교
윤리
차이점
공통점
종교와 윤리의 바람직한 관계 :
종교 갈등
원인 :
극복 방안 :

나만의 정리

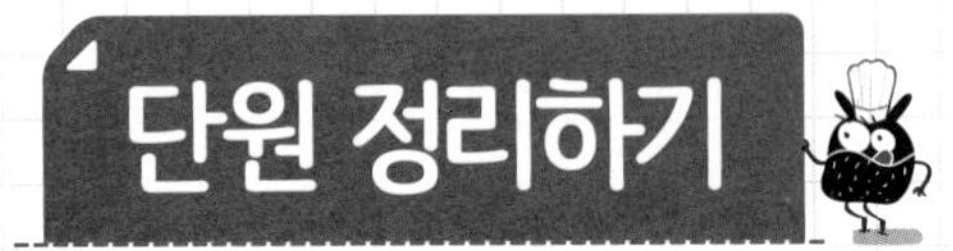

개념 정리하기

- 단원의 핵심 개념을 정리해 보자.

01 예술과 대중문화 윤리

예술

도덕주의

심미주의

예술 지상주의

참여 예술

키치

대중 예술

순수 예술

예술의 대중화

예술의 상업화

대중문화

자본 종속

나만의 정리

개념 정리하기

02 의식주 윤리와 윤리적 소비

- 유행 추구 현상
- 명품 선호 현상
- 동조 소비
- 과시 소비
- 패스트 패션
- 로컬푸드 운동
- 슬로푸드 운동
- 주거권
- 합리적 소비
- 윤리적 소비
- 불매 운동
- 공정 무역
- 공정 여행
- 지속 가능한 소비

나만의 정리

개념 정리하기

03 다문화 사회의 윤리

다문화 사회

차별적 배제 모델

동화 모델

다문화 모델

용광로 이론

샐러드 볼 이론

국수 대접 이론

문화 상대주의

윤리 상대주의

보편 윤리

관용

관용의 역설

종교적 존재

나만의 정리

마인드맵으로 정리하기

◎ 그림에 자신만의 설명을 덧붙여 단원의 핵심 내용을 정리해 보자.

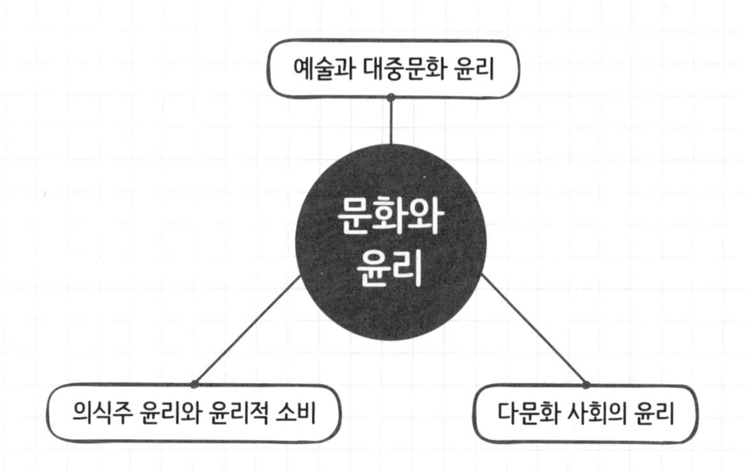

» 선배들이 작성한 정리노트 바로가기

Ⅵ

평화와 공존의 윤리

01 >>> 갈등 해결과 소통의 윤리

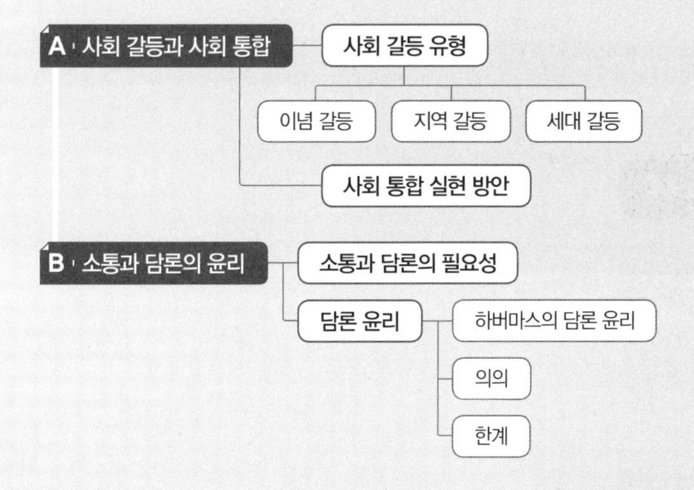
A 사회 갈등과 사회 통합
사회 갈등 유형
이념 갈등
지역 갈등
세대 갈등
사회 통합 실현 방안
B 소통과 담론의 윤리
소통과 담론의 필요성
담론 윤리
하버마스의 담론 윤리
의의
한계

02 >>> 민족 통합의 윤리

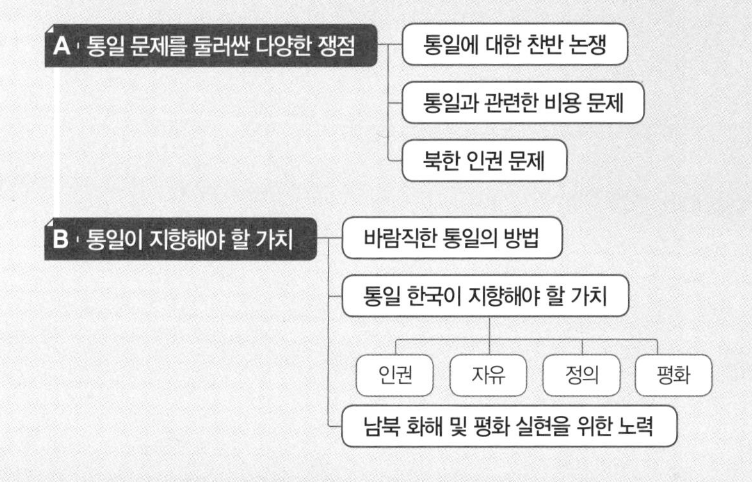
A 통일 문제를 둘러싼 다양한 쟁점
통일에 대한 찬반 논쟁
통일과 관련한 비용 문제
북한 인권 문제
B 통일이 지향해야 할 가치
바람직한 통일의 방법
통일 한국이 지향해야 할 가치
인권
자유
정의
평화
남북 화해 및 평화 실현을 위한 노력

03 >>> 지구촌 평화의 윤리

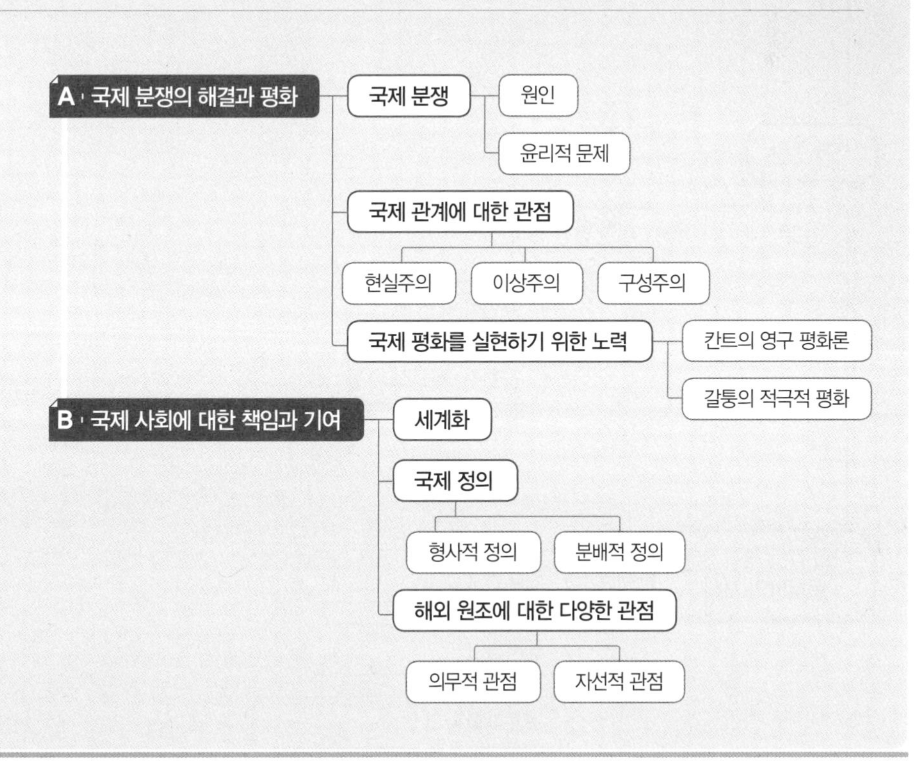
A 국제 분쟁의 해결과 평화
국제 분쟁
원인
윤리적 문제
국제 관계에 대한 관점
현실주의
이상주의
구성주의
국제 평화를 실현하기 위한 노력
칸트의 영구 평화론
갈퉁의 적극적 평화
B 국제 사회에 대한 책임과 기여
세계화
국제 정의
형사적 정의
분배적 정의
해외 원조에 대한 다양한 관점
의무적 관점
자선적 관점

01 갈등 해결과 소통의 윤리

개념책 224~227쪽

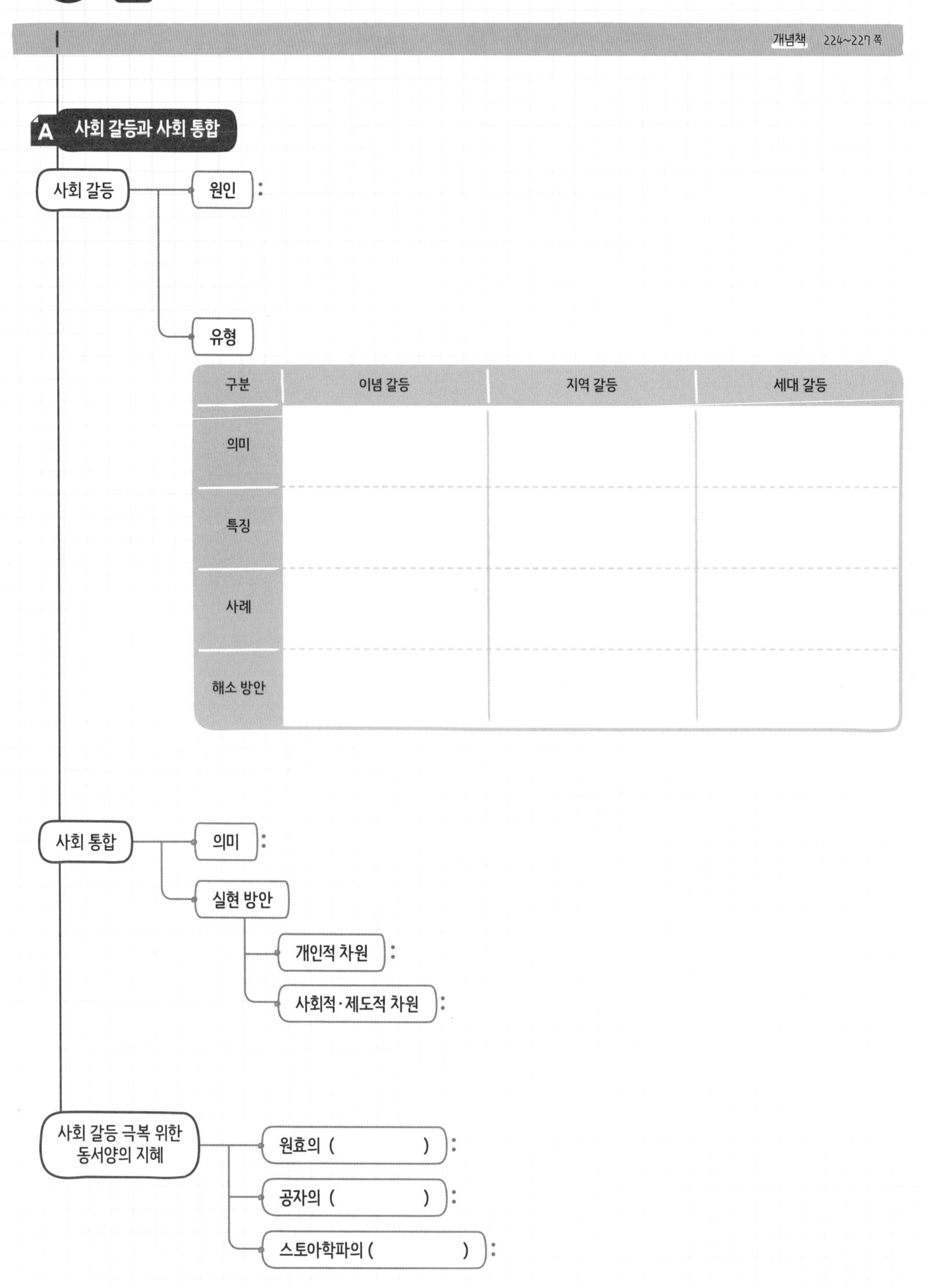

구분	이념 갈등	지역 갈등	세대 갈등
의미			
특징			
사례			
해소 방안			

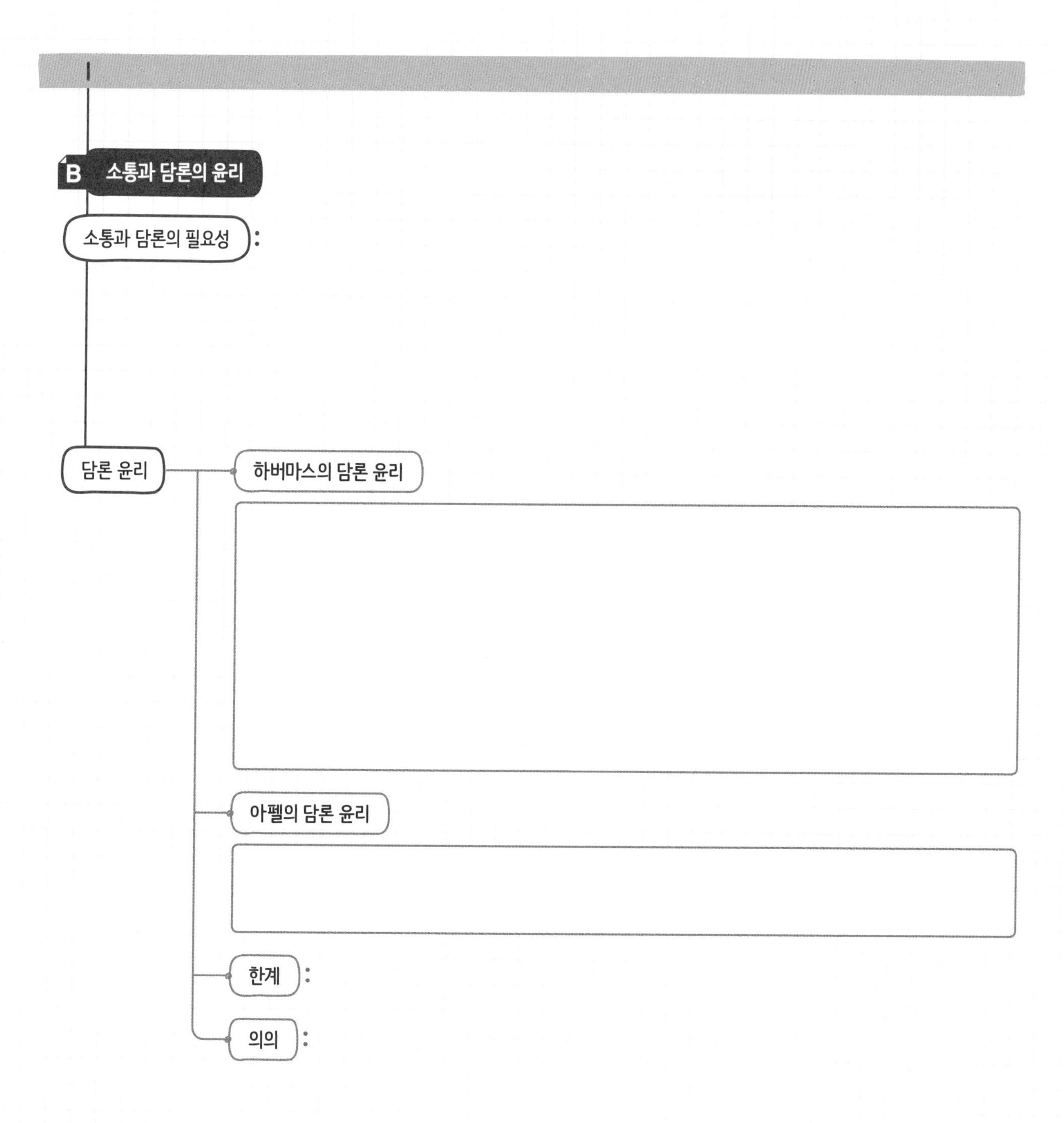

나만의 정리

02 민족 통합의 윤리

개념책 234~237 쪽

A 통일 문제를 둘러싼 다양한 쟁점

통일에 대한 찬반 논쟁

찬성	반대

통일과 관련한 비용 문제

구분	분단 비용	통일 비용	평화 비용	통일 편익
특징				
예				
성격				

북한 인권 문제 :

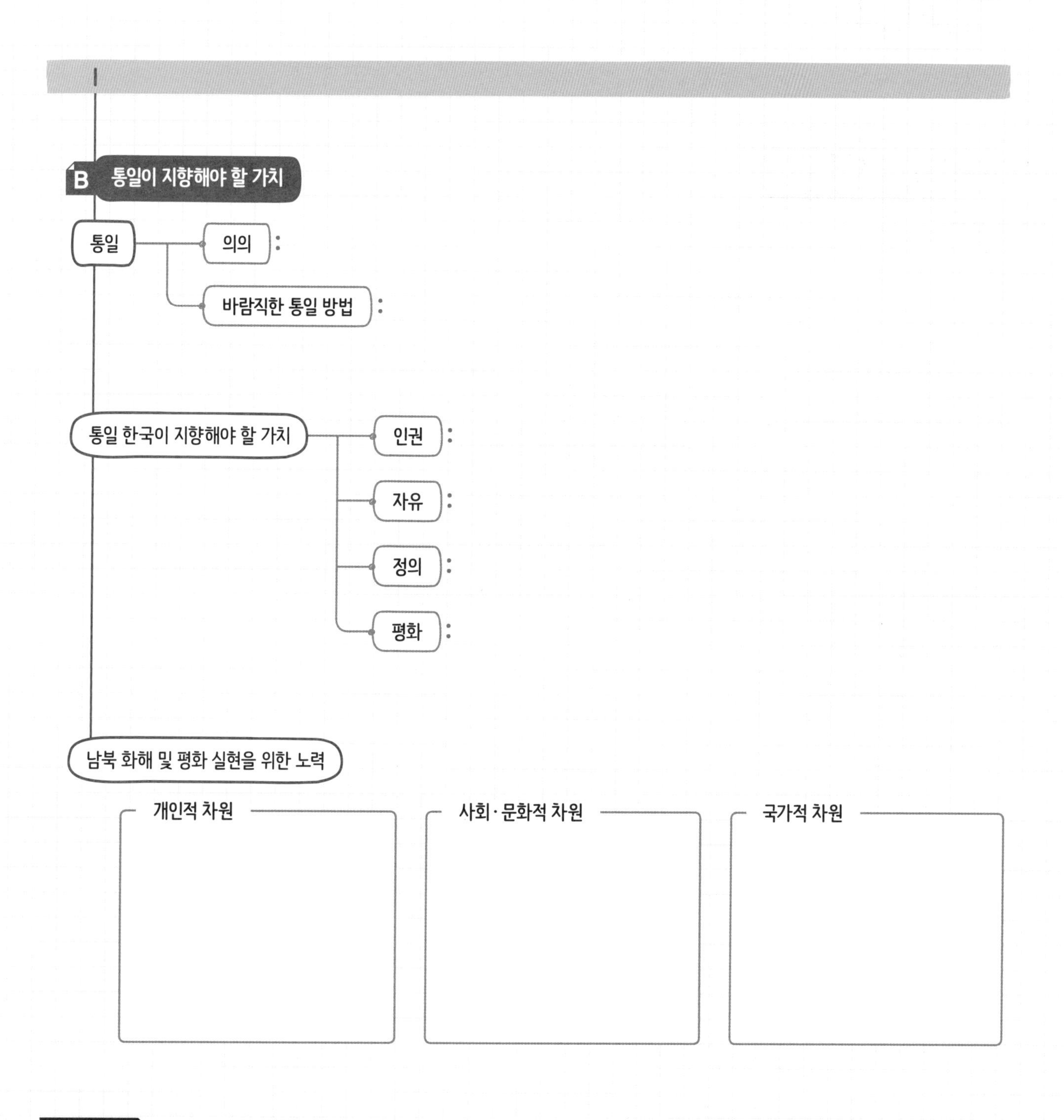
B 통일이 지향해야 할 가치
통일
의의 :
바람직한 통일 방법 :
통일 한국이 지향해야 할 가치
인권 :
자유 :
정의 :
평화 :
남북 화해 및 평화 실현을 위한 노력
개인적 차원
사회·문화적 차원
국가적 차원

나만의 정리

03 지구촌 평화의 윤리

개념책 244~249 쪽

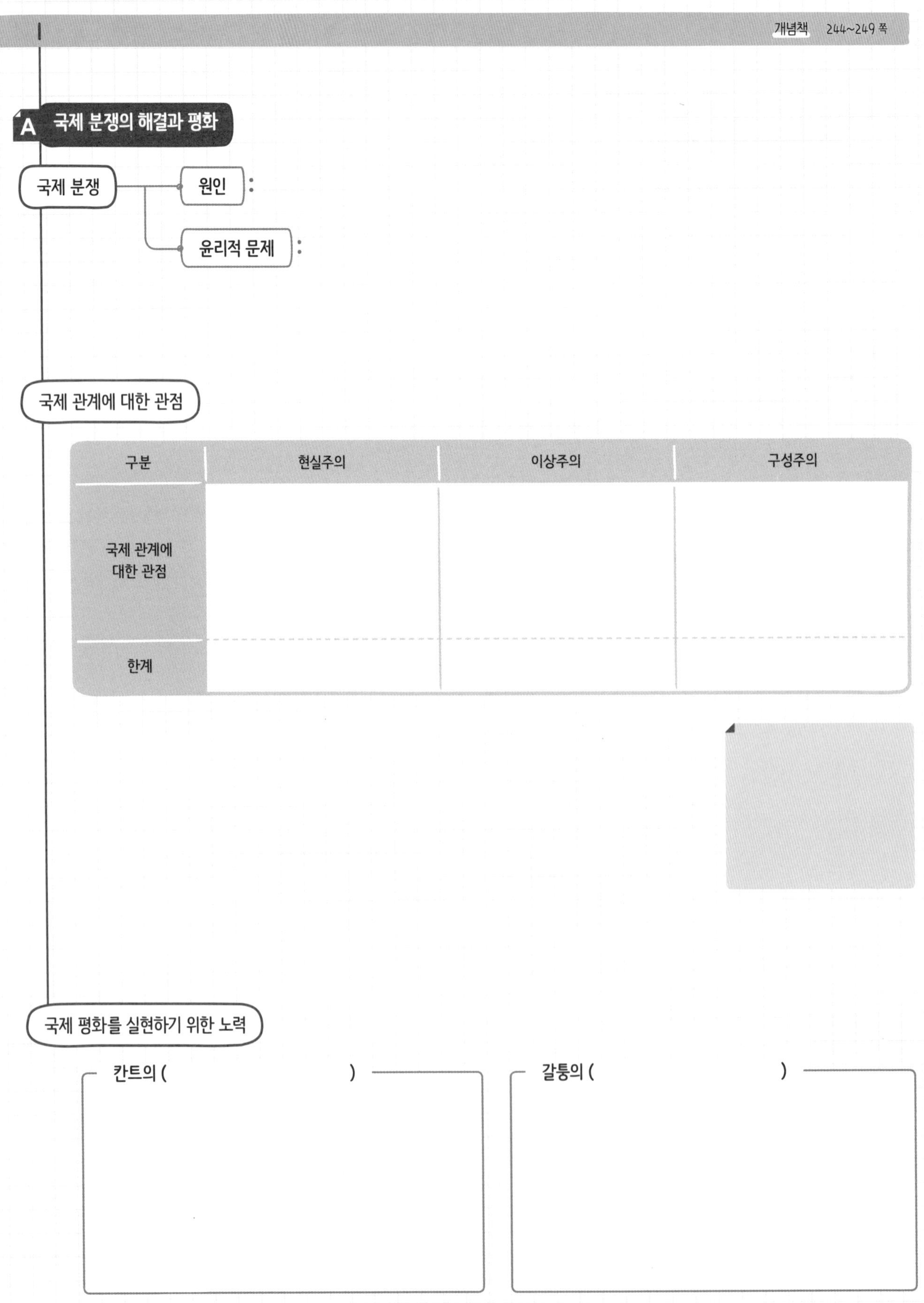

A 국제 분쟁의 해결과 평화

국제 분쟁

- 원인 :
- 윤리적 문제 :

국제 관계에 대한 관점

구분	현실주의	이상주의	구성주의
국제 관계에 대한 관점			
한계			

국제 평화를 실현하기 위한 노력

칸트의 (   )

갈퉁의 (   )

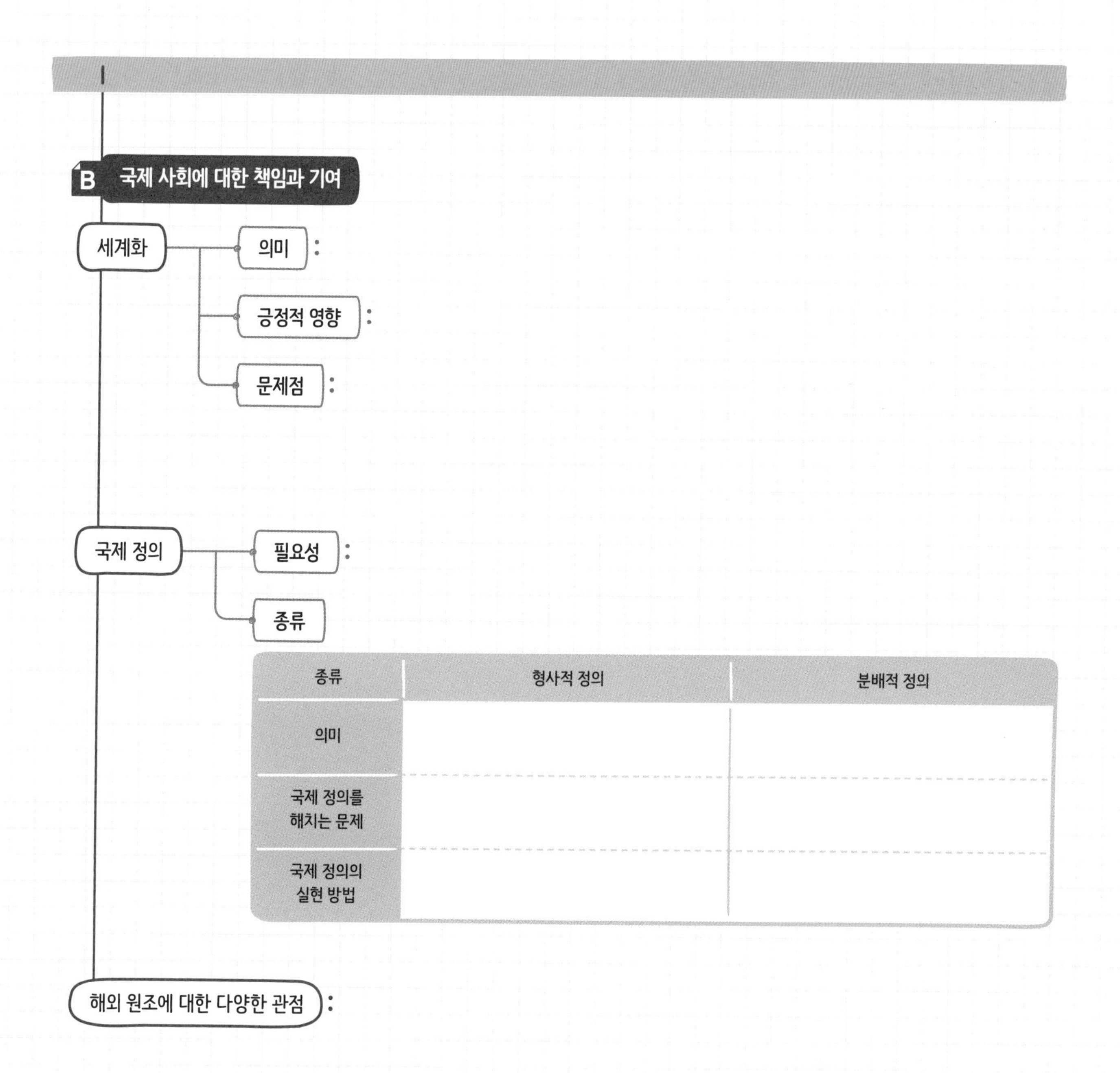

종류	형사적 정의	분배적 정의
의미		
국제 정의를 해치는 문제		
국제 정의의 실현 방법		

해외 원조에 대한 다양한 관점 :

단원 정리하기

개념 정리하기

◎ 단원의 핵심 개념을 정리해 보자.

01 갈등 해결과 소통의 윤리

이념 갈등

지역 갈등

세대 갈등

사회 통합

담론

02 민족 통합의 윤리

분단 비용

통일 비용

평화 비용

통일 편익

03 지구촌 평화의 윤리

국제 분쟁

적극적 평화

형사적 정의

분배적 정의

마인드맵으로 정리하기

그림에 자신만의 설명을 덧붙여 단원의 핵심 내용을 정리해 보자.

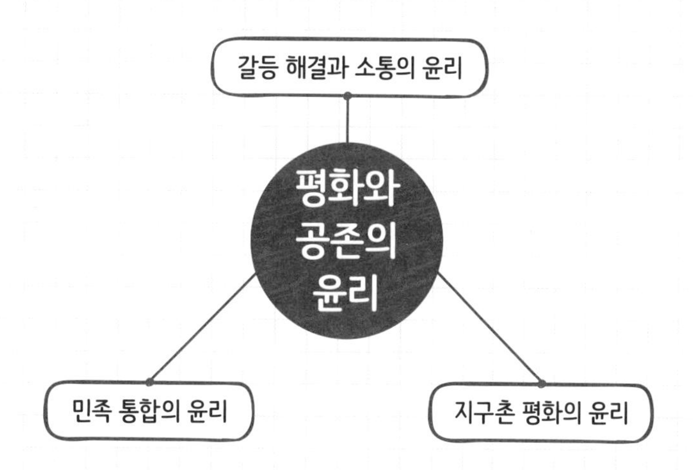

집중력을 높이는 미로 Game

주방보조 몬스터!

냥셰프에게 요리 재료를 무사히 전달하라!